Werner Bests korrespondance med Auswärtiges Amt
og andre tyske akter vedrørende besættelsen
af Danmark 1942-1945

Die Korrespondenz von Werner Best mit dem
Auswärtigen Amt und andere Akten zur
Besetzung von Dänemark 1942-1945

Danish Humanist Texts and Studies

Volume 43

Edited by Erland Kolding Nielsen

THE ROYAL LIBRARY · COPENHAGEN

Werner Bests korrespondance med Auswärtiges Amt og andre tyske akter vedrørende besættelsen af Danmark 1942-1945

Udgivet af
John T. Lauridsen

Under medvirken af
Jakob K. Meile

BIND 6:

April – juni 1944

DET KONGELIGE BIBLIOTEK
&
SELSKABET FOR UDGIVELSE AF KILDER TIL DANSK HISTORIE

I kommission hos Museum Tusculanum Press

KØBENHAVN 2012

Werner Bests korrespondance med Auswärtiges Amt
og andre tyske akter vedrørende besættelsen af Danmark 1942-1945
Udgivet af John T. Lauridsen under medvirken af Jakob K. Meile

© 2012 Det Kongelige Bibliotek & Selskabet for Udgivelse af Kilder til dansk Historie

Tilsynsførende: Knud J.V. Jespersen & Aage Trommer
Oversættelse: Johannes Wendland, LanguageWire A/s
Layout & sats: Forlagsbureauet/Ole Klitgaard (†)
Reproduktioner: Fotografisk Atelier, Det Kongelige Bibliotek

Bogen er sat med Adobe Garamond Pro
og trykt på 115g Scandia 2000 Smooth Ivory
Dette papir overholder de i ISO 9706:1994
fastsatte krav til langtidsholdbart papir.

Printed in Denmark by Special-Trykkeriet Viborg A/s

ISBN (værket)   978-87-7023-296-8
ISBN (dette bind) 978-87-7023-302-6
ISSN (DHTS)   0105 8746

Udgivet med støtte fra
Carlsbergfondet
Oticon Fonden
Kulturministeriets Forskningspulje
Det Kongelige Bibliotek

I kommission hos
Museum Tusculanum Press
University of Copenhagen
Njalsgade 126
DK-2300 Copenhagen S
www.mtp.dk

Die Korrespondenz von Werner Best mit dem Auswärtigen Amt und andere Akten zur Besetzung von Dänemark 1942-1945

Herausgegeben von
John T. Lauridsen

Unter der Mitarbeit von
Jakob K. Meile

BAND 6:

April – Juni 1944

Königliche Bibliothek
&
Gesellschaft für die Herausgabe von Quellen
zur dänischen Geschichte

In Kommission bei Museum Tusculanum Press

Kopenhagen 2012

Die Korrespondenz von Werner Best mit dem Auswärtigen Amt und andere Akten zur Besetzung von Dänemark 1942-1945 Herausgegeben von Dr. phil. John T. Lauridsen unter der Mitarbeit von M.A. Jakob K. Meile

© 2012 Königliche Bibliothek & Gesellschaft für die Herausgabe von Quellen zur dänischen Geschichte

Herausgeberbeirat: Prof., Dr. phil. Knud J.V. Jespersen & Rektor i. R., Dr. phil. Aage Trommer
Übersetzung: M.A. Johannes Wendland, LanguageWire A/s
Layout & Satz: Forlagsbureauet/M.A. Ole Klitgaard (†)
Repro: Fotografisk Atelier, Det Kongelige Bibliotek

Das Werk wurde in der Adobe Garamond Pro gesetzt und auf 115g Scandia 2000 Smooth Ivory gedruckt. Dieses Papier erfüllt die Anforderungen an Nachhaltigkeit nach ISO 9706:1994.

Printed in Denmark by Special-Trykkeriet Viborg A/s

ISBN (ges. Werk)   978-87-7023-296-8
ISBN (dieser Band) 978-87-7023-302-6
ISSN (DHTS)   0105 8746

Herausgegeben mit Unterstützung von
Carlsbergfondet
Oticon Fonden
Forschungspool des Dänischen Kulturministeriums
Königliche Bibliothek

In Kommission bei
Museum Tusculanum Press
University of Copenhagen
Njalsgade 126
DK-2300 Copenhagen S
www.mtp.dk

Indhold

April 1944 9

Maj 1944 133

Juni 1944 275

Inhalt

April 1944 9

Mai 1944 133

Juni 1944 275

APRIL 1944

1. Politische Informationen für die deutschen Dienststellen in Dänemark 1. April 1944

Det fortsatte fald i sabotagernes antal fik Best til nu at betragte det som et underordnet problem, og han kunne rette opmærksomheden mod Danmarks bidrag til den tyske krigsførelse, dels gennem den stadigt stigende – og med hans egne ord "forbløffende" – landbrugseksport, hvor han havde Ebners rapport 22. marts at holde sig til, og dens sikring fremover, dels gennem den danske rustningsproduktion for Tyskland. Den nyligt indførte kriselovgivning, gjorde han opmærksom på, var i både dansk og tysk interesse. Under rubrikken "Fjendtlige stemmer" blev Frits Clausen og brødrene Bryld tilsværtet. Det var et emneområde, som Best fortsat forfulgte. Best lod også sin egen politik i Danmark kommentere af fjenden på en måde, som stillede den i et gunstigt lys.

Best fandt sin månedsberetning så positiv og vigtig, at han lavede en forkortet udgave for at gøre opmærksom på Danmarks betydning på højeste sted. Se hans "Kurzbericht" til AA samme dag.

Kilde: RA, Centralkartoteket, pk. 680.

Der Reichsbevollmächtigte in Dänemark	*Kopenhagen, den 1. April 1944.*
Nur für den Dienstgebrauch!

Politische Informationen
für die deutschen Dienststellen in Dänemark.

Betr.: I. Die Politische Entwicklung in Dänemark im März 1944.
 II. Mitteilungen aus der Außenpolitik.
 III. Mitteilungen aus der Wirtschaft.
 IV. Strafverfahren wegen Verfehlungen gegen die dänische Krisen- und Wirtschaftsgesetzgebung.
 V. Feindliche Stimmen über Dänemark.

I. Die politische Entwicklung in Dänemark im März 1944

1.) Die Lage in Dänemark war im März 1944 weiter durch allgemeine Ruhe bezw. durch weitere Beruhigung im Lande gekennzeichnet. Die Sabotagefälle sind wiederum auf die Hälfte des Vormonats zurückgegangen. Da absolute Zahlen hier nicht wiedergegeben werden können, will in Verhältniszahlen die Entwicklung der Sabotage in Dänemark wie folgt mitgeteilt werden:[1]

Wenn die bisherige Monatshöchstzahl
im November 1943 mit   100 Fällen
angesetzt wird,[2] ergeben sich im abgerundeten Verhältniszahlen

---

1 Talstørrelser som også opgives af Forstmann i "Überblick über die im 1. Vierteljahr 1944 aufgetretene wichtigen Probleme" 20. maj 1944.
2 Forstmann opgav til og med december 1943 det totale antal månedlige sabotager i sine indberetninger. Det var i november 1943 i alt 148 sabotager og i december 60. Sættes forholdstallet 100=148 sabotager for november 1943 var antallet af sabotager i december 74, ligeledes 74 i januar 1944 for i februar at falde til 37 og i marts yderligere til 19 med brug af ovennævnte oplysninger. Antallet af sabotager registreret af BdO

für Dezember 1943   50 Fälle
für Januar 1944   50 Fälle
für Februar 1944   25 Fälle
für März 1944   12,5 Fälle.

2.) Nachdem die Sabotage gegen gewerbliche Betriebe, mit der seit einem Jahr die Erfüllung deutscher Fertigungsaufträge zu beeinträchtigen versucht wurde, nunmehr zu einem gewissen Abschluß gelangt ist, kann als Bilanz festgestellt werden, daß außer einigen Lieferungsverzögerungen kein Schaden für deutsche Interessen entstanden ist. Alle Aufträge wurden erfüllt. Jeder Schaden an deutschem Eigentum ist auf Grund einer Vereinbarung, die bereits mit der Regierung des Staatsministers von Scavenius getroffen war, vom dänischen Staat – nach Möglichkeit in natura, mindestens aber in Geld – ersetzt worden. Den Schaden der Sabotage hat also in vollem Umfange das Land Dänemark getragen.[3]

3.) Einige Fälle von Terror- und Gegenterror-Anschlägen sind auch im Monat März vorgefallen. Bei einigen Anschlägen auf Personen ist kein einleuchtendes Motiv zu erkennen. Es scheint, daß – besonders in der Ein-Million-Stadt Kopenhagen – durch die früheren politisch motivierten Anschläge eine gewisse Psychose der Hemmungslosigkeit auf diesem Gebiete entstanden ist. Deutsche Interessen werden meist nicht berührt. Hingegen scheint die dänische Polizei sich mit einiger Nervosität zu bemühen, dieser Entwicklung entgegenzuwirken.

4.) Die deutsche Sicherheitspolizei setzt ihre erfolgreiche Arbeit gegen alle illegalen Angriffe auf deutsche Interessen fort. Im März 1944 wurden festgenommen:[4]

     wegen Sabotageverdachts   39   Personen
     wegen Spionageverdachts   42   –
     wegen illegaler Tätigkeit   213   –
     (Kommunismus und nationale
     Widerstandsgruppen).

5.) Die deutsche Ordnungspolizei hat am 23.3.1944 auf Anregung des Admirals Dänemark einen Teil der Aufgaben, die bisher von der dänischen Seepolizei in Kopenhagen wahrgenommen wurden, übernommen, indem insbesondere die Kontrolle der aus- und einfahrenden Schiffe künftig von der deutschen Wasserschutzpolizei ausgeübt wird.[5]

6.) Auf Wunsch des Wehrmachtbefehlshabers Dänemark wurden die Inseln Läsö und Anholt zum Sicherungsgebiet erklärt. Für Läsö und Anholt gelten damit die gleichen besonderen Bestimmungen wie für das Sicherungsgebiet in Jütland.[6]

---

for de samme måneder er stærkt afvigende og lavere (RA, BdO Inf. december 1943-marts 1944).

3 Hele dette pkt. 2 overtog Forstmann i "Überblick über die im 1. Vierteljahr 1944 aufgetretene wichtigen Probleme" 20. maj 1944.

4 Talstørrelser som også opgivet af Forstmann i "Überblick über die im 1. Vierteljahr 1944 aufgetretene wichtigen Probleme" 20. maj 1944.

5 Se KTB/ADM Dän. 25. marts 1944.

6 Jylland var blevet et såkaldt sikringsområde 6. juli 1941, hvilket indebar at alle danskere over 15 år skulle være forsynet med legitimationskort. Efter Læsö og Anholt blev også Bornholm 10. juni 1943 sikringsområde og fra 20. august hele landet.

7.) Auf Wunsch des Wehrmachtbefehlshabers Dänemark wurde veranlaßt, daß durch die dänische Verwaltung eine zweckmäßige Beschriftung der Ortsein- und Ausgänge mit den Gemeindenamen unter Angabe der Kilometer-Entfernung der nächstliegenden Ortschaft für das Sicherungsgebiet in Jütland durchgeführt wurde, da die bisherige Beschriftung den militärischen Ansprüchen nicht genügte.
8.) Die Befestigungsarbeiten in Jütland werden planmäßig fortgesetzt. Besondere Probleme – außer den laufenden Materialbeschaffungs-Fragen – sind im Monat März nicht aufgetreten.

II. Mitteilungen aus der Außenpolitik
1.) Der dänische Gesandte in Rom [O.] Wadsted hat – einem Wunsche der republikanisch-faschistischen Regierung Italiens folgend – seinen Amtssitz nach Venedig verlegt.
2.) Am 25.2.1944 hat das isländische Alting einstimmig beschlossen, daß der dänisch-isländische Unionsvertrag aufgehoben werden soll. Dieser Beschluß des Altings wird vom 20.-23.5.1944 Gegenstand einer allgemeinen Volksabstimmung sein. Wenn der Beschluß in der Volkabstimmung angenommen wird, erhält er Gültigkeit, sobald der Alting ihn erneut angenommen hat. An seiner Annahme besteht bei der gegenwärtig in Island herrschenden Stimmung kein Zweifel.

Das isländische Alting hat ferner einen Gesetzesvorschlag über die Einführung einer republikanischen Verfassung angenommen. Nach dieser Verfassung wird Island einen Präsidenten erhalten, der jeweils für 4 Jahre durch eine allgemeine Volksabstimmung gewählt wird. Die Amtsbefugnisse des Präsidenten sind verhältnismäßig begrenzt. Erhebt der Präsident gegen einen Gesetzesvorschlag Einspruch, der vom Alting bereits angenommen wurde, so entscheidet eine Volksabstimmung über die endgültige Annahme des Gesetzesvorschlages. Die erste, am 17.6.1944 beginnende Amtsperiode des Präsidenten wird ausnahmsweise nur ein Jahr umfassen. Die erste Wahl wird vom Alting vorgenommen werden. Es wird erwartet, daß der jetzige Reichsverweser Sveinn Björnsson zum ersten Präsidenten von Island gewählt werden wird.

Mit dem Aufhören des dänisch-isländischen Unionsvertrages ist auch die in § 6 dieses Vertrages festgelegte Gleichberechtigung dänischer und isländischer Staatsangehöriger in den beiden Ländern hinfällig geworden. Das isländische Alting hat jedoch am 25.2.1944 beschlossen, daß diejenigen dänischen Staatsbürger, die nach den bisher geltenden Bestimmungen die Gleichberechtigung mit den isländischen Staatsangehörigen besaßen, diese vorläufig weiter behalten sollen, und zwar bis 6 Monate nach dem Zeitpunkt, zu dem die Verhandlungen über diese Frage zwischen Island und Dänemark aufgenommen werden können. Das isländische Alting wollte durch diesen einseitig zu Gunsten Dänemarks gefaßten Beschluß vermeiden, daß den färöischen Fischern, die regelmäßig im Sommer im isländischen Seegebiet Fischfang zu betreiben pflegen und die man in Island nach wie vor als zu Dänemark gehörig ansieht, aus der Änderung des staatsrechtlichen Verhältnisses Islands zu Dänemark Schwierigkeiten erwachsen.

III. Mitteilungen aus der Wirtschaft
1.) Die landwirtschaftlichen Lieferungen Dänemarks nach Deutschland im 1. Halbjahr des Wirtschaftsjahres 1943/1944

Die landwirtschaftlichen Lieferungen Dänemarks nach Deutschland im ersten Halbjahr des Wirtschaftsjahres 1943/1944 – 1.10.1943 bis 31.3.1944 – sind über Erwarten gut ausgefallen und haben die zu Anfang des Wirtschaftsjahres aufgestellten Berechnungen weit übertroffen.

Die Fleischausfuhr hat die für diesen Zeitraum vorgesehene Liefermenge um etwa 23 % überschritten. Verglichen mit dem gleichen Halbjahr des Wirtschaftsjahres 1942/43 ist die Ausfuhr auf 217 % gestiegen. Auftretende Transportschwierigkeiten zwangen die Schlächtereien dazu, einen großen Teil der für Deutschland bestimmten geschlachteten Schweine einzusalzen und zunächst zu lagern. Der Salzverbrauch ist dadurch derart gestiegen, daß teilweise große Beschaffungsschwierigkeiten auftraten.[7] Leider konnte eine vermehrte Herstellung von Konserven nicht erfolgen, da das erforderliche Dosenmaterial nicht rechtzeitig zur Verfügung stand.

Die Butterlieferungen haben die zu Anfang des Wirtschaftsjahres vorgesehenen Mengen erreicht. Verglichen mit dem gleichen Zeitraum des Vorjahres sind etwa 70 % Butter mehr ausgeführt worden. Die größere Produktion erklärt sich daraus, daß die Kühe im Herbst 1943 außerordentlich lange auf der Weide waren sowie daraus, daß für die Winterfütterung mehr Heu als in den Vorjahren zur Verfügung stand.

Die Pferdeausfuhr ist ebenfalls als sehr gut zu bezeichnen. Verglichen mit dem gleichen Zeitraum des Vorjahres sind etwa 63 % mehr Pferde nach Deutschland ausgeführt worden. Die Aufkäufe sind in der letzten Zeit geringer geworden, da die Landwirtschaft zur Frühjahrsbestellung selbst einen großen Bedarf an Arbeitspferden hat.

Die Ausfuhren an Klee-, Gras und Feldfuttersaaten konnten nochmals erhöht werden. Insgesamt ist die Ausfuhr der genannten Saaten jetzt um 140 % grösser als im gleichen Zeitraum des Vorjahres.

Die Ausfuhr an Fischen ist trotz besonders schlechter Wetterlage im Februar/März als gut zu bezeichnen. Die Ausfuhren sind etwa die gleichen wie im gleichen Zeitraum des Vorjahres.

Insgesamt haben sich also die ernährungswirtschaftlichen Lieferungen aus Dänemark erstaunlich gut entwickelt.[8] Die dänische Landwirtschaft hat es weiterhin verstanden, sich den gegebenen Verhältnissen anzupassen und sich vor allem auf wirtschaftseigene Futtermittel einzustellen. Es ist beachtlich, daß die feindliche Propaganda hier einen absoluten Mißerfolg zu verzeichnen hat. (Daß die feindliche Propaganda sich in steigendem Masse für die dänische Landwirtschaft interessiert, beweisen die unter VI, 1 wiedergegebenen Londoner Sendungen vom 11.3. und 18.3.1944.)

Um diesen Stand der landwirtschaftlichen Erzeugung und Lieferung aufrechtzuerhalten, ist es aber erforderlich, daß deutscherseits die notwendigen Produktionsmittel für die dänische Landwirtschaft geliefert werden. Leider sieht es z.B. hinsichtlich der Versorgung mit Handelsdünger (insbesondere Stickstoff), landwirtschaftlichen Maschinen und Ersatzteilen für landwirtschaftliche Maschinen nicht sehr günstig aus. Ebenfalls reichen die bisherigen deutschen Zusagen auf Lieferung von Pflanzenschutzmitteln keineswegs aus, um den dringend notwendigen Bedarf zu decken. Wichtig ist auch die

---

7 Se Bests telegram nr. 586, 8. maj 1944.
8 Jfr. Jensen 1971, s. 229, Nissen 2005, s. 247f.

Lieferung genügender Eisenmengen (Bandeisen, Nägel, Draht), um die für die Ausfuhr erforderlichen Verpackungsmaterialien herzustellen.

Zur Aufrechterhaltung der landwirtschaftlichen Produktion ist ferner das Vorhandensein ausreichender landwirtschaftlicher Arbeitskräfte eine unentbehrliche Voraussetzung. Durch die Befestigungsbauten an der Westküste Jütlands und durch die Flugplatzarbeiten im übrigen Lande ist die Abwanderung landwirtschaftlicher Arbeitskräfte so groß, daß ein Produktionsrückgang der dänischen Landwirtschaft in diesem Jahre zu befürchten ist, wenn nicht sofort Abhilfe geschaffen wird. Gerade die landwirtschaftlichen Betriebe in *Jütland*, das für die Ausfuhr landwirtschaftlicher Erzeugnisse das wichtigste Gebiet ist, haben unter dem Mangel an Fachkräften zu leiden. Abhilfe ist nur dadurch möglich, daß mit sofortiger Wirkung keine landwirtschaftlichen Arbeitskräfte mehr für die Wehrmachtsarbeiten eingestellt werden und daß die z.Zt. bei den Befestigungsarbeiten beschäftigten landwirtschaftlichen Arbeiter durch andere ersetzt werden, was durchaus möglich ist. Entsprechende Maßnahmen sind z.Zt. in Vorbereitung. Falls ihre Durchführung nicht unter Mitwirkung aller beteiligten Stellen durchgesetzt wird, muß für das zweite Halbjahr des Wirtschaftsjahres 1943/44 mit einem empfindlichen Absinken der landwirtschaftlichen Produktion und der Lieferungen nach Deutschland gerechnet werden.[9]

2.) Die Entwicklung und der Stand der Auftragsverlagerung nach Dänemark[10]
Die rüstungswirtschaftliche Heranziehung Dänemarks erfolgte nach der Besetzung des Landes auf freundschaftlicher Basis ohne jeden Druck. Der "Rüstungsstab Dänemark des Reichsministers für Rüstung und Kriegsproduktion" (Rü Stab Dän.) setzte im Rahmen der vorhandenen Möglichkeiten die dänische Industrie in steigendem Ausmaß für die deutsche Rüstungsfertigung ein. Als Folge der politischen Spannungen und zunehmenden Sabotagefälle entstanden Mitte 1943 gewisse Schwierigkeiten bei der Unterbringung deutscher Aufträge aus den Reich an die dänische Industrie. Während des militärischen Ausnahmezustandes (29.8.-5.10.1943) wurden durch eine Verordnung des Wehrmachtbefehlshabers Dänemark vom 4.9.43 alle dänischen Firmen, Industrie- und Handelsunternehmen und Einzelhändler verpflichtet, gegen angemessene Vergütung Lieferungs- und Leistungsauftragende deutschen Wehrmacht und des Rü Stab Dän, im Rahmen der erreichbaren Leistungs- und Lieferungsmöglichkeiten anzunehmen und ohne Verzug auszuführen. Diese Verordnung blieb auch nach der Beendigung des Ausnahmezustandes in Kraft; jedoch ist es bisher nur in ganz vereinzelten Fällen nötig gewesen, unter Hinweis auf diese Verordnung die Hereinnahme deutscher Rüstungsaufträge zu erzwingen.

Eine Zusammenfassung der bisherigen rüstungswirtschaftlichen Auftragsverlagerung nach Dänemark und der Auslieferungen der fertiggestellten Geräte nach dem Reich ergibt folgendes Bild:

---

9 Her blev WB Dänemark og OT direkte opfordret til at vise hensyn og medvirke til at kontrollere arbejdsmarkedet.
10 Hele indholdet af dette pkt. 2 blev leveret af Forstmann, der fremsendte det til Best 10. marts 1944 (BArch, Freiburg, RW 27/13).

Der Wert der verlagerten Aufträge betrug in der Zeit vom
```
1.5.40-31.12.40   RM      36.900.000,-   (Monats-   RM    4.612.000,-)
1.1.41-31.12.41    –     137.406.000,-   (durch-     –   11.451.000,-)
1.1.42-31.12.42    –     126.100.000,-   (schnitt    –   10.510.000,-)
1.1.43-31.12.43    –     188.000.000,-   (           –   15.669.000,-)
```

Es wurden somit insgesamt in der Zeit vom 1.5.40 bis 31.12.43 für RM 488.406.000,- deutsche Rüstungsaufträge nach Dänemark *verlagert*. Hiervon wurden im gleichen Zeitraum Aufträge im Werte von RM 325.168.000,- *ausgeliefert*; das entspricht einer Auslieferungsquote von 67 %.

In dieser Gesamtübersicht ist auch das erst im Sommer 1943 in Angriff genommen Hansa-Programm mit seinen langfristigen Aufträgen an die dänischen Werften auf Bau von 37 Handelsschiffen im Werte von insgesamt RM 51.679.000,- enthalten. Wenn das Hansa-Programm wegen seiner erst kurzen Anlaufzeit in der Gesamtübersicht unberücksichtigt bleibt, erhöht sich die Auslieferungsquote auf 73 %, ein Beweis dafür, daß die dänische Industrie gute Leistungen bei normalen Lieferfristen hervorgebracht hat.[11] Die Gesamtauslieferung hätte sich noch steigern lassen, wenn die erforderlichen Zulieferungen aus dem Reich nicht so schleppend eingegangen wären. Zum Vergleich sei bemerkt, daß Frankreich in der Zeit vom 15.9.40-30.6.43 nur knapp 50 % der Fertigungsaufträge auslieferte.

Neben den eigentlichen Rüstungsaufträgen wurden auch Aufträge des kriegswichtigen zivilen Bedarfs über Rü Stab Dän. aus dem Reich nach Dänemark verlagert, und zwar in der Zeit vom 1.5.40-31.12.43 Aufträge im Werte von RM 70.232.000,-.

Am 31.12.43 waren 283 Firmen der metallverarbeitenden Industrie und 68 Firmen der Textil- und Lederindustrie mit deutschen Verlagerungsaufträgen beschäftigt. Dazu kommen noch die vielen dänischen Firmen, die als Unterlieferanten der oben genannten Betriebe tätig sind. Außerdem beschäftigt Rü Stab Dän. über die "Liefergemeinschaft der deutschen Berufsgruppen in Nordschleswig A/S" bis zu 400 mittlere und handwerkliche Betriebe mit deutschen Verlagerungsaufträgen.

3.) Änderung des Preisgesetzes

Von dem Schlichtungsausschuß, der am 21.2.1944 die für die Arbeiterschaft enttäuschende Lohnerhöhung zubilligte, ging nach Verkündung der Entscheidung die Anregung zu einer Änderung des Preisgesetzes aus. Hiernach sollte angeordnet werden, daß die zugebilligte Lohnerhöhung keinen Einfluß auf die künftigen Warenpreise haben dürfe und daß hiervon nur in Ausnahmefällen im Interesse der Aufrechterhaltung der Produktion Ausnahmen behördlicherseits zugelassen werden sollen.

Im vorigen Jahr war ein Änderungsvorschlag zum Preisgesetz erörtert worden, nach welchem der Preisbehörde die Befugnis eingeräumt war, Preiserhöhungen zu unterbinden, wenn einem Unternehmen oder einer Branche zugemutet werden kann, die erhöhten Unkosten selbst zu tragen. Dieser Änderungsvorschlag wurde nicht verwirklicht, weil sich starke Widerstände aus den Kreiden der Wirtschaft geltend machten. Das

---

11 Det var Forstmanns konklusion i "Darstellung …" 31. december 1943.

Preisgesetz war demzufolge im November 1943 unverändert um ein Jahr verlängert worden.

Nunmehr kam nach Fällung des Schiedsspruches unter dem Eindruck der zunehmenden Warenverknappung und Geldreichlichkeit einerseits und der zu Lasten der weniger bemittelten Bevölkerungsschichten getroffenen Lohnentscheidung andrerseits eine Neuregulierung zustande. Zu einem beschränkten absoluten Preisstop der vom Schlichtungsausschuß vorgeschlagenen Art vermochte sich allerdings die dänische Zentralverwaltung wegen der seitens des Handels hierzu vorgebrachten Bedenken nicht zu entschließen.

Die Neuregelung lautet dahin, daß die Preisbehörden den Unternehmen einer Branche und auch Einzelbetrieben auferlegen kann, künftig Lohnerhöhungen, die seit dem 1.1.1943 eingetreten sind, selbst zu tragen – vorausgesetzt, daß ein solches Ansinnen mit Rücksicht auf die Gewinnverhältnisse zumutbar erscheint. Es kann also auch eine Preisherabsetzung gefordert werden, wenn Preise bereits durch Einkalkulierung zurückliegender Lohnsteigerungen erhöht worden sind.

Hiernach ist es an sich nicht verboten, Preise auf Grund von Lohnerhöhungen hinaufzusetzen. Die Initiative zur Unterbindung solcher Preiserhöhungen muß jedoch von der Preisbehörde ausgehen.

Die praktische Bedeutung der neuen Preisvorschriften hängt somit von der Art ihrer Handhabung durch die Preisbehörde ab. Die Arbeit der Preisbehörden in Dänemark ist unbedenklich als gut zu bezeichnen. Es kann deshalb damit gerechnet werden, daß von der neugeschaffenen Möglichkeit der Preisdrosselung ausgiebig Gebrauch gemacht und damit eine Preiserhöhung als Folge der neuerdings zugebilligten Lohnerhöhungen so gut wie vollständig unterbunden werden wird.

4.) Schiffahrt
a.) Der erste Neubau des Hansa-Programms, ein 3.000 ts Frachtschiff, wurde von der Helsingörwerft fertiggestellt und nach erfolgreicher Probefahrt deutscherseits übernommen.[12]
b.) Vermehrter Tonnagebedarf der Kriegsmarine machte es notwendig, 5 dänische Motorschiffe zu beschlagnahmen, nachdem Verhandlungen mit den Reedereien mit dem Ziel einer freiwilligen Vercharterung ergebnislos verlaufen waren. Es handelt sich um vier Motorschiffe der "Forenede Dampskibs Selskab A/S":[13]
   "Esbjerg"
   "Jylland"
   "Parkeston"
   "England"
und um ein Schiff der Bornholmer "Dampskibs Selskab paa Bornholm af 1866"
   "Hammershus".[14]
c.) Von den in dänischen Häfen aufliegenden Frachtmotorschiffen werden auf Grund

12 Det var "S/S Friedrichshafen," der blev søsat 7. august 1943 og leveret 3. marts 1944 til Hamburg-Amerika Linjen (Frederichsen 1984, s. 130).
13 Se Bests telegram nr. 84, 19. januar 1944.
14 Se OKM til AA 8. februar 1944.

des deutsch-dänischen Schiffahrtsabkommens 6 weitere Schiffe wieder in Benutzung genommen. Diese Schiffe werden vornehmlich in die Kohlenfahrt nach Norwegen eingesetzt werden.

IV. Strafsahren wegen Verfehlungen gegen die dänische Krisen- und Wirtschaftsgesetzgebung
In der letzten Zeit mehren sich die Fälle, in denen dänische Staatsangehörige – meist durch Vermittlung deutscher militärischer oder ziviler Dienststellen – um Schutz gegen dänische Strafverfolgung wegen begangenen Verfehlungen gegen die dänische Krisen- und Wirtschaftsgesetzgebung bitten. Bei der Behandlung solcher Fälle ist einerseits davon auszugehen, daß im Interesse des deutschen Ansehens und zur Erhaltung der Lieferfreudigkeit im dänischen Handel und Gewerbe nicht der Eindruck erweckt werden darf, daß dem Reich das Schicksal von Leuten gleichgültig sei, die für wichtige deutsche Interessen Lieferungen und Leistungen erbracht haben. Andrerseits muß in Betracht gezogen werden, daß fast sämtliche gesetzgeberischen Maßnahmen Dänemarks zur Lenkung der Wirtschaft auf deutsche Anregungen zurückzuführen sind, die im Interesse der Erhaltung der Export- und Lieferfähigkeit des Landes gegeben wurden. Es kann daher nicht angehen, daß durch deutsche Eingriffe gegenüber der dänischen Justiz die Forderungen desavouiert werden, die von den für die die Wirtschaftslenkung verantwortlichen deutschen Stellen mit Nachdruck vertreten werden. In der Praxis wird so verfahren, daß üble Geschäftemacher – vor allem Personen, die sich an die Wehrmacht herangedrängt haben, – keinen Schutz erhalten. Es wird nur im Laufe des Verfahrens beobachtet, ob wegen der Lieferung an deutsche Stellen an sich oder wegen deutschfreundlicher Einstellung des Beschuldigten ungerechte Maßnahmen vom Gericht oder der Polizei ergriffen werden. Wenn es sich um eine von beiden Seiten gesuchte Geschäftsverbindung handelt, in der der dänische Partner gut aber nicht über Gebühr verdient und nicht "schwarz" liefert, wird das Verfahren geprüft und unbillige Härten werden durch Intervention gegen die Durchführung des Verfahrens oder durch Einflußnahme auf die Strafvollstreckung gemildert.

Auch in den Fällen echter Verfehlungen wirtschaftlich schwacher Einzelunternehmer, die von deutschen Dienststellen unter starken Druck gesetzt oder über die rechtlichen und tatsächlichen Voraussetzungen ihres Handelns nicht richtig informiert worden waren, wird in gleicher Weise in die anhängigen Strafverfahren eingegriffen.

Bei allem Verständnis für den Einzelfall muß jedoch stets im Auge behalten werden, daß die dänischen Krisen- und Wirtschaftsgesetze nicht nur im dänischen sondern auch im deutschen Interessen erlassen sind und daß eine Erschütterung der Wirtschaftsordnung und der Wirtschaftsmoral in Dänemark durch Beeinträchtigung der Gesamtleistungen des Landes wichtigste Reichsinteressen schädigen würde.

V. Feindliche Stimmen über Dänemark
1.) Der britische und schwedische Rundfunk

London, 2.3.1944.
Ein dänischer Journalist, der vor kurzem Schweden besucht hat, veröffentlicht in der Times einen Aufsatz mit der Überschrift "Dänemark von heute." In dem Artikel heißt

es: "In den ersten paar Monaten war es klar, daß die Deutschen die Absicht hatten, den dänischen Widerstand mit denselben Methoden zu brechen, mit denen sie in anderen Ländern verfahren sind. Jetzt ist es jedoch Werner Best gelungen, über von Hanneken die Übermacht zu gewinnen. Best, der anfänglich als Sondervertreter Himmlers nach Dänemark geschickt wurde, scheint nun auch die volle Unterstützung von Ribbentrops zu haben. Obwohl Best im Anfang ein Fiasko erlitt, arbeitet er ständig nach einer Art Muster-Protektorat-Theorie: nämlich, daß Dänemark als eine Art Reservat bewahrt werden muß. Best ist auch der Meinung, daß es gut ist, ein gutgepflegtes Land zu besitzen, wohin man hochstehende Nazisten auf Urlaub, erholungsbedürftige Soldaten und ausgebombte Zivilisten zur Erholung schicken kann."

London, 11.3.1944.
Die kommunistische Partei in Dänemark, die einzige Partei, die von den deutschen Behörden zu illegaler Tätigkeit gezwungen wurde und ihren heldenmütigen Widerstand gegen den Nazismus in Dänemark fortsetzte, hat eine illegale Schrift herausgegeben, die sich mit der Politik, die Dänemark nach dem Kriege führen soll, beschäftigt. Dieses Dokument ist ein wichtiger Beitrag zu der Diskussion, die in der letzten Zeit über die Maßnahmen geführt wurde, die getroffen werden sollen, wenn die Deutschen aus Dänemark vertrieben sind.[15] Es heißt darin u.a.: Wir kämpfen für eine wahre Demokratie, die sich in erster Linie mit den wirtschaftlichen und sozialen Problemen beschäftigen soll, die nach dem Kriege in Dänemark entstehen werden. Es muß festgestellt werden, daß die Arbeiterklasse bisher die größten Lasten der deutschen Besetzung getragen hat. Wenn nicht gleich nach dem Kriege zweckmäßige Maßnahmen getroffen werden, wird die Arbeitslosigkeit in Dänemark ungeahnten Umfang annehmen.

… Die einzige rationelle Lösung aller dieser Fragen ist der Sozialismus. Was die Sozialisierung angeht, so müssen auch die Banken davon berührt werden, ebenfalls müssen die Aktien gewisser Industrien in andere Hände übergehen.

… Über die dänische Außenpolitik heißt es, daß ein skandinavisches Bündnis weder Dänemark noch den übrigen Staaten eine außenpolitische Sicherheit geben kann, im Gegenteil, es kann nur ein Hindernis für die internationale Zusammenarbeit bedeuten. Wenn die nordischen Länder trotzdem eine engere Zusammenarbeit wünschen, wird dies nur durch eine Verständigung mit der Sowjetunion möglich sein.

London, 13.3.1944.
Es spricht Terkel M. Terkelsen: Die deutsche Beschützung Dänemarks kostet Dänemark im Augenblick ungefähr 9 Millionen Kronen täglich, und solange es Waren und Arbeitskraft in Dänemark gibt, bestehen keine Aussichten, daß eine Verminderung in dieser systematischen Ausplünderung stattfindet. Die deutschen Plänen mit Dänemark werden von Zeit zu Zeit geändert. Aber gemeinsam für alle Stufen ist es, daß die Ausbeutung des Landes in steigendem Tempo vor sich geht. Der deutsche Traum von Dänemark als von einem Lande unter musterhaftem Schutz ist seit langem zunichte geworden. Aber

---

15 *Vi kæmper for et sandt Demokrati. En kortfattet Redegørelse for hvad kommunisterne vil.* Udsendt af DKP 1943. Genudgivet i Houmann, 3, 1980, s. 53-67.

trotzdem findet man einen Unterschied in der Behandlung Dänemarks im Vergleich zu den meisten anderen besetzten Ländern. Wenn man die Balance der Nationalbank betrachtet, muß man zugeben, daß die Art und Weise der Deutschen sich gut gelohnt hat. Wenn die Deutschen Dänemark auf eine solche Weise ausnützen können, daß das Land jeden Tag um 9 Millionen Kronen ärmer wird, sieht man, daß dahinter eine Absicht liegt. Diese Absicht beginnt in der letzten Zeit deutlich hervorzutreten. Der Gedanke von Dänemark als einem Musterprotektorat wurde als ein schlechter Scherz aufgegeben. Dafür hat Dänemark die Rolle eines kleinen fruchtbaren Reservoirs zugeteilt bekommen, wo die Deutschen in einer Notlage alles bekommen können, von Lebensmitteln für die bombengeschädigten Städte bis zu Erholungsheimen für Naziführer und deutsche Soldaten, deren Nerven durch die Ungunst der Zeiten in Unordnung gebracht worden sind. Deutsche Soldaten sollen nach Dänemark gesandt werden können, um auszuruhen und um durchgefüttert zu werden; man kann sagen, was man will, über die Deutschen – ihr Appetit ist gut genug.

London, 16.3.1944.
"Die dänische Landwirtschaft, mit englischen Augen gesehen":
    Seit der Besetzung Dänemarks ist das Schicksal der dänischen Landwirtschaft hier in England mit großem Interesse verfolgt worden. Die Produkte der dänischen Landwirtschaft pflegten zur täglichen Kost zu gehören. Selbst diejenigen, die mit landwirtschaftlichen Produkten und Landwirtschaft nichts zu tun hatten, dachten darüber nach, was aus der dänischen Lebensmittelproduktion wohl werden würde. Man war sich darüber im klaren, daß die Deutschen sich stark dafür interessieren würden. Die Frage war nur die: Wie wird der dänische Bauer sich gegenüber der deutschen Ausplünderung verhalten? Wird er sich von den hohen Preisen auf Kosten der Nationalbank betören lassen oder wird er einsehen, daß die scheinbar hohen Preise nur auf Kosten des dänischen Volkes erlangt werden können? Wird der dänische Bauer einsehen, daß die überschüssige Produktion von Nahrungsmitteln ein direkter Beitrag zum deutschen Kriegsaufgebot ist? Faßt man nun die Eindrücke in Großbritannien zusammen, so muß man sagen, daß es augenblicklich unmöglich ist, diese Fragen zu beantworten. Man versteht, daß die Lebensmittelproduktion in Dänemark sinken mußte, doch bemerkt man auch die Tatsache, daß die Produktion im Jahre 1943 auf Grund der guten Ernte des Vorjahres bedeutend stieg. Gleichzeitig konnte festgestellt werden, daß Dänemark bereit ist, Europa nach dem Kriege weitgehendst mit Lebensmitteln zu versorgen, vorausgesetzt, daß die Deutschen den dänischen Produktionsapparat nicht zerstören. Dänemarks Vertreter auf der UNRA-Konferenz in Atlantic City versicherte auch, daß Dänemark bereit wäre, zur Lösung dieses Problems beizutragen. Daher kann die Tatsache, daß Dänemark einen Überschuß an Lebensmittelproduktion herausholen konnte, nur mit Befriedigung verzeichnet werden. Doch darf dabei nicht vergessen werden, daß Dänemark noch immer Deutschland in der Form von Lebensmittellieferungen dient. Selbstverständlich bedauert jedermann diese Ausfuhr, auch Leute bedauern sie, die einsehen, daß die Bauern ohne Produktion nicht existieren können.
    … Man muß sich darüber im klaren sein, daß die Haltung, die die dänische Landwirtschaft heute der deutschen Besatzungsmacht gegenüber einnimmt, durchaus den

Umfang der dänischen Ausfuhr nach Großbritannien in der Nachkriegszeit beeinflussen kann.

London, 18.3.1944.
Die Frühjahrsarbeiten der dänischen Bauern haben wieder angefangen, und da meldet sich naturgemäß das Problem der Beschaffung von Arbeitskräften für die Landwirtschaft. Diese beschwert sich bereits darüber, daß es unmöglich ist, genügend Leute für die Frühjahrsarbeiten zu beschaffen, eine Tendenz, die vermutlich steigen wird, so daß der Mangel an Arbeitskräften im Sommer noch ernster sein wird, vorausgesetzt, daß nichts unternommen wird, um dieser Tendenz entgegenzutreten. Ein Sachverständiger schreibt hierüber in einer Übersicht des Monats Februar: Viel deutet darauf hin, daß der Mangel an Arbeitskräften im kommenden Sommer für die Landwirtschaft das größte Problem werden wird. Es wird schwer sein, dieses Problem zu lösen, doch eine Lösung muß gefunden werden, wenn auch ganz andere Mittel als die bisherigen angewandt werden müssen. In dem Bericht vermißt man jedoch die Erklärung, warum der Mangel an Arbeitskräften in den letzten Jahren so akut war. Diese Erklärung kann auf Grund der Zensur in Dänemark heute noch nicht veröffentlicht werden. Tausende von Arbeiten sind augenblicklich damit beschäftigt, in Jütland Befestigungswerke für die Deutschen zu bauen, während andere nach Deutschland geschickt wurden, um in der deutschen Kriegsindustrie zu arbeiten, was nur formell freiwillige Arbeit ist, in Wirklichkeit Zwangsarbeit.

2.) Die schwedische Presse
In der schwedischen Presse findet gegenwärtig eine lebhafte Debatte statt über das gereizte Verhältnis, das im Laufe der letzten Monate zwischen der schwedischen Bevölkerung und den ausländischen Flüchtlingen entstanden ist. In "Göteborgs Handels- und Schiffahrtszeitung" vom 2.3.44 wird ein Artikel des Dänen Christen Fribert unter der Überschrift "Reflektionen eines Dänen in Schweden über die Art und Weise, wie die Schweden reagieren" veröffentlicht, in dem dieser schrieb: " Ein Däne, der sich heute in Schweden aufhält, kann wahrscheinlich nicht umhin, sich durch drei kleine Begebenheiten der letzten Monate etwas bedrückt zu fühlen. Gewiß waren sie nur klein, aber gerade ihr Mangel an Bedeutung macht die Masse an Staub, den die aufgewirbelt haben, umso überraschender. Zunächst war da der schwedische Justizminister Staatsrat Bergquist, der darauf hinwies, daß Schweden, ehe es dänische Saboteure aufnehmen könne, diese erst genau prüfen müsse.
… Fall Nr. 2 – sicherlich der unbedeutendste – betrifft das Restaurant "Blauer Vogel" in Stockholm, wo die Polizei gegen eine kleine Schar dänischer Künstler (alles Flüchtlinge) einschritt, weil sie durch Vortrag dänischer Gedichte von Kaj Munk und Otto Gelsted gegen den gesetzlich festgelegten Begriff "Konzert" verstoßen hatten.
… Schließlich der Fall Nr. 3: einige heißblütige junge Dänen im Lager Sunhultsbrunn bei Frinnaryd versuchten sich vor einiger Zeit im "Friseurgewerbe".
Gewiß sind das alles nur Lappalien, aber es ist nicht der Vorfall selbst, der hier interessiert, sondern die Reaktion, die er in Schweden hervorruft. Aus dieser Reaktion, so berechtigt sie auch in manchen Augen sein mag, kann man den Eindruck gewinnen,

daß die Kluft zwischen schwedischen und dänisch-norwegischen Lebensanschauungen immer breiter und tiefer wird, und daß man nach dem Kriege große Schwierigkeiten haben wird, über diesen Abgrund eine Brücke zu schlagen."

"Nya Dagligt Allehanda" schrieb in einem Leitartikel vom 4.3.1944: "Ein bekannter norwegischer Schriftsteller schrieb neulich in einer Wochenzeitschrift, daß die norwegischen Flüchtlinge nach Kriegsende mit bitteren Gefühlen gegen Schweden in ihr Land zurückkehren würden. Aus Lund wird mitgeteilt, daß die dort studierenden jungen Dänen ihren schwedischen Kommilitonen nicht mehr Achtung oder Wohlwollen entgegenbringen, als etwa ein ordensgeschmückter Frontsoldat einem gewöhnlichen Krüppel. Jüdische Flüchtlinge aus Deutschland protestieren in der Tagespresse gegen unseren Mangel an Taktgefühl. Von den Ausländern, die sich bei uns aufhalten, sind es höchstens die Finnen, die noch freundliche Gefühle für Schweden hegen. Das beruht auf verschiedenen Gründen. Die finnischen Kinder sind schließlich Kinder; und außerdem sind sie in des Wortes wahrster Bedeutung Gäste und nicht Flüchtlinge. Wenn sie sich nicht wohlfühlen, können sie in ihr eigenes Land zurückkehren.

… Die beste Haltung, die wir heute den Flüchtlingen gegenüber einnehmen können, ist die, ihnen zu verstehen zu geben, daß wir in der Stunde des Abschieds als höfliche Gastgeber sagen werden: "Adieu, nichts zu danken!"

"Svenska Dagbladet" vom 5.3.1944 schreibt: "Wenn es zuweilen von Seiten der Flüchtlinge heißt, daß wir "nicht mitreden" dürften, weil wir nicht selbst einen Krieg oder eine Besetzung durchgemacht haben, so vergißt man, daß die Verteidigung unseren Grenznachbarn mehr oder weniger aufgezwungen wurde. Sich gegen einen Überfall zu wehren ist in sich selbst noch keine Tat, und nicht überfallen zu werden keine Schuld …

… Aber auch die Flüchtlinge sollten das eine oder andere bedenken, vor allen Dingen sollten sie nicht verlangen, als Helden in unserem Lande empfangen und geehrt zu werden. Ein solcher Empfang wäre verlogen. Unser Mitleid wird außerdem etwas abgenutzt, wenn sich Wochen, Monate und Jahre hinziehen. Gefühle vertragen nun einmal keine ständige Spannung. Unsere unfreiwilligen Gäste sollten auch daran denken, daß die Schweden selbst bei ihrem Umgang untereinander etwas rauh sind. Ist es nicht ähnlich in Norwegen und Finnland? In Dänemark ist es vielleicht etwas anders, da das dänische Gemüt etwas leichter veranlagt ist als das unsrige …"

"Ein dankbarer Däne" hat in "Nya Dagligt Allehanda" vom 10.3.1944 einen Brief veröffentlicht, in dem er berichtet, er als dänischer Flüchtling habe in Schweden nur Freundlichkeit, Hilfsbereitschaft und Sympathie gefunden. "Wie aber führen sich meine Landsleute hier auf?" fragt er. "Nicht alle gleich gut. Ich entsinne mich eines Aufsatzes, der kürzlich in einer Illustrierten erschien, worin ein Däne den schwedischen Frauen eine Menge Unverschämtheiten und Grobheiten sagte. Und bei meinen Restaurant-Besuchen habe ich mich mehr als einmal über das laute, unpassende Verhalten meiner Landsleute geärgert, besonders, wenn sie schwedische Verhältnisse kritisieren … Ich weiß genau, daß nicht alle Schweden die dänischen und norwegischen Flüchtlinge lieben, und daß manche Schweden die Tür zugeschlagen haben, wenn ein Däne bei ihnen ein Zimmer mieten wollte. Aber aus solchen vereinzelten Begebenheiten dürfen wir keine allgemeinen Schlüsse ziehen … Endlich dürfen wir nicht vergessen, wie es uns ohne die schwedische Gastfreiheit ergangen wäre."

"Morgentidningen" vom 19.3.1944 veröffentlicht den folgenden mit "R." gezeichneten Artikel über "Dänische Nazi-Pläne" "Sowohl innerhalb wie außerhalb Dänemarks Grenzen ist es ein öffentliches Geheimnis, das Frits Clausens Nazipartei im Jahre 1941 einen Staatsstreich plante, welcher Dänemarks demokratische Verfassung stürzen und unter dem Schutz der deutschen Bajonette und mit Frits Clausen als "Führer" eine Nazidiktatur errichten sollte.

… In einem unterirdischen dänischen Verlag ist dieser Tage ein Weißbuch erschienen, das auf der Basis umfangreicher Dokumente nähere Aufklärung über die oben erwähnten Pläne gibt. Eine unterirdische Gruppe hatte erfahren, daß die Gebrüder Bryld – zwei der Hauptpersonen aus Clausens näherer Umgebung und ehemalige Besitzer von "Fädrelandet" – im Begriff standen die Geheimpapiere der Partei nach Deutschland in Sicherheit zu bringen. Sie statteten daraufhin dem Büro dieser Herren in der Amaliegade unangemeldet einen Besuch ab, wobei es glückte, zwei Koffer mit Dokumenten aus der Glanzzeit der DNSAP zu fassen. In dem oben genannten Weißbuch, betitelt "Aus den Papieren eines Verräters," wird eine Auswahl dieser Dokumente veröffentlicht."[16]

Unter dem Pseudonym Erik Ring ist in Schweden ein Buch "Hitler beskytter Danmark" ("Hitler beschützt Dänemark") erschienen, das sich mit der Entwicklung in Dänemark seit der Besetzung durch deutsche Truppen befaßt und das wegen seines "ruhigen Tones" in Schweden Aufsehen erregt hat. Unter dem Pseudonym Erik Ring verbirgt sich der frühere Stockholmer Korrespondent der Kopenhagener Tageszeitung "Politiken" Erik Seidenfaden.[17]

In dem Kapitel "Des Kanarienvogels Tod," womit das Abtreten des Staatsministers von Scavenius von der politischen Bühne gemeint ist, heißt es u.a.:

"Es ist seltsam genug, daß die 10 kurzen Monate, in welchen Scavenius als Staatsminister fungierte – also die ganze Zeit, die richtiger vielleicht als "Best-Periode" gekennzeichnet würde – im Hinblick auf deutsche politische Forderungen und sich daraus ergebenden Krisen in Wirklichkeit die ruhigsten in der ganzen Besatzungsperiode waren. Es kamen natürlich Forderungen, aber sie äußerten sich nicht in Nazifizierungsbestrebungen sondern in Veranstaltungen zur größeren militärischen Sicherung der dänischen Flanke und in einer größeren Ausnutzung des dänischen Produktionsapparates.

… Auf einer Reihe von Gebieten, die für die Öffentlichkeit sichtbar waren, erwies sich Dr. Best nicht als der Vernichtungspolitiker, als der er früher aufgetreten war, sondern statt dessen als ein geschmeidiger Mann. Solche wachsen in Deutschland bekanntlich nicht auf den Bäumen, und er lieferte uns deshalb eine Überraschung nach der anderen.

… Es ist möglich, daß eine "Best-Politik" in einem weit früheren Stadium einen den Umständen nach erträglichen Besatzungszustand hätte herbeiführen können. Aber das Gedankenexperiment ist ganz theoretischer Art … Als Dr. Best mit seiner Politik begann, waren nicht mehr viele übrig, die an ihn glaubten. Es war zu spät. Und wie der

---

16 *Af en Forræders Papirer*, Samtidens Forlag 1943 [januar 1944] var sammenstillet på grundlag af papirer stjålet fra Holger og Børge Brylds kontorer af Holger Danske 31. oktober 1943 (Kieler, 2, 1993, s. 136, Birkelund 2008, s. 116).
17 Erik Seidenfadens bog udkom også illegalt i Danmark 1944 med anvendelse af samme pseudonym.

Krieg sich nun entwickelte, wurden es immer weniger, die das dänische Doppelspiel fortsetzen wollten.

… Gleichzeitig damit, daß die Zusammenarbeit zwischen Best und Scavenius – zwischen den Spitzen, die mehr und mehr vom Volk isoliert wurden, – mit steigendem Wohlbefinden zu funktionieren schien, ging die Entwicklung im Lande in der genau entgegengesetzten Richtung. Das deutsche Streben, immer mehr aus dem dänischen Produktionsapparat herauszuholen, war kein Geheimnis für die Organisationen der Saboteure. Wo die "Kontorsabotage" aufhörte, mußte die Explosionssabotage eingesetzt werden. Und sie wurde eingesetzt."

2. Werner Best an das Auswärtige Amt 1. April 1944

Det var en tilfreds Werner Best, der fremsendte en kort beretning om udviklingen i Danmark i marts måned, som et resume af *Politische Informationen* 1. april. På den ene side en støt faldende sabotageaktivitet og på den anden side en støt stigende landbrugseksport til Tyskland. Hans væsentligste bekymring var de manglende uundværlige produktionsmidler, der skulle leveres fra Tyskland for at sikre eksporten. Hertil kom, at det danske landbrug ikke måtte blive yderligere drænet for arbejdskraft, men her havde han selv indledt bestræbelser på at tilbageføre arbejdskraft fra de bedre betalte værnemagtsarbejder.

Det sidste turde være en sandhed med modifikationer. Rapporten nåede via Rigskancelliet hurtigt frem til Hitler, der lod Martin Bormann beordre det fornødne 6. april 1944 med et brev til Hans Lammers, trykt nedenfor (Rosengreen 1982, s. 91, Brandenborg Jensen 2005, s. 354f.).

Best fulgte sin optimisme i begyndelsen af april op med en anonym artikel, som det blev pålagt dagspressen at bringe 9. april 1944. Datoen var et bevidst valg, og artiklen havde titlen "Åbenhjertige ord om Danmarks stilling." Dens hovedpointe var at understrege, at af alle de europæiske lande, der var inddraget i krigen, havde Danmark den gunstigste situation, både materielt og politisk. Det skulle man huske på, når Tyskland af hensyn til sin forsvarskamp trådte Danmarks interesser for nær. Tyskland måtte værge sig mod angreb også i Danmark, men blev disse angreb indstillet, blev også modforholdsreglerne overflødige. Best signalerede med artiklen, at han håbede den stilstand, der var indtrådt i sabotagen, ville fortsætte, og så ville modforholdsregler (læs modterror og clearingmord) ikke finde sted (Hæstrup, 1, 1966-71, s. 435f. Rosengreen 1982, s. 91).[18]

Næste "Kurzbericht" blev sendt som telegram nr. 523, 25. april.

Kilde: ADAP/E, 7, nr. 311. NORD, nr. 99.

Telegramm

Kopenhagen, den   1. April 1944
Nr. 412

Politischer Kurzbericht
über die Lage in Dänemark

1.) Lage im Lande ruhig. Bevölkerung zurückhaltend und abwartend, wünscht, daß die Entscheidung des Krieges nicht durch "Invasion" auf dänischem Boden ausgetragen

---

[18] Artiklen er trykt i sin helhed i bl.a. *Berlingske Morgenavis* 9. april 1944. Et større uddrag er trykt hos Alkil, 2, 1945-46, s. 870f. og et mindre hos Rohde, 2, 1945-46, s. 442. Det er uvist, om Best berettede om dette initiativ til AA. Artiklen er bragt her i bilag 1.

werde und daß Dänemark mit möglichst wenig Schaden durch die letzte Etappe des Krieges kommen möge.

Sabotage im März weiter zurückgegangen (einschließlich aller Bagatellfälle 14 Fälle gegen 30 Fälle im Februar. Je 63 Fälle im Januar und Dezember und 115 Fälle im November, der die Kulmination der Sabotagewelle darstellte). Nachdem Betriebssabotage fast aufgehört hat, kann festgestellt werden, daß außer einigen Lieferungsverzögerungen nicht der geringste Schaden für deutsche Belange erzielt wurde, da alle Aufträge erfüllt und alle Schäden vom dänischen Staate ersetzt wurden.

Arbeit der deutschen Sicherheitspolizei weiter erfolgreich. Im März 39 Festnahmen wegen Sabotageverdachts, 42 wegen Spionageverdachts und 213 wegen Verdachts anderer illegaler Tätigkeit. Im März einige Terror- und Gegenterrorfälle zwischen Dänen, deutsche Interessen nicht unmittelbar berührt.

2.) Dänische Verwaltung weiter loyal und fügsam, hat insbesondere meine umfangreichen Forderungen zur Unterstützung der Befestigungsarbeiten in Jütland restlos und wirksam erfüllt, wünscht nur – da sie zur Zeit von keiner dänischen politischen Instanz entlastet wird – jeweils Deckung durch eine eindeutige Forderung oder Anordnung von meiner Seite.

3.) Landwirtschaftliche Lieferungen nach Deutschland im ersten Halbjahr des laufenden Wirtschaftsjahres (1.10.43-31.3.44) über Erwarten gut. Steigerung gegenüber dem ersten Halbjahr des letzten Wirtschaftsjahres (1.10.42 bis 31.3.43) bei Fleisch um 117 %, bei Butter um 70 %, bei Sämereien um 140 %, bei Pferden um 63 %. Zwei Gefahren bedrohen die Aufrechterhaltung dieses gesteigerten Produktionsstandes: Einerseits werden immer weniger unentbehrliche Produktionsmittel aus dem Reich geliefert (Handelsdünger, landwirtschaftliche Geräte und Ersatzteile, Pflanzenschutzmittel usw.), selbst Bandeisen, Nägel, Draht usw. für die Verpackung der auszuführenden Produkte fehlen. Andererseits sind durch die besser bezahlten Arbeiten für deutsche Aufträge landwirtschaftliche Arbeitskräfte aus der Landwirtschaft abgesaugt worden. Ich habe Maßnahmen zum Auskämmen der Landarbeiter aus den nichtlandwirtschaftlichen Arbeiten eingeleitet.

4.) Der Rüstungsstab Dänemark hat gemeldet, daß er bis zum 31.12.43 für 488.406.000 RM Rüstungsaufträge und für 70.232.000 RM Aufträge des kriegswichtigen zivilen Bedarfs nach Dänemark verlagert hat. Die Auslieferungsquote wird mit 73 % angegeben. Zum Vergleich wird die französische Auslieferungsquote mit etwa 50 % angeführt.

5.) Das erste Schiff des Hansa-Programms ist auf der Helsingör Werft fertiggestellt und übernommen worden.[19]

6.) Bisher aufliegende Motorschiffe sind wieder in Fahrt gesetzt worden (Kohlenfahrt nach Norwegen).

7.) Motorschiffe habe ich für die Kriegsmarine beschlagnahmt, von denen eins in Gebrauch genommen und vier nur an einen anderen Liegeplatz verholt worden sind.

8.) Die Befestigungsarbeiten in Jütland werden programmgemäß fortgesetzt, soweit nicht mangelnder Materialnachschub Verzögerungen bedingt. Alle von mir bereit-

---

19 Pkt. 4 og 5 er hentet fra Forstmanns beretning 31. december 1943.

zustellenden Leistungen der Landesarbeitskräfte, Quartiere, einheimische Lieferungen wurden voll erbracht. Die dänische Nationalbank stellt im ersten Halbjahr 1944 etwa 800 Millionen Kronen für Wehrmachtsausgaben zur Verfügung.

Dr. Best

3. Walter Hubatsch: Entwicklung der Lage in Dänemark [1. April 1944]

Til brug for OKW gennemgik Hubatsch invasionsforsvaret i Danmark og de til rådighed stående styrker samt de i givet fald planlagte tilførsler af forstærkninger. Det mest sandsynlige invasionsmål var omkring Esbjerg, mens en invasion af Nordjylland kun kunne komme på tale i forbindelse med et angreb på Sydnorge. Særlige krigsmål ville være de store flyvepladser og de svære kystbatterier. Forsvarskraften havde stadig kun "Befehlscharakter", men var på det seneste blevet bedre. Der var ved nyanlæggelsen af flyvepladser efter aftale med Best blevet taget erhvervsmæssige hensyn. Talrige fæstningsbyggerier var i gang og flere hundrede tusinde miner udlagt. Hitler havde ladet undersøge, om fire svære kystbatterier kunne føres til Danmark. Rommels besigtigelse havde ført til en række forbedringer af kystforsvaret og kommunikationen. Et afholdt krigsspil havde ført til, at besættelsestropperne skulle uddannes til virkelige forsvarsenheder. Enkelte troppeenheders bevæbning, uddannelse og rokering eller forflyttelse blev omtalt. Der var aftalt en opgavedeling i de danske farvande vedrørende bekæmpelsen af illegale udrejser og sabotage, som var tilgået WB Dänemark 18. januar. En række sabotagehandlinger havde ført til soneforanstaltninger i form af modsabotage. I Jylland var forskellige redningsstationer blevet beslaglagt til brug for troppeindkvartering, hvilket OKW straks havde forbudt.

Kilde: RA, Danica 1069, sp. 12, nr. 15.724-15.730 (med enkelte håndskrevne til dels ulæselige rettelser).

Entwicklung
der Lage in Dänemark vom 1.1. – 31.3.1944
[verfaßt von Oberlt. Dr. Hubatsch][20]

Kampfverhältnisse in Dänemark

In Anbetracht der feindlichen Invasionsvorbereitungen ist auch Dänemark in die Verteidigungszone des Atlantikwall mit einbezogen und wird entsprechend der Führerweisung 51 mit Nachdruck zur Abwehr feindlicher Landeunternehmungen hergerichtet.

Die Masse der Verbände steht an der Westküste von Jütland. Hier sind an der Nordspitze die 416. Inf. Div., an der Westküste die 166. Res. und die 160. Res. Div. eingesetzt. In Südjütland befindet sich die 361. Inf. Div. noch in Aufstellung. Als Eingreifreserve stehen in Nordjütland im Raum Aalborg die 20. Lw. Feld-Div., die zu einer schnellen Radfahr-Brig. (4 Btl.) umgebildet ist, und die 233. Res. Pz. Div. zur Verfügung. Der Wert der Reserve-Verbände schwankt je nach Abgaben von Marsch-Btl. Das Stammpersonal ist jedoch gut, sodaß ein gewisser Gefechtswert vorhanden ist. die 233. Res. Pz. Div. verfügt über etwa 50 Panzer, davon etwa 20 voll verwendungsfähige.

Mit einer feindlichen Landung an der Westküste von Jütland ist nur im Raum Esbjerg zu rechnen. Eine Landung an der Ostküste, die über mehrere gute Häfen verfügt oder auf den dänischen Inseln ist unwahrscheinlich, solange Jütland noch im eigenen

---

20 Hubatsch skrev tillige i "Der nördliche Kriegsschauplatz" om Finland og Norge. Disse to afsnit er udeladt.

Besitz ist. Mit einer feindlichen Landung in Nordjütland ist daher nur im Zusammenhang mit einer Landung in Südnorwegen (vgl. Entwicklung der Lage in Norwegen) zu rechnen. Als Ziel des feindlichen Vorstoßes bieten sich die großen dänischen Flugplätze bei Esbjerg und Aalborg sowie der Flugplatz Grove, der einer der größten Flugplätze Europas ist, an. Für die eigene Verteidigung hat der Stützpunkt Hansted an der Nordwestspitze Jütlands eine besondere Bedeutung. Seine 38 cm Batterie, der eine Gegenbatterie in Südnorwegen entspricht, schützt die Skagerrak-Sperre.

Im Falle eines feindlichen Großangriffes gegen Dänemark ist die Zuführung von 2. Gen. Kdos. mit 4-5 Div. und von Heeres-Art. in Aussicht genommen. ("Fall Hanna"). Für den Fall "Blume" ist dagegen die Abgabe der 361. Div. und 1 Art. Abt. vorgesehen, da in diesem Falle nicht mehr mit einer Großlandung in Dänemark gerechnet wird. Für den Fall "Falke" (Angriff gegen Norwegen) soll die 20. Lw. Feld-Div. abgegeben werden und diese nach Norwegen hinübergeführt werden, falls dies noch möglich ist. Die dänischen Inseln werden unter dem Höheren Kommando Kopenhagen von Genesenden-Btl. besetzt. Der festungsartige Ausbau wird nur an der Westküste Jütlands durchgeführt.

Die Verteidigungskraft Dänemarks hat zwar immer noch Befehlscharakter, der ihr von den Anfängen her anhaftet, hat aber doch in der letzten Zeit eines wesentliche Steigerung erfahren.

Bei der Neuanlage von Flugplätzen in Dänemark ist nach anfänglichen Unstimmigkeiten im Einvernehmen mit dem Reichsmarschall dahingehend entschieden worden, daß bei Bau und Anlage der Flugplätze den wirtschaftspolitischen Belangen Dänemarks so weit wie möglich Rechnung getragen wird. Hierüber ist zwischen Luftgau-Kdo. XI und dem Reichsbevollmächtigten in Kopenhagen, Dr. Best, Einverständnis erzielt worden.[21]

Von den insgesamt für die dänische Küstenbefestigung zu bauenden 1.329 Bauwerken sind Anfang Januar 624 Bauwerke bereits an die Truppe übergeben. Diese Zahl hat sich am 10. März auf 802 Bauwerke erhöht. Außerdem werden Panzermauern, Flächendrahthindernisse, Flammenzäune und Kampfwagenhindernisse weiter ausgebaut. Bis Ende Februar wurden über 300.000 Minen verlegt, davon 100.000 allein im Monat Februar.

Dem WB Dänemark wird am 27. Januar bestätigt, daß die Inseln Röm zu Befehlsbereich des MOK Nord gehört, das für die Verteidigung gemäß Führerweisung 40 verantwortlich ist.

Der Führer hat Prüfung angeordnet, ob eine im Westen freiwerdende schw. Küstenbatterie, (4 38 cm mit Doppeltürmen) in Dänemark aufgestellt werden kann. Daraufhin hat Ob.d.M. am 29.1.44 die Aufstellung der 38 cm Türme zur Verstärkung der Küstenverteidigung Dänemark im Raum Esbjerg befohlen. Die Montagedauer wird voraussichtlich 12 Monate in Anspruch nehmen.

Im Zusammenhang mit der Besichtigung der Küstenverteidigung Dänemark durch Gen. Feldm. Rommel im Januar 1944 ist auch die Versorgungslage von Dänemark

---

21 Aftalen mellem Luftgaukommando XI og Best er ikke lokaliseret, men Best har villet sikre sig, at der blev taget de nødvendige erhvervsmæssige hensyn, dvs. til den danske eksport til Tyskland. Se telegram nr. 21, 5. januar 1944.

überprüft worden und festgestellt worden, daß hier keine Schwierigkeiten auftreten. Einzelüberprüfungen durch Gen. Feldm. Rommel haben eine Reihe von Änderungen in der Organisation der Küstenverteidigung erforderlich gemacht. Das OKW teilte am 22.2. dem W. Bfh. Dänemark das Ergebnis dieser Überprüfungen und die daraus zu ziehenden Folgerungen mit.[22] Anfang März werden eine Reihe von Maßnahmen ergriffen, um die Nachrichtenlage in Dänemark zu verbessern.

Um sich einen Einblick in die Führungsverhältnisse in Dänemark zu verschaffen, hatte WFSt den Obstl. d.G. Ziervogel vom 3.-4.3. zur Teilnahme an einem Planspiel, das von dem W Bfh. Dänemark, General d. Inf. v. Hanneken, mit den Kdren. bis zu Btl.-Kdren. einschließlich, dem Bevollmächtigten des Reiches, Vertreter des Luftgaues X. und des Stellv. Gen. Kdo. X, der Polizei und OT, geleitet wurde, befohlen.[23] Es ist dabei festgestellt worden, daß der W. Bfh. bemüht ist, die bisherigen Besatzungstruppen zu wirklichen Verteidigungsverbänden umzubilden.

Die Zuführung von Verbänden in den Bereich WB Dänemark ist jedoch nicht möglich. So muß infolge von Neuaufstellungen auf eine ursprünglich vorgesehene Zuführung von 2 für bodenständigen Einsatz geeigneten Res. Art.-Abt. verzichtet werden: Im Fall "Hanna" können dem WB Dänemark nur 2 Landessch. Btl. (statt 4) zugeführt werden. Die Verlegung von Pi-Ausbildungs-Btl. muß ebenfalls abgelehnt werden.

Der W. Bfh. hat am 20. Januar um Genehmigung gebeten, die Sturm-Gesch. Ersatz und Ausbildungs-Abt. 400 in einsatzfähige und nichteinsatzfähige Teile zu trennen und die Ersatzeinheit in den Raum nördlich Viborg (Jütland) zu verlegen. Dieser Verlegung wird am 22. Januar durch WFSt zugestimmt.

Der Ausbildungszustand der 361. Inf. Div. ist zufriedenstellend. Ende Januar fehlten jedoch noch Waffen, sodaß Verwendungsbereitschaft erst zum 1. Februar erreicht werden konnte.

Die 20. Lw. Feld-Div. ist im Rahmen des vorhandenen Personals und Materials zu einer Radfahr-Brig. umgegliedert worden. W. Bfh. Dänemark meldet am 7. Januar 44 die erfolgte Umgliederung. Die Beweglichmachung ist gut fortgeschritten, die Waffenlage zufriedenstellend. Weitergehende Anträge personeller und materieller Art sind geprüft und das Ergebnis dem W. Bfh. Dänemark am 14. Januar mitgeteilt worden.

Die Ausstattung Dänemarks mit mehreren [ulæseligt ord]-Waffen, wie sie gemäß Führerweisung 51 vorgesehen war, ist Anfang Januar 1944 bereits erfüllt. Eine Überprüfung der Panzer-Abwehr durch einen Sonderstab des Gen. Inspekt[oren] der Panzertruppen hat jedoch einen weiteren Bedarf von 18 s. Pak ergeben. Die Frage wird von Heeresstab geprüft und dahingehend entschieden, daß dem WB Dänemark aus der Neufertigung laufend s. Pak mit Zugmitteln zugewiesen werden.

WB Dänemark beantragte im Februar zur dichteren Belegung des Landes erneut die Verlegung von 2 Pi-Ausb. Btl. in seinen Befehlsbereich. Dieser Antrag muß, da die wenigen vorhandenen Btl. im Heimatkriegsgebiet dringend gebraucht werden, wiederum abgelehnt werden.

---

22 Meddelelsen til WB Dänemark 22. februar 1944 er ikke lokaliseret, men kritikken af kystforsvaret gengives i KTB/Seekriegsleitung 29. februar 1944.
23 Se Helmut Ziervogel über das von WB Dänemark veranstaltete Kriegsspiel 9. marts 1944.

Auf Antrag des WB Dänemark auf Änderung der KStN veranlaßt WFSt die Erhöhung der KStN um je 4 Offiziere für jede Res. Div.

Die Lage an der Ostfront erfordert, daß die 361. Inf. Div. am 10.3. dem Gen. St. d.H. unterstellt und an die Ostfront abtransportiert wird. Als Ersatz wird dem WB Dänemark die 363. Inf. Div., die bisher im Gen. Gouv. aufgestellt wurde und bis zum 1.6. verwendungsbereit sein soll, zugeführt. Da die 363. Inf. Div. noch große Lücken Aufweist und der Ausbildungsstand mangelhaft ist, ist die Verteidigungskraft Dänemarks erheblich geschwächt. Um den besonders gefährdeten Raum Esbjerg nicht zu entblößen, unterstellt WB Dänemark das Luftwaffen-Jg. Rgt. 39 (20 Lw. Feld-Div.) der 160. Res. Div., die den bisherigen Abschnitt der 361. Div. mit übernimmt. Das OKW erklärt sich am 14.3. mit dieser Absicht einverstanden.

Auf Grund der Mitteilung, daß 416. Inf. Div. nach Schreibens der WFSt für anderweitige Verwendung vorgesehen ist, (Fall "Tanne")[24], hat WB Dänemark eine Umbewaffnung der Art.-Abt., Verbesserung der Bewaffnung der 13. Kpen. und Ausbau der Pi-Kp. zu einem Btl. sowie Zuführung von Versorgungstruppen beantragt. Da 416. Inf. Div. in ihrer derzeitigen Gliederung für den Einsatz bei "Tanne" genügt, werden die Forderungen abgelehnt, Bereitstellung der Versorgungstruppen wird jedoch geprüft.

Eine Überprüfung der Frage der Überwachung der dänischen Gewässer gegen Sabotage und illegalen Personenverkehr hat zu einer Abgrenzung der Aufgabengebiete der beteiligten Dienststellen der Kriegsmarine, der SS und der Wasserschutzpolizei geführt. Ein entsprechender Befehl ergeht am 18.1. an WB Dänemark.[25]

Eine Reihe von Sabotage-Anschlägen unter denen Vernichtung von Handelsschiffs-Neubauten besonders schwerwiegend sind, hat dazu geführt, daß als Sühnemaßnahmen eine Reihe fingierter Sprengstoffanschläge (Gegensabotage) durchgeführt worden sind.[26]

Da nach Meldung der Kriegsmarine verschiedene Rettungsstationen an der Westküste Jütlands durch Heeresdienststellen für Unterbringungszwecke der Truppe in der HKL beschlagnahmt worden sind, befiehlt das OKW dem WB Dänemark, sofort sämtliche bisher beschlagnahmten Rettungsstationen frei zu geben und weitere Beschlagnahmen zu verhindern.[27]

---

24 Operation "Tanne" var en operation, der gik ud på en tysk besættelse af Ålandsøerne for bl.a. at kunne sikre malmtransporterne fra Sverige, hvis Finland skulle træde ud af krigen og slutte separatfred med Sovjetunionen (Andersen 2007, s. 218).
25 Se MOK Ost til 1. Seekriegsleitung 9. januar og KTB/Admiral Dänemark 13. januar 1944.
26 Modterroren var sat ind, før de første alvorlige sabotager mod handelsskibsnybygninger var indtruffet, og de skibssabotager, der på dette tidspunkt var udført og havde udløst størst tysk vrede (dvs. "soneforanstaltninger"), havde været rettet mod tyske krigsskibe til reparation eller under nybygning (se Bests telegram nr. 154, 4. februar 944 og von Hanneken til OKH 6. februar 1944).
27 OKWs ordre er ikke lokaliseret.

4. Ernst Richter an Hermann von Hanneken 1. April 1944

Københavns kommandant, generalløjtnant Richter, orienterede von Hanneken om et planspil, der havde fundet sted i København dagen før. Tysk politi havde gennemgået forskellige scenarier om, hvordan tænkte krisesituationer skulle håndteres. En af hovedkonklusionerne var, at der ikke var tysk politi nok til at håndtere millionbyen København i tilfælde af oprør fra den for en stor dels vedkommende fjendtligt indstillede befolkning. I påkommende tilfælde måtte værnemagtstropper træde til, hvis der ikke var en kampsituation. Blandt foranstaltningerne ved en invasion var sikringen af, at fængslede danskere ikke undslap. Kunne de ikke transporteres væk, skulle de ufarlige løslades, de øvrige dræbes. Der blev forudset mulige problemer, sammenstimlen, arbejdsnedlæggelse eller oprør på bl.a. B&W, Ørstedværket, i Fælledparken, på Frue Plads, på Rådhuspladsen, en indkommende menneskemængde fra Amager og angreb på Dagmarhus. Der skulle hensynsløst skydes på menneskemængden for at stoppe den.

Planspillet indeholder en hel del af de elementer, som kom i brug under folkestrejken sommeren 1944 fra tysk side, men dog var generalstrejken i sig selv ikke forudset i planspillet, kun arbejdsnedlæggelser på enkeltvirksomheder (KTB/HKK 31. marts 1944 med bilag 108 (RA, Danica 1069, sp. 10, nr. 11.865 (bilaget mangler)), Drostrup 1997, s. 203f.).

Se en kritik af krigsspillet 11. april 1944 i RA, Danica 1069, sp. 10, nr. 11.950-957.

Kilde: BArch, Freiburg, RW 38/180, KTB/HKK, Anlage. PKB, 13, nr. 441.

Höheres Kommando Kopenhagen   St.Qu., den 1.4.1944.
Ia 995/44 geh.   Geheim!

Bez.: Höh. SS u. Pol. Führer Dän. Ia 184/44 g. v. 9.3.44[28]
Betr.: Planspiel der Polizei am 31.3.44 in Kopenhagen.

An Wehrmachtbefehlshaber Dänemark
    Silkeborg

A.) Am 31.3. nachmittags fand im Deutschen Eck Kopenhagen das mit der Bezugsverfügung gemeldete Planspiel unter Leitung des Generalmajors v. Heimburg statt. Außer dem Höh. SS u. Pol. Führer und den Einheitsführern der verschiedenen Verbände der Polizei nahmen der Kommandeur des Höh. Kdos. Kph. mit Ia und Qu, der Wehrmachtortskommandant mit verschiedenen Offizieren seines Stabes, sämtliche Kommandeure der in Kopenhagen liegenden Truppen des Heeres, Vertreter sämtlicher Truppenteile und Dienststellen der Marine und Luftwaffe in Kopenhagen sowie Vertreter des Reichsbevollmächtigten und der Partei teil.

B.) Verlauf des Planspiels
1.) Nach einem kurzen einführenden Vortrag des BdO über die dem Planspiel zugrundegelegte Lage hatten zunächst der Stab des BdO sowie das II. Pol. Wach. Batl. über die von ihnen zu veranlassenden *Maßnahmen bei Bereitschaftsstufe I* zu berichten.

    Es folgte dann die Besprechung der dem Höh. SS u. Pol. Führer zur Verfügung stehenden Einsatzeinheiten I-V und des SD, ihrer Gliederung, Stärke und Aufgaben, sowie der Übergang von Ber. Stufe I zu *Ber. Stufe II* veranlaßt durch die infolge der Entwicklung der Lage zu erwartenden Unruhen.

2.) Im Zusammenhang hiermit wurde die *Festnahme der Führer der Widerstandsbewegung* (300 Kopenhagen/100 Jütland) durch den SD mit allen Einzelheiten über notwendi-

---

28 Denne skrivelse er ikke lokaliseret.

ge Polizeizuteilung, Motorisierung der einzelnen Kommandos und Abtransport der Festgenommenen besprochen. Zeitbedarf von SD auf etwa 3-4 Std. veranschlagt. Gegen Absicht der einstweiligen Unterbringung der Verhafteten in der Zitadelle wurde vom Höh. Kdo. Kph. aus militärischen Gründen (Sendeanlagen im Bunker) Einspruch erhoben. Neue Unterbringungsmöglichkeiten werden vom SD erkundet.

3.) Ferner wurde vom Höh. Kdo. Kph. in Verbindung hiermit die Frage der Behandlung der im *KZ-Lager Horseröd* Internierten aufgeworfen und mit Rücksicht auf die exponierte Lage an der Küste und die Nähe Schwedens eine Verlegung des Lagers vorgeschlagen. BdS teilte mit, daß Verlegung des Lagers nach Padborg in Aussicht genommen und in Vorbereitung sei. Sollte sich das Lager bei einem überraschenden Angriff nicht halten können, sei durch den Lagerführer die Entlassung des größeren Teil (der Ungefährlichen) und die Liquidierung der gefährlichen Elemente vorgesehen.[29]

4.) Es folgte sodann die Besprechung der bei Stufe II durchzuführenden *Wachablösungen* der Polizei durch Angehörige der Einsatzeinheit III sowie der *Beschlagnahme der für die Motorisierung vorgesehenen 86 Kfz*. Es ergaben sich dabei dieselben Schwierigkeiten wie beim Heer infolge Mangels an ausgebildeten Generatorkraftfahrern. Ausbildung von Generatorkraftfahrern wird von der Polizei bereits betrieben. Die volle Motorisierung erscheint hierdurch jedoch in Frage gestellt, für die Heranschaffung der Kfz wurde eine Zeit bis zu 6 Stunden in Rechnung gestellt.

5.) Im weiteren Verlauf des Planspiels wurde die Einrichtung von *Gefangenensammelstellen* zur Aufbewahrung von Festgenommenen in der Polizeikaserne Alsgade, in der Jernbanegade und im Vestre-Fängsel und über die *Ausübung der Gerichtsbarkeit* gegenüber dän. Saboteuren gesprochen. Hierüber erscheint noch eine grundsätzliche Regelung seitens des WBD erforderlich. Die Frage des Abschubs der Gefangenen mit Rücksicht auf bevorstehende Unruhen und die Gefahr der Gefangenenbefreiung wurde erörtert. Vom Gruppenführer Pancke wurde vorgeschlagen, sie an Bord eines größeren Schiffs zu bringen und das Schiff ins offene Wasser zu legen.

6.) Auf Grund der Entwicklung der Lage wurde dann die Erklärung des *mil. Ausnahmezustands* und die Übernahme der vollziehenden Gewalt durch die deutsche Wehrmacht angenommen. Bekanntgabe des Wehrm. Orts-Kommandanten von Kopenhagen über die darauf von ihm zu veranlassenden Maßnahmen wie Anschlagen des Aufrufs an die dänische Bevölkerung, Versammlungsverbot, Verbot des Zusammenrottens auf der Straße, Festsetzung der Polizeistunde, Verbot des Tragens und Besitzens von Waffen, Munition, Sprengkörper pp, Einholung einer Loyalitätserklärung der dän. Verwaltungsstellen, Verstärkung des Streifendienstes usw.

Seitens des Höh. SS u. Pol. Führers Unterstellung der dän. Polizei unter seinen Befehl und Verlegung seines Gefechtsstandes nach Silkeborg. Stärke der dän. Polizei in Kopenhagen 3.100 Mann, davon nach Abzug der Revierbesatzungen: 1.650 Mann zum geschlossenen Einsatz für Kampfaufgaben mit etwa 12 mot. Zügen á 35 Mann, ausgestattet mit 450 Karabinern, 26 M. Pi, Rest Pistolen.

---

29 Likvideringen af farlige fanger i "A-Fall" (Alarmfall) i Horserødlejren svarede til den fremgangsmåde, der blev anvendt ved andre koncentrationslejre i det tyske magtområde. RFSS udstedte 17. juni 1944 en generel ordre om, at fanger, der ikke kunne transporteres bort fra truede koncentrationslejre, skulle likvideres (Paul 2000b, s. 550).

BdO teilt mit, daß dän. Polizeipräsident auf die absolute Notwendigkeit der Unterstützung und Zusammenarbeit mit deutscher Polizei nachdrücklichst hingewiesen worden ist, um bei Zusammenstößen mit Bevölkerung dän. Blut zu sparen, daß seitens des Polizei-Präsidenten diese Zusage gegeben worden ist, man aber auf deutscher Seite diese Zusage im Hinblick auf die allgemeine dän. Haltung mit Vorbehalt in Rechnung stellt.

7.) Seitens der Leitung wurde nun eine Reihe von Einlagen gegeben, die sowohl den BdO, als auch die Führer der verschiedenen Polizei- und Wehrmachteinheiten zu Lagebeurteilungen und Entschlüssen zwangen.

a.) Schwierigkeiten mit dem dän. Betriebspersonal des Telefonhauses Nörregade und der Telegrafenzentrale Köbmagergade, das die Fortführung des Betriebes verweigert. Lt. Meldung des anwesenden Lt. Stamer Eilers von der NBKD steht kein deutsches Personal zur Verfügung, um ohne das dän. Personal den technischen Betrieb auf den beiden Ämtern aufrechterhalten zu können. Unter diesen Umständen soll das dän. Personal am Verlassen der Ämter verhindert und zur Fortführung des Betriebes gezwungen werden.

b.) Meuterei im Vestre Fängsel. Die dän. Polizeiwachen werden überwältigt, die deutsche Wache kann sich zunächst halten. Einsatz eines deutschen mot. Pol. Stoßtrupps mit MG und 2 Pak-Geschützen 5 cm, die Meuterei kann niedergeschlagen werden.

c.) Arbeitsniederlegung im Motorenwerk von Burmeister u. Wain, Besetzung der Montagehallen durch die Arbeiter. Einsatz von 2 Zügen des K.i.A. auf Veranlassung der WOK Kopenhagen, die von Land- und Wasserseite angreifen.

d.) Zusammenrottungen gegen das Örsted E.-Werk. Auf Anforderung des BdO durch WOK Einsatz einer Komp D III, die die Menge zerstreut und die Hetzer festnimmt.

e.) Sprengung der beiden Bahnüberführungen bei Enghave Station. Einsatz von Teilen des CB (15.000 Mann in Kopenhagen) auf Anordnung des BdO durch dän. Polizeipräsident zu Aufräumungsarbeiten.

f.) Zusammenrottungen im Fälledpark mit drohender Haltung gegen Schalburg Haus. Einsatz eines Zuges D X wie bei d).

g.) Zusammenrottungen auf dem Vor Frue Platz vor der Universität. Einsatz von 2 Zügen des II. Pol. Wach-Btl.

h.) Zusammenrottungen einer größeren Menschenmenge auf dem Rathaus-Platz. Einsatz einer Komp. des II. Pol. Wach. Btl, Abdrängen und Auflösen der Menge nach Norden.

i.) Straßenkämpfe in der Saxo- und Öhlenschlägergade. Einsatz von ca. 120 Mann der inzwischen durch Einberufungen verstärkten Einsatzeinheit III und eines Zuges des II. Pol. Wach-Btl. mit MG und 2 Pak-Geschützen. Abriegeln der Straßen nach Westen und Süden und Freikämpfen nach Norden unter rücksichtslosem Einsatz der schweren Waffen.

k.) Angriff auf Wasserschutzpolizei-Station-Toldboden. Abwehr mit eigenen Kräften aus gut geschützter Position hinter hohen Eisenzäunen unter Einsatz von 3 MG auf überhöhten ehemaligen Flakkanzeln.

l.) Aufstand der Arbeiter im Dansk Industri Syndikat. Auf Anforderung des BdO durch WOKdtr. Einsatz einer Komp. D X nach Zuführung und Unterstellung von 2 mot. Flakgeschützen 8,8 cm der Flakuntergruppe Seeland.

m.) Zusammenrottungen in Amager und Anmarsch einer Menschenmenge gegen Knippelsbro und Langebro. Sperrung des Amagerdammes und der Brückenzugänge durch spanische Reiter durch Eingreifreserven des K.i.A. und rücksichtslose Feuereröffnung auf anmarschierende Menge.

n.) Bombenabwürfe auf Befehlsstelle BdO Dagmarhaus. Wegen Einsturzgefahr Verlegung der Befehlsstelle in vorbereitete Ausweichunterkunft im Vesterporthaus.

o.) Schutz der deutschen Familien Kopenhagens, die Terrorakten ausgesetzt sind. Es ist hierfür Beschlagnahme eines Hotels für Sammelunterkunft vorgesehen.

p.) Verwundeten-Versorgung und -Abtransport der Polizeieinheiten. Es werden von der Stadt 4 Sankra beschlagnahmt. Außer den planmäßigen Sanitätsoffizieren steht jeder größeren Polizeieinheit ein Hilfsarzt zur Verfügung, der beim Einsatz größerer Einheiten (z.B. einer Komp.) die Truppe begleitet. Außerdem befinden sich San.-Dienstgrade für die erste Hilfe bei der Truppe. Truppenverbandsplätze sind vorgesehen in den Polizeiunterkünften in der Alsgadekaserne, in der Jernbanegade und im Schalburg-Haus im Blegdamsvej.

C.) Erfahrungen

Das Planspiel ist als Lehrplanspiel durchgeführt worden, d.h. es wurden an jede Lage sofort Aussprachen angeschlossen, die Zweifel und Unklarheiten beseitigen sollten.

Die Teilnahme war rege und auch für die Angehörigen der Wehrmacht interessant.

Wenn für den Eingeweihten auch schon vorher klar war, daß die in Kopenhagen stationierten deutschen Polizeikräfte zur Aufrechterhaltung von Ruhe und Ordnung in einer Millionenstadt wie Kopenhagen bei der immerhin zweifelhaften Haltung der dänischen Polizei und der bestimmt feindlichen Haltung eines Großteils der dänischen Bevölkerung im Falle einer Bedrohung des Landes von außen viel zu gering sind, um allein Herr der Lage zu bleiben, so hat dieses Planspiel die Richtigkeit dieser Annahme einwandfrei erwiesen. Es haben aus diesem Grunde schon vor dem Planspiel Besprechungen zwischen Wehrmacht und BdO stattgefunden, die für den Fall innerer Unruhen das Gebiet von Gross-Kopenhagen in 4 Unterabschnitte teilt, in denen die eingeteilten Kommandeure für die Aufrechterhaltung der Ruhe verantwortlich sind, und zwar:

1.) für Unterabschnitt Insel Amager und Hafen der K.i.A.
2.) –   –   Stadtkern bis zur Seenlinie der BdO mit seinen Polizeikräften.
3.) –   –   Kopenhagen-West nördl. Teil der Kdr. D X.
4.) –   –   –   südl. Teil der Kdr. D III.

Verantwortlich für das gesamte Gebiet Gross-Kopenhagen ist der BdO. Der Einsatz von Wehrmacht erfolgt auf Anforderung des BdO beim WO Kommandanten und geschieht, solange die Truppe nicht durch Kampfaufgaben gegen einen von außen angreifenden Feind gebunden ist. In letzterem Falle stehen dem BdO nur seine eigenen Polizeikräfte zur Verfügung, die er dann nach der Wichtigkeit der Aufgaben nacheinander einsetzen muß.

Es war daher allgemeine Auffassung, daß in Anbetracht der geringen verfügbaren Kräfte jeder Einsatz von vornherein mit brutaler Härte und Rücksichtslosigkeit erfolgen muß, um eine abschreckende moralische Wirkung zu erzielen.

Richter
Generalleutnant

Verteiler:
WB Dän.
Ia, K[orps] T[ages] Befehl].

5. Andor Hencke: Aufzeichnung 1. April 1944

Hencke nedfældede hovedpunkterne i en drøftelse, som han selv og von Grundherr havde haft med Best i Berlin 31. marts. Drøftelsen havde fundet sted på AAs foranledning. Givetvis var von Ribbentrop og medarbejderne i AA blevet trætte af Bests ret intetsigende korte dagsindberetninger,[30] mens en lang række andre relevante forhold ikke blev indberettet. Der blev opregnet et katalog over, hvad Best fremover skulle holde AA orienteret om. Det gjaldt blandt meget andet også henvendelser fra UM om de danske fanger i Tyskland, hvor det var AAs opfattelse, at Best kunne forebygge nogle af de talrige direkte henvendelser til AA fra den danske gesandt Mohr.

Best var ankommet med fly til Berlin ved middagstid 31. marts, spiste frokost på "Hotel Adlon" med Hencke og von Grundherr, hvorefter eftermiddagen gik med mødet i AA med von Grundherr, legationssekretær Jasper, Hencke og Wiehl. Endvidere med ministerialdirektør Schröder, hos hvem han også tilbragte aftenen. Møderne i AA blev fortsat 1. april om formiddagen, hvor Best traf dr. Albrecht og von Steengracht, før han tog et fly til København kl. 12.00 (Bests kalenderoptegnelser 31. marts og 1. april 1944).

Kilde: PA/AA R 99.502.

Aufzeichnung

Am 31. März d.J. fand eine Besprechung zwischen U.St.S. Hencke und Gesandten von Grundherr mit dem Herrn Reichsbevollmächtigten Dr. Best aus Kopenhagen in Berlin statt. Es wurde folgendes vereinbart:

1.) Gemäß dem Ersuchen des Herrn RAM erstattet künftig der Herr Reichsbevollmächtigte etwa 2 bis 3 mal im Monat einen Bericht von 1 bis 2 Seiten über die politische Lage in Dänemark.[31]

2.) Für die Berichterstattung sind außerdem folgende Themen von besonderem Interesse:
   a.) Beziehungen Dänemarks zu den anderen skandinavischen Staaten. Dänemarks Stellung zum Skandinavismus.
   b.) Nachrichten über innerpolitische Lage in den Vereinigten Staaten, insbesondere Wiederwahl-Aussichten Roosevelts.
   c.) Nachrichten über innerpolitische Lage in England; Opposition gegen die Regierung.

---

30 Jfr. Bests telegram nr. 302, 7. marts 1944, hvor han på egen hånd valgte at ændre sin indberetningspraksis trods en given ordre fra RAM fra august 1943.
31 Best opfyldte dette ønske endnu samme dag med sin "Kurzbericht" til AA. Den næste fulgte som anf. 25. april.

3.) Der Reichsbevollmächtigte wurde orientiert über den Stand der finnisch-russischen Besprechungen.

4.) Hinsichtlich des Argentinischen Gesandten in Kopenhagen wird der Reichsbevollmächtigte das dänische Außenministerium veranlassen, dem Argentinischen Gesandten zu erklären, daß er nicht mehr seine Funktionen ausüben könne. Die grundsätzliche Frage des Abbruchs der diplomatischen Beziehungen Dänemarks zu Argentinien soll dabei nicht aufgeworfen werden.

Der Reichsbevollmächtigte setzte sich dafür ein, daß der Argentinische Gesandte, der eine deutsche Frau und sich stets als deutschfreundlich eingestellt erwiesen hat, seinem Wunsche entsprechend nach Stockholm versetzt wird, da er dort die Reihe der uns gegenüber freundlich eingestellten fremden Gesandten verstärken würde, und er zudem in der Lage wäre, bei meinem guten Beziehungen nach Amerika uns wichtige Nachrichten aus diesen Ländern zu vermitteln. Der Reichsbevollmächtigte hat Bericht hierüber in Aussicht gestellt.[32]

5.) Es wurde vereinbart, daß die grundsätzliche Frage der Anerkennung der Mussolini-Regierung durch Dänemark gegenüber der Dänischen Regierung nicht aufgeworfen werden soll, daß wir uns vielmehr mit dem Zustand der de facto-Anerkennung (der Dänische Gesandte befindet sich jetzt in Venedig) begnügen können.

6.) Mit dem Reichsbevollmächtigten wurden die verschiedenen, von Gesandten Mohr in letzter Zeit hier durchgeführten Demarchen betreffend dänische Juden und Kommunisten besprochen.

Der Reichsbevollmächtigte wird künftighin über alle derartigen Demarchen der hiesigen Dänischen Gesandtschaft unterrichtet werden, während er seinerseits das AA über die dort in diesen Fragen geführten Besprechungen unterrichtet. Auf die Dänische Regierung wird der Reichsbevollmächtigte in dem Sinne einwirken, daß künftig vor der Beauftragung des hiesigen Dänische Gesandten mit Demarchen eine Rücksprache des Dänischen Außenministeriums mit dem Reichsbevollmächtigten, evtl. unter Beteiligung der deutschen Polizeiorgane in Kopenhagen, erfolgt, wodurch sich vielleicht manche dänischen Demarchen vermeiden lassen. Der Reichsbevollmächtigte wird seinerseits versuchen, beim Reichssicherheitshauptamt dahin zu wirken, daß die vom Dänischen Gesandten vorgebrachten Wünsche, sowie sie berechtigt sind, erfüllt werden.

7.) Zum Bericht I A 5644 vom 8. März d.J., betreffend die Vertretung norwegischer Interessen in Dänemark,[33] wurde festgestellt, daß ein sachliches Bedürfnis, eine neue Behörde oder behördenartige Organisation zum Schutz der norwegischen Interessen in Dänemark zu schaffen, nicht vorliegt und daß auch keinerlei politische Gründe vorliegen, die vom Standpunkt der Reichspolitik gegenüber Norwegen für eine derartige verstärkte Vertretung der norwegischen Interessen in Dänemark sprechen.

Berlin, den 1. April 1944.

gez. **Hencke**

---

32 En sådan er ikke lokaliseret.
33 Indberetningen er ikke lokaliseret.

6. Seekriegsleitung: Vermerk 1. April 1944

Efter Seekriegsleitungs henvendelse til AA 28. marts vedrørende ophugning af danske krigsskibe blev sagen fulgt op telefonisk. Under forudsætning af, at skrottet umiddelbart kunne genbruges af Kriegsmarine, mente AA, at skrotningen af skibene kunne finde sted på tyske værfter og afvente, om danskerne gjorde indsigelse. Blev det forud kendt, at skrotningen skulle finde sted, kunne det give betydelige besværligheder, da beslaglæggelsen af skibene var sket med henblik på deres krigsindsats.

Se endvidere Seekriegsleitungs skrivelse til K III 13. april 1944.
Kilde: BArch, Freiburg, RM 7/1815. RA, Danica 628, sp. 7, nr. 5946.

Neu B. Nr. 1/Skl. I i 12 114/44 g.   Berlin, den 1.4.44.
Vfg.   Geheim

I. Vermerk: die von K III beantragte Verschrottung dänischer Kriegsschiffe wurde an Hand von B. Nr. 1/Skl. I i 10 907/44 vom 28.3.44[34] am 1.4. zwischen Gesandten Leitner, Vortragenden Leg.-Rat C. Roediger einerseits und I i anderseits fernmündlich besprochen. Unter der Voraussetzung, daß es sich um die Gewinnung kriegswichtigen Schrottes für unmittelbare Zwecke der Kriegsmarine handele, ist das Ausw. Amt der Auffassung, wir sollten die Verschrottung auf deutschen Werften zunächst durchführen und abwarten, ob die Dänen Ansprüche stellen. Würde die Verschrottungsabsicht vor Durchführung der Aktion bekannt, so ist Gesandter Leitner der Auffassung, daß erhebliche Schwierigkeiten entstehen würden, da die Inanspruchnahme der dänischen Schiffe szt. lediglich zu Zwecken ihres kriegsmäßigen Einsatzes erfolgt ist.

II. Bei I i zur Besprechung mit Kd. Admiral in Kopenhagen gelegentlich Dienstreise.
I i

7. Werner Best an das Auswärtige Amt 2. April 1944

Under besøget i Berlin havde Best fået besked på forud at orientere AA, hvis der skete særlige aktioner eller blev foretaget særlige forholdsregler i Danmark. Det var med henvisning hertil, at han gav sin første indberetning efter tilbagekomsten til København.

Otto Bovensiepen havde 31. marts ladet "Kinopalæet," Gl. Kongevej 60, schalburgtere af medlemmer af Petergruppen. Det skulle være med til at lamme dansk film og fremme den tyske film. Günther Pancke var ikke orienteret om aktionen, men troede, at den var gennemført af modstandsbevægelsen, og beordrede medlemmer af Schalburgkorpsets ET til at foretage en modaktion mod en anden københavnsk biograf. Valget faldt på "Platanbio," der blev udsat for schalburgtage 1. april. Samme dag schalburgterede Petergruppen "Hviids Vinstue," Kgs. Nytorv 19, hvorved en person blev dræbt. Hvornår tysk politi blev klar over den interne konkurrence om at gennemføre terror, er uvist, men Best var 2. april ikke i tvivl om, at aktionerne alle var udslag af modterror, og han indberettede, at det gik ud over af det af ham godkendte. Han meldte til AA, at han ville foranledige det fornødne, og i de næste par uger var modaktionerne meget få (se oversigten hos Lauritzen 1947, s. 1387, Bests telegram nr. 509, 24. april 1944, Bøgh 2004, s. 68-70, tillæg 3 her).

Kilde: PKB, 13, nr. 766.

---

34 Trykt ovenfor.

Telegramm

Kopenhagen, den   2. April 1944   13.55 Uhr
Ankunft, den   2. April 1944   14.45 Uhr

Nr. 413 vom 2.4.[44.]   Citissime!

Bezugnehmend auf die Besprechung mit Unterstaatssekretär Hencke am 1. April 1944 mitteile, daß Kopenhagener Anschläge gegen Kinos und Wirtschaften in den letzten Tagen Gegenterrorakte waren, die über das von mir gebilligte Maß hinausgehen. Habe das Erforderliche veranlaßt.

Dr. Best

8. Andor Hencke: Aufzeichning 3. April 1944

Hencke refererede sagen med den fejlagtigt deporterede dansker Ove Jacob Meyer, for hvem den fhv. danske statsminister Erik Scavenius personligt havde interveneret. Uanset dette mente Hencke, at AA burde følge de regler, som Best havde udstukket for deportation af danske jøder, men at AA også kunne have interesse i at opfylde Scavenius' personlige ønske. Scavenius' fortjeneste for Tyskland blev nævnt.[35]

Ove Meyer blev ikke hjemsendt, men var blandt dem, som Frants Hvass talte med under sit besøg i Theresienstadt 23. juni 1944 (Yahil 1967, s. 265f.).

Kilde: RA, pk. 204.

U.St.S. Pol Nr. 135   *Berlin, den 3. April 1944*

Der Dänische Gesandte übergab mir heute anliegende Notiz, betreffend die irrtümliche Deportation des Dänischen Staatsangehörigen Ove Jacob Meyer, der nach den vom Reichsbevollmächtigten in Dänemark den dänischen Behörden abgegebenen Zusicherungen nicht als Jude nach Deutschland hätte abtransportiert werden sollen. Angeblich hat auch der Regierungsdirektor Dr. Stalmann von der inneren Verwaltung des Reichsbevollmächtigten dies gegenüber dem Dänischen Außenminister ausdrücklich anerkannt.

Herr Mohr bemerkte, daß sich der letzte Dänische Ministerpräsident von Scavenius, der auf unserer Linie lag und mit dem wir besonders gut zusammengearbeitet haben, für diesen Fall persönliches Interesse hätte und für ein deutsches Entgegenkommen dankbar wäre.

Ich stehe auf dem Standpunkt, daß – ganz unabhängig von der Intervention des Herrn von Scavenius – ein Rücktransport des Meyer erfolgen müßte, wenn er tatsächlich unter die vom Reichsbevollmächtigten bekanntgegebenen Begriffsbestimmungen "Jude" nicht fällt. Das Auswärtige Amt muß zu dem Wort seines Bevollmächtigten in Kopenhagen stehen, das seinerzeit auch von Herrn Reichsaußenminister dadurch sank-

---

35 Mohr havde samme dag også bedt om, at den fængslede oberst Lunding fik udbetalt dagpenge, hvilket Hencke anbefalede, at RSHA blev bedt om at indvillige i (Henckes notat Nr. 134, sst.).

tioniert worden ist, daß er die Rückbeförderung der irrtümlich Deportierten gewünscht hat. Abgesehen davon haben wir aber auch ein Interesse daran, einem Mann wie Scavenius einen persönlichen Wunsch zu erfüllen. Ich mache im diesem Zusammenhang darauf aufmerksam, daß Scavenius schon im ersten Weltkrieg als Dänischer Außenminister einer der wenigen neutralen Staatsmänner war, der loyal mit dem Deutschen Reich zusammengearbeitet hat.

Hiermit Inl. II mit der Bitte übersandt, die Angelegenheit mit dem Sicherheitshauptamt beschleunigt aufzunehmen.

gez. **Hencke**

9. Andor Hencke: Aufzeichnung 3. April 1944

Den danske gesandt i Berlin Mohr havde været i AA og presset på for at få en dato for det lovede danske besøg i Theresienstadt. Hencke bemærkede, at det var meget om at gøre for Best at få besøget i stand (Hæstrup, 1, 1966-71, s. 352, med s. 566 og n. 24, Weitkamp 2008, s. 191).

Se Bests telegram nr. 425, 4. april 1944.
Kilde: PA/AA R 99.414. RA, pk. 204.

U.St.S. Pol Nr. 136   *Berlin, den 3. April 1944*

Der Dänische Gesandte kam heute erneut auf die Frage des Besuches der dänischen Staatsangehörigen in Theresienstadt und in Westpreussen durch dänische Vertreter zu sprechen. Ich teilte Herrn Mohr mit, daß aus technischen Gründen der Besuch in Theresienstadt erst im Mai möglich sei. Herr Mohr war etwas enttäuscht, da ihm ursprünglich der Januar und dann der März in Aussicht gestellt sei. Er äußerte die Bitte, schon jetzt einen genauen Termin für den Monat Mai festzusetzen, damit er hierüber nach Kopenhagen berichten kann.

Hiermit Inl. II mit der Bitte um weitere Veranlassung übersandt. Ich darf in diesem Zusammenhang bemerken, daß der Reichsbevollmächtigte in Dänemark, Herr Dr. Best, sich aus politischen Gründen sehr entschieden für ein Zustandekommen dieses Besuches ausgesprochen hat.

gez. **Hencke**

10. Eberhard von Thadden an Werner Best 3. April 1944

AA var af den opfattelse, at den danske repræsentation ved det forestående besøg i Theresienstadt alene burde bestå af en repræsentant for Dansk Røde Kors, ikke direktør Helmer Rosting selv, og en embedsmand fra Det Danske Gesandtskab, men ikke gesandten selv, og ikke som foreslået af Best også afdelingsleder Frants Hvass.

Det var tydeligt, at AA ønskede besøget holdt på lavest mulige officielle niveau.
Best svarede herpå med telegram nr. 425 den følgende dag (Weitkamp 2008, s. 191).
Kilde: PA/AA R 99.414. RA, pk. 220.

Telegramm

Berlin, den 3. April 1944

Diplogerma Kopenhagen   Inl. II 1096
Nr. 346
Referent: LR v. Thadden

Betreff: Besuch dänischer Beauftragter in Judenlager im Reich.

Auf Nr. 389 vom 27.3.:[36]
Nach Mitteilung Reichssicherheitshauptamtes wird Reichsführer Besuch dänischer Juden in Theresienstadt durch Dänen für zweite Hälfte Mai voraussichtlich genehmigen. Abschließender Erlaß folgt, sobald Entscheidung vorliegt.

Auswärtiges Amt hält Besuch durch Abteilungschef dänischen Außenministeriums und Direktor Dänischen Roten Kreuzes für zuviel und würde Vertreter dänischen Roten Kreuzes, nicht Rosting selbst, in Begleitung eines Beamten hiesiger dänischer Gesandtschaft – nicht des Gesandten für Sachlage angemessen erachten.

Thadden

11. Werner Best an das Auswärtige Amt 3. April 1944
Best viderebragte et ønske fra dansk landbrug om at erstatte udeblevet svensk høstbindegarn med tysk papirbindegarn. Adressaterne var REM, RWM og rigsforeningen for bast.
Svaret er ikke lokaliseret.
Kilde: BArch, R 901 113.560.

S DG Kopenhagen Nr. 9 3.4. 11.10 = Offen =

Auswärtig Berlin Nr. 414 vom 3.4.44

Für Reichsernährungsministerium, Reichswirtschaftsministerium und Reichsvereinigung Bastfasern.

Dänischerseits besteht der Wunsch, Fehlbedarf an Erntebindegarn in deutschen Papierbindegarn abzunehmen, da schwedische Spinnpapierlieferungen nicht rechtzeitig eintreffen. Erbitte Drahtmitteilung, ob deutscherseits Lieferung von 700-800 to Papierbindegarn möglich ist. Bejahendenfalls ist umgehende Absendung einer Probe an Landbrugsraadet, Kopenhagen, Axelborg, dringend erwünscht.

Dr. Best

36 Trykt ovenfor.

12. Alex Walter an das Deutsche Rote Kreuz 3. April 1944

Walter gjorde Tysk Røde Kors opmærksom på, at selvstændige henvendelser om fødevareleverancer fra Danmark og andre områder under tysk indflydelse ikke måtte finde sted. Fik Tysk Røde Kors fødevarer fra Danmark, ville det have betydet, at de var fraget de leverancer, der ellers skulle være leveret til Tyskland (se Walters telegram til AA og REM 28. februar 1944).

Walter sendte en afskrift til AA.
Kilde: BArch, R 901 113.555. RA, pk. 271.

Abschrift
Der Reichsminister für Ernährung und Landwirtschaft   Berlin, den 3. April 1944

An das Deutsche Rote Kreuz,
Ettal (Oberbayern)

Betrifft: Einfuhr von Lebensmittel aus Dänemark.

Bei Gelegenheit von Wirtschaftsverhandlungen ist dem unterzeichneten Vorsitzenden des deutschen Regierungsausschusses von dänischer Seite ein Telegramm folgenden Inhalts übergeben worden, das vom Deutschen Roten Kreuz an das Dänische Rote Kreuz gerichtet war:

"Deutschrotkreuz bittet unter Bezugnahme kürzliche Besprechungen Fischer Dänischrotkreuz zu erwirken, zuständigen Regierungsstellen Sonderwertgrenze höhe Fünfundzwanzigtausend Reichsmark für Ausfuhr Dörrgemüse, Käse, Fischkonserven und andere Lebensmittel stop Bestimmt für Betreuung Lazarett und Kriegsgefangene und Notstandseinsatz stop Erbitten sofortige Vermittlung Hinblick jetzt laufende Regierungsverhandlungen – Deutschrotkreuz, Ettal."

Ich bedaure, daß dieses Telegramm ohne vorherige Fühlungnahme mit mir an das Dänische Rote Kreuz gerichtet worden ist. Die gesamte Ausfuhr Dänemarks an Lebensmitteln kommt dem Deutschen Reich oder den vom Reich belieferten verbündeten Ländern zugute. Sonderausfuhren für bestimmte Zwecke bedeuten daher eine Kürzung der vorgesehenen Lieferungen an Deutschland und seine Verbündeten. Die Annahme, daß eine Sonderlieferung an das Deutsche Rote Kreuz eine zusätzliche Ausfuhr Dänemarks darstellen würde, ist irrtümlich. Die Dänische Regierung hat denn auch zu dem Telegramm bemerkt, daß sie anheimstellen müßte, die Wünsche des Deutschen Roten Kreuzes aus den dänischen Ausfuhrkontingenten nach Deutschland zu berücksichtigen.

Bei dieser Sachlage werden Sie mit mir der Auffassung sein, daß es zweckmäßig ist, künftig von der Geltendmachung solcher Sonderwünsche beim Dänischen Roten Kreuz wie auch bei den sonstigen ausländischen Stellen, die sich im deutschen Einflußbereich befinden, abzusehen.

Im Auftrag
gez. **Dr. Walter**

13. Josef Terboven an Herbert Backe 3. April 1944

Terboven henvendte sig til REMs chef, Herbert Backe, med ønsket om at få importeret 10.000 tons sukker direkte fra Danmark. En tidligere henvendelse til ministeriet havde 24. januar 1944 ført til et afslag. Det var heller ikke lykkedes at få sukker fra Danmark ved direkte forhandlinger, og her var grunden væsentligst, at de deltagende på tysk side ikke mente, at man af politiske grunde kunne nedsætte den danske sukkerration. Det standpunkt mente Terboven var helt uforeneligt med Tysklands og Europas forsyningssituation. For at overbevise om det rimelige i ønsket fremdrog han, hvor meget bedre ernæringssituationen i Danmark var end i Norge, og at der var rigelige muligheder for at nedsætte sukkerrationen i Danmark. Til yderligere understøttelse for ønskets rimelighed fremdrog han den eksport, som Norge hidtil havde bidraget med, og som bl.a. var kommet Danmark til gode i form af kunstgødning.

Terbovens initiativ kan ses alene på baggrund af faldet i sukkerimporten til Norge, men det er da bemærkelsesværdigt, at han i øvrigt ikke udviste større bestræbelser for at lette den norske befolknings dagligdag. Ønsket om at skaffe import af sukker til Norge ved at foreslå nedsættelse af de danske rationer, var en direkte indblanding i et område, som lå uden for rigskommissærens kompetence, og det var ikke første gang, det skete. Forud lå sagen fra efteråret 1943 om den danske skibstonnage, hvor Best havde fået ham sat stolen for døren (se Bests telegram til AA nr. 1478, 28. november 1943). Med sukkerkravet kunne Terboven nu opnå flere ting på en gang, for det første en forringelse af forsyningssituationen i Danmark, komme Bests besættelsespolitik på tværs, og da endelig også forbedre den norske forsyning lidt.

Backe svarede 11. maj 1944.
Kilde: RA, Danica 1000, T-175, sp. 125, nr. 650.921-929.

Abschrift zu V 8 3-523 g.Rs.
Der Reichskommissar für die besetzten norwegischen Gebiete   *Oslo, den 3.4.1944*
II E 375 g/44   Geheime Reichssache!
Dr. Bl. We.   5 Ausfertigungen
                                                                3. Ausfertigung

Lieber Parteigenosse Backe!
Nachdem mehrfache Verhandlungen zur Deckung des norwegischen Zuckerbedarfes für 1944 gescheitert sind, sehe ich mich genötigt, mich mit Nachfolgenden an Sie zu wenden:

Norwegen verbrauchte vor dem Kriege 110.000 t Zucker. Es hat während der Besatzungszeit seinen Bedarf zunächst auf 63.000 t, dann auf 54.000 t und schließlich auf 44.000 t herabgesetzt. Diese Mengen teilen sich wie folgt auf:

1.) Rationen: 200 g pro Kopf Woche   31.200 t
2.) Marmeladen-und Konservenfabriken   5.000 t
3.) Bäckereien und Konditoreien   4.000 t
4.) Krankenhäuser, Anstalten, Hotels, Pensionen   1.600 t
5.) Bienenfütterung   500 t
6.) Schiffart   100 t
7.) Schwund, Diebstahl und Kriegsverluste ab Deutschland und Dänemark 2.000 t
                                                                      44.400 t

Einmachzucker konnte nicht eingesetzt werden. Die Zuteilung an die Fabriken (1942 noch 7.400 t) erfolgte zur Ausnutzung des Beerenreichtums und zur Deckung des Fehlbedarfes an Vitamin C. Für die Bäckereien, die auf Verlangen des Reiches bei der Kuchenherstellung kein Fett mehr erhalten, ist der Zucker notwendig. Ohne die Herstellung von Gebäck ist das Brotbacken unrentabel und der Brotpreis nicht mehr zu halten.

Der Verlustprozentsatz ist leider Tatsache und wächst noch ständig.

Der Bedarf von 44.400 t erschien schon Ende 1943 nur in Höhe von 33.000 t gedeckt, davon 23.000 t durch das Reich und nur 10.000 t durch Dänemark.

Nachdem die Dänen statt ursprünglich allein für Norwegen vorgesehener 35.000 t am Jahresschluß 1943 ihre Gesamtausfuhr mit nur 30.000 t, davon je 10.000 t an Schweden, Finnland und Norwegen festlegte, haben meine Mitarbeiter unausgesetzt daran gearbeitet, die für Schweden vorgesehenen und von den Dänen Norwegen zugedachten Zuckermengen unmittelbar hierher zu bekommen. Der Grund hierfür lag darin, daß bei der Einstellung der Engländer und Amerikaner von Schweden auf handelsvertraglichem Weg kein Zucker nach Norwegen zu bekommen war und ist. Die Lieferung über die schwedische Nationalhilfe, durch die Norwegen 1942 und 1943 Einmachzucker erhielt, erschien mit der Verschlechterung der Kriegslage und bei den politischen Reaktionen der Schweden immer unsicherer.

Herr Ministerialdirektor Walter hat diese Gesichtspunkte voll gewürdigt und mit seinem Einverständnis schrieb Senator Otte am 20.12.43 an Herrn Ministerialdirektor Moritz, um die Direktausfuhr der fraglichen 10.000 t Dänenzucker nach Norwegen zu erreichen. Dies wurde mit Schreiben vom 24.1.44 abgelehnt.

Bei dieser Sachlage bleib uns nur die Möglichkeit, erneut an Dänemark heranzutreten. Hierbei war es mir mehr wertvoll, von Herrn Ministerialdirektor Moritz unter Berücksichtigung der Geschehnisse in Rjukan die im Vorjahre dem Reich zugestandenen 6.000 t Stickstoff für die Dänenverhandlungen freigesetzt zu bekommen.[37] Auf der anderen Seite habe ich in Kenntnis Ihres Wunsches auf höchstmögliche Stickstoffversorgung Dänemarks nicht zur alle erreichbaren Mengen aufgeboten, sondern der norwegischen Landwirtschaft, die hiergegen schwerwiegende Bedenken vorbrachte, 2.000 t N von den Mengen gekürzt, die ihr in den Verhandlungen mit dem Reich für 1943/44 zugestanden waren. Auf diese Weise schnitt Dänemark bei den durch höhere Gewalt bewirkten Ausfällen gegenüber Norwegen, Finnland und Schweden bei weitem am besten ab.

Trotzdem war es meinen Unterhändlern nicht möglich, von den Dänen in den kürzlich abgeschlossenen Verhandlungen Zucker zu erhalten. Der wesentliche Grund hierfür lag in der insbesondere von deutscher beteiligter Seite geäußerten Auffassung, daß man Dänemark aus politischen Erwägungen Kürzungen der Zuckerrationen nicht zumuten dürfe.

Ein solcher Standpunkt, lieber Pg. Backe, ist, das werden Sie mir zugeben, nicht nur in Anbetracht der außergewöhnlich guten Versorgungslage Dänemarks unhaltbar, er ist auch mit der Gesamtkriegslage, sowie der augenblicklichen und der zu erwartenden Versorgungslage des Reiches und Europas einfach unvereinbar.

Bereits die allgemeine Ernährungslage Dänemarks müßte wesentliche Abzüge der Zuckerration zulassen. Es liegen aber darüber hinaus in der Höhe der Gesamtzuckerversorgung der Dänen weitgehende Möglichkeiten zu Kürzungen. Nach den meinen Mitarbeitern in Kopenhagen und über den dänischen Generalkonsul in Oslo übergebenen

---

37 I Rjukan blev produktionsanlægget i februar 1943 udsat for en sabotage/bombning, der midlertidigt stoppede produktionen af bl.a. kvælstof.

Unterlagen, aus denen ich die niedrigsten Zahlen entnehme, verfügen die Dänen über folgende Mengen:

Einwohnerzahl 3.950.000

1.)	Ration: 1,5 kg pro Person pro Monat + Einmachzucker	89.000 t
2.)	Verbrauch der Industrie, Bäckereien, Konditoreien etc.	45.000 t
3.)	Bienenfütterung	1.500 t
4.)	Wehrmacht	3.500 t
5.)	Ausfuhr nach Finnland, Schweden u. Norwegen	30.000 t
		169.000 t

Danach liegt allein der dänische gewerbliche Verbrauch höher als der Gesamtzuckerverbrauch Norwegens. Bei Deckung der Ration von 1,5 kg bleiben zudem bei dem ersten Posten noch 18.000 t übrig. Der Jahresverzehr Norwegens liegt bei 13 kg (ohne Einmachzucker), in Dänemark bei 34 kg. Hier sind also noch erhebliche Möglichkeiten, die ich Sie bitten muß, in Angriff nehmen zu lassen.

Die Tatsache, daß es nicht gelang, den Transport der fraglichen Mengen nach Schweden zu unterbinden, ist umso bedauerlicher, als die Schweden nach Informationen, die von dem schwedischen Generalkonsul in Oslo stammen, Zuckerläger für 1½ Jahre bei einem Jahresverzehr von 45 kg (!) pro Kopf haben.

Die nun in Schweden lagernden dänischen Mengen können nur über die schwedische Nationalhilfe hierher gelangen. Einstweilen weigern sich die Schweden aber überhaupt, an Norwegen zu liefern. Sie haben auch bereits wissen lassen, daß, wenn im späteren Ablauf des Jahres eine Lieferung in Frage komme, dies nur unter der Voraussetzung geschehen könne, daß die norwegischen Zuckerrationen unverändert blieben.

Ich habe aber bereits im Januar vorsichtshalber den vorgesehenen Verbrauch von 44.400 t auf 36.600 t gedrosselt. Darin liegt eine Deckung des gewerblichen Bedarfs nur bis August. Notwendige Ersatzmittel für Bäckereien sind bislang nicht zu bekommen gewesen. In den 36.600 t ist sodann kein Umsatzlager enthalten, das bei ständig sich erschwernder Transportlage im ungünstigsten Falle 6.000 t betragen muß.

Das Wenigste, was ich an Lieferung durch Ihre Initiative glaube verlangen zu müssen, sind 10.000 t. Wenn man den Dänen eine Kürzung der Rationen um 6.000 t zumuten und ihre Umsatzläger mit 2.000 t, die Umsatzläger des Reiches mit weiteren 2.000 t angreifen würde, so, wäre meine Forderung erfüllt.

Sie zu erheben, glaube ich mich umso mehr berechtigt, als die Leistungen Norwegens an die Wehrmacht und das Reich im Ablauf der vergangenen Jahre nichts zu wünschen übrig lassen:

Die Wehrmacht hat bis Mitte 1944 bei vorsichtiger Berechnung aus Norwegen 1.062.902 t erhalten (s. Anlage 1). An das Reich geliefert wurden in den Kalenderjahren 1940-43 an Fischerzeugnissen aller Art 1.543.775 (s. Anlage 2). Hierzu kommen die ausgezeichneten Ergebnisse des l. Halbjahres 1944 (s. Anlage 3), wo mit einer Gesamtmenge von 228.250 t, d.h. 68.530 t mehr als 1943 gerechnet werden darf. Dies macht insgesamt 2.834.000 t.

Hierzu kommen die Stickstofflieferungen Norwegens an Dänemark, Schweden, Finnland und Holland, die entweder in Erfüllung deutscher Lieferverpflichtungen, oder aber mit mittelbarer Wirkung für den deutschen Ernährungssektor geleistet sind, Sie machen folgende Mengen aus:

Düngejahr	Schweden	Dänemark	Finnland	Holland	zusammen
1940/41	18.883	29.818	4.456	10.265	63.782
1941/42	17.021	30.228	4.841	2.080	54.170
1942/43	16.538	30.798	4.637	–	51.973
1943/44	9.771	19.796	3.013	–	32.580
					202.505

In Norwegen rechnet man mit einer Erzeugung von 14 Futtereinheiten bei einem Einsatz von 1 kg Stickstoff. Darnach beträgt der Produktionsgegenwert für rund 200.000 t Stickstoff noch einmal 2.800.000 t Gerste. Sie, Parteigenosse Backe, werden am besten ermessen können, was dies insbesonders für die dänischen Leistungen an Deutschland bedeutet.

Dem steht eine Leistung des Reiches an Norwegen von 1940 bis 1944 von 982.000 t gegenüber (s. Anlage 4).

Damit glaube ich jedenfalls eines nachgewiesen zu haben, daß gemessen an den vorhandenen Möglichkeiten Norwegen selbst auf den Lebensmittelgebiet eine Gesamtleistung vollbracht hat, die sich neben denjenigen der übrigen besetzten Gebiete sehen lassen kann. Es dürfte für Sie auch wertvoll gewesen sein, zu beobachten, wie reibungslos und mit ständig steigendem Erfolge die Entwicklung der Lieferungen erfolgte.

Ich wäre Ihnen dankbar, wenn Sie in der oben vorgeschlagenen Weise verfahren und mir Ihre Entscheidung baldigst bekanntgeben würden.

Wie ich höre, ist Herr Ministerialdirektor Walter im April in Kopenhagen. Ich würde mich sehr freuen, wenn ich ihn nach Abschluß seiner Verhandlungen, bei denen die obige Forderung zu besprechen sein dürfte, zu einem Besuch hier sehen könnte, da ich bereits mehrfach den Wunsch hatte, ihn gelegentlich persönlich zu sprechen. In meinem Auftrage übermittle Herr Senator Otte diese Einladung bereits in Stockholm.[38]

Heil Hitler!
Ihr
gez. **Terboven**

4 Anlagen

---

38 Carlo Otte, leder af Hauptabteilung Volkswirtschaft i Oslo, havde sammen med Alex Walter været til forhandlinger i Stockholm om handelsaftaler med Sverige.

Anlage 1
Kontingentszuweisungen an die Wehrmacht.

	1. Kont. Jahr bis 31.7.41	2. Kont. Jahr 1.8.41-31.7.42	3. Kont. Jahr 1.8.42-31.7.43	4. Kont. Jahr 1.8.43-31.7.44
	t	t	t	t
Butter, Margarine	5.856	3.000	–	–
Käse	1.604	2.096	1.200	–
Fleisch	5.763	7.077	8.133	6.000
Fische	2.300	13.000	7.000	13.000
Fischkonserven	1.847	–	–	–
Obstkonserven	52	5	–	–
Gemüsekonserven	541	60	–	–
Frischgemüse	7.463	13.000	13.000	15.000
Kohlrüben	–	–	–	13.680
Südfrüchte, Trockenobst, sonstige Früchte				
Frischobst	933	1.250	22	600
Sauerkraut	1.905	2.200	–	–
Fruchtsaft	64	120	7	–
Marmelade	1.232	1.800	32	–
Kondensmilch	235	200	200	–
Schokolade	59	–	–	–
Kakaopulver	5	–	–	–
Kakaobohnen	70	–	–	–
Kakaobutter	5	–	–	–
Bohnenkaffee	1.465	–	–	–
Schwarzer Tee	1	–	–	–
Kartoffeln	35.418	60.000	150.000	178.000
Heu	33.053	40.000	37.300	40.000
Stroh	28.223	35.000	40.300	32.500
Magermilch, Vollmilch Sahne	50.000	50.000	50.000	50.000
	178.094	228.808	307.194	348.780

Anmerkung:
1.) Für das 1. Kontingentsjahr bis 31.7.1941 liegen nur unvollkommene Meldungen über die Lieferungen an die Wehrmacht vor. Die wirklichen Mengen dürften die angegebenen Mengen erheblich übersteigen.
2.) den Zahlen für Milchlieferungen liegen folgende Rationen zu Grunde:
   a.) Magermilch für jeden Wehrmachtsangehörigen täglich bis ¼ Liter,
   b.) Vollmilch für U-Bootsbesatzungen bis zu ½ Liter täglich,
   c.) Vollmilch für fliegendes Personal der Luftwaffe bis zu ¼ Liter täglich,
   d.) Vollmilch für Wehrmachtsangehörige mit gesundheitsschädigender Arbeit bis zu ½ Liter täglich.

3.) An Weinen und Spirituosen sind an die Wehrmacht geliefert:
   1.) Kontingentsjahr   625.485 Liter
   2.)   –   1.162.500   –
   3.)   –   822.839   –
   4.) Kontingentsjahr sind für Weine und Spirituosen
       keine Kontingente festgelegt,
       jedoch bis Ende Dezember 43   199.098 Liter
       geliefert.
4.) In obiger Aufstellung sind nicht aufgeführt die Lieferungen von Eiern, Glykose, Kartoffelmehl und Futterzellulose.
    Ebenfalls sind nicht mit aufgeführt die Lieferungen an Casinos der Wehrmacht, sowie Lieferungen an Generale und Admirale.

Anlage 2
Tabelle
Ausfuhr nach Deutschland in den Jahren 1940-1943
nach den Angaben des statistischen Zentralbüros.

		1940	1941	1942	1943
		t	t	t	t
a.)	Heringe:				
	Frische Heringe	82.278	69.542	79.912	84.487
	Salzheringe	25.292	37.418	44.671	41.577
	Heringsrogen	–	200	51	45
	zus.:	107.570	107.160	124.634	126.109
	Auf Frischhering umgerechnet	120.216	125.689	146.970	146.897
b.)	Fische				
	Frischfisch, ganz	25.532	22.739	14.015	14.345
	Frischfisch, Filet	3.847	12.703	15.966	17.520
	Frischfisch i. Stü.	–	–	2.105	–
	Salzfisch	3.647	10.440	12.623	3.041
	Klippfisch	9.537	9.935	559	103
	Stockfisch	3.270	5.171	3.751	1.386
	Barschrogen	350	2.250	1.493	1.058
	zus.:	46.209	63.238	50.512	37.453
	Auf Frischfisch umgerechnet	81.935	125.186	99.560	71.559
c.)	Schalentiere	–	–	–	4
d.)	Fischerzeugnisse:				
	Fischmehl	6.498	7.234	12.075	7.085
	Heringsmehl	31.024	24.259	8.253	6.176
	Dampfmedizinaltran	8.484	7.070	3.643	2.462

anderer Tran	–	–	–	6
Milch	–	266	64	1.159
Konserven einschl. Paste	23.028	18.947	25.093	11.220
andere Fischprodukte	819	1.860	1.267	791
zus.:	69.853	59.636	50.395	28.899
Auf Frischfisch umgerechnet	222.243	187.502	132.949	83.066
Gesamtausfuhr a/ Frischfischbasis	424.394	483.377	379.479	301.526

Anlage 3
Gegenüberstellung der Leistungen Norwegens in Heringen, Fischen und Erzeugnissen daraus für die Jahre 1943 und 1944 (I. Halbjahr).

	1943	1944
	t	t
Großheringe	23.800	57.000
Frühjahresheringe	95.000	102.000
Lofotsaison	33.320	41.250
Heringe-Fischmehl	5.000	24.500
Lebertran	2.600	3.500
	159.720	228.250

Anlage 4
Leistung Deutschlands an Norwegen

Getreide und Nährmittel:
1941	182.000 t		
1942	180.243 t		
1943	180.000 t		
1944	190.000 t	(Basis Rogen)	732.243 t

Fett:
1941/42	6.174 t	
1942/43	14.524 t	
1943/44	14.941 t	35.639 t

Zucker:
1940	15.000 t	
1941	45.170 t	
1942	20.030 t	
1943	23.000 t	103.200 t

Sirup:
1941	3.230 t

1942	5.183 t		
1943	5.244 t		13.657 t
Melasse:			
1941	20.958 t		
1942	2.867 t		
1943	7.269 t		31.094 t
Futtermittel:			
1941	19.930 t	Kleie	
1943	12.500 t	Sonnenblumenschrot (Tausch geg. 5.000 t Heringsmehl)	
1943/44	33.750 t	(Tausch geg. 15.000 t Heringsmehl)	66.180 t
		insgesamt	982.013 t

14. Werner Best an das Auswärtige Amt 4. April 1944

Best imødegik AAs forslag til, hvilke danske repræsentanter, der skulle have lov til at besøge Theresienstadt. Ud over direktør for Dansk Røde Kors, Helmer Rosting, pegede han igen på afdelingschef Frants Hvass, der stod i forbindelse med de interneredes pårørende.

Svaret herpå fra AA indløb med telegram nr. 682, 17. juni 1944. Se tillige von Thadden til Eichmann 6. april 1944 (Yahil 1967, s. 262f., Weitkamp 2008, s. 191).

Kilde: PA/AA R 99.414. RA, pk. 220.

DG Kopenhagen nr. 20 4.4. 18.20 =

Auswärtig Berlin Nr. 425 vom 4.4.44. =
Eingeg. 4.4. 23.45

Auf das dortige Telegramm Nr. 346 vom 4.4.44[39] erwidere ich, daß der Vorschlag, außer dem Vertreter des dänischen Roten Kreuzes Rosting auch dem Abteilungschef Hvass die Erlaubnis zum Besuch der im Reich internierten dänischen Staatsangehörigen zu geben, deshalb gemacht wurde, weil Hvass im dänischen Außenministerium diese Angelegenheiten bearbeitet und ständig mit den Angehörigen der Internierten in Verbindung steht. Es wäre deshalb besonders geeignet, beruhigende Feststellungen zu verbreiten und damit den hier erstrebten politischen Zweck dieses Besuches zu verwirklichen.

Dr. Best

---

39 Trykt ovenfor.

15. Der Reichsminister der Finanzen an das Auswärtige Amt 4. April 1944

RFM orienterede AA om to tilfælde, hvor danske politifolk havde været involveret i skudepisoder med den tyske grænsekontrol, var blevet afvæbnet og anholdt. Bilag om tilfældene blev medsendt, hvis der skulle rettes henvendelse til den danske regering. Hvis Best ikke var orienteret, bad ministeriet om, at det skete. Endelig blev det oplyst, at grænseværnet ved den sjællandske østkyst ville blive udvidet.

AA sendte 9. maj 1944 en afskrift af brevet til OKM. Best nævnte i ingen af sine dagsindberetninger til AA, at der havde været to skudepisoder med dansk politi i forbindelse med illegal udrejse af landet. Muligvis blev han ikke orienteret derom, men det er lige så sandsynligt, at han har undladt at rapportere det.

Kilde: BArch, Freiburg, RM 7/1812 (med bilag). RA, Danica 628, sp. 7, nr. 5708 (kun følgebrevet).

Abschrift Pol VI 558
Der Reichsminister der Finanzen   Berlin, den 4. April 1944
RV-KD-871/44 GI2

[An das Auswärtige Amt]

Aufgriffe des Zollgrenzschutzes an der Ostküste der Insel Seeland.

Ich übersende Abschriften der mir vom Oberfinanzpräsidenten Nordmark in Kiel vorgelegten Berichte der Befehlsstelle des Zollgrenzschutzes Dänemark in Kopenhagen[40]

vom 22.1.44 RV-31- Tgb. Nr. 46/44 g mit 2 Anlage
 –   27.1.44 RV-31-   –   53/44 g
 –   20.2.44 RV-31-   –   118/44 g und
 –   28.2.44 RV-31-   –   165/44

über zwei bemerkenswerte Aufgriffe, in deren Verlauf dänische Polizeibeamte deutschem Zollgrenzschutz beschossen, entwaffnet und festgenommen worden sind,[41] fürsorglich zur einstweiligen Kenntnis für den Fall, daß von der dänischen Regierung Vorstellungen erhoben werden.

Ich bitte um Mitteilung, ob von dem Bevollmächtigten des Reichs in Dänemark bereits unterrichtet sind oder von weiteren Berichten in dieser Angelegenheit noch von mir unterrichtet zu werden wünschen.

Bei dieser Gelegenheit bemerke ich, daß dem Zollgrenzschutz an der Ostküste der Insel Seeland außer den im Bezugsschreiben erwähnten 42 Mann inzwischen weitere 50 Mann zugewiesen sind und daß voraussichtlich in einiger Zeit eine weitere geringe Verstärkung wird zugewissen werden können.

Im Auftrag
gez. **Hossfeld**

Abschrift zu RV-KD-871/44 GIZ g

---

40 Beretningerne er trykt efterfølgende.
41 For konfrontationen 20. januar, se også Admiral Dänemark: Lagebetrachtung für Januar 1944 31. januar 1944.

Befehlsstelle des Zollgrenzschutzes Dänemark   *Kopenhagen, 22. Januar 1944*
RV-31-Tgb.-Nr. 46/44 g
1 Anlage[42]

Abschrift an den Herrn
    Oberfinanzpräsidenten Nordmark
    z.Hd. des Herrn Reg. Rat Sperner oder V.i.A.
    Kiel
mit der Bitte um Kenntnisnahme.

Auch der Admiral Dänemark hat eine Abschrift zur Kenntnisnahme erhalten. Die Abwehrstelle Dänemark ist mittels Fernschreiben durch den Hafenkapitän Helsingör unterrichtet worden.

Über den weiteren Verlauf der Angelegenheit werde ich zu gegebener Zeit berichten.

Ein Durchschlag dieses Berichts ist beigefügt.

Ich bitte, den beteiligten Männern von dort eine Anerkennung auszusprechen. Ich habe es, um nicht vorzugreifen, von hier aus noch nicht getan.

Ich werde die in Betracht kommenden Männer, vor allem den ZS Henneberger wegen der von ihm gezeigten Initiative und den HZBAs Bachmeyer wegen seines energischen Vorgehens, außer der Reihe zum Kriegsverdienstkreuz II. Klasse mit Schwertern vorschlagen, sofern die Männer diese Auszeichnung noch nicht besitzen.

Unterschrift

Der Bezirkszollkommissar G Helsingör   *Snekkersten, 21. Januar 1944*
– 0 3041 – g – 2/44 g

Betrifft: Aufgriff von zwei dänischen Personen

In der Nacht vom 20. zum 21. Januar 1944 haben Männer der GASt'en Hellebäk und Helsingör den dänischen Kriminalbeamten Thormod Larsen und den Dänen Leif Olsen, beide aus Helsingör, die bei der Flucht von etwa 10 dänischen Personen mittels Motorboot mitgewirkt haben, festgenommen. Der Vorgang hat sich wie folgt abgespielt:[43]

Das Grenzpolizeikommissariat Helsingör hatte auf Weisung seiner vorgesetzten Dienststelle in Kopenhagen von Beginn der Dämmerung bis 23 Uhr im Küstenabschnitt Helsingör-Hellebäk eine Absperrung vorgenommen, bei der auch Boote der Wasserschutzpolizei eingesetzt waren. Von diesem Vorhaben waren weder der Standortälteste noch ich vorher verständigt worden. Der Leiter des Grenzpolizeikommissariats in Hel-

---

42 Trykt lige efterfølgende.
43 Det var den illegale Kiær-rute til Sverige, der blev ramt af uheldet, da der var så mange passagerer, der skulle over, at der måtte sejles to gange. Da Erling Kiær vendte tilbage for at hente de sidste passagerer, var gruppen opdaget (KB, Bergstrøms dagbog 21. januar 1944, Kiær 1945, s. 49-52, Rønne 1980, s. 73-75, Bengtsen 1981, s. 52, Dethlefsen 1993, s. 91).

singör hatte jedoch seinen Männern den Auftrag gegeben, die angetroffenen Streifen des Zollgrenzschutzes von ihrem Vorhaben zu unterrichten. Der Führer der GASt. Hellebäk, Zollsekretär Henneberger, traf dann auf seinem Dienstgang nach Helsingör mit drei Männern der geheimen Staatspolizei zusammen und wurde von diesen ins Bild gesetzt. Er besprach sich mit dem benachbarten GAST-Führer aus Helsingör und setzte alle verfügbaren Kräfte der beiden GAST-en zur Absperrung des Geländes nordwestlich Helsingör und südöstwärts Hellebäk an. Nachdem die von der Gestapo eingesetzten Kräfte gegen 23 Uhr abgerückt und auch die auf See kreuzenden Boote der Wasserschutzpolizei außer Sicht gekommen waren, bemerkte die aus HZBAss Fiedler und HZBAss Bachmayer von der GAST Hellebäk und HZBAss Reuter von der GAST Helsingör bestehende Streife an der Straße Hellebäk-Helsingör unweit der Villa Julebäk einen Kraftwagen, aus dem zunächst niemand ausstieg. Nach einigen Minuten wurde die Wagentür des Kraftwagens kräftig zugeschlagen und der Wagen fuhr ab. Die Streife Fiedler suchte daraufhin das Strandgelände ab und bemerkte im Dunkeln in der Höhe des Landungssteges bei dem gegenüber der Villa Julebäk gelegenen Tennisplatz zwei verdächtige Gestalten, die der HZBAss Bachmayer mit: "Halt Grenzbeamter, Hände hoch!", anrief. Nachdem der dreimal wiederholte Anruf nicht befolgt worden war, gab B. auf die beiden verdächtigen Personen einen Schuß ab, durch den ein Mann getroffen wurde. Im gleichen Augenblick hörte die Streife aus Richtung Landungssteg Motorengeräusch und bemerkte in einer Entfernung von ungefähr 35-40 m ein im See auslaufendes Motorboot. Die Streife Fiedler gab auf dieses Boot aus ihren Gewehren noch 21 Schüsse ab, konnte aber die Wirkung dieses Beschusses nicht feststellen, weil das Boot nicht beidrehte, sondern im Dunkeln verschwand. Sodann stellten sie in dem Verwundeten den dänischen Kriminalbeamten Thormod Lars aus Helsingör, der durch einen Bauchschuß schwer verletzt war, und in der zweiten Person den 17 jährigen Dänen Leif Olsen, ebenfalls aus Helsingör, fest. Der Verletzte wurde durch den Sanitätswagen der dänischen Küstenpolizei dem Krankenhaus in Helsingör zugeführt. Sein Zustand ist bedenklich. Der Däne Olsen wurde festgenommen und heute Vormittag der Gestapo übergeben.

Olsen hat bei seinem Verhör durch den GASt-Führer und bei seiner Vernehmung durch die Gestapo ausgesagt, daß in das entkommene Motorboot etwa neun bis zehn Personen dänischer Staatsangehörigkeit, darunter zwei oder drei Frauen (eine Frau mit einem kleinen Kind von etwa vier Monaten) eingestiegen seien. Ob es sich um Juden gehandelt habe, könne er nicht sagen. Er sei lediglich von dem dänischen Beamten, der den Transport bis zum Motorboot geführt habe, aufgefordert worden, die Koffer zum Schiff zu tragen. Das Boot sei von einem Schweden geführt worden. Olsen hat weiter zugegeben, daß sowohl der Kriminalbeamte Larsen wie auch er der deutschen Sprache mächtig seien und den Anruf gehört hätten. Über den Ausgang der von der Gestapo durchgeführten Untersuchung werde ich zu gegebener Zeit besonders berichten. Dem Verwundeten ist eine kleine Browning-Pistole, Kaliber 6,35 mm mit vier Schuß Munition abgenommen worden, die sich zurzeit bei der GAST Hellebäk befindet.

Der BdS, bei dem bereits in den Morgenstunden das dänische Justizministerium Beschwerde eingelegt haben soll, ist durch das Grenzpolizeikommissariat, der K.i.A. dänische Inseln durch den Hafenkapitän Helsingör unterrichtet worden.

gez. **Solscheidt**

Abschrift zu RV-KD-871/44 GIZ g
Befehlsstelle des Zollgrenzschutzes Dänemark *Kopenhagen, 27. Januar 1944*
RV-31-Tgb.-No. 53/44 g Geheim!
1 Anlage

An den Herrn
　Oberfinanzpräsidenten Nordmark
　z.Hd. d. Herrn Reg. Rat Sperber oder V.i.A.
　Kiel
unter Bezugnahme auf den Bericht RV-31-Tgb.-No. 46/44 g vom 22.1.44 mit der Bitte um Kenntnisnahme.

Der Admiral Dänemark und die Abwehrstelle Dänemark haben eine Abschrift zur Kenntnisnahme erhalten.
　Ein Durchschlag dieses Berichts ist beigefügt.
　　　　　　　　　Unterschrift

Abschrift zu RV-KD- 871/44 GIZ g
Befehlsstelle des Zollgrenzschutzes Dänemark *Kopenhagen, 20.2.1944*
RV-31-Tgb 118/44 g Geheim!

Ein Schlußbericht über den Aufgriff der GASt Hellebäk kann noch nicht vorgelegt werden. Die Ermittlungen des Grenzpolizeikommissariats Helsingör werden noch eine längere Zeit in Anspruch nehmen. Sie haben bisher zu der Festnahme von 12 Dänen – darunter 4 dänischen Küstenpolizisten – geführt. Es wird damit gerechnet, daß von 10 Dänen, die flüchtig sind, noch einige festgenommen werden.
　Der Grenzpolizeikommissar in Helsingör, der nach seiner Angabe erst kurz vor Ansetzung seiner Männer von dem geplanten Personenschmuggel erfahren hatte, hat den ZGrSch über die in Hellebäk beabsichtigte Aktion vorher nicht unterrichten können, weil er noch keinen Fernsprechanschluß hatte. Aus diesem Grunde hatte der Grenzpolizeikommissar seine Männer angewiesen, die Streifen des Zollgrenzschutzes mündlich zu unterrichten.
　Es ist zu erwarten, daß der Aufgriff-Hellebäk noch weitere Kreise zieht, wenn es gelingt, noch einige von den 10 flüchtigen Dänen festzunehmen. Es ist daher noch sehr unbestimmt, wann der Schlußbericht vorgelegt werden kann.
　　　　　　　　　gez. **Hass**
　　　　　Herrn Oberfinanzpräsidenten Nordmark in Kiel

Abschrift zu RV-KD-871/44 GIZ g
Befehlsstelle des Zollgrenzschutzes Dänemark *Kopenhagen, 28.2.1944*
RV-31-Tgb. Nr.: 165/44 g Geheim!

Herrn Oberfinanzpräsidenten Nordmark
　in Kiel

Abschrift mit der Bitte um Kenntnisnahme.

Nachträglich hat mir der BZKom G Helsingör fernmündlich gemeldet, daß der Aufgriff nach den bisherigen Vernehmungen des Grenzpolizeikommissariats Helsingör noch weitere Kreise nach sich ziehen werde.

Auf Grund der Ermittlungen zu dem Aufgriff der GAST Hellebäk- Bericht RV-31-TgbNr: 118/44 g vom 20.2.1944 – wurden 4 Beamten der dänischen Küstenpolizei festgenommen, die den Personenschmuggel nach Schweden gefördert hatten. Der neue Vorfall in Humlebäk beweist darüber hinaus, daß die dänische Küstenpolizei den Personenschmuggel nach Schweden nicht nur begünstigt, sondern sogar offensichtlich organisiert. Es ist daher höchste Zeit, daß die dänische Küstenpolizei aus den Häfen und von dem Strande Seelands verschwindet. Ich habe den Admiral Dänemark auf diese Notwendigkeit hingewiesen.

gez. **Hass**

Abschrift von Ausschrift
Bezirkszollkommissar G Helsingör *Snekkersten, 28.2.1944*
RV-31- Geheim!

Betrifft: Aufgriff der GASt Humlebäk

Am 27. Febr. 1944 gegen 21.45 Uhr sind im Hafen Humlebäk drei männliche Personen in Zivil und eine Frau von einer Streife des Zollgrenzschutzes gestellt und vorläufig festgenommen worden, die mit einem Motorboot nach Schweden ausreisen wollten. Ein dänischer Küstenpolizeibeamter aus Humlebäk und ein Angehöriger der dänischen Ordnungspolizei aus Kopenhagen, beide bewaffnet und uniformiert, die festgenommenen Personen wurden der Gestapo zugeführt. Das vermutlich dem Schiffseigner Kjaer gehörende Boot ist mit einigen Insassen, darunter wahrscheinlich auch weiteren Angehörigen der dänischen Ordnungspolizei aus Kopenhagen, in der Dunkelheit entkommen.[44] Es wurden folgende Personen festgenommen:

1.) Jan Damgaard-Kiaer, Kontorist, geb. am 21.2.18 in Oslo, wohnhaft in Kopenhagen, Norweger,[45]
2.) Christian Hvistendael-Petersen, Arbeiter, geb. am 7.1.17 in Maolsby-Stevns, wohnhaft in Nyborg, Däne
3.) Vagn Rüs-Hansen, Kaufmann, geb. am 22.7.06 in Nyköbing/Mors, wohnhaft in Kopenhagen
4.) Alice Gudrun Balle Gellberg, geb. am 25.5.12 in Randers, Ehefrau, wohnhaft in Kopenhagen
5.) Helge Böghaf, Beamter der dänischen Ordnungspolizei, geb. am 16.7.15 in Kopen-

---

44 Det er uvist, om den benyttede båd tilhørte Erling Kier, ligesom arrestationerne 27. februar ikke er fundet beskrevet fra anden side.
45 Han blev overført til Neuengamme 15. september 1944 og døde 3. september 1945 som følge af opholdet (Barfod 1969, s. 171, 365).

hagen, wohnhaft in Kopenhagen[46]

6.) Kai Jörgensen, Beamter der dänischen Küstenpolizei, geb. am 31.3.18 in Mariager, wohnhaft in Kopenhagen.

Beschlagnahmt wurden zunächst folgende Gegenstände:

1.) 2 Koffer mit Bekleidungsgegenständen,
2.) 5 Aktentaschen,
3.) 2 Päckchen mit Wäsche,
4.) 1 dänisches Gewehr,
5.) 1 Pistole Modell Walter
6.) 1 Fernglas,
7.) 1 Koppel mit Schnalle und 1 Patronentasche
8.) 1 Stabscheinwerfer,
9.) ein Personenkraftwagen.

Die unter 1-9 aufgeführten Gegenstände sind der Gestapo übergeben worden. Die Koffer und Aktentaschen enthielten Briefe und aufschlußreiches Propagandamaterial. Außerdem hatten die festgenommenen Personen größere Geldbeträge in dänischen Kronen bei sich. Nach Sichtung des umfangreichen Materials durch die Gestapo werde ich eine genaue Aufstellung der sichergestellten Gegenstände und des Materials vorlegen.

Der Vorgang hat sich wie folgt abgespielt:

Der HZBAss Paul Klett von der GASt Humlebäk hatte am 27. Febr. 1944 zusammen mit dem HZBass Slomski in der Zeit von 16-22 Uhr Streife von Humlebäk nach Snekkersten und zurück. Gegen 21.45 Uhr erreichten Klett und Slomski den Nord-Ortseingang von Humlebäk. Auf dem Wege zum Hafen bemerkten sie auf der von der Hauptstraße Helsingör-Kopenhagen abneigenden Zufahrtstraße zum Hafen Humlebäk einen dunklen PKW, der zunächst an der Straßengabel hielt, dann aber auf der Küstenstraße in Richtung Snekkersten weiterfuhr, als die Insassen des Wagens die Zollstreife bemerkten. In diesem Augenblick erschienen vier uniformierte dänische Polizeibeamte die vom Hafen kamen und hinter dem PKW herliefen. Der PKW hielt nach Zurücklegung einer Fahrstrecke von etwa 100 m wieder an. Klett [ka]men diese ganzen Umstände verdächtig vor und er nahm an, daß im Hafen [ir]gend etwas los sei. Er ging deshalb zur Hafenmole und schickte Slomski [zu]r unmittelbar am Hafen gelegenen GASt, um Verstärkung zu holen. Am Ein[ga]ng der Hafenmole traf er mit drei dänischen Küstenpolizeibeamten zusammen, die ihn fragten, was er auf der Mole zu suchen habe. Sie sagten ihm, daß hier allein die dänische Polizei zu wachen und zu bestimmen hätte, während dieser Auseinandersetzung kamen die vorher erwähnten dänischen Polizeibeamten mit einer Anzahl Zivilisten zur Mole und liefen an Klett [vo]rbei auf den Molenkopf zu. Klett begab sich sofort zum Molenkopf und stellte dort etwa fünf bis sechs uniformierte dänische Polizeibeamte und ebenso viel Zivilpersonen fest. Die Polizeibeamten versuchten nun, den Klett abzudrängen und besonders ein blonder Polizeibeamter, der später festgenommene Helge Böghaf, tat sich hierbei hervor. In diesem Augenblick bemerkte Klett, wie einige Zivilisten von der Mole herunterkletterten. Er leuchtete diese Stelle mit

---

46 Han blev overført til Neuengamme 15. september 1944 og døde 30. september 1947 som følge af opholdet (Barfod 1969, s. 171, 364).

der Taschenlampe ab und stellte ein etwa zwölf Meter langes Boot mit Kajütenaufbau ohne Masten fest, das am Ende der [li?]nken Mole am Hafenausgang lag. Als Klett auf das Boot zugehen wollte, [wurd]e er wieder von den dänischen Polizeibeamten bedrängt und mußte be[a]chten, in das Wasser gestoßen zu werden. Diese kurzen Augenblicke hatten genügt, um das Boot in das offene Fahrwasser zu steuern.

Inzwischen waren auf der anderen Seite des Hafens po[?]erende HZBAss Bärding und der Oberwachtmeister der Wasserschutzpolizei Glandin, der sich zur Bewachung der im Hafen liegenden in Reparatur befindlichen drei Polizeiboote ebenfalls auf der anderen Seite des Hafens aufhielt, dem Klett zur Hilfe geeilt und hielten die später festgenommenen Personen in Schach. Wenige Augenblicke später war dann der stellv. Führer [de]r GAST zur Stelle und entwaffnete im energischen Zugriff die beiden dänischen Polizeibeamten und nahm sie und die übrigen vier Zivilpersonen fest. Beim Absuchen der Mole wurden dann die beschlagnahmten Koffer und Aktentaschen aufgefunden.

Dieser Vorgang zeigt in aller Deutlichkeit wiederum die Unzuverlässigkeit der dänischen Polizeiorgane und berechtigt die Forderung, die dänische Küstenpolizei aus den Häfen und von der Küste zu entfern.

Der K.i.A. dän. Inseln und die ASt Kopenhagen sind heute Morgen durch Fernschreiben über Hafenkapitän Helsingör verständigt worden. Außerdem geht Abschrift dieses Berichtes dem K.i.A. dän. Inseln mit gleicher Post zu.

gez. **Solscheid**

Herrn Leiter der Befehlsstelle des ZGRSch Dänemark in Kopenhagen

16. Werner Best an das Auswärtige Amt 4. April 1944
Best fastholdt AA på, at benådningsretten ved den nye SS- und Polizeigericht i Danmark skulle tilfalde den rigsbefuldmægtigede (Rosengreen 1982, s. 90).
  Se Otto Ohlendorf til AA 9. april 1944.
  Kilde: PA/AA R 29.568. RA, pk. 204 og 229. LAK, Best-sagen (afskrift).

T e l e g r a m m

Kopenhagen, den	4. April 1944	18.10 Uhr
Ankunft, den	4. April 1944	23.45 Uhr

Nr. 426 vom 4.4.44.

Unter Bezugnahme auf meine Telegramme Nr. 341[47] vom 15.3.44 und Nr. 377[48] vom 24.3.44 bitte ich, in den weiteren Verhandlungen über die Ausübung deutscher Gerichtsbarkeit gegenüber dänischen Staatsangehörigen in Dänemark den Standpunkt zu vertreten, daß auch weiterhin der vom Oberkommando der Wehrmacht unter dem 28.1.1943 herausgegebene "zweite Erlaß über die Ausübung der Wehrmachtsgerichtsbarkeit gegen Personen nichtdeutscher Staatsangehörigkeit" (14 N 23 HR (1 3/4) dann

---

47 bei Recht. Trykt ovenfor.
48 bei Recht. Trykt ovenfor.

kommt ein Bruchstrich und dann unter Bruchstrich 2940/42) insoweit aufrechterhalten werden muß, als deutsche Kriegsgerichte in Dänemark dänische Staatsangehörige – etwa wegen unmittelbarer Angriffe auf die Wehrmacht – aburteilen werden. Eine dem Paragraphen 3 dieses Erlasses entsprechende Regierung müßte im Verhältnis zu der neuen SS- und Polizeigerichtsbarkeit erlassen werden, wenn nicht das Gnadenrecht gegenüber den Urteilen des SS- und Polizeigerichts XXX in Kopenhagen dem Reichsbevollmächtigten übertragen wird.

Dr. Best

17. Werner Best an das Auswärtige Amt 4. April 1944

AA blev orienteret om forløbet af det møde, som Werner Best 4. april havde haft med repræsentanter for Kriegsmarine angående beslaglæggelse af danske handelsskibe. Af de tilstedeværende nævnte Best alene kaptajn Engelhardt og ministerialråd Eckhardt fra OKM, men Bests skibsfartssagkyndige G.F. Duckwitz og kaptajn Jürst, leder af Kriegsmarinestelle Dänemark, deltog også.

Best gentog indholdet af sit telegram af 13. marts, og både Engelhardt og Eckhardt havde forståelse for det uhensigtsmæssige i beslaglæggelse af yderligere tonnage, mens allerede beslaglagte skibe endnu ikke var taget i brug. De undskyldte forsinkelsen med overførslen af de beslaglagte skibe og forklarede det med tekniske grunde. De ville sørge for, at noget lignende ikke gentog sig. Med hensyn til forløbet af beslaglæggelsen af bornholmerbåden "Hammershus" ville Engelhardt lade foretage en nøje undersøgelse, og der ville blive lavet en ordning, så det i fremtiden udelukkende var Kriegsmarine i København, der blev betroet beslaglæggelsen af skibe. Det ville sikre Bests embedsmænds medvirken.

Engelhardt ønskede yderligere otte skibe beslaglagt. Beslaglæggelserne blev drøftet en for en med det resultat, at enkelte skibe blev taget ud og andre udset til beslaglæggelse i stedet, og kravet om tre transportskibe til sejlads på Norge blev trukket tilbage, da ingen danske motorskibe opfyldte betingelserne. Der ville ikke blive skredet til beslaglæggelser, før nogle enkeltspørgsmål var klaret i Berlin.

Se tillige Seekriegsleitungs notat 9. april 1944 med referat af mødet (Bests kalenderoptegnelser 4. april 1944).

Kilde: BArch, Freiburg, RM 7/1813. RA, Danica 628, sp. 7, nr. 5838-40.

Ha Pol 1916/44g
Der Reichsbevollmächtigte in Dänemark *Kopenhagen den 4.4.1944*
S/SCH 3/1 *Geheim*

An das Auswärtige Amt
    Berlin

Auf Drahterlass Nr. 342 vom 1. April 1944.[49]

Betr.: Die Beschlagnahme aufgelegter dänischer Tonnage.
2 Durchschläge

Die Herren Kapitän zur See Engelhardt und Ministerialrat Eckhardt vom Oberkommando der Kriegsmarine fanden sich am 4. ds.M. bei mir ein, um die im Zusammenhang mit der Beschlagnahme dänischer Schiffe entstandenen Schwierigkeiten zu besprechen, sowie um mir die Wünsche des Oberkommandos der Kriegsmarine auf Beschlagnahme

---

49 Skrivelsen er ikke lokaliseret.

weiterer dänischer Tonnage vorzutragen.

Ich habe den Herren die in meinem Schriftbericht vom 13. März ds.J.[50] darlegten Gesichtspunkte mündlich erläutert und keinen Zweifel über die Unzweckmäßigkeit eines Vorgehens gelassen, daß die Beschlagnahme weiterer dänischer Tonnage von mir verlangt, während andere vor Monaten bereits beschlagnahmte dänische Schiffe unbenutzt im Kopenhagener Hafen liegen. Beide Herrn hatten durchaus Verständnis für meinen Standpunkt und entschuldigten die verspätete Überführung der Schiffe in einen deutschen Hafen mit technischen Gründen. Sie sagten zu, daß Vorsorge getroffen sei, daß Wiederhollungen ähnlicher Art ausgeschlossen seien.

Bezüglich der Vorgänge bei der Beschlagnahme des M/S "Hammershus", über die ich in meinem Drahtbericht Nr. 362 vom 21. März[51] berichtete, sagte Kapitän zur See Engelhardt eine genaue Untersuchung zu und gab mir Kenntnis von einer von ihm getroffenen neuen Anordnung, wonach in Zukunft ausschließlich die Kriegsmarinedienststelle Kopenhagen mit der Übernahme hier beschlagnahmter dänischer Schiffe betraut wird. Somit ist die Beteiligung meiner Behörde sichergestellt.

Die von den Herren Kapitän zur See Engelhardt und Ministerialrat Eckhardt vorgetragenen weiteren Wünsche zwecks Erfassung aufliegender dänischer Tonnage erstrecken sich auf weitere acht Schiffe.

I.) Das Oberkommando der Kriegsmarine benötigt weitere zwei Zielschiffe für die U-Boot-Ausbildung. Es wurden hierfür vorgesehen die Dampfer "A.P. Bernstorff" und "Aarhus", die, wie ausdrücklich festgestellt wurde, im Gegensatz zu der im Drahterlass Nr. 77 vom 25. Januar[52] vertretenen Ansicht, für diese Zwecke durchaus geeignet sind. Bezüglich des Dampfers "A.P. Bernstorff" habe ich jedoch den Vorbehalt gemacht, daß mir vor der Erfassung dieses Schiffes zunächst eine Erklärung des Reichskommissars Norwegen, der dieses Schiff im Januar 1943 von der Reederei kaufte, vorgelegt wird, aus der hervorgeht, daß dieser ausdrücklich auf das Schiff verzichtet.

II.) Es werden dringend zwei Lazarettschiffe benötigt. Hierfür sind die Schiffe "Vistula" und "Aalborghus", die nach erfolgter Besichtigung für geeignet erklärt wurden, vorgesehen.

III.) Das Oberkommando der Kriegsmarine hat sich meinen fachlichen Bedenken, die ich in meinem Schriftbericht vom 17. März[53] niedergelegt habe, vollkommen angeschlossen und auf die Erfassung des M/S "Hans Broge" als Ersatzschiff für den Holzsegler "Tormilind" verzichtet. Ich werde prüfen, ob ein anderes dänisches Schiff für den gedachten Zweck als Funkmeßgerätschiff zur Verfügung steht.

IV.) Für Transporte in den nordnorwegischen Raum sollen drei Troßschiffe bereitgestellt werden, die nach etwa sechs Monaten wieder zurückgeliefert werden können. Da jedoch keines der noch aufliegenden dänischen Motorschiffe den für diesen Zweck notwendigen Bedingungen entspricht, ist dieser Wunsch des Oberkommandos der Kriegsmarine zunächst zurückgestellt worden.

---

50 Trykt ovenfor.
51 Telegrammet er ikke lokaliseret.
52 Telegrammet er ikke lokaliseret.
53 Trykt ovenfor.

Nach den Ausführungen der Herren vom Oberkommando der Kriegsmarine ist die Erfassung der oben genannten Schiffe eine zwingende, kriegsentscheidende Notwendigkeit. Ich habe daher meine volle Unterstützung zugesagt und werde, da erfahrungsgemäß mit einer freiwilligen Vercharterung dieser Schiffe seitens der Reedereien nicht zu rechnen ist, die Beschlagnahme aussprechen. Da das Oberkommando der Kriegsmarine noch gewisse Einzelfragen in Berlin klären muß, ist vereinbart worden, die Beschlagnahme auf die Woche nach Ostern zu verschieben.

Durch die heute hier stattgefundene Besprechung haben sich somit die in meinem oben angeführten Draht- und Schriftberichten aufgeworfenen Fragen erledigt.

gez. **Dr. Best**

18. Gottlob Berger an Rudolf Brandt 4. April 1944

Berger svarede på Bormanns afvisning af forslaget om i rigsområdet at lave en personalunion mellem Gesamtleiter für Volkstumsfragen og Gauamtsleiter für Volkstumsfragen. Det var en rasende Berger, der var glad for, at det var til Brandt, at han rettede svaret og ikke til RFSS selv. Berger kunne kun se Bormanns svar som et udslag af NSDAPs mistro over for det angiveligt magthungrige SS. Han ville fortsat kæmpe for forslaget, som han ikke vidste, hvor langt Riedweg var gået med. Der skulle fortsat kæmpes for den germanske ide, for at nordmænd, danskere, nederlændere og flamlændere ikke skulle ligestilles med polakker, arbejdssky og russere. For at styrke sin sag vedhæftede han en indstilling skrevet i Germanische Leitstelle. Nu var det op til RFSS at træffe en beslutning.

Himmlers svar er ikke lokaliseret, men en sammenlægning som foreslået blev ikke gennemført. Imidlertid fik Berger i stedet lov til at ekspandere sit magtområde østpå til befolkningsgrupper, der på ingen måde lå inden for de hidtidige racemæssige kriterier. Nu fik Germanische Leitstelle lov til at organisere folkeslag, som Berger lige havde lagt afstand til, og som ikke kunne rummes inden for den germanske ide. Selv om der tages hensyn til, at Tyskland havde behov for at rekruttere flere frivillige på dette fremskredne tidspunkt af krigen, overskred Berger hermed en grænse, der gjorde de 4. april 1944 fremsatte argumenter til tom retorik (Madajczyk 1986, s. 267, Materne 2000, s. 108f., Piper 2005, s. 564).

Kilde: BArch, NS 19/3647. RA, Danica 1000, T-175, sp. 74, nr. 592.309-315. *De SS en Nederland*, 2, 1976, nr. 523 og 523 I.

Der Reichsführer-SS *Berlin-Grunewald, den 4.4.1944*
Chef des SS-Hauptamtes Douglasstr. 7/11
VS-Tgb. Nr. 1712/44 geh. Geheim!
CdSSHA/Be/We. Adjtr. Tgb. Nr. 815/44 geh.

Betrifft: Schreiben des Reichsleiters Bormann vom 5.3.1944[54]
Einsetzung der Gauamtsleiter für Volkstumsfragen als Beauftragte der Germanischen Leitstelle
Bezug: Dorts. Schreiben vom 12.3.1944 Bg./Hm.
Anlage: 1[55]

---

54 Trykt ovenfor.
55 Bilaget er trykt efterfølgende. Det er skrevet af en ubenævnt person i Amtsgruppe D.

An Reichsführer-SS Persönlicher Stab
   SS-Obersturmbannführer Dr. Brandt
   Berlin SW 11
   Prinz-Albrecht-Str. 8

Lieber Doktor!
Es ist gut, daß ich *Ihnen* die Stellungnahme abgeben kann. Es wäre mir wirklich schwer gefallen, dem Reichsführer-SS hier eine Meldung zu machen.
   Ruhig hätte ich nicht bleiben können und böse hätte ich nicht werden dürfen.
Vorgeschichte:
Sie wissen, daß mein SS-Obersturmbannführer Dr. Riedweg ein großes Ziel hatte, die Germanische Leitstelle zu einer Art Gauleitung zu machen. Wie weit er sich da mit anderen besprochen und von wem er da alles Zustimmung erhalten hatte, kann ich nicht sagen.[56]
   Die Tatsache, daß mit der Parteikanzlei intensiv darüber gesprochen wurde, läßt sich nicht abstreiten. Ich habe dann alles abgebogen. Das wurde übel vermerkt und seither alle meine Arbeit unter dem Gesichtspunkt betrachtet: "wird durch die Arbeit des SS-Obergruppenführers Berger nicht das Ansehen der Partei gefährdet. Machthungrige Schutzstaffel!"
   Auch im vorliegenden Falle habe ich nicht recht heran gewollt, weil ich das Gefühl hatte, daß die Sache viel zu bald ist. Ich ließ mich dann aber davon überzeugen, daß wir gerade diese Volkstumsbeauftragten unter allen Umständen einsetzen müssen, damit endlich im deutschen Volk der germanische Gedanke sich durchsetzt, daß Norweger, Dänen, Niederländer und Flamen nicht mit Polen, Zigeunern, Arbeitsscheuen und Russen gleichgestellt werden.
   Wenn heute die Parteikanzlei behauptet, daß nach dieser Seite hin etwas geschehen sei, dann muß ich zu meinem Bedauern mitteilen, daß in den germanischen Ländern der germanische Gedanke erheblich mehr Fuß gefaßt hat als in Deutschland. Mehr habe ich nicht zu sagen. Es gibt Briefe, die sich von selbst erledigen.
   Weil ich aber auch kluge Leute bei D habe,[57] habe ich die Letzteren zu einer Stellungnahme aufgefordert.
   An und für sich kommt ja nichts dabei heraus.
   Es geht aus dem Brief des Reichsleiters Bormann nur hervor: Auflösung der Germanischen Leitstelle und die Parteikanzlei ist beruhigt.
   Bisher habe ich noch nie eine Schlacht begonnen und sie auf halbem Wege aufgegeben. Dieser Kampf wird noch zu Ende gekämpft. Denn, wenn wir als Sieger dastehen, kann der Reichsführer-SS entscheiden.
                    Heil Hitler!
                    Ihr **Berger**
                SS-Obergruppenführer

56 Franz Riedweg var i november 1943 fratrådt. Grunden dertil er ikke entydigt oplyst (*De SS en Nederland*, 1, 1976, s. 167, Materne 2000, s. 25f.).
57 Amtsgruppe D, identisk med Germanische Leitstelle.

Berlin, den 30. März 1944

Nach der Auslegung, die der Leiter der Partei-Kanzlei dem Führer-Auftrag an den RF-SS gibt, ist der RF-SS lediglich zuständig für die formale Durchführung von Verhandlungen mit den germanisch-völkischen Gruppen in den besetzten Gebieten. Selbst eine derartige rein formale Einschaltung bei solchen Verhandlungen könnte aber doch nur den Sinn haben, durch sie eine gewisse Einheitlichkeit der deutschen Politik diesen Gruppen gegenüber zu gewährleisten.

Dieses Interesse ist es doch wohl, das den Führer veranlaßt hat, überhaupt einen solchen Auftrag an den RF-SS zu erteilen.

Eine einheitliche Linie der deutschen Politik gegenüber den germanisch-völkischen Gruppen und damit gegenüber den germanischen Randgebieten überhaupt ist allerdings eine unabweisbare Kriegsnotwendigkeit: Denn nur durch eine klare große politische Linie, die von allen beteiligten deutschen Stellen eingehalten wird, wird es schon auf die Dauer des Krieges möglich sein, die Kräfte in den germanischen Randländern, die überhaupt heute anzusprechen sind, für einen Einsatz im Dienste der deutschen Kriegsführung zu aktivieren und bei der Stange zu halten. Diese politische Linie muß die Interessen des Reiches wahren und im Rahmen dieser Interessen auf die Mentalität der einzelnen Randvölker so eingehen, daß die Besten dieser Völker es vor ihrem Gewissen und vor ihren Völkern verantworten können, mit dem Reich zu gehen in der Überzeugung, daß das Schicksal ihrer Völker unabwendbar mit dem Reich verbunden ist, und daß das Reich ein uneigennütziger Treuhänder der gemeinsamen Interessen sein wird.

Heute sind in allen besetzten Gebieten alle die Kräfte, die bereit wären, mit Deutschland zusammen zu gehen, einem ungeheuren moralischen Druck der deutschfeindlichen Mehrheiten ihrer Volksgenossen ausgesetzt, die sie zu Landesverrätern stempeln. Diese Gegner arbeiten in erster Linie mit dem Argument, daß Deutschland kein ehrliches Spiel mit den besetzten Ländern treibe, sondern sie nur rücksichtslos imperialistisch für seine egoistischen Zwecke ausbeuten wolle. Dieser Propaganda geben viele kriegsnotwendige harte deutsche Maßnahmen in den besetzten Gebieten immer neuen Stoff. Dem dadurch auch bei den deutschfreundlichen Kreisen entstehenden Mißtrauen gegen die Ehrlichkeit der deutschen Absichten kann nur durch eine ganz klare und eindeutige Linie der deutschen Politik begegnet werden. Jeder scheinbare Widerspruch in den deutschen Maßnahmen wird sofort geschickt vom Feind als Beweis für die Zweideutigkeit und damit Unehrlichkeit der deutschen Politik ausgelegt.

Wenn also eine einheitliche Linie der deutschen Politik in den germanischen Ländern unbedingt erforderlich ist, die von allen deutschen Stellen eingehalten werden muß, so kann diese Einheitlichkeit nicht lediglich dadurch gewährleistet werden, daß der RF-SS sich formal bei den Verhandlungen deutscher Stellen mit den germanisch-völkischen Gruppen einschaltet. Der Sinn des Führer-Auftrages kann vielmehr nur darin liegen, daß der RF-SS mit allen deutschen Partei- und Staatsstellen eine Abstimmung ihrer Einzelmaßnahmen auf die große politische Linie herbeiführt, die in den besetzten Gebieten einzuhalten ist.

Der RF-SS wird hierbei als Partei-Dienststelle tätig, so daß es nicht richtig ist, wenn der Leiter der Partei-Kanzlei feststellt, daß "im Gegensatz zur Auffassung des Chefs der Germanischen Leitstelle die germanische Arbeit im Bereich der NSDAP, ihrer Gliederungen und angeschlossenen Verbände eine Partei-Aufgabe" sei. Weder die Tätigkeit der Partei, ihrer Gliederungen und Verbände auf diesem Gebiete noch die Erfüllung des Führer-Auftrages der Reichskommißare wird ja durch die Tätigkeit der Germanischen Leitstelle als des Organs, dessen sich der RF-SS zur Erfüllung seines Führer-Auftrages im germanischen Raum in erster Linie bedient, irgendwie gehemmt. Im Gegenteil: Es kann ja nur im Interesse aller dieser Stellen liegen, daß eine Parteistelle sich besonders mit diesen Fragen beschäftigt und auf Grund dieser besonderen Beschäftigung gemeinsam mit allen interessierten Stellen der Partei, ihrer Gliederungen und Verbände die einheitlichen Richtlinien für die Politik in den besetzten germanischen Gebieten festlegt. Daß hierzu die Germanische Leitstelle als die Stelle, die sich im Auftrag des Reichsführers-SS mit den Fragen des germanischen Raumes ständig zu befassen hat, und der dabei als SS-Dienststelle das umfangreiche Nachrichtenmaterial des SD als des Nachrichtendienstes der Partei uneingeschränkt zur Verfügung steht, die geeigneste Dienststelle für diese Aufgabe ist, dürfte nicht zu bezweifeln sein.

Wird die Notwendigkeit einer einheitlichen deutschen Politik im germanischen Raum bejaht, so dürfte es auch wünschenswert sein, daß die Reichskommißare sich bei der Durchführung ihres Führer-Auftrages in den Fragen, die die germanische Volkstumspolitik berühren, vom Reichsführer-SS und seinen zuständigen Organen bei ihren diesbezüglichen Maßnahmen beraten lassen.

Daraus dürfte sich wohl kaum eine Beeinträchtigung ihrer vom Führer erteilten Vollmacht ergeben.

Die Gewährleistung einer klaren einheitlichen Linie der germanischen Volkstumspolitik ist aber unmöglich, wenn man die Behandlung der germanischen nichtdeutschen Menschen, die sich im Reich befinden, trennen will von der Politik in den Heimatländern dieser Menschen. Dazu wirkt sich jede falsche und unpsychologische deutsche Maßnahme gegenüber den im Reich befindlichen nichtdeutschen germanischen Menschen viel zu sehr sofort stimmungsverschlechternd in weiten Kreisen des betreffenden Heimatlandes aus. Vernünftige Richtlinien für die Behandlung dieser Menschen im Reich können aber nur aufgestellt werden aus der genauen Kenntnis ihrer Länder und der Ziele und Absichten der deutschen Politik in diesen Ländern. Wenn die Gauamtsleiter für Volkstumsfragen auch an sich schon den Auftrag haben, sich mit den germanischen Menschen zu befassen, so brauchen sie, um dieser Aufgabe gerecht werden zu können, doch zweifellos die Anleitung und Weisungen einer Stelle, die unmittelbar den Gesamtkomplex der Fragen des germanischen Raumes beherrscht, und die durch ihre Arbeit in ständigem engen Kontakt mit der Entwicklung in diesem germanischen Raum ist. Soweit hier bekannt ist, gibt es keine andere Partei-Dienststelle als die Germanische Leitstelle, bei der diese Voraussetzungen zutreffen.

Beim SD fällt immer wieder eine Fülle von Material an, aus dem hervorgeht, wie wenig gerade auch örtliche Partei-Dienststellen die Problematik der germanischen Volkstumspolitik erkannt haben, und wie aus dieser Unkenntnis immer wieder größte Fehler gemacht werden, die sich stimmungs- und leistungsverschlechternd unter den im Reich eingesetzten Germanen und in ihren Heimatländern auswirken.

Auch der Auftrag der Deutschen Arbeitsfront zur Betreuung sämtlicher ins Reich hereingeholter Arbeiter erfährt durch das Tätigwerden der Germanischen Leitstelle keine Einschränkung. Es werden vielmehr der DAF gerade durch die Tätigkeit der Germanischen Leitstelle erst die Voraussetzungen für eine erfolgreiche, den besonderen volkstumsmäßigen Begebenheiten angepaßte Betreuung der germanischen Arbeiter gegeben.

Abschließend muß noch einmal betont werden, daß nur durch eine einheitliche klare Politik aller deutschen Stellen in den besetzten germanischen Gebieten und gegenüber dem nichtdeutschen germanischen Volkstum im Reich das Höchstmaß an Leistungen und Kriegseinsatz der germanischen Randvölker erreicht werden kann, das durch eine reine Machtpolitik auf längere Dauer niemals zu erlangen ist. Eine vernünftige deutsche Politik in den besetzten Gebieten, die aber nur dann erfolgreich sein kann, wenn sie wirklich einheitlich durchgeführt wird, kann Hunderttausenden junger deutscher Soldaten das Leben retten.

19. Emil Wiehl an Joachim von Ribbentrop [5.] April 1944

Wiehl havde modtaget finansminister Lutz Schwerin von Krosigks skrivelse af 20. marts 1944 til udtalelse. Han gjorde det klart, at misforholdene omkring værnemagtens forbrug bestod, og at der både fra dansk og tysk side adskillige gange var blevet gjort opmærksom på dem. OKW troede at have løst problemet med en skatteforordning af 21. februar 1944. Best skulle undersøge og berette, om det havde virket. Udkast til svar på brevet af 24. januar kunne nu bortfalde, mens svar på brevet af 25. februar måtte afvente en udtalese fra vicepræsident Puhl.
Udtalelsen fra Reichsbankdirektorium forelå endnu samme dag, se nedenfor.
Se videre Wiehl 23. februar, 5. og 12. marts, samt Ribbentrop til Schwerin von Krosigk 31. maj 1944.
Kilde: RA, pk. 204.

Dir. Ha. Pol. 131
Büro RAM mit der Bitte um Weiterleitung

Aufzeichnung
zu dem beiliegenden Schreiben des Reichsfinanzministers
vom 20. März d.Js. – Y 5104/1-258 V g –

I.) Die im Schreiben des Reichsfinanzministers gerügten Mißstände in der Finanzgebarung der deutschen Wehrmachtsverbände, der OT und anderer deutscher Dienststellen in Dänemark, sind wiederholt in den Verhandlungen der Regierungsausschüsse und gelegentlich der Besuche des dänischen Vorsitzenden Wassard sowie des Präsidenten der Nationalbank Bramsnäs in Berlin eingehend erörtert worden. Das OKW ist wiederholt um Abstellung dieser Mißstände gebeten worden. Hierauf dürfte der Erlaß des OKW vom 21. Februar d.Js. über die Steuerung der Geldausgaben und Beschaffungen der Deutschen Wehrmacht in Dänemark (Steuerungserlass) zurückzuführen sein, der gerade die Bekämpfung der erwähnten Mißstände bezweckt, äußerste Sparsamkeit vorschreibt, die Zahlung von Überpreisen verbietet, ebenso Bildung von Kassenützgagen sowie andere Vorschriften über die Regelung der Einkäufe der Wehrmacht, der Waffen-SS, der Polizei, der OT und des RAD in Dänemark enthält.

II.) Der Reichsbevollmächtigte in Dänemark ist um Stellungnahme und um Bericht darüber ersucht worden, ob sich bereits günstige Auswirkungen dieses Steuerungserlasses feststellen lassen.

III.) Hervorzuheben ist, daß der Reichsfinanzminister die in seinem Schreiben vom 24. Januar enthaltene Anregung, von den Dänen einen Besatzungskostenbeitrag zu verlangen, nunmehr nicht weiter verfolgen will – unter der Voraussetzung, daß die von ihm gerügten Übelstände in der Finanzgebarung der Wehrmachtsverbände in Dänemark durch wirksame Maßnahmen abgestellt werden. Somit dürfte sich eine Beantwortung des Schreibens des Reichsfinanzministers vom 24. Januar, zu dem ein Entwurf mit der Aufzeichnung Dir. Ha Pol. 93 vom 12. März vorgelegt wurde, vorerst erübrigen.[58] Ein Entwurf zu einer Antwort auf das Schreiben des Reichsfinanzministers vom 25. Februar, in dem gegen die von den Dänen beantragte Umstellung des Clearingkontos auf Dänenkronen Stellung genommen wird, wird vorgelegt werden, sobald die durch die Krankheit des Vizepräsidenten Puhl verzögerte Stellungnahme der Reichsbank zu diesem Schreiben hier vorliegt.

Hiermit über Herrn Staatssekretär Herrn Reichsaußenminister vorgelegt.

Berlin, den April 1944.

gez. **Wiehl**

1 Anlage[59]

20. Adolf von Steengracht an Werner Best 5. April 1944

Von Steengracht skrev til Best angående anskaffelse af en passende bygning til Auslandsorganisation der NSDAP (AO) i København.

Best svarede med telegram nr. 437 dagen efter.

Kilde: PA/AA R 29.568. RA, pk. 204.

Berlin, den 5. April 1944

An den Reichsbevollmächtigten
   Herrn Dr. Best,
   Kopenhagen.

Sehr verehrter, lieber Parteigenosse Best!
Ich habe entsprechend unserer Abrede mich mit dem Gauleiter Bohle wegen des Hauses für die AO in Kopenhagen in Verbindung gesetzt.[60] Gauleiter Bohle bemerkte, daß in diesem Falle die AO keine Schuld träfe, da der Landesgruppenleiter des gesamte Projekt

---

58 Se 12. marts 1944.
59 Finansministerens skrivelse af 20. marts er ikke lokaliseret.
60 Ernst Bohle var kun Gauleiter af rang, men leder af AO.

mit dem Reichsbevollmächtigten besprochen habe und der Reichsbevollmächtigte nach einer gewissen Überlegungszeit dem Wunsche der AO in dieser Hinsicht entsprochen habe. Falls Sie es jedoch ermöglichen könnten, daß die AO ein entsprechendes Haus in Kopenhagen erwerben würde, würde er grundsätzlich nicht abgeneigt sein, dieses Haus zu kaufen und für AO-Zwecke dienstbar zu machen. Er bat Sie jedoch um entsprechende Vorschläge, bis zu deren Prüfung er die einmal eingeleiteten Maßnahmen, insbesondere den Umbau des in Frage stehenden Hauses nicht aufgeben möchte.

Gauleiter Bohle sagte mir, daß es ihm eine besondere Freude sein würde, mit Ihnen in Berlin zusammenzukommen. Am geeignetsten scheine ihm jeweils ein Mittwoch zu sein. Er schlug vor: etwa Mittwoch, den 26. April. Ich wäre Ihnen sehr dankbar, wenn Sie diese Fragen einmal prüfen würden und ich dann eine zustimmende Antwort wegen der Reise nach Berlin bekommen könnte.

Wie immer freute ich mich besonders, Sie hier zu sehen und von Ihnen über die günstige Entwicklung in Dänemark zu hören.

Mit der Bitte um angelegentlichste Empfehlungen an Ihre Frau Gemahlin und allerherzlichste Wünsche für gute Ostertage bin ich mit
Heil Hitler!
Ihr sehr ergebener
gez. **Steengracht**

21. Reichsbankdirektorium an das Auswärtige Amt 5. April 1944

Reichsbankdirektorium reagerede på Schwerin von Krosigks brev af 25. februar 1944 ved at korrigere den opfattelse, at der allerede var givet danskerne tilsagn om, at clearingkontoen i fremtiden skulle opgøres i danske kroner og ikke i RM. Det var ikke tilfældet. Kroneopgørelsen blev alene anvendt som en foreløbig ordning ved regnskabstekniske posteringer. Direktoriet var af den opfattelse, at der i hele dette spørgsmål stadig var misforståelser, men at rigsfinansministeren nu var bragt i en situation, hvor han kunne lægge sine betænkeligheder til side.
    Se Ribbentrops svar på brevet af 25. februar til Schwerin von Krosigk 31. maj 1944.
    Kilde: RA, pk. 204.

Anlage zu VLR Ripken Nr. 22
Reichsbankdirektorium   *Berlin, den 5. April 1944*
Nr. II a 1583

An das Auswärtige Amt
    z.Hd. v. Herrn MD Wiehl
    Berlin W 8
    Wilhelmstr. 74/76

Betr.: Dänisches Clearing.

Zu dem an Sie gerichteten Schreiben des Herrn Reichsministers der Finanzen vom 25.

Februar d. J.[61] – Y 5104/1 – 227 V 2. Ang. -, von dem uns eine Abschrift vorliegt, gestatten wir uns, wie folgt Stellung zu nehmen.

Wegen unseres grundsätzlichen Standpunktes dürfen wir uns auf unser Schreiben vom 16. Dezember 1943[62] – IIa 10307/43 – beziehen. Abschrift dieses Schreibens liegt dem Herrn Reichsminister der Finanzen vor. Zu der tatsächlichen Situation im deutsch-dänischen Clearing verweisen wir darauf, daß dieses Clearing seit Anbeginn nicht als reines Reichsmarkclearing, sondern auf Reichsmark- und auf Kronenbasis geführt wird, d. h. in Berlin besteht ein Reichsmarksammelkonto und in Kopenhagen ein Kronensammelkonto. An dieser Struktur etwas zu ändern, ist nicht unsere Absicht. Die Annahme, daß die Umstellung des Clearings nach dem dänischen Wunsche bereits im Herbst vollzogen worden sei, ist daher irrig. Wir wollen dem dänischen Wunsch nur insoweit entgegenkommen, als das in Kopenhagen geführte Kronenkonto künftig nicht durch Kronenkäufe gegen Reichsmarkgutschrift auf den hiesigen Reichmarkskonto aufgefüllt wird. Hierbei laufen wir uns neben den anderen in unserem Schreiben vom 16. Dezember v.J. genannten Gründen nicht zuletzt von der tatsächlichen Vertragslage leiten, die nach unserer Auffassung die dänische Seite nicht verpflichtet, Kronen gegen Reichsmarkgutschrift an die Deutsche Verrechnungskasse zu verkaufen. Zutreffend ist, daß den Dänen noch keine endgültige Zusage gemacht wurde, daß wir die Kronenkäufe einstellen; die teilweise Einstellung der Kronenkäufe ist eine vorläufige Maßnahme. Soweit jetzt laufend weniger Kronen gekauft werden, als es zur Deckung der von der Deutschen Verrechnungskasse ständig nach Kopenhagen gehenden Zahlungsaufträge in Kronen erforderlich wäre, entsteht auf dem Kronenkonto allerdings eine Verschuldung in Kronen und hiermit – zumindest theoretisch – auch ein gewisses Kursrisiko. Solche Risiken läuft die Deutsche Verrechnungskasse, wie wir nochmals erwähnen möchten aber auch im Verkehr mit verschiedenen anderen Ländern, die im einzelnen in unserem Schreiben vom 16. Dezember v. J. aufgeführt sind. Zur Deckung solcher Risiken verfügt die Deutsche Verrechnungskasse bekanntlich über Reserven, die schon in den zurückliegenden Jahren in beträchtlichem Umfange angesammelt worden sind. Bei der endgültigen Regelung der Frage in unserem Sinne würde auch sichergestellt werden, daß die spätere Auflösung der Kronenschuld nur durch Warenlieferungen oder Dienstleistungen verlangt werden darf.

Bei einem Abbau des jetzigen vorläufigen Verfahrens wäre unseres Erachtens zumindest mit einer Verstimmung der dänischen Seite, abgesehen von ungünstigen Auswirkungen im Waren- und Dienstleistungssektor, zu rechnen. Es könnte auch sein, daß die bisher entgegenkommend geregelte Hergabe von Kronenoten für die Abwicklung des stark angewachsenen Grenzumwechselungsverkehrs alsdann Beeinträchtigungen erfahren würde.

Wir haben den Eindruck, daß in der ganzen Frage bisher noch Mißverständnisse bestanden haben, und nehmen an, daß sie durch die Ausführungen nunmehr geklärt sind, so daß der Herr Reichsminister der Finanzen im die Lage versetzt wird, seine Bedenken zurückzustellen.

---

61 Trykt ovenfor.
62 Lokaliseret i RA, pk. 271 og kort refereret i kommentaren til RFM til AA 11. november 1943.

Abschrift dieses Schreibens erhalten der Herr Reichsminister der Finanzen, der Herr Reichswirtschaftsminister und der Herr Reichsminister für Ernährung und Landwirtschaft.

Reichsbankdirektorium
Beglaubigt
Poststelle und Kanzlei
I.A.
gez. **Mittelstädt**

22. Werner Best an das Auswärtige Amt 6. April 1944
Best bad om, at fremskaffelsen af en bygning til AO der NSDAP i København blev ordnet ved, at en sådan blev købt, og at man afstod fra at overtage den beslaglagte købmandsskole. Det var landsgruppeleder Dalldorf indforstået med. Sagen havde fremkaldt en vis irritation hos Gauleiter og leder af AO Ernst Bohle, som Best ikke undlod at spørge til.
    Svaret er ikke lokaliseret, men AO der NSDAP skiftede ikke adresse fra Øster Allé 33.
    Kilde: PA/AA R 29.568. RA, pk. 204. LAK, Best-sagen (afskrift).

T e l e g r a m m

Kopenhagen, den	6. April 1944	14.50 Uhr
Ankunft, den	6. April 1944	16.45 Uhr

Nr. 437 vom 6.4.44.   Citissime!

Für Staatssekretär.
Unter Bezugnahme auf mein Telegramm Nr. 418[63] vom 3.4.44 und auf meinen Schriftbericht vom 15.3.44 (II d 38/44)[64] berichte ich, daß mir der Landesgruppenleiter Dalldorf soeben folgendes mitgeteilt hat: Er habe mit dem Gauleiter Bohle telephoniert und dieser habe ihm gesagt, mein "Beschwerdebrief" an das Auswärtige Amt sei erledigt und die Landesgruppe Dänemark könne nunmehr in die beschlagnahmte Kaufmannshochschule einziehen. Auf die Gegenfrage des Landesgruppenleiters, ob der Staatssekretär Dr. von Steengracht mit dem Gauleiter Bohle gesprochen habe, habe Bohle erwidert, daß dies nicht geschehen sei.
    Da der Landesgruppenleiter Dalldorf weiterhin grundsätzlich damit einverstanden ist, daß die Landesgruppe Dänemark statt ein beschlagnahmtes dänisches Gebäude ein für sie käuflich zu erwerbendes Haus benutzt, bitte ich aus den von mir schriftlich und mündlich vorgetragenen politischen Gründen dringend, möglichst bald mit dem Gauleiter Bohle eine Einigung dahin herbeizuführen, daß für die Landesgruppe Dänemark ein Haus gekauft, und daß auf die Benutzung der beschlagnahmten Kaufmannshochschule verzichtet werden soll. Alle Einwendungen gegen den Verzicht auf die beschlag-

---

63 bei Inl. I. Telegrammet er ikke lokaliseret.
64 Indberetningen er ikke lokaliseret.

nahmte Kaufmannshochschule können zurückgewiesen werden. Das deutsche Prestige erleidet keine Eingüsse, da die Beschlagnahme von dem Wehrmachtsintendanten ausgesprochen ist, der ständig Gebäude beschlagnahmt und wieder freigibt. Die bisher entstandenen finanziellen Aufwendungen kann ich decken. Im übrigen kann die Partei nur zufrieden sein, daß sie bei dieser Gelegenheit ein eigenes Haus in Kopenhagen erhält, auf das sie früher aus devisenwirtschaftlichen Gründen nie hätte rechnen können. Für mich persönlich wäre interessant zu erfahren, wie die Bemerkung des Gauleiters Bohle, mein "Beschwerdebrief" wäre erledigt, zustande gekommen ist.

Dr. Best

23. Der Reichswirtschaftsminister an den Generalstab des Heeres, Generalquartieramt 6. April 1944

RWM henvendte sig til OKH for at få stoppet værnemagtens opkøb af jern og generatortræ i Danmark og i stedet at skaffe det fra Tyskland. Værnemagten krævede forøgede mængder af træ fra de danske lagre, men opkøbte også på det sorte marked yderligere mængder. Denne fremfærd truede den overordentligt gunstige udvikling for den danske eksport af landbrugsprodukter til Tyskland.

RRK fik kopi af brevet. Yderligere blev brevet sendt til Alex Walter, til Rigsforstamtet, til Zentralstelle für Generatoren og til AA (til von Behr med henvisning til dennes brev 16. februar 1944).

Resultatet af de samlede anstrengelser for at dæmme op for værnemagtens forbrug i Danmark lader sig ikke opgøre, men har højst bidraget til, at der kom visse mindre, supplerende leverancer fra Tyskland, der imidlertid ikke dækkede det stigende behov. Se Lambert til RWM 15. september 1944.

Kilde: BArch, R 901 113.561.

Der Reichswirtschaftsminister   *Berlin C 2, den 6. April 1944*
III Ld. I-1/701/44   Neue Königstr. 27-37

An den Generalstab des Heeres
    Generalquartieramt
    Berlin W 35
    Bendlerstr. 11-13

Betrifft: Beeinträchtigung der dänischen Lebensmittellieferungen durch Wehrmachtsaufkäufe bei Eisen und Generatorholz.

Die außerordentlich günstige Entwicklung der Lieferungen Dänemarks auf landwirtschaftlichem Gebiet (im 5. Kriegswirtschaftsjahr sind u.a. 150.000 t Fleisch, 50.000 t Butter, 100.000 t Fische, 38.000 Stück Pferde, Sämereien im Werte von 20 Millionen RM usw. zu erwarten) wird nicht nur durch die schlechte Versorgung Dänemarks mit Eisen und Eisenwaren, sondern weiter noch dadurch gefährdet, daß die in Dänemark eingesetzten deutschen Truppen die zur Durchführung des Befestigungsprogramms benötigten Eisenwaren wie Nägel, Draht usw., wie mir berichtet wird, infolge unzureichenden Nachschubs in Dänemark schwarz zu beschaffen versuchen. Die an sich schon bestehende Knappheit, insbesondere an Verpackungsmaterial (Nägel, Bandeisen für Fische, Butter, Därme, Muschelfleisch usw.) wird dadurch wesentlich verschärft.

Bedrohlich ist auch die Entwicklung auf dem Gebiet des Generatorholzes. Auch hier soll die Wehrmacht bisher keinen ausreichende Nachschub aus Deutschland erhalten. Nach Mitteilung des Reichsforstamtes liegt bisher allerdings auch kein entsprechender Antrag vor.

Die dänischen Aufbereitungsanlagen haben eine Kapazität von monatlich 250.000 hl bei einem wesentlich höheren Bedarf. Die Wehrmacht hat verlangt, daß von diesen 250.000 hl, die den "normalen" infolge der verstärkten Umstellung auf Holzgasgeneratoren entstehenden Verbrauch nicht einmal decken, monatlich 60.000 hl für die Wehrmacht vorzugsweise zugeteilt werden.[65] Daneben kauft die Wehrmacht Generatorholz schwarz. Die Folge ist, daß nicht genügend Betriebsstoff für den dänischen Wirtschaftsverkehr vorhanden ist (einige Molkereien können die Milch bei den Bauern nicht abholen lassen, einige Schlächtereien die Schweine nicht auf den Dörfern erfassen).

Daß derartige Schwarzkäufe auch eine erhebliche Gefahr für das innerdänische Preisgefüge bedeuten, soll hier nur am Rande erwähnt werden.

Notwendig ist in beiden Fällen (Eisen und Generatorholz) eine ausreichende Belieferung der Wehrmacht aus der Heimat und ein Verbot des Aufkaufens dieser Waren in Dänemark. Der Reichsbevollmächtigte in Kopenhagen hat diese Forderung soeben drahtlich wiederholt.[66]

Ich bitte dringend, so schnell wie möglich dafür zu sorgen, daß der rechtzeitige und ausreichende Nachschub der Truppen in Dänemark auf dem Eisen- und Holzgebiet sichergestellt wird und den weiteren Ankauf durch die Truppe in Dänemark zu verbieten. Für eine Mitteilung über das von Ihnen Veranlaßte wäre ich dankbar.

Der Herr Reichsminister für Rüstung und Kriegsproduktion hat Abschrift dieses Schreibens erhalten.

Im Vertretung
gez. **Dr. Hayler**

24. Karl Schnurre und Günther Altenburg: Notiz 6. April 1944
Se Bests telegram nr. 412, 1. april 1944.
    Kilde: PA/AA R 29.568. RA, pk. 204. ADAP/E, 7, nr. 311, note 1.

Abschrift
Büro RAM
                Über St.S. Gesandten Schnurre vorgelegt.

Zu Telegramm Nr. 412 vom 1.4.1944[67] aus Kopenhagen hat sich der Führer wie folgt geäußert:

"Wir müßten unsererseits die in Punkt 3 erwähnten unentbehrlichen Lieferungen

---

[65] Se Wiedemann til Rüstungsstab Dänemark 3. februar 1944 og Bests telegram nr. 142 til AA samme dag.
[66] Se Bests telegram nr. 142, 3. februar 1944.
[67] Trykt ovenfor.

an Dänemark durchführen. Man hätte so viel an die Ukraine geliefert, daß es doch auch möglich sein müßte, nunmehr nach Dänemark gewisse Lieferungen zu machen. Der Führer beauftragte mich, dieses Telegramm auch an Reichsleiter Bormann zu geben, da zahlreiche innerdeutsche Stellen diese Weisung des Führers kennen müßten."

Schluß der Führeräußerung.

Gesandter von Sonnleithner hat daraufhin Reichsleiter Bormann mitgeteilt, daß diese Angelegenheit vom Auswärtigen Amt in Handelspolitischen Ausschuß behandelt würde und daß daher von seiner Seite wohl nichts zu veranlassen wäre. Durch seine Aufträge an innerdeutsche Stellen würde nur Doppelarbeit entstehen."

Auf den telefonischen Anruf des Gesandten von Sonnleithner wird Bezug genommen.

Fuschl, den 6. April 1944.

gez. **Altenburg**

25. Adolf von Steengracht: Notiz für Inland II 6. April 1944

Best havde benyttet sit ophold i Berlin 31. marts-1. april til også at opsøge von Steengracht og spørge, hvordan det gik med at få deporterede gamle danske jøder og halvjøder tilbage til Danmark. Steengracht lod spørgsmålet gå videre til Inland II.

Svaret er ikke lokaliseret. Da der ikke blev hjemsendt danske jøder efter denne dato, kan det tages for givet, at RSHA har svaret henholdende eller afvisende, hvis Inland II rettede en forespørgsel dertil.

Kilde: PA/AA R 29.568. RA, pk. 204. LAK, Best-sagen (afskrift).

Berlin, den 6. April 1944

N o t i z
für Inland II.

1.) Ich bitte um Auskunft darüber, wie die Angelegenheit der Enkelkinder Girauds zur Zeit steht. Botschafter Scapini hatte seinerzeit die Frage gestellt, ob die Großmutter nicht wenigstens zur Betreuung der Enkelkinder nach Deutschland kommen könne. Der Herr RAM hatte Auskunft in dieser Angelegenheit erbeten.

2.) Italienischerseits wurde ich gefragt, ob über den Verbleib des Fürsten Ludwig von Bourbon-Parma, der mit der Fürstin Maria von Savoyen verheiratet ist und sich früher in Südfrankreich aufgehalten hat, etwas bekannt sei, insbesondere über deren eventuelle Betätigung.

3.) Der Reichsbevollmächtigte Dr. Best hat anläßlich seiner letzten Anwesenheit in Berlin sich bei mir nach dem Stand der Angelegenheit der alten Juden sowie einiger Halbjuden, insgesamt zirka 20, erkundigt, deren Rückkehr nach Dänemark den dänischen Behörden zugesagt war. Ich bitte um Auskunft über den Stand der Angelegenheit.

gez. **Steengracht**

26. Eberhard von Thadden an Adolf Eichmann 6. April 1944

AA bad om et endeligt tidspunkt for, hvornår i anden halvdel af maj at en besigtigelse af Theresienstadt kunne finde sted. Danskerne ønskede som repræsentanter afdelingschef Hvass fra UM og direktøren for Dansk Røde Kors Helmer Rosting. AA fandt det for betydningsfuld en delegation, men Best havde anbefalet det (Yahil 1967, s. 263, Weitkamp 2008, s. 192).

Den 12. maj 1944 henvendte Tysk Røde Kors sig til Eichmann i samme sag og fik svar af Mildner 15. maj, mens svaret til von Thadden først forelå dagen efter. Også til von Thadden var det Mildner, der svarede.

Kilde: PA/AA R 99.414.

Durchdruck als Konzept (Rl.b.)
Auswärtiges Amt   *den 6.4.1944*
Nr. Inl. II A 1219

An das Reichssicherheitshauptamt
  z.Hd. v. SS-Obersturmbannführer Eichmann o.V.i.A.
  Kurfürstenstraße 116

Um der Dänischen Gesandtschaft zu der Frage der Besichtigung von Theresienstadt einen abschließenden Bescheid zukommen zu lassen, bittet das Auswärtige Amt um Mitteilung eines endgültigen, wie vereinbart in der zweiten Hälfte des Mai belegenen Termins, der den Dänen bekannt gegeben werden kann.

Zur dortigen Information wird noch bemerkt, daß die Dänen die Besichtigung durch den Abteilungschef des Dänischen Außenministeriums Hvass und den Direktor des Dänischen Roten Kreuzes Helmer Rosting durchführen lassen wollen. Seitens des Auswärtigen Amtes wurde diese Besetzung als zu gewichtig bezeichnet; doch hat der Bevollmächtigte des Reichs sich seinerseits für diese Besetzung eingesetzt, da die genannten Persönlichkeiten besonders geeignet erschienen, beruhigende Feststellungen zu verbreiten und damit den in Kopenhagen erstrebten Zweck des Besuches verwirklichen.

In Auftrag
gez. **v. Thadden**

27. Eberhard von Thadden an Adolf Eichmann 6. April 1944

Fra Det Svenske Gesandtskab ville det på grund af de mange rædselsberetninger blive hilst velkomment, hvis en repræsentant for Svensk Røde Kors ved lejlighed kunne få lov at besøge Theresienstadt. AA anså det for hensigtsmæssigt at anbefale det, hvis det blev tilladt en repræsentant for Det Internationale Røde Kors at besøge lejren.

Der kom svar fra Rudolf Mildner 16. maj 1944 (Weitkamp 2008, s. 192).
Kilde: PA/AA R 99.414.

Durchdruck als Konzept (Rl.b.)
Auswärtiges Amt   *den 6.4.1944*
Nr. Inl. II A 1236

An das Reichssicherheitshauptamt
    z.Hd. v. SS-Obersturmbannführer Eichmann o.V.i.A.
    Kurfürstenstraße 116

Ein Mitglied der hiesigen Schwedischen Gesandtschaft brachte zum Ausdruck, daß es schwedischerseits sehr begrüßt werden würde, wenn in Anbetracht der zahlreichen über Theresienstadt in Schweden umlaufenden Greuelmeldungen, die überwiegend durch emigrierte dänische Juden in Umlauf gesetzt werden würden, einem Vertreter des schwedischen Roten Kreuzes gelegentlich gestattet werden könne, Theresienstadt einen Besuch abzustatten.

Sollte ein Besuch Theresienstadts für einen Vertreter des Internationalen Roten Kreuzes freigegeben werden, würde es das Auswärtige Amt für zweckmäßig erachten, wenn aus den vorstehend erwähnten besonderen Gründen auch ein Vertreter des schwedischen Roten Kreuzes herangezogen werden könnte.

    In Auftrag
    gez. **v. Thadden**

28. OKW an das Auswärtige Amt 6. April 1944

OKW bad AA om officielt at meddele UM, at en tysk værnemagtsdommer fremover alene tog sig af afgørelserne i sager om underholdsbidrag til danske børn af værnemagtsmedlemmer. Best lagde vægt på, at meddelelsen blev givet, og det havde også det formål at gøre de trufne afgørelser bindende for de danske myndigheder.
    Kilde: RA, pk. 288.

Oberkommando der Wehrmacht   *Berlin W 35, den 6. April 1944*[68]
14 Y 10 Befh. 1 YY(III/13)

An das Auswärtige Amt
    Berlin W 6

Betr.: Durchführung der V[er]O[rdnung] über die Feststellung von Unterhaltsansprüchen dänischer Kinder gegen deutsche Wehrmachtsangehörige vom 9. August 1943 (RGBl. I S. 495).
Anlg.: 1 Abschrift.[69]

In der Ressortbesprechung in Kopenhagen im November 1942, an der auch das Auswärtige Amt beteiligt war, wurde auf Vorschlag des Vertreters des Bevollmächtigten des Deutschen Reichs beschlossen, von der Herbeiführung einer offiziellen Stellungnahme der dänischen Regierung an der beabsichtigten Ministerrats-VO abzusehen. Vielmehr hat der damals für die Bearbeitung zuständige Wehrmachtrichter den Entwurf der VO dem Sachbearbeiter im dänischen Justizministerium, Kontorchef Bilfeldt, zur persönlichen Unterrichtung zugeleitet und ihm anheimgegeben, sich zu dem Entwurf zu äu-

---

68 Datoen er rettet fra 6. juli 1944 til 6. april 1944.
69 Bilaget med skrivelsen til kontorchef Bilfeldt 18. februar 1944 er ikke lokaliseret.

Bern. Der Sachbearbeiter im dänischen Justizministerium hat sich grundsätzlich mit der beabsichtigten Regelung einverstanden erklärt. Es wurde in der Ressortbesprechung vereinbart, daß nach Inkrafttreten der VO das dänische Justizministerium auf dem gleichen Wege von der neuen Regelung in Kenntnis gesetzt werden sollte.

Entsprechend dieser Abrede hat der mit der Entscheidung über die Feststellungsansprüche beauftragte Wehrmachtrichter mit dem anliegend in Abschrift beigefügten Schreiben vom 18.2.1944[70] dem Kontorchef Bilfeldt – in Bestätigung einer mündlichen Besprechung – den Übergang der Geschäfte der deutsch-dänischen Vergleichskommission auf den Wehrmachtrichter mitgeteilt, der nicht nur nach der VO zur Entscheidung der streitigen Ansprüche, sondern auf Grund des Gesetzes über die freiwillige Gerichtsbarkeit und andere Rechtsangelegenheiten in der Wehrmacht auch zur Entgegennahme und Vermittlung von Anerkenntniserklärungen zuständig ist. Wie bei einer mündlichen Erörterung festgestellt wurde, legt nunmehr der Reichsbevollmächtigte in Dänemark Wert darauf, daß über den Übergang der Befugnisse der deutsch-dänischen Vergleichskommission auf den Wehrmachtrichter und das Inkrafttreten der Ministerrats-VO auch eine offizielle Mitteilung an das dänische Außenministerium ergeht.

Eine solche offizielle Unterrichtung des dänischen Außenministeriums hat auch den Zweck, sicherzustellen, daß sich die dänische Regierung, die sich bisher nur formlos mit dem Inhalt der Ministerrats-VO einverstanden erklärt hat, nicht später auf den Standpunkt stellen kann, die vom Wehrmachtrichter getroffenen Entscheidungen seien für sie nicht rechtsverbindlich.

Das Oberkommando der Wehrmacht bittet daher das Auswärtige Amt, eine entsprechende offizielle Mitteilung auf dem üblichen Wege an das dänische Außenministerium zu richten.

Es darf darum gebeten werden, eine Abschrift dieser Mitteilung zwecks Vervollständigung der Vorgänge des Oberkommandos der Wehrmacht hierher mitzuteilen.

2.[71] Ende des vorigen Jahres hat das Oberkommando der Wehrmacht das Auswärtige Amt um Feststellung gebeten, ob und in welcher Weise die Regierung der Vereinigten Staaten von Amerika die Unterhaltsfragen geregelt hat, die im Zusammenhang mit dem Aufenthalt der amerikanischen Truppen in Island aufgetreten sind. Das Auswärtige Amt hat damals mitgeteilt, daß die Deutsche Gesandtschaft in Bern mit der Klärung dieser Fragen betraut worden sei. Die genauen Daten und die Aktenzeichen des Schriftwechsels können nicht angegeben werden, da die hiesigen Vorgänge zum großen Teil durch Brandschaden vernichtet sind.

Das Oberkommando der Wehrmacht wäre für eine Mitteilung über das Ergebnis der angestellten Ermittlungen dankbar.

Die Kenntnis der etwa in Island getroffenen Regelung kann unter Umständen aus propagandistischen Gründen von Wert sein.

I. A.
gez. **Klein**

---

70 Af denne sætning er siden strøget afsnittet "mit dem anliegend in Abschrift beigefügten Schreiben vom 18.2.1944".
71 Herfra og til underskriften er teksten forsynet med en overstregning.

29. Kriegstagebuch/WB Dänemark 6. April 1944

På et spørgsmål fra WFSt havde WB Dänemark svaret, at der ikke kunne være tale om at trække tyske byggefirmaer hjem før 1. september 1944, da de var krævet til færdiggørelsen af de planlagte byggearbejder. Blev de trukket hjem senere, ville det også være på bekostning af byggeriet. Der kunne ikke med tvang indsættes danske firmaer, da det ville have negative erhvervsmæssige følger i forhold til Danmark.

Kilde: KTB/WB Dänemark 6. april 1944.

[…]

Auf die fernmündliche Rückfrage WFSt betr. den Abzug von Baufirmen aus Dänemark wird an Wehrm. Führ. Stab gemeldet, daß die Vollendung der Bauarbeiten des Sofortprogramms, der planmäßigen Programme und der neuen Programme in Dänemark keinen Abzug bis 1.9.44 zuläßt. Auch ein späterer Abzug geht auf Kosten des Ausbaus. Vermehrtes Ansetzen von Arbeitskräften ist durch die schlechte Transportmittellage nicht möglich, abgesehen von der Abnutzung der Baugeräte (Betonmischmaschinen) und von Mangel an Ingenieuren. Zwangsweiser Einsatz dänischer Firmen würde Abkehr von bisheriger Methode bedeuten und sich in wirtschaftlicher Beziehung für das Reich ungünstig auswirken. Außerdem spielt Transferfrage eine entscheidende Rolle, da z.B. in einem Fall von höchsten deutschen Stellen die Bezahlung dänischer Baufirmen abgelehnt wurde.
[…]

30. Martin Bormann an Hans-Heinrich Lammers 6. April 1944

Bormann meddelte Lammers, at Hitler som reaktion på Bests telegram nr. 412 havde beordret, at de relevante ministre skulle sørge for, at de uundværlige leverancer til Danmark blev gennemført.

Lammers lod 9. april 1944 ordren gå videre til RWM, REM og RRK.
Kilde: BArch, RH 43/II/1430.

Der Sekretär des Führers *Führerhauptquartier, 6.4.1944*
Reichsleiter Martin Bormann Bo./Wag.

An den Chef der Reichskanzlei
  Herrn Reichsminister Dr. Lammers,
  Feldquartier

Betrifft: Dänemark.

Sehr verehrter Herr Dr. Lammers!
Durch den Außenminister wurde dem Führer das in Abschrift anliegende Telegramm Nr. 412 aus Kopenhagen vorgelegt.
  Der Führer wünscht zu Punkt 3, wie ich Ihnen auftragsgemäß zur weiteren Veranlassung mitteile, daß die Obersten Reichsbehörden die für Dänemark unentbehrlichen Lieferungen durchführen.

Heil Hitler!
Ihr sehr ergebener
Bormann

1 Anlage.[72]

---

[72] Bests telegram nr. 412, 1. april 1944.

31. Seekriegsleitung: Ergebnis der Besprechung über Beschlagnahme dänischer Schiffe 9. April 1944

Seekriegsleitung fik et referat af mødet hos Best i København den 4. april angående beslaglæggelsen af danske skibe. Best havde lagt for og fortalt af hvilke grunde, han havde skrevet sine indberetninger til AA. I midten af januar var han kommet under et usædvanligt pres (bl.a. truslen om en krigsret) og var af AA blevet bevæget til at lade de fire omtvistede skibe beslaglægge i huj og hast. Det havde dog ikke hastet mere, end at skibene trods det akutte behov for deres krigsindsats lå otte uger ubenyttede hen. Best var først kommet med sin kritik, da der via AA var kommet krav om nye beslaglæggelser, og han betonede i øvrigt sin vilje til at imødekomme alle Kriegsmarines berettigede ønsker.

Engelhardt beklagede forsinkelsen med overtagelsen af de beslagtagte skibe og forklarede hvorfor. Imidlertid havde AA allerede i november givet sin støtte til beslaglæggelsen, og det stærke pres blev først sat ind, da der var gået mere end en måned, uden at retsgrundlaget for beslaglæggelserne var klarlagt. For fremtiden blev man enige om, at Kriegsmarine konsulterede Duckwitz for at finde egnede skibe og først stillede krav om beslaglæggelse, når marinen også var klar til at gennemføre afhentningen. Fremover skulle det praktiske omkring beslaglæggelser aftales mellem Duckwitz og Kriegsmarinedienststelle Kopenhagen, og sager kun gå videre, når der ikke kunne opnås enighed.

Best takkede for mødet og gentog endnu engang sin villighed til at varetage Kriegsmarines interesser, men henviste samtidig til det problematiske i sin opgave: på den ene side de tyske fordringer på grund af krigsførelsen og på den anden side det af krigen lige så vigtige hensyn til det danske erhvervsliv. Af hensyn til begge krav måtte han finde en retfærdig mellemvej.

Den 5. april kom kaptajnløjtnant Türk fra torpedoskolen i Flensborg med et krav om snarest mulig overtagelse af seks kystmotorbåde. Duckwitz blev tilkaldt og ytrede, at det blev over hans lig. Påfølgende satte Eckhardt sig i forbindelse med ham og ytrede, at det ville være umuligt for ham at referere dette i forbindelse med et møde, der skulle søge at skabe enighed. Duckwitz erklærede da, at det alene havde drejet sig om de coastere, som blev benyttet til sejlads af gødning og kraftfoder. Blev disse coastere pludseligt taget bort, så bestod sandsynligheden for, at den danske landbrugseksport til Tyskland ikke ville finde sted i fuldt omfang. Både Jürst og Eckhardt havde fået det indtryk, at løjtnant Türk havde optrådt uhensigtsmæssigt og anvendt et meget anmassende tonefald.

Se tillige Bests referat af mødet til AA 4. april 1944 og Seekriegsleitung til skibsfartsafdelingen 18. april 1944, samt skibsfartsafdelingen til marineledelsen i København 9. maj 1944. I forbindelse med videreførelsen af beslaglæggelserne i juni 1944 valgte OKM 10. juni at give lederen af Kriegsmarinedienststelle Kopenhagen, kaptajn Jürst, en briefing om de tyske forhandlere, han stod over for (trykt nedenfor).

Kilde: BArch, Freiburg, RM 7/1813. RA, Danica 628, sp. 7, nr. 5819-21.

Seekriegsleitung *Berlin, den 9.4.1944.*
Neu! B-Nr. 1. Skl. I i 13 135/44

I.) Vermerk
Betr.: Reise nach Dänemark. – Ergebnis der Besprechung über Beschlagnahme dänischer Schiffe am Dienstag, dem 4.4.44, zwischen dem Reichsbevollmächtigten Dr. Best sowie Herrn Duckwitz einerseits, Kapt. z.S. Engelhardt, Min. Rat Dr. Eckhardt und Freg. Kapt. Jürst (Leiter der KMD Dänemark) andererseits.

Dr. Best legte nochmals des näheren dar, aus welchen Gründen er zu seinen Berichten an das Auswärtige Amt gekommen sei. Mitte Januar sei er unter Entfaltung ungewöhnlichen Druckes (u.a. der Androhung mit dem Kriegsgericht) vom Ausw. Amt dazu veranlaßt worden, die 4 fraglichen Schiffe über Nacht zu beschlagnahmen. Hinterher habe sich dann gezeigt, daß die Eilbedürftigkeit ihres Kriegseinsatzes doch keine so dringende sein könne, da die Fahrzeuge mehr als 8 Wochen weiter im dänischen Bereich verblieben seien. Er habe sich einer Kritik hieran zunächst enthalten. Nachdem dann aber wieder neue Schiffe angefordert seien, sei es zu seinen Fernschreiben an das Ausw. Amt gekommen. Er betonte im übrigen ausdrücklich, daß er nach wie vor gewillt und in der Lage sei, alle berechtigten Wünsche der Kriegsmarine durchzusetzen.

Kapt. z.S. Engelhardt legte dar, aus welchen Gründen die von der Marine selbst sehr bedauerte Verzögerung eingetreten sei, wobei er insbesondere darauf hinwies, daß einige Schlepper durch Lufteinwirkung verloren gegangen seien, daß andere für ein Kriegsunternehmen nach dem Norden unvorhergesehenerweise abdisponiert werden mußten und daß sich auch die gegnerische Minenlegung verzögernd ausgewirkt habe.

Dr. Eckhardt wies noch darauf hin, daß die Zusage des Auswärtigen Amtes zur Befriedigung des Marinebedarfs in Dänemark bereits im November erteilt worden sei und daß der dann allerdings erfolgte starke Druck erst eingesetzt habe, als mehr als ein Monat vergangen war, ohne daß über die Rechtsform der Beschlagnahme Klarheit herbeigeführt werden konnte.

Um in Zukunft den beiderseitigen Belangen nach Möglichkeit zu entsprechen, wurde folgendes Verfahren vereinbart: Die Kriegsmarine teilt zunächst nur ihren Bedarf an den einzelnen Schiffen mit, wobei sie zwar im allgemeinen schon ihr bekannte aufliegende dänische Schiffe benennen, es aber zunächst Herrn Duckwitz überlassen wird, ihr andere geeignete Objekte namhaft zu machen. Ist Übereinstimmung über die einzelnen Schiffe herbeigeführt, so wird die Marine die Durchführung der Beschlagnahme erst erbitten, wenn sie sichergestellt hat, daß die betreffenden Fahrzeuge dann unverzüglich abgeholt werden.

Sämtliche Anforderungen werden in Zukunft durch Skl. Qu A VI über die KMD Kopenhagen an Herrn Duckwitz gerichtet werden. Die den Bedarf anmeldenden Marinestellen (Skl. Qu A I usw.) wenden sich nicht an Duckwitz direkt, sondern an Skl. Qu A VI. Die 1. Skl. wird von Skl. Qu A VI über den Gang der Dinge auf dem laufenden gehalten und ebenso wie Herr Dr. Best in Zukunft an das Auswärtige Amt erst herantreten, wenn im Einzelfall eine Einigung zwischen Herrn Duckwitz und dem Leiter der KMD nicht erzielbar ist. Besichtigungshandlungen durch die Verwendungsstellen erfolgen erst, wenn hierzu durch Skl. Qu A VI oder die KMD Kopenhagen eine Aufforderung erfolgt.

Herr Dr. Best dankte dem OKM am Schluß der Besprechung besonders dafür, daß durch den Besuch der Berliner Marinevertreter statt des weiteren schriftlichen Hin und Her die Gelegenheit geboten wurde, sich über alle Fragen offen auszusprechen. Er wiederholte nochmals seine Bereitwilligkeit, nach besten Kräften die Marinebelange zu wahren unter gleichzeitigem Hinweis auf die Schwierigkeit seiner eigenen Aufgabe, zwischen den deutschen Kriegsbelangen und den im Hinblick auf den Krieg ebenso wichtigen dänischen Wirtschaftsbelangen den beiden Erfordernissen gerechtwerdenden Mittelweg zu finden. Es wurde noch abgesprochen, daß es eines weiteren Schriftwechsels über die Berichte des Herrn Dr. Best nicht mehr bedarf, sondern daß die Vorgänge mit der Aussprache als erledigt gelten sollen. Dr. Best wird das Ergebnis der Besprechung dem Auswärtigen Amt berichten.

Mit Herrn Duckwitz wurde alsdann der weitere Bedarf an Schiffen im einzelnen durchgesprochen. Herr Duckwitz wird sich dazu unmittelbar nach Ostern dem Leiter der KMD gegenüber erklären.

Am 5.4. erschien als Vertreter des Leiters der Torpedoschule in Flensburg ein Kapitänleutnant (Ing.) Türk mit dem Auftrage, 6 Kümos[73] zur alsbaldigen Erfassung zu besichtigen. Er begab sich in Begleitung eines Vertreters der KMD Kopenhagen zu Herrn Duckwitz und berichtete am Nachmittage, Herr Duckwitz habe ihm erklärt "der Weg zu diesen Kümos ginge nur über seine Leiche". Dr. Eckhard setzte sich daraufhin erneut mit Herrn Duckwitz in Verbindung und bezeichnete es als unmöglich, daß er in Berlin als das Ergebnis des ersten direkten Einigungsversuches die zitierte Redewendung berichten könne, nachdem erst eben mit dem Reichsbevollmächtigten Dr. Best volles Einvernehmen erzielt worden sei. Herr Duckwitz erklärte, daß sich seine Redewendung nur auf diejenigen Kümos bezogen habe, die sich zurzeit in lebenswichtiger Transportfahrt von Dünge- und Kraftfuttermittel befinden. Würden diese Fahrzeuge plötzlich herausgezogen, so bestünde die Wahrscheinlichkeit, daß die dänische Landwirtschaft die ihr nach Deutschland obliegenden Lebensmittellieferung nicht in vollem Umfange durchführen könne.[74] Er, Dr. Best. halte aber im übrigen an seiner Zusage fest, die Frage der Gestellung von Kümos nach Ostern energisch zu betreiben. Im übrigen brachte er noch zum Ausdruck, daß sich Kapt. Lt. Türk in unangebrachter Weise eines sehr anmaßenden Tonfalles ihm gegenüber bedient habe. Nach dem persönlichen Eindruck sowohl des Leiters der KMD Kopenhagen wie auch von Dr. Eckhardt mag Kapt. Lt. Ing. Türk vielleicht ein guter Ingenieuroffizier sein, erscheint aber zu Verhandlungen mit höheren Stellen völlig ungeeignet.

Das Weitere bezüglich der Dringlichkeitslisten, der Schlepper- und Besatzungs-Gestellung wird von Chef Skl. Qu A VI. veranlaßt.

32. Otto Ohlendorf an das Auswärtige Amt 9. April 1944
RSHA meddelte, at det ikke kunne tiltræde, at benådningsretten ved en SS- und Polizeigericht i København blev udøvet af den rigsbefuldmægtigede. Den ret skulle tilfalde HSSPF (Rosengreen 1982, s. 90).
Med telegram nr. 510, 24. april 1944 tog Best denne sag i sin egen hånd.
Kilde: PA/AA R 101.040. RA, pk. 229.

Abschrift
Reichssicherheitshauptamt *Berlin, den 9.4.1944*
III A 5 c Nr. 27/44-177-2 g Geheim

An das Auswärtige Amt, Berlin.

Betr.: SS- und Polizeigerichtsbarkeit in Dänemark; hier: Ausübung des Gnadenrechts.
Vorgang: Dort. Schreiben vom 27.1.1944 R 5036 g.[75]
Der von dort vertretenen Auffassung bezüglich der Ausübung des Gnadenrechts im Ver-

---

73 Kümo = Küstmotorschiff.
74 Kravet om seks kystmotorskibe fremkom igen med Admiralquartiermeisters brev til Kriegsmarinestelle Kopenhagen 9. maj 1944.
75 Skrivelsen er ikke lokaliseret.

fahren vor dem SS- und Polizeigericht in Kopenhagen kann von hier nicht beigetreten werden.

Das Verfahren vor dem SS- und Polizeigericht ist ein in sich geschlossener Vorgang, der nicht dadurch auseinandergerissen werden darf, daß das Gnadenrecht von dritter Seite ausgeübt wird. Im Interesse der Einheitlichkeit des gesamten Verfahrens muß deshalb auch das Gnadenrecht von den Instanzen ausgeübt werden, die bei den sonstigen SS- und polizeigerichtlichen Verfahren zuständig sind.

Daraus ergibt sich für den konkreten Fall Dänemark, daß die Ausübung des Gnadenrechts beim Höheren SS- und Polizeiführer bzw. dem Reichsführer SS oder dem Führer verbleiben muß.

In Vertretung:
gez. **Ohlendorf**

33. Hans-Heinrich Lammers an das Auswärtige Amt 9. April 1944

Lammers orienterede AA om det brev, der samme dag var sendt til RWM, REM og RRK vedrørende leverancer til Danmark. De nævnte ministerier fik at vide, at Hitler ønskede, at de sørgede for, at Danmark fik de uundværlige leverancer, der tilgik landet færre og færre af.

Se forud Bests telegram nr. 412, 1. april 1944 (Rosengreen 1982, s. 91).

Schnurre udfærdigede 21. april en optegnelse til forelæggelse for RAM, hvori blev opregnet de foranstaltninger, der var truffet efter førerordren.

Kilde: BArch, R 43/II/1430. PA/AA R 29.568. RA, pk. 204.

Abschrift Ha Pol VI 1016/44
Der Reichsminister und Chef der Reichskanzlei   *Berlin, den 9. April 1944.*
Nr. Rk 2808 D

An das Auswärtige Amt
   mit der Bitte um Kenntnisnahme ergebenst übersandt.
               Im Auftrag
               Unterschrift

Abschrift zu Rk 2808 D
Der Reichsminister und Chef der Reichskanzlei.   *Berlin, den 9. April 1944*
Rk 2808 D   *z.Zt. Feldquartier*

An
   den Herrn Reichswirtschaftsminister
   den Herrn Reichsminister für Ernährung und Landwirtschaft
   den Herrn Reichsminister für Rüstung und Kriegsproduktion

Betr.: Lieferungen nach Dänemark.

Der Reichsminister des Auswärtigen hat dem Führer einen Bericht des Reichsbevollmächtigten in Dänemark vorgelegt, daß die Aufrechterhaltung der gegenüber bisher wesentlich gesteigerten landwirtschaftlichen Lieferungen aus Dänemark nach Deutschland bedroht wird u.a. durch immer geringere Lieferungen unentbehrlicher Produktionsmittel aus dem Reich nach Dänemark. Dabei handelt es sich um Handelsdünger, landwirtschaftliche Geräte und Ersatzteile, Pflanzenschutzmittel usw. Selbst Bandeisen, Nagel, Draht usw. für die Verpackung der auszuführenden Produkte fehlen.

Der Führer hat daraufhin, wie mir der Sekretär des Führers, Reichsleiter Bormann mitteilt, seinem Wunsche dahin Ausdruck gegeben, daß die Obersten Reichsbehörden die für Dänemark unentbehrlichen Lieferungen durchführen. Hiervon gebe ich mit der Bitte um weitere Veranlaßweg ergebenst Kenntnis.

Das Auswärtige Amt und der Sekretär des Führers, Reichsleiter Bormann, haben Abschrift dieses Schreibens erhalten.

gez. **Dr. Lammers**

34. Werner Best an das Auswärtige Amt 11. April 1944

Von Hanneken havde fået en forespørgsel fra WFSt, om det var muligt at få hans hjælp til at skaffe danske firmaer og arbejdere til befæstningsarbejder i Tyskland. Von Hanneken havde svaret, at det var udelukket, da de allerede var fuldt optaget. Best citerede svaret for derefter at gøre AA opmærksom på, at det var hans, den rigsbefuldmægtigedes, opgave, at tage sig af den slags spørgsmål og ikke von Hannekens, men i realiteten var han enig med von Hanneken i det svar, som WFSt havde fået.

Kilde: PA/AA R 29.568. RA, pk. 204. LAK, Best-sagen (afskrift). I beklippet form gengivet i EUHK, nr. 134 uden kontekstangivelse.

Telegramm

Kopenhagen, den	11. April 1944	18.50 Uhr
Ankunft, den	11. April 1944	22.30 Uhr

Nr. 456 vom 11.4.[44.]

Der Wehrmachtsbefehlshaber Dänemark hat mir mitgeteilt, daß der Wehrmachtsführungsstab (General von Buttlar) fernmündlich bei ihm angefragt habe, ob dänische Firmen und Arbeitskräfte mit Hilfe des Wehrmachtsbefehlshabers im Reichsgebiet zum Festungsbau eingesetzt werden könnten. Der Wehrmachtsbefehlshaber Dänemark hat diese Anfrage durch das folgende Fernschreiben an den Wehrmachtsführungsstab beantwortet:

"Vollendung der Bauarbeiten des Sofortprogramms, des planmäßigen Programms sowie der neuen Programme in Dänemark läßt ein Abziehen von Baufirmen aus Dänemark bis 1.9.44 nicht zu. Auch in Zukunft Abziehen von Firmen nur unter Schwächung des Ausbaus möglich. Ein vermehrtes Ansetzen von Arbeitskräften zur Beschleunigung der Arbeiten durch äußerst schlechte Transportmittellage nicht möglich. Auch läßt Abnutzung der Baugeräte (Betonmischmaschinen) sowie Mangel an Ingenieuren Einsatz noch nicht beschäftigter Firmen nicht zu.

Es wird darauf hingewiesen, daß Aktion Sauckel[76] z.Zt. ganz geringen Erfolg in Dänemark hat. Aus diesem Grunde wird freiwilliges Werbungssystem dänischer Firmen für völlig aussichtslos gehalten. Zwangsweiser Einsatz dänischer Firmen würde Abkehr von bisheriger Methode bedeuten und sich besonders in wirtschaftlicher Beziehung für Deutschland ungünstig auswirken.

Außerdem spielt die Transferfrage entscheidende Rolle, da z.B. im September 1943 Ausbau von Sylt durch OT Dänemark mit dänischen Baufirmen ausgeführt werden sollte, jedoch eine Bezahlung in dänischer Währung von höchsten deutschen Stellen abgelehnt wurde. Endlich verhindern starke Luftwaffenbauten (85.000 to Zement) und Werbung dänischer Arbeiter für Norwegen Abziehen von Arbeitskräften aus Dänemark."

Ich bitte, bei dem Oberkommando der Wehrmacht klarzustellen, daß der Einsatz dänischer Firmen und Arbeitskräfte im Reich nicht über den Wehrmachtsbefehlshaber Dänemark, sondern nur über den Reichsbevollmächtigten in Dänemark durchgeführt werden kann. Die Abteilung Arbeit meiner Behörde ist ständig mit der Werbung von Firmen und Arbeitskräften für den Einsatz im Reich befaßt, so daß eine Parallelaktion unzweckmäßig und schädlich wäre.

Zur Zeit kommt allerdings aus den vom Wehrmachtsbefehlshaber Dänemark angegebenen Gründen ein vermehrter Einsatz dänischer Baufirmen und Bauarbeiter im Reich kaum in Frage, da alle verfügbaren Kräfte und Geräte für die Befestigungsarbeiten in Jütland und in Norwegen (dort nur Arbeiter) eingesetzt werden. Firmen ohne Geräte und ohne Fachkräfte (Ingenieure und Facharbeiter) würden für den offenbar vom Wehrmachtsführungsstab gewollten Zweck wenig nützen. Immerhin könnte, wenn das OKW konkrete Wünsche äußert, hier geprüft werden, inwieweit sie erfüllt werden können.

Dr. Best

35. Werner Best: Den Bezug der Vertraulichen Tagesinformation und Vertraulichen Funkinformation 11. April 1944

Gennem en længere periode, muligvis fra foråret 1943 at dømme efter nummeret 415 fra 27. juni 1944, lod Best udsende daglige pressereferater (*Vertrauliche Tagesinformation*), hvoraf kun ganske enkelte er lokaliseret (foruden nr. 415, et enkelt blad fra 3. oktober 1944 og 3. og 4. maj 1945).[77] Indholdet er referater fra international og illegal presse. Desuden lod han udarbejde og udsende *Vertrauliche Funkinformation*, hvoraf udgiver kun kender et enkelt eksemplar fra 10. januar 1944 med nummeret 1089,[78] der tyder på, at det havde været udarbejdet i flere år, muligvis også før Bests ankomst.[79] Radioinformationen byggede på aflytning af

---

76 Aktion Sauckel var betegnelsen for generalfuldmægtig for arbejdsindsatsen, Frits Sauckels kampagner for at skaffe fremmed arbejdskraft til Tyskland. Den fjerde aktion var sat i værk i 1944 med det mål at skaffe to millioner flere arbejdere. For at nå målet søgte Sauckel at få bemyndigelse til at finkæmme de besatte lande for arbejdere, selv om disse ifølge lokale tyske myndigheder var nødvendige for krigsproduktionen på stedet. Dette stødte på modstand hos andre tyske instanser, men Sauckel gjorde forsøget (Homze 1967, s. 147-151).
77 27. juni 1944 og 3. og 4. maj 1945 er trykt nedenfor.
78 Befinder sig i RA, Vesterdals nye pakker, pk. 2.
79 Skulle det være udsendt i Renthe-Finks tid, har det næppe haft samme åbne karakter, som Best lod det

international ikke-tysk radio. De to blade blev udsendt til den rigsbefuldmægtigedes embedsmænd i Danmark og har dannet en del af grundlaget for den månedlige udarbejdelse af afsnittet "Fjendtlige stemmer" i *Politische Informationen*. Selv om de to interne informationsblade havde en mere begrænset udbredelse end *Politische Informationen*, så havde de til dels samme opgave som denne. Best forklarede her i en konkret anledning, hvad hans hensigt var med den intensive oplysning om den fjendtlige propaganda.

Informationsbladene var fortrolige af mere end navn. *Vertrauliche Funkinformation* er ikke alene forsynet med påskrift om, at de skal tilintetgøres efter læsningen, men er også nummereret individuelt efter modtager, så det i givet fald ville være muligt at finde ud af, hvem der havde ladet sit eksemplar gå videre.

Kilde: RA, Vesterdals nye pakker, pk. 1.

RBZ/Tgb. Nr. 90/44. *Kopenhagen, den 11.4.1944.*

Betrifft: Den Bezug der "Vertraulichen Tagesinformation" und der "Vertraulichen Funkinformation".

Aus gegebenem Anlaß wende ich mich mit diesem Schreiben an die gegenwärtigen Bezieher der von meiner Behörde herausgegebenen "Vertraulichen Tagesinformationen" und "Vertraulichen Funkinformationen".

Es ist vor kurzem vorgekommen, daß zwei Folgen der "Vertraulichen Tagesinformation" von einem Wehrmachtsangehörigen in dem Warteraum eines Lazaretts gefunden und von der zuständigen Dienststelle mir zugesandt worden sind mit dem Bemerken, daß es sich nach dem Inhalt um getarnte deutschfeindliche Propaganda handeln müsse.

Von einzelnen Beziehern hörte ich, daß der "rein negative" Inhalt dieser Informationen auf sie einen deprimierenden Eindruck ausübe.

Aus diesen Tatsachen geht hervor, daß einerseits der Zweck dieser Informationen zum Teil nicht richtig verstanden wird und daß andererseits die Abdrucke der Informationen zum Teil – wie das Auffinden in dem Wartezimmer des Lazaretts beweist – nicht mit der erforderlichen Sorgfalt behandelt werden.

Die aus Pressenachrichten, die nicht zur Verbreitung zugelassen werden, zusammengestellte "Vertrauliche Tagesinformation" und die aus ausländischen Rundfunksendungen zusammengestellte "Vertrauliche Funkinformation" haben in erster Linie den Zweck, die mit politischen Aufgaben befaßten Mitarbeiter meiner Behörde über die Veröffentlichungen der Feindseite zu unterrichten, damit sie in ihrer politischen Arbeit den Auswirkungen der Feindpropaganda entgegenwirken können. Dabei muß jedem Bearbeiter zugetraut werden, daß er selbst den richtigen Gegenstoß gegen die propagandistischen Angriffe des Feindes zu finden und zu führen vermag. Es ist aus Mangel an Kräften schlechterdings unmöglich, daß bei der Zusammenstellung der Feindnachrichten in meiner Behörde auch noch jeweils ein deutscher Kommentar zu jeder Nachricht ausgearbeitet wird.

Wenn ich den an mich gerichteten Bitten, diese Informationen auch über den Bereich meiner Behörde hinaus interessierten Stellen zuzuleiten, nachgekommen bin, so habe ich vorausgesetzt, daß der Zweck der Informationen allenthalben richtig verstanden wird und daß die zugestellten Abdrucke mit der erforderlichen Sorgfalt behandelt

---

have. Renthe-Fink var på propagandaområdet af en helt anden støbning end Best. Det mest sandsynlige er, at der i visse tilfælde blev udarbejdet flere informationsblade hver dag.

werden. Wenn die Informationen falsch – etwa als von mir ausgegebene sachliche Unterrichtung – aufgefaßt und wenn die Abdrucke nicht mit der ihrem Inhalt entsprechenden Sorgfalt behandelt, d.h. möglichst unmittelbar nach Kenntnisnahme vernichtet werden, läßt sich die Verteilung der Informationen über die zuständigen Sachbearbeiter im engsten Sinne hinaus nicht länger verantworten.

Ich bitte deshalb jeden der gegenwärtigen Bezieher der "Vertraulichen Tagesinformation" und der Vertraulichen Funkinformation", nochmals zu prüfen, ob er den weiteren Bezug der Informationen für sachlich gerechtfertigt und für persönlich erwünscht hält.

Da ich zur Erleichterung der geschäftsmäßigen Behandlung die "Vertrauliche Tagesinformation" und die "Vertrauliche Funkinformation" nicht als förmliche Geheimsache bezeichnen möchte, muß ich um eine Erklärung der Bezieher bitten, daß sie die ihnen zugestellten Abdrucke mit der ihrem Inhalt angemessenen Sorgfalt behandeln werden.

Die Erklärung über den Weiterbezug und über die sorgfältige Behandlung bitte ich mir auf dem anliegenden Formular zuzuleiten.

gez. **Dr. Best**

36. Seekriegsleitung an K III 13. April 1944

Seekriegsleitung gjorde K III klart, hvordan der kunne gås frem med hensyn til at skrotte danske krigsskibe. Ved den tyske overtagelse var de forblevet den danske regerings ejendom. Overtagelsen var udadtil begrundet med, at skibene var nødvendige for den kamp, Tyskland førte i alle europæiske staters interesse. Den begrundelse kunne ikke bruges ved en skrotning, da alle mulige landanlæg da kunne skrottes med samme begrundelse. Fem af de otte skibe, det drejede sig om, var af danskerne selv blevet så ødelagt, at de i praksis var vrag, så Seekriegsleitung havde ingen betænkelighed ved at skrotte dem. Spørgsmålet om erstatning kunne vente, til det blev rejst af de danske myndigheder. Skrotning af de endnu flydende tre skibe måtte ikke finde sted på danske værfter. Det måtte prøves, om de kunne slæbes til Tyskland, eller om en eller flere af ubådene kunne bruges som benzinlager. AA og Wurmbach lagde vægt på, at den opfattelse ikke opstod i Danmark, at krigsnødvendigheden kun blev fastholdt, for, som Best kort forinden udtrykte det, at drive rovdrift på dansk ejendom. Seekriegsleitung delte denne opfattelse, ikke mindst da Tyskland i stigende omfang var henvist til den danske befolknings frivillige samarbejde på ernæringsområdet. Det skulle derfor efterprøves, hvilke skibe der skulle slæbes til Tyskland eller fortsat kunne være til nytte.

Bests insisteren på betydningen af den danske landbrugseksport til Tyskland, og at der skulle tages hensyn dertil i Tysklands besættelsespolitik på alle områder, havde fundet lydhørhed hos Seekriegsleitung. Best blev tilmed direkte citeret, men sætningen med citatet synes slettet inden brevets afsendelse. Det var også et udtryk for den betydning, som hans standpunkt havde fået.

Kilde: BArch, Freiburg, RM 7/1815. RA, Danica 628, sp. 7, nr. 5944f.

Seekriegsleitung *Berlin, den 13.4.1944.*
Zu: B-Nr. 1. Skl. I i 12 114/44 geh[80] Geheim

I.) Schreibe
    An K

---

[80] Seekriegsleitungs notat 1. april 1944, trykt ovenfor.

Vorg.: K III V Nr. 2716/44 vom 17.3.1944.[81]
Betr.: Verwendung dänischer Kriegsschiffe.

Wie schon mit B-Nr. 1. Skl. I ia 6767/44 vom 23.2.44[82] mitgeteilt, ist bei der Übernahme der dänischen Kriegsschiffe deren Eigentum der Dänischen Regierung vorbehalten geblieben. Die Übernahme läßt sich nach außen hin nur damit begründen, daß die Fahrzeuge für den von Deutschland im Interesse aller europäischen Staaten geführten Kampf benötigt werden. Die Gewinnung von Schrott wird man dabei nur bedingt als Begründung der Zerstörung der Fahrzeuge geltend machen können, da mit ähnlicher Begründung dann auch alle möglichen festen Landanlagen verschrottet werden könnten. Soweit die Fahrzeuge, was nach hier getroffener Feststellung für 5 der angeführten 8 Überwasserschiffe gilt, von den Dänen seinerzeit selbst soweit zerstört worden sind, daß sie praktisch nur noch als Wrack anzusehen sind, so bestehen gegen deren Verschrottung keine wesentlichen Bedenken, wobei die Frage der Erstattung des Erlöses nach Abzug der Kosten zurückgestellt werden könnte, bis die dänische Behörde diesbezügliche Forderungen geltend macht.

Gegen die Verschrottung noch schwimmender Fahrzeuge, zu denen insbesondere die genannten Boote gehören sollen, jedenfalls auf dänischen Werften bestehen dagegen erhebliche Bedenken. Werden die dabei zu gewinnenden Sparmetalle für den deutschen Kriegsschiffbau wirklich unabwendbar benötigt, so müßten die Fahrzeuge im schwimmenden Zustande nach Deutschland abgeschleppt und auf deutschen Verschrottungsbetrieben verschrottet werden. Zu prüfen bleibt weiter die Frage, ob sich das eine oder andere Uboot nicht als schwimmendes Ölreservoir eignet und dazu ohne umfangreiche Umbauten hergerichtet werden könnte.

Auswärtiges Amt und Admiral Dänemark legen Wert darauf, daß in Dänemark nicht die Auffassung aufkommt, daß die kriegsnotwendige Verwendung nur vorgeschützt wird, um wie sich der deutsche Reichsbevollmächtigte Dänemark kürzlich ausdrückte, reinen Besitzraub an dänischem Eigentum zu treiben. Die Seekriegsleitung teilt diese Auffassung, zumal Deutschland auf dem Ernährungsgebiet in zunehmendem Masse auf die freiwillige Mitarbeit der dänischen Bevölkerung angewiesen ist. Es wird gebeten, den Vorgang unter den vorstehenden Gesichtspunkten erneut zu prüfen und mitzuteilen, bezüglich welcher Fahrzeuge die Abschleppung nach Deutschland zur Verschrottung weiterhin für nötig erachtet wird.

II.) I i.

C/Skl. i.A. 1./Skl. i.A. I i

---

81 Skrivelsen er ikke lokaliseret.
82 Skrivelsen er ikke lokaliseret.

37. Alex Walter an das Reichswirtschaftsministerium und die deutsche Verrechnungskasse 14. April 1944

I forbindelse med forhøjelsen af kronens værdi i begyndelsen af 1942, var der blevet aftalt en overgangsordning for allerede indgåede kontrakter. Denne overgangsordning ville danskerne nu efter mere end to år have ophævet. Walter bad om RWMs og Deutsche Verrechnungskasses stillingtagen dertil.

Svaret til Walter er ikke lokaliseret.

Best videreformidlede en besked fra Walter i forbindelse med de igangværende forhandlinger i det tysk-danske regeringsudvalg.

Kilde: RA, pk. 281.

Ausw Bln. Nr. 471 14.4.44 / = Offen =
[Ankunft:] DG Kopenhagen Nr. 80 14.4.44 20.25

Für Reichswirtschaftsministerium und deutsche Verrechnungskasse:
"Dänen haben in Regierungsausschuß-Sitzung nachstehende Notiz betreffend Kronenaufwertung vorgelegt: Bei den am 22. Januar 1942 stattgefundenen Besprechungen der dänisch-deutschen Regierungsausschüsse über die dänische Kronenaufwertung wurden die auf dem Kursgebiet für Gewisse vor der Kronenaufwertung fest abgeschlossene konkrete Verträge durchzufahrenden Übergangsmaßnahmen näher vereinbart. Demgemäß wären die Kronenverpflichtungen, die deutsche Einführer aus solchen Verträgen mit dänischen Ausführen zu erfüllen hätten, über Danmarks Nationalbank zu dem bis zur Kronenaufwertung geltenden Verrechnungskurs zu verrechnen. Die Kronenverpflichtungen, die dänische Einführer aus vor der Kronenaufwertung fest abgeschlossenen konkreten Verträgen mit deutschen Ausführen zu erfüllen hätten, wären ebenfalls zum alten Kurs zu verrechnen. In den Regierungsausschußverhandlungen am 31. Januar 1942 wurde vereinbart, daß die obenangeführten Vorschriften für die Verrechnung zwischen Dänemark und den besetzten norwegischen Gebieten sinngemäß gelten sollten. Vergl. Ergebnisse vom 31.1.1942, Punkt 5.

In den genannten Ergebnissen Punkt 3 heißt es weiter, daß die getroffenen Übergangsmaßnahmen zunächst nicht zeitlich begrenzt sein sollten, es wurde aber vorgesehen, daß die dänisch-deutschen Regierungsausschüsse später auf Grund der vorliegenden Erfahrungen prüfen würden, inwiefern eine Begrenzung zweckmäßig wäre.

Dänischerseits ist man der Auffassung, daß die noch nicht abgewickelten alten Geschäfte nur ganz ausnahmsweise werden durchgeführt werden, und daß die seinerzeit getroffenen Übergangsmaßnahmen jetzt nach Verlauf von mehr als 2 Jahren nicht aus Rücksicht darauf fortgesetzt aufrechterhalten sein sollten. Auf Veranlassung der Danmarks Nationalbank möchte man daher anheimstellen, daß die getroffenen Übergangsmaßnahmen sowohl für den Zahlungsverkehr Dänemark/Deutschland als auch für den Verkehr zwischen Dänemark und den besetzten norwegischen Gebieten in Wegfall gebracht werden.

Ich bitte, mich spätestens bis Dienstag, den 18. April zur Beantwortung dieser Notiz instand zu Setzen. Dr. Walter"

Dr. Best

38. Gottlob Berger an Heinrich Himmler 16. April 1944

Berger havde tilladt den tidligere partifører for DNSAP, Frits Clausen, at besøge Danmark på visse betingelser, som han ikke havde overholdt, og Best var blevet rasende over, at Clausen dukkede uanmeldt op i Danmark nu, hvor han troede, at han var bragt af vejen på et lazaret i Würzburg. I den anledning sendte Best et brev til Himmler, som Berger fik en kopi af (ikke lokaliseret). Desuden overbragtes Berger et brev fra Best, som også var udtryk for Bests iltrehed i denne sag (heller ikke lokaliseret). Berger skulle ikke bryde sig om at komme Best på tværs, og Berger blev over for Himmler tvunget til at beklage, at Frits Clausen under sit besøg ikke havde holdt sine løfter til ham. Til gengæld beskyldte han Best for at have gjort Schalburgkorpset til noget andet end aftalt.

Kilde: BArch, NS 19/3473. RA, pk. 443. LAK, Frits Clausen-sagen XIV, bilag nr. 373. *Føreren har ordet!* 2003, s. 793-795.

Der Reichsführer-SS *Berlin-Grunewald, den 16.4.1944.*
Chef des SS-Hauptamtes Geheim!

Betrifft: Dänemark
Bezug: Schreiben des SS-Gruppenführers Dr. Best an Reichsführer-SS

An Reichsführer-SS und Reichsminister des Innern
   Berlin SW 1
   Prinz-Albrecht-Str. 8

Reichsführer!
SS-Gruppenführer Dr. Best hat mir einen Durchschlag seines Schreibens an Reichsführer-SS zur Kenntnisnahme übersandt, der heute bei mir eingegangen ist.
   Ich bitte, hierzu folgendes feststellen zu dürfen:
1.) SS-Gruppenführer Dr. Best hat, entgegen allen Abmachungen, aus dem Schalburg-Korps, eine Schutz-Garde gemacht, die heute in einer Stärke von 600 Mann, rein kaserniert, nicht in der Lage ist, die politische Aufgabe durchzuführen, für die es seinerzeit vorgesehen war. Es ist durch die Zeit bedingt, nichts dagegen einzuwenden. Ich habe dieses Bataillon durch Ausstellung von Wehrpässen und was damit zusammenhängt, legalisiert. Eine andere Möglichkeit war nicht mehr gegeben, da diese 600 Mann im Verteidigungsplan bereits fest eingebaut sind.
2.) Durch dieses Bataillon sind uns die 600 Mann für die Waffen-SS als Nachersatz abgegangen.
   Die Schulung konnte ebenfalls nicht in dem Umfange erfolgen, wie dieses bei einer Durchschleusung durch Sennheim Tatsache geworden wäre.
3.) Dr. Clausen hat sich zum ersten Mal als ein Mann herausgespielt, der nicht Wort hält. Bei seinem Besuch zusammen mit Professor Dr. Heyde hatte er mir zugesagt,[83]
   a.) sich beim Höheren SS- und Polizeiführer zu melden,
   b.) bei SS-Gruppenführer Dr. Best einen Besuch zu machen,
   c.) sich politisch nicht zu betätigen.

---

83 SS-Standartenführer Werner Heyde var cheflæge på et hospital i Würzburg og leder af SS-lazarettet samme sted. På lazarettet havde Frits Clausen været indlagt efter ordre fra Himmler og sluttet venskab med Heyde (Lauridsen 2003b, s. 400f.).

Ich habe Clausen unmißverständlich zum Ausdruck gebracht, daß er durch seine Politik zusammen mit Legationsrat Meissner, durch sein stures Festhalten an Thomsen und den ausgesprochenen Abenteurern Brüder Bryld selbst Schuld an den ganzen Vorkommnissen trage.[84] Seit dem 6.4.1944 befindet er sich wieder in Würzburg und wird heute von dort nach Sennheim in Marsch gesetzt. Seine Verpflichtung zur Waffen-SS dauert – soviel ich weiß – bis zum 31.5.1944.[85]

4.) SS-Gruppenführer Dr. Best ist sehr eitel; gemachte Fehler will er unter gar keinen Umständen zugeben. Ich habe meinerseits keinen Grund, ihm seine Aufgabe zu erschweren, bitte aber Reichsführer-SS, ihm mitteilen zu lassen, er möge sich mit mir in Verbindung setzen.

SS-Gruppenführer Pancke war bei mir. Er überbrachte mir einen Brief von Dr. Best, der derart unverschämt war, daß ich ihn wieder zurückgab und auf den Umschlag schrieb: "Lieber Doktor! Zu meinem Bedauern kann ich als Chef des SS-Hauptamtes ein derartiges Schreiben nicht in Empfang nehmen. Ich gebe es Ihnen wieder zurück."

Hätte an und für sich ein Recht gehabt, wütend zu sein; habe aber im Hinblick auf Reichsführer-SS und die mir ständig gegebenen Lehren hierauf verzichtet.

G. Berger
SS-Obergruppenführer

39. Heinrich Himmler an Werner Best 16. April 1944

I anledning af Hitlers fødselsdag blev Best forfremmet til SS-Obergruppenführer (general).

Udnævnelsen var underskrevet af Himmler, men den hjertelige lykønskning til "Mein lieber Best!" var indskrænket til det minimale.

Kilde: RA, pk. 443a.

F e r n s c h r e i b e n

SS-Gruppenführer Dr. Werner Best
   Kopenhagen

Mein lieber Best!
Der Führer hat Sie mit Wirkung vom 20.4.44 zum SS-Obergruppenführer befördert.
   Meinen herzlichen Glückwunsch und Gruß!

Heil Hitler!
Ihr getreuer
gez. H. Himmler

16.4.44 RF/M.

---

84 I SS anså man DNSAP-medlemmerne Aage Thomsen og brødrene Bryld for en klike, der hindrede SS i at opnå større indflydelse på og kontrol med Frits Clausen og DNSAP (se SS-Hauptamt VIs månedsberetning for oktober 1942, trykt ovenfor 20. november 1942).

85 Det var 30. april 1944.

40. Dienstanweisung für den Wehrmachtintendanten beim WB Dänemark 16. April 1944

OKW udstedte 16. april 1944 en detaljeret tjenesteanvisning for værnemagtsintendanten hos WB Dänemark, hvis tjenesteområde omfattede alle tre værn. Til intendantens talrige opgaver hørte at informere OKW om forhold vedrørende alle tre værn, at varetage værnemagtens interesser vedr. værnemagtsforvaltning over for danske og civile tyske tjenestesteder, stå for værnemagtens finansiering, regulere alle former for anskaffelser og indkøb, herunder overvåge priser for leverancer og ydelser og tage sig af skadessager, som værnemagten forvoldte.

Om der foreligger en tidligere tjenesteanvisning for intendanten er uvist. En sådan er ikke lokaliseret, men funktionen var forud i et vist omfang blevet varetaget af WB Dänemarks stabsintendanter.[86] Den skærpede opmærksomhed omkring og kritik af værnemagtens stærkt øgede forbrug i Danmark fra både tysk og dansk side kan dog være årsag til denne opnormering af intendantfunktionen. En anden kan være RRKs fremtrængen i Danmark, der betød indhug i værnemagtens opgaver,[87] og at OKW på den baggrund ønskede værnemagtsintendantens funktioner præciseret. Intendanten havde fået en stærkt øget betydning. Han havde funktioner, som senest historikeren Götz Aly mener, bør gives opmærksomhed i kraft af de meget store summer, der herigennem blev administreret, eller, formuleret på en anden måde: Udplyndringen af de besatte lande sat i system. "Die Intendanten waren die Finanzoffiziere der Wehrmacht, die meisten Dokumente über ihre Tätigkeit verschwanden spurlos."[88] Det synes således at være tilfældet for Danmarks vedkommende, men virksomhedens karakter kan følges i bl.a. Peder Herschends dagbog.

Kilde: RA, Danica 1000, T-77, sp. 693, nr. 902.447-449.

Anlage zu OKW 3 f 31 / 2017/44g
AWA/Ag Wv3 (VIII b) vom 16.4.1944.

Dienstanweisung
für den Wehrmachtintendanten beim Wehrmachtbefehlshaber Dänemark.

1.) Dienststellung:
   a.) Der Wehrmachtintendant ist Leiter der Dienststelle "Wehrmachtintendant beim Wehrmachtbefehlshaber Dänemark". Er ist als Leiter dieser Dienststelle dem Wehrmachtbefehlshaber Dänemark unterstellt, den er über alle Wehrmachtverwaltungsangelegenheiten seines Bereiches zu unterrichten hat.
   b.) Der Wehrmachtintendant für seine Person ist zugleich Sachbearbeiter (IV a) und Berater des Wehrmachtbefehlshabers in den die Gesamtwehrmacht betreffenden territorialen Wehrmachtverwaltungsangelegenheiten für das gesamte dänische Gebiet einschließlich der Wirtschaft- und Privatrechtsfragen der Truppe.
   c.) Weisungen an die Dienststelle Wehrmachtintendant beim Wehrmachtbefehlshaber Dänemark erlassen OKW/AWA und die mit Wehrmachtaufgaben betrauten Dienststellen der Oberkommandos der Wehrmachtteile im ständigen Einvernehmen mit AWA (gemäß OKW 13 n / 2386/40 WZ (III) vom 2[]40.

---

86 Der optræder titler som Feltintendant, Oberfeldintendant og Oberstabsintendant for Dr. Balnus og Dr. Grass, sidst var Willny Oberstabsintendant (KB, Herschends dagbog bl.a. 8. december 1943, 12. og 23. august 1944, 11. og 14. maj 1945). Se endvidere Stier til Wehrmachtintendant Dänemark 31. juli og note til Lamberts notat 31. august 1944.
87 Se Forstmann til Waeger 31. juli 1944.
88 Aly 2006, s. 42. For Danmarks vedkommende ødelagde Oberstabsintendanten i Silkeborg sit arkiv maj 1945 og underafdelingerne gjorde det samme (KB, Herschends dagbog 14. maj 1945).

d.) Innerhalb seines Arbeitsbereiches sind die Anordnungen des Wehrmachtintendanten für alle drei Wehrmachtteile verbindlich. Er ist berechtigt, in diesem Rahmen Weisungen an die Wehrmachtteile zu erteilen und von ihnen Unterlagen zur Durchführung seiner Aufgaben einzufordern, in solche Unterlagen Einsicht zu nehmen und Bestände und Lager zu besichtigen. Der Wehrmachtintendant gibt von territorialen Weisungen auf dem Verwaltungsgebiet an Dienststellen und Truppen deren vorgesetzten Dienststellen Kenntnis.

e.) Seine Dienststellung und damit seine Befugnisse entsprechen denen eines Korpsintendanten beim Feldheer.

2.) Aufgaben des Wehrmachtintendanten:
Bearbeitung aller territorialen und für mehrere Wehrmachtteile gültigen Wehrmachtverwaltungsangelegenheiten in Dänemark.
Hierzu gehören insbesondere:

a.) Die Unterrichtung des Oberkommandos der Wehrmacht über die auf dem Wehrmachtverwaltungsgebiet auftretenden für alle drei Wehrmachtteile einheitlich zu regelnden Angelegenheiten.

b.) die Vertretung der Interessen der Wehrmacht auf dem Gebiete der Wehrmachtverwaltung gegenüber dänischen (militärischen und zivilen) Dienststellen und gegenüber den deutschen zivilen Dienststellen im Einvernehmen mit dem Wehrmachtbefehlshaber,

c.) Regelung der Geldversorgung der deutschen Wehrmacht in Dänemark und Bewirtschaftung der Geldmittel auf dem Gebiete der Truppenwirtschaft, (Bemessung des Geldbedarfs der deutschen Wehrmacht unter Berücksichtigung der wirtschaftlichen Möglichkeiten, Festlegung von Dringlichkeitsstufen, Beschaffung der erforderlichen Landeszahlungsmittel, Zuteilung der Zahlungsmittel, ferner Währungsfragen, Fragen des Kassen- und Rechnungswesens),

d.) Regerlung des Geld- und Warenverkehrs auf dem Gebiete der Truppenwirtschaft über die Grenzen und innerhalb der Grenzen seines Bereiches, Bearbeitung von Steuern, Zöllen und sonstigen Abgaben im Rahmen der Truppenwirtschaft,

e.) Regelung der Beschaffungen und Anforderungen von Leistungen aller Art im Lande für die Wehrmacht auf dem Gebiete der Truppenwirtschaft, Regelung der Rationierung bewirtschafteter oder gesperrter Waren für die in seinem Bereich eingesetzten Dienststellen, Verbände und Einheiten der Wehrmacht, Ermietungen und sonstige Inanspruchnahme von Unterkünften, Unterkunftsgeräten und Verbrauchsmitteln für die Truppe,

f.) Regelung und Überwachung der Vergütungen und Preise für Lieferungen oder Leistungen an Truppenbedürfnissen aller Art im Rahmen des bestehenden Preisgefüges,

g.) Bearbeitung der sich aus einem Einsatz von verbündeten usw. Truppen in und außerhalb des dänischen Raumes für die deutsche Wehrmacht im dänischen Raum ergebenden Verwaltungs- und Wirtschaftsfragen, soweit die verbündeten usw. Truppen im Rahmen der deutschen Wehrmacht eingesetzt sind.

h.) Angelegenheiten der Gefolgschaftsmitglieder der Wehrmacht.

i.) Abfindung der Wehrmachtangehörigen mit Einsatzgebührnissen, Regelung der Arbeitsbedingungen, der Lohntarife und des Arbeitsrechts für Arbeitskräfte aus dem Bereiches des Wehrmachtintendanten, die bei der Wehrmacht verwendet werden und nicht zu den Gefolgschaftsmitgliedern der Wehrmacht gehören,

k.) Regelung der *grundsätzlichen* Fragen auf dem Gebiete der Entschädigung für die durch die deutsche Wehrmacht im Bereiche des Wehrmachtintendanten verursachten Schäden, Bearbeitung von Rechtssachen und sonstigen zivilen Rechtsstreitigkeiten, Rechtsfragen nach dem Haager Abkommen im Zusammenhange mit der Versorgung der Truppe,

l.) Dienstaufsicht über nachgeordnete Dienststellen und Kassen.

41. Werner Best an das Auswärtige Amt 18. April 1944

Best indberettede rygter fra Abwehrstelle Dänemark om en snarlig invasion af Göteborg og omegn, som han imidlertid ikke tog alvorligt. Dog havde han talt derom med admiral Wurmbach.

Kilde: PA/AA R 29.568. RA, pk. 204.

Telegramm

Kopenhagen, den 18. April 1944
Ankunft, den 19. April 1944 12.10 Uhr

Nr. 489 vom 18.4.[44.]

Abwehrstelle Dänemark mitteilt, daß in Göteborg und Umgebend hartnäckige Gerüchte über baldige Invasion im dortigen Raum umlaufen. Eigene Informationen lassen als realen Grund dieser Gerüchte annehmen, daß mit Versuchen, die mit wertvollstem Kriegsmaterial beladenen 3 (drei) norwegischen Handelsschiffe im Schutz feindlicher Streitkräfte nach England zu bringen, gerechnet werden muß, und daß vielleicht neuerdings örtliche Vorkehrungen hierfür getroffen wurden. Angelegenheit mit Admiral Skagerrak besprochen, so daß nichts weiter zu veranlassen ist.[89]

Best

42. Seekriegsleitung an Quartermeisteramt 18. April 1944

I referaterne af mødet med Best i København 4. april blev sagen med de to skibe, der ønskedes beslaglagt som natjagerledeskibe, ikke nævnt. Der skulle ikke tilføjes noget til referatet derom, da der siden var talt med Duckwitz derom, men skibsfartsafdelingen kunne med alle midler skride til gennemførelse af beslaglæggelsen, da det var OKM, der havde initiativet.

Kilde: BArch, Freiburg, RM 7/1813. RA, Danica 628, sp. 7, nr. 5837.

---

89 Admiral Wurmbach havde i april 1944 fået udvidet sine beføjelser og sit ansvarsområde betydeligt og i den forbindelse også fået titlen Admiral Skagerrak – den nye titel indikerer i hvilken retning – så det var ham, Best skulle kontakte i denne sag.

Seekriegsleitung Berlin, den 18. April 1944
Zu: 1. Skl. I i 14 899/44 geh.⁹⁰ Geheim

I.) Schreibe: An Skl. Qu A VI.

Betr.: Inanspruchnahme dänischer Schiffe.

Im Nachgang zu B-Nr. 1. Skl. I i 13 135/44 vom 9.4.44⁹¹ betreffend den hier gefertigten Vermerk über das Ergebnis der Besprechungen in Kopenhagen wird in der Anlage Abschrift des Berichtes übersandt, den der Reichsbevollmächtigte in Dänemark unter dem 4.4.1944⁹² dem Auswärtigen Amt über die gleiche Angelegenheit erstattet hat. Die als Nachtjagdleitschiffe angeforderten beiden Dampfer sind in der Aufzeichnung nicht erwähnt, ebenso wenig die Kümos. Dar über diese einzelnen Punkte aber hinterher mit Herrn Duckwitz weitergesprochen worden ist, dürfte von einer Ergänzung der Niederschrift zunächst solange Abstand genommen werden können, als bezüglich der in dem Bericht nicht mitgenannten Fahrzeuge Schwierigkeiten nicht entstehen.

Da der Schluß der Berichtes so formuliert ist, daß die tatsächliche Beschlagnahme nur noch von weiteren Mitteilungen des OKM abhängt, ist es geboten, daß die Durchführung der Aktion von Skl. Qu A VI nunmehr allen Mitteln gefördert wird.

II.) Fertige Abschr. d. Anlage des Einganges und füge sie dem Schrb. Zu I.) bei.
III.) I i
C/Skl. i.A. 1./Skl.

43. Werner Best an das Auswärtige Amt 19. April 1944
Best indberettede en hændelse i Sønderborg, hvor en tysk minestryger beskød broen over Alssund, fordi broklappen ikke åbnede hurtigt nok. En mand blev dræbt og to kvinder såret.

Hændelsen vakte stor vrede i Sønderborg, da det var femte og ikke tredje gang, som Best skrev, at der blev affyret skud mod broen. Best fortalte heller ikke, at årsagen til, at broklappen ikke kom hurtigt nok op efter tysk smag, var, at et tog netop skulle passere. Den tyske kommandant, Kapitän zur See Gerhard von Kamptz, beherskede situationen fuldstændig, skrev Best endvidere. Det er ikke et rammende udtryk for situationen 18. april, for kommandanten fandt det nødvendigt at beklage det skete over for byens borgmester og politimester under indtryk af både en arbejdsnedlæggelse i protest og et tusindtalligt ligfølge (Hæstrup, 1, 1966-71, s. 447, Skov Kristensen 1995, s. 86-96).

Se endvidere OKM til AA 27. april 1944.
Kilde: PA/AA R 29.568. RA, pk. 204.

Telegramm

Kopenhagen, den 19. April 1944
Ankunft, den 19. April 1944 22.05 Uhr

90 Skrivelsen er ikke lokaliseret.
91 Trykt ovenfor.
92 Trykt ovenfor.

Nr. 493 vom 19.4.44.

Über die in Rundfunk und Presse des Auslands erörterten Vorgänge in Sonderburg berichte ich folgendes:

Als am 17. April 1944 das Minensuchboot M 515 den Alsensund passierte, löste sich vor der Sonderburger Brücke ein Schuß aus einem Flakgeschütz und tötete auf der Brücke einen dänischen Staatsangehörigen und verletzte zwei weitere. Der Bevölkerung von Sonderburg bemächtigte sich eine beträchtliche Erregung, zumal in der Vergangenheit zweimal von deutschen Fahrzeugen vor dieser Brücke, weil sie nicht schnell genug geöffnet wurde, Schreckschüsse abgegeben worden waren und auch dieser Schuß für einen solchen vorsätzlichen Schuß gehalten wurde.

Am 18. April 1944, der unglücklicherweise zugleich der Jahrestag von Düppel war, fanden allgemeine Trauerkundgebungen durch Arbeitsruhe, Ladenschluß und Halbmastflaggen statt. Bei dem traditionellen Zuge zum Düppeldenkmal wurden die Fenster einer Fabrik, die weiterarbeitete, eingeschlagen. Der Leichenkondukt des getöteten Mannes wurde von einer großen Menschenmenge bis zur Sundbrücke begleitet. Der deutsche Standortkommandant beherrschte die Lage vollständig. Die dänische Polizei hielt sich zunächst zurück, sorgte aber nach Heranziehung einer Verstärkung mit Erfolg für die Aufrechterhaltung der Ordnung. Heute – am 19. April – ist in Sonderburg die Lage wieder völlig normal.

Best

44. Werner Best an das Auswärtige Amt 20. April 1944

Best meddelte, at under de netop afsluttede dansk-tyske handelsforhandlinger var det blevet fastslået, at Danmark i det sidste halvår havde leveret smør og flæsk i et omfang, der oversteg leverancerne i samme periode sidste år.

Trods det knappe omfang var indholdet en så stor positiv nyhed, at Best fandt både sin politiks rigtighed bekræftet deri og så sine fremstillinger i *Politische informationen* 1. april og i Kurzbericht samme dag fuldt retfærdiggjort. Yderligere kommentarer var ikke nødvendige til AA. Telegrammet blev afsendt kl. 11.30, men det kan tages for givet, at samme dag blev en dramatisk og endelig afslutning på den sidste, relativt fredelige periode, som den rigsbefuldmægtigede kom til at opleve i Danmark: Kl. ca. 14.50 blev Bests chauffør skudt og dræbt (se Bests telegram nr. 509, 24. april).[93]

Kilde: PA/AA R 29.568. RA, pk. 204 og 270.

Telegramm

| Kopenhagen, den | 20. April 1944 | 11.30 Uhr |
| Ankunft, den | 20. April 1944 | 17.30 Uhr |

Nr. 494 vom 19.4.[44.]
Verzögert durch Leitungsstörung.

In den soeben abgeschlossenen Verhandlungen der deutsch-dänischen Regierungs-

---

93 Tidspunktet for drabet på chauffør Tage Lerche er hentet fra RA, BdO Inf. nr. 33, 24. april 1944.

ausschüsse sind für die wichtigsten Lebensmittel folgende dänische Lieferungen nach Deutschland für die ersten Hälfte des laufenden Wirtschaftsjahres (1. Oktober 1943 bis 30. September 1944) festgestellt worden:

1.) Butter: Ausfuhr 15.500 to (Ausfuhr im entsprechenden Zeitraum
                                des Vorjahres: 9.600 to).
2.) Fleisch: Ausfuhr 93.400 to (Ausfuhr im entsprechenden Zeitraum
                                des Vorjahres: 28.500 to).

Die beiderseitigen Sachverständigen haben neuerdings die Fleischlieferungen aus Dänemark nach Deutschland im laufenden Wirtschaftsjahr auf mindestens 150.000 to geschätzt.

Dr. Best

45. Werner Best an das Auswärtige Amt 20. April 1944

Best meddelte, at den danske regering fortsat var villig til at stå for den månedlige anvisning af midler til den udvidede Kinderlandsverschickung (KLV). Det hastede med overførslen.
  Best fik svar fra AA 24. april.
  Om KLV i Danmark, se Brauns notat 27. januar 1943.
  Kilde: BArch, R 901 113.555. RA, pk. 271.

zu Ha. Pol. VI 1178/44

Abschrift des Telegrams des Reichsbevollmächtigten in Dänemark vom 20.4.1944 Nr. 503.

Bitte Reichsjugendführung Berlin-Charlottenburg, Kaiserdamm 9, zu benachrichtigen, daß Dänische Regierung bereit ist,, das am 31. März ds.Js. abgelaufene Abkommen bezüglich monatlicher Überweisung von 100.000 RM für erweiterte Kinderlandsverschickung in Dänemark zu verlängern. Reichsjugendführung muß April-Rate möglichst umgehend überweisen, da Kinderlandverschickung ohne Mittel.

Dr. Best

46. Joseph Goebbels: Tagebuch 20. April 1944

Best havde sendt Goebbels en beretning om situationen i Danmark, hvorefter man generelt kunne være tilfreds.
  Den fremsendte beretning er givetvis enten *Politische Informationen* 1. april 1944 eller snarere Politischer Kurzbericht fra samme dag.
  Kilde: *Die Tagebücher von Joseph Goebbels*, Teil II:12, s. 153f.

[...]
SS-Gruppenführer Best schickt mir einen Bericht über die Lage in Dänemark, der sehr positiv lautet. Die Sabotage ist stark zurückgegangen; die dänische Verwaltung arbeitet

loyal mit den deutschen Militärbehörden zusammen; die dänische Landwirtschaft hat ihre Lieferungen an das Reich enorm gesteigert; von Dänemark aus werden riesige Rüstungsaufträge durchgeführt; unsere Befestigungsarbeiten in Jütland schreiten sehr stark vorwärts; kurz und gut, die Dinge liegen so, daß man im allgemeinen mit der Lage in Dänemark zufrieden sein kann.
[...]

47. Werner Best an das Auswärtige Amt 21. April 1944
Best havde fået meddelelse om, at der ville komme en fuldmægtig for det tyske elektricitetsvæsen til Danmark. Han gjorde AA opmærksom på, at dette var helt overflødigt, da han i gesandtskabet havde den nødvendige fagkyndige bistand på området, der kunne tage sig af rationeringsforanstaltninger m.m. Han bad derfor om, at den fuldmægtige ikke blev oversendt.
Svaret er ikke lokaliseret.
Kilde: PA/AA R 29.568. RA, pk. 204.

Telegramm

| Kopenhagen, den | 21. April 1944 | 19.20 Uhr |
| Ankunft, den | 21. April 1944 | 23.00 Uhr |

Nr. 504 vom 21.4.44.   Geheime Reichssache!

Auf Telegramm Nr. 321[94] vom 27.3.44 berichte ich, daß der dem Wehrmachtsbefehlshaber Dänemark zur Kenntnis gebrachte Erlaß des Gen.-Inspektors für Wasser und Energie (EN 58/68/43) vom 28.4.44 an die Reichsstelle für Elektrizitätswirtschaft sowie ein Schreiben des Gen.-Inspektors für Wasser und Energie an den Wehrmachtsbefehlshaber Dänemark vom gleichen Datum zuständigkeitshalber von diesem an mich abgegeben worden ist. Die Entsendung von Beauftragten der Reichsstelle halte ich sachlich nicht für notwendig. Ich habe im Rahmen meiner Hauptabteilung Technik auch eine Abteilung Energiewirtschaft eingerichtet, in der alle Fragen, die die Steuerung, Ausnutzung und Auslastung der dänischen Energiewirtschaft betreffen, bearbeitet werden. Mit der Leitung dieser Abteilung ist unter dem Hauptabteilungsleiter Landesrat Martinsen der Reg. Rat Dr. Meulemann beauftragt worden, welcher bereits seit dem Jahre 1941 innerhalb meiner Behörde sämtliche Fragen der Energieverteilung, Energieauslastung und Energierationierung, soweit dies im Interesse der Sicherung des Energiebedarfs für deutsche Rüstungsaufträge erforderlich wurde, bearbeitet hat. Ich halte es dringend für notwendig, daß diese Aufgaben weiterhin im Rahmen der Hauptabteilung Technik einheitlich gesteuert werden. Für die Zusammenarbeit der Abteilung Energiewirtschaft mit sämtlichen anderen Dienststellen, besonders auch mit den Zentralstellen in Berlin, werde ich Sorge tragen. Ich bitte, gegenüber dem Gen.-Inspektor für Wasser und Energie dahin Stellung zunehmen, daß von der Ernennung eines besonderen Beauftragten

---

94 Ha Pol. Gen. Telegrammet er ikke lokaliseret.

der Reichsstelle für Elektrizitätswirtschaft im Sinne des Erlasses vom 28.1.44 abgesehen oder aber, falls dies doch für notwendig gehalten werden sollte, mein Sachbearbeiter mit dieser Aufgabe betraut wird.

Dr. Best

48. Arthur Nebe an Werner Best 21. April 1944

Nebe orienterede Best om, at det kriminalmedicinske centralinstitut var flyttet til Wien, og at noget af det apparatur, der var behov for, var til at skaffe i Danmark. To af instituttets ansatte havde været i København og anslog, at der skulle indkøbes apparatur for ca. 250.000 kr. Det havde imidlertid været problematisk at få købet finansieret, hvorfor Nebe bad Best finansiere købet af sine til rådighed stående midler (Wildt 2003, s. 332 note 145).

Svaret indløb telefonisk til Amt II i RSHA 26. april: Bovensiepen kunne meddele, at Best ville stille indtil 250.000 kr. til rådighed af de midler, han disponerede over. Dermed blev det ikke nødvendigt at trække på sikkerhedspolitiets valutabeholdning (notat 26. april 1944 med kilde som nedenfor s. 44).

Det er en bemærkelsesværdig imødekommenhed, Best her viste RSHA. Han lod den danske stat betale til et formål, som absolut ikke vedkom besættelsesmagten i Danmark. Muligvis ville Best tækkes RSHA, eller også havde Nebe slået på de rette strenge ved at nævne, at det drejede sig om den kriminaltekniske forskning.[95]

Kilde: BArch, ZR 782, A. 12, s. 43f. (gennemslag med enkelte håndskrevne tilføjelser).

Nebe [Berlin], am 21. April 1944.
SS-Gruppenführer [und
Generalleutnant der Polizei]

An den Bevollmächtigten des Großdeutschen Reiches
    SS-Obergruppenführer Dr. Best
    Kopenhagen.

Sehr verehrter Obergruppenführer!
Zu Ihrer am Geburtstage unseres Führers erfolgten Beförderung erlaube ich mir, Ihnen meine aufrichtigsten Glückwünsche auszusprechen. Ich verbinde damit die Bitte, mir auch in Zukunft Ihre liebenswürdige und kameradschaftliche Unterstützung zuteil werden zu lassen, die unsere bisherige Zusammenarbeit auszeichnete.

Darf ich die Gelegenheit wahrnehmen und Ihnen wieder gleich ein kleines Anliegen vortragen. Sie hatten die Freundlichkeit, Obergruppenführer, mir Ihre Unterstützung bei der Ausrüstung des zum Reichskriminalpolizeiamt gehörenden Kriminalmedizinischen Zentralinstituts der Sicherheitspolizei zuzusagen. Obwohl das Instituts seine Arbeiten behelfsmäßig in den Räumen des Gerichtsmedizinischen Instituts in Wien bereits aufgenommen hat, muß ich doch, um der Eigenart der wissenschaftlich kriminalistischen Forschung voll entsprechen zu können, auch eine räumliche Trennung mit den auf wesentlich anderem Gebiet liegenden gerichtsmedizinischen Arbeiten vornehmen.

---

95 Apparaturet blev indkøbt i Danmark, hvilket fremgår af et brev fra Nebe til professor Ph. Schneider ved centralinstituttet 13. juni 1944. Imidlertid var der problemer med transporten til Wien (kilde som ovenfor s. 47). En af instituttets medarbejdere, dr. Battista, var 21. juli og 5. oktober 1944 igen i København, hvilket indikerer at yderligere indkøb kan være gjort (Bests kalenderoptegnelser anf. datoer).

Die erforderlichen Räume hoffe ich in absehbarer Zeit – spätestens innerhalb dreier Monate – in Wien zu erhalten.

Die Beschaffung der notwendigen Ausrüstungsstücke, deren Erwerb im Reichsgebiet z.Zt. leider nicht möglich ist, kann nach meinen Informationen dagegen vorwiegend in Dänemark erfolgen. Die kürzlich von mir nach Kopenhagen entsandten wissenschaftlichen Mitarbeiter des Instituts SS-Obersturmführer Dr. Battista und Dozent Dr. Mayer, haben berichtet, daß zum Einkauf der dort vorrätigen Apparate und Einrichtungsgegenstände die Bereitstellung von etwa 250.000 d.Kr. erforderlich wäre. Die Bereitstellung dieses Geldes stößt hier auf sehr große Schwierigkeiten, sodaß wir womöglich auf eine Ausrüstung unseres Kriminalmedizinischen Instituts verzichten müssen und somit in die unangenehme Lage kommen, ein Institut zu haben, das auf die Dauer den Anforderungen nicht gewachsen ist. Das wäre natürlich sehr bedauerlich, weil das Institut schon jetzt, sich als außerordentlich wertvoll und wichtig für die sicherheitspolizeiliche Arbeit erwiesen hat. Wenn es nicht sehr unbescheiden ist, möchte ich Sie, verehrter Obergruppenführer, der Sie unserer Arbeit ja stets ein großes Interesse und Verständnis entgegengebracht haben, bitten, mir zu helfen und gegebenenfalls die Kosten aus Ihnen zur Verfügung stehenden Mitteln zu bestreiten.

Für alle in dieser Angelegenheit bereits aufgewendeten Bemühungen möchte ich Ihnen aufrichtig danken und ich hoffe, daß ich diesen Dank nun doch endlich einmal bald persönlich abstatten kann. Darf ich mich noch nach Ihrem und dem Befinden Ihrer Familie erkundigen? Ich hoffe, daß es Ihnen allen gut geht, was ich auch von uns melden kann.

Ich darf bitten, mich Ihrer sehr verehrten Gattin zu empfehlen und bin mit herzlichen Grüßen.

Heil Hitler!
Ihr sehr ergebener
AN

49. Karl Schnurre: Aufzeichnung 21. April 1944

Schnurre rekapitulerede i tre afsnit, hvad der var kommet ud af førerordren af 9. april 1944 vedrørende de nødvendige leverancer til Danmark. For det første var der af RWM og RRK afgivet løfter om, at der ville blive leveret jern, indpakningsmateriale, reservedele, kemikalier og kunstgødning til Danmark. De tysk-danske regeringsudvalgsforhandlinger i marts gav som resultat, at de danske minimumsønsker til vareforsyning skulle blive opfyldt. For det andet var der problemet med opretholdelsen af det danske produktionsniveau på baggrund af forskellige værnemagtsdeles indgreb og handlinger, så som beslaglæggelser, sortbørshandel og betaling af overpriser. Der var afholdt en ressortdrøftelse i AA derom, hvor man var enedes om seks punkter, hvormed man ville søge at komme af med de bestående misforhold. Endelig blev det slået fast, at det var den rigsbefuldmægtigede, der havde det overordnede ansvar for den politiske og økonomiske ledelse af Danmark. Dette skulle endnu engang gøres klart for både de tyske militære og økonomiske aktører og for den rigsbefuldmægtigede.

Hermed var der opnået en enighed i AA, som RAM givetvis har tilsluttet sig. Nu gjaldt det om at sikre alliancepartnere uden for AA, hvis der skulle dæmmes op for værnemagten og OT.

Se Schnurres supplerende optegnelse 22. april 1944. Blandt partnerne var UM, se Ripken til Steengracht 14. juni 1944.

Kilde: PA/AA R 29.568.

Gesandter Schnurre Nr. 74   Geheim

Büro RAM mit der Bitte um Weiterleitung.

A u f z e i c h n u n g

Betriff: Führerweisung Dänemark.
Vorgang: Weisung des Herrn RAM vom G. IV 44 liegt bei, sowie Schreiben des RM
           Dr. Lammers vom 9.4.[96]

Zur Durchführung des Führerbefehls betreffend Versorgung Dänemarks mit notwendigen Waren und Maßnahmen zur Aufrechterhaltung der Produktionskraft Dänemarks sind folgende Maßnahmen bereits getroffen bezw. vorbereitet:

I.) Lieferungen nach Dänemark:
Auf dringende Vorstellungen des Auswärtigen Amtes haben das Reichswirtschaftsministerium und das Reichsministerium für Rüstung und Kriegsproduktion angeordnet, die Lieferungen vom Eisen nach Dänemark im zweiten Quartal d.J. von 20.000 t auf 30.000 t zu erhöhen, womit der dringendste Bedarf Dänemarks an Eisen im laufenden Quartal gedeckt sein wird.

Wegen zusätzlicher Lieferungen vom Verpackungsmaterial, landwirtschaftlichen Geräten, Ersatzteilen div. Chemikalien usw. sind Erhebungen im Gang.

Die laufenden Lieferungen von Stickstoff für die dänische Landwirtschaft werden erhöht werden, sobald die durch Luftangriffe beschädigten norwegischen Stickstoffwerke wieder voll in Gang kommen.

Die übrigen zahlreichen dänischen Warenwünsche fanden bei den Märzverhandlungen der Regierungsausschüsse deutscherseits weitgehende Berücksichtigung; wenn wir unsere Lieferzusagen halten können, so wird der dänische Mindestbedarf an Waren gedeckt werden.

II.) Weitere Maßnahmen zur Erhaltung der dänischen Produktionskraft:
Über die Maßnahmen, die zur Beseitigung von Störungen des dänischen Wirtschaftslebens durch Eingriffe deutscher Wehrmachtsteile und anderer Dienststellen in Dänemark, durch Zahlung überhöhter Preise und Löhne, durch Schwarzkäufe und Beschlagnahmen usw. notwendig sind, fand im Auswärtigen Amt eine Ressortbesprechung am 14. d.M. statt. Nach eingehender Erörterung der aufgetretenen Mißstände wurde als Ergebnis der Besprechung folgendes festgestellt:
1.) Es herrscht Übereinstimmung, daß alle Aufkauf- und Beschlagnahmeaktionen zentralisiert und genauestens mit dem Reichsbevollmächtigten, dem die Verantwortung für die Leistungsfähigkeit der dänischen Wirtschaft zufällt, abgestimmt werden müssen.
2.) Das Oberkommando der Wehrmacht wird ergänzende Anordnungen zur Klarstellung gewisser Bestimmungen seines "Steuerungserlasses" vom 21.2.1944 über

---

96 Lammers' brev 9. april 1944 er trykt ovenfor.

die Ausgabenwirtschaft der Wehrmachtsteile und der OT in Dänemark erlassen.
3.) Die zuständigen Stellen werden die erforderlichen Weisungen herausgeben, um die Zahlung von Überpreisen und überhöhten Löhnen zu untersagen.
4.) Der Wehrmachtsintendant in Dänemark wird die Weisung erhalten, bei der Anforderung von Mitteln für Besatzungskosten die hierauf bezüglichen Aufstellungen dem Reichsbevollmächtigten vorher zur Einsicht und Abstimmung vorzulegen.
[5.] [Tekst mangler: første linje af pkt. 5 er ikke filmet] habungen und Barausgaben der deutschen Wehrmachtsteile usw. in Dänemark möglichst einzuschränken.
6.) Es wird geprüft werden, durch welche Maßnahmen die Preiskontrolle möglichst effektiv gestaltet werden kann.

Die Besprechung gab auch Gelegenheit, die im Schreiben des Reichsfinanzministers vom 20. März d.J. (vergl. Aufzeichnung Dir. Ha Pol 131 vom 4. April d.J.[97]) gerügten Mißstände eingehend zu erörtern, so daß eine Beantwortung dieses Schreibens sich erübrigen dürfte.

III.) Es erschien angebracht, den beteiligten militärischen und wirtschaftlichen Ressorts gegenüber nochmals eindeutig die übergeordnete Stellung des Reichsbevollmächtigten und seine Verantwortung in allen Fragen der politischen und wirtschaftlichen Führung in Dänemark erneut zu betonen. Dies ist in den Besprechungen im Auswärtigen Amt von mir mit aller Deutlichkeit klargestellt worden. Es dürfte angebracht sein, auch dem Reichsbevollmächtigten selbst dies im Zusammenhang mit den jetzt getroffenen und geplanten Maßnahmen nochmals klar zum Ausdruck zu bringen. Der Entwurf zu einem entsprechenden Erlaß liegt bei.[98]

Hiermit über den Herrn Staatssekretär dem Herrn Reichsaußenminister vorgelegt.
Berlin, den 21. April 1944.

gez. **Schnurre**

Durchdruck an:
Büro RAM (2 Exempl.)
St.S.
Dir. Ha Pol (2 Exempl.)
Dg. Ha Pol
Pol VI
Ha Pol VI

---

97 Optegnelsen er ikke lokaliseret.
98 Udkastet er ikke lokaliseret.

50. Emil Geiger: Dänische Staatsangehörige in deutschen Konzentrationslagern 22. April 1944

Geiger noterede til AA, at sagen vedrørende de danske statsborgere i tyske koncentrationslejre ikke bevægede sig ud af stedet. RSHA svarede ikke på skriftlige henvendelser, og ved telefoniske henvendelse var man afvisende. Heller ikke fra dansk side henvendte man sig for tiden i sagen.

Kilde: PA/AA R 99.501 (med enkelte ulæselige tilføjelser).

Inl. II B 1410

Betr.: Dänische Staatsangehörige in deutschen Konzentrationslagern;
Bericht Kopenhagen vom 3. März.[99]

1.) Die Frage der Überweisung von 1,50 Kronen täglich für die deutschen Konzentrationslagern überstellten dänischen Staatsangehörigen ist hier von dänischer Seite vor einigen Monaten angeschnitten worden. Der Chef der Sicherheitspolizei und des SD, von dem schriftliche Antwort noch nicht eingegangen ist, hatte sich in einer fernmündlichen Unterredung ablehnend ausgesprochen. Im Zusammenhang mit anderen schwebenden Fragen war hierüber vor längerer Zeit zwecks Verständigung des Dänischen Gesandten eine Vorlage für den Herrn Staatssekretär gefertigt worden. Dänischerseits ist die Frage in der ganzen Zeit bisher nicht wieder aufgegriffen worden. Es dürfte abzuwarten sein, ob die Dänen hierauf von selbst nochmals zurückkommen.

Die Beteiligung des Reichsbevollmächtigten in Fragen, die die in Deutschland in KL befindlichen Dänen betreffen, ist vorgesehen (vgl. hierüber die vor kurzem gefertigte Aufzeichnung, von der sich ein Durchdruck bei den Inl. II B – Vorgängen befindet).[100]

2.) Bei Pol. VI – Herrn Gesandten von Grundherr – mit der Bitte um Kenntnisnahme vorgelegt.
3.) WV. im Referat.
Berlin, den 22. April 1944.
Geiger

51. Karl Schnurre: Vortragsnotiz 22. April 1944

Schnurre noterede til Büro RAM, at danske leverancer af kød til Tyskland var steget mere i det sidste halvår end opgivet af Best i telegram nr. 412, 1. april. Det understregede på ny betydningen af at opretholde det danske produktionsapparat i størst muligt omfang.

Kilde: PA/AA R 29.568. RA, pk. 204.

Gesandter Schnurre Nr. 75   (zu Ha Pol VI 1126/44)

Büro RAM
   mit der Bitte um Weiterleitung.

---

99 Bests brev 3. marts 1944 er trykt ovenfor.
100 Muligvis henviser Geiger til Henckes optegnelser 3. april 1944.

Vertragsnotiz
zu dem Telegramm aus Kopenhagen Nr. 494 vom 19. April.[101]

Wie aus den beiliegenden Bericht des Reichsbevollmächtigten hervorgeht, wurde bei den Verhandlungen der Regierungsausschüsse festgestellt, daß die dänischen Lieferungen von Fleisch nach dem Reich in der Zeit vom Oktober 1943 bis März 1944 im Vergleich zur entsprechenden Zeit des Vorjahres noch größere Steigerungen aufweisen, als wie sie in Punkt 3) des Telegramms aus Kopenhagen Nr. 412 vom 1. April[102] errechnet wurden. Die Steigerung bei der Ausfuhr von Fleisch nach dem Reich beträgt etwa 160 %, bei Butter rund 70 %.

Diese Zahlen zeigen erneut, wie wichtig es ist, die Produktionskraft Dänemarks zu erhalten und alle Störungen des dänischen Wirtschaftslebens möglichst auszuschalten. Ich verweise in diesem Zusammenhang auf meine Aufzeichnung vom 21. April Nr. 74.[103]

Hiermit über den Herrn Staatssekretär dem Büro RAM vorgelegt.
Berlin, den 22. April 1944.

gez. **Schnurre**

Durchdruck an:
Büro RAM (2 Exempl.)
St.S.
Dir. Ha Pol (2 Exempl.)
Dg Ha Pol
Pol VI
Ha Pol VI

52. Werner Best an das Auswärtige Amt 24. April 1944

Modstandsbevægelsen havde optrappet sabotagen og angrebet tyske interesser direkte som en negativ markering af Hitlers fødselsdag 20. april. Sabotagestoppet var ophørt. Optakten havde været Holger Danskes drab på Bests chauffør Tage Lerche på Vesterbrogade 19. april, hvorved også Lerches 7-årige søn blev hårdt såret (og senere afgik ved døden), hvilket straks var blevet besvaret af Petergruppen med et attentat mod en sporvogn samme sted, hvorved 15 personer blev såret. Derefter var aktioner og modaktioner fulgt med få dages mellemrum. Der er ingen tvivl om, at Best blev meget stærkt påvirket af chaufførens voldsomme død og betragtede det som en direkte trussel mod sig selv, hvilket i situationen fik ham til helt at overreagere.[104] Ud over de i telegrammet nævnte foranstaltninger havde Best allerede 20. april ladet offentligheden meddele, at de sidste dages betydelige sabotagehandlinger og gemene mord havde medført, at en række påtænkte løsladelser indtil videre var udskudt,[105] ligesom han lod udsende en af sine relativt sjældne længere udtalelser

---

101 Trykt ovenfor.
102 Trykt ovenfor.
103 Trykt ovenfor.
104 *Information* skrev 20. april 1944 om drabet: "Det maa understreges, at Attentatet ikke paa nogen Maade har været rettet mod Dr. Best. Danmark ønsker ikke at gøre Czekernes Heydrich-Oplevelse om! Obergruppenføreren kan være rolig!" Ifølge Gunnar Dyrberg fra Holger Danske var det slet ikke Lerche, som gruppen var ude efter, men stikkeren Arno Hammeken (Birkelund 2008, s. 190).
105 Meddelelsen er trykt på dansk hos Alkil, 2, 1945-46, s. 872.

gennem pressen, som det vil fremgå af det følgende (KB, Bergstrøms dagbog 19. og 20. april 1944, RA, BdO Inf. nr. 33, 24. april 1944, tilfælde 8, Hæstrup, 1, 1966-71, s. 443f., 449-458, Rosengreen 1982, s. 93f., Dyrberg 1989, s. 102, Røjel 1993, s. 157ff., Øvig Knudsen 2001, s. 198ff., Bøgh 2004, s. 86, Birkelund 2008, s. 680, tillæg 3 her).[106]

Kilde: PA/AA R 29.568. RA, pk. 204. LAK, Best-sagen (på dansk).

Telegramm

Kopenhagen, den	25. April 1944	10.00 Uhr
Ankunft, den	25. April 1944	16.45 Uhr

Nr. 509 vom 24.4.[44.]

Da nach ruhiger erster Hälfte April gegen den 20. April wieder einige Sabotageakte und Überfälle, besonders in Kopenhagen, stattfanden, habe ich die folgenden Gegenmaßnahmen veranlaßt:
1.) Hinrichtung eines wegen Überfalls auf einen Wehrmachtsangehörigen verurteilten Studenten.[107]
2.) Gegenterrorakte für jeden Sabotageakt und Überfall.[108]
3.) Schließung der Lichtspieltheater in Groß-Kopenhagen bis auf weiteres.[109]
4.) Vorläufige Sperrung des gesamten Personen- und Nachrichtenverkehre mit Schweden (um hier Schockwirkung zu erzielen und um feindliche Propaganda zu erschweren).
5.) Vorläufige Inkraftsetzung der Zuständigkeit des SS- und Polizeigerichts XXX in Kopenhagen für Sabotage und ähnliche Verbrechen (hierzu verweise ich auf meinen gleichzeitig durch Geheimschreiber gegebenen Bericht).[110]

Best

---

106 I Bests redegørelse 21. marts 1948 "Hvorledes Det tyske Udenrigsministerium har indvirket paa Situationen i Danmark i Tidsrummet 5.11.1942-5.5.1945" (afsnit A, III, 3 b) forklarede han sin reaktion i disse aprildage 1944 med, at han havde hørt, at Hitler var meget ophidset over visse terrorhandlinger i Danmark, som var blevet meddelt ham, og at han planlagde nye forholdsregler. Best kunne kun tænke, at det ville dreje sig om nedskydning af gidsler i stor stil, hvilket han ubetinget ville forhindre. Derfor de i telegrammet 24. april 1944 nævnte forholdsregler, som AA forelagde for Hitler, der herefter ikke beordrede nye tiltag (Best-sagen, LAK). Der er ikke en stump af vidnesbyrd om, at Hitler beskæftigede sig med "terroren" i Danmark i april 1944, endsige at han af AA fik forelagt Bests telegram. Efter alt at dømme havde Best 1948 brug for denne fremstilling for at forklare sin overreaktion. Tilmed gav han AA en helt anden forklaring 4. maj 1944, se telegram nr. 570.
107 Studenten Niels Stenderup var blevet arresteret 13. februar 1944 efter et håndgemæng med en tysk soldat, hvem han søgte at afvæbne. Soldaten blev såret, og Stenderup blev dømt til døden ved tysk rigsret, men var indstillet til benådning, da Best indledte den skærpede kurs. Den 24. april blev han henrettet som gengæld for en andens drab på en tysk soldat (*Faldne i Danmarks frihedskamp*, 1970, s. 412f.).
108 Se Lauritzen 1947, s. 1387f. og tillæg 3 her.
109 Meddelelsen om lukningen blev meddelt 25. april og er trykt på dansk hos Alkil, 2, 1945-46, s. 873.
110 Se det følgende telegram.

53. Werner Best an das Auswärtige Amt 24. April 1944

Den tilspidsede situation, som Best selv fremmede, benyttede han også som påskud for at skære igennem mere end et halvt års tovtrækkeri om oprettelsen af SS- und Polizeigericht, hvor hverken AA eller SS havde bragt sagen ud af dødvandet. Under mødet i førerhovedkvarteret 30. december 1943 havde han fået tildelt forordningsret, uden at det nærmere var specificeret, hvad denne skulle gælde. Nu benyttede han den for første gang til oprettelsen af SS- und Polizeigericht med HSSPF som rettergangschef og den, der skulle stadfæste afsagte domme, mens Best skulle udøve benådningsretten. Domstolen skulle tage sig af modstandsfolk, der havde angrebet værnemagtsinteresser, og hvor værnemagten ikke selv ville føre sagen.

Det vil sige, at der reelt var tale om en udvidelse af domstolskapaciteten, idet SS- und Polizeigericht og værnemagtskrigsretterne herefter fungerede side om side og med øjeblikkelig virkning. Best havde forud for dette aktive skridt sikret sig både von Hannekens og Panckes accept, mens AA blev stillet over for et fait accompli (Rosengreen 1982, s. 93f.).

Best tog oprettelsen af domstolen op med AA med telegram nr. 511, dagen efter.
Kilde: PA/AA R 29.568. LAK, Best-sagen (på dansk). ADAP/E, 7, nr. 358.

Telegramm

Kopenhagen, den	24. April 1944	20.00 Uhr
Ankunft, den	24. April 1944	22.30 Uhr

Nr. 510 vom 24.4.[44.]

Unter Bezugnahme auf mein Telegramm Nr. 509 vom 24.4.[111] berichte ich, daß ich es im Hinblick auf die in diesem Telegramm dargestellte Lage für dringend erforderlich gehalten habe, daß das SS- und Polizeigericht XXX in Kopenhagen unverzüglich mit der Verurteilung dänischer Staatsangehöriger, die Sabotageakte gegen deutsche Interessen und Überfälle auf Wehrmachtsangehörige ausgeübt haben, beginnt, damit zum Tode Verurteilte als Geiseln gegen weitere Sabotageakte usw. zur Verfügung stehen. Da der Wehrmachtbefehlshaber Dänemark und der Höhere SS- und Polizeiführer diese Auffassung voll und ganz teilen, habe ich auf Grund der mir vom Führer erteilten Ermächtigung heute die folgende Verordnung erlassen:

Verordnung über die Erweiterung der Zuständigkeit des SS- und Polizeigerichts XXX in Kopenhagen.

Mit Wirkung bis zur endgültigen Regelung durch die zuständigen obersten Reichsbehörden verordne ich auf Grund der mir vom Führer erteilten Ermächtigung im Einvernehmen mit dem Wehrmachtbefehlshaber Dänemark und mit dem Höheren SS- und Polizeiführer in Dänemark:

Paragraph 1.)
Für die Aburteilung von Personen, die nicht der deutschen Wehrmacht angehören und nicht Gefolge der deutschen Wehrmacht sind, wegen solcher Straftaten, die deutsche Interessen berühren, ist in Dänemark an Stelle der Wehrmachtsgerichte das SS- und Polizeigericht XXX in Kopenhagen zuständig.

Die Wehrmachtsgerichte bleiben zuständig zur Aburteilung derjenigen Straftaten,

---

111 Trykt ovenfor.

die 1.) sich unmittelbar gegen die deutsche Wehrmacht, ihre Angehörigen oder ihr Gefolge richten, oder 2.) in Gebäuden, Räumlichkeiten, Anlagen oder Schiffen begangen werden, die den Zwecken der deutschen Wehrmacht dienen, es sei denn, daß der Gerichtsherr die Verfolgung und Aburteilung dem SS- und Polizeigericht XXX in Kopenhagen überläßt.

Paragraph 2.)
In den Verfahren, die nach Paragraph 1) vor dem SS- und Polizeigericht XXX in Kopenhagen durchgeführt werden, übt das Bestätigungs- und Aufhebungsrecht der Höhere SS- und Polizeiführer in Dänemark, das Gnadenrecht der Reichsbevollmächtigte in Dänemark aus.

Paragraph 3.)
Die Verordnung tritt am 24. April 1944 in Kraft.
Dr. Best

54. Das Auswärtige Amt an Werner Best 24. April 1944
KLV havde modtaget Bests besked af 20. april om den fortsatte overførsel af penge til KLV i Danmark. Der ville komme en repræsentant for KLV til København for at drøfte udvidelsen af KLV-aktionen i Danmark mest muligt. Best skulle fremme sagen.
Se von Behr til Mützelburg 27. april 1944.
Kilde: BArch, R 901 113.555. RA, pk. 271.

Antworttelegramm von LR Pusch nach Kopenhagen unter Inl. I Partei 1647/44 mit Fernschreiben vom 24. April 1944.
Auf dortiges FS 503 vom 20.4.1944.[112] Reichsjugendführung, Dienststelle KLV ist davon verständigt, daß Dänische Regierung bereit ist, abgelaufenes Abkommen bezüglich monatlicher Überweisung von RM 100.000 für KLV zu verlängern. Hauptbannführer Teetz reist mit Genehmigung des Auswärtigen Amtes nach Kopenhagen, um beim Reichsbevollmächtigten weitere Behandlung KLV zu besprechen. Infolge äußerst angespannter Lage im Reich bezüglich Evakuierung schulpflichtiger Jugend ist beabsichtigt, wie bereits früher mitgeteilt, KLV-Aktion nach Dänemark im Rahmen des Möglichen zu erweitern. Erbitte, Hauptbannführer Teetz, der angewiesen ist, sich vor Aufnahme irgendwelcher Besprechungen beim Reichsbevollmächtigten zu melden, bei seinen Bemühungen zu unterstützen.
Pusch

---

112 Bests telegram nr. 503, 20. april 1944.

55. H.W. Ebeling an Einsatzstab Rosenberg 24. April 1944

Ebeling bad om at låne materialet vedrørende jødekirkegården i Kiev, som måske bl.a. kunne finde anvendelse i tidsskriftet *Paa godt dansk*, men det hastede. Ebeling havde nu kun begrænset tid tilbage i København og vidste ikke, hvordan hans fortsatte virksomhed ville forme sig.

På trods af de øjeblikkelige usikre fremtidsudsigter forblev Ebeling i København, og her modtog han 10. maj oplysninger om jødekirkegården i Kiev fra Einsatzstab Rosenberg (se anf. dato).

Kilde: BArch, NS 30/32. RA, Danica 1000, T-450, sp. 87, nr. 722.

Einsatzstab Reichsleiter Rosenberg *Kopenhagen, den 24.4.1944*
für die besetzten Gebiete E/De-Tgb.-Nr. 347/44

An den Einsatzstab Reichsleiter Rosenberg
   Hauptabt. IV, z.Hd. Pg. Rudolph
   Ratibor/OS

Betr.: Judenfriedhof in Kiew

Sehr geehrter Parteigenosse Rudolph!
Seinerzeit wurde sehr eindrucksvolles Material über den Judenfriedhof in Kiew von Ihnen zusammengestellt. Ich wäre Ihnen dankbar, wenn es mir einmal zugänglich gemacht werden könnte, da ich annehme, daß vielleicht die Zeitschrift "Paa godt Dansk" dafür Verwendung hat.

Ich müßte um recht baldige Erledigung der Angelegenheit bitten, da ich nur noch beschränkte Zeit hier sein werde und z.Zt. noch nicht sagen kann, in welcher Form meine hiesige Tätigkeit fortgeführt werden wird.

Heil Hitler!
Ebeling
Oberst-Einsatzführer

56. Germanische Leitstelle: Haushalt für die Volkstumsarbeit 1944/45, 24. April 1944

Til brug for NSDAPs rigsskatmester F.X. Schwarz blev der opstillet et budget for Germanische Leitstelles udgifter for 1944/45. Der var ifølge budgettet tale om en meget betydelig udgiftsstigning, der var betinget af den stadige udvikling af den germanske tanke i de europæiske lande. For Danmarks vedkommende var udgiften på ca. 755.000 RM i alt, men heraf var en del anskaffelsesudgifter, som allerede havde været budgetteret i 1943, og stadig manglede at blive finansieret, men selv om man trak dette beløb ud (78.300 RM) var de løbende udgifter gået meget kraftigt i vejret, dels til personale, dels til driften af de købte ejendomme, så den månedlige udgift beløb sig til over 55.000 RM, hvor de samlede årlige udgifter i 1943/44 havde været budgetteret til under 200.000 RM.

Sammenholdt med udgifter til Germanische Leitstelle i en række andre besatte lande, var udgifterne i Danmark ret beskedne, også selv om der tages højde for, at den rigsbefuldmægtigede finansierede Schalburgkorpset. Det er ikke uden grund, når der næsten undskyldende i budgettet skrives, at virksomheden i Danmark ud over ungdomsarbejdet indskrænkede sig til camoufleret propaganda (Kirkebæk 2004, s. 214 med note 358).

Kilde: BArch, NS 1/524 (uddrag).

Betreff: Haushalt für die Volksturmarbeit 1944/45.

Die laut außerordentlichem Haushalt in der Volksdeutschen Mittelstelle in den deutschen Volksgruppen Rumänien, Serbien-Banat und Ungarn geplanten Vorhaben in Höhe von
 rund 38 Millionen Reichsmark,
bei denen es sich mit Rücksicht der in den betreffenden Ländern herrschenden Verhältnisse noch nicht übersehen läßt, inwieweit die Durchführbarkeit aufgrund der örtlichen Gegebenheiten möglich ist, sind in den vorgenannten vier Positionen nicht eingestellt nicht eingestellt worden.
 Ich behalte mir dieserhalb vor, die im Laufe des Haushaltjahres 1944/45 im Rahmen des Außerordentlichen Haushaltes verauslagten Beträge nachträglich zu verrechnen.
[…]
B.) Germanische Arbeit
 1. Germanische Leitstelle Berlin   RM   7.000.000,-
 2. Germanische SS-Sturmbanne im Reich   –   1.305.000,-
 3. Germanisches SS-Ausbildungslager Sennheim – 225.000,-
 4. Germanische Schulungsstätten   –   1.345.000,-
 5. SS-Verbindungsstelle Südostraum – Wien –   565.000,-
 6. Außenstelle Finnland   –   85.000,-
 7.   –   Niederlande   –   3.320.000,-
 8.   –   Flandern   –   20.120.000,-
 9.   –   Dänemark   –   755.000,-
10.   –   Norwegen   –   1.325.000,-
11. Deutsch-Vlämische Arbeitsgemeinschaft (Devlag) – 6.770.000,-
12. Deutsch-Wallonische Arbeitsgemeinschaft (Dewag) –   80.000,-
                                          RM 42.895.000,-

Die zunächst außerordentliche Steigerung der Ausgaben der Germanischen Leitstelle und der nachgeordneten Dienststelle ist in erster Linie durch die fortschreitende Entwicklung des "Germanischen Gedankens" in den europäischen Ländern bedingt.
[…]

Germanische Leitstelle – Dänemark –
Etat 1.1.-31.12.44.
Zusammenstellung der Anlagen

	monatlich RM	jährlich RM
A.) Einmalige Anschaffungen:		
1.) Einrichtung und Ausbau der Schule u. d. Kameradschaftshauses		78.300,-
2.) Ehrenmal Höveltegaard		
B.) Personaletat:		
p. Monat Dienststelle Kr.	7.800,-	
Schule –	4.200,-	

	Kameradsh. H.	–	1.200,-		
		–	13.200,-	6.890.40	82.684.80
C.)	Sachetat:	Kr.	4.900,-	2.557.80	30.693.60
D.)	Arbeitsetat:				
1.	Dienststelle (presse u. Propaganda) (etc.)	Kr.	28.800,-	15.033.60	
2.	Erholungsheim Höveltegaard	Kr.	3.800,-	1.983.60	
3.	Kameradschaftshaus	–	4.300,-	2.244.60	
4.	Germ. SS u. Schule d. SS Höveltegaard	–	12.500,-	6.525,-	
5.	Germanische Jugend	–	40.000,-	20.880,-	
				46.666.80	560.001.60
			RM		751.680.00

Erläuterungen
zu den Etatvoranschlägen 1.1.-31.12.44 der Germanischen Leitstelle,
Finanzen, Wirtschaft und Vermögensverwaltung.

Der vorliegende Etatvoranschlag der Germanischen Leitstelle für die Zeit vom 1.1.44.-31.12.44 wurde auf Wunsch des Hauptamt I des Reichsschatzmeisters der NSDAP auf das Kalenderjahr 1944 abgestellt. Diese Umstellung auf das Kalenderjahr war in zweiter Hinsicht erforderlich, weil durch die Entwicklung der politischen Aufgaben der Germanischen Leitstelle im Laufe des Rechnungsjahres 43/44 laufend Ergänzungen zu dem letzten Etatvoranschlag (43/44) durch den seinerzeitigen Beauftragen des Reichsschatzmeisters, Reichshauptamtsleiter Pg. Damson, genehmigt wurden. Diese nachträglichen Bewilligungen sind nunmehr auch für das letzte Quartal des Etatvoranschlages 43/44 im vorliegenden Etatvoranschlag 1.1.-31.12.44 zusammenfassend enthalten.

Die Erweiterung des Etatvoranschlages 1944   RM   43.249.282,21
gegenüber dem Etatvoranschlag 43/44 von   RM   13.994.500,-

ist im wesentlichen durch die Übernahme der Deutsch-vlämischen Arbeitsgemeinschaft (Devlag) in die Verwaltung der Germanischen Leitstelle und die Entwicklung der politischen Aufgaben in Flandern bedingt.

[...]

Zu V.) Germanische Leitstelle Dänemark.

A.) Die Beschaffung der Devisen für die Finanzierung der dänischen Aufgaben hat der Bevollmächtigte des Deutschen Reiches in Kopenhagen übernommen. Um das Devisenkontingent des Reiches zu entlasten, werden die dän. Kronen aus Besatzungsmitteln gegen Rückvergütung in Reichsmark zur Verfügung gestellt.

Im Vorjahr erwarb die Germanische Leitstelle ein Anwesen, das als Ausbildungs-, Schul- und Erholungsheim ausgebaut worden ist und ein Grundstück am Strandweg in Kopenhagen, das als Kameradschaftshaus eingerichtet wird.[113]

---

113 Se Diederichsen: Entwicklungsbericht ... 30. september 1943.

[…]
D.) Auf dem Schulgrundstück ist ein Ehrenmal für die gefallenen Freiwilligen der Waffen-SS im Freikorps "Danmark" errichtet worden, das im Laufe d.Js. fertiggestellt wird.[114] Die Einmaligen Kosten für alle 3 Aufgaben werden sich auf ca. RM 78.300,- belaufen.

Außer der Jugendarbeit beschränkt sich die dänische Vertretung der Germanischen Leitstelle auf eine getarnte Propaganda, da zunächst eine Vorstufe für die SS in Form des Schalburg-Korps geschaffen worden ist, das als rein dänische Angelegenheit aus Mitteln des Reichsbevollmächtigten finanziert wird.

57. Rüstungsstab Dänemark: Sabotage bei I/S Carltorp 25. April 1944

Fabrikken Carltorp blev 22. april udsat for en sabotage, hvorved fabriksbygningen blev fuldstændig ødelagt tillige med en del af maskinerne. Det forventedes, at oprydningsarbejdet ville tage ca. tre måneder. Der bestod den mulighed at videreføre produktionen på våbenarsenalets område. I så fald kunne maskinerne genopstilles på 8-10 dage og arbejdet påbegyndes derefter.

Carltorp besluttede ikke at flytte produktionen, men at opbygge og udvide det eksisterende fabriksanlæg. Se Rüstungsstab Dänemarks beretning 30. juni 1944.

Sabotagen blev udført af BOPA, og skaden beløb sig til 285.000 kr. (RA, BdO Inf. nr. 34, 2. maj 1944, Kjeldbæk 1997, s. 473).

Kilde: BArch, Freiburg, RW 27/15. KTB/Rü Stab Dänemark 2. Vierteljahr 1944, Anlage 8.

Rüstungsstab Dänemark Anlage 8
Abt. Heer *25. April 1944*

Betr.: Sabotage bei I/S Carltorp, Kopenhagen, Roskildevej 371.

Am 22. April 1944 18 Uhr sperrte ein größerer Trupp von schwerbewaffneten Saboteuren (30 Mann) den Zugang zu der Fabrik Carltorp ab. Sie drangen in die Fabrik ein und zwangen die Belegschaft, das Werk zu verlassen. Um ungestört arbeiten zu können, wurden Wachen ausgestellt; die umliegenden Gebäude wurden durch mit Maschinenpistolen ausgerüsteten Saboteure besetzt. Auch die Telefonzentrale soll unterbrochen worden sein.

Nachdem die Bomben gelegt waren, verließen die Saboteure auf einen Ruf des Anführers das Fabrikgelände und fuhren mit Auto und Fahrrädern davon. 18.15 Uhr explodierten in den Werkstätten nördlich bzw. südlich der Straße je 2 Bomben. Der dadurch verursachte Gebäudeschaden ist beträchtlich und fast hundertprozentig. Ein Teil der Maschinen wurde zerstört. Nähere Einzelheiten darüber fehlen noch.

Die Aufräumungsarbeiten wurden sofort in Angriff genommen und werden ca. 3 Monate beanspruchen. Über den Wiederaufbau konnte nichts gesagt werden.

Es besteht die Möglichkeit, daß die Firma Carltorp 1.000 qm Raum im Waffenarsenal zur Weiterführung ihres Betriebes erhält. Herr Holtorp will in diesem Fall sofort

---

114 Se Berger til Himmler 6. juni 1944.

anfangen, die Maschinen aufzustellen und glaubt, in 8-10 Tagen wieder arbeiten zu können.

Über Wehrmachtsaufträge Abt. Heer ist folgendes zu berichten:

A 9107 (H) Spannschrauben Heidenreich & Harbeck

Die in Arbeit befindlichen 1.300 Stück sind teilweise beschädigt.

A 9199 / 9239 (H) / 9300 (H) Bremsbacken Daimler-Benz

Davon sind 200 in Arbeit. Befund muß noch nachgeprüft werden.

A 9299 (H) Büchsen Daimler-Benz

Teilweise gefertigt; wenig beschädigt.

A 8741 (H) Kronenmuttern Gebr. Heyne

Fertigung war im Gange. Die gelieferten 10 Automaten waren alle aufgestellt, 6 davon in Betrieb.

Alle Automaten sind beschädigt.

58. Rüstungsstab Dänemark: Sabotage bei der Fa. Aage J. Sörensen 25. April 1944

Der blev 22. april forøvet sabotage mod Aage J. Sørensens maskinfabrik, hvorved fabrikshallen næsten blev ødelagt, og der opstod betydelig skade i drejeriet og fræseriet, ligesom maskinerne blev stærkt beskadiget. Det blev anslået, at der ville gå tre måneder, før arbejdet kunne genoptages i fuldt omfang. Ca. 90 % af værktøjsmaskinerne var genanvendelige. Det blev formodet, at sabotagen var foretaget af nyansatte, da den ældre stab var pålidelig.

BOPA stod for sabotagen mod fabrikken. Den forvoldte skade androg 299.000 kr., hvilket ikke hindrede, at BOPA på ny udsatte fabrikken for sabotage 4. maj 1944, hvorved der blev ødelagt løsøre for 127.000 kr. Aktionerne blev ikke foretaget ved medvirken af nyansatte. Virksomheden arbejdede overvejende for Tyskland (RA, BdO Inf. nr. 34, 2. maj 1944, Kjeldbæk 1997, s. 265, 473).

Kilde: BArch, Freiburg, RW 27/15. KTB/Rü Stab Dänemark 2. Vierteljahr 1944, Anlage 9.

Rüstungsstab Dänemark Anlage 9.
Abt. Heer *25. April 1944*

Betr.: Sabotage bei der Fa. Aage J. Sörensen, Kopenhagen, Stubmöllevej 35.

Am Sonnabend, den 22. April 1944 wurde in dem Betrieb bis 22.30 Uhr gearbeitet. Der letzte Arbeiter verließ die Werkstätte um 22.50 Uhr. Die Sabotagewächter (3 Mann mit Hunden) waren im Hof und 3 Mann Brandwache im Kontor.

Der eine der Sabotagewächter hörte plötzlich 23.23 Uhr Schüsse auf der Straße und darauf 2 schwächere Explosionen gegen die Fabrikwände. Darauf ging das Licht in dem Werksbetrieb aus. 5-8 Minuten darauf erfolgten 3 größere Explosionen in der Maschinenhalle an verschiedenen Stellen, und zwar in der Dreherei und Fräserei.

Hierdurch wurden in diesen Abteilungen erhebliche Zerstörungen angerichtet. Die Gebäude wurden größtenteils zerstört und die darin befindlichen Maschinen stark beschädigt.

In Anbetracht der kurzen Zeit vom Werkschluß bis zum Eintritt der Explosion muß angenommen werden, daß die Bomben bereits vorher in der Fabrik gelegt waren. Hierfür spricht auch, daß sich die Bomben unter Werkzeugmaschinen bzw. unter Materialkästen befanden. Es wird vermutet, daß neu eingestellte Arbeiter die Sabotage veranlaßt haben, da der alte Stamm als gut und zuverlässig angesehen wird.

In den unbeschädigten Werkstätten, und zwar Schmiede, Schlosserei, Härterei, Schleiferei und Brüniererei wird weiter gearbeitet. Die Aufräumungsarbeiten wurden sofort in Angriff genommen. Es wird damit gerechnet, daß die Arbeit in 3 Monaten wieder voll aufgenommen werden kann. Die Werkzeugmaschinen sind zu ca. 90 % gebrauchsfähig.

Über die Wehrmachtsaufträge Abt. Heer ist folgendes zu berichten:

A 6208 (H) Gehäuse Knorr-Bremse, Berlin

Von den fertigen Gehäusen sind 400 brauchbar und 300 zum Teil stark beschädigt.

A 7938 (H) Bakelitwerkzeuge OKH Wa Chef Ing 3

Wenig beschädigt, können in Ordnung gebracht werden.

A 7105 (H) Prismengehäuse Navigation K.-G.

Zum Teil stark beschädigt, vor allen Dingen die Schneckengehäuse.

A 8401 (H) Gehäuse Navigation K.-G.

Zum Teil stark beschädigt.

A 8046 / 8327 (H) Abzugshebel Eickhorn

Deckel für MG

Nur gering beschädigt.

A 8461 (H) Fräsvorrichtungen OKH Wa Chef Ing 4

In Ordnung.

59. Werner Best an das Auswärtige Amt 25. April 1944

Bests selvstændige optræden med oprettelsen af en SS- og Politigericht bragte AA i aktivitet. Muligvis var han blevet ringet op derfra, før han afsendte dette telegram, hvor han gjorde meget klart, at som han så det, måtte en permanent fremtidig ordning af tysk domsautoritet i Danmark have som grundlag, at han fik benådningsretten. Hans argument var som tidligere, at alt andet var politisk uantageligt for ham. Han ville hellere se forhandlingerne køre fast igen, end at der blev truffet en anden løsning, for så kunne han fortsætte med den allerede udstedte forordning (Rosengreen 1982, s. 94).

Se Bests telegram nr. 571, 4. maj 1944 for den fortsatte kompetencestrid.

Kilde: PA/AA R 29.568. RA, pk. 204 og 229. LAK, Best-sagen (afskrift).

Telegramm

Kopenhagen, den	25. April 1944	11.10 Uhr
Ankunft, den	25. April 1944	18.50 Uhr

Nr. 511 vom 25.4.[44.]

Unter Bezugnahme auf mein Telegramm Nr. 510[115] vom 24.4.44 und auf meine letzte

---

115 liegt bisher nicht vor. Trykt ovenfor.

Besprechung mit Herrn Gesandten Dr. Albrecht bitte ich, in den weiteren Verhandlungen über die Zuständigkeit des SS- und Polizeigerichts in Kopenhagen unnachgiebig den Standpunkt zu vertreten, daß von der in meiner Verordnung vom 24.4.44 getroffenen Regelung nicht mehr abgegangen werden kann. Insbesondere wäre es für mich untragbar, wenn mir das Gnadenrecht gegenüber den Urteilen des SS- und Polizeigerichts, das ich mir bei einer auf meine Verantwortung verordneten Regelung selbstverständlich vorbehalten mußte, nachträglich wieder weggenommen würde. Ich müßte GGF, mein Verbleiben in meiner hiesigen Stellung von dieser Frage abhängig machen. Wenn durch hartnäckigen Widerstand des Auswärtigen Amtes keine Einigung mit den beteiligten Ressorts zu Stande kommen kann, wird damit praktisch erreicht, daß meine vorläufige Regelung als Dauerregelung bestehen bleibt. Ich bitte deshalb dringend jeden abweichenden Vorschlag der beteiligte Ressorts unnachgiebig abzulehnen.

Dr. Best

60. Werner Best an das Auswärtige Amt 25. April 1944

Til orientering af AA fremsendte Best endnu en forordning, denne gang vedrørende besiddelse af skydevåben, som han havde udstedt, offentliggjort og ladet træde i kraft samme dag. Ville AA gøre indsigelse og kræve den trukket tilbage, ville det umiddelbart gå ud over gesandtskabets anseelse i Danmark.

Kilde: PA/AA R 29.568. RA, pk. 285. PKB, 13, nr. 746.

Telegramm

Kopenhagen, den	25. April 1944	13.45 Uhr
Ankunft, den	25. April 1944	18.50 Uhr

Nr. 515 vom 25.4.44.

Ich habe heute die folgende Verordnung über den Besitz von Schußwaffen und Kriegsgerät erlassen:[116]

§ 1.

Der Besitz von Schußwaffen jeder Art einschließlich Jagdwaffen, von Munition, Handgranaten, Sprengmitteln und sonstigem Kriegsgerät sowie von Teilen solcher Gegenstände ist verboten. –

Dies gilt nicht für: 1.) Waffen und Munition, für die der Besitzer einen von einer deutschen Dienststelle oder der zuständigen dänischen Polizeibehörde ausgestellten Waffenschein – bei Jagdwaffen ohne gezogenen Lauf Jagdschein – besitzt, 2.) Waffen und Munition, die mit Genehmigung einer deutschen Dienststelle dienstlich geführt werden, 3.) Waffen und sonstiges Kriegsgerät, die dem Besitzer durch eine nach dem 29.8.1943 ausgestellte Bescheinigung einer deutschen Dienststelle belassen worden sind, 4.) Erinnerungswaffen ohne Gebrauchswert, 5.) Luftdruckgewehre, deren Kaliber 4,5 mm nicht überschreitet.

---

116 Trykt på dansk hos Alkil, 2, 1945-46, s. 874.

§ 2.
Wer Gegenstände der in § 1 genannten Art verbotswidrig besitzt, wird mit dem Tode bestraft. In leichteren Fällen kann auf Zuchthaus oder Gefängnis erkannt werden.

§ 3.
Wer Gegenstände, die er nach § 1 verbotswidrig besitzt, bis zum 29.4.1944 an eine Dienststelle der deutschen Wehrmacht oder an eine dänische Polizeibehörde abliefert, ist straffrei.

§ 4.
Diese Verordnung tritt am 25. April 1944 in Kraft.

Dr. Best

61. Werner Best an das Auswärtige Amt 25. April 1944

Best havde taget forkert bestik af situationen i Danmark såvel i månedsberetningen for marts samt i den anonyme artikel 9. april. Nu søgte han i en ny indberetning om situationen i Danmark i april endnu inden måneden var til ende delvis at udviske sine tidligere bedømmelser ved opregning af de talrige forholdsregler, han havde sat i værk i forståelse med von Hanneken og Pancke (Rosengreen 1982, s. 93).

Næste "Kurzbericht" fulgte med telegram nr. 745, 16. juni 1944.

Kilde: RA, pk. 229. LAK, Best-sagen (på dansk). NORD, nr. 101.

Telegramm

Kopenhagen, den	25. April 1944	18.35 Uhr
Ankunft, den	25. April 1944	21.30 Uhr

Nr. 523 vom 25.4.44.   Citissime!

Politischer Kurzbericht
über die Lage in Dänemark.

1.) In der ersten Aprilhälfte Lage im Lande absolut ruhig und weiterer Rückgang der Sabotage. Um den 20.4.44 Wiederbeginn von Sabotageakten und Überfällen. Da Möglichkeit bestand, daß es sich um das Anlaufen von feindlicher Seite veranlaßter Unterstützung bevorstehender feindlicher Operationen handelte, entschloß ich mich im Einvernehmen mit Wehrmachtsbefehlshaber Dänemark und höherem SS- und Polizeiführer, diesen Versuch durch schnelle und scharfe Maßnahmen im Keime zu ersticken. Ich veranlaßte deshalb:
   a.) sofortige Hinrichtung eines wegen Überfalls zu Tode verurteilten 20-jährigen Studenten,[117]
   b.) schnelle und brutale Gegenterror-Akte,

---

117 Se Bests telegram nr. 509, 24. april 1944.

c.) umfangreiche Festnahmeaktionen und Razzien,[118]

d.) Nachrichtensperre gegenüber Schweden (um die Feindpropaganda über Dänemark unorientiert zu lassen und zu verwirren),[119]

e.) Verkehrssperre gegenüber Schweden (um Verbindung der hiesigen Illegalen mit ihren Auftraggebern zu erschweren),[120]

f.) Inkraftsetzung der Zuständigkeit des SS- und Polizeigerichts in Kopenhagen (über die seit einem halben Jahr zwischen den beteiligten Reichsressorts ergebnislos verhandelt wird) durch meine Verordnung vom 24.4.44,

g.) Todesstrafe für Waffenbesitz durch meine Verordnung vom 25.4.44,

h.) Schließung aller Kinos in Groß-Kopenhagen (wegen einiger Aktionen gegen deutsche Filme).[121]

Diese Maßnahmen scheinen durchschlagend gewirkt zu haben, jedenfalls herrscht seit 2 Tagen völlige Ruhe.

2.) Deutsche Sicherheitspolizei arbeitet weiter erfolgreich gegen alle illegalen Bestrebungen und hat im Monat April besondere Erfolge gegen Feindspionage und mit geheimer militärischen Tätigkeit befaßte Kreise gehabt.

3.) Landwirtschaftliche Lieferungen nach Deutschland fließen unvermindert weiter. Wegen der vom Führer angeordneten Versorgung der dänischen Landwirtschaft mit Produktionsmitteln aus dem Reich laufen Verhandlungen mit den zuständigen Reichsressorts.

4.) Rüstungsstab meldet laufende Unterbringung deutscher Aufträge bei dänischer Industrie in Höhe von durchschnittlich 15 Millionen Reichsmark im Monat.[122]

5.) Am 17.4.44 habe ich für Kriegsmarine 3 dänische Dampfer und 2 dänische Motorschiffe beschlagnahmt.[123]

6.) Befestigungsarbeiten in Jütland werden programmgemäß fortgesetzt.

Dr. Best

62. Werner Best an das Auswärtige Amt 25. April 1944

Bests offensiv på alle fronter gjaldt også den danske offentlighed, som han havde søgt forståelse med endnu i avisartiklen 9. april, men nu var truende overfor gennem en tvangsindlagt artikel i den danske presse: Såfremt sabotagen fortsatte, ville der fra tysk side blive svaret igen med effektuering af allerede afsagte dødsdomme. Han gjorde det klart, at der ikke ville blive taget tilfældige gidsler, men anvendt dem, der i forvejen havde forbrudt deres liv gennem ugerninger. Benådning ville da ikke komme på tale.

Det kommer i artiklen tydeligt frem, hvorfor Best på de indre linjer kæmpede så hårdt for at få benådningsretten. Den var for ham et politisk middel i sabotagebekæmpelsen. Imidlertid var Pancke ikke taget i

---

118 Se for de talrige razziaer 24. april og følgende dage KTB/BdO (BArch, R 70 Dänemark 6) og *Daglige Beretninger*, 1946, s. 105f., 108f.
119 Se Paul Schmidt til Best 27. april 1944, *Politische Informationen* 1. maj 1944, Bests telegram nr. 570, 4. maj 1944 til AA, Ribbentrop til Best 10. maj 1944 og Best til AA med telegram nr. 631, 18. maj 1944.
120 Troels Hoff kunne meddele dette 24. april kl. 11 (*Daglige Beretninger*, 1946, s. 105).
121 Troels Hoff kunne meddele dette 24. april kl. 11 (*Daglige Beretninger*, 1946, s. 105).
122 Se Rü Stab Dänemarks månedsberetning for april 1944.
123 Se *Politische Informationen* 1. maj 1944, afsnit III.

ed. Mens trykkerierne var i gang med at mangfoldiggøre Bests artikel, dræbte Petergruppen kommunelæge Stefan Jørgensen i Gentofte, og clearingmordene fortsatte uanfægtet af Bests bestræbelser på at finde legale regler for gengældelsen, og over for modstandsbevægelsen talte han for døve ører. Danmarks Frihedsråd svarede straks på Bests artikel med et åbent brev om, at det ikke lod sig true[124] (se Bindsløv Frederiksen 1960, s. 413f., Hæstrup, 1, 1966-71, s. 443-445, Rosengreen 1982, s. 92f.).

Kilde: PA/AA R 29.568. RA, pk. 204. LAK, Best-sagen (afskrift). EUHK nr. 125 (uddrag).

T e l e g r a m m

Kopenhagen, den	25. April 1944	18.50 Uhr
Ankunft, den	25. April 1944	21.30 Uhr

Nr. 524 vom 25.4.44.   Citissime!

Unter Bezugnahme auf den heutigen Anruf des Gesandten Dr. Grundherr übermittelte ich den folgenden Text meiner heute in der dänischer Presse veröffentlichten Warnung an die illegalen Kräfte und die dänische Bevölkerung:[125]

"Scharfe Maßnahmen für Ordnung und Sicherheit in Dänemark.

Der Reichsbevollmächtigte Dr. Best empfing am 24.4.1944 die Chefredakteure der dänischen Presse und machte vor ihnen Ausführungen etwa des folgenden Inhalts:"

"Seit ich am 4.12.1943 vor der dänischen Presse ernste Warnungen aussprach, die an die am 2.12.1943 erfolgten Hinrichtungen von 5 Saboteuren anknüpften, war in Dänemark eine Entwicklung der Lage eingetreten, die eine Stabilisierung der Ordnung und Sicherheit im Lande erhoffen ließ. Insbesondere gingen – offenbar unter dem Einfluß der öffentlichen Meinung, die keine Gewalttaten und Zerstörungen wünscht – die Sabotageakte gegen Produktionsstätten und andere wirtschaftliche Werte immer mehr zurück. Daß in der gleichen Zeit die entfesselte Unterwelt, die von den dänischen Sicherheitsorganen nicht mehr beherrscht wird, Blutorgien von Morden unter Dänen veranstaltete, haben wir Deutschen mit Bedauern beobachtet und gehofft, daß auch hier gegen die öffentliche Meinung endlich reagieren und die säumigen Sicherheitsorgane zur Pflichterfüllung zwingen werde. Wenn aber seit einigen Tagen die Elemente der Unterwelt – entweder auf auswärtigen Befehl oder aus einer politischen Spekulation – wieder begonnen haben, deutsche Interessen anzugreifen, so sollen sie und die dänische Öffentlichkeit wissen, daß hierauf von deutscher Seite schnell und scharf reagiert wird. Es ist dabei auch weiterhin von deutscher Seite beabsichtigt, die Gesamtbevölkerung möglichst wenig für die Verbrechen unterirdischer Elemente leiden zu lassen. Nicht aus der Bevölkerung werden Geiseln genommen, um die Unterlassung weiterer Verbrechen zu garantieren, sondern aus den verbrecherischen Kreisen selbst. Die deutsche Exekutive hat eine große Zahl von Elementen aus den unterirdischen Kreisen verhaftet, die ihrer Aburteilung entgegensehen. Über 100 Saboteure und Gewaltverbrecher haben Todesurteile zu erwarten. Da von deutscher Seite nicht Rache durch vergossenes Blut erstrebt wird, hat man lange mit der Verurteilung gewartet, um der Entwicklung der Lage

---

124 Trykt på dansk hos Rohde, 2, 1945-46, s. 211f.
125 Bortset fra overskriften trykt på dansk hos Alkil, 2, 1945-46, s. 872f. og Rohde, 2, 1945-6, s. 442f.

Rechnung tragen zu können. Es lag und liegt in der Hand der unterirdischen Elemente, was mit ihren gefangenen Genossen geschieht. Bleibt die Lage im Lande ruhig, wie es sowohl die dänische Bevölkerung wie auch die Besatzungsmacht wünscht, so hat man auf deutscher Seite kein Interesse an Todesurteilen und Hinrichtungen. Wenn aber die verbrecherischen Drahtzieher der unterirdischen Aktionen es für richtig halten, immer wieder ihre Werkzeuge zum Angriff auf deutsche Interessen zu hetzen, so hält man es auf deutscher Seite für richtig, diesen Werkzeugen an dem Schicksal ihrer gefangenen Vorgänger zu demonstrieren, was sie selbst bei Fortsetzung ihrer Tätigkeit zu erwarten haben. Wenn ein Wehrmachtsangehöriger überfallen und verletzt wird, wie es vor einigen Tagen geschah, so muß gegenüber einem gefangenen Gewaltverbrecher, der unter anderen Voraussetzungen vielleicht begnadigt worden wäre, dem harten Kriegsgericht freier Lauf gelassen werden. Wenn weiterhin durch Sabotage Interessen der deutschen Kriegführung angegriffen werden, so wird es künftig unmöglich sein, daß gefangenen Saboteuren, die nach dem Gesetz ihren Kopf verwirkt haben, Gnade gewährt wird. Wenn andere Maßnahmen getroffen werden müssen, um den unterirdischen Elementen die Fortsetzung ihrer Verbrechen zu erschweren, so bedauert man auf deutscher Seite, wenn die allgemeine Bevölkerung davon berührt werden muß. Aber auch die Bevölkerung muß ein Interesse daran haben, daß der Unterwelt endlich jede Aktionsmöglichkeit genommen wird. Daß die einstimmige Kulturstadt Kopenhagen heute als ein europäisches Chicago dasteht, liegt bestimmt nicht im Interesse des dänischen Volkes und des dänischen Staates. Die politischen Illusionen, aus denen heraus vielleicht bestimmte Kreise bisher eine Entfesselung der Unterwelt nicht ungern gesehen haben, sind zum Teil schon verflossen und werden in absehbarer Zeit endgültig beseitigt sein. Dann aber wird ein furchtbares Erwachen durch das Land Dänemark gehen, wenn man die Bilanz der sinnlos zerstörten nationalen Werte und der sinnlos gemordeten Landsleute zieht und wenn man an die Zukunft denkt. Denn welche Zukunft kann einem Lande zugebilligt werden, das sich in einer so entscheidungsvollen Zeit ausschließlich durch eine mit Bomben und Revolten tätige Unterwelt repräsentieren läßt? Müssen nicht alle Personen und Einrichtungen, die jetzt gegenüber Mord und Raub untätig geblieben sind, als ungeeignet und unwürdig angesehen werden, künftig diesem Volke vorzustehen, das wahrlich eine bessere Leitung verdient hat? Man soll doch nicht glauben, daß einerseits das dänische Volk und andererseits das Deutsche Reich vergessen werden, was in diesen Tagen hier im Lande gespielt wird. Ich gebe die Hoffnung nicht auf, daß der gesunde Realismus des dänischen Volkes sich doch noch durchsetzen und rechtzeitig aus eigener Kraft die Verhältnisse stabilisieren wird, zum gegenwärtigen und zum künftigen Vorteil des Landes Dänemark. Bis dahin aber wird von deutscher Seite mit harten Schlagen jeder Versuch, deutsche Interessen anzugreifen und das Land in ein Chaos zu stürzen, niedergeschlagen werden."

Dr. Best

63. OKW an das Auswärtige Amt 25. April 1944

Efter at bestræbelserne på at få gang i en SS- und Polizeigericht i København 9. april var blevet sat i stå af RSHA (se ovenfor 9. april), foreslog OKW en midlertidig ordning, idet det fremsendte et udkast til retsforordning, som det ville lade træde i kraft, hvis ikke der fremkom indvendinger senest 29. april.

AA svarede OKW 2. maj (Rosengreen 1982, s. 90).
Kilde: PA/AA R 29.568. RA, pk. 204.

Abschrift R 5879
Oberkommando der Wehrmacht *Berlin, den 25. April 1944*
14 n 23 WR (I 3) *Eilt sehr!*
II/3/43 g

An das Auswärtige Amt
den Reichsführer SS-Feldkommandostelle
z.H. von Herrn SS-Standartenführer Bender
den Wehrmachtbefehlshaber in Dänemark

Betr.: Ausübung der Wehrmachtgerichtsbarkeit in Dänemark gegen Personen, die nicht der Wehrmacht angehören.
Bezug: OKW 14 n 23 WR (I 3)
II/3 /43 g v. 14.2.44
1 Anlage.

Der anliegende Entwurf wird mit der Bitte um Stellungnahme bis zum 10. Mai übersandt. Falls bis dahin keine Antwort eingeht, wird Einverständnis angenommen.

In Dänemark sind inzwischen etwa 200 Strafsachen gegen Zivilpersonen angefallen. Die Bearbeitung wird durch die Erörterungen über den neuen Erlaß seit längerer Zeit aufgehalten. Das Oberkommando beabsichtigt daher, den Entwurf zunächst als vorläufige Arbeitsgrundlage in Kraft zu setzen, falls dem nicht bis zum 29.4.44 widersprochen wird. Es bittet im Interesse der Sache dringend, von Widersprüchen gegen diese Maßnahme abzusehen. Etwaige Bedenken werden bei der endgültigen Fassung des Erlasses berücksichtigt werden.

Im Auftrage
Unterschrift

Abschrift
Oberkommando der Wehrmacht *Führerhauptquartier, den ... 1944*
14 n 23 WR (I/3)
3/43 g

E n t w u r f
Erlaß über die Ausübung der Wehrmachtgerichtsbarkeit in Dänemark gegen Personen, die nicht der Wehrmacht angehören, vom April 1944.

Im Einvernehmen mit dem Reichsminister des Auswärtigen und dem Reichsführer-SS verordne ich auf Grund von § 118 der Kriegsstrafverfahrensordnung für die Ausübung der deutschen Wehrmachtgerichtsbarkeit in Dänemark gegen Deutsche und Ausländer, die weder dem Personenkreis des § 2 Nr. 1-3 der Kriegsstrafverfahrensordnung noch dem Gefolge der Wehrmacht angehören:

§ 1.
Umfang der deutschen Gerichtsbarkeit.

Deutsche sind dem Kriegsverfahren wegen aller von ihnen in Dänemark begangenen Straftaten unterworfen, Ausländer nur wegen der Straftaten, die deutsche Interessen berühren.

§ 2.
Zuständigkeit des Gerichtsherrn des SS- und Polizeigerichts XXX.
Zuständigkeit im Nachprüfungs- und Gnadenverfahren.

(1) Zuständig ist der Gerichtsherr des SS- und Polizeigerichts XXX in Kopenhagen. Er kann das Verfahren an den Bevollmächtigten des Reiches zur Entscheidung über die weitere Strafverfolgung abgeben.

(2) Die Zuständigkeit im Nachprüfungs- und Gnadenverfahren regelt der Reichsführer-SS.

§ 3.
Befugnisse des Wehrmachtsbefehlshabers in Dänemark
und der Gerichtsherrn der Wehrmachtteile.

(1) Der Wehrmachtbefehlshaber in Dänemark kann im Einzelfall die Zuständigkeit der Wehrmachtgerichte begründen, wenn sich die Straftat unmittelbar gegen die deutsche Wehrmacht, ihre Angehörigen oder ihr Gefolge richtet. Er kann die Untersuchung und Aburteilung selbst übernehmen oder einem Gerichtsherrn des Wehrmachtteils übertragen, dessen Interessen durch die Straftat ausschließlich oder überwiegend berührt werden.

(2) Die Zuständigkeit nach §§ 13 und 13a der Kriegsstrafverfahrensordnung (Notgerichtsstand des nächsterreichbaren Gerichtsherrn – Standgerichte) bleibt unberührt.

(3) Die Gerichtsherrn haben das Bestätigungsrecht für Freiheitsstrafen bis zu 3 Jahren, sofern der Wehrmachtbefehlshaber es sich nicht vorbehalten oder der Vertreter der Anklage keine höhere Strafe beantragt hat. Das weitere Bestätigungsrecht und das Aufhebungs- und Gnadenrecht übt der Wehrmachtbefehlshaber aus, soweit der Führer es sich nicht vorbehält.

§ 4.
Aufhebung früherer Erlasse.

Der erste und zweite Erlaß über die Ausübung der Wehrmachtgerichtsbarkeit in Dänemark gegen Personen nichtdeutscher Staatsangehörigkeit vom 1. August 1940 (7. Mai 1941) und vom 28. Januar 1943 werden aufgehoben. Der Erlaß über die Gerichtsbarkeit in Dänemark vom 10. Oktober 1942 (14 n 23 WR (I 3/4 Nr. 818/42 g) gilt nicht für Verfahren, die das SS- und Polizeigericht XXX nach diesem Erlaß durchführt.

§ 5.
Inkrafttreten.
Dieser Erlaß tritt am … 1944 in Kraft.

Der Chef des Oberkommandos der Wehrmacht

64. Werner Best an Heinrich Himmler 26. April 1944

De direkte henvendelser fra Best til Himmler synes at have været få siden oktober 1943, men en udnævnelse foretaget af Gottlob Berger fik ham til at fare i blækhuset. Berger havde i sin egenskab af leder af SS-Hauptamt udnævnt SS-Sturmbannführer Karl Hubertus Schimmelmann til kommende leder af Germanische Leitstelle Dänemark med virkning fra 15. april, en post i årevis besat af SS-Sturmbannführer Bruno Boysen, som var blevet forsat.[126] Det var sket på trods af Bests protester. Ifølge Best stod en utilfreds klike af frondører i Schalburgkorpset bag, blandt hvilke danskeren Ejnar Vaaben skulle have foreslået Schimmelmann til posten. Best bad om, at Boysens forsættelse i det mindste blev udsat nogle måneder, til der var fundet en anden afløser. Himmlers svar er ikke kendt, men Schimmelmann kom ikke til at afløse Boysen.

Günther Pancke henvendte sig til Gottlob Berger i samme sag, se Berger til Pancke 28. april 1944.

Historikeren Andreas Monrad Pedersen mener, at Boysens forsættelse skyldtes, at Berger ville "justere Germanische Leitstelles forhold til Pancke og Best […]." Boysen havde angiveligt ikke "formået at matche den umulige Best." Tilsvarende skulle begrundelsen for valget af Schimmelmann være, at han "var en god bekendt af de danske nazister." Ingen af udsagnene har videre basis i det foreliggende materiale. For det første skal det påpeges, at Germanische Leitstelle tjenstligt var tilknyttet Best, så hvordan "justeringen" skulle foregå, får stå hen. For det andet var Schimmelmann blot bekendt med enkelte oppositionelle danske nazister, bl.a. Ejnar Vaaben, og i øvrigt ukendt. Det fremgår også klart af Vaabens erindringer, hvor han stolt beskriver sin indflydelse ved denne udnævnelse: "Et af mine forsinkede "resultater" i det sidste års skyggeleg var udnævnelsen af Karl Hubertus Schimmelmann til leder af Germanische Leitstelle i København. Udnævnelsen skyldtes Erich Spaarmann, med hvem jeg havde haft en alvorlig samtale om de tyske fejlgreb og situationen i Danmark. Da Schimmelmanns udnævnelse ikke var blevet meddelt dr. Best, opstod der en kontrovers mellem ham og mig. Best syntes åbenbart ikke om mine direkte forbindelser med Berlin og "truede" med at inddrage mit pas. Jeg meddelte Best, at jeg ikke stod i tysk tjeneste og derfor selv kunne vælge, hvem jeg ønskede at stå i forbindelse med, og at mit pas næppe ville blive inddraget. Jeg sendte ham desuden et af de få skrappe breve, som jeg under Besættelsen så mig foranlediget til at skrive."[127] Hvad den politisk impotente kandestøber Vaaben undlader at nævne er, at Schimmelmann i sidste ende ikke blev leder af Germanische Leitstelle.

Var Schimmelmann blevet leder af Germanische Leitstelle, ville det have været som stråmand for andre – tvivlsomme – interesser, og det var sandsynligvis bl.a. dette Best hentydede til i brevet, når han skrev om, at Tysklands anseelse stod på spil. Best mistænkte Vaaben for at ville søge politisk støtte hos Alfred Rosenberg efter sammenstødet over Germanische Leitstelle og advarede derfor via Ebeling Rosenbergs personlige referent Werner Koeppen mod Vaaben (Herbert 1996, s. 384 med note 178, Thomsen 1971, s. 144, Monrad

---

126 Schimmelmanns fornavn er hentet i Ejnar Vaabens erindringer, da det ikke forekommer i den foreliggende danskrelaterede litteratur (Thomsen 1971, Monrad Pedersen 2000). Schimmelmann (1903-1946) havde i 1930-31 været privatsekretær for Goebbels, 1933 adjudant hos Daluege, men nåede trods det ikke højt i magthierarkiet, selv om han 1943 blev SS-Obersturmbannführer (Reuth 1990, s. 189, 202, Klee 2005, s. 525f.).
127 Ejnar Vaaben: Det var det hele værd, ms. 1978, s. 64f. (RA, personarkiv nr. 6540).

Pedersen 2000, s. 107, Lauridsen 2002a, s. 539f., Lauridsen 2011, Ebeling til Koeppen 11. maj 1944[128] (BArch, NS 8/262, RA, Danica 201, pk. 81, læg 1074). Se også Panckes brev til Himmler 27. september 1944, hvoraf det fremgår, at Pancke ønskede kontrollen over Germanische Leitstelle).

Kilde: BArch, NS 19/3647. RA, Danica 1000, T-175, sp. 74, nr. 592.338-341 og sp. 128, nr. 592.338-341. RA, pk. 443.

+ KOPHG. 2024 26.4.44 1500 = BEL =   Geheim

An den Reichsführer-SS Heinrich Himmler,
 Berlin

Reichsführer,
zu meinem großen Bedauern muß ich Sie mit der Bitte belasten, eine von dem SS-Obergruppenführer Berger gegen meine eindringlichen Vorstellungen getroffene und für mich untragbare Anordnung abzuändern. Berger hat den bisherigen Leiter der Germanischen Leitstelle Dänemark SS-Stubaf. Boysen versetzt mit der Maßgabe, daß als sein Nachfolger ein SS-Stubaf. Graf Schimmelmann eingesetzt wird. Diese Änderung ist einer Clique unzufriedener Frondeure im Schalburg-Korps, die mit dem SS-Oberstubaf. Spaarmann Kontakt hat, früher bekanntgegeben worden als dem SS-Obergruppenführer Pancke und mir.

Auf Vorschlag des dieser Clique angehörenden Dänen Einar Vaaben ist der SS-Stubaf. Graf Schimmelmann zum neuen Leiter der Germanischen Leitstelle Dänemark bestimmt worden. Durch dieses Verfahren ist das Ansehen der Germanischen Leitstelle und damit aller deutschen Dienststellen schwer kompromittiert und die Lenkung der an sich schon disziplinlosen und intriganten Dänen im Schalburg-Korps usw. künftig in Frage gestellt. Die Frondeur-Clique rühmt sich, den bisherigen Leiter der Germanischen Leitstelle, der ihr durch die Forderung SS-mäßiger Disziplin und finanzieller Sauberkeit unangenehm geworden war, abgeschossen und ihren Vertrauensmann als Nachfolger eingesetzt zu haben. Ich habe seit dem 27.3.44 in zwei Fernschreiben und zwei langen Briefen den SS-Obergruppenführer Berger beschworen, den gemachten Fehler dadurch auszugleichen, daß die Versetzung des SS-Stubaf. Boysen, gegen die ich, da ich mich in Bergers Personalpolitik nicht einmische, gar keine Einwendungen erhebe so lange hinausgeschoben wird, daß der zeitliche Zusammenhang mit dem Intrigenspiel zerrissen wird. Berger hat mich auf meinen letzten handschriftlichen Brief keiner Antwort gewürdigt und angeordnet, daß die Dienstgeschäfte der Germanischen Leitstelle Dänemark am 15.5.44 dem SS-Stubaf. Grafen Schimmelmann zu übergeben sind. Dies zwingt mich, Sie, Reichsführer, zu bitten, diese Entscheidung aufzuheben und anzuordnen, daß die Versetzung des SS-Stubaf. Boysen wenigstens noch um einige Monate hinausgeschoben und daß zu seinem Nachfolger ein anderer als der von der hiesigen dänischen Clique kreierte Graf Schimmelmann eingesetzt wird. Aus meinem Briefwechsel

---

128 I dette brev var SS-Standartenführer Zimmermann, Berlin, udset til Boysens afløser som leder af Germanische Leitstelle. Af brevet fremgår det i øvrigt, at Vaaben gjorde sig nyttig for og tjente penge ved at oversætte Alfred Rosenbergs Prag-tale om den tyske og europæiske åndsfrihed. Talen fremkom siden i *Paa godt dansk* (Ebeling til Koeppen 30. oktober 1944 (BArch, NS 8/262)).

mit Berger, den ich Ihnen auf Wunsch vorlegen werde, geht hervor, daß ich mich bis zum letzten bemüht habe, diese Angelegenheit unmittelbar und in kameradschaftlicher Weise mit ihm zu regeln. Daß er dies nicht gewollt hat, zwingt mich, um des von mir zu verantwortenden deutschen Ansehens in Dänemark willen Sie um eine abändernde Entscheidung zu bitten.

Heil Hitler,
Ihr
Best

65. RSHA: Vermerk 27. April 1944

Bovensiepen havde 20. april meddelt RSHA, at Gestapo havde slået til mod den illegale organisation Hjemmefronten.

Se endvidere Bovensiepens aktivitetsberetning for maj 1944 fremsendt af Best til AA 8. juni (Birkelund 2000, s. 284f.).

Kilde: RA, Danica 1069, sp. 7, nr. 8096.

IV A 1 a *Berlin, d. 27.4.44.*

1.) Vermerk:
Der BdS in Kopenhagen berichtet mit FS Nr. 1786 vom 20.4.44 zum Tagesrapport u.a. folgendes:

Bei einer Aktion gegen "Hjemmefronten" wurden in den Morgenstunden des 20.4.44 32 Personen festgenommen. Bei "Hjemmefronten" handelt es sich um eine militärisch aufgezogene Organisation, die den bewaffneten Aufstand vorbereitet. "Hjemmefronten" arbeitet als nationale Organisation mit den Kommunisten zusammen. Aus einem Protokoll über eine Mitgliedsversammlung ergibt sich eindeutig, daß der Mitgliedsbestand der Kommunisten sich auf 10 % beläuft.
2.) Das Original wurde an IV D 4 alt zurückgegeben.
3.) Zu den Akten "Dänemark, Erscheinungsformen u. Organisationen".

I.A.
[underskrift]

66. OKM an das Auswärtige Amt 27. April 1944

OKM fremsendte sin udlægning af de hændelser, der havde fundet sted i Sønderborg 17. og 18. april 1944.

Best havde den 18. april givet AA en indberetning om det passerede, hvortil henvises.
Kilde: BArch, Freiburg, RM 7/1812. RA, Danica 628, sp. 7, nr. 5707.

Oberkommando der Kriegsmarine *Berlin, den 27.4.1944*
B. Nr. I/Skl. I ce 12 425/44 g.Kdos. Geheim! Kommandosache!

An das Auswärtige Amt
   z.Hd. von Herrn Legationsrat v. Grote
   Berlin

Betr.: Zwischenfall in Sonderburg.

Über den Zwischenfall in Sonderburg wird zur dortigen Kenntnisnahme folgende Meldung des Marinekommandos Ostsee übermittelt:
"17.4. 12.10 im Hafen Sonderburg beim auslaufen und Gefechtsklarmachen vom M 515 unbeabsichtigt ein Schuß gefallen. Durch Splitter ein Däne getötet, ein Leichtverletzter. Unmittelbar nach Unglücksfall flaggte dän. Bevölkerung Halbmast, in der Annahme, daß M 515 absichtlich geschossen hat, um schnelleres Öffnen der Sundbrücke zu erzwingen. Mit dän. Bürgermeister und Polizeimeister wurde durch Standortältern Sachlage sofort klargestellt und Bedauern ausgesprochen. Da Vorfall durch Presse trotz Antrag von hier nicht aufgeklärt wurde, nutzten Unruhestifter den 18.4. – Düppelgedenktag – aus, um Geschäfte zu schließen und Umzüge zu versuchen. Als deutschen Geschäften Fensterscheiben eingeschlagen wurden, griff dän. Polizei, verstärkt durch Streifen der Sperrschule, ein. Durch Beamte des SD wurden einige bekannte dän. Hetzer und Unruhestifter verhaftet".
                    C. Skl. i.A. 1/Skl. i.A. I c i.V. I ce

67. Paul Schmidt an Werner Best [27.] April 1944
Som meddelte i telegram 509, 24. april, punkt 4, havde Best afbrudt presseforbindelsen til Sverige indtil videre. Det udløste en reaktion fra Det Tyske Gesandtskab i Stockholm på baggrund af en henvendelse fra Tidningarnas Telegrambureaus direktør, og AA bad om, at TT-repræsentanten igen kunne sende oplysninger fra København og imødegå de tendentiøse meddelelser fra Danmark i svensk presse.
   Best svarede den følgende dag med telegram nr. 543.
   Telegrammet er udateret og uden nummer, men er tidligst fra 26. april og før Bests svartelegram 28. april. Sandsynligvis er det identisk med telegram nr. 454, 27. april, som der henvises til 28. april.
   Kilde: PA/AA R 29.568. RA, pk. 204.

                    Telegramm

Berlin, den   […] April 1944

Diplogerma Kopenhagen
Ref. P VI GR. Schaller

Nach Bericht Gesandtschaft Stockholm vom 26.4.44 haben seit Telefonsperre mit Kopenhagen Hetz- und Greuelmeldungen des dänischen Pressedienstes wieder überhand genommen und beherrschen zusammen mit dem vom Stockholmer Assopress-Büro ausgegebenen Tendenznachrichten am Mittwoch sogar das Bild der Stockholmer Zeitungen. Direktor Reuterswaerd von TT hat Gesandtschaft darauf aufmerksam gemacht, daß unter diesen Umständen der durch Entsendung eines TT-Vertreters nach Kopenhagen in den letzten Wochen gewonnene Boden leider wieder verloren gehen wird. Gesandtschaft hat daher gebeten, dortige Stelle auf diese Folgen aufmerksam zu machen.

Bitte dafür zu sorgen, daß TT-Vertreter Kopenhagen Meldungen über Vorgänge in Dänemark nach Schweden geben kann, damit tendenziöser Berichterstattung in schwedischer Presse Boden entzogen wird. Drahtbericht.

Schmidt

68. Paul von Behr an Regierungsrat Mützelburg 27. April 1944
Von Behr bad om, at der blev overført 100.000 RM til tyske bybørns landophold i Danmark for april måned, da den hidtidige aftale var udløbet. Der forelå endvidere meddelelse om, at Reichsjugendführung efter Hitlers ordre havde planlagt at forhøje antallet af tyske børn fra 1.000 til 5.000, og der forelå en ansøgning om månedligt at få stillet 425.000 RM til rådighed til formålet. Best skulle forhandle med den danske regering derom.

Om Bests forhandlinger, se von Behr til RWM 28. juni 1944.

Kilde: BArch, R 901 113.555. RA, pk. 271.

Konzept (R. l.b. Lu.)
Ref.: LR Baron von Behr   *27. April 44*

S c h n e l l b r i e f

An das Reichswirtschaftsministerium
   z.Hd. von Herrn Reg. Rat Mützelburg

Unter Bezugnahme auf das heutige Ferngespräch teile ich mit, daß laut Bericht des Reichsbevollmächtigten in Dänemark die Dänische Regierung sich bereit erklärt hat, das am 31. März ds.Js. abgelaufene Abkommen betreffend monatliche Überweisungen von RM 100.000 für die Kinderlandverschickung in Dänemark zu verlängern.[129] Gleichzeitig hat der Reichsbevollmächtigte gebeten, die April-Rate möglichst umgehend zu überweisen, da die Kinderlandverschickung in Dänemark zurzeit keine Mittel besitzt. Ein entsprechender Antrag der Reichsjugendführung dürfte dort bereits vorliegen. Das Auswärtige Amt befürwortet die Genehmigung dieses Antrages und bittet um tunlichst baldige Mitteilung der dort getroffenen Entscheidung.

In diesem Zusammenhang verweise ich auf eine hier vorliegende Mitteilung der Reichsjugendführung, daß auf Weisung des Führers eine Erweiterung der Kinderlandverschickung nach Dänemark von 1.000 auf 5.000 Jugendliche geplant ist, und die Reichsjugendführung im Februar bei dem Reichswirtschaftsministerium den Antrag auf eine entsprechende fortlaufende monatliche Devisenzuteilung in Höhe von RM 425.000 = Kronen 811.750 gestellt hat. die Zustimmung der Dänischen Regierung zu diesen erhöhten monatlichen Überweisungen im Verrechnungswege soll durch Ver-

---

129 Det havde Best meddelt med telegram nr. 503, 20. april 1944.

handlungen des Reichsbevollmächtigten mit der Dänischen Regierung herbeigeführt werden, die für die nächste Zeit in Aussicht genommen sind.
Im Auftrag
gez. **von Behr**

69. Werner Best an das Auswärtige Amt 28. April 1944

Best meddelte, at han havde ladet de 24. april trufne foranstaltninger vedrørende grænsetrafikken mellem Danmark og Sverige ændre efter en telefonsamtale mellem von Grundherr og Barandon.
Kilde: RA, pk. 289.

Telegramm

Kopenhagen, den	28. April 1944	14.35 Uhr
Ankunft, den	28. April 1944	16.20 Uhr

Nr. 542 vom 28.4.44.   Citissime!

Mit Bezugnahme auf das heutige Telefongespräch zwischen Gesandten Dr. von Grundherr und Gesandten Dr. Barandon teile ich mit:

Die von mir am 24.4.44 hinsichtlich der Ausreise aus und der Einreise nach Dänemark im Grenzverkehr zwischen Dänemark und Schweden getroffenen Maßnahmen habe ich mit Wirkung vom 28.4.44 wie folgt abgeändert:

1.) Ab 28.4.44 findet das vor dem 24.4.44 durchgeführte Verfahren der Kontrolle des Reiseverkehrs zwischen Dänemark und Schweden wieder Anwendung.

2.) Die vor dem 24.4.44 nach Schweden, Norwegen und Finnland ausgereisten Personen, die sich im Besitz eines dänischen Wiedereinreisesichtvermerks befinden, können die Grenze zwecks Rückkehr nach Dänemark passieren.

Desgleichen können die aus Schweden, Norwegen und Finnland vor dem 24.4.44 nach Dänemark eingereisten Personen, die im Besitz eines dänischen Widerausreisesichtvermerks sind, nach Schweden, Norwegen oder Finnland zurückkehren.

3.) Die vor dem 24.4 ausgestellten dänischen Ausreisesichtvermerke an in Dänemark ansässige dänische Staatsangehörige und in Dänemark ansässige Angehörige dritter Staaten berechtigen nicht zur Ausreise aus Dänemark.

4.) Die vor dem 24.4. erteilten dänischen Aus- und Wiedereinreisesichtvermerke an Personen, die von Schweden aus nach Dänemark ein- und wiederausreisen wollen, behalten ihre Gültig-Grenzsperre praktisch aufgehoben.

Die Deutsche Gesandtschaft in Stockholm ist telegrafisch von mir unterrichtet worden.

Dr. Best

70. Werner Best an das Auswärtige Amt 28. April 1944

Best svarede afvisende på AAs ønske om at få nyhedsspærringen ophævet for TTs repræsentant i København.

Selv om Best gav både sikkerhedsmæssige og politisk grunde dertil, var sagens kerne, at TT-repræsentantens hidtidige virksomhed ikke havde været efter Bests hoved.

Ribbentrop svarede herpå med telegram nr. 937, 10. maj 1944.

Kilde: PA/AA R 29.568. RA, pk. 204.

Telegramm

| Kopenhagen, den | 28. April 1944 | 14.40 Uhr |
| Ankunft, den | 28. April 1944 | 18.50 Uhr |

Nr. 543 vom 28.4.[44.]

Auf das dortige Telegramm Nr. 454[130] vom 27.4.44 erwidere ich, daß ich es aus Sicherheitsgründen und aus politischen Gründen nicht für tragbar halte, die Berichterstattung des TT-Vertreters in Kopenhagen wieder zuzulassen. Der TT-Vertreter hat seit der Zulassung seiner Berichterstattung seine Aufgabe ausschließlich darin gesehen, alle Handlungen der illegalen Gruppen (Sabotage, Morde usw.) sowie alle Maßnahmen der deutschen Polizei (Festnahmen usw.) schnellstens nach Schweden zu melden. Die Informationen hierfür hat er aus Kreisen der dänischen Polizei meist schneller erhalten, als die den deutschen Dienststellen amtlich zugingen. So konnten die hiesigen Illegalen regelmäßig schon nach wenigen Stunden im schwedischen Rundfunk den Ruhm ihrer Taten hören und sich über die Aktionen der deutschen Polizei unterrichten. Gerade die Hilfe für die Illegalen wollte ich durch die von mir angeordnete Nachrichtensperre unterbinden, darüber hinaus halte ich es aus politischen Gründen für durchaus erwünscht, daß die feindliche (einschließlich der schwedischen) Propaganda über Dänemark uninformiert bleibt und von möglichst plumpen Falschmeldungen, die ich nach Möglichkeit fördere, lebt. Hierdurch wird bei den Dänen, die selbstverständlich wissen, daß in Kopenhagen keine Straßenkämpfe stattfanden und keine Panzer auffuhren usw. die Glaubwürdigkeit der gesamten Feindpropaganda entscheidend erschüttert. Außerdem bin ich in der Lage, durch meine Polemik im dänischen Staatsrundfunk die Feindpropaganda zu widerlegen und lächerlich zu machen. In Schweden ist übrigens aus den wahrheitsgemäßen Meldungen des hiesigen TT-Vertreters eine so gehässige, aber nicht angreifbare Propaganda gemacht worden, daß in einer angreifbaren Greuelpropaganda nach meiner Auffassung nur ein Vorteil gesehen werden kann.

Aus allen diesen Gründen beabsichtige ich, die von mir verhängte Nachrichtensperre gegenüber Schweden nicht aufzugeben.

Dr. Best

---

[130] P 7244. Telegrammet er ikke entydigt lokaliseret, men sandsynligvis er det lig med Paul Schmidts udaterede telegram trykt ovenfor under 27. april.

71. Werner Best an das Auswärtige Amt 28. April 1944

På opfordring fremsendte Best et hyrdebrev, som de danske biskopper havde udsendt februar 1944. Offentligheden havde ikke taget ringeste notits af brevet, og Best benyttede lejligheden til at konstatere, at kirken kun spillede en ubetydelig rolle i Danmark, og at han havde valgt ikke at gribe ind over for den, for ikke at give den en politisk betydning.

Best undlod at nævne, at han selv havde sørget for, at hyrdebrevet blev undertrykt i den danske offentlighed, og derfor udkom illegalt. Han havde tillige travlt med at underspille kirkens rolle i det danske samfund for at retfærdiggøre den af ham selv valgte politik. Det gjorde han gerne, hvis han kunne undgå utidig indblanding fra Berlin (Thostrup Jacobsen 1991, s. 177-187 med note 199 og 207).

AA sendte Bests skrivelse til Krüger i Partei-Kanzlei der NSDAP 15. august 1944 med bilagene. Denne langsommelige kommunikation prægede af uigennemskuelige årsager adskillige af sagerne mellem AA og kancelliet.

Kilde: NHWE, Id.-dok.: APK-007872. Thostrup Jacobsen 1991, s. 285-287 (på tysk og dansk).

Reichsbevollmächtigte in Dänemark *Kopenhagen, den 28. April 1944*
II. B. Nr. 500/44

An das Auswärtige Amt, Berlin.

Betrifft: Die dänische Volkskirche – hier den Hirtenbrief der dänischen Bischöfe vom Februar 1944.
Vorgang: 1. Schreiben des Auswärtigen Amtes vom 3.3.1944[131] – Pol VI 292 –
2. Telegramm des Auswärtigen Amtes Nr. 249 vom 11.3.1944[132]
3. Schreiben des Auswärtigen Amtes vom 29.3.1944[133] – Pol G I Nr. 453 g/Kr. –
Anlagen: Dänischer und deutscher Wortlaut des Hirtenbriefes (je 6fach).[134]

Der Hirtenbrief der Bischöfe der dänischen Volkskirche vom Februar 1944, dessen dänischen Wortlaut nebst Übersetzung ich in Anlage übermittle, hat in Dänemark selbst nur geringe Bedeutung gefunden. Im Rundfunk und in der Tagespresse ist er nicht erwähnt worden. Hingegen hat er zu Auseinandersetzungen innerhalb der dänischen Geistlichkeit geführt, weil eine Reihe von Geistlichen sich teils gegen die Methode solcher "Hirtenbriefe" und teils gegen den Inhalt dieses Hirtenbriefes gewandt haben. Auch diese Auseinandersetzung hat die Öffentlichkeit nicht im geringsten berührt.

Ich bemerke aus diesem Anlaß, daß ich bisher grundsätzlich von jedem Eingriff in das dänische Kirchenwesen abgesehen habe, obwohl mir die deutschfeindliche Einstellung der meisten Geistlichen und insbesondere der Bischöfe durchaus bekannt ist. Denn von der Kirche, bezw. von den Kirchen, wird tatsächlich nur ein sehr geringer Einfluß auf die Meinungsbildung der Bevölkerung und damit auf die politische Lage im Lande ausgeübt. Für den weitaus größten Teil der Bevölkerung in Dänemark ist das Christentum und die Kirche ein selbstverständlicher aber eben deshalb unproblemati-

---
131 Skrivelsen er ikke lokaliseret.
132 Telegrammet er ikke lokaliseret.
133 Skrivelsen er ikke lokaliseret.
134 Bilaget er ikke medtaget. Hyrdebrevet er trykt på dansk i *Præsteforeningens Blad* 10. marts 1944 og udkom desuden illegalt på forlaget Aros.

scher Bestandteil der sozialen Ordnung, von dem kein konkreter Einfluß auf die politische Haltung der Menschen ausgeht. Auch der das hiesige Kirchenwesen bestimmte Richtungsgegensatz zwischen "Grundtvigianismus" und "Innerer Mission" beschäftigt über die interessierte Geistlichkeit hinaus nur sehr kleine Kreise.

Es ist bezeichnend, daß ein extrem deutschfeindlicher Geistlicher wie der im Januar d.J. ermordete Kaj Munk seine deutschfeindliche Hetze nicht innerhalb der dänischen Volkskirche sondern als Schriftsteller und Vortragsredner auf der politischen Ebene auszuüben versucht hat.

Wenn ich wegen einzelner Äußerungen von Geistlichen und Bischöfen oder wegen eines Hirtenbriefes in das dänische Kirchenwesen eingreifen wollte, so würde ich diesen Äußerungen, die ja der gegenwärtigen Stimmung der Bevölkerung durchaus entsprechen, und den kirchlichen Institutionen erst die politische Bedeutung verschaffen, die sie zur Zeit nicht haben. Ich werde deshalb auch weiterhin die Tätigkeit der Kirchen und der Geistlichen zwar kontrollieren, aber mich jedes Eingriffe in das Kirchenwesen selbst enthalten.

W. Best

72. Admiralquartiermeister an Kommandierenden Admiral U-Boote 28. April 1944

Seekriegsleitung krævede en række danske skibe beslaglagt som målskibe i henhold til tidligere udsendte skrivelser. Af udenrigspolitiske grunde måtte beslaglæggelsen af "Kronprins Olaf" og "C.F. Tietgen" opgives og erstattes af "A.P. Bernstorff" og "Aarhus". Målskibet "Lothringen" kunne ikke som planlagt tilbagegives, da tabet af to andre skibe gjorde det yderst nødvendigt som mineskib. De givne ordrer måtte på ingen måde føre til forsinkelse af færdiggørelsen af "Esbjerg", "England", "Jylland" og "Parkeston" som målskibe (Simonsen 1973, s. 194, 200, 203, 207).

Kilde: BArch, Freiburg, RM 7/1813. RA, Danica 628, sp. 7, nr. 5941f.

Seekriegsleitung Admiralquartiermeister *Berlin, den 28. April 1944*
Skl/Adm. Qu Ub Nr. 3655/44 geh. Bismarck 588

An Kommandierenden Admiral U-Boote
   ia OKM:
   Skl/Adm. Qu I
   Skl/Adm. Qu VI
   K III
   K IV
nachrichtlich:
   1. Skl.

Vorgang:
1.) Skl. Qu A Ub 1170 geh. v. 14.2.44[135] (nicht an alle Stellen)
2.) [Skl. Qu A Ub] 2902 geh. v. 29.3.44 (nur an Kom. Adm. U-Boote)

---

135 Kommandostelle U-Boote til Skl. Qu A VI 14. februar 1944 (BArch, Freiburg, RM 7/1813. RA, Danica 628, sp. 7, nr. 5798).

3.) K IV CWh 27164 geh. II. Ang. v. 3.4.44
4.) Skl. Qu A Ub 3167 geh. v. 10.4.44[136]

Zur Deckung restlicher Forderungen an Zielschiffen im Bereich Kom. Adm. U-Boote forderte Skl/Adm. Qu U mit Vorgang 1) die Beschlagnahmung der dänischen Motorschiffe "Kronprinz Olaf" und "C.F. Tietgen". Von diesen war "Kronprinz Olaf" als Ersatz für Zielschiff "Lothringen" vorgesehen (s. Vorg. 2). Die Rückgabe "Lothringen" als Minenschiff ist nach Verlust "Skagerrak" und "Roland" von äußerster Dringlichkeit.

Aus außenpolitischen Gründen mußte von der Beschlagnahmung "Kronprinz Olaf" und "C.F. Tietgen" abgesehen werden. Dafür sind nunmehr die beiden dänischen Dampfer

"A.P. Bernstorff"   2.339 Brt, 16 sm und
"Aarhus"   1.618 Brt, 14 sm

als Zielschiffe für den Kom. Adm. U-Boote am 18.4 beschlagnahmt worden. "A.P. Bernstorff" ist als Ersatz für "Lothringen" gedacht. Die Überführung dieses Schiffes in den Heimatraum (wahrscheinlich Stettin) soll dem Vernehmen nach bereits am 26.4 erfolgen. Die Herrichtung auf einer deutschen Werft ist zur baldigen Freigabe der "Lothringen" vordringlich.

Kom. Adm. U-Boote wird ersucht, baldmöglichst eine Besichtigung des Schiffes durchzuführen und dieses auf seine Eignung als Ersatz "Lothringen" unter weitmöglichster Zurückstellung evtl. auftretender Bedenken zu prüfen.

K IV wird unter Hinweis auf die besonders dringliche Bereitstellung der "Lothringen" als Minenschiff schon jetzt um Angabe einer Umbauwerft im deutschen Raum gebeten.

Es wird jedoch betont, daß die gem. Vorg. 4) geforderte Werftkapazität dadurch keinesfalls eine Einschränkung erfahren darf, da die Fertigstellung der 4 dänischen Schiffe "Esbjerg", "England", "Jylland", "Parkeston" als Zielschiffe gleichfalls äußerst wichtig ist.

K III wird gebeten, den nach Überführung "A.P. Bernstorff" vorgesehenen Liegehafen den in der Anschrift genannten Stellen mitzuteilen.

gez. **Machens**

73. Günther Reincke: Vermerk in Sachen gegen SS-Obersturmbannführer Martinsen 28. April 1944

Schalburgkorpset var helt og holdent et SS-projekt i Danmark, og K.B. Martinsen var udpeget til dets leder i forventning om, at han kunne samle de danske nazister under germansk førerskab. Berger havde ikke sparet på rosen til Martinsen, da han skulle have Himmler til at trække ham tilbage fra fronttjeneste. Derfor kom det som et alvorligt slag for tysk prestige, at Martinsen begik et mord på en anden dansk SS-mand, Fritz von Eggers, i Frimurerlogens kælder. Det var ikke blot og bart en politisag, men frem for alt en politisk sag. Pancke søgte Bests råd i den sag, hvor de danske myndigheder skulle holdes udenfor. Det fik han, som det fremgår af det notat, som SS-dommer Reincke nedfældede ved sagens begyndelse (Monrad Pedersen 2000, s. 102-107).

Kilde: RA, pk. 442.

---

136 De tre sidste skrivelser er ikke lokaliseret.

Vermerk in Sachen gegen SS-Obersturmbannführer Martinsen.

Am Morgen des Montag, den 6.3.44, ging ich zum Vortrag zu Obergruppenführer Pancke. Ogruf. Pancke war sehr erregt und erklärte mit, er habe erfahren, daß vor zwei oder drei Tagen der Obersturmbannführer Martinsen in seinem Büro einen Angehörigen des Schalburgkorps erschossen habe, da dieser Sabotage getrieben habe. Ogruf. Pancke befahl mir, mich für die Untersuchung bereit zu halten. Im Laufe des Vormittages wurde ich dann zum Obergruppenführer Pancke bestellt. In seinem Zimmer war bereits Obersturmbannführer Martinsen anwesend. Ostubaf. Martinsen erklärte, daß er den Schalburg-Korps-Angehörigen erschossen habe, da er nachweislich Spionage getrieben habe. Da weder ein dänisches Gericht zuständig sei, habe er zur Selbsthilfe schreiten müssen. Ich habe daraufhin den Vorschlag gemacht, sofort eine Entscheidung des Reichführers-SS herbeizuführen.

Ogruf. Pancke erklärte daß, der Vorfall nach außen hin auf alle Fälle gedeckt werden müsse und daß es wohl zweckmäßig sei, nach außen hin zu erklären, es sei ein Standgericht zusammengetreten, welches den Erschossenen zum Tode verurteilt habe. Ich habe daraufhin Bedenken geäußert, daß wohl der Staatsadvokat für besondere Angelegenheiten, Oberstaatsanwalt Troels Hoff, Nachfrage nach der Rechtmäßigkeit des Standgerichts halten würde. Ogruf. Pancke nahm Ostubaf. Martinsen und mich alsdann mit zur Besprechung zum Reichbevollmächtigten Dr. Best.

Dr. Best erklärte, daß die Angabe, ein Standgericht sei zusammengetreten, unzweckmäßig sei. Er sagte, die beste Lösung wäre, daß der Erschossene für fahnenflüchtig erklärt würde. Sollte bei den Dänen gerüchtweise auftauchen, daß dies nicht zuträfe, so wäre dies nicht schlimm, da ja viele Gerüchte zum Nachteil der Deutschen in Dänemark verbreitet würden.

Daraufhin wurde vom Schalburg-Korps am 14.3.44 eine Fahndungsmeldung über den Erschossenen von Eggers erstellt und über das Gericht an den Staatsadvokaten für besondere Angelegenheiten am 17. März 1944 weitergeleitet.

Am 18. April 1944 rief der Staatsadvokat mich an und bat in der Sache von Eggers um eine Besprechung. Diese Besprechung wurde auf den nächsten Tag anberaumt. Noch am gleichen Tage setzte ich Ogruf. Pancke von dem Anruf des Staatsadvokaten in Kenntnis. Ogruf. Pancke schlug vor, daß der Staatsadvokat, wenn er mit irgendwelchen Vorstellungen käme, diese schriftlich einreichen sollte.

Bei der Besprechung am 13. April 1944 erklärte der Staatsadvokat, daß ihm von verschiedenen Seiten mitgeteilt worden sei, daß der Fahnenflüchtige von Eggers inzwischen vom Schalburg-Korps ergriffen und erschossen worden sei. Ich bat daraufhin den Staatsadvokaten, diese Mitteilung schriftlich zu machen unter Angabe, von wem er dies erfahren habe.

Mit Schreiben vom 14. April 1944 teilte der Staatsadvokat mit daß die geschiedene Ehefrau des Fahnenflüchtigen von Eggers seiner Abteilung die Mitteilung gemacht habe, sie habe gehört daß ihr geschiedener Ehemann von dem Schalburg-Korps festgenommen und hingerichtet worden sein solle, nachdem er zum Tode verurteilt worden sei. Der Staatsadvokat ersuchte um die Auskunft, ob die Mitteilung der Wahrheit entspräche, damit das Fahnden nach dem Genannten eingestellt werden könne.

Am 17.4.44 bin ich diesem Vorgang zu Ogruf. Pancke gegangen. Ogruf. P[ancke] erklärte, daß M[artinsen] inzwischen noch andere Sachen ausgefressen habe. Hierbei habe ich Ogruf. Pancke den Vorschlag gemacht, mich zu beauftragen, zum Bericht zum Hauptamt SS-Gericht und anschließend zu Standartenführer Bender zu fahren, um eine Entscheidung des Reichsführers herbeizuholen. Im übrigen habe ich den Standpunkt vertreten, daß Ostubaf. Martinsen auf Grund dieses Vorfalles doch zumindest aus Dänemark verschwinden müsse und am besten zur Front käme. Nach außen hin müsse man wohl zweckmäßig den einmal beschrittenen Weg beibehalten und nach Rückfrage beim Schalburg-Korps, dem Staatsadvokaten mitteilen, daß Anhaltspunkte für den behaupteten Sachverhalt nicht vorlägen. Ogruf. Pancke wollte den Vorfall zunächst mit Ogruf. Best besprechen und bat mich, da er noch am gleichen Tage mit Ogruf. Wünnenberg nach Jütland müsse, den Entscheid am anderen Tag bei Ogruf. Best selbst abzuholen. Ogruf. Best machte mir den Vorschlag, ich sollte dem Staatsadvokaten antworten, daß dem Gericht nichts bekannt sei, daß der behauptete Sachverhalt zuträfe und daß daher um weitere Durchführung der Fahndung gebeten würde. Diesem Vorschlag habe ich abgelehnt, da ich ja dem Staatsadvokaten nicht ohne weiteres vom Gericht eine Mitteilung machen konnte. Ogruf. Best sagte mir darauf, dann möge ich zu dem BdS, SS-Standartenführer Bovensiepen, gehen, bei diesem seien auch schon Anfragen in der Sache eingegangen. Wenn der BdS nichts ermittelt habe, könnte ich dem Staatsadvokaten antworten, daß die Nachforschungen ohne Erfolg gewesen seien.

Ogruf. Best erklärte mir weiter, daß Ostubaf. Martinsen den Ogruf. Pancke vor einigen Tagen in folgender Angelegenheit belogen habe: Ostern wurde in Slagelse ein dänischer Sozialdemokrat in der Nacht von einigen deutschen uniformierten Männern aus seiner Wohnung geholt und auf der Straße erschossen.[137] Auf die Frage von Ogruf. Pancke hat Ostubaf. Martinsen verneint, daß er mit diesem Vorgang etwas zu tun habe. Tatsächlich hat sich später herausgestellt, daß diese Erschießung auch von Ostubaf. Martinsen in die Wege geleitet wurde. Bei der gestrigen Besprechung habe Ostubaf. Martinsen zugegeben, das er Ogruf. Pancke belogen habe.

Am gleichen Tage bin ich zu Staf. Bovensiepen gegangen, dieser erklärte mir, er könne in dem Vorfall Martinsen keine Erklärung abgeben, da ihm die näheren Umstände bekannt wären. Außerdem machte er die Bemerkung, daß Ogruf. Pancke ihm die Andeutung gemacht habe, daß andere Motive zur Tat des Martinsen vorgelegen hätten.

Am gleichen Tage bin ich nochmals zu Ogruf. Best gegangen und habe ihm von dieser Besprechung Mitteilung gemacht. Ogruf. Best teilte mir mit, daß er gerüchtweise erfahren habe, daß der Erschossene von Eggers mit der Frau des Ogruf. Martinsen in näheren Beziehungen gestanden habe. Von diesem Umstand hat er mich jedoch, bevor mir Ogruf. Pancke dies selbst gesagt habe, keinen Gebrauch zu machen. Er schlug dann vor, daß eine Nachfrage wegen des Vorgangs beim Schalburg-Korps gehalten werden sollte.

Nach der Rückkehr des Ogruf. Pancke am 20.4. habe ich Ogruf. P[ancke] erklärt, daß nach den neuen Gesichtspunkten nun unbedingt von mir aus der Reichsführer-SS über das Hauptamt SS-Gericht unterrichtet werden müsse. Auf meine Anfrage, inwie-

---

137 Den 9. april 1944 blev socialdemokraten, lektor Jens Ibsen i Slagelse myrdet af Schalburgkorpset som gengæld for mordet på ægteparret Fischer (Monrad Pedersen 2000, s. 104, tillæg 3 her).

weit andere Motive zur Tat des M. vorgelegen haben könnten, teilte er mir mit, er wisse nicht Genaues, er habe hierüber nur gerüchtweise etwas von den beiden Schalburg-Korps-Angehörigen Spleth und T.I.P.O. Madsen gehört. Ogruf. Pancke beauftragte mich dann, in der Sache Eggers Vortrag bei Ogruf. Breithaupt zu halten wegen der Lüge im Falle Slagelse wollte Ogruf. Pancke persönlich einen Bericht an den Reichsführer machen.
    Den 28.4.1944.

G. Reincke
SS-Obersturmbannführer
und SS-Richter

74. Gottlob Berger an Günther Pancke 28. April 1944

Pancke henvendte sig i lighed med Best til Berger for at få omstødt beslutningen om at forsætte Bruno Boysen som leder af Germanische Leitstelle i Danmark. Berger var dog i sit svar ubøjelig, Boysen var uduelig, mente han, men var dog klar over, at han kunne have problemer med at få grev Karl Hubertus Schimmelmann udnævnt til Boysens efterfølger (Birn 1986, s. 295).
    Se endvidere Bests brev til Himmler 26. april 1944. Berger skrev det følgende brev til Rudolf Brandt direkte i forlængelse af dette brev.
    Kilde: BArch, NS 19/3647. RA, Danica 1000, T-175, sp. 128, nr. 592.334f. RA, pk. 443.

Chef des SS-Hauptamtes   *28.4.44*
CdSSHA/Be/We.   Geheim!
VS-Tgb. Nr. 2351/44 geh.
Adjtr-Tgb. Nr. 1104/44 geh.

Den Höheren SS- und Polizeiführer Dänemark
    SS-Obergruppenführer und General der Polizei
        Pancke
        Kopenhagen

Betrifft: Ablösung des SS-Sturmbannführers Boysen
Bezug: Dorts. FS vom 26.4.44 Nr. 188[138]

Lieber Pancke!
Ich habe Dein Fernschreiben Nr. 188 vom 26.4. d.Js. erhalten.
    Wir wollen den Tatbestand noch einmal herausstellen. Ich bin mit der Arbeit des SS-Sturmbannführers Boysen nicht zufrieden, weil er:
a.) überhaupt zu wenig gearbeitet hat,
b.) anscheinend nach seiner Veranlagung nicht in der Lage ist, Menschen für uns zu gewinnen,
c.) aus dem Schalburg-Korps entgegen allen Abmachungen etwas ganz anderes gemacht hat, als für die friedliche Durchdringung notwendig gewesen wäre.

---

138 Panckes fjernskrivermeddelelse er ikke lokaliseret.

Boysen hat es verstanden, seine Ablösung dadurch zu hintertreiben, daß er sich an den Beauftragten des Deutschen Reiches wandte – was schon eine wenig soldatische Haltung zeigt – und Letzterem erklärt, daß er durch eine kleine Clique, die gegen ihn gestänkert hätte, gefallen sei.

SS-Obergruppenführer Dr. Best und auch Du bitten nun, diese Ablösung herauszuschieben, da sonst die Autorität untergraben würde. Lieber Pancke, und meine Autorität?

Dazu kommt, daß bereits wieder ein Fernschreiben des SS-Obergruppenführers Dr. Best beim Reichsführer-SS einging.[139] Jedenfalls rief mich gestern SS-Standartenführer Dr. Brandt an.

Zu meinem Bedauern kann ich von dem festgelegten Termin nicht abgehen. Boysen hat zu diesem Zeitpunkt aus Dänemark zu verschwinden. Ich überstelle ihn dem SS-Führungshauptamt; ungehorsame Männer kann ich in meinem Hauptamt nicht gebrauchen. Ich habe ihn seinerzeit herübergeholt, weil ich ihn von früherer kannte und glaubte, weil er so schwer zusammengeschossen, Gelegenheit geben zu müssen, sich auf dem politischen Gebiet eine ganz besondere Stellung zu erringen. Er hat diese Chance nicht genützt, sich auf das Repräsentieren beschränkt, jedenfalls nicht auf die Arbeit verlegt. Es ist nun seine Schuld.

Auch wenn mir Graf Schimmelmann abgelehnt wird. Ich baue die Ersatz-Arbeit überhaupt nach anderen Grundsätzen neu auf. Nicht böse sein. Aber so ist es nun nicht, daß ich vor einem SS-Standartenführer kapituliere.

Heil Hitler!
Dein
gez. **G. Berger**
SS-Obergruppenführer

75. Gottlob Berger an Rudolf Brandt 28. April 1944

Berger forklarede Brandt, hvorfor han havde udset grev Karl Hubertus Schimmelmann som Bruno Boysens afløser som leder af Germanische Leitstelle i Danmark. Han anså Schimmelmann som den figur, der kunne samle de danske nazister igen. Til gengæld var han på det rene med, at det alene var Best, der stod bag modstanden mod Schimmelmanns kandidatur.

Når Berger kunne betragte Schimmelmann som en samlende figur for det nazistiske miljø, kan det kun tilskrives dårlig rådgivning og mangel på dømmekraft fra den eller de pågældendes side.

Se også Bests brev til Himmler 26. april 1944. Det blev ikke Schimmelmann, der afløste Boysen. Ny leder af Germanische Leitstelle fra 1. august blev SS-Sturmbannführer Dr. Kröger.

Kilde: RA, Danica 1000, T-175, sp. 128, nr. 35f. RA, pk. 443.

Chef des SS-Hauptamtes	28.4.44
CdSSHA/Be/We.	Geheim!
VS-Tgb. Nr. 2351/44 geh.	
Adjtr-Tgb. Nr. 1104/44 geh.	

139 Trykt ovenfor under 26. april 1944.

SS-Standartenführer Dr. Brandt
   Reichführer-SS Persönlicher Stab
   Berlin SW 11
   Prinz-Albrecht-Str. 8

Lieber Doktor!
Ich habe seinerzeit den Vorschlag, Schimmelmann als Nachfolger für Boysen einzusetzen, nur akzeptiert, weil Graf Schimmelmann in Dänemark einen sehr guten Ruf hat und bei der gesamten dänischen nationalsozialistischen Partei über ein großes Ansehen verfügt. Dabei gedacht, da die beiden doch miteinander verwandt – etwas Ähnliches wurde mir erzählt –, die allerbesten Verhältnisse geschaffen seien.

Es handelt sich – wie aus dem Fernschreieben an SS-Obergruppenführer Pancke ersichtlich – ja nur darum, ob man einen ungehorsamen SS-Sturmbannführer zur Raison bringt oder nicht. Des weiteren darum, daß SS-Obergruppenführer Dr. Best der Meinung ist, daß nur er und immer wieder nur er recht hat.

Die Entwicklung geht jetzt dahin, daß meine Arbeit zurzeit des Unterstaatssekretärs Luther zwar gehemmt war, aber vorangig, unter Führung des SS-Obergruppenführer Dr. Best aber keinen Schritt vorwärtskommt. Dieses hat mit den Verhältnissen und Spannungen gar nichts zu tun. Wenn man ernsthaft arbeitet – und das zeigen die Erfahrungen der Kampfzeit – bekommt man in den härtesten Zeiten die besten Mitglieder. Aber arbeiten muß man.

Heil Hitler!
Ihr
Berger
SS-Obergruppenführer

Amtsgruppe D zur Kenntnisnahme.

76. Joachim von Ribbentrop an Werner Best 29. April 1944

Ribbentrop sendte en af sine sjældne klare instrukser til Best. Det skete på baggrund af Hitlers ordre efter modtagelsen af Bests korte indberetning fra 1. april. Ribbentrop henviste direkte til Martin Bormanns videregivelse af ordren til Lammers af 6. april, som naturligvis var gået videre til bl.a. AA. Til gengæld var der ingen kommentarer til den øjeblikkelige krisesituation i Danmark eller Bests korte beretning 25. april, hvor det blandt alle problemerne blev konstateret, at landbrugseksporten forløb uhindret.

Best blev indskærpet, at den rigsbefuldmægtigede udelukkende havde ansvaret for opretholdelsen af en stabil dansk økonomi og en uforstyrret produktion. Værnemagten skulle inddrages mest muligt for at undgå forstyrrelser og tilbageslag ved egenmægtige beslaglæggelser, opkøb m.v.

Instruksen var et udtryk for den betydning, der på højeste sted i Berlin blev tillagt landbrugseksporten fra Danmark og i og med, at Best fik eneansvaret for dens uhindrede videreførelse, kunne det udlægges som en styrkelse af den rigsbefuldmægtigedes position. Kun militære interesser havde forrang. Sådan opfattede Best det givetvis selv, og det er givetvis en af nøglerne til forståelse af hans optræden, allerede før han modtog instruksen (han kendte allerede Hitlers ordre) og under de problemer, der ventede forude (Rosengreen 1982, s. 91).

Kilde: PA/AA R 29.568. RA, pk. 204. LAK, Best-sagen (afskrift).

Telegramm

Fuschl, den   29. April 1944   00.35 Uhr
Ankunft, den   29. April 1944   01.00 Uhr

Nr. 792 vom 29.4.44.   Geheimvermerk für Geheimsachen.

1.) Telko
2.) Diplogerma Kopenhagen
    Für Reichsbevollmächtigten persönlich.

Im Anschluß an Telegramm 367[140] vom 6. April und unter Bezugnahme auf dortseitiges Telegramm 460 vom 13.4.[141]

1.) Vordringlichster Warenbedarf Dänemarks, insbesondere an Eisen, wird geliefert werden. Näheres wird den dänischen Stellen durch des deutschen Regierungsausschuß zu gegebener Zeit mitgeteilt werden.
2.) Über Maßnahmen zur Beseitigung von Störungen dänischer Wirtschaft durch eigenmächtige Eingriffe deutscher Dienststellen in Dänemark durch Aufkäufe, Beschlagnahme, Schwarzkäufe, Zahlung überhöhter Preise und Löhne stattfand eingehende Besprechung mit OKW, Reichswirtschaftsministerium, Reichsfinanzministerium und Reichskommissar für Preisbildung, worüber Schrifterlaß folgt. Mit OKW, allgemeiner Wehrmachtsverwaltung, wurde vereinbart, daß auf strikter Durchführung "Steuerungserlasses" des OKW bestanden werden wird, ebenso, daß irgendwelche Eingriffe in die dänische Wirtschaft nur nach vorheriger Einholung Ihrer Zustimmung und genauester Abstimmung mit Ihnen erfolgen dürfen.
3.) Es steht Ihnen die letzte Entscheidung nicht nur in allen Fragen der politischen Führung zu, sondern auch hinsichtlich aller wirtschaftliche Maßnahmen, die zur Sicherstellung unserer wirtschaftlichen Interessen in Dänemark getroffen werden müssen. Damit fällt Ihnen die Verantwortung für die Aufrechterhaltung des ungestörten Ganges der dänischen Wirtschaft und ihrer Produktionskraft zu. Es ist unbedingt notwendig, daß Sie diese Grundsätze gegenüber allen deutschen Dienststellen in Dänemark eindeutig und konsequent vertreten. Soweit aus militärischen Gründen Beschlagnahmen, Aufkäufe usw. erfolgen müssen, dürfen diese Maßnahmen nur nach genauester Abstimmung mit Ihnen durchgeführt werden.

                                                                Ribbentrop

Vermerk:
Unter Nr. 459 an Diplogerma Kopenhagen weitergeleitet.
Telko, 29.4.44.

---

140 Ha Pol 1840 g. Telegrammet er ikke lokaliseret.
141 Telegrammet er ikke lokaliseret.

77. Rüstungsstab Dänemark: Lagebericht 30. April 1944

Forstmann undlod for april 1944 nogen som helst indledende kommentarer, men gik lige over til at opregne en række sabotager rettet mod tyske leverancer. Trods det var antallet af ordrer til dansk industri ikke påvirket, og der kunne også opregnes en række tilfredsstillende afleveringer. Takket være minimal, men fornøden tildeling af brændstof, kunne Hansaprogrammet videreføres.

Kilde: BArch, Freiburg, RW WI I E1: Dänemark og RW 27/15 og 23. RA, Danica 1000, T-77, sp. 696, KTB/Rü Stab Dänemark, 2. Vierteljahr 1944, Anlage 10.

Anlage 10

Rüstungsstab Dänemark *Kopenhagen, den 30. April 1944.*
ZA/Ia Az. 66dl/Wi-Ber. Nr. 264/44 geh.

Bezug: OKW Wi Rü Amt /Rü IIIb Nr. 21755/43 v. 9.5.42
Betr.: Lagebericht.

An den Reichsminister für Rüstung und Kriegsproduktion
– Rüstungsamt –
Berlin W 8
Unter den Linden 36.

Rü Stab Dänemark übersendet in der Anlage den Lagebericht für Monat April 1944.
Forstmann

Rüstungsstab Dänemark *Kopenhagen, den 30. April 1944.*
ZA/Ia Az. 66dl/Wi-Ber. Nr. 264/44 geh.

Vordringliches
Die laufende Fertigung wurde gestört durch:
1.) *Brand auf der Helsingör Werft.* Das Hansa-Programm wird dadurch etwa um 3 Monate verzögert werden. Die Fertigung der HF-Geräte wird nicht beeinträchtigt. Die Wiederaufbauarbeiten konnten durch sofortige Zurverfügungstellung von Eisen und Stahl seitens des Rüstungsstabes begonnen werden.[142]
2.) *Sabotage bei Fa. Carltorp, Kopenhagen.*
Hierher sind hauptsächlich Marine. Aufträge verlagert. Gesamtauftragsbestand D.Kr. 3.800.000,-. – Werkzeugmaschinen, Fertig- und Halbfertigfabrikate wurden unwesentlich beschädigt. Voraussichtliche Lieferungsverzögerung 6 Wochen.[143]
3.) *Sabotage bei Fa. Aage Sörensen, Kopenhagen.*
Auftragsbestand ca. D.Kr. 3.900.000,-. Die Fertigung ist nicht unterbrochen, da nur 10 % der Werkzeugmaschinen beschädigt sind.[144]

---

142 Der var sandsynligvis ikke tale om en sabotage på Helsingør Værft, men en tilfældig brand.
143 Se Rü Stab Dänemark 25. april 1944 vedr. sabotagen.
144 Se Rü Stab Dänemark 25. april 1944 vedr. sabotagen.

4.) *Sabotage bei Fa. A/S Atlas, Kopenhagen.*[145]
Hier hauptsächlich Marine-Aufträge. Gesamt-Auftragsbestand D.Kr. 2.250.000,-. Der Sachschaden ist sehr gering, Fertigungsausfall tritt nicht ein.[146]
Beim Brand eines Güterwagens durch Sabotage wurden Dansk Industri Syndikat für Fa. Elac, Kiel, gefertigte feinmechanische Teile vernichtet.[147]

1a. Stand der Fertigung

a.) *mittelbare und unmittelbare Wehrmachtaufträge (A-Aufträge):*	in RM
Gesamtverlagerung nach Dänemark vom 9.4.40-31.3.1944	521.175.416,-
Auftragsbestand am 29.2.44 an noch zu erledigenden Aufträgen	157.836.174,-
Wertveränderungen durch Auftragserhöhungen bzw. Auftragsermäßigungen im März 1944	– 524.594,-
	157.311.580,-
Auftragszugang im März 1944	14.856.278,-
	172.167.858,-
Auslieferungen im März 1944	10.423.687,-
Auftragsbestand am 31.3.44 an noch zu erledigenden Aufträgen	161.744.171,-
b.) *Aufträge des kriegswichtigen zivilen Bedarfs (C-Aufträge):*	
Gesamtverlagerung nach Dänemark vom 9.4.40-31.3.1944	72.799.256,-
Auftragsbestand am 29.2.44 an noch zu erledigenden Aufträgen	28.393.350,-
Wertveränderungen durch Auftragserhöhungen bzw. Auftragsermäßigungen im März 1944	– 296.089,-
	28.097.261,-
Auftragszugang im März 44	2.443.326,-
	30.540.587,-
Auslieferungen im März 44	3.185.092,-
Auftragsbestand am 31.3.44 an noch zu erledigen Aufträgen	27.355.495,-

Fertigungsablauf
Erwähnenswerte neue Verlagerungen
   132 100PS "M-Boote 42"
   120 dazugehörige Anhänger
   300 Entsäuchungsanhänger

---

145 Hele den danske presse fik ordre om at bringe meddelelsen om sabotagen mod maskinfabrikken "Atlas" sammen med beskeden om, at Svend Otto Nielsen var henrettet. Det skulle ske på forsiden 2-spaltet under hinanden i den angivne rækkefølge (*Udenrigsministeriets Pressebureaus ugentlige Meddelelser til Pressen*, Nr. 169, 29. april 1944).
146 Maskinfabrikken Atlas, Ndr. Fasanvej 235, København, blev udsat for sabotage 26. april. Der skete betydelig skade på produktionshallen, hvor der blev fremstillet kølemaskiner til værnemagten (RA, BdO Inf. nr. 34, 2. maj 1944, Alkil, 2, 1945-46, s. 1230).
147 Det drejede sig om en jernbanevogn, der stod på Østerport Station, København, indeholdende maskindele fra Dansk Riffel Syndikat bestemt for Tyskland. Vognen blev 13. april udsat for en brand (RA, BdO Inf. nr. 32, 14. april 1944).

1.000.000 Zündschrauben
80 Satz Rohrwagenteile 5 Gr. 86
160 Satz Protzenteile 5 Gr. 86
1 Dampfer von 5.000 to im Rahmen des Hansa-Programms auf Kiel gelegt.[148]

Bemerkenswerter Fertigungsverlauf
Die Ausbringung von Entseuchungsanhängern wird von 24 Stück monatlich auf 60 Stck. monatlich angestrebt.
 Die Fertigung von 600 Sende- und Empfangsanlagen des OKM bei M.P. Pedersen, Kopenhagen, kann hauptsächlich infolge Änderung der Konstruktion erst im Juni 1944 anlaufen.
 Die Herstellung des Gerätes Mondkalb (Funkmeßprogramm) bei Philips, Kopenhagen, ist mit einer kleinen Serie von 25 Stück monatlich angelaufen.
 Die für das Jägerprogramm in Dänemark beschäftigten Betriebe werden mit erhöhter Ausbringung in Juni/Juli 44 einsetzen.
 Die Auslieferung von Werkzeugmaschinen stockt erheblich wegen des Mangels an Kugellagern und Elektromotoren. Die Fertigstellung von Elektromotoren wird durch den schleppenden Eingang von Kugellagern, Dynamoblechen und Wicklungsdraht verzögert.
 In den Waffen- und Munitionsarsenalen schreitet der Hallenumbau für die aufzunehmende Fertigung von Seitenantrieben und Seilenwinden (Panzer-Programm) fort.

Hervorzuhebende Auslieferungen
Maschinen für die Zementfabrikation   D.Kr.   600.000,-
Generatoren   D.Kr.   900.000,-
Arbeiten an Schiffsneubauten   D.Kr. 3.500.000,-

Energieversorgung
Auf dem Gebiete der Energieversorgung sind Schwierigkeiten nicht aufgetreten.

1c. Versorgung der Betriebe mit Roh- und Betriebsstoffen
Der deutsche Lieferungsrückstand an Eisen und Stahl betrug am 29.2.44 – 12.933 t, d.h. 1.617 t weniger als am 31.1.44. für NE-Metalle ist der Lieferungsrückstand 206 t, mithin 54 t mehr als im Vormonat.
 Nach Aufhören der bestellrechtfreien Abgabe von Blechen stocken die Zulieferungen, da bisher nur ein kleiner Teil der Bestellrechte eingegangen ist. Bei sicheren Rückstattungs-Zusagen konnte Rü Stab Dänemark aus seinem Vorschußkontingent aushelfen. Für die Abgeltung der dänischen Ansprüche aus der Übergangsregelung zu E I 8 ist beim Planungsamt am 6.4.44 ein Überbrückungskontingent von 775 t Bestellrecht B beantragt worden. Darüber hinaus schweben Verhandlungen mit Firmen und Kontingentsträgern bezügl. Nachkontingentierung für die laufende Fertigung und Ergänzung der Läger. Da den dänischen Firmen keine Vorräte mehr zur Verfügung stehen,

---

148 Helsingør Værft afleverede 3. marts 1944 "S/S Friedrichshafen" (Frederichsen 1984, s. 130).

wird die Bevorschussung von Material für die erteilten Verlagerungs-Aufträge in keinem nennenswerten Umfang mehr möglich sein. Die Beschleunigung der Fertigung kann nur noch durch Abgabe von Material aus den hiesigen deutschen Bereitschaftslägern erreicht werden.

2b. Lage der Treibstoffversorgung

Es wurden 145 t Dieselöl und 2.770 ltr. Benzin zugewiesen, davon 130 t Dieselöl für das Hansa-Programm.

Mit der Zuweisung von 500 t Dieselöl und 3.000 ltr. Benzin für das Hansa-Programm ist vorläufig der dringendste Bedarf gedeckt.

2c. Lage der Kohlenversorgung

Im Monat März 1944 wurden eingeführt:

Kohle *)	216.400 t	(Februar 44 ...	201.500 t)
Koks	45.100 t	–	28.700 t)
Sudetenkohle	12.600 t	–	7.200 t)
Braunkohlenbriketts	45.000 t	–	40.000 t)
insgesamt:	319.100 t	–	277.400 t)

*) Vor obiger Kohlenmenge entfallen auf die dänischen Staatsbahnen 45.800 t (Febr. 42.200 t).

Schwierigkeiten in der Kohlenversorgung, insbesondere der Versorgungsbetriebe, sind nicht aufgetreten.

MAJ 1944

78. Politische Informationen für die deutschen Dienststellen in Dänemark 1. Mai 1944

Genoptagelsen af sabotagen og mordet på Bests chauffør havde ifølge Best en kort tid brudt den absolutte ro, som havde præget Danmark de foregående to måneder. Det var uundgåeligt, at de strenge forholdsregler, der af den grund var indført, herunder brug af henrettelser som svar på sabotage, påvirkede situationen i Danmark. Sabotagen var døet hen, lige så hurtigt som den var flammet op. Best fastholdt billedet af den overvejende normalitet; dansk økonomi arbejdede fortsat støt og stigende for tyske interesser, og den fyldige information om det tyske mindretal, *Nordschleswigsche Zeitung* og de tyske børnehjem i Danmark demonstrerede, at besættelsesmagten i øvrigt ikke vaklede i sin politiske kurs. Afsnittet med "Fjendtlige stemmer" er kortere end vanligt, men til gengæld for en gang skyld kommenterende, idet Best ville have den positive virkning af sin nyhedsblokade over for Sverige fra 22. april demonstreret.

Kilde: PA/AA R 100.357. RA, pk. 237. RA, Centralkartoteket, pk. 680.

Der Reichsbevollmächtigte in Dänemark   *Kopenhagen, den 1. Mai 1944.*
                                                Nur für den Dienstgebrauch!

P o l i t i s c h e   I n f o r m a t i o n e n
für die deutschen Dienststellen in Dänemark.

Betr.: I. Die politische Entwicklung in Dänemark im April 1944
        II. Mitteilungen aus der Außenpolitik.
        III. Mitteilungen aus der Wirtschaft.
        IV. Mitteilungen aus der Deutschen Volksgruppe in Nordschleswig.
        V. Die "Nordschleswigsche Zeitung" – die deutsche Tageszeitung in Dänemark.
        VI. KLV-Lager und Wehrertüchtigungslager in Dänemark.
        VII. Feindliche Stimmen über Dänemark.

I. Die politische Entwicklung in Dänemark im April 1944
1.) In der ersten Hälfte des Monats April 1944 war Lage in Dänemark weiter wie in den vergangenen Monaten – absolut ruhig. Insbesondere ist der 9. April – der 4. Jahrestag der Besetzung Dänemarks, für den nach vorliegenden Nachrichten gewisse Störungen erwartet werden konnten, – im ganzen Lande ohne Demonstrationen und Zwischenfälle verlaufen.

Um den 20. April begann plötzlich die illegale Tätigkeit mit Sabotageakten, Terror-Morden gegenüber angeblichen "Stikkern" (Spitzeln) und versuchtem Waffenraub an deutschen Soldaten wiederaufzuleben. Es erschien deshalb angebracht, diese Versuche durch schnelle und scharfe Maßnahmen im Keime zu ersticken.[1]

Zunächst wurde unmittelbar nach einem versuchten Waffenraub an einem Oberfeldwebel, der hierbei schwer verletzt wurde, ein 20-jähriger Student, der wegen einer ähnlichen Handlung von einem Kriegsgericht zum Tode verurteilt worden war, nach

---

[1] Se telegram nr. 509, 24. april 1944.

Ablehnung der an sich in Erwägung gesogenen Begnadigung durch den Wehmachtbefehlshaber sofort hingerichtet.

Die deutsche Polizei führte mehrere umfangreiche Festnahmeaktionen und Großrazzien durch.[2]

Der Reichsbevollmächtigte ordnete eine vorläufige totale Verkehrs- und Nachrichtensperre gegenüber Schweden an.[3] (Daß diese ihren Zweck voll erfüllte, beweist die folgende Feststellung in einem illegalen Flugblatt "Hjemmefronten" vom 26.4.1944: "Das Ausland soll nicht wissen, was hier vorgegangen ist und was noch an deutschen Schandtaten hier im Lande vorgehen wird. Wir sollen auch selbst hierüber nichts erfahren. Deshalb ist die Verbindung zwischen Schweden und Dänemark abgebrochen und der schwedische Rundfunk kann in diesen Tagen keine Mitteilungen aus Dänemark bringen.")

In Gross-Kopenhagen wurden bis auf weiteres alle Lichtspieltheater geschlossen, weil in einigen Fällen von illegalen Kräften deutsche Filme geraubt und eigene Demonstrationen versucht worden waren.[4]

2.) Um eine schnelle und einheitliche Aburteilung von Straftaten, die deutsche Interessen berühren, zu ermöglichen, erließ der Reichsbevollmächtigte die folgende Verordnung über die Erweiterung der Zuständigkeit des SS- und Polizeigerichts XXX in Kopenhagen vom 24.4.1944:

[gengivet i Bests telegram nr. 510, 24. april 1944]

3.) Da nach dem bisher von den deutschen Gerichten in Dänemark angewendeten deutschen Recht der Besitz von Schußwaffen und Kriegsgerät nicht mit dem Tode bestraft werden konnte, erließ der Reichsbevollmächtigte die folgende Verordnung über den Besitz von Schußwaffen und Kriegsgerät vom 25.4.1944.

[gengivet i Bests telegram nr. 515, 25. april 1944]

4.) Um die illegalen Kräfte und die Bevölkerung des Landes vor den Folgen einer Fortsetzung illegaler Handlungen zu warnen, empfing der Reichsbevollmächtigte am 24.4.1944 die Chefredakteure der dänischen Presse und machte vor ihnen die folgenden Ausführungen, die am 25.4.1944 in der gesamten dänischen Presse unter der Überschrift "Scharfe Maßnahmen für Ordnung und Sicherheit in Dänemark" veröffentlicht wurden.[5]

[gengivet i Bests telegram nr. 524, 24. april 1944]

5.) Die Wirkung aller von deutscher Seite getroffenen Maßnahmen war durchschlagend. So schnell, wie die Widerstandsversuche aufgeflammt waren, hörten sie wieder auf. Einzelne Fälle von Sabotage, die in den letzten Apriltagen noch stattfanden, wurden gemäß den Warnungen des Reichsbevollmächtigten schnell und hart gesühnt.

---

2 Se Bests telegram nr. 523, 25. april 1944.
3 Se Bests telegram nr. 523, 25. april 1944.
4 Se Bests telegram nr. 523, 25. april 1944.
5 Trykt på dansk hos Alkil, 2, 1945-46, s. 872f.

6.) In der laufenden Arbeit der deutschen Sicherheitspolizei sind auch im Monat April 1944 gute Erfolge erzielt worden. Es wurden festgenommen

wegen Sabotageverdachts   52   Personen
wegen Spionageverdachts   21   Personen
wegen illegaler Tätigkeit   280 Personen
(Kommunismus und nationale Widerstandsgruppen).

7.) Die Befestigungsarbeiten in Jütland werden planmäßig fortgesetzt.

II. Mitteilungen aus der Außenpolitik
Im April hat der ungarische Gesandte von Kristoffy – zunächst als Geschäftsträger – seine Tätigkeit in Kopenhagen aufgenommen.

III. Mitteilungen aus der Wirtschaft
1.) Landwirtschaft
In den deutsch-dänischen Regierungsausschußverhandlungen im April wurden u.a. auch die Lieferungen an Fleisch und Butter für die *zweite* Hälfte des fünften Kriegswirtschaftsjahres durch Sachverständige erörtert. Bei Fleisch wird mit einer Gesamtausfuhrmenge gerechnet, die etwa 25 % über der im gleichen Zeitraum des vergangenen Wirtschaftsjahres gelieferten Fleischmenge liegt. Bei Butter hängt die Ausfuhrmenge wesentlich von der Witterung insbesondere im Vorsommer ab.[6]

Der Stand der Wintersaaten ist im allgemeinen gut. Auswinterungen sind trotz der großen Temperaturunterschiede von Anfang April nicht im großen Umfange zu verzeichnen. Die Frühjahrsbestellung ist bis auf einen Teil der Hackfrüchte im großen und ganzen beendet.

Die diesjährige Frühjahrszählung der Haustierbestände zeigt gegenüber der gleichen Zählung des Vorjahres eine Steigerung der Bestände bei allen Tierarten. Der gesamte Rindviehbestand ist etwa 7 % gestiegen. Der Pferdebestand zeigt eine geringe Zunahme von etwa 1,5 %. Leider hat sich der Bestand an Legehühnern um 45 % erhöht. Da das Geflügel von allen Haustierarten das Futter am schlechtesten verwertet, werden Maßnahmen erwogen, um den Bestand zu reduzieren. Die letzte Schweinezählung vom 25.3.1944 zeigt wieder einen geringen Anstieg.

Bemerkenswert ist, daß das Schlachtgewicht der Schweine in den letzten Monaten zurückgegangen ist. Seit dem Höhepunkt im Monat November 1943 mit einem Durchschnittsgewicht, von 102 kg ist das Schlachtgewicht jetzt auf 85 kg zurückgegangen. Nach dem katastrophalen Rückgang der Schweinehaltung in den Jahren 1941/42 war ab Ende 1942 wieder ein Anstieg im Schweinebestand erfolgt, der aber im Verhältnis zur vorhandenen Futtermittelmenge zu stark gewesen ist. Daraus erklärt sich auch der Rückgang des Schlachtgewichts. Das vorhandene Futter reicht nicht aus, die Schweine in der früheren Höhe auszumästen. Diese Tatsache ist bereits seit längerem erkannt. Eine Erhöhung der Schweinepreise hätte an dem Rückgang des Schlachtgerichts nichts ändern können, höchstens wäre diese Erhöhung zu Lasten der Buttererzeugung ge-

---

6 Om indholdet af aprilmøderne, se Jensen 1971, s. 236-238 og Nissen 2005, s. 228.

gangen. Es ist aber in Interesse einer weiteren ruhigen und nach Möglichkeit noch zu steigernden Produktion der dänischen Landwirtschaft wichtig, daß an dem bisherigen Verhältnis zwischen den einzelnen landwirtschaftlichen Produktionszweigen so wenig wie möglich geändert wird.

2.) Warenversorgung
Dänemarks Wirtschaft – sowohl Landwirtschaft wie gewerbliche Wirtschaft – dient heute nach Befriedigung des Eigenbedarfs fast ausschließlich dem Reich. Neben der kriegswichtigen Ausfuhr landwirtschaftlicher Produkte werden in Dänemark in steigendem Umfange Verlagerungsaufträge für die Rüstungswirtschaft des Reiches durchgeführt. Außerdem werden laufend erhöhte Anforderungen für die Befestigungsarbeiten in Jütland an die dänische Wirtschaft gestellt. Die Inganghaltung der dänischen Wirtschaft liegt deshalb in steigendem Masse im deutschen Interesse.

Wenn in den vergangenen Jahren und besonders im letzten Jahre die Ausfuhr vor allem von Nahrungsmitteln Dänemarks nach Deutschland sich stark aufwärts entwickeln konnte, so lag der Grund im wesentlichen in der damals noch besseren Versorgung des Landes mit Rohstoffen und Halbfertigfabrikaten. Die Einfuhren Dänemarks aus Deutschland sind aber auf wichtigen Warengebieten in der letzten Zeit so erheblich zurückgegangen, daß die Inganghaltung der dänischen Wirtschaft und die Aufrechterhaltung des gesteigerten Produktionsstandes ernstlich bedroht ist. Wenn z.B. Dänemark einen friedensmäßigen Monatsverbrauch von ca. 43.000 t Roheisen hatte und in der letzten Zeit monatlich nur 5.000 t Eisen bezog, so geht daraus hervor, daß diese Menge nicht ausreichen kann, um auch nur den dringendsten Bedarf zur Herstellung oder Reparatur landwirtschaftlicher und industrieller Maschinen, zur Reparatur der Verkehrsmittel usw. zu decken. Hinzu kommt, daß auch die Einfuhr von Eisenwaren völlig ungenügend ist, und den notwendigsten Bedarf nicht befriedigt. So stellen z.B. die erhöhten landwirtschaftlichen Ausfuhren nach Deutschland erhöhte Anforderungen an Verpackungsmaterial (Bandeisen und Nägel), das heute nur in so unzureichendem Masse zur Verfügung gestellt werden kann, daß bereits zeitweilig die Exporte nach Deutschland ins Stocken geraten sind. Auf der anderen Seite werden an die dänische Wirtschaft in immer steigendem Umfange Anforderungen auf Zurverfügungstellung von Einfuhrwaren gestellt, die für dringende militärische Zwecke benötigt werden.

Soll der Produktionsstand der dänischen Wirtschaft gesichert bleiben, so müssen die Einfuhren aus Deutschland, insbesondere von Eisen, Stahl und Eisenwaren, Kautschuk, Düngemitteln und Arbeiterbekleidung soweit erhöht werden, daß der dringendste innerdänische Bedarf gedeckt wird. Entsprechende Maßnahmen sind eingeleitet.[7] Es muß weiter Vorsorge getroffen werden, daß diese der dänischen Wirtschaft zugeführten Mangelwaren dem inländischen Bedarf vorbehalten bleiben.

3.) Außenhandel
Der Außenhandel Dänemarks im Jahre 1943 ist charakterisiert durch das Ansteigen der Warenausfuhr. Diese hat sich während des abgelaufenen Jahres von 1.053,4 Mill.

---

7 Se Ritters notat 21. april 1944, trykt ovenfor.

d.Kr. auf 1.298,1 Mill. d.Kr., also um mehr als ein Viertel des Wertes im Jahre 1942 erhöht. Demgegenüber ist die Einfuhr mit 1.226,1 Mill. d.Kr. jener vom Jahre 1942 mit 1.209,8 Mill. d.Kr. ungefähr gleich geblieben. Mengenmäßig wies der Warenverkehr im Jahre 1943 die gleichen Verhältnisse auf wie auf der Wertseite, da Preiserhöhungen während des letzten Jahres nur in geringem Umfang stattgefunden haben.

Wie in den vorausgegangenen drei Jahren war auch im Jahre 1943 Deutschland der wichtigste Handelspartner Dänemarks. Es ist an der Einfuhr und an der Ausfuhr wert- und mengenmäßig mit rund drei Vierteln der Gesamtsummen beteiligt gewesen. Die Ausfuhr, welche sich in der Hauptsache auf der Grundlage des Vorjahres vollzog, bestand überwiegend aus landwirtschaftlichen Erzeugnissen aller Art einschließlich Fischen. Die Einfuhr aus Deutschland ist gegenüber dem Vorjahr zwar gleichfalls ziemlich unverändert geblieben, zeigte jedoch hinsichtlich ihrer Zusammensetzung gewisse Änderungen.

In das restliche Viertel des Einfuhr- und Ausfuhrvolumens teilten sich außer den von Deutschland besetzten Gebieten die übrigen Länder. Mit 13 von ihnen hat Dänemark einen durch periodisch erneuerte Halbjahresabkommen geregelten Waren- und Zahlungsverkehr unterhalten, während mit anderen der Handelsverkehr sich auf der Grundlage von privaten Kompensationsgeschäften vollzogen hat. Sowohl die Abkommen als auch die Kompensationsgeschäfte unterlagen der deutschen Prüfung und Genehmigung, da das Reich in diesem gelenkten Warenaustausch eine Ergänzung seiner auf Gesamteuropa abgestellten Wirtschaftsbestrebungen erblickt.

4.) Schiffahrt
Der Reichsbevollmächtigte hat am 17.4.1944 für kriegsnotwendige Zwecke der deutschen Kriegsmarine die folgenden dänischen Schiffe beschlagnahmt:[8]
    D. "Aarhus"
    D. "A.P. Bernstorff"
    D. "M.G. Melchior"[9]
    M/S "Vistula"
    M/S "Isefjord."

IV. Mitteilungen aus der deutschen Volksgruppe in Nordschleswig
Die Arbeit der deutschen Volksgruppe in Nordschleswig ist – abgesehen von den Maßnahmen, die unmittelbar der Festigung und Stärkung ihres Bestandes dienen, – vom Kriegseinsatz geprägt. Dabei ist es besonders in der zweiten Hälfte des Jahres 1943 und im Jahre 1944 – u.a. in Verbindung mit der Errichtung des Kontors der Deutschen Volksgruppe beim Staatsministerium – immer stärker möglich geworden, die Volks-

---

8 Der er ikke lokaliseret en indberetning til AA om de fem beslaglæggelser, men det er muligvis sket med den indberetning af 18. april, som Best henviser til i indberetningen til AA 6. maj.
9 "M.G. Melchior" var udset til lazaretskib, men viste sig ganske uegnet, hvorfor "Aarhus" skulle bruges til formålet i stedet. "M.G. Melchior" skulle da leveres tilbage, hvis den ikke kunne bruges til transport af torpedoer. I forståelse med Duckwitz skulle MS "Aalborghus" beslaglægges som målskib. Det fremgår af en skrivelse fra Admiralquartiermeister 28. april 1944 (trykt ovenfor), så *Politische Informationen* 1. maj 1944 var allerede forældet, da den blev sendt til de tyske tjenestesteder (BArch, Freiburg, RM 7/1813. RA, Danica 628, sp. 7, nr. 5843). "M.G. Melchior" blev givet tilbage til rederiet 13. maj (sst. sp. 6, nr. 4301).

gruppe der Reichspolitik in Dänemark unmittelbar nutzbar zu machen.

Vom Standpunkt der Reichspolitik aus ist die Volksgruppe als positiver Ansatzpunkt für die Gestaltung des deutsch-dänischen Verhältnisses zu werten. Ihre Bedeutung kann demgemäß nicht an ihrer Größe schlechthin gemessen werden, sondern ist in dem Standort – an der Nahtstelle zweier germanischer Völker – begründet. Die Erfahrungen, Kenntnisse und Einsichten, die sich dort aus dem Zusammenleben der Volksdeutschen mit den Dänen ergeben, sind für die Belange des Reiches einzusetzen. Damit greift die Arbeit der Volksgruppe aus dem engeren Bereich der Volkstumsprobleme unmittelbar in die Gesamtgestaltung des deutsch-dänischen Verhältnisses hinüber.

Dieser Tatsache hat die Volksgruppe auch auf dem Gebiet der politischen Aufklärungsarbeit sowohl nach innen als auch nach außen Rechnung getragen. Dabei können die folgenden Punkte, herausgestellt werden:

1.) Das Schulungsamt der NSDAP-Nordschleswig gibt im Winter monatlich, im Sommerhalbjahr je nach Bedarf Schulungsbriefe heraus, die allen Ortsgruppen zur Durcharbeitung zugeleitet werden. In diesen Schulungsbriefen wird die allgemeine politische Linie festgelegt und insbesondere die Reichspolitik zur Volksgruppenarbeit in Beziehung gesetzt. Auf die Verarbeitung umfangreichen Materials wird in diesen Briefen verzichtet, dagegen aber verlangt, daß die inhaltlich stark zusammengefaßten Darlegungen auch tatsächlich in sämtlichen Ortsgruppen verarbeitet werden. Auf diese Weise sollen die Schulungsbriefe zunächst die Partei innerhalb der Volksgruppe nach einheitlichen und klaren Gesichtspunkten ausrichten. Der letzte Schulungsbrief befaßt sich mit der politischen Entwicklung in Dänemark unter Darlegung des Schwebezustandes, der nach dem 29. August 1943 geschaffen worden ist.

2.) In gewissen Abständen werden die politischen Redner zusammen mit den Kreisschulungsleitern und Pressevertretern zu Tagungen zusammengezogen, um auch auf diese Weise eine Abstimmung und planmäßige Lenkung des Einsatzes zu gewährleisten, und um zugleich taktische Einzelfragen zu besprechen.

3.) Eine Isolierung der Volksgruppe von der übrigen Bevölkerung wird abgelehnt. Die Volksgruppe sieht vielmehr ihre Aufgabe darin, mit der dänischen Bevölkerung soweit irgend möglich in Kontakt zu bleiben. Die Möglichkeiten einer Aufklärung von Mann zu Mann müssen ausgenützt werden.

Bei dieser Sachlage ist es nicht möglich, die ausländische Propaganda wie im Reich totzuschweigen. Man hat vielmehr davon auszugehen, daß die dänische Bevölkerung von der ausländischen Propaganda erfaßt wird, sodaß die Volksgruppe den Kampf mit dieser Propaganda aufnehmen und ihre Redner entsprechend schulen muß. Diesem Zweck dienen u.a. auch die Rednerschulungstagungen.[10]

4.) Während von den sogenannten Gemeinschaftsabenden und Kundgebungen in erster Linie die Angehörigen der Volksgruppe selbst erfaßt werden, bemüht man sich auch auf besonderen Veranstaltungen an andere Kreise heranzukommen. Dabei geht es einmal darum, sogenanntes verschüttetes oder verdecktes Deutschtum wieder zu aktivieren und deutschfreundlichen dänischen Kreisen, die auf sich selbst gestellt

---

10 Her benyttede Best endnu engang lejligheden til at fremlægge sit syn på, hvordan den fjendtlige propaganda skulle imødegås. Han havde uddybet det i *Vertrauliche Tagesinformation* 11. april og gjorde det igen i *Politische Information* 1. juni 1944, afsnit V.

unter Umständen verkümmern, einen Rückhalt zu geben. Hier setzt die sogenannte Leergebietsarbeit ein, für die aber auch kein allgemeines Schema herausgestellt werden kann, sondern die jeweils den örtlichen Verhältnissen angepaßt werden muß. Als wichtiges Hilfsmittel hat sich der Tonfilm erwiesen, der aber immer nur in Verbindung mit einem Redner eingesetzt wird. Neben Rede und Film ist immer genügend Zeit für eine persönliche Fühlungnahme vorzusehen. An verschiedenen Orten ist es dabei nötig, sich der plattdänischen Sprache zu bedienen.

5.) Da die dänische Bevölkerung durch die dänische Presse über die politische Linie der Volksgruppe nicht oder zum mindesten doch unzureichend oder entstellt unterrichtet wird, hat die Volksgruppe – anknüpfend an Erfahrungen aus dem Wahlkampf 1939 – mit Unterstützung des Reichsbevollmächtigten ein kleines dänisches Blatt "Paa Broen" (Auf der Brücke) herausgegeben, das als Postauflage an 55.000 Haushaltungen in Nordschleswig zum Versand gelangt ist. Das Blatt enthält politische Artikel, die durch Beiträge über Henrik Steffens und H.C. Andersen sowie durch einen Feuilleton und ein politisches Gespräch aufgelockert sind. Unter den Verfassern befinden sich auch zwei Dänen, die sich für die Mitarbeit zur Verfügung gestellt habend. Eine zweite Nummer wird sich vorwiegend mit wirtschaftspolitischen Fragen befassen.[11]

V. Die "Nordschleswigsche Zeitung" – die deutsche Tageszeitung in Dänemark
Die "Nordschleswigsche Zeitung", die in Apenrade erscheint, ist die einzige deutsche Tageszeitung in Dänemark. Ihre Auflage, die bisher ausschließlich in Nordschleswig benachbarten Bereichen abgesetzt wurde, hat sich in den letzten 6 Jahren von 4.200 auf über 13.000 erhöht.

Da seit einiger Zeit durch die Vermehrung der deutschen Truppen in Dänemark das Bedürfnis nach einer deutschen Tageszeitung – wie solche in den anderen besetzten Ländern neu gegründet wurden – entstanden war, entschloß sich der Reichsbevollmächtigte, dieses in Dänemark bodenständige Blatt über den Volksgruppenbereich hinaus in ganz Dänemark stärker einzusetzen, und zwar sowohl als Informationsblatt für alle Deutschen im Lande, wie auch für die Truppenbetreuung und nicht zuletzt als politisches Sprachrohr, das sich auch an die dänische Bevölkerung wendet. Auf Veranlassung des Reichsbevollmächtigten werden nunmehr die folgenden Maßnahmen durchgeführt:[12]

1.) Die Zeitung, die bisher mittags erschien, wird auf Nachtbetrieb umgestellt, sodaß sie als Morgenzeitung erscheinen und voraussichtlich schon am Mittag des Erscheinungstages in Kopenhagen zur Verteilung kommen kann. Gleichzeitig wird damit die Zustellung der Zeitung für das gesamte übrige Land grundlegend verbessert. Die Beschaffung der für diesen Plan zusätzlich erforderlichen Maschinen ist inzwischen gelungen. Diese Umstellung bedeutet auch nachrichtenmäßig einen Gewinn, da die wichtigsten politischen und militärischen Meldungen aus Berlin durch den sogenannten "Dienst aus Deutschland" ("D.a.D.") bereits abends vorliegen. Dasselbe

---

11 Kassler orienterede med nogen forsinkelse AA 13. maj på den rigsbefuldmægtigedes vegne om dette initiativ (trykt ovenfor).
12 Se hertil Hvidtfeldt 1953, s. 74f. og Bests redegørelse 15. december 1947 (PKB, 14, nr. 176), samt Thomsen/Søllinge 1991, s. 649-652.

gilt für den Wehrmachtsbericht, der auf diese Weise ebenfalls früher zur Veröffentlichung gelangt.
2.) In Kopenhagen wird eine Dienststelle der Zeitung für einen "Kopenhagen-Dienst" eingerichtet.
3.) Soweit die Zeitung zur Verteilung an die deutschen Truppen in Dänemark gelangt, erhält sie eine tägliche Wehrmachtsbeilage, die von einem nach Apenrade abgestellten Presseoffizier geleitet werden soll. Durch die Verteilung an die Truppen wird sich die Auflage des Blattes auf über das Doppelte der bisherigen Zahl erhöhen.
4.) Der Umfang der Zeitung soll so erweitert werden, daß täglich mindestens 8, zeitweise auch 10 Seiten im Großformat herauskommen. Sobald die technischen Vorbereitungen – u.a. die zusätzliche Beschaffung von Papier – endgültig abgeschlossen sind, werden die Neuerungen unverzüglich in Kraft gesetzt. Damit wird die deutsche Zeitung in Dänemark als ein zugleich deutsches und bodenständiges Organ geschaffen, das schnelle Berichterstattung mit besonderer Kenntnis und Berücksichtigung der Verhältnisse im Lande verbinden wird.

VI. KLV-Lager und Wehrertüchtigungslager in Dänemark
1.) KLV-Lager
Die erweiterte Kinderlandverschickung begann in Dänemark im Juni 1942. Das erste Lager mit 60 Pimpfen aus Berlin war im Landschulheim der Deutschen St. Petri-Schule in Lumsaas auf Seeland untergebracht. Mitte Juli 1942 wurde dieses Lager in die Deutsche Jugendherberge am Knivsberg in Nordschleswig verlegt.

Bis zum Monat Juni 1943 waren die weiteren Vorbereitungen so weit gediehen, daß am 21.6.1943 sieben Jungenlager auf Seeland – in Fakse Ladeplads, Raageleje, Ölsted, Kregme (2) und Rödvig – in Nordschleswig Bredebro und Randershof und 6 Mädellager in Rungsted, Humlebäk (2), Snekkersten (2) auf Seeland und in Apenrade (2) bezogen werden konnten. Die Häuser bzw. Anwesen wurden von der dänischen Zentralverwaltung angekauft und zu günstigen Bedingungen an die KLV vermietet.

Insgesamt weilten im Jahre 1943 1.000 Pimpfe und Jungmädel aus den Städten Berlin, Hamburg, Duisburg, Essen, Düsseldorf, Oberhausen, Bremen, Osnabrück und Wesermünde für die Dauer von 7 Monaten in Dänemark. Am 12. Januar 1944 erfolgte die Rückführung dieser Pimpfe und Jungmädel.

Im Herbst 1943 wurden einige Objekte, die sich nur für den Sommeraufenthalt eigneten, aufgegeben und festere gemietet. Neue Objekte kamen noch hinzu, sodaß insgesamt 21 Lager, zur Vorfügung stehen, von denen 20 z.Zt. belegt sind. Die Neubelegung aus den Städten Hannover, Braunschweig, Berlin und Hamburg erfolgte in den Monaten Januar und Februar. Es befinden sich im Augenblick 998 Pimpfe und Jungmädel in nachfolgend aufgeführten Lagern:

DK	1	DJH	Knivsberg	Nordschl.	Berliner Pimpfe
DK	2	Villa Laiman	Apenrade	–	Hamburger Jungmädel
DK	3	Lensnack	Apenrade	–	–
DK	4	Krug	Bredebro	–	Hamburger Pimpfe
DK	6	Hotel Udsigten	Fakse Ladeplads	Seeland	Hannover Pimpfe

DK 8	Villa Bel Colle	Rungsted	–	Hannover Jungmädel
DK 9	Strandhöj	Humlebäk	–	Berliner Jungmädel
DK 10	Tjörnebakken	–	–	Hannover Jungmädel
DK 12	Gratia	Snekkersten	–	Berliner Jungmädel
DK 13	Badehotel	Raageleje	–	Berliner Pimpfe
DK 14	Öregaard	Ölsted	–	Berliner Pimpfe
DK 15	Badehotel	Kregme	–	Berliner Pimpfe
DK 17	Trepilelaagen	Springforbi	–	Hannover Jungmädel
DK 18	Henriksholm	Vedbäk	–	Hannover Pimpfe
DK 19	Barford	Sletten	–	Brschwg. Pimpfe
DK 20	Nörrevej	Snekkersten	–	Brschwg. Pimpfe
DK 21	Ellekildegaard	Aalsgarde	–	Hannover Pimpfe
DK 22	Höjgaard	Bagsvärd	–	Hannover Jungmädel
DK 23	Rinkinis	Rinkinis	Nordschl.	Hamburger Pimpfe
DK 24	Lügumkloster	Lügumkloster	–	Hamburger Pimpfe

Die Rückführung dieser Lagerteilnehmer soll Ende Juli 1944 erfolgen und die Neubelegung bis zum 15. August 1944 durchgeführt sein.[13]

2.) Wehrertüchtigungslager
Im Januar 1944 reisten 189 Hitlerjungen aus dem nördlichsten Teil Schleswig Holsteins über Flensburg nach Kopenhagen an. Hier lief der 1. Lehrgang der Wehrertüchtigung Heer vom 9. bis 30. Januar.

Da die Geländeverhältnisse um Kopenhagen ungünstig waren und die Ausbildung der Lagerteilnehmer erschwerten, wurde das Lager in die Brokmannskole in Köge verlegt. Dort wurden bisher in der Zeit vom 6. bis 27.2. der zweite Lehrgang mit 182 Teilnehmern, vom 5. bis 26.3. der dritte Lehrgang mit 187 Teilnehmern und vom 2. bis 23.4. der vierte Lehrgang mit 192 Teilnehmern durchgeführt.

Es ist beabsichtigt, ein zweites WE-Lager in dem Ort Ringe auf Fünen zu errichten, das mit Hamburger Hitlerjungen beschickt worden soll.[14]

Zwei WE-Lager Marine werden am 30.4. bezogen, und zwar eines auf Bornholm (Hotel Strandslottet) – Anreise von Saßnitz/Rügen aus direkt – und das andere in Holbäk auf Seeland über Warnemünde. Die Belegstärke je Lager beträgt etwa 200 Hitlerjungen.

Nach der Beendigung des zweiten Lehrgangs des WE-Lagers in Köge hat der Lagerleiter einen Erfahrungsbericht über die Haltung der Bevölkerung erstattet, aus dem die folgenden Sätze hier wiedergegeben werden:

"Wenn es zu Anfang überhaupt nicht vorkam, daß ich oder einer meiner Unteroffiziere oder meine Jungen gegrüßt wurden, so ist dies schon lange keine Seltenheit mehr. Ja, ich kann sogar feststellen, daß selbst Marschgruppen meines Lagers von uns völlig unbekannten dänischen Zivilisten gegrüßt werden. Dies sogar mitten in der Stadt …………

13 Se *Politische Informationen* 1. december 1944, afsnit IV. 1 om KLVs afvikling.
14 Se om Hitlerjugends uddannelseslejre *Politische Informationen* 1. december 1944, afsnit VI. 2.

So habe ich mir berichten lassen, daß die dänische Bevölkerung anerkennt, daß die deutschen Jungen recht höfliche, anständige und schneidige Kerle wären. Die Äußerungen wurden hauptsächlich getan, wenn meine Jungen am Sonnabend 3 Stunden Ausgang haben, also das Stadtbild der kleinen Stadt von den 200 Lehrgangsteilnehmern beherrscht wird. Daß die Jungen bis zu einem gewissen Grad eine bestimmte Beleibtheit erreicht haben, möchte ich mit folgendem Vorfall begründen:

Eine Köger Bäckerei, die nicht etwa als deutschfreundlich bekannt ist, die uns zu jedem Sonnabend mit Kuchen für unsere Lehrgansteilnehmer versorgt, erkundigte sich wiederholt, ob die Jungen mit dem Kuchen zufrieden seien und ob sie daran satt würden. Als mein Verwaltungsleiter erwähnte, daß ihnen der Kuchen schmecke, daß aber die Jungen in einem Alter von 16 – 17 Jahren schwer mit Kuchen sattgemacht werden könnten, lieferte er für denselben Preis ein größeres Quantum und äußerte, er wolle doch einmal sehen, ob er die Jungen mit Kuchen satt bekäme. Dies steigerte er so, daß er heute für denselben Preis das doppelte Quantum liefert.

Einen guten Eindruck machten meine Lehrgangsteilnehmer auch durch die Ausbildung im Sport, bei der die Bevölkerung gut zusehen kann, da der Sportplatz unmittelbar in der Stadt liegt. Es hat sich sogar das Bild ergeben, daß man zuerst, wenn man am Sportplatz vorbeiging, absichtlich wegschaute. Heute ist es dagegen so, daß sich bald eine größere Zahl von Zuschauern zusammenfindet, besonders wenn bei uns im Rahmen der Kampfspiele kleine Boxkämpfe durchgeführt werden. Diese Kämpfe waren fast Tagesgespräch in Köge, wie mir dänische Nationalsozialisten erzählten. Die Bevölkerung äußerte sich hierüber wie folgt: Nun könnten sie auch verstehen, warum die deutschen Soldaten so gut sind, denn die deutschen Jungen wären ja verteufelte Kerle. Obwohl sie aus Mund und Nase bluteten, gäbe keiner nach und sie kämpften ununterbrochen weiter, bis der Schlußpfiff ertöne."

VII. Feindliche Stimmen über Dänemark
1.) Vor dem 22.4.1944
Bis zum 22.4.1944, an dem der Reichsbevollmächtigte die Nachrichtensperre gegenüber Schweden anordnete, bewegte sich die von hier aus verfolgte Feindpropaganda – englischer und schwedischer Rundfunk sowie schwedische Presse – in den bisher gewohnten Bahnen.

Bemerkenswert war, daß in den dänischen Sendungen aus London in immer stärkerem Masse versucht wurde, auf die dänischen Bauern im feindlichen Sinne einzuwirken. Einerseits wurde versucht die Bauern zur Einschränkung der Produktion und der Lieferungen, die Deutschland zugute kommen, zu veranlassen. Andrerseits suchte man der wirksamen deutschen Propaganda, die den dänischen Bauern die Vorteile ihrer Verbindung mit Deutschland, und die – bis zur Besetzung Dänemarks zur Genüge erfahrenen – Nachteile einer Verbindung mit England vor Augen führte, zu widerlegen, indem z.B. Christmas Möller ausführte: "Es ist meine feste Überzeugung, was ich auch von verschiedenen Seiten hier drüben gehört habe, daß die dänische Landwirtschaft auf dem englischen Markte eine neue Blüte erleben wird. Zwar stimmt es, daß die englische Landwirtschaft sich zusammengerafft hat und daß etliches, was nun erreicht wurde, bestehen bleiben wird. Meine Hörer haben in der letzten Zeit darüber gehört, doch brauchen sie nicht zu befürchten, daß die dänischen Waren überflüssig werden. Ich kann versichern, daß man die hohe Qualität der Butter, der Eier und des Bacons nicht vergessen hat."

2.) Nach dem 22.4.1944
Nach der Anordnung der Nachrichtensperre war die Feindpropaganda während der ersten Tage völlig uninformiert und ratlos. Als sie sich zu einer Reaktion entschloß, bestand diese zunächst in sich überstürzenden Greuelmeldungen über Dänemark. Es wurde behauptet, daß in Kopenhagen "die größten und sensationellsten Sabotagehandlungen gegen diejenigen Gebäude verübt wurden, die die Deutschen in Besitz genommen haben." In der Nacht vom 25. auf 26.4.1944 seien in Kopenhagen 20 Sabotageakte verübt worden; man habe 50-60 Bombenexplosionen im Stadtgebiet wahrgenommen. 30-40 Attentate seien vorgekommen. Deutsche Panzerwagen seien in Kopenhagen eingesetzt und an mehreren Stellen sei mit Maschinengewehren geschossen worden.

Nach dieser ersten Propagandawelle wurde die Tendenz der Feindpropaganda plötzlich dahin umgestellt, daß die Ereignisse in Dänemark ausschließlich von den Deutschen fingiert worden seien, teils um die illegalen Kräfte zu provozieren und zu entlarven und teils um eigene militärische Operationen zu tarnen. Diese Umstellung der Feindpropaganda wird besonders deutlich aus den folgenden Sendungen des Londoner Rundfunks:

London, 26.4.1944.
Trotzdem die Deutschen Dänemark durch die Unterbrechung der Verbindungen mit Schweden isoliert haben, erreichen heute einige Nachrichten über die letzten Ereignisse in Kopenhagen London. Im Laufe der letzten 48 Stunden haben die Patrioten in ganz Dänemark, besonders aber in Kopenhagen 30-40 Sabotageakte durchgeführt. Allein in Kopenhagen fanden Sonntagnacht 20 Sabotageakte statt. Man hörte 50-60 verschiedene Explosionen. ...

Weiter hat man erfahren, daß die Schalburg-Leute gewisse Eisenbahnstationen auf Seeland in die Luft zu sprengen beabsichtigen. In Roskilde wurde ein solcher Versuch von den Nazisten selbst durch unvorsichtiges Reden zum Scheitern gebracht. In Köge wurden 3 Nazisten vor Gericht gestellt, da man sie bei der Hinstellung einer Bombe vor dem Polizeirevier erwischte. ...

Deutsche Panzerwagen patrouillieren die Straßen ab, und deutsche Soldaten haben an mehreren Stellen MG-Feuer eröffnet. Die Gestapo hat in Kopenhagen mehrere Häuserblocks umringt, um Hausuntersuchungen durchzuführen.

London, 27.4.1944.
Die letzten Nachrichten über die Entwicklung der Dinge in Dänemark bestätigen, daß die Deutschen nach gründlichen Vorbereitungen eine Lage heraufbeschworen haben, die der vom 29. August vorigen Jahres ähnlich ist. Diesmal ist es jedoch nicht die Regierung, sondern die Widerstandsbewegung, der das Messer an die Brust gesetzt wird. Noch einmal versuchen die Deutschen die Dänen durch Gewalt und Terror zu unterdrücken. In seiner Drohrede, die der Reichsbevollmächtigte in Dänemark Dr. Best am vorigen Montag vor den dänische Presseleuten hielt, versuchte er die neuen deutschen

Maßnahmen durch die steigende Anzahl von Sabotageakten zu entschuldigen[15]. Die neue Absperrung Dänemarks und die Verfolgung der Leute der Widerstandsbewegung zeigen, daß die Deutschen die Absicht haben, ihre Antiinvasionsvorbereitungen, die in ganz Europa getroffen werden, zu verheimlichen. Dr. Best gab bekannt, daß vorläufig 100 Saboteure ihre Todesstrafe erwarten und daß jeder Versuch, deutsche Pläne in Zukunft zu durchkreuzen, mit strengen Maßnahmen beantwortet würde.

Die Deutschen sollen umfassende Verhaftungen durchgeführt haben, Meldungen aus Schweden zufolge handelt es sich hier um mehrere 100 Personen, die sowohl in Kopenhagen wie in den Provinzstädten von den Deutschen verhaftet worden sind.[16] Wie man erwarten konnte, sind die deutschen Drohungen auf verschärften Widerstand gestoßen. Die Sabotage wird mit unverminderter Kraft und Kühnheit fortgesetzt.

Der Mitarbeiter der BBC ist der Meinung, daß die Deutschen mit den Meldungen über Truppenbewegungen in Dänemark ein doppeltes Ziel haben: 1.) Beängstigung in Schweden zu schaffen, daß die Deutschen vielleicht eine Invasion in Schweden durchführen wollen, obwohl es sehr fraglich ist, daß solch ein Schritt unternommen wird. 2.) Die Irreführung der dänischen unterirdischen Front. Sollte es den Deutschen gelingen, einen übereilten Aufruhr zu provozieren, würden sie vielleicht die Führer der unterirdischen Bewegung festnehmen können und auf diese Weise die Effektivität, der unterirdischen Bewegung lähmen. Aber die Dänen haben gerade wie die Franzosen, Holländer und andere Völker in den besetzten Ländern die deutschen Absichten durchschaut. Der politische Mitarbeiter schreibt – zum Abschluß: Es wird keine allgemeine Aktion durchgeführt, bevor London nicht das Stichwort durchgegeben hat.

London, 28.4.1944.
Die uns aus Dänemark zugegangenen Meldungen über die vielen Sabotagefälle in der Nacht zum letzten Sonntag sind nichts anderes als bewußte Übertreibungen von deutscher Seite, wie wir jetzt erfahren. Es sind in jener Nacht tatsächlich nur 2 Sabotageakte vorgefallen. Die Nazisten versuchen, die Patrioten auf diese Weise zu provozieren, und die öffentliche Meinung der Welt irrezuführen.

79. Eberhard von Thadden an Werner Best 2. Mai 1944

Vicekonsul Jørgen Mogensen i Danzig var blevet fængslet for samarbejde med den polske modstandsbevægelse. For at imødekomme danske ønsker skulle Mogensen efter aftale med Kaltenbrunner hurtigst muligt til Danmark, hvor han ville blive retsforfulgt. Best skulle sammen med Bovensiepen, som fik sine ordre direkte fra Kaltenbrunner, udvirke, at Mogensen blev overgivet til dansk politi. Flugt skulle under alle omstændigheder forhindres. Det kunne være, at tysk politi fik brug for Mogensen igen.

Best svarede med telegram nr. 596, 10. maj.

Mogensen var blevet arresteret 17. maj i Danzig for under et ferieophold i København at samarbejde med Romana Heltberg og Lone Mogensen (senere gift Maslocka), begge aktive for den polske modstandsbevægelse. Endvidere for at have sendt illegale rapporter via Gdynia til Stockholm og endelig for fremskaffelse af falske stempler til den polske modstandsbevægelse (Nellemann 1989, s. 71).

---

15 Se Bests telegram nr. 524, 25. april 1944.
16 Se Bests telegram nr. 745, 16. juni 1944, pkt. 3 med note.

Se endvidere Henckes notits nr. 167, 12. maj.
Telegrammet foreligger kun som udkast. Flere afsnit er streget ud, – et sted er tillige tilføjet håndskrift. Det udstregede er markeret.
Kilde: PA/AA R 29.568. RA, pk. 204.

Telegramm

Berlin, den   2. Mai 1944

Diplogerma Kopenhagen
Nr. 468
Referent: VK Geiger

Betreff: Dänischen Vizekonsul Mogensen, Danzig.

Für Gesandten persönlich:
Dänischer Vizekonsul Mogensen ist nach erfolgter Vernehmung durch Stapostelle Danzig in Haft behalten worden, nachdem er volles Geständnis ablegte, mit polnischer Widerstandsgruppe zusammengearbeitet zu haben. Um dänischen Wünschen entgegenzukommen, wird nach Absprache mit Chef Sicherheitspolizei Mogensen schnellstmöglichst nach Dänemark verbracht werden. Hiesiger dänischer Gesandter zusicherte das[?] Übernahme Mogensen's auf dänische Polizei und entsprechende Strafverfolgung [flg. tilføjet med håndskrift:] stellte zu Aussicht, daß er das [2 ulæselige ord] worden wird [?].
Bitte im Benehmen mit Befehlshaber Sicherheitspolizei, der vom Chef Sicherheitspolizei noch unmittelbar Weisung erhalten wird, sicherzustellen, daß Mogensen von dänischer Polizei übernommen wird und daß diese unter allen Umständen eventuelle Flucht verhindert. Gegebenenfalls wird M[ogensen] nochmals von deutscher Polizei benötigt werden, da Gesamtkomplex Volksgerichtshof übergeben wird. Nochmalige Überstellung wird erforderlich werden, wenn Volksgerichtshof weitere Aussagen benötigt. In diesem Falls wird Chef Sicherheitspolizei bezw. Volksgerichtshof entsprechende Überstellungsantrag bei dänischer Polizei stellen.
                                    Thadden

80. Walter Forstmann an Werner Best 2. Mai 1944

Best var principielt af den opfattelse, at Tyskland ikke skulle overtage eller købe danske virksomheder, det være sig offentlige eller private, og selv drive dem. Det ville øge den tyske forvaltningsbyrde og være imod indgåede aftaler med Danmark. Af den grund var bl.a. de virksomheder, der var overtaget efter 29. august 1943, som Orlogsværftet, overladt private tyske firmaer til videre drift efter nærmere aftaler.

Imidlertid var der enkelte aggressive danske industridrivende, som ønskede at knytte forbindelsen med Tyskland nærmere end ved handelsaftaler. En sådan var direktør Fritz Due-Petersen, der ønskede at drive sin virksomhed med reelt tysk medarbejderskab, da det drejede sig om en produktion (reparation af flymotorer), der kun havde interesse, så længe tyskerne var i landet. Aftalen blev, at Due-Petersen skulle stille med arbejdskraften, mens BMW gennem Rüstungsstab skulle stille produktionsanlægget til rådighed.

Imidlertid var Forstmann ikke i tvivl om, at denne ordning havde en politisk dimension, som måtte godkendes af Det Tyske Gesandtskab, og som det fremgår af nedenstående brev med bilag, endte sagen til sidst på den rigsbefuldmægtigedes bord. På det tidspunkt havde man fra tysk side fået lavet en stråmandsordning; en forretningsfører var ansat, der kunne optræde som garant for den "danske virksomhed" over for UM og andre (Lundbak 2002, s. 329f. og samme i *Hvem var hvem 1940-1945*, 2005, s. 87f.).

Kilde: BArch, Freiburg, RW 27/14 og 15. RA, Danica 1000, T-77, sp. 696, KTB/Rü Stab Dänemark, 2. Vierteljahr 1944, Anlage 12.

Abschrift
Chef Rüstungsstab Dänemark   2. Mai 1944.
Abt. Lw. Az. 65 –

Bezug: ./.
Betr.: Maschinenfabrik Nordvärk A/S

An den Herrn Reichsbevollmächtigten in Dänemark,
    Kopenhagen

Am 29.4.44 hat Direktor Due-Petersen von der Firma Nordvärk A/S dem Herrn Reichsbevollmächtigten Durchschrift seines Schreibens an Chef Rü Stab Dänemark zur Kenntnisnahme übersandt. Der Inhalt dieses Schreibens ist inzwischen überholt, da am 30.4.44 bei Chef Rü Dän. die in der Anlage abschriftlich beigefügte Geschäftsordnung für der Betrieb der Firma Nordvärk A/S besprochen und von den Beteiligten genehmigt wurde.

Damit ist zunächst die Grundlage für eine weitere Zusammenarbeit mit Direktor Due-Petersen geschaffen worden. Ein geeigneter dänischer Geschäftsführer wird jetzt gesucht, und es besteht Aussicht, ihn zu bekommen.

In der Besprechung am 30.4.44 ist ausdrücklich festgelegt worden, daß bei Arbeiterfragen und bei Verhandlungen mit dänischen Behörden der Geschäftsführer nach außen hin allein die Belange der Firma vertreten muß, damit nicht der Eindruck erweckt wird, als handle es sich um einen deutschen Betrieb.

                                        gez. **Forstmann**
1 Anlage

Abschrift!
BMW Verbindungsstelle bei Fa. Nordvärk,   *Kopenhagen, den 29. April 1944*
Rovsingsgade, Kopenhagen   Dir. Br./Wal.

An den Chef des Rüstungsstabes Dänemark,
    Herrn Kapitän z. See Forstmann,
    Kopenhagen

Gemäß Besprechung beim Reichsbevollmächtigten am 29.4.44 wurde festgelegt, daß dem Ansuchen der Herren Direktor Due Petersen und Rechtsanwalt Overland, aus der Geschäftsführung der Firma Nordvärk auszuscheiden, sofort stattgeben werden soll.

Für die Betriebsleitung hat BMW Herrn Kng. Hartmann bereits eingesetzt. Die kaufmännische Verbindungsstelle von BMW wurde durch Herrn Kolk eingerichtet und wird Mitte Mai von Herrn Kolk an Herrn Waleczek übergeleitet. BMW übt damit im Auftrage der Verbindungsstelle GL und im Auftrage des Rüstungsstabes die absolute Kontrolle über alle betrieblichen und kaufmännischen Vorgänge aus. Der Betrieb als solcher wird ausschließlich von der Betriebsleitung, Herrn Hartmann, geführt.

Die Firma Nordvärk stellt möglichst sofort einen Geschäftsführer ein, der entweder vom Rüstungsstab vorgeschlagen wird oder von der derzeitigen Geschäftsführung der Firma Nordvärk vorgeschlagen werden kann, in welchem Falle es jedoch der Zustimmung des Rüstungsstabes bedarf. Nach erfolgter Einstellung des Geschäftsführers scheidet auch Herr Overland aus der Geschäftsführung der Firma Nordvärk aus, nachdem Herr Due Petersen bereits zu einem früheren Termin ausgeschieden ist.

Der Geschäftsführer der Firma Nordvärk ist dem Betriebsleiter beigeordnet. Eine absolute Gleichstellung kann mit Rücksicht auf Kompetenzstreitigkeiten nicht eingeräumt werden. Die im Rahmen des Jägerprogramms vordringlichen Aufgaben erfordern eine autoritäre Ausrichtung unter deutscher Führung.

Die Aufgaben des Geschäftsführers werden nachstehend umrissen.

1.) Kaufmännische Verwaltung, mit Buchhaltung, Kasse, Einkauf und Preisprüfung. Der kaufmännischen Verwaltung obliegt nebst der Führung der laufenden Geschäfte die Aufstellung der Monatsabschlüsse, der Quartals- und Jahresbilanzen und des Geschäftsberichtes.

Die kaufmännische Verwaltung hat die Pflicht, der kaufmännische Verbindungsstelle in alle Vorgänge Einblick zu gewähren und die Unterlagen zur Verfügung zu stellen, deren die kaufmännische Verbindungsstelle bedarf, um die gesamten Geschäftsvorgänge zu überwachen und zu überblicken. In allen wichtigen Entscheidungen und Dispositionen ist das Einverständnis der kaufmännischen Verbindungsstelle einzuholen. Selbstverständlich hat die kaufmännische Verwaltung den Inhabern der Firma Nordvärk jederzeit Rechenschaft zu legen.

2.) Einstell- und Lohnbüro. Alle Vorgänge bezüglich Einstellung und Ausstellung, Tariffragen und Verhandlungen mit den Gewerkschaften sind mit der Betriebsleitung und der kaufmännischen Verbindungsstelle zu beraten. Die Einstell-Löhne sind im Einvernehmen mit der Betriebsleitung und der kaufmännischen Verbindungsstelle unter Heranziehung der Tarifbestimmungen festzulegen.

Lohn- oder Gehaltserhöhungen werden, soweit sie den Betrieb betreffen, von der Betriebsleitung festgelegt und mit der Geschäftsführung abgestimmt. Soweit es die kaufmännische Verwaltung betrifft, werden diese Vorschläge der Betriebsleitung zur Genehmigung vorgelegt. In allen Verhandlungen mit Gewerkschaften und anderen, für Personalfragen einschlägigen dänischen Dienststellen ist die Betriebsleitung zuzuziehen. Die Festsetzung der Arbeitszeit erfolgt durch die Betriebsleitung im Einvernehmen mit der Geschäftsführung und Fühlungnahme mit den dafür zuständigen deutschen und dänischen Dienststellen.

3.) Vertretung der Firma Nordvärk dänischen Behörden gegenüber. Diese Verhandlungen sind zusammen mit der Betriebsleitung zu führen, ebenso wie die Betriebsleitung bei wichtigen Verhandlungen mit deutschen Behörden den Geschäftsführer hinzuziehen wird.

Alle Anordnungen innerhalb des Betriebs haben ausschließlich von der Betriebsleitung auszugehen. Die Geschäftsführung hat diesbezüglich Vorschläge der Betriebsleitung vorzulegen.

Einverstanden:
gez. **Due Petersen, Hartmann, Brenner**

Für richtige Abschrift:
gez. Unterschrift
Hauptmann

Abschrift!
Chef Rüstungsstab Dänemark   *29.4.1944.*
Abt. Lw. Az. 65

Bezug: RdL u. ObdL Techn. Amt, GL/C Az. 90 b 73/44 Nr. 50908/44 geh. (B 1/IB) vom 20.4.1944.
Betr.: Aufstellungsbefehl eines Frontreparaturbetriebes des Generalluftzeugmeisters (FRB-GL) – FRB+GL Nr. 3172 (BMW) in Kopenhagen

An Reichsminister der Luftfahrt
und Oberbefehlshaber der Luftwaffe,
 Technisches Amt,
 Berlin W 8

Chef Rü Stab Dän. erhielt heute den Aufstellungsbefehl eines Frontreparaturbetriebes des Generalluftzeugmeisters vom 20.4.44.

Da es sich bei der Errichtung eines FRB in Dänemark auch um eine politische Frage handelt, veranlaßte Chef Rü Stab Dän. sofort eine Besprechung beim Reichsbevollmächtigten in Dänemark, SS-Obergruppenführer Dr. Best. An dieser Sitzung nahmen auch Abt. Leiter Luftwaffe Major Kuhlmann und Direktor Brenner von BMW teil. Der Reichsbevollmächtigte faßte seine Stellungnahme zu der Angelegenheit wie folgt zusammen:

Es sei unerwünscht, einen FRB in Dänemark zu errichten solange es nicht unbedingt notwendig sei. Er möchte diesen Eingriff in die wirtschaftlichen Verhältnisse Dänemarks nicht ohne zwingende Gründe vornehmen. Die Arbeiter sollten auch möglichst unter den alten dänischen Bedingungen und auf privatwirtschaftlicher Grundlage weiter arbeiten können. Es müsse deshalb der Versuch gemacht werden – und dazu gäbe er seine volle Unterstützung –, einen dänischen Geschäftsführer zu finden, der an die Stelle der ausscheidenden Herren Overland und Due-Petersen tritt.

Chef Rü Stab Dän. bedauert, daß er vor Herausgabe des Aufstellungsbefehls nicht gehört worden ist und macht auch darauf aufmerksam, daß bei der Errichtung eines FRB in Dänemark das investierte Kapital nebst der gesamten Einrichtung durch die Beschlagnahme nicht in Reichseigentum überführt werden kann. Hierin sieht Chef Rü Stab Dän. ein besonderes Hindernis für die Errichtung eines FRB in Dänemark.

gez. **Forstmann**

Abschrift!
Chef Rüstungsstab Dänemark   8. April 1944
Az. 65 Nr. 205/44g

Bezug: Telefonat Min. Dirigent Dr. Ebner /Hptm. Mücke.
Betr.: A/S Nordvärk, Kopenhagen / BMW Flugmotorenbau GmbH,

An den Herrn Reichsbevollmächtigten in Dänemark,
    Hauptabteilung III,
    z.Hd. Herrn Min. Dirigent Dr. Ebner,
    Kopenhagen

Unter Bezug auf o.a. Telefonat wird in der Anlage ein Schreiben der Firma BMW an den Herrn Reichsminister der Luftfahrt und Oberbefehlshaber der Luftwaffe, GL/C – E 1 (3/VI), Berlin, vom 28.3.1944 abschriftlich übersandt.

Wie hieraus ersichtlich ist, haben sich bei der Abwicklung von Reparaturen an Flugmotoren ernste Schwierigkeiten ergeben. Insbesondere ist die Weiterführung der Firma Nordvärk ernstlich gefährdet, nachdem die verantwortlichen Leiter – Direktor Due-Petersen und Landsretssagförer Overland – auf Grund der kürzlich erfolgten Erschießung des Bruders von Direktor Due-Petersen[17] an der Weiterführung der Firma Nordvärk nicht mehr interessiert sind und daher gebeten haben, sie aus der Geschäftsführung vollständig zu entlassen.

Infolgedessen hat der Generalluftzeugmeister bei einer in Berlin stattgefundenen Besprechung die Umwandlung der Firma Nordvärk in einen Frontreparaturbetrieb unter Leitung der Firma BMW befohlen.

Die Frage einer evtl. Übernahme der Firma Nordvärk als Frontreparaturbetrieb wurde mit Herrn Reg. Rat. Dr. Meulemann bereits eingehend erörtert. Eine Parallele zu der seinerzeitigen Übernahme der Flugzeugwerke in Kastrup durch die Firma Heinkel kann hiernach nicht gezogen werden, da die Firma Heinkel die Werkstatträume des Flughafens Kastrup s.Zt. von der Luftwaffe ermietet hat. Es ist auch nicht möglich, eine Parallele zu den – im Zuge des 29. August 1943 – übernommenen dänischen Staatsbetrieben (Waffen- und Munitionsarsenal, Orlogswerft und Fliegerwerkstätten) zu ziehen, da diese Betriebe als von der deutschen Wehrmacht beschlagnahmt gelten. Eine Sonderregelung auf einer gütlichen Verhandlungsbasis mit der Dänischen Regierung dürfte nach dem vom Außenministerium (Abt. Chef Wassard) eingenommenen Standpunkt kaum Aussicht auf Erfolg bieten.

Nach Lage der Sache bliebe somit als einziger Ausweg eine *Beschlagnahme des Werkes durch Rü Stab Dänemark* zu Gunsten des Generalluftzeugmeisters, GL-Verbindungsstelle Dänemark, auf Grund der Verordnung des Wehrmachtbefehlshabers Dänemark vom 4.9.43, betr. Lieferung und Leistung dänischer Firmen für die deutsche Wehrmacht in Dänemark.

Rü Stab Dänemark macht folgenden Vorschlag:

---

17 Peter Due Petersen blev likvideret 21. marts 1944.

1.) Die Firma Nordvärk wird von Rü Stab Dänemark beschlagnahmt, da unter den gegebenen Verhältnissen die Weiterführung des Betriebes gefährdet ist.
2.) Die Beschlagnahme erfolgt zu Gunsten des Generalluftzeugmeisters, GL-Verbindungsstelle Dänemark.
3.) Die treuhänderische Verwaltung wird der Firma BMW übertragen. Generalluftzeugmeister, GL-Verbindungsstelle in die Rechte und Pflichten der Firma Nordvärk ein. Ebenso tritt Generalluftzeugmeister, GL-Verbindungsstelle Dänemark in den Mietvertrag ein, der s.Zt. zwischen der Firma Nordvärk und der Firma General Motors abgeschlossen wurde. Hierbei ist zu erwähnen, daß dieser Mietvertrag s.Zt. nicht schriftlich fixiert worden ist, sondern nur von der Firma General Motors stillschweigende Duldung unter dem deutschen Druck gefunden hat.
4.) Die Finanzierung des Betriebes erfolgt wie bisher über die A-Liste des Rü Stab Dänemark. Eine evtl. Bevorschussung von Geldmitteln aus dem Besatzungsfonds bleibt vorbehalten.

Die Umwandlung der Firma Nordvärk in einen Frontreparaturbetrieb ist auch deshalb zweckmäßig, weil sich bei der Arbeiterschaft dauernd Schwierigkeiten ergaben, und zwar besonders bei der Leistung von Überstunden, die für die Durchführung des gestellten Reparaturprogramms von allergrößter Bedeutung sind. Bei der Umwandlung in einen Frontreparaturbetrieb würde die Arbeiterschaft der Wehrmacht unterstehen und einen besonderen Arbeits- bzw. Anstellungsvertrag erhalten. Hierdurch sind dann – wie bei der Firma Heinkel – irgendwelche Beanstandungen des Dänischen Arbeits- und Sozialministeriums bzw. der dänischen Fachverbände ausgeschlossen.

Rü Stab Dänemark bittet um Stellungnahme, ob die Umwandlung in verstehendem Sinne durchgeführt werden kann. Eine baldige Klärung ist dringend, da die gesamte Fertigung der Firma Nordvärk für das z.Zt. vordingliche Jägerprogramm bestimmt ist.[18]

Der Chef des Rüstungsstabes Dänemark
I.V.
gez. **Heyne**
Oberstleutnant

81. Erich Albrecht an OKW 2. Mai 1944

AA svarede på OKWs forslag af 25. april vedrørende udøvelse af jurisdiktionsretten i Danmark med en afvisning. Benådningsretten skulle tildeles den rigsbefuldmægtigede.

Best havde imidlertid allerede foregrebet denne situation en uge tidligere. Han havde grebet til brug af den ham tildelte forordningsret (Rosengreen 1982, s. 90).

Kilde: PA/AA R 29.568. RA, pk. 204 og 220.

Abschrift
Auswärtiges Amt   *Berlin, den 2. Mai 1944*
S c h n e l l b r i e f !

---

18 Jägerprogramm skulle skaffe Tyskland en stor produktion af jagerfly beskyttet i underjordiske anlæg.

An das Oberkommando der Wehrmacht,
    Berlin W 35, Tirpitzufer 72/76

R 5879
Auf das Schreiben vom 25. v.Ms.[19]
14 n 23 WR (I 3)
II/3 /43 g

In Bestätigung des seitens des Auswärtigen Amts fernmündlich erhobenen Widerspruches gegen die Inkraftsetzung des Erlasses über die Ausübung der Wehrmachtgerichtsbarkeit in Dänemark, gegen Personen, die nicht der Wehrmacht angehören, vom April 1944 – Entwurf des Erlasses ist mit dem oben angeführten Schreiben übersandt worden – wird der Widerspruch hiermit schriftlich wiederholt.
    Gegen die Fassung des Entwurfs bestehen beim Auswärtigen Amt schwerwiegende Bedenken. Diese Bedenken sind den beteiligten Stellen bekannt. Das Auswärtige Amt ist nicht in der Lage, von seinem Standpunkt abzugehen, wonach das Gnadenrecht gegenüber den Urteilen des SS- und Polizeigerichts dem Bevollmächtigten des Deutschen Reichs in Dänemark zustehen soll.
                    I.A.
                gez. **Albrecht**

82. Joseph Goebbels: Tagebuch 2. Mai 1944
Der blev forøvet sabotage mod biografer i Danmark, der viste tyske film. Best havde svaret med at lukke biograferne. Det var forkert efter Goebbels' opfattelse. Den danske offentlighed skulle rammes på et ømmere punkt.
    Goebbels ønskede en mere effektiv afstraffelse af den danske offentlighed, end Best med sin bureaukratiske kortsigtethed kunne præstere, men han konkretiserede ikke, hvori den skulle bestå.
    Kilde: *Die Tagebücher von Joseph Goebbels*, Teil II:12, s. 219.

[...]
In Dänemark werden jetzt ziemlich offen Sabotageakte gegen die Filmtheater durchgeführt, die deutsche Filme bringen. Sinnigerweise hat unser Generalbevollmächtigter Best daraufhin die Kinotheater geschlossen. Das ist eine bürokratische Kurzsichtigkeit, denn wir schneiden uns damit ins eigene Fleisch. Ich veranlasse, daß der dänischen Öffentlichkeit wirksamere und für sie empfindlichere Strafen auferlegt werden als solche, die am Ende uns selbst treffen.
[...]

19 Trykt ovenfor.

83. Werner Best an Horst Bender 3. Maj 1944

Best sendte Horst Bender, den øverste leder af SS-politiretten, sin stillingtagen til, hvordan en SS-retssag mod K.B. Martinsen skulle gribes an. For det første ønskede han ikke retssagen gennemført i København. For det andet skulle sagen overhovedet ikke omtales officielt fra tysk side pga. de uoverskuelige negative propagandamæssige konsekvenser. I stedet støttede Best Himmlers forslag (ikke lokaliseret) om at få Martinsen til igen at melde sig til fronttjeneste og derefter at retsforfølge ham.

Brevet er forsynet med en håndskrevet påtegning: "ja. Berger unterrichten." Det er sandsynligvis lig med Himmlers endelige beslutning, men Bender kom med en afvigende indstilling 7. maj, se denne.

Brevet viser, at Best på dette tidspunkt for sit vedkommende havde afskrevet Schalburgkorpset som aktiv for tyske interesser og alene så en fremtid for den politiske afdeling af korpset, Folkeværnet. I det lys skal Bests holdning til Schalburgkorpsets aktiviteter også ses.

Kilde: RA, pk. 442 og 443a.

Der Reichsbevollmächtigte in Dänemark   *Kopenhagen, den 3. Mai 1944.*

An den Reichsführer-SS
   z.Hd. des SS-Standartenführers Bender
   Feldkommandostelle.

Betr.: Den SS-Obersturmbannführer K.B. Martinsen.

Zu der Frage der Durchführung eines SS-Gerichts-Verfahrens gegen den SS-Obersturmbannführer K.B. Martinsen wegen des Falles von Eggers nehme ich wie folgt Stellung:

1.) Ich habe keine Bedenken gegen die Einleitung und die Durchführung des Verfahrens, wenn dies nicht vor dem SS- und Polizeigericht XXX in Kopenhagen sondern vor einem Gericht im Reiche oder bei einem Fronttruppenteil geschieht.

2.) Aus politischen Gründen darf den dänischen Behörden keine Mitteilung von der Einleitung und von dem Ergebnis des Verfahrens gemacht werden. Vielmehr muß nach außen der Fall von Eggers weiter dilatorisch behandelt und als nicht aufgeklärt hingestellt werden. Denn jede offizielle Äußerung von deutscher Seite würde zu einer politisch nicht tragbaren Propaganda gegen das Schalburg-Korps und gegen die deutschen Behörden in Dänemark ausgenützt werden. Bei der von mir vorgeschlagenen Behandlung hingegen kann jede von gegnerischer Seite aufgestellt Behauptung als unbewiesene Propagandalüge abgewehrt werden, wie dies bereits mehrfach in ähnlich gelagerten Fällen geschehen ist.

3.) Ich unterstütze deshalb den Vorschlag des Höheren SS- und Polizeiführers, daß der SS-Obersturmbannführer Martinsen veranlaßt werden soll, sich wieder freiwillig zum Frontdienst zu melden, ohne zunächst seine Stellung als Chef des Schalburg-Korps aufzugeben. Während seiner Abwesenheit kann einerseits das geplante Verfahren gegen ihn durchgeführt werden. Andrerseits kann hier das Ausbildungsbataillon Schalburg aufgestellt und auf seine neue Aufgabe ausgerichtet werden, während gleichzeitig die politische Gruppe des Schalburg-Korps – "Folkevärn" (Volkswehr) – unter der Leitung des Dr. Popp-Madsen – endlich ihren eigenen politischen Arbeitsstill entwickeln kann, was bisher durch das Übergewicht der militanten Gruppe verhindert wurde. Die Entscheidung, ob und wann der SS-Obersturmbannführer Martinsen einmal die Stellung als Chef des Schalburg-Korps aufgeben und ob überhaupt ein neuer Chef des Gesamt-Korps eingesetzt werden soll, kann in einem späteren Zeitpunkt unter Berücksichtigung der bis dahin eingetretenen Entwicklung getroffen werden.

W. Best

84. Kriegstagebuch/WB Dänemark 3. Maj 1944

Danske fiskefartøjer, der sejlede ud eller hjem ved nattetid udgjorde i den øjeblikkelige situation en betydelig fare for kystovervågningen. WB Dänemark krævede derfor Bests og Wurmbachs billigelse af en indskrænkning af natsejladsen.

Se KTB/WB Dänemark 4. maj 1944.

Kilde: KTB/WB Dänemark 3. maj 1944.

[...]

Die bei Nacht- ein und auslaufenden dänischen Hochseefischereifahrzeuge gefährden bei der gegenwärtigen Lage die Küstenüberwachung erheblich. An Admiral Skagerrak und Reichsbevollmächtigten in Dänemark wird folgende taktische Forderung gestellt:

1.) Allen Fischereifahrzeugen ist bei Nacht das Auslaufen der Küste unter 10 Seemilen verboten.
2.) In der Zeit vom 5.5.-11.5. und vom 19.-25.5. müssen alle auslaufenden Fischereifahrzeuge bis zur Dunkelheit eingelaufen sein, ein Verbleib auf See während der Nacht ist verboten.
3.) Zuwiderhandelnde werden ohne Warnung beschossen.

Der Reichsbevollmächtigte wird gebeten, sein Einverständnis zu diesen Maßnahmen zu erteilen, damit Admiral Skagerrak entsprechende Ausführungsbestimmungen erlassen kann.

[...]

85. Werner Best an das Auswärtige Amt 3. Mai 1944

Best kunne meddele, at partifører Frits Clausen var vendt hjem efter at have tjent et halvt år i Waffen-SS. Det havde ikke været muligt at holde ham i Tyskland, hvorfor man måtte tage følgerne af hans hjemkomst med i købet. Clausen havde en måned tidligere været på orlov i Danmark ledsaget af professor Werner Heyde og havde forsøgt at gendrive rygterne om sin optræden på feltlazarettet i Minsk. Han var blevet støttet af Heyde, men resultatet var problematisk, da øjenvidner i mellemtiden havde fortalt, hvordan Clausen i fuldstændig drukken tilstand havde optrådt meget dårligt. Orloven bevirkede en heftig opblussen af stridighederne i DNSAP, og DNSAPs forhold til Schalburgkorpset blev på ny belastet. Best havde hindret, at dette var kommet frem i pressen, inklusive den nazistiske. Clausen var en uberegnelig psykopat, så det var uvist, hvad han ville finde på efter hjemkomsten. Det ville være bedst for sagen, om han trådte tilbage som fører for DNSAP. Best mindede afslutningsvis om DNSAPs lidenhed og konstaterede, at restbestanden af danske nazister enten var sammensluttet i DNSAP eller Schalburgkorpset.

På trods af at problemet Frits Clausen var ganske ubetydeligt for den rigsbefuldmægtigede og partistridighederne i DNSAP med sammes formulering kun var "en storm i et meget lille glas vand," så måtte Best beskæftige sig med det i flere telegrammer til AA. Han var nødt til at dække sig grundigt ind og forklare sine dispositioner, for han kunne ikke vide, hvad den "uberegnelige psykopat" Frits Clausen kunne finde på, og hvem han ville henvende sig til. Det skulle bl.a. forklares, hvorfor Frits Clausen ikke kunne få lejlighed til at modgå rygterne om ham i den nazistiske presse. Ubelejligt var det også, at SS-cheflæge, professor Werner Heyde fra netop det SS-lazaret i Würzburg, hvor Best 26. februar havde meddelt Clausen indlagt, støttede Clausens sag (Lauridsen 2003b, s. 369, 374f.).

Best fulgte op i sagen med telegram nr. 582, 6. maj.

Kilde: PA/AA R 29.568. LAK, Frits Clausen-sagen XIV/350. ADAP/E, 8, nr. 4. *Føreren har ordet!* 2003, s. 796f.

Telegramm

Kopenhagen, den	3. Mai 1944	15.45 Uhr
Ankunft, den	4. Mai 1944	02.55 Uhr

Nr. 558 vom 3.5.44.

Zu dem mit dem dortigen Telegramm Nr. 460/29 vom 30.4.44[20] übermittelten Bericht der Germanischen Leitstelle teile ich mit, daß Dr. Clausen mit dem 30.4.44 nach Ablauf seiner halbjährigen Verpflichtung aus der Waffen-SS ausgeschieden und am 1.5. nach Dänemark zurückgekehrt ist. Seine Rückkehr wird unter den dänischen Nationalsozialisten den Streit um seine Person neu aufleben lassen und dadurch die durch die Gesamtentwicklung bereits stark zurückgegangene Bewegung weiter beeinträchtigen, es wäre deshalb besser gewesen, wenn Dr. Clausen bis auf weiteres nicht nach Dänemark zurückgekehrt wäre. Da er sich jedoch nicht zur Verlängerung seiner Verpflichtung bestimmen ließ und es auch nicht möglich war, ihn mit Gewalt im Reich festzuhalten, müssen die Folgen seiner Rückkehr in Kauf genommen werden. Der in dem Bericht der Germanischen Leitstelle erwähnte Besuch des Dr. Clausen in Dänemark hat sich vor etwa einem Monat so abgespielt, daß er sich mit einem SS-Obersturmbannführer, Professor Dr. Heyde, einige Tage in Kopenhagen aufhielt, ohne sich bei mir zu melden.[21] Dr. Clausen hat sich in diesen Tagen bemüht, die nach Dänemark gedrungenen Gerüchte über sein Benehmen in einem Feldlazarett in Minsk zu widerlegen und wurde darin von dem Professor Dr. Heyde unterstützt,[22] der Erfolg war sehr problematisch, da inzwischen durch Augenzeugen der Minsker Vorgänge hier bekanntgeworden war, daß Dr. Clausen in Minsk oft sinnlos betrunken war und sich in diesem Zustand sehr schlecht benommen hatte.[23] Da Dr. Clausen weiterhin versuchte, die in seiner Abwesenheit von seinem Stellvertreter[24] und von dem Parteirat der DNSAP getroffenen Maß-

---

20 Telegrammet er ikke lokaliseret.
21 Dette var ud over at være en tjenesteforseelse også et brud på Frits Clausens givne løfte til Gottlob Berger.
22 I sine erindringer gentog Frits Clausen gendrivelsen af beskyldningerne mod ham; han mente at have været udsat for et komplot, se *Føreren har ordet!* 2003, s. 334-350 og Lauridsen 2003b, s. 393-407.
23 Der har sandsynligvis kun været tale om et "øjenvidne", se Bests telegram nr. 251, 26. februar 1944.
24 Theofilus Larsen.

nahmen umzustoßen,[25] war die Folge seines Besuches ein heftiges Aufflammen des Streites der Richtungen in der Partei insbesondere um die Frage, ob Dr. Clausen Parteiführer bleiben solle oder nicht. Auch das Verhältnis zwischen der DNSAP und dem Schalburg-Korps wurde durch die Anwesenheit des Dr. Clausen und durch seine Äußerungen erneut belastet. Ich habe, um diese Vorgänge nicht vor der gegnerischen Öffentlichkeit erörtern zu lassen, jede Erwähnung des Dr. Clausen und der von ihm ausgelösten Auseinandersetzungen in der Presse (einschließlich der nationalsozialistischen) untersagt. Da Dr. Clausen ein unberechenbarer Psychopath ist, läßt sich nicht voraussehen, wie er nach seiner Rückkehr nach Dänemark handeln wird. Er würde seiner Sache am meisten nützen, wenn er von der Führung der DNSAP zurückträte. Ich halte es aber nicht für zweckmäßig, daß diese Frage von deutscher Seite gelöst wird, und werde mich bis auf weiteres konkreter Eingriffe in die Entwicklung der DNSAP enthalten, soweit nicht deutsche politische Interessen dies erforderlich machen. Um das "Problem" Dr. Clausen und der DNSAP in der richtigen Größenordnung zu sehen, muß daran erinnert werden, daß in der dänischen Reichstagswahl am 23.3.43 knapp 2 % der Wähler ihre Stimmen für die DNSAP abgaben. Seither muß mit einem Rückgang der Anhängerzahl auf weniger als 1 % der Bevölkerung gerechnet werden. Die erwähnten Streitigkeiten sind also Stürme in einem sehr kleinen Wasserglas. Im übrigen wird der Restbestand derjenigen dänischen Nationalsozialisten, die entweder aus Überzeugung oder, weil sie nicht mehr zurückkönnen, bei der Stange bleiben, je nach der Entwicklung entweder in der DNSAP oder im Schalburg-Korps Zusammenschluß und Halt finden. So bewährt sich angesichts des ewigen Kriselns und Splitterns innerhalb dieser Bewegung das von mir seit einem Jahr geschaffene Nebeneinander dieser beiden nationalsozialistischen Organisationen.

Dr. Best

86. Rolf Kassler an Eberhard Reichel 3. Mai 1944

Kassler tilsendte med Bests tilladelse *Politische Informationen* 1. maj 1944 til AA, idet han oplyste, at et afsnit vedrørende det tyske mindretal var skrevet af Rudolf Stehr.

Fremsendelsen er bemærkelsesværdig ved at være et af beviserne for, at Best ikke selv sendte Inland II i AA *Politische Informationen* af egen drift. Det havde ellers været en oplagt måde at holde ministeriet og ikke mindst Horst Wagner underrettet om en af den befuldmægtigedes aktiviteter og situationen i Danmark på. Reaktionen i AA fremgår dels af en påskrift på brevet, hvor Reichel med store bogstaver har skrevet: "b klarstellen Vorlagepflicht! ER", dels af Wagners note til Reichel 14. maj 1944, trykt nedenfor.

Kilde: RA, pk. 237.

Der Reichsbevollmächtigte in Dänemark *Kopenhagen, den 3. Mai 1944.*
Gesandtschaftsrat Dr. Kassler
– 1 Anlage –[26]

---

25 Et midlertidigt førerråd på tre personer konstituerede sig i DNSAP 10. marts 1944 og udstødte den følgende dag en række ledende partimedlemmer omkring brødrene Bryld.
26 Bilaget var *Politische Informationen* 1. maj 1944.

Herrn Legationsrat Dr. Reichel
    Auswärtiges Amt, Berlin.

Lieber Herr Reichel!
Mit Genehmigung des Herrn Reichsbevollmächtigten sende ich Ihnen in der Anlage für die Abteilung Inland II die Mai-Nummer der vom Herrn Reichsbevollmächtigten monatlich herausgegebenen "Politischen Informationen für die deutschen Dienststellen in Dänemark" und verweise insbesondere auf Absatz IV und V, die die Deutsche Volksgruppe Nordschleswig betreffen. Die unter IV veröffentlichten "Mitteilungen aus der deutschen Volksgruppe in Nordschleswig" sind von Herrn Stehr, dem Leiter des Kontors der Deutschen Volksgruppe in Kopenhagen, verfaßt worden.
    Ich nehme an, daß Sie VLR Wagner unterrichten werden.
                    Mit den besten Grüßen und
                           Heil Hitler!
                            stets Ihr
                         Rolf Kassler

87. Werner Best an das Auswärtige Amt 4. Mai 1944

Best videresendte et notat udarbejdet af Johannes Eckell om OT i Danmarks behov for dæk. I notatet blev det foreslået, at der blev opbygget et lager til at dække det månedlige behov på 800 stk. Det blev endvidere foreslået, at såfremt behovet ikke kunne dækkes med mærket Continental, skulle andre mærker anvendes med Continental som centralt led for det danske marked. Best bad om, at der måtte blive indhentet RWMs tilslutning til dette.

Eckell var leder af afdelingen for udvikling af kunstgummi under Amt für Deutsche Roh- und Werkstoffe (Klee 2005, s. 125).

Der blev opnået tilslutning til aftalen, hvilket fremgik en måned senere, da generalen for pionerer og fæstninger havde afgivet en rejseberetning 30. maj om et besøg i Danmark i tiden 27. april til 3. maj, og hvorefter der var et øjeblikkeligt behov for 1.000 bildæk til de civile vogne, der var til rådighed til byggeriet. Det krav imødekom OKW ikke, men henviste 5. juni til den aftale, som Best omtalte i telegram nr. 569 og hvorefter behovet måtte henvises til OT-centralen i Berlin (som nedenfor nr. 902.414f. og 902.413).
    Kilde: RA, Danica 1000, T-77, sp. 693, nr. 902.417f.

                    T e l e g r a m m

Kopenhagen, den   4. Mai 1944   17.20 Uhr
Ankunft, den   5. Mai 1944   01.30 Uhr

Nr. 569 vom 4.5.[44.]

Auf Erlaß Ha Pol VI 1086/44 vom 21.4.44.

Dr. Eckell, Gochem, hat anläßlich der letzten Dienstbesprechung in Kopenhagen folgenden Vermerk vorgelegt:
    "In Erledigung des Telegramms der Deutschen Gesandtschaft Kopenhagen vom

24.3.44[27] wurde folgendes bezüglich der Befriedigung des mittelbaren Wehrmachtsbedarfs festgelegt:
1.) Die Organisation Todt erhält aus den Dänemark zur Verfügung gestellten Reifen-Kontingenten keine Reifen für die Bestückung angemieteter oder angekaufter Fahrzeuge. Dieser Bedarf ist grundsätzlich gemäß Absprache mit der Reichsstelle Kautschuk aus dem der OT Zentrale (Zentralstelle OT Berlin, Dr. Selzer) zur Verfügung gestellten Kontingenten zu befriedigen, gegebenenfalls bei angemieteten Fahrzeugen in Form von leihreifen, d.h. solchen Reifen, die nur während der Einsatzdauer der Fahrzeuge von der OT leihweise zur Verfügung gestellt werden und nach Entlassung des Fahrzeuges zurückgegeben werden müssen.
2.) Dänische Fahrzeuge, die von anderen Wehrmachtteilen, wie beispielsweise Festungspionierstab, Luftwaffe usw. vorübergehend oder dauernd gemietet werden, erhalten die benötigten Reifen im Falle, daß die auf dem Fahrzeug befindlichen nicht mehr fahrfähig sind, gleicherweise für die Zeit des Einsatzes leihweise zur Verfügung gestellt. Die betreffenden Wehrmachtteile haben die entsprechenden Reifenforderungen über der vorgeschrieben Nachschubweg anzumelden. (Absprache mit dem Leiter der Wehrmachtreifenstelle Berlin, Oberstlt. Kaiser, diese Regelung wird bereits mit Gebieten wie z.B. Frankreich angewendet).
3.) Die angemieteten Fahrzeuge bleiben grundsätzlich in der dänischen Versorgung, da die Leihreifen nur für die Zeit des Fahrzeugeinsatzes für militärische Zwecke zur Verfügung gestellt werden und nach Entlassung der Fahrzeuge wieder zurückgegeben werden müssen.
4.) Fahrzeuge, die seitens des GBK angekauft werden und der Bereifung bedürfen, sind ebenfalls nicht aus dem dänischen Kontingent mit Reifen zu beliefern, sondern diese Reifen müssen von den GBK-Dienststellen über ihre Zentralstelle Berlin bei den monatlichen Reifenverteilungssitzungen der Reichsstelle Kautschuk angefordert werden, wie es für alle übrigen Bedarfsanforderungen des GBK schon geschieht.
5.) Die nach Deutschland fahrenden dänischen Fahrzeuge werden gemäß Zuteilungen der Reichsstelle Kautschuk über das Reichsreifenlager Schleswig weiter wie bislang versorgt. Die Versorgung erfolgt unter Zugrundelegung deutscher Reichlinien (Reifenkarte usw.)
6.) Die Verwaltung des Dänemark zur Verfügung gestellten Kontingents erfolgt durch das Büro für Warenversorgung. Das Büro für Warenversorgung hat gemäß getroffener Absprache allmonatlich eine Übersicht über bewilligte, abgelehnte und solche Anträge zu liefern, die bewilligt sind, deren Erledigung aber mangels vorhandener Ware nicht möglich war.

Es wird vorgeschlagen, diese Berichte in Verbindung mit der Continental, Kopenhagen, aufzustellen. Es ist vorgesehen, das Kontingent von z.Zt. 800 Reifen monatlich in der Marke Continental zur Verfügung zu stellen, dabei besteht Klarheit darüber, daß, falls aus Gründen höherer Gewalt die Notwendigkeit eintritt, andere Marken zu liefern, auch diese über die Continental, Kopenhagen, als Zentralstelle dem dänischen Markt zugeführt werden.

---

27 Telegrammet er ikke lokaliseret.

Von der Errichtung eines Landesreifenlagers wird zunächst Abstand genommen." Schluß des Vermerks.
Ich bitte, das Reichswirtschaftsministerium zu verständigen und dessen Zustimmung zu der vorstehenden Regelung mir mitzuteilen.

Dr. Best

88. Werner Best an das Auswärtige Amt 4. Mai 1944

Foranlediget af en forespørgsel fra AA redegjorde Best for nogle af de trufne foranstaltninger siden 24. april. Den midlertidige afbrydelse af forbindelsen med Sverige agtede Best at fortsætte for nyhedsformidlingens vedkommende. I øvrigt åbenbarede han, at foranstaltningerne 24. april var indført "schlagartig" for at undgå, at von Hanneken greb ind.[28] Der havde ikke været tid til at indhente tilladelse, hvis den ønskede virkning skulle opnås, og Best mente selv at have haft succes med sine initiativer (Rosengreen 1982, s. 93).

Best havde selv konstrueret den krisesituation med modstandsbevægelsens "foruroligelsesforsøg," som han fremmanede over for AA, og derfor hverken steg eller faldt sabotageaktionernes antal efterfølgende på grund af hans foranstaltninger. Heller ikke havde hans "schlagartige" foranstaltninger en reel baggrund hos en stærkt foruroliget von Hanneken. Von Hanneken overvejede overhovedet ingen foranstaltninger, som Best måtte komme i forkøbet. Von Hanneken var ikke foruroliget af indre danske forhold, hvilket også fremgår af hans krigsdagbog for de angiveligt kritiske dage efter 20. april. Når bortses fra, at der blev meldt om fem sabotagetilfælde 21. april, var von Hanneken optaget af ganske andre ting, nemlig invasionsforsvaret. Den 24. april var han på besøg hos en troppeenhed ved Vestkysten, der manglede alle mulige ting (KTB/WB Dänemark de pågældende dage).

Kilde: PA/AA R 29.568. RA, pk. 204, 228 og 438a. LAK, Best-sagen (på dansk).

Telegramm

| Kopenhagen, den | 4. Mai 1944 | 20.15 Uhr |
| Ankunft, den | 4. Mai 1944 | 23.50 Uhr |

Nr. 570 vom 4.5.[44.]

Auf das dortige Telegramm Nr. 475[29] vom 3.5.44 berichte ich folgendes:

1.) Hinsichtlich des Reiseverkehrs zwischen Dänemark und Schweden ist der Zustand, wie er vor dem 24.4.44 bestand, wiederhergestellt; ich lege nur jetzt bei meiner Zustimmung zur Ausreise von in Dänemark wohnhaften Personen nach Schweden sehr viel strengere Maßstäbe an als vor dem 24.4.44.[30]

2.) Die Nachrichtensperre zwischen Dänemark und Schweden ist dahin modifiziert, daß der Postverkehr, der über die Auslandsprüfstelle läuft, vollständig freigegeben und daß der Fernsprech- und Telegrammverkehr für alle deutschen und dänischen Behörden und für alle ausländischen Missionen zugelassen ist. Für Privatpersonen wird der Fernsprech- und Telegrammverkehr nach ähnlich strengen Grundsätzen wie der Reiseverkehr nach und nach zugelassen werden. Die Übermittlung von Nachrichten

---

28 Den forklaring blev gentaget af Best til AA 27. juli 1944.
29 Pol. VI 535. Telegrammet er ikke lokaliseret.
30 Den 9. maj mente *Information*, at spærringen af grænsen til Sverige var omtrent helt ophævet.

für die schwedische Presse und den schwedischen Rundfunk beabsichtige ich, nicht mehr zuzulassen.
3.) Den Entschluß zu meinen Maßnahmen vom 24.4.44 mußte ich, um Maßnahmen oder Beschwerde[n] des Wehrmachtsbefehlshabers Dänemark zuvorzukommen, so schnell fassen, daß Rückfragen nicht mehr möglich waren. Auch die Durchführung mußte schlagartig erfolgen, wenn der gewollte Erfolg erzielt werden sollte. Rückblickend kann festgestellt werden, daß es mir gelungen ist,
    a.) die plötzlich aufgeflammten Beunruhigungsversuche schnell und gründlich niederzuschlagen,
    b.) im Verhältnis zur Wehrmacht – anders als im August 1943 – jede Initiative in meiner Hand zu behalten,
    c.) das Ausland und den Feind zu desorientieren und zu verwirren.
4.) Über meine Maßnahmen habe ich bereits am 24.4.44 durch mein chiffriertes Telegramm Nr. 509[31] berichtet.

Dr. Best

89. Werner Best an das Auswärtige Amt 4. Mai 1944

Bests midlertidige forordning om en SS-domstol satte skub i de forhandlinger, der var gået i stå, efter at SS 9. april havde meddelt, at benådningsretten skulle ligge hos HSSPF. Hverken SS eller OKW kunne uden videre godkende Bests forsøg på at opnå det, han ønskede med den midlertidige forordning. Repræsentanter for begge parter kom derfor til København og forhandlede med Best om sagen. Det var et vidnesbyrd om, at AA ville lade Best selv indkassere nederlaget, hvis forhandlingerne ikke skulle føre til det af Best ønskede resultat. Det var normal procedure, at den slags sager ellers blev forhandlet centralt.

Resultatet af forhandlingerne blev et udkast til en ny forordning, som Best videresendte til AA til godkendelse med en tilføjelse om, at ordningen svarede til den norske. Af udkastet fremgår det, at Best reelt havde fået sin vilje med hensyn til benådningsretten samtidig med at SS' beføjelser vedrørende samme formelt blev opretholdt. Problemet blev løst ved, at SS oprettede en specialafdeling af "SS- und Polizeigericht XXX" ("SS- und Polizeigericht Dänemark"), og ved denne specialafdeling blev Best givet benådningsretten (Rosengreen 1982, s. 94f.).

Ribbentrop reagerede på udkastet med telegram nr. 998 til Steengracht 15. maj.
Kilde: PA/AA R 100.758. RA, pk. 229. LAK, Best-sagen (afskrift).

T e l e g r a m m

Kopenhagen, den	4. Mai 1944	20.35 Uhr
Ankunft, den	4. Mai 1944	23.50 Uhr

Nr. 571 vom 4.5.[44.]

Unter Bezugnahme auf mein Telegramm Nr. 511[32] vom 25.4.44 und auf die fernmündliche Besprechung mit dem Gesandten Dr. Albrecht am 29.4.44 teile ich mit, daß am

---

31 Pol. VI (V.S.). Trykt ovenfor.
32 Recht. Trykt ovenfor.

2.5.44 bei mir eine Besprechung mit dem SS-Standartenführer und dem Oberkriegsrat Schoelz als Beauftragter des OKW stattgefunden hat, in der vorbehaltlich der Zustimmung der beteiligten Obersten Reichsbehörden vereinbart wurde, daß die endgültige Regelung der deutschen Strafgerichtsbarkeit gegen Zivilpersonen in Dänemark durch eine von mir zu erlassende Verordnung des folgenden Wortlauts erfolgen soll:

"Auf Grund der mir vom Führer erteilten Ermächtigung verordne ich im Einvernehmen mit dem Chef des Oberkommandos der Wehrmacht und dem Reichsführer-SS für die Ausübung der deutschen Strafgerichtsbarkeit in Dänemark gegen Zivilpersonen, die weder der deutschen Wehrmacht noch ihrem Gefolge angehören:

Paragraph 1.
Deutsche sind dem Kriegsverfahren wegen aller von ihnen in Dänemark begangenen Straftaten unterworfen. Nichtdeutsche nur wegen der Straftaten, die die deutschen Interessen berühren.

Paragraph 2.
I.) Die Wehrmachtsgerichte bleiben zuständig für die Aburteilung von Nichtdeutschen, wenn die Straftat
   1.) sich unmittelbar gegen die deutsche Wehrmacht, ihre Angehörigen oder ihr Gefolge richtet oder
   2.) in Gebäuden, Räumlichkeiten, Anlagen oder Schiffen begangen wird, die den Zwecken der deutschen Wehrmacht dienen.
II.) Im übrigen geht die Zuständigkeit der Wehrmachtsgerichtsbarkeit auf die SS- und Polizeigerichtsbarkeit über.
III.) Der Wehrmachtsbefehlshaber und der Höhere SS- und Polizeiführer in Dänemark können im Einzelfalle hiervon abweichend die Zuständigkeit der anderen Gerichtsbarkeit vereinbaren.

Paragraph 3.
Der Wehrmachtsbefehlshaber und der Höhere SS- und Polizeiführer in Dänemark können auch das Verfahren an den Reichsbevollmächtigten in Dänemark zur Entscheidung über die weitere Strafverfolgung abgeben. Der Reichsführer-SS wird, wie der SS-Standartenführer Bender mitteilte, beim SS- und Polizeigericht in Kopenhagen eine Sonderabteilung mit der Bezeichnung "SS- und Polizeigericht Dänemark" mit Zuständigkeit für alle Verfahren, die auf Grund meiner Verordnung durchzuführen sind, schaffen und mir das Gnadenrecht hinsichtlich aller von dem "SS- und Polizeigericht Dänemark" erlassenen Urteile übertragen. Dies entspricht vollständig der auch in Norwegen geltenden Regelung. Ich bitte, dem Reichsführer-SS und dem OKW die Zustimmung des Auswärtigen Amtes zu dieser Regelung mitzuteilen. Gegenüber dem OKW bitte ich zusätzlich die Forderung zu vertreten, daß, soweit die Wehrmachtsgerichte gemäß Paragraph 2 meiner zu erlassenden Verordnung zuständig bleiben, meine Beteiligung im Gnadenverfahren des Wehrmachtsbefehlshabers in der bisherigen Weise aufrechtzuerhalten ist.

Dr. Best

90. Kriegstagebuch/WB Dänemark 4. Maj 1944

På baggrund af den stigende invasionsfare foreslog admiral Wurmbach, at von Hanneken indførte forbud mod skibstrafik på de jyske vestkysthavne i mørklægningstiden. Von Hanneken tilsluttede sig dette (jfr. dog krigsdagbogen 3. maj, hvor han selv står som initiativtager) og forhandlede påfølgende med Best derom.

Forslaget vandt Bests tilslutning, selv om han senere i *Politische Informationen* nævnte, at forbuddet begrænsede fiskeriet. Forbuddet blev offentliggjort 8. maj (aftrykt hos Alkil, 2, 1945-46, s. 875).

Kilde: KTB/WB Dänemark 4. maj 1944.

[...]

Zur Angelegenheit "Dänische Hochseefischerei-Fahrzeuge" hat Admiral Skagerrak vorgeschlagen, daß WB Dän folgenden Erlaß herausgibt:

"Während Verdunklungszeiten ist jeder Schiffsverkehr nach oder von der Küste oder den Häfen an den Küsten Jütlands von Hoyer-Schleuse bis Frederikshavn einschl. verboten. Annährung an genannte Küstenabschnitte für Hochseefischer während Verdunklungszeiten nur bis zu einem Abstand bis zu 10 SM bis Küste gestattet.

Tagesfischer müssen vor Eintritt Verdunklung in Hafen zurückkehren und dürfen vor Sonnenaufgang nicht auslaufen.

Zuwiderhandelnde werden ohne Warnung beschossen und nach den Deutschen Kriegsgesetzten bestraft."

Zur Klärung der Angelegenheit mit dem Reichsbevollmächtigten wird Ic, Major Müller, nach Kopenhagen befohlen.

[...]

91. Werner Best an das Auswärtige Amt 6. Mai 1944

Best meddelte, at Frits Clausen var trådt tilbage som fører for DNSAP, og at et tremandsråd var trådt i stedet. Clausen havde erklæret ikke længere at ville beskæftige sig med politik, og selv hans nærmeste venner mente, at der her var fundet den eneste mulige løsning. Best ville sikre Clausens fortsatte eksistens, da både venner og fjender ville holde øje med, hvordan grundlæggeren af den nationalsocialistiske bevægelse blev behandlet.

AA stillede sig ikke tilfreds med den forklaring, for to dage senere ville ministeriet have en yderligere forklaring (Brenner til Best 8. maj), så Best svarede igen med telegram nr. 592, 9. maj (Lauridsen 2003b, s. 375).

Kilde: PA/AA R 29.568. RA, pk. 204. *Føreren har ordet!* 2003, s. 798.

Telegramm

Kopenhagen, den	6. Mai 1944	08.40 Uhr
Ankunft, den	7. Mai 1944	00.00 Uhr

Nr. 582 vom 6.5.[44.]

Unter Bezugnahme auf mein Telegramm Nr. 558[33] vom 3.5.44 berichte ich, daß Dr. Frits Clausen nach seiner Rückkehr nach Dänemark gestern – am 5.5.44 – die Führung seiner Partei niedergelegt hat. Die DNSAP wird von einem aus drei Männern (C.O. Jörgensen, Theophil Larsen und Holger Johannsen) bestehenden Führerrat weitergeführt werden, in dem der Bauernführer C.O. Jörgensen die stärkste Persönlichkeit ist.

---

33 Pol. XVI V.S. Trykt ovenfor.

Dr. Clausen hat auch sein Reichsmandat der Partei zur Verfügung gestellt. Sein Verzicht auf das Mandat wird erst wirksam werden, wenn der Reichstag wieder einmal zusammentritt.[34] Gegenüber den Vertretern der DNSAP hat Dr. Clausen erklärt, daß er sich in Zukunft jeder politischen Tätigkeit enthalten wolle. Sein Rücktritt von der Führung der Partei wird selbst von seinen bisher treuesten Anhängern als die einzig mögliche Lösung empfunden, zumal Dr. Clausen schon in den wenigen Tagen seiner Anwesenheit in Kopenhagen wieder durch alkoholische Exzesse öffentlich aufgefallen ist. Was Dr. Clausen persönlich weiter tun will, weiß ich noch nicht. Ich werde ihm, da zweifellos Freunde und Gegner auf die weitere Behandlung des Begründers einer dänischen nationalistischen Bewegung durch die Deutschen achten werden, jede zur Sicherung seiner Existenz erforderliche Hilfe gewähren.

Dr. Best

92. Walther Tourneau an Willy Seibert 6. Mai 1944

SS-Hauptsturmführer Tourneau fra Hitlers kancelli havde været på et kort ophold i Danmark og sendte påfølgende Willy Seibert i RSHA en kort optegnelse om det indtryk, han havde fået. Det fremgår af følgebrevet, at de ikke stod i et tjenstligt forhold til hinanden.

Tourneaus indtryk var, at situationen var blevet alvorligt forværret. Der var forøget sabotage og skete overfald på værnemagtstilknyttede, der ikke blev skredet hårdt nok ind over for. Bests reaktion var efter andre tyskere i Danmarks opfattelse helt utilstrækkelig. Bests pressemeddelelse af 25. april havde vakt harme ved at sidestille en tysk soldats liv med en dømt dansk sabotørs. Det ville ikke få alvorlige konsekvenser for de danske leverancer til Tyskland, hvis der blev indført skærpede forholdsregler, for bønderne i Jylland stod helt uden for det, der skete i byerne. Det var den almindelige opfattelse, at SS var den eneste formation, der kunne gøre noget ved situationen.

Optegnelsens stærkt kritiske holdning over for Bests politik indeholder stærkt overdrevne angivelser af både arbejdsløsheden i København, den danske modstandsbevægelses styrke og de pengemidler, der var i omløb blandt de illegale. Den er imidlertid et vidnesbyrd om, at der langtfra blandt tyskere i Danmark var fuld opslutning om Bests politik. Netop kritikken af Bests sidestilling af dræbte tyskere og dødsdømte faldne sabotører var et sprængfarligt emne i Berlin, hvis det kom rette instans for øre. Det var AA også klar over, som det fremgår i forbindelse med Bests egenmægtige tiltagen sig jurisdiktionsretten.

Seibert var ansat under Otto Ohlendorf i RSHA Amt III D (Wirtschaft) og havde ikke med sabotagebekæmpelsen i Danmark at gøre, men hans sagområde var imidlertid ikke uden betydning i kraft af, at Tourneau ville demonstrere den manglende sammenhæng mellem en mild tysk fremfærd i Danmark og dansk leveringsvillighed (Wildt 2003, s. 384, passim, Klee 2005, s. 576).[35]

Kilde: RA, Danica 1069, sp. 12, nr. 15.800f.

Tu/Ba
SS-Hauptsturmführer [Berlin] W 8, den 6.5.1944
Voßstraße 4, Kanzlei des Führers

---

34 Frits Clausen stillede sit folketingsmandat til rådighed, men det blev ham ikke frataget af DNSAP. Han repræsenterede stadig partiet, modsat de to andre DNSAP-folketingsmedlemmer Ejnar Jørgensen og redaktør Helge Bangsted, hvis bestræbelser Best enten så positivt på eller havde hånd i hanke med.

35 Seibert var forudgående andet end erhvervssagkyndig. Han var Ohlendorfs stedfortræder ved Einsatzgruppe D i Sovjetunionen, hvorfor han blev dødsdømt 10. april 1948 (siden benådet).

Herrn SS-Standartenführer Seibert
   Reichssicherheitshauptamt
   Berlin W
   Wilhelmstr. 102

Lieber Kamerad Seibert!
Beifolgend übersende ich Ihnen eine kurze Aufzeichnung über meinen Aufenthalt in Dänemark.
   Gleichzeitig soll ich Ihnen herzliche Grüße von Herrn Gerhard Schulz, früher Berlin-Schöneberg, Meraner Platz 2, – ausgebombt – bestellen. Herrn Schulz traf ich als Major bei einer Einheit auf Jütland, bei der ich gesprochen habe.
Heil Hitler!
[uden underskrift]

SS-Hauptsturmführer   *Berlin W 8, den 6.5.1944*
Walther Tourneau   *Voßstraße 4, Kanzlei des Führers*
Tu/Ba

Herrn SS-Standartenführer Seibert
   Reichssicherheitshauptamt
   Berlin W
   Wilhelmstr. 102

Anläßlich meines Einsatzes als Redner der RPL bei der Wehrmacht in Dänemark war ich auch drei Tage in Kopenhagen. Die Verhältnisse haben sich dort in letzter Zeit wieder erheblich zugespitzt. Während ein Abflauen der Sabotagefälle nach dem Ausnahmezustand der Entwaffnung der dänischen Wehrmacht zu verzeichnen war, nehmen diese seit einiger Zeit in erheblichen Masse, wieder zu. In den wenigen Tagen, in denen ich dort oben anwesend war, wurde ein Feldwebel in einer Straßenbahn, den ein Zivilist mit der Waffe bedrohte und entwaffnen wollte, als er sich zur Wehr setzte, erschossen.[36] Eine, für die Deutsche Luftwaffe arbeitende Fabrik wurde nachmittags um 18 Uhr, nachdem vorher drei gleichartige Betriebe gesprengt worden waren, als 4. und letzte von einer 30 Kopf starken Bande unter Zuhilfenahme von Maschinengewehren und Maschinenpistolen in die Luft gesprengt.[37] Schließlich wurde in dieser Zeit während einer Abendvorstellung in 8 Lichtspielhäusern gleichzeitig der eigentliche Spielplan unterbrochen und dafür ein wüster Hetzfilm gegen den Führer, unter dem begeisterten Jubel der Besucher, vorgeführt.[38] Es ist erstaunlich, daß in keinem der Lichtspielhäuser von deutschen [ulæseligt ord] dagegen protestiert wurde, oder aber, was mir selbstver-

---

36 Der var tale om en tropsfører i Schalburgkorpset, Bent Julius Gottlieb, der ikke blev alvorligt såret. Episoden fandt sted 20. april (RA, BdO Inf. nr. 33, 24. april 1944, *Daglige Beretninger*, 1946, s. 100f.).
37 Se Rü Stab Dänemarks beretning 25. april om sabotagen mod Carltorp.
38 Det var Holger Danske, der 23. april udførte en koordineret aktion i otte biografer (Birkelund 2008, s. 680).

ständlich erscheint, die Apparatur zusammen geschossen wurde. In den Tagen, in denen ich dort oben war, wurde regelmäßig des Nachts an verschiedenen Stellen geschossen und es erfolgten Detonationen.

Als Reaktion auf diese Erscheinung erschein in der dänischen Presse am 25.4. die in deutscher Übersetzung beigefügte Äußerung von Dr. Best.[39] Mir bekannte Kameraden der Wehrmacht und der Landesgruppe der NSDAP haben eindeutig ihr Erstaunen über diese Ausführungen geäußert. Sie verstünden nicht, so erklärten sie, daß in ihnen ein deutscher Soldat gleich einem Saboteur oder Gewaltverbrecher, der auf sein Todesurteil wartet, gesetzt wird. Daß heißt, so sagen Sie, ein Deutscher ist noch weniger wert als ein Däne. Die Erbitterung hierüber ist in den deutschen Kreisen umso grösser, als seit langem der Volksdeutsche in Dänemark vogelfrei ist und ebenso deutschfreundliche Dänen nicht nur vor den Kopf gestoßen werden, sondern tatsächlich ernsthaft bedroht sind.

Es wird erklärt, daß die breite Masse der Dänen, dieses Verhalten der Saboteure ablehnt, andererseits die Reaktion von deutscher Seite nicht begreift. Wie bei uns in der Kampfzeit hat andererseits das Bürgertum Angst vor diesen Untermenschen und wagt es keinesfalls, ihnen entgegenzutreten, wie das besonders kraß im Fall des Erschießens jenes Feldwebels in der vollbesetzten Straßenbahn beweist. Als die Polizei erschien, war mit Ausnahme des Schaffners, alles geflüchtet. In Kopenhagen soll die Zahl der Arbeitslosen z.Zt. etwa 200.000 betragen. Saboteure erhalten für die Zeit ihrer Ausbildung pro Tag 40 Kronen und später, für jedes Ding das sie drehen, neben diesem Tagessatz eine besondere Prämie. Allgemein wird erklärt, daß die einzige Formation, die gegen dieses Treiben einschreitet und auch hierbei nicht unwesentliche Erfolge erzielt hat, die SS ist. Sie wird dementsprechend in Dänemark "geliebt und geschätzt".

Auf dem flachen Lande und in Dörfern, besonders auf Jütland, ist mir, in Gegensatz zu den Städten, wiederholt von Angehörigen der Wehrmacht versichert worden, daß ein gutes Verhältnis mit dem dänischen Landvolk besteht.

Es gibt Kreise, die behaupten, es dürfe mit schärferen Mitteln gegen die Dänen nicht vorgegangen werden, weil sie sonst ihrer landwirtschaftlichen Ablieferungspflicht nicht nachkämen. Übereinstimmend haben dagegen maßgebliche Männer mir erklärt, daß diese Auffassung völlig fals[ch] ist. Der dänische Bauer würde, ohne Rücksicht auf dieses Treiben, das er verurteilt, seiner Arbeit nachgeben und seine Ablieferungspflicht erfüllen. Er habe zweifelsohne noch nie so gut verdient, wie das heute der Fall wäre.

Zusammenfassend wird erklärt, daß es allerhöchste Zeit sei, härtere Maßnahmen gegen Saboteure und alle aktiv deutschfeindlichen Kreise zu ergreifen. Die Zahl dieser Kräfte und die Stärke ihrer Bewaffnung dürfen nicht unterschätzt werden.

---

39 Oversættelsen af Bests artikel er ikke medtaget her. Den er indeholdt i Bests telegram nr. 524, 25. april 1944.

93. Werner Best an das Auswärtige Amt 6. Mai 1944

Best meddelte, at OKM ikke kunne anvende damperen "M.G. Melchior" til det ønskede formål, hvorfor det var blevet givet tilbage til Det Forenede Dampskibsselskab. I stedet havde Best ladet motorskibet "C.F. Tietgen" beslaglægge. Det overgik straks til Kriegsmarine i København, som underrettede rederiet, der ejede begge skibe.
    Kilde: BArch, Freiburg, RM 7/1813. RA, Danica 628, sp. 7, nr. 5856.

Abschrift Ha Pol 3187/44 g
Der Reichsbevollmächtigte in Dänemark   *Kopenhagen, den 6. Mai 1944*
S/Sch 3/1   Geheim

An das Auswärtige Amt
    Berlin

Betr.: Beschlagnahme aufgelegter dänischer Tonnage.

Im Anschluß an meinen Bericht vom 18. April d.J.[40] – Nr. S/Sch. 3/1 – teile ich mit, daß nach Prüfung über die Verwendbarkeit des Dampfers "M.G. Melchior" seitens des Oberkommandos der Kriegsmarine das Schiff für den gedachten Zweck nicht geeignet ist. Ich habe daher die von mir für den Dampfer "M.G. Melchior" ausgesprochene Beschlagnahme heute wieder aufgehoben und das Schiff der Reederei zur Verfügung gestellt.
    Anstelle des Dampfers "M.G. Melchior" habe ich heute das Motorschiff "C.F. Tietgen" beschlagnahmt.
    Die Rückgabe des Dampfers "M.G. Melchior" und die Erfassung des Motorschiffes "C.F. Tietgen" übernimmt die Kriegsmarinedienststelle Kopenhagen unmittelbar, die sich auch mit der Reederei der beiden Schiffe, der Det Forenede Dampskibsselskabet, in Verbindung gesetzt hat.
                                                        gez. **Best**

94. Horst Bender: Vermerk 7. Mai 1944

Efter et møde med Best og Pancke fremlagde SS-rettens øverste chef Bender sit syn på, hvordan tilfældet K.B. Martinsen skulle gribes an. Bender var af den opfattelse, at de danske myndigheder skulle underrettes om sagens rette sammenhæng, og sagen gennemføres ved SS- og Politiretten i København. Det var Best imod. På den baggrund ville Bender ikke føre sagen ved SS- og Politiretten i København. Det drejede sig om en politisk sag, hvor man hellere skulle betjene sig af sikkerhedspoliti. Derfor havde Bender aftalt med Best, at sagen overgik til sikkerhedspoliti, ligesom han havde lovet at oplyse RFSS om Bests 3. maj fremførte opfattelse.
    Pancke reagerede til Bender 9. maj, mens RFSS' stilling kom frem i Benders notat 17. maj.
    Kilde: RA, pk. 442.

---

[40] Se *Politische Informationen* 1. maj 1944, afsnit III.4.

Feldkommandostelle, den 7.5.1944

Vermerk

Rücksprache am 2.5.44 SS-Ogruf. Dr. Best und SS-Ogruf. Pancke in der Angelegenheit SS-Ostubaf. Martinsen:

Ich habe Beiden eröffnet, daß der Reichsführer SS von Ihnen einen Bericht über die Angelegenheit verlange und alsdann seine endgültige Entscheidung treffen wird. Beiden gegenüber habe ich zum Ausdruck gebracht, daß nach meiner Auffassung bei diesem Stand der Verfahrens es wohl das Beste sei, wenn der Reichsbevollmächtigte und der Höhere SS- und Polizeiführer gegenüber dem dänischen Staatsadvokaten, der m.E. über den wahren Tatbestand informiert sei, nunmehr erklären würden, daß SS-Ostubaf. Martinsen ihnen zunächst bezüglich des Eggers die Unwahrheit gesagt habe, daß aber nunmehr die Angelegenheit eingehend untersucht würde.

SS-Ogruf. Best hielt dieses aus den Gründen seiner Stellungnahme vom 3.5.44 politisch nicht für tragbar.[41]

Ich habe ferner den beiden Obergruppenführern gegenüber eindeutig erklärt, daß das SS- und Polizeigericht Kopenhagen aus dem Spiel herausbleiben müsse, wenn der dänische Staatsadvokat hingehalten bzw. unzutreffend informiert würde. Es handele sich hierbei um eine politische Angelegenheit, beider man sich der Sicherheitspolizei bedienen solle. Demzufolge habe ich mit SS-Ogruf. Best vereinbart, daß das SS- und Polizeigericht Kopenhagen den Vorgang in die Sicherheitspolizei abgeben solle.

Ich habe SS-Ogruf. Best zugesagt, seine Stellungnahme vom 3.5.44 dem Reichsführer-SS bald möglichst vorzutragen und alsdann weitere Nachricht zu geben.

Wv. zum Vortrag RFSS

Bender
SS-Standartenführer

95. Kriegstagebuch/Admiral Skagerrak 7. Mai 1944

Wurmbachs månedsoversigt for april 1944 kom med en uges forsinkelse. Der var sket en betydelig stigning i antallet af sabotager i april. Kriegsmarine var kun blev ramt i et enkelt tilfælde, sabotagerne gik især ud over maskinfabrikker, der arbejdede for tyske interesser. Der havde også været flere anslag mod tyske og danske filmforetagender/biografer. Best havde truffet nogle hurtige og virksomme foranstaltninger for at stoppe den illegale aktivitet, bl.a. havde han indført øjeblikkelig og hård modterror for hvert dansk attentat, ladet gennemføre omfattende razziaer, afbrudt person- og telefonforbindelsen med Sverige og oprettet en SS- og Politiret i København.

Wurmbach skelnede ikke mellem de politimæssige og øvrige foranstaltninger, men tillagde Best initiativet til modterroren for hvert begået dansk attentat, hvilket ikke var korrekt. Det var allerede tysk politis opgave forud. Best ville i stedet besvare danske attentater med henrettelse af allerede dødsdømte modstandsfolk. Wurmbachs fejltagelse kan skyldes, at det var det indtryk, han havde fået af situationen, eller at han ønskede alene at fremstille Best som den handlekraftige over for Berlin. Forholdet mellem de to var fremdeles det bedste; de så ret ens på situationen i Danmark.

Kilde: KTB/ADM Dän 7. maj 1944, RA, Danica 628, sp. 3, s. 3336f.

---

41 Best til Bender, trykt ovenfor.

[...]
2.) Sabotage:
Nach anfänglich sehr geringer Sabotagetätigkeit ist im Laufe des Monats April eine erhebliche Steigerung der Zahl der Sabotagefälle eingetreten, und zwar offenbar in Auswirkung der Invasions-Psychose.[42]

Marinebelange sind lediglich in einem Falle, und zwar durch den Sprengstoffanschlag im Wellentunnel des deutschen Dampfers "Minna Korda" auf der Werft Burmeister & Wain in Kopenhagen berührt worden. Sachschaden unerheblich.[43]

Im übrigen sind unter den zahlreichen Anschlägen besonders mehrere Sabotage-Fälle in Maschinenfabriken hervorzuheben, die für deutsche Interessen arbeiten, sowie mehrere Anschläge gegen deutsche und dänische Filmunternehmungen.[44]

Der Bevollmächtigte des Reiches in Dänemark hat zur schnellen und wirksamen Bekämpfung illegaler Tätigkeit folgende Maßnahmen angeordnet:

1.) Für jeden Sabotageakt und jedes Attentat werden schnelle und harte Gegenterrorakte durchgeführt.

2.) Es werden umfangreiche Festnahmeaktionen und Razzien durchgeführt.[45]

3.) Sabotagefälle werden nicht mehr in der Presse und im Rundfunk mitgeteilt, um die Nervenwirkung dieser Vorgänge zu steigern.

4.) Der Personen- und Nachrichtenverkehr mit Schweden ist vorübergehend eingestellt, um in Dänemark eine Schockwirkung zu erzielen und feindliche Propaganda zu verwirren.

5.) In Gross-Kopenhagen sind auf weiteres alle Lichtspieltheater geschlossen.

6.) Für die Aburteilung von Personen, die nicht der deutschen Wehrmacht angehören und nicht Gefolge der deutschen Wehrmacht sind, wegen solcher Straftaten, die deutsche Interessen berühren, ist in Dänemark an Stelle der Wehrmachtgerichte die Zuständigkeit des SS- und Polizeigerichtes XXX in Kopenhagen gegeben.

7.) Der Besitz von Schußwaffen jeder Art einschließlich Jagdwaffen, von Munition, Handgranaten, Sprengmitteln und sonstigem Kriegsgerät sowie von Teilen solcher Gegenstände ist verboten und unter Todesstrafe gestellt.

---

42 Best havde i *Politische Informationen* 1. januar 1944 introduceret "Psychosen", som forklaring på den danske befolknings og modstandsbevægelsens reaktioner.

43 Sabotagen mod den tyske damper "Minna Corts" fandt sted 31. marts 1944 (se Wurmbachs situationsberetning 31. marts 1944), men til gengæld blev den tyske damper "Lavinia" fra rederiet Kirsten Hamburg (2.000 BRT) udsat for sabotage på Ålborg værft 22. april 1944, hvorved den fik slagside (RA, BdO Inf. nr. 34, 2. maj 1944, Alkil, 2, 1945-46, s. 1230).

44 Der var i april især i København aktioner mod biograferne: Bl.a. blev UFA Film udsat for sabotage 5. april, 15. april blev der i København opklæbet plakater med opfordring til ikke at se tyske film, 16. april blev der kastet antitysk propaganda ud for Triangelteatret og andre københavnske biografer, 20. april indløb en telefonbombe mod Nørrebros biografteater, 21. april var der telefonbomber mod Vanløse Biograf og Amager Bio, 22. april en telefonbombe mod Bella Bio, 23. april fik biograferne Bella Bio, Colosseum, Scala Bio, Toftegårds Bio, Triangel Teatret, Enghave Bio og Casino Bio afbrudt forestillingen af maskerede og revolverbevæbnede mænd (fra Holger Danske), der viste en karikatur af Hitler og spillede en antitysk propagandaplade, 24. april besatte tysk politi en tid Palladium. Desuden blev Gilleleje Biograf forsøgt afbrændt 12. og 17. april (RA, BdO, Inf. nr. 30, 33 og 34, 7. og 24. april og 2. maj 1944, *Information* 28. marts, 1., 3. 15., 18. og 24. april, *Daglige Beretninger*, 1946, s. 86f., 97, 101f., 104f., Alkil, 2, 1945-46, s. 1230, Birkelund 2008, s. 680).

45 Om razziaerne, se Bests telegram nr. 523, 25. april 1944.

In der Berichtszeit sind 66 Personen festgenommen, die der Sabotage überführt oder verdächtig sind.[46]
[...]

96. Werner Best an das Auswärtige Amt 8. Mai 1944
Best sendte via AA en henvendelse til RWM for at få de nødvendige mængder af kogesalt til Danmark til brug for konservering af fisk. Det øgede behov for konservering udsprang af transportproblemer.[47]
    AA sendte 9. maj brevet videre til Ludwig i RWM, hvorfra AA 3. juni 1944 fik svar.
    Kilde: PA/AA R 113.561.

Telegramm

+ DG Kopenhagen Nr. 45   8.5. [1944]   14.00 [Uhr]

Auswärtig Berlin Nr. 586 von 8. Mai 1944
Für Reichswirtschaftsministerium.

Durch wesentlich größere Schlachtungen im laufenden Wirtschaftsjahr ist der Bedarf an Siedesalz in Dänemark erheblich gestiegen. Der Mindestbedarf wird monatlich auf etwa 3.000 t geschätzt. Zur Zeit bestehen Lieferverzögerungen infolge von Transportschwierigkeiten. Da die Fleischwaren nicht auf einmal nach Deutschland transportiert werden können, besteht die Notwendigkeit ihrer Konservierung durch Einsalzen. Der Bedarf ist deshalb äußerst dringlich. Ich bitte dafür zu sorgen, daß schnellstens Lieferungen durch Salinen erfolgen, die an deutschen Binnenhäfen gelegen sind, z.B. Saline Schönebeck A/Elbe. Erbitte Drahtbescheid, welche Mengen beschleunigt auf dem Wasserwege nach Dänemark geliefert werden können.
    Unter Bekanntgabe der für die Lieferung bestimmten Saline.
Dr. Best

97. Harro Brenner an Werner Best 8. Mai 1944
I anledning af den danske partiføre Frits Clausens tilbagetræden ønskede RAM snarest en udførlig indberetning om baggrunden derfor, og om Best havde øvet en direkte eller indirekte indflydelse derpå.
    Best svarede med telegram nr. 592 dagen efter.
    Kilde: PA/AA R 29.568. RA, pk. 204.

Telegramm

Fuschl, den   8. Mai 1944   16.32 Uhr
Ankunft, den   8. Mai 1944   18.20 Uhr

---

46 Best opgav i *Politische Informationen* 1. maj 1944, at 52 personer var anholdt for sabotage i april. Muligvis skyldtes forskellen, at Wurmbach først indberettede 7. maj.
47 Se tillige *Politische Informationen* 1. april 1944, afsnit III.

Nr. 902 vom 8.5.44. Citissime!
BRAM 438/44 R

1.) Telko,
2.) Diplogerma Kopenhagen
   Für Reichsbevollmächtigten persönlich.

Auf Nr. 558[48] vom 3.5.44.
   Dem Herrn Reichsaußenminister hat eine Pressemeldung aus Kopenhagen vom 7.5.44 vorgelegen, in der der Rücktritt von Dr. Clausen von der Führung der DNSAP mitgeteilt wird.
   Der Herr Reichsaußenminister bittet Sie um möglichst baldigen ausführlichen Drahtbericht über die Zusammenhänge, die zu diesem Rücktritt geführt haben, insbesondere interessiert hier, ob Sie mittelbar oder unmittelbar auf den Rücktritt Clausens Einfluß genommen haben.

Brenner

Vermerk:
Unter Nr. 497 an Diplogerma Kopenhagen weitergeleitet.
Telko, 8.5.44.

98. Adolf von Steengracht an Alfred Meyer 8. Maj 1944

Best fik tilsendt von Steengrachts brev til Gauleiter Alfred Meyer fra samme dag, hvori et tidligere telegram fra Best, skrevet mellem 17. februar og 15. april, blev citeret direkte.
   Best var som i december (se Steengracht til Meyer 18. december) fortsat af den opfattelse, at situationen ikke var gunstig for et dansk engagement i østområderne. Meyer holdt imidlertid fast ved sit og ville have nogle danskere af sted. Hvis der kun var tale om nogle få hundrede mennesker mente Best, at det var unødvendigt at oprette nye organer til formålet. De allerede eksisterende var tilstrækkelige. Steengracht tilsluttede sig Bests opfattelse og nævnte den nylige førerordre, hvorefter alle foranstaltninger skulle træffes for at sikre de tyske leverancer fra Danmark.
   Der foreligger ikke yderligere akter i sagen, så Meyer har sandsynligvis ladet førerordren vedrørende Danmark være afgørende.[49]
   Kilde: PA/AA R 29.568. RA, pk. 204.

Auswärtiges Amt
Ha Pol. 1452/44 g *Berlin, den 8. Mai 1944.*

Abschriftlich
   dem Bevollmächtigten des Großdeutschen Reiches in Dänemark
   Kopenhagen
unter Bezugnahme auf den Bericht vom 15. v.M. – H/S. Ostraum/235 – zur Kenntnis übersandt.

Im Auftrag
gez. **von Behr**

---

48 bei Pol XVI. Trykt ovenfor.
49 Se Lund 2005, s. 206 for tiden frem til december 1943.

Geheim! Feldquartier, den 8. Mai 1944.

An den ständigen Vertreter des Reichsministers für die
besetzten Ostgebiete, Gauleiter und Reichsstatthalter
Alfred Meyer.
Berlin W 8
Unter den Linden 63

Sehr geehrter Gauleiter, lieber Parteigenosse Meyer.
Sie hatten mir vor einiger Zeit wegen des Einsatzes von Dänen im Osten erneut geschrieben und mit mir darüber vor kurzem mündlich gesprochen. Ich habe aus unserer kurzen Unterredung den Eindruck gewonnen, daß einer Ihrer Herren mit Parteigenossen Best über das in Frage stehende Problem sich unterhalten hat, so daß die Angelegenheit nunmehr geklärt sein dürfte. Ich möchte Ihnen deshalb lediglich die Stellungnahme, die Parteigenosse Best mir übermittelt hat, zu Ihrer Kenntnis bringen. Sie lautet:

"An meiner mit Drahtbericht Nr. 1501 vom 6. Dezember 1943[50] mitgeteilten Stellungnahme muß ich festhalten.

Wenn es sich – wie in dem Schreiben des Gauleiters und Reichsstatthalters Alfred Meyer vom 17.2.1944 gesagt wird – nur um 2 bis 300 Personen für den Einsatz im Osten handeln soll, so ist hierfür erst recht die Einrichtung eines eigenen Büros bezw. die Bildung einer dänischen Kapitalgesellschaft nicht erforderlich. Diese Aufgabe würde vielmehr zweckmäßigerweise den hier bereits vorhandenen Organen übertragen werden können. Neben der Deutschen Arbeitsvermittlungsstelle und dem dänischen Ostausschuss steht auch die Germanische Leitstelle zur Verfügung.

Für den Erfolg einer Anwerbung ist es aber von entscheidender Bedeutung, daß die den Interessenten gestellten Bedingungen hinreichend anziehend sind. Ich bitte um Mitteilung für welche Tätigkeit im Einzelnen die Personen gesucht werden und welche Aussichten ihnen für die Zukunft geboten werden können."

Ich darf hierzu noch erwähnen, daß durch eine kürzlich ergangene Weisung des Führers[51] unter allen Umständen sicherzustellen ist, daß die Produktionskraft Dänemarks erhalten bleibt und alle Maßnahmen zu treffen sind, um die Lieferungen aus Dänemark noch zu steigern, alles hingegen vermieden werden muß, was den zweckmäßigen Gang der Ereignisse stören könnte.

Ich darf daher wohl entsprechend dem Schreiben des Parteigenossen Best um weitere Vorschläge bitten"
Mit verbindlichsten Grüßen

Heil Hitler!
Ihr sehr ergebener
gez. **Steengracht**

---

50 Telegrammet er ikke lokaliseret, men det er refereret udførligt i et brev fra Steengracht til Meyer 18. december 1943 og trykt ovenfor under telegrammets dato.
51 Se telegram nr. 412, 1. april 1944.

99. Admiralquartiermeister an Kriegsmarinedienststelle Kopenhagen 9. Mai 1944

Seekrigsleitungs skibsfartsafdeling beordrede Kriegsmarinedienststelle Kopenhagen til at foranledige en række danske skibe beslaglagt. Det blev specificeret, hvilken type skibe det skulle være. Henvendelsen skulle gå til Duckwitz, der skulle fremkomme med forslag til de konkrete skibe. Beslaglæggelserne var ubetinget nødvendige.

Ordrens videre forløb er ikke oplyst, men henvendelsen skete på den vis, som det var aftalt på mødet hos Best 4. april 1944. Den rigsbefuldmægtige blev ikke direkte indblandet i processen, men at Duckwitz konsulterede ham, er hævet over enhver tvivl, og at de nye krav om beslaglæggelser ikke ville blive gennemført problemfrit, var Seekriegsleitung klar over. Se OKM til kaptajn Jürst 10. juni 1944.

Konceptet er udateret, men af de håndskrevne påtegninger fremgår det, at det blev modtaget i København 10. maj 1944. Desuden er der henvist til det af OKM 5. juni 1944 med datoen 9. maj.

Kilde: BArch, Freiburg, RM 7/1813. RA, Danica 628, nr. 5844.

Schnellkurzbrief

an Kriegsmarinedienststelle Kopenhagen

Betr.: Beschlagnahme dänischer Tonnage.

Dringende Neuanforderungen machen erneuten Rückgriff auf dänischen Schiffsraum erforderlich. Es werden benötigt:

1. Ein Minenschiff   ca. 2.000 BRT
                                                  15-18 sm.
2. Ein E.-Mess Schulschiff   3-4.000 BRT
                                                  15-18 sm
3. Ein Torpedo-Transportfahrzeug   ca. 2.500 BRT
                                                  12-14 sm
4. Ein Fu.-M.G. Schiff (Ersatz Termilino)   ca. 800-1.000 BRT
                                                  8-10 sm
5. 6 Küsten-Motorsegler als U.-Schießstandschiffe[51]
6. 2-3 Tonnenleger. Möglichst Fischdampfer.

KMD Kopenhagen unterbreitet schnellstens entsprechenden Antrag Schiffahrtsbevollmächtigtem Duckwitz, unter Hinweis auf Dringlichkeit und unbedingte Notwendigkeit Freigabe und Beschlagnahme obigen Schiffsraums. Vorschläge Duckwitz melden.

                Oberkommando der Kriegsmarine
                Skl. Adm. Qu. VI h 3549/44 geh.

Verteiler:
1. Skl. I i
Skl. Adm. Qu. I

---

52 Der var 5. april første gang blevet krævet sådanne seks kystmotorskibe, hvilket Duckwitz kraftigt havde modsat sig (se Seekriegsleitungs notat 9. april 1944).

100. Werner Best an das Auswärtige Amt 9. Mai 1944

Da Best af AA var blevet bedt om at redegøre for Frits Clausens tilbagetræden som fører for DNSAP, tillod han sig at udtrykke sit mishag over at skulle gentage noget, han allerede havde afgivet indberetning om, idet han henstillede, at RAM fik forelagt, hvad Best fremsendte.

Det var ikke et egentligt svar på AAs spørgsmål, og ministeriet lod sig ikke nøje dermed, men sendte en ny henvendelse til Best 15. maj (telegrammet er ikke lokaliseret), som han svarede på med telegram nr. 626, 17. maj.

Kilde: PA/AA R 29.568. RA, pk. 204.

Telegramm

Kopenhagen, den	9. Mai 1944	19.35 Uhr
Ankunft, den	9. Mai 1944	21.00 Uhr

Nr. 592 vom 9.5.[44.]   Citissime!

Auf das Telegramm Nr. 497[53] vom 8.5.1944 erwidere ich, daß ich über die Vorgeschichte des Rücktritts des Dr. Clausen von der Führung der DNSAP und über den Rücktritt selbst in meinen Telegrammen Nr. 558[54] vom 3.5.1944 und Nr. 582[55] vom 6.5.1944 ausführlich berichtet habe. Da ich es immer wieder erlebe, daß Vorgänge in Dänemark, über die ich längst berichtet habe, dem Herrn Reichsaußenminister und einigen Abteilungen des Auswärtigen Amtes nicht oder nur durch Pressemeldungen bekannt werden, bitte ich dringend, dafür zu sorgen, daß meine Drahtberichte dem Herrn Reichsaußenminister und allen sonst interessierten Stellen zugeleitet werden, um diesen Dienststellen unnötige Rückfragen und mir den darin liegenden Vorwurf mangelhafter Berichterstattung zu ersparen.

Dr. Best

101. Günther Pancke an Horst Bender 9. Mai 1944

Best var ved mødet med Bender og Pancke 2. maj kommet til at stå alene med synspunktet, at danske myndigheder på ingen måde skulle indblandes i sagen K.B. Martinsen. Pancke tilsluttede sig nu Bests holdning, idet han forklarede modsætningen med en kommunikationsbrist. Pancke og Best var enige om håndteringen af sagen, også at K.B. Martinsen indtil videre ikke kunne undværes på posten.

RFSS' afgørelse i sagen fremgår af Benders notat 17. maj.

Kilde: RA, pk. 442.

Fernschreiben   Dringend!

– Kr – HXXO 5379 9.5. 21.00(DG HOSF 11264)

---

53 Pol. XVI (V.S.) (Fuschl 902). Telegrammet er ikke lokaliseret
54 bei Pol. XVI (V.S.). Trykt ovenfor.
55 bei Pol. XVI (V.S.). Trykt ovenfor.

An Reichsführer-SS u. Chef der Deutschen Pol.
  z.H. SS-Staf. Bender
  Feldkommandpost Bergwald

SS-Standartenführer Bender.
Zu Bericht vom 2.5.44 betr. Martinsen und Bericht Dr. Best vom 3.5.44 teilte ich zur Klärung des Widerspruchs mit: Best und ich hatten besprochen, daß M[artinsen] sich zur Front melden müsse. Auf dieser Voraussetzung beruht Best Bericht. Ich habe am Abend 2.5.44 durch Besprechung mit Vertreter Martinsens Überzeugung gewonnen, daß M[artinsen] im Augenblick nicht entbehrt werden kann. Best erhielt hiervon erst nach Absendung seines Berichts Kenntnis. Nach heutiger Rücksprache stimmt Best meiner Auffassung zu.

gez. **Pancke**
SS-Ob. Gr. Fhr. und Gen. der Polizei
Der Höh. SS- und Pol. Fhr. i. Dänemark

102. Werner Best an Heinrich Himmler 9. Mai 1944

I en personlig henvendelse til Himmler bad Best om, at der måtte blive gjort noget for familien Kryssing. Han gav både en menneskelig og politisk begrundelse. Sidstnævnte angik først og fremmest, at omverdenen ville interessere sig for, hvordan den første "germanske general" blev behandlet fra tysk side.
  Se endvidere Best til Klumm 14. juni og til Himmler 17. juli 1944.
  Kilde: RA, pk. 442.

Obergruppenführer Dr. Werner Best   *Kopenhagen, den 9.5.1944.*
Reichsbevollmächtigter in Dänemark

An den Reichsführer-SS Heinrich Himmler   *Persönlich!*
  Feldkommandostelle

Reichsführer!
Aus menschlichen und aus politischen Gründen halte ich es für meine Pflicht, Sie für die Tragödie der Familie Kryssing zu interessieren.
  Ich glaube, daß es in ganz Europa nicht eine einzige Familie gibt, die freiwillig in gleicher Weise sich selbst – nämlich buchstäblich die gesamte Familie – für unseren Kampf geopfert hat.
  Nachdem der jetzige SS-Brigadeführer und Generalmajor der Waffen-SS C.P. Kryssing sich 1941 als erster dänischer Offizier an die Spitze des neu gegründeten Freikorps gestellt hatte, haben sich auch seine beiden Söhne und seine Frau freiwillig zum Kriegsdienst gemeldet. Beide Söhne – die einzigen Kinder – sind inzwischen an der Ostfront gefallen. Frau Kryssing hat am 10.3.1944 in Reval bei einem Bombenangriff einen Schädelbasisbruch erlitten von dem sie sich mit ihren 56 Jahren nie mehr ganz erholen wird. Ihr Heim in Dänemark hat die Familie schon vor zwei Jahren aufgegeben und ihre gesamte Verwandtschaft hat sich aus politischen Gründen distanziert, sodaß

wir jetzt die kranke Frau Kryssing in unser Haus aufgenommen haben, um ihr bis auf weiteres Unterkunft und Pflege zu gewähren.[56]

Die Frau, die dieses bittere Schicksal erlitten hat, hat leider auch durch den Formalismus und die Rücksichtslosigkeit deutscher Stellen schwere Enttäuschungen als Dank für ihren selbstlosen Einsatz hinnehmen müssen. Da sie und ihr Mann kaum über diese Dinge sprechen, kann ich mich über Einzelheiten nicht äußern. Ich weiß aber, daß der SS-Brigadeführer Kryssing sich aus dem Gefühl, für seine körperlich und seelisch schwer leidende Frau eintreten zu müssen, an Sie, Reichführer, gewandt hat.

Und dies veranlaßt mich, Sie, Reichsführer, herzlich und dringend zu bitten, eine Entscheidung zu treffen, die den menschlichen und den politischen Gesichtspunkten dieses tragischen Falles gerecht wird.

Menschlich ist es einfach eine Selbstverständlichkeit, daß wir für diese selbstlosen und vornehmen Menschen, die alles für uns geopfert haben, bis zum letzten eintreten.

Politisch ist zu berücksichtigen, daß hier in Dänemark und wohl auch außerhalb des Landes scharf darauf geachtet werden wird, wie dieser dänische Offizier – der erste Kommandeur des dänischen Freikorps und der erste "germanische General" – und seine Frau von uns behandelt werden.

Meine Bitte geht deshalb dahin, daß – ungeachtet der mir nicht näher bekannten Einzelheiten des Falles der Frau Kryssing – dem SS-Brigadeführer Kryssing ein wohlwollender Bescheid erteilt wird, und daß er wieder ein ehrenvolles Kommando erhält.

Der Frau Kryssing aber, die ihr Streben, unserer Front zu helfen, mit lebenslangem Leiden bezahlt hat, sollte durch eine Auszeichnung, wie verdiente Schwestern sie erhalten, der Dank und die Anerkennung des Reiches zum Ausdruck gebracht werden.

Meine Frau und ich wollen im übrigen durch persönliche Fürsorge versuchen, in dieser Frau die Bitterkeiten der letzten Jahre auszugleichen.

Heil Hitler!
Ihr **Werner Best**

103. Der Beauftragte des Reichskommissars für die Preisbildung: Preispolitischer Lagebericht über Dänemark 9. Mai 1944

Den halvårlige prispolitiske situationsberetning for Danmark indeholdt for første gang en indledning, hvor den generelle politiske situation siden sidst blev kommenteret. De fra tysk side foretagne foranstaltninger (de danske værns fjernelse og aktioner mod de danske jøder) havde bidraget til at øge den tyskfjendtlige stemning i befolkningen. Imidlertid havde det ikke mindsket den danske leveringsvillighed, tværtimod var denne steget, mens samtidig de tyske leverancer var faldende. Da leverancerne af danske landbrugsprodukter til Tyskland var yderst vigtige, skulle det så vidt muligt undgås, at denne for Tyskland gunstige situation blev ændret, herunder at den danske befolkning mistede tilliden til sin valuta. Derefter blev det detaljeret gennemgået, hvordan de danske myndigheder gjorde mest muligt for at bevare den danske krones stabilitet, herunder afviste berettigede krav om lønforhøjelser. Situationsindberetningens hoveddel var koncentreret om de problemer, der var opstået for dansk økonomi efter igangsættelsen af de store tyske byggearbejder. Der blev rettet en meget hård kritik af værnemagtens brug af misliebige mindre firmaer, at mange forskellige tyske tjenestesteder

---

56 Privat havde Best en tid fru Kryssing boende på "Rydhave" (Bests kalenderoptegnelser mellem 27. april og 16. juli 1944, Boest 1997, s. 81).

iværksatte byggearbejder samtidig, at den hidtidige opretholdte kontrol og styring blev umulig, at indbyrdes konkurrence mellem de tyske tjenestesteder pressede priserne i vejret m.m. Der var tale om misforhold, som skadede seriøse danske firmaer og truede hele den danske prispolitik. Det blev anbefalet, at WB Dänemark udstedte en forordning, der bragte misforholdene til ophør, ligesom andre indgribende tiltag blev foreslået.

Oversigten kunne i passager lige så godt være skrevet af den danske modpart, og der er heller ikke tvivl om, at skribenten har været vidende om den kritik, der fra dansk side blev fremført af de tyske byggearbejder. Der bliver flere gange henvist til den danske kommitterede i industrisager, Axel Odel, som skribenten var i kontakt med, og netop Odel havde 6. maj skrevet et memorandum, der havde stor lighed med den kritik, der i den prispolitiske oversigt blev rettet mod værnemagtsbyggerierne.[57] Der blev udvekslet synspunkter på tværs mellem de danske og tyske instanser, der havde en primærinteresse i at opretholde stabile forhold i Danmark. Blandt disse kan foruden Odel peges på Walter og Ebner på tysk side og M. Wassard og Carl Peschardt på dansk side. På et møde mellem de fire sidstnævnte i begyndelsen af marts 1944 bebrejdede Walter værnemagten og Reichsbank for at behandle Danmark værre end Ungarn og Rumænien. Talen var om omfanget af værnemagtens brug af kontante midler.[58] I sin Wirtschaftliches Lagebericht 22. marts 1944 rettede Ebner tilsvarende fokus på værnemagtsbyggeriets omfang, overpriser og konsekvenser i forhold til den danske landbrugseksport.

Der var i kraft af de voldsomt stigende værnemagtsarbejder sat en proces i gang, hvor en gruppe danske og tyske forhandlere fandt tættere sammen i bestræbelserne på at mindske skadevirkningerne af byggeriet. Det var forfatteren til den prispolitiske oversigt, der gav den hidtil kraftigst kendte interne tyske kritik af forholdene, og det blev en sag som herefter stod på dagsordenen næsten til besættelsens afslutning. Den førte til selvstændige, men koordinerede bestræbelser, på både dansk og tysk side.

Se Niederschrift ... 7. juni (heraf fremgår bl.a. den tysk-danske koordinering) og Rudolf Sattlers oversigt over den danske valutasituation, som Best sendte til AA 15. juni 1944 for sagens videre forløb. Dog fremgår det nedenfor (RFM til OKW 2. oktober 1944), at der var blevet kommunikeret i sagen fra OKW 15. maj og REM 5. juni 1944 (ikke lokaliserede dokumenter). Den prispolitiske situationsberetning tilgik AA: Ha Pol VI 182/44.

Kilde: PA/AA R 105.213. RA, pk. 282 (uddrag s. 1-2, 7-8 og 19-30 medtaget).

Preispolitischer Lagebericht
über Dänemark
(Zeit April 1943-April 1944)

Einleitung		S. 1-2
I.)	Die rechtlichen Grundlagen der Preisbildung und Preisüberwachung in Dänemark.	S. 3-4
II.)	Organisation und Personalausstattung der dänischen Preisbehörden Preisüberwachung Bekämpfung des Schleichhandels	S. 5-8
III.)	Preisentwicklung in Dänemark in der Zeit vom April 1943 bis April 1944	S. 9-11
IV.)	Die Probleme der dänischen Wirtschaft	S. 12-20
V.)	Die im Zusammenhang mit dem Bau des Atlantikwalles in Dänemark entstandenen Probleme	S. 21-28
VI.)	Schlußfolgerungen [Anlage 1-13]	S. 29-30

---

57 Trykt hos Alkil, 2, 1945-46, s. 1047-1052.
58 Ifølge Giltner gav det resultater den følgende uge (!) (Giltner 1998, s. 161), hvilket dog ikke var tilfældet.

Einleitung

Die nach Abschluß des vorjährigen preispolitischen Lageberichtes (1.6.1943) eingetretenen Ereignisse, vor allem die Entwaffnung der dänischen Wehrmacht am 28.8.1943, der, wenn auch nur kurzfristige, militärische Ausnahmezustand sowie die Liquidierung der Judenfrage haben zwar zu einer zeitweiligen Häufung von Sabotagehandlungen sowie einer merklichen Verschlechterung der Stimmung der dänischen Bevölkerung gegen alles, was deutsch ist, geführt; sie sind jedoch bisher ohne Einfluß auf die gerade im Berichtsabschnitt beträchtlich gesteigerten Lieferungen Dänemarks nach Deutschland geblieben.

Die fortgesetzte Steigerung der dänischen Ausfuhr nach Deutschland, der ein gleichzeitiges Absinken der deutschen Wareneinfuhr nach Dänemark gegenübersteht, sowie der Rückgang der dänischen industriellen Erzeugung mangels von erforderlichen Rohstoffen hat eine empfindliche Warenverknappung hervorgerufen. Ihr steht eine stark progressive Zunahme der Geldreichlichkeit infolge Bereitstellung von Mitteln durch die dänische Nationalbank, namentlich für deutsche Sonderzwecke, gegenüber. Auch die Verlagerung des Verhältnisses zwischen Gebrauchs- und Produktionsgütern zu Gunsten der letzteren wirkt sich ungünstig aus. Da es sich um die Befestigungsbauten des Atlantikwalls handelt, können diese Produktionsgüter der Befriedigung der ständig anwachsenden Kaufkraft der Bevölkerung (etwa durch Wohnneubauten) nicht dienen können. Endlich bringt die beschleunigte Durchführung der militärischen Bauvorhaben, deren Kosten von der dänischen Nationalbank bevorschußt werden, durch die Höhe der erforderlichen Geldmittel eine schwere Belastung der dänischen Wirtschaft von der finanziellen Seite her, während gleichzeitig die Eilbedürftigkeit dieser Bauvorhaben zu vielfachen Überschreitungen der geltenden Preise, namentlich infolge Ausbleibens des erforderlichen deutschen Nachschubs an Baumaterialien, führt und damit die dänische Wirtschaft auch von der Preisseite her gefährdet.

Wenn es trotz der starken inneren Spannungen und der zuletzt geschilderten schweren Belastung der dänischen Wirtschaft bisher gelang, das Preisniveau zu halten, so ist dies neben den eigentlichen preisregelnden Faktoren auf die Maßnahmen zurückzuführen, die in den Jahren 1942 und 1943 gegenüber der Geldreichlichkeit mit Erfolg ergriffen worden sind. Nicht zu unterschätzen ist außerdem die starke Preisdisziplin des weitaus größten Teiles der dänischen Bevölkerung außer Jütland, die sich bisher keiner Weise in ihrem Vertrauen zu der eigenen Währung erschüttern ließ.

Diese für das 5. Kriegsjahr immer noch als recht befriedigend anzusehende Lage Dänemarks darf nicht über die Gefahren hinwegtäuschen, die sich im Verhältnis zum vorigen Jahre viel klarer abzeichnen.

Die starke Warenverknappung sowie die trotz aller Bemühungen der dänischen Regierung ständig ansteigende Geldreichlichkeit können bei der durch die politischen Ereignisse des letzten Jahres unruhiger gewordenen Stimmung der dänischen Bevölkerung – Feindpropaganda – leicht zu inflationistischen Erscheinungen führen. Da die dänische Wirtschaft außerdem mit den gewaltigen Ausgaben für die Atlantikwallbauten und den damit verbundenen unerfreulichen Nebenerscheinungen belastet ist, könnten dem Reiche und seiner Kriegsführung daraus empfindliche Schwierigkeiten erwachsen, die weit über den Rahmen eines unerwünschten Inflationsherdes an seinen Grenzen gehen, weil damit die infolge der Entwicklung im Osten für die Versorgung des Reiches besonders wichtig gewordenen landwirtschaftlichen Lieferungen Dänemarks, die gerade im letzten Jahre beträchtlich gesteigert werden konnten, in Frage gestellt würden (vgl. Anlage Nr. 1)[59].

Es müssen daher alle Möglichkeiten ausgeschöpft werden, soweit sie durch militärische Notwendigkeiten nicht verschlossen sind, um diesen Schwierigkeiten und ihren ungünstigen Auswirkungen auf das dänische Preisgebäude zu begegnen.
[…]

II.C. Bekämpfung des Schleichhandels
Schwarzhandel und schwarze Börse haben sich auch im Berichtsabschnitt keineswegs in dem Umfang entwickelt wie in anderen Ländern. Ein Hauptgrund hierfür mag das Fehlen ausländischer Arbeitskräfte, namentlich aus den besetzten Westgebieten, sein, die bekanntlich überall den stärksten Anteil an den schwarzen Börsen haben. Bei der steigenden Warenverknappung und den dadurch bedingten erweiterten Bewirtschaftungsmaßnahmen – zuletzt Spinnstoffwaren und voraussichtlich bald auch Schuhwaren – macht sich der Schleichhandel immer mehr bemerkbar. Waren es im vorigen Jahre vor allem Automobilreifen, Metalle, Heizmaterialien, sind jetzt Spinnstoffwaren, Schuhe, Seife, Speck und Butter als gesuchte Artikel hinzugekommen.

Dies gilt vor allem für die Hauptstadt und den Süden des Landes. Anders liegen die Verhältnisse in den Bauzonen des Atlantikwalls, besonders in Jütland. Hier werden namentlich von deutschen Bauarbeitern und Wehrmachtsangehörigen im Schleichhandel alle auf normalem Wege nur schwer zu erlangenden Waren zu Überpreisen aufgekauft. Hinzu kommen noch in besonderem Masse für Tabak und Branntwein und in den Zeiten von Mangel Eier.

Infolge des Umstandes, daß der Nachschub, wie an anderer Stelle noch auszuführen sein wird, mit dem im Herbst 1943 schlagartig einsetzenden Großeinsatz der militärischen Bauvorhaben in keiner Weise Schritt zu halten vermöchte, sind die einzelnen Bauauftraggeber gezwungen gewesen, Baumaterialien, vor allem Dachpappe, Nägel, sonstige Eisenwaren, in Einzelfällen auch Glas, sowie Treibstoffe und Generatorholz im Schleichhandel in großen Mengen zu kaufen.

Die dänischen Stellen glauben, für Kopenhagen und den Süden des Landes Schwarzhandel nur im beschränkten Masse, besonders für Tabak und Spirituosen, feststellen zu müssen, während sie den Schwarzhandel in Jütland für alle möglichen Waren als sehr ausgedehnt bezeichnen.

Bekämpft wird der Schwarzhandel dänischerseits durch die dänische Krisenpolizei, die die Verstöße dänischer Staatsangehöriger verfolgt. Die Bestrafungen sind nach dänischen Begriffen sehr streng.

Soweit es sich um deutsche Staatsangehörige, namentlich Angehörige der im Baugebiete eingesetzten Organisationen und Gliederungen handelt, hat die Abteilung V des BdS Dänemark bereits in mehreren Fällen eingegriffen. Bisher stieß die Bearbeitung dieser Fälle jedoch insofern auf Schwierigkeiten, als keine deutsche Stelle für die Straf-

---

59 Alle bilag er udeladt.

verfolgung bestand. Eine Abtretung der Fälle an die dänischen Gerichte schien bei den durch Deutsche begangenen Delikten untunlich. Auch die Fälle, bei denen Deutsche sich zusammen mit Dänen schuldig gemacht hatten, konnten nicht gut der Bestrafung durch dänische Gerichte, auch soweit es sich um Dänen handelt, zugeführt werden, da man der dänischen Verwaltung nicht gern Einblick in diese Dinge gewähren wollte. Endlich fielen auch jene Fälle weg, wo deutsche Dienststellen infolge Ausbleibens des Nachschubes gezwungen waren, ihr Material am schwarzen Markte einzukaufen.

Durch die vorläufige Verfügung vom 24.4.1944 erfolgte aus politischen Gründen die Schaffung der SS- und Polizeigerichtsbarkeit in Dänemark.[60] Es dürfte dadurch die Möglichkeit gegeben sein, auch Kriegswirtschaftsdelikte vor diesem Forum zu verhandeln.

Die Abteilung V des BdS Dänemark ist für diese Arbeiten entsprechend ausgebaut. Sie verfügt außerdem über Außenstellen in Aalborg, Aarhus, Esbjerg, Kolding und Odense, die mit je 2 ihrer Beamten besetzt sind.
[...]

IV. Die wichtigsten Probleme der dänischen Wirtschaft
[...]
Zusammenfassend ist folgendes festzustellen:

Aus den eben besprochenen Gründen ist die wirtschaftliche Lage Dänemarks gegenüber dem Vorjahre bedeutend schwieriger geworden.

Die Warenverknappungserscheinungen werden sich zweifellos noch weiter auswirken, zumal dieselben in Dänemark bei weitem noch nicht jene Ausmaße wie im Reiche und in den besetzten Gebieten erreicht haben.

In einem Schreiben vom 9.4.1944 hat der Chef der Reichskanzlei den obersten Behörden mitgeteilt, daß der Führer dem Wunsche Ausdruck gegeben hat, daß die für Dänemark unentbehrlichen Lieferungen durchzuführen sind.[61] Damit ist die Gewähr gegeben, daß das Reich seine Ausfuhr nach Dänemark aufrecht erhalten, ja nach Möglichkeit steigern wird. Was die Ausfuhr aus Dänemark nach dem Reiche anbelangt, wird abgesehen von den in den Abmachungen der deutsch-dänischen Regierungsausschüsse vorgesehenen Lieferungen weiterhin mit einer unkontrollierbaren Ausfuhr durch Wehrmachturlauber pp. gerechnet werden müssen, solange die bestehenden Erlasse in Geltung bleiben.
[...]

Alle diese Probleme, deren Lösung an und für sich schon große Anforderungen an die dänische Verwaltung stellt, werden jedoch von den aus dem Bau des Atlantikwalls entstehenden Problemen, über die im vorigen Jahre bereits berichtet wurde, weit in den Schatten gestellt.

---

60 Se om Bests forordning telegram nr. 510, 24. april 1944.
61 Skrivelsen er trykt ovenfor.

V. Die im Zusammenhang mit dem Bau des Atlantikwalles in Dänemark entstandenen Probleme

Seit dem Herbst vorigen Jahres haben die Befestigungsbauten in Dänemark an Umfang stark angenommen; zugleich wurde ihre Durchführung außerordentlich beschleunigt. Daraus haben sich für die dänische Wirtschaft außer dem starken Ansteigen der von der dänischen Nationalbank bevorschußten Besatzungskosten, aus denen diese Arbeiten bezahlt werden, und den weiter oben geschilderten, daraus entstehenden Folgen nachstehende Schwierigkeiten ergeben.

Infolge des Umstandes, daß mehrere deutsche Dienststellen, besonders Heer (Pi Stab, aber auch die Truppe), Luftwaffe und OT, diese Bauvorhaben gleichzeitig durchführen und Bauaufträge erteilen, ist eine einheitliche Preisbildung für dieselben nicht sicher gestellt.

Da diese Bauvorhaben in großem Umfang fast schlagartig einsetzten und der erforderliche Nachschub an Holz, Eisen und Stahl, Treibstoffen, LKWs pp. aus dem Reiche mit den Anforderungen in keiner Weise Schritt halten konnte, waren die deutschen Auftraggeber gezwungen, das dringend erforderliche Material im Lande aufzukaufen. Dies hatte bei der Konkurrenz der verschiedenen Auftraggeber sowie bei der ungeheuren Nachfrage die Folge, daß das Material gegen Barbezahlung am schwarzen Markt beschafft werden mußte. Damit waren diese Einkäufe der dänischen Preiskontrolle entzogen. Es entwickelte sich ein umfangreicher Schleichhandel in allen erforderlichen Baumaterialien, dessen Preise ständig anzogen und von den konkurrierenden Auftraggebern noch überboten wurden. Zwangsläufig führten diese Einkäufe zu einer weiteren empfindlichen Verknappung der Warendecke.

Ähnlich liegen die Verhältnisse auf dem Gebiete der Transportleistungen, wo häufige Forderungen von Überpreisen infolge der ungenügend vorhandenen Transportmittel bewilligt werden. Auch auf dem Lohnsektor sind Forderungen, die über die Tariflöhne bisweilen weit hinausgehen, aus denselben Gründen erfüllt worden.

Endlich hat die Einschaltung von kleinen, nicht seriösen Baufirmen in diese militärischen Bauvorhaben nicht nur auf die Gestaltung der dänischen Baupreise ungünstig gewirkt, sondern auch bei den großen und seriösen dänischen Baufirmen Beunruhigung und starke Störungen hervorgerufen.

Diese Mißstände beschäftigen auch die dänischen Stellen, die zu deren Abstellung auf Einhaltung der Abmachungen über Namhaftmachung der beauftragten Firmen durch die auftraggebenden deutschen Stellen sowie auf Vorlage der Lohnlisten zwecks Kontrolle darüber, daß die Lohnsätze tatsächlich eingehalten wurden, drängen. Weiter halten die dänischen Stellen die Herabsetzung der bereits festgesetztem Rahmen- (Einheits) Preise für die Erstellung von Beton- und Eisenbetonbauwerken sowie eine Verbesserung der derzeitigen Regelung der Transportleistungen für erforderlich.

Da die Frage des Umfanges der Bauvorhaben überhaupt nicht zur Erörterung stehen kann, weil diese nur nach militärischen und keinesfalls wirtschaftlichen Grundsätzen zu beurteilen ist, wird an dem Hauptgrund der schweren Belastung der dänischen Wirtschaft durch die Besatzungskosten nichts geändert werden. Es erscheint jedoch zwecks Intakthaltung der dänischen Wirtschaft im deutschen Interesse notwendig, alle jene Mißstände auszuschalten, die überflüssigerweise weitere Belastungen des dänischen

Wirtschaftskörpers mit sich bringen müssen, und zwar:

1.) Vor allem muß die Konkurrenz der deutschen Dienststellen ausgeschaltet werden, die bei kurzfristig angesetzten Bauaufträgen zu Überpreisen führen muß. Als gangbarer Weg erscheint die beschleunigte Einsetzung eines Generalingenieurs für Dänemark, ähnlich wie für den Bereich des Oberbefehlshabers West.[62] Diesem Generalingenieur würden dieselben Aufgaben zufallen, die durch die bestehenden Erlasse bereits vorgesehen sind (Lenkung des Firmeneinsatzes, des Einsatzes der Arbeitskräfte, der Zuteilung von Baustoffen, Festlegung des Bauprogramms pp.).

2.) Zu der vom Reichskommissar für die Preisbildung beabsichtigten Einführung der deutschen Baupreisverordnung in den besetzten und unter deutschem Schutz stehenden Ländern ist folgendes zu bemerken: Entgegen der in den besetzten Gebieten bestehenden Rechtslage, daß für den deutschen Auftraggeber jeweils auch die deutsche Baupreisverordnung kraft gesetzlicher Bestimmungen gilt, ist in Dänemark, das nicht als besetztes Gebiet anzusehen ist, diese Voraussetzung nicht gegeben. Die damit entstehende Lücke könnte durch eine Anordnung des vorgesehenen Generalingenieurs überbrückt werden, wonach in alle Bauaufträge eine privatrechtliche Vereinbarung aufzunehmen ist, die sich im wesentlichen mit den preisbildenden Vorschriften der deutschen Baupreisverordnung deckt, jedoch die besonderen Verhältnisse in Dänemark berücksichtigt (vgl. Anlage Nr. 12). Damit würde auch den Bedürfnissen der beschleunigten Regelung dieser Frage Rechnung getragen werden, zumal die angeregte Einführung der deutschen Baupreisverordnung bei den bekanntlich nur beschränkten Rechtsetzungsbefugnissen der dänischen Zentralverwaltung zweifellos auf zumindest zeitraubende Schwierigkeiten stoßen wird. Daher könnten zumal in Dänemark Baupreisbestimmungen bestehen (vgl. Anlage Nr. 13), vorläufig von der Einführung des deutschen Baupreisrechtes Abstand genommen werden.

Mit dem Kontorchef des Preisdirektorats wurde die deutsche Baupreisverordnung in ihren Grundzügen besprochen. Das Preisdirektorat wird die Frage studieren.[63]

3.) Die deutschen Dienststellen beschäftigen in Dänemark rund 52-53.000 Arbeiter, hiervon Marine und Luftwaffe in Werkstätten, Schneidereien rund 20.000 Regiearbeiter.

Der Bauumfang wurde mit folgenden Zahlen gekennzeichnet:

Organisation Todt	rd.	15.000	Bauarbeiter
Luftwaffe	–	15.000	Bauarbeiter
Truppe	–	2-3.000	Bauarbeiter rohe Schätzungen

Die aus dem deutschen Bauvorhaben sich ergebenden Lohnfragen sind nach folgenden Gesichtspunkten zu beurteilen.

a.) Da sowohl Heer und Luftwaffe als auch die OT bereits Lohntarife besitzen, von denen der erstere vom OKW genehmigt wurde, ist der Tarif für die im deutschen Auftrag eingesetzten Arbeitskräfte recht unterschiedlich. Vom Reichstreuhänder der Arbeit-Zentrale Berlin, wurden auf Vorschlag der Abteilung Arbeit des

---

62 For dette forslags videre skæbne se RFM til OKW 2. oktober 1944.
63 Om spørgsmålets behandling hos den danske centraladministration og organisationerne, se Brandenborg Jensen 2005, s. 326-328.

Reichsbevollmächtigten bereits im Entwurf vorliegende, einheitliche "Richtlinien über die Gestaltung der Arbeitsbedingungen für die bei den deutschen Dienststellen und Betrieben in Dänemark Beschäftigten, mit ständigem Wohnsitz in Dänemark", die den hiesigen Verhältnissen in weitem Umfang Rechnung tragen, ausgearbeitet.[64] Damit dürften diese Schwierigkeiten in Bälde behoben werden, zumal die Akkordgrundlage zukünftig anders bemessen werden wird, was eine Herabsetzung der Lohnakkordverdienste zur Folge haben wird.

b.) Die Kontrolle der Löhne ist den dänischen Behörden vorbehalten. Die mit deutschen Aufträgen befaßten Firmen haben allmonatlich dem dänischen Außenministerium – Beauftragten in Industriesachen – Lohnlisten nach bestimmten Vordrucken einzureichen. Da namentlich von den deutschen Firmen darauf hingewiesen wird, daß dies eine wesentliche Mehrarbeit bedeutet, ist die Einreichung dieser Lohnlisten bisher nicht einheitlich durchgeführt worden. Dies wäre aber im Interesse einer entsprechenden Lohnkontrolle unbedingt erforderlich.

4.) Die OT hat seit Juli vorigen Jahres eine Liste von Einheitspreisen zum "Leistungsvertrag für die Erstellung von Beton- und Eisenbetonbauwerken im Bereiche des Einsatzes Dänemark" unter Mitwirkung der zuständigen dänischen Stellen ausgearbeitet. Diese Einheitspreise wurden im Oktober 1943 ergänzt. Nach dänischer Auffassung liegen die Listenpreise, soweit dies ohne eingehende Prüfung beurteilt werden kann, um ca. 10-15 % zu hoch. Die OT ist z.Zt. mit einer Überprüfung dieser Preise auf Grund der Erfahrungen bei den bisherigen Ausführungen beschäftigt und will für gewisse Gruppen von Bauleistungen Senkungen der Einheitspreise bis zu 25 % vornehmen, die im Endergebnis für die Gesamtheit der Bauleistungen eine Preissenkung von 10-12 % mit sich bringen dürften. Damit wird den Vorschlägen des dänischen Außenministeriums – Beauftragter für Industriesachen – voll Rechnung getragen.

Es wäre anzustreben, daß diese Einheitspreise auch für die anderen Rüstungsbauträger verbindlich erklärt werden, was in den besetzten Gebieten zu den Aufgaben der OT in Vollzug der ihr vom Reichsminister für Rüstung und Kriegsproduktion durch Erlaß vom 26.10.1943 übertragenen Befugnisse gehört. Eine Ausdehnung dieses Erlasses auf Dänemark erscheint notwendig.

Namentlich würde dies für den Sonderbaustab der Luftwaffe zur Errichtung von Bauwerken zwecks Sicherung von Flugplätzen zutreffen.

In diesem Zusammenhang wäre auch auf die ständig *ansteigende Bautätigkeit der Truppe unter Heranziehung von Baufirmen* hinzuweisen. Die Truppe hat diese Bauarbeiten vielfach kleinen, neuentstandenen Firmen übertragen, deren geschäftliche Zuverlässigkeit oft zu wünschen übrig läßt. Gerade solche Firmen setzen sich über Preis- und Lohnbestimmungen bedenkenlos hinweg. Da sie in der Regel dem Unternehmerverband nicht angehören bzw. erst ganz kurz bestehen und fast unbekannt sind, sind sie dänischerseits nur schwer zu kontrollieren. Ihre Tätigkeit wirkt sich

---

64 Disse retningslinjer blev 26. maj 1944 tilstillet de danske myndigheder, som imidlertid ikke indlod sig på realitetsdrøftelser deraf (Odels beretning for finansåret 1944-45 (Alkil, 2, 1945-46, s. 1059. Jfr. den fejlagtige fremstilling hos Brøndsted/Gedde, 3, 1946, s. 1082f.)). Se om udkastets senere gennemførelse *Politiske Information* 1. januar 1945, afsnit III.4.

aber nicht nur auf den Preis- und Lohnsektor sehr nachteilig aus. Da sie durch Angebot von höheren Löhnen bzw. erhöhten Entgelten für Transportleistungen, die Abwanderung der Arbeitskräfte und Fahrzeuge von den soliden Baufirmen verursachen, lähmen sie diese Firmen bei der Ausführung ihrer Aufträge, wenn sie nicht zu dem gleichen Mittel der Gewährung ungesetzlicher Preise und Löhne greifen wollen. Letzten Endes könnte dieses Vorgehen sogar allmählich zur völligen Ausschaltung der seriösen dänischen Firmen und damit zu einem äußerst unerwünschten Zustand von Unregelmäßigkeiten führen.

Diese Mißstände könnten zweckmäßigerweise durch einen Befehl des Wehrmachtbefehlshabers Dänemark behoben werden, der der Truppe die Heranziehung von Baufirmen nur in Ausnahmefällen und dann unter ganz bestimmten Voraussetzungen (strenge Kontrolle der Preise und Löhne durch den Intendanten) gestattet.

5.) Die mit Notenwechsel zwischen dem Reichsbevollmächtigten in Dänemark und dem dänischen Außenministerium vom 29.12.1941/2.1.1942 – abgeändert durch Notenwechsel vom 8.9./15.9.1943 – von deutscher Seite gegebene Zusage dahingehend, daß über jeden von der deutschen Wehrmacht oder für sie geschlossenen Unternehmervertrag der deutsche Auftraggeber der dänischen Regierung zu Händen des Außenministeriums – Beauftragter für Industriesachen – eine Mitteilung machen wird, die den Namen der dänischen Unternehmerfirma, die vereinbarte oder veranschlagte Vertragssumme und die vereinbarte oder veranschlagte Frist für die Beendigung der Arbeit enthält, wird von den deutschen auftraggebenden Stellen z.Zt. bei der Verschärfung der Stimmung aus Geheimhaltungsgründen nicht entsprechend eingehalten. Daraus ergeben sich für die dänischen Stellen große Schwierigkeiten bei der nachkalkulatorischen(Bilanz) Prüfung der eingesetzten dänischen Baufirmen, während die deutschen Firmen dänischerseits überhaupt nicht geprüft werden. Die an sich wünschenswerte, vielleicht nur stichprobenweise Prüfung der Baupreise durch Organe des Reichskommissars für die Preisbildung bzw. der Arbeitsgruppe Preis des Reichsministers für Rüstungs- und Kriegsproduktion dürfte sich bei dem überall bestehenden Mangel an geeignetem Personal kaum durchführen lassen. Aus diesem Grunde wird der Überprüfung der den Angeboten zu Grunde liegenden Preisermittlungen durch die deutschen auftraggebenden Stellen, die vom Wehrmachtbefehlshaber Dänemark am 14.10.1943 angeordnet worden ist, besondere Bedeutung zufallen.

6.) Da die Transportlage, sowohl mit der Eisenbahn wie mit LKW in Dänemark einen besonderen Engpaß darstellt, haben sich bei der Vergütung von Transportleistungen mit LKWs Mißstände verschiedenster Art herausgebildet. Die dänische Verordnung vom 6.1.1943 über Preise für LKW-Transporte für die deutsche Wehrmacht in Dänemark wird sehr häufig in dem Bestreben umgangen, sich bei der großen Nachfrage die notwendigen Transportmittel um jeden Preis zu sichern.

Zwecks Abhilfe wird vielfach die Rückgabe der LKW an die Firmen befürwortet, soweit die Fahrzeuge bisher im besonderen Kolonneneinsatz stehen. Andererseits erhofft man sich von einer strafferen Organisation des ganzen Transportwesens, wie sie von militärischer Seite geplant wird, eine Vereinheitlichung des Einsatzes und richtige Verteilung bzw. Ausnutzung der vorhandenen Fahrzeuge, womit eine Reihe von Mißständen ausgeschaltet werden soll.

Ohne der grundsätzlichen Entscheidung, die jedoch äußerst dringend ist, vorzugreifen, könnten folgende Sofortmaßnahmen bereits beträchtliche Abhilfe schaffen:
a.) Erlaß eines Befehls durch den Wehrmachtbefehlshaber an alle Bauauftragervergebenden Dienststellen, durch den das Abwandern der LKW zu dem jeweils Meistbietenden den das unterbunden wird.
b.) Einführung des Fahrtenbuches, wie es in Deutschland und anderen Staaten schon längere Zeit vorgeschrieben ist, für alle bei deutschen Bauvorhaben eingesetzten dänischen Fahrzeuge.[65] In diesem Fahrtenbuch müßte von der das Fahrzeug beschäftigenden Dienststelle mit Unterschrift des Dienststellenleiters und Dienstsiegel bestätigt werden, daß das Fahrzeug für die Dienststelle eingesetzt ist. Erst wenn dieser Vermerk von der Dienststelle gestrichen wird, könnte das Fahrzeug anderweitig eingesetzt werden. Diese Bestimmung würde den unter a.) angeführten Befehl wirksam ergänzen.

Alle diese Maßnahmen werden jedoch nur unter der Voraussetzung den angestrebten Erfolg haben, daß der *Nachschub des erforderlichen Materials planmäßig gestellt wird*. Solange dies nicht der Fall ist, wird bei den wegen der Dringlichkeit der Bauvorhaben knapp bemessenen Baufristen kein Auftraggeber noch dazu bei der bestehenden Konkurrenz von Kaufinteressenten davon abgehalten werden können, das erforderliche Material entgegen allen Befehlen im Schwarzhandel durch Bareinkäufe zu beschaffen, um seine Arbeiten nicht zu gefährden.

VI. Auszuschließend

Die dänische Regierung ist in richtiger Erkenntnis der Entwicklung ihrer Wirtschaft im 5. Kriegsjahre bestrebt, den sich zwangsläufig steigernden Schwierigkeiten durch geeignete Maßnahmen zu begegnen bzw. ihre Auswirkungen auszuschalten. Voraussetzung hierfür ist die Erhaltung des Preis- und Lohngebäudes. Daher hat der Preiskontrollrat bei der Genehmigung von Preiserhöhungen nur geringe Bereitwilligkeit gezeigt. Auch die Einstellung des Arbeits- und Schlichtungsausschusses sogar gegenüber berechtigten Lohnforderungen war sehr zurückhaltend. Durch den weiteren Ausbau des dänischen Preisüberwachungsapparates und seine Dezentralisierung soll eine möglichst durchgreifende Preiskontrolle und damit die praktische Einhaltung dieser dänischen Preispolitik erreicht werden.

Da z.Zt. auf der Warenseite weder eine beträchtliche Erhöhung der dänischen Einfuhr noch eine Einschränkung der dänischen Ausfuhr nach dem Reiche möglich ist, bleibt der dänischen Regierung bei dem ständig wachsenden Mißverhältnis zwischen Warendecke und Kaufkraft nur die Abschöpfung der reichlichen Geldmittel übrig. Hier kann die dänische Regierung bereits Erfolge aufweisen, doch dürften sich namentlich durch Einführung weiterer Kriegssteuermaßnahmen sowie Verbesserung der Einziehungsmethoden günstigere Ergebnisse erzielen lassen.

Der von der dänischen Finanzverwaltung beschrittene Weg der Ausschreibung langfristiger Anleihen, der im Laufe dieses Jahres noch ausgebaut werden soll, hat sich als brauchbares Mittel zur Bindung größerer Kapitalen bewährt.

---

65 Dette var blevet foreslået af Axel Odel 3. april 1944 (memorandum gengivet hos Alkil, 2, 1945-46, s. 1043f.).

Diese Maßnahmen mit entsprechender Konsequenz durchgeführt, müßten bei der im allgemeinen positiven Einstellung der dänischen Bevölkerung zu ihrer Währung und den damit verbundenen Preisfragen sowie bei der verhältnismäßig günstigen Ernährungslage des Landes genügen, das dänische Preis- und Lohngefüge zu erhalten.

Da jedoch die Entwicklung – wie ausgeführt – durch die durch den Bau des Atlantikwalles bedingten Erscheinungen eine besonders schwere Belastung erfährt, müssen deutscherseits Maßnahmen erfolgen, die alle weiteren Schwierigkeiten, soweit sie nicht durch militärische Notwendigkeiten unbedingt unabwendbar sind, ausschalten. Dieser im vorhergehenden Abschnitt näher ausgeführte Beitrag aller beteiligten deutschen Dienststellen, namentlich auch die Sicherstellung des erforderlichen Nachschubs an Material, muß im Interesse der Versorgung des Reiches mit landwirtschaftlichen Erzeugnissen Dänemarks unbedingt gefordert werden. Eine Gefährdung dieser Leistungen Dänemarks, die durch ein in der dänischen landwirtschaftlichen Bevölkerung entstehendes Mißtrauen in die Landeswährung und dem damit sofort einsetzenden Absinken der Produktion leicht entstehen könnte, würde für die deutsche Kriegsführung, namentlich seit der neuen Entwicklung im Osten, von schwerwiegenden Folgen sein.

Kopenhagen, den 9. Mai 1944.

[underskrift]

104. Otto Bovensiepen an RSHA 10. Maj 1944

Bovensiepen fremsendte nogle økonomiske indberetninger skrevet i Det Tyske Gesandtskab og gjorde i følgebrevet opmærksom på, at han i alt væsentligt tilsluttede sig dem, men at han selv havde bidraget på et konkret punkt.

Der henvises til en indberetning af Bovensiepen af 30. marts 1944, hvilket i forlængelse af Bovensiepens skrivelse 15. februar 1944 sandsynliggør, at han løbende gav RSHA indberetninger om dansk økonomi og erhvervsliv.

Kilde: RA, Danica 1069, sp. 12, nr. 15.840.

Der Befehlshaber Sicherheitspolizei *Kopenhagen, den 10.5.1944.*
und des SD in Dänemark
III D – E./Wa. – 240/44

An das Reichssicherheitshauptamt III D
    z.Hd. SS-Staf. Seibert,
    Amt III D-W,
    Amt III D 1,
    Amt III D 2,
    Amt III D 4,
    Berlin SW 11,
    Prinz Albrechtstraße 9.

Betr.: Wirtschaftliche Berichte des Reichsbevollmächtigten
Vorg.: Ohne.

Anliegend überreiche ich einen Auszug aus den Politischen Informationen des Reichsbevollmächtigten für die deutschen Dienststellen in Dänemark v. 1.5.44,[66] soweit sie die Wirtschaft betreffen. Gleichzeitig wird Abschrift eines wirtschaftlichen Lageberichtes v. 22.3.44 übersandt.[67] Den Ausführungen des Reichbevollmächtigten kann von hier aus im wesentlichen beigetreten werden. Es wird am Rande bemerkt, daß die Ausführungen in der Anlage 1 über den Rückgang des Schlachtgewichtes der Schweine auf meinen Lagebericht v. 30.3.44 zurückzuführen sind.[68] Der in dem gleichen Bericht auf der ersten Seite erwähnte unerwünschte Zugang im dänischen Hühnerbestand hat seinen Grund in den starken Eierkäufen der deutschen Wehrmachtangehörigen. Dieser Bedarf wird zwar im normalen Handel gedeckt, hält aber den Preis auf einer solchen Höhe, wie er unter Berücksichtigung des dänischen Bedarfs nicht beibehalten werden könnte.

Bovensiepen
SS-Standartenführer

105. Werner Best an das Auswärtige Amt 10. Mai 1944

Best var blevet bedt om sammen med Bovensiepen at få den arresterede og spionagesigtede vicekonsul Jørgen Mogensen i Danzig overført til Danmark. Hertil meddelte Best, at Bovensiepen efter at have rådspurgt RSHA nærede de største betænkeligheder ved at overlade Mogensen til de danske myndigheder. Best delte det standpunkt, da sagen måtte hemmeligholdes. Skulle en hemmeligholdelse senere være unødvendig, kunne det komme på tale at vise imødekommenhed over for det danske ønske om udleveringen af Mogensen, og Tyskland kunne da drage politisk fordel deraf.

Se også Henckes notits nr. 167, 12. maj, der heller ikke levnede nogen mulighed derfor.

Det endelige svar sendte Wagner til Best 27. maj 1944.

Kilde: PA/AA R 29.568. RA, pk. 204.

Telegramm

Kopenhagen, den   10. Mai 1944   17.35 Uhr
Ankunft, den   10. Mai 1944   23.30 Uhr

Nr. 596 vom 10.5.[44.]

Auf das dortige Telegramm Nr. 468[69] vom 2.5.1944 teile ich mit, daß der hiesige Befehlshaber der Sicherheitspolizei dem Reichssicherheitshauptamt auf Anfrage geantwortet hat, daß er gegen die Überstellung des Mogensen nach Dänemark und gegen seine Übergabe an die dänischen Behörden die stärksten Bedenken habe. Ich teile diese Bedenken, da es schon unter dem Gesichtspunkte der Geheimhaltung nicht tragbar ist, den Mogensen mit seinem Wissen um die ihm von der deutschen Polizei gestellten Fragen und um seine Antworten vor dem endgültigen Abschluß des Gesamtverfahrens aus der Hand zu geben. – Sollten nach Abschluß des Gesamtverfahrens die Bedenken

---

66 Trykt ovenfor. Af Bovensiepen vedhæftet som bilag.
67 Ebners beretning nævnte dato, trykt ovenfor. Af Bovensiepen vedhæftet som bilag.
68 Denne indberetning er ikke lokaliseret.
69 Inl. II 524 g. Trykt ovenfor.

wegen der Geheimhaltung dieses Komplexes entfallen, so ist zu prüfen, ob im Reichsinteresse die Bestrafung des Mogensen durch den Volksgerichtshof erforderlich erscheint, was gegeben sein dürfte, wenn die Todesstrafe zu erwarten ist. Nur wenn Mogensen mit einer Freiheitsstrafe, wie sie auch von dänischen Gerichten verhängt werden könnte, davon käme, könnte ein politischer Vorteil darin gesehen werden, daß die dänische Justiz genötigt wird, ihn wegen seiner gegen das Reich gerichteten Handlungen zu verurteilen. – Es wird also zunächst vom Reichssicherheitshauptamt – gegebenenfalls gemeinsam mit der Anklagebehörde beim Volksgerichtshof – zu prüfen sein, ob das Bedürfnis der Geheimhaltung oder das Interesse an hoher Bestrafung (Todesstrafe) die Aburteilung des Mogensen durch den Volksgerichtshof notwendig macht. Wird diese Frage verneint, so bitte ich um Nachricht, damit ich die Einleitung des dänischen Strafverfahrens vorbereiten kann.

Dr. Best

Vermerk:
BRAM, St.S., U.St.S. Pol., Dg Pol. haben Abdruck erhalten.
Tel. Ktr.

106. Werner Best an das Auswärtige Amt 10. Mai 1944
En ansat i UM, Hans Valdemar Bertelsen, var blevet anholdt i København 28. april sammen med sin tidligere sekretær Edith Rasmussen sigtet for spionage udført, da han gjorde tjeneste som vicekonsul i Hamborg. For at beklage det passerede blev afdelingschef Frants Hvass sendt til Berlin. Best anmodede om, at Bertelsen ikke blev lovet overført til dansk ret, i fald Hvass skulle spørge derom, men at svaret blev henholdende.

Om Hvass' besøg i Berlin, se Henckes notat nr. 167, 12. maj.

Bertelsen havde udført spionage for SIS og bl.a. hos danske tysklandsarbejdere søgt oplysninger om våbenfabrikationen i Hamborg og omegn. Han blev ikke overført til dansk jurisdiktion, men blev i første del af maj overført til Hamborg og siden holdt i fængsel i Tyskland til maj 1945 (*Information* 24. april og 14.-15. maj 1944, *Kraks Blaa Bog 1944-46*, s. 123f., Hjorth Rasmussen 1998, s. 142f.).

Kilde: PA/AA R 29.568. RA, pk. 204.

T e l e g r a m m

Kopenhagen, den	10. Mai 1944	17.40 Uhr
Ankunft, den	10. Mai 1944	23.30 Uhr

Nr. 597 vom 10.5.[44.]

Die deutsche Sicherheitspolizei hat in Kopenhagen den im dänischen Außenministerium beschäftigten Vizekonsul Berthelsen wegen Spionageverdachts festgenommen und der Staatspolizeileitstelle Hamburg überstellt, die mit dem Spionagekomplex befaßt ist, in dessen Rahmen Berthelsen während seiner früheren Beschäftigung beim dänischen Generalkonsulat in Hamburg tätig war. Nachdem das dänische Außenministerium unterrichtet worden ist, daß Berthelsen der Spionage überführt sei, hat mir der Direktor des Außenministeriums Svenningsen am 9.5.1944 mitgeteilt, er werde unverzüglich den Abteilungschef Hvass nach Berlin senden, um beim Auswärtigen Amt das tiefe Bedauern, des dänischen Außenministeriums wegen dieser Verfehlungen eines seiner Beamten zum Ausdruck zu bringen. Ich habe dieser Absicht des Direktors Svenningsen zugestimmt, weil ich es für zweckmäßig halte, daß das dänische Außenministerium in diesen Falle zugibt, daß es sich durch das gegen das Reich gerichtete Handeln eines seiner Beamten belastet fühlt und diese Belastung durch Entschuldigung und Verurteilung des Geschehenen zu tilgen sucht. – Falls der Abteilungschef Hvass die Frage stellen sollte, ob der Vizekonsul Berthelsen der dänischen Gerichtsbarkeit zur Aburteilung übergeben werden könne, bitte ich, auf die Frage hinhaltend zu antworten. Denn wie im Falle des Vizekonsuls Mogensen (mein Telegramm Nr. 596[70] vom 10.5.1944) muß auch im Falle Berthelsen erst geprüft werden, ob nicht die Notwendigkeit der Geheimhaltung oder das Interesse an hoher Bestrafung (Todesstrafe) die Aburteilung durch den Volksgerichtshof erforderlich macht. Erst wenn diese Frage verneint wird, kann erwogen werden die dänische Justiz zu einer Verurteilung des Berthelsen nach hiesigem Recht zu veranlassen, womit der politisch erwünschte Eindruck einer Abwehr des dänischen Staates gegen die feindliche Spionage erzielt würde.

Dr. Best

Vermerk:
BRAM, St.S., U.St.S. Pol., Dg Pol. haben Abdruck erhalten.
Tel. Ktr.

107. Joachim von Ribbentrop an Werner Best 10. Mai 1944
Best havde været afvisende overfor AAs ønske om at lade det svenske pressebureau TTs repræsentant i Danmark genoptage nyhedsformidlingen til Sverige. Det blev derfor Ribbentrop selv, der måtte gennemtrumfe, at denne forbindelse blev genetableret, idet han gjorde Best opmærksom på, at sagen ikke kun måtte betragtes ud fra synsvinklen Danmark, men at det drejede sig om stemningen i Sverige og andre neutrale lande. Var der sikkerhedsmæssige problemer, kunne Best kræve, at nyheder blev oversendt pr. telegraf og ikke telefonisk.
    Best svarede med telegram nr. 631, 18. maj.
    Kilde: PA/AA R 29.568. RA, pk. 204.

Telegramm

Fuschl, den	10. Mai 1944	17.15 Uhr
Ankunft, den	10. Mai 1944	18.50 Uhr

Nr. 937 vom 10.5.[44.]
BRAM/44 R
Diplogerma Kopenhagen.

---

[70] Inl. II. Trykt ovenfor.

Auf Nr. 543[71] vom 28.4. und Nr. 570[72] vom 4.5.

Der dortigen Absicht, die Übermittlung von Nachrichten für die schwedische Presse und den schwedischen Rundfunk nicht mehr zuzulassen, kann ich aus folgenden Gründen nicht zustimmen:

1.) Die Presseberichterstattung von Dänemark nach Schweden ist nicht ein Problem, das lediglich unter dem Gesichtswinkel Dänemark zu beurteilen ist, sondern berührt auf das engste unsere Politik zu den neutralen Ländern.
2.) Wenn auch die Glaubwürdigkeit der Feindpropaganda durch die Nachrichtensperre in Dänemark erschüttert wird, so bleibt doch die Tatsache bestehen, daß eine vermeidbare und unwidersprochene Greuelpropaganda sich auf die für uns wichtige Stimmung in Schweden und anderen neutralen Ländern verhängnisvoll auswirkt. Durch den dänischen Rundfunk wird diese Wirkung nicht verhindert.
3.) Die bisherige Auffassung in den neutralen Staaten über die Lage in Dänemark und die relativ günstige Beurteilung ihrer Maßnahmen in der ausländischen Presse sind Werte, die wir nicht ohne Not preisgeben dürfen. Noch wird Dänemark in der öffentlichen Meinung Schwedens mit Norwegen nicht auf die gleiche Stufe gestellt. Es muß unbedingt vermieden werden, daß durch Fortsetzung der Nachrichtensperre und ungehemmte gegnerische Falschmeldungen im neutralen Auslande eine Beurteilung Dänemarks entsteht, die von der Feindseite gewünscht und angestrebt wird.
4.) Einem weiteren Absinken der öffentlichen Meinung, insbesondere in Schweden, muß auch im Hinblick auf die gegenwärtige handelspolitische Situation unbedingt vorgebeugt werden.
5.) Vorstellungen bei den Schweden wegen Greuelmeldungen werden zwecklos sein, wenn wir die Nachrichtangebung aus Dänemark absperren. Ich bitte daher, dafür zu sorgen, daß der TT-Vertreter Kopenhagen in einer geeigneten Weise unter Einschaltung notwendiger Sicherungsmaßnahmen Meldungen über Vorgänge in Dänemark nach Schweden geben kann. Die Sicherung kann darin bestehen, daß der TT-Vertreter seine Nachrichten nicht telefoniert, sondern telegraphiert, sodaß die Möglichkeit einer zu schnellen Unterrichtung der schwedischen Presse über tatsächliche Vorkommnisse in Dänemark wegfällt und außerdem eine bessere Kontrollmöglichkeit der Berichterstattung zwecks entsprechender Zensur besteht. – Drahtbericht.

Ribbentrop

---

71 Presse (V.S.). Trykt ovenfor.
72 Pol. VI (V.S.). Trykt ovenfor.

108. Einsatzstab Rosenberg an H.W. Ebeling 10. Mai 1944
Ebeling fik svar vedrørende sin forespørgsel om den jødiske gravplads i Kiev. Han fik fremsendt billedmateriale samt en beretning om gravpladsens tilstand.

Materialet blev anvendt til en artikel i *Paa godt Dansk* af Nikolai Pawlow: Lidt om Jødernes Skikke og Overtro, oktober-november 1944, s. 14-16 med gengivelse af fire fotografier fra gravpladsen i Kiev.

Mens Ebeling fortsat afventede sine fremtidige arbejdsopgaver fortsatte han med at forberede indkøbet af litteratur fra Sverige på grundlag af fremsendte litteraturlister, se Einsatzstab Rosenberg til Ebeling 1. juni 1944. Indkøb af bøger fra Danmark er uomtalt, sikkert bl.a. fordi disse forløb uden de samme problemer.

Kilde: BArch, NS 30/32. RA, Danica 1000, T-450, sp. 87, nr. 720f.

Einsatzstab Reichsleiter Rosenberg   9a Ratibor, den 10.5.1944
Stabsführung – IV/1   Dr. Gr./Ch.
Archiv

An den Oberst-Einsatzführer Ebeling
    Feldpost. Nr. 25 362

Betr.: Anforderung von Material über den Judenfriedhof in Kiew.
Bezug: Ihr Schreiben vom 24.4.1944[73] – E/De. Tgb. Nr. 347/44 –.

Sehr geehrter Parteigenosse Ebeling!
In Beantwortung Ihres Schreibens vom 24.4.1944 teile ich Ihnen mit, daß wir Ihnen außer den in der Anlage beigefügen Bilder über den jüdischen Friedhof in Kiew kein weiteres Unterlagenmaterial über diesen Friedhof übersenden können.

Aus meiner Tätigkeit in Kiew teile ich Ihnen aber aus dem Gedächtnis mit, daß eine besondere Arbeit über den jüdischen Friedhof in Kiew nicht angefertigt worden ist. Ich erinnere mich nur an kleine Aktenvermerke, die unser Mitarbeiter Otto Klein über diese Angelegenheit anfertigte. Diese Aktenvermerke, die aus einer Zeit stammen, da die Auswertungsarbeiten noch nicht in der jetzigen Form angefertigt wurden, sind in dem hiesigen Archiv nicht vorhanden. Die Arbeitsgruppe Kiew, insbesondere ihr Mitarbeiter Otto Klein, entdeckte den jüdischen Friedhof im Frühjahr 1942. Er liegt im Süden der Stadt und enthielt eine Unmenge jüdischer Grabsteine, die, wie wir feststellten, von russischen Friedhöfen der Stadt überführt, wenn nicht gestohlen waren, nachdem diese der Zerstörung preisgegeben waren. Zeigen die Grabsteine des jüdischen Friedhofs auch das Bild jüdischer Friedhofskunst, so sind sie auch noch besonders dadurch bemerkenswert, daß es sich in der Mehrzahl um Grabsteine handelt, die ursprünglich nicht dazu gedient haben, [ulæseligt ord] Inschriften aufzunehmen. Wie die Abbildung 1 beweist, sind von ehemals russischen Grabsteinen die Inschriften abgekratzt worden. Andere Grabsteine hat man verstümmelt oder mit jüdischen Symbolen (Lebensbaum usw.) versehen. Es handelt sich durchweg um sehr kostbare Grabsteine. Zum Teil finden sich sogar regelrechte Grabkapellen aus kostbarem Material wie Marmor usw. In der Nähe des jüdischen Friedhofs liegende russische Grabstellen lassen in ihrer Dürftigkeit und Primitivität, die bezeichnend ist für sowjetische "Friedhofskunst", den Abstand zu

---
73 Trykt ovenfor.

den Grabdenkmälern des unter der bolschewistischen Herrschaft vollständig unversehrt gebliebenen Judenfriedhofs erkennen. Es handelt sich bei dem jüdischen Friedhof um ungefähr 3.000 Grabstellen, also um eine Art jüdischen Zentral-Friedhof für Kiew. Es sei noch bemerkt, daß auch von dem zerstörten Friedhof der ehemaligen deutschen Gemeinde in Kiew viele Grabsteine von den Juden wahrscheinlich gestohlen wurden, um dann für die eigenen Grabdenkmäler "umgearbeitet" zu werden. Der ganze Vorgang läßt deutlich erkennen, welcher Machenschaften das jüdische Volk fähig war. Er gibt ein Bild echt jüdischer Skrupellosigkeit und Verworfenheit, und auch eine Grabinschrift, wie die von Abbildung 4, kennzeichnet die jüdische Mentalität. Wir bitten Sie, bei Verwendung der Bilder uns einen entsprechenden Beleg zukommen zu lassen.

Die Aufnahmen stammen zum größten Teil von unseren Mitarbeiter Klein. Anlagen![74]

Heil Hitler!
i.A.
Dr. Granzin
Obereinsatzführer

109. Werner Best an das Auswärtige Amt 11. Mai 1944

Best anbefalede den danske præst H.W. Engdal Thygesen til beskæftigelse i Tyskland, da han på grund af sin tyskvenlige indstilling ikke kunne få et passende arbejde i Danmark.

AA lod Bests anbefaling gå videre til Partei-Kanzlei der NSDAP og RSHA, Abt. 4A den 5. juni 1944. Kancelliet svarede 23. juni, at præsten ikke uden videre kunne finde ansættelse, da han bl.a. først skulle være rede til at opgive sin gejstlige stand. Det kunne den rigsbefuldmægtigede i sit svar 27. juli ikke give information om, da Engdal Thygesen i mellemtiden var rejst til Tyskland. Endnu 1. november blev sagen forfulgt, da AA skrev til partikancelliet, at ministeriet ikke vidste noget om præsten, men at den kunne rettes henvendelse til den danske kammersanger Helge Rosvinge i Berlin (alle akter som nedenfor). Præstens videre skæbne er ubekendt, men han blev ikke senere præst i den danske folkekirke, ligesom han ikke færdiggjorde et teologisk studium i Danmark (*Teologisk Stat*, 1949).

Kilde: NHWE, Id. dok.: APK-007694.

Pol VI. A.slag 20 Mai 1944
Der Reichsbevollmächtigte in Dänemark   *Kopenhagen, den 11. Mai 1944.*
K1/K. Gen 31/44.

An das Auswärtige Amt in Berlin

Betr: dänischen Pastor Dr. H.W. Engdahl Thygesen.
– 2 Durchdrucke –
– 1 Anlage –[75]

Der dänische Pastor Dr. H.W. Engdahl Thygesen, der in Greifswald studiert und dort gerade seine Doktorprüfung bestanden hat, hat mir mitgeteilt, daß er wegen seiner

---

74 Bilagene foreligger ikke.
75 Bilaget er ikke medtaget.

deutschfreundlichen Einstellung keine seiner Vorbildung entsprechende Beschäftigung in Dänemark finden könne. Pastor Thygesen möchte sich aus diesem Grunde im Reich betätigen und zwar in charitativer und fürsorgerischer Arbeit, wobei er in erster Linie an eine Beschäftigung beim Deutschen Roten Kreuz denkt.

Ich würde es begrüßen, wenn irgend eine Beschäftigungsmöglichkeit der genannten Art, die allerdings eine bezahlte sein müßte, da Thygesen mittellos ist, gefunden werden könnte und wäre für einen entsprechenden baldigen Bescheid dankbar.

Einen kurzen Lebenslauf Pastor Thygesen füge ich in der Anlage bei.

W. Best

110. RSHA: Vermerk 11. Mai 1944

Bovensiepen havde 5. maj meddelt, at Gestapo i Danmark igen havde slået til mod den illegale organisation Hjemmefronten og lukket to trykkerier.

Se endvidere RSHAs notat 27. april 1944 og Bovensiepens aktivitetsberetning for maj 1944 fremsendt af Best til AA 8. juni.

Kilde: RA, Danica 1069, sp. 7, nr. 8500.

IV A I a   Berlin, d. 11. Mai 1944.

1.) Vermerk:

Der BdS in Dänemark berichtet mit FS Nr. 2451 vom 5.5.44:

Im Zuge der Aktion gegen "Hjemmefronten" wurde die 8. und 9. Druckerei festgestellt. Es handelt um die Firma Charles Leisner, Kopenhagen, Gl. Kongevej 15, die die illegale Schrift "Land und Folk" gedruckt hat, und um die Druckerei Aage Siems, Kopenhagen, Jernbanegade 6, bei der "Studenternes Efterretningstjeneste" erschienen ist.[76] Die Schließung der Druckereien und die Einziehung der für die Herstellung benutzten Maschinen ist veranlaßt.

Original an IV B 1c abgegeben.
2.) Zu den Sachakten: Dänemark, illegale Druckschriften.

111. Werner Best an alle Angehörige der nichtmilitärische Dienststellen 11. Mai 1944

Best rettede en opfordring til alle ikke-militære tyske tjenestesteder i Danmark om at tegne abonnement på *Nordschleswigsche Zeitung*. Opfordringen havde næsten karakter af en ordre, idet han forventede, at hans henstilling blev fulgt.

Best lod fra maj 1944 avisen tilføre godt 10.000 kr. om måneden i støtte, idet han til gengæld øvede kontrol over det københavnske stof og fik leveret 20.000 eksemplarer til værnemagten. Samtidig blev avisen fra 15. maj præsenteret som organ for "alle tyske i Danmark." (*Politische Informationen* 1. maj 1944, afsnit V, Thomsen/Søllinge, 3, 1991, s. 649-652 og der anf. henv.).

Kilde: RA, Vesterdals pk. 2.

---

76 Jfr. Birkelund 2000, s. 246.

Kopenhagen, den 11. Mai 1944.

Betrifft: Die *Nordschleswigsche Zeitung*.

Die "Nordschleswigsche Zeitung", die bisher die bodenständige Tageszeitung der deutschen Volksgruppe in Nordschleswig war, ist durch technischen und inhaltlichen Ausbau die Lage versetzt worden, als *die* deutsche Tageszeitung Dänemarks im ganzen Lande verbreitet zu werden. Sie wird allenthalben – insbesondere auch in Kopenhagen – bereits am Mittag des Erscheinungstages zur Ausgabe gelangen.

Ich erwarte, daß alle Angehörigen der nichtmilitärischen Dienststellen von jetzt an die "Nordschleswigsche Zeitung" als ihre hiesige deutsche Tageszeitung ansehen und sie durch Abonnement oder täglichen Kauf beziehen. Ich bitte weiter, bei allen deutschen Dienststellen und bei allen Deutschen für den Bezug der "Nordschleswigschen Zeitung" zu werben. Dänische Bekannte können darauf hingewiesen werden, daß die "Nordschleswigsche Zeitung" nach dem jetzt erfolgten Ausbau nicht nur als das Sprachrohr der deutschen Volksgruppe in Nordschleswig sondern von Fall zu Fall auch als das Sprachrohr der deutschen Politik in Dänemark angesehen werden kann.

gez. **Dr. Best**

112. Herbert Backe an Josef Terboven 11. Mai 1944

Backe nægtede at imødekomme Terbovens ønske om at modtage 10.000 t sukker fra Danmark til Norge. Der var ikke noget overskud at tage af, og en nedsættelse af den danske ration af sukker var ikke mulig på grund af den politiske situation, så meget mere som rationen var blevet nedsat det foregående år. Endvidere kunne Backe påpege flere fejl i Terbovens talopgivelser og konklusioner.

Terboven svarede igen 29. maj 1944.

Kilde: RA, Danica 1000, T-175, sp. 125, nr. 650.931f.

Der Reichsminister für
Ernährung und Landwirtschaft
V B 3/475g (326g)/[44?] – 103g/44

Geheime Reichssache!
Berlin, den 11. Mai 1944
5 Ausfertigungen
3. Ausfertigung

Betr.: Lieferung von Zucker aus Dänemark nach Norwegen   Sofort!

Herrn Reichskommissar Terboven
  Oslo.

Lieber Parteigenosse Terboven!

In Ihrem Schreiben vom 3. April ds.J. haben Sie den Wunsch ausgesprochen, daß an Norwegen nochmals 10.000 t Zucker geliefert werden, und zwar in der Hauptsache aus Dänemark. Zu meinem Bedauern muß ich mich zu diesem Antrag ablehnend verhalten. Dänemark besitzt, nachdem es 30.000 t Zucker nach Schweden, Finnland und Norwegen ausgeführt hat, aus der knappen Ernte 1943 keine Überschüsse mehr. Eine weitere Ausfuhr nach Norwegen wäre daher nur durch Kürzung der dänischen Zuckerration möglich. Mit Rücksicht auf die politische Lage in Dänemark halte ich eine solche Kürzung um so weniger für vertretbar, als die Zuckerration schon im Vorjahre herabgesetzt werden mußte.[77]

Auch eine Kürzung der Zuteilung an die Industrie ist praktisch für dieses Wirtschaftsjahr nicht durchführbar. Von den vorgesehenen 45.000 t sind bereits 36.000 t verbraucht. Von dem Rest von 9.000 t sind gewisse Mengen für solche Industrien bestimmt, die überhaupt nicht weiter gekürzt werden können, zumal dadurch Wehrmachtsinteressen berührt würden. Die Menge, dir für das laufende Wirtschaftsjahr allenfalls noch eingespart werden könnte, wäre so gering, daß sie in keinem Verhältnis einerseits zu der stimmungsmäßigen Rückwirkung in Dänemark, andererseits zu dem norwegischen Fehlbedarf stehen würde.

In Ihrer Berechnung der Vorratslage in Dänemark sind Sie auch insofern von einer unrichtigen Voraussetzung ausgegangen, als die dortigen Umsatzlager nicht 2.000 t, sondern nur 200 t betragen. Die von Ihnen weiter vorgeschlagene Abzweigung aus deutschen Umsatzlagern ist mit Rücksicht auf die angespannte Versorgungslage des Reiches ausgeschlossen.

Im übrigen darf ich noch auf folgende Einzelheiten hinweisen. Sie machen darauf aufmerksam, daß in der norwegischen Zuckerbilanz die Verteilung von Einmachzucker nicht vorgesehen werden konnte; ich muß dazu bemerken, daß auch in Deutschland eine Verteilung von Einmachzucker nicht in die Bilanz eingesetzt ist.

Ich kann auch Ihre Auffassung nicht teilen, daß für die Bäcker das Brotbacken ohne gleichzeitige Herstellung von Zuckergebäck unrentabel sei, und daß beim Wegfall von Zuckergebäck der Brotpreis nicht gehalten werden könne.

Bei der Berechnung der Leistungen Norwegens und deren Vergleich mit den Leistungen des Reichs an Norwegen heben Sie die Gewichtsmengen ohne Rücksicht auf den wirtschaftlichen Wert der Waren einander gegenüberstellt. Sie werden selbst zugeben, daß ein solcher Vergleich kein zuverlässiges Bild der tatsächlichen Verhältnisse geben kann.

Heil Hitler!
Ihr
gez. **Backe**

113. Andor Hencke: Notiz 12. Mai 1944

Hencke udarbejdede et resumé over forløbet af sit møde med Frants Hvass vedrørende den spionagesigtede tidligere vicekonsul Hans Valdemar Bertelsen. Hvass fremkom med fem konkrete ønsker, som Hencke ikke kunne vise sig imødekommende over for på noget punkt.

Den manglende imødekommenhed skyldtes, at Bertelsen var uden for AAs kompetenceområde. Det var RSHA, der bestemte over hans videre skæbne, og Hencke havde i de foregående måneder høstet erfaringer med, hvordan mulighederne var for at opnå noget derfra (Weitkamp 2008, s. 191f.).

Kilde: PA/AA R 29.568. RA, pk. 204 og 220.

---

[77] Den danske sukkerration var senest blevet nedsat 1. januar 1943 fra 2.000 til 1.500 g sukker pr. måned og blev ikke siden sænket yderligere.

U.St.S. Pol. Nr. 163　　　　　　　　　　　　　　　　　　　*Berlin, den 12. Mai 1944.*

Wie durch Drahtbericht des Reichsbevollmächtigten in Kopenhagen vom 10. Mai – Nr. 597[78]- angekündigt, suchte mich heute in Begleitung des Dänischen Geschäftsträgers der Leiter der Politischen Abteilung des Dänischen Außenministeriums in Kopenhagen, Herr Hvass auf. Er teilte mir folgendes mit:

Die Dänische Zentralverwaltung sei davon unterrichtet worden, daß der von der deutschen Staatspolizei verhaftete, früher in Hamburg beschäftigt gewesene Vizekonsul Berthelsen unter ernstem Spionageverdacht stehe. Wenn auch die dänischen Behörden hofften, daß sich bei der Untersuchung des Falls die Schuld des Berthelsen als weniger schwer herausstellen würde, als es jetzt den Anschein hätte, so sei allein die Tatsache, daß ein dänischer Beamter, den deutschen Behörden Anlaß zum Einschreiten gegeben habe, für die Dänische Zentralverwaltung sehr schmerzlich. Er, Hvass, spreche mir daher im Namen des Dänischen Außenministeriums das tiefste Bedauern wegen dieses Falles aus. Selbstverständlich würden auch dänischerseits gegen Berthelsen gegebenenfalls schwerwiegende Konsequenzen gezogen werden, sobald die Ergebnisse unserer Untersuchung feststünden. Das Dänische Außenministerium habe in dieser schwierigen Zeit stets Wert darauf gelegt, zum Reichsbevollmächtigten und zu den deutschen Behörden in Dänemark in einem korrekten und auf gegenseitigen Vertrauen beruhenden Verhältnis zu stehen. Umso lebhafter wäre es zu beklagen, wenn durch sie Schuld eines Beamten des dänischen Auswärtigen Dienstes diese Beziehungen getrübt würden.

Ich nahm die Erklärungen des Herrn Hvass mit dem Bemerken zur Kenntnis, daß es sich nach meinen Informationen in der Angelegenheit Berthelsen um einen sehr schweren Spionagefall handele, der leider nicht vereinzelt dastehe. Auch der dänische Vizekonsul Mogensen habe sich zweifellos ernster Verfehlungen auf dem gleichen Gebiet schuldig gemacht,[79] während der dänische Konsulatssekretär Bach sich im Zustande der Trunkenheit unerhört aufgeführt habe und sich dabei zu unglaublichen anti-deutschen Äußerungen verstiegen hätte.

Herr Hvass war über den Fall Mogensen orientiert, den er allerdings weniger ernst zu halten schien als den das Vizekonsuls Berthelsen. Bezüglich des Konsulatssekretärs Bach sagte er dessen sofortige Abberufung zu, nachdem ich diese als notwendig bezeichnet hatte. Er machte in meiner Gegenwart dem Dänischen Geschäftsträger, der Bach als einem Quartalssäufer bezeichnete, die vorwurfsvolle Bemerkung, daß man in solchem Fall gut getan hätte, den Mann von sich aus schon früher nach Hause zu schicken.

Zum Fall Berthelsen äußerte Herr Hvass folgende Bitten:

1.) Die Dänische Zentralverwaltung wäre dankbar, wenn sie über das Ergebnis der gerichtlichen Untersuchung unterrichtet und auch in die Lage versetzt würde, für eine Verteidigung des Berthelsen in einem etwaigen Gerichtsverfahren sorgen zu können.

2.) Für den Fall, daß auf Todesstrafe erkannt werden sollte, bäte die Dänische Zentralverwaltung, ihr vor der Vollstreckung die Möglichkeit zur Vorlage eines Gnadengesuchs zu geben.

---

78 Trykt ovenfor.
79 Se von Thadden til Best 2. maj 1944.

3.) Das Dänische Außenministerium würde es als ein besonderes deutsches Entgegenkommen dankbar begrüßen, wenn Herrn Hvass die Erlaubnis erteilt würde, den Vizekonsul Berthelsen, selbstverständlich in Gegenwart deutscher Beamter und ohne Erwähnung des Haftgrundes, kurz zu sprechen. Ganz abgesehen von dem personellen Interesse, das er als Vorgesetzter an Berthelsen habe, würde durch die Besuchserlaubnis auch die Autorität des Dänischen Außenministeriums gegenüber den innerdänischen Stellen gestärkt werden, was sich wiederum günstig für die deutsch-dänische Zusammenarbeit auswirken würde (z.B. bei der Durchsetzung deutscher Wünsche).
4.) Das Dänische Außenministerium bitte die Möglichkeit zu prüfen, ob es Berthelsen, solange er Untersuchungsgefangener sei, gewisse Zuwendungen an Lebensmitteln, Gebrauchsgegenständen usw. machen dürfe.
5.) Der Leiter des Dänischen Außenministeriums Svenningsen, habe mit unseren Reichsbevollmächtigten über die Möglichkeit gesprochen, den Vizekonsul Berthelsen der dänischen Justiz zur Aburteilung zu überlassen. Herr Best habe diese Möglichkeit nicht ganz von der Hand gewiesen. Er wäre dankbar, wenn auch das Auswärtige Amt wohlwollend prüfen würde, ob sich eine solche Lösung ermöglichen lasse.

Ich habe Herrn Hvass folgendes erwidert:
Zu 1.) Zunächst müsse das Ende der Voruntersuchung abgewartet werden. Ob und inwieweit dann Auskünfte erteilt werden könnten, sei heute noch nicht zu übersehen. Es handele sich ja um eine Spionageangelegenheit, bei der im Reichsinteresse mögliche[r]weise besondere Geheimhaltung geübt werden müsse. Soweit es die Umstände erlaubten, würde sich das Auswärtige Amt nach Abschluß der Voruntersuchung für eine Auskunftserteilung einsetzen. Eine Zusagen könnte ich ihm in dieser Beziehung nicht machen.
Was die Zulassung eines Verteidigers bei einem Gerichtsverfahren gegen Berthelsen anlange, so sei ich über die einschlägigen Bestimmungen ni[cht] orientiert. Ich würde mich danach erkundigen und die Dänische Gesandtschaft unterrichten.
Zu 2.) Den Wunsch der Dänischen Zentralverwaltung, ihr für den Fall eines Todesurteils gegen Berthelsen die Möglichkeit zur Einreichung eines Gnadengesuchs zugeben, würde ich an die zuständige Stelle weiterleiten.
Zu 3.) Die Erfüllung des von Herrn Hvass geäußerten Wunsches, Berthelsen besuchen zu dürfen, hielte ich im gegenwärtigen [ulæseligt ord] um des Verfahrens für außerordentlich schwierig. Ich wolle indessen seine Bitte weiterleiten, könne ihm aber keinerlei Aussichten machen. Herr Hvass bat um möglichst baldigen Bescheid, da er seine eigenen Reisedispositionen entsprechend einrichten müsse.
Zu 4.) Ich wüßte nicht, ob es nach unseren Haftbestimmungen möglich sei, den Vizekonsul Berthelsen die von Herrn Hvass erbetene Begünstigung zu gewähren, würde mich jedoch erkundigen und der Gesandtschaft Mitteilung machen.
Zu 5.) Ich hielte es für sehr unwahrscheinlich, daß deutscherseits auf eine Aburteilung des Vizekonsuls Berthelsen verzichtet werden könne. Im übrigen sei es nicht möglich, hierzu heute schon etwas zu sagen. Eine Prüfung dieser Frage sei überhaupt erst möglich, wenn das Ergebnis der Voruntersuchung vorliege.

Herr Hvass drückte abschließend nochmals sein Bedauern über das Verhalten des Berthelsen aus und betonte erneut das lebhafte Interesse, das seitens des Dänischen Außenministeriums dieser Angelegenheit entgegengebracht würde.

(gez.) **Hencke**

Verteiler:
Büro RAM
St.S.
Dg. Pol.
Pol. VI (bitte Benachrichtigung des Reichsbevollmächtigten in Kopenhagen)
Inl. II (mit der Bitte um Weitere Veranlassung
   zu Punkt 1.) im Benehmen mit Abt. Recht
   zu Punkt 3.) gemäß telefonischer Rücksprache mit LR von Thadden
   zu Punkt 4.) und
   zu Punkt 5.) wegen rechtzeitiger Unterrichtung des Auswärtigen Amts über Abschluß Voruntersuchung im Benehmen mit Abt. Recht)
Abt. Recht (mit der Bitte um Auskunftserteilung
   Zu Punkt 1.) wegen Gestellung eines Verteidigers
   Zu Punkt 2.) zwecks Sicherstellung einer Einschaltung des Auswärtigen Amts vor Vollstreckung etwaigen Todesurteils
   zu Punkt 5.) wegen rechtzeitiger Benachrichtigung von Abschluß Voruntersuchung im Benehmen mit Inl. II)
Protokoll

114. Andor Hencke: Notiz 12. Mai 1944

Frants Hvass medbragte flere spørgsmål til drøftelse med AA, som Hencke gjorde notater om hver for sig. Sammen med den tidligere danske vicekonsul Hans Valdemar Bertelsen var Edith Christensen blev fængslet i samme sag 28. april 1944. Hvass bad om, at der blev taget hensyn til hendes alder, at hun ikke bevidst havde handlet mod tyske interesser, og at hun blev løsladt. Også i dette tilfælde kunne Hencke kun give et henholdende svar.

Edith Christensen blev ikke løsladt, men overført til tysk fængsel, og hun kom først fri 13. april 1945, da Røde Kors hentede hende i Torgau. Hun havde været meddeler til SIS-agenten Aage Andreasen (Barfod 1969, s. 295, Hjorth Rasmussen 1998, s. 142f.).

Kilde: PA/AA R 29.568. RA, pk. 204 og 220.

U.St.S. Pol. Nr. 166   *Berlin, den 12. Mai 1944.*

Gelegentlich eines Besuchs, den mir heute der Leiter der Politischen Abteilung des Dänischen Außenministeriums, Herr Hvass, in Begleitung des Dänischen Geschäftsträgers abstattete, verwendet er sich im Auftrag der Dänischen Zentralverwaltung für die dänische Staatsangehörige Edith Christensen, die im Zusammenhang mit dem Fall Berthelsen festgenommen worden wäre. Herr Hvass sprach die Überzeugung der dänischen Behörden aus, daß Frl. Christensen nicht bewußt an Handlungen beteiligt sei, die sich gegen das Reichsinteresse gerichtet hätten. Im Hinblick auf die Jugend der Edith Christensen hat

Herr Hvass um beschleunigte Prüfung, ob sie aus der Haft entlassen werden könne.
Ich sagte Befassung der zuständigen Stellen zu.
Hiermit Inl. II mit der Bitte um weitere Veranlassung.
(gez.) **Hencke**

(bitte Benachrichtigung des Reichsbevollmächtigten in Kopenhagen)

115. Andor Hencke: Notiz 12. Mai 1944
Spionsagen mod vicekonsul Mogensen blev også taget op af Frants Hvass under mødet i AA. Hencke afviste, at der ikke var tale om et alvorligt tilfælde, og gav ikke meget håb om, at Mogensen skulle blive overladt en dansk domstol.
For Mogensens skæbne, som fra starten havde været ude af AAs hænder, se von Thadden til Best 2. maj og Best til AA med telegram nr. 596, 10. maj 1944.
Kilde: PA/AA R 29.568. RA, pk. 204 og 220.

U.St.S. Pol. Nr. 167   *Berlin, den 12. Mai 1944.*

Gelegentlich eines Besuchs, den mir heute der Leiter der Politischen Abteilung des Dänischen Außenministeriums in Begleitung des Dänischen Geschäftsträgers abstattete, kam das Gespräch auch auf den Fall des wegen Spionageverdachts festgenommenen dänischen Vizekonsuls Mogensen.
Ich habe Herrn Hvass, der diesen Fall nicht als besonders schwerwiegend anzusehen schien, dahin unterrichtet, daß nach den bisherigen Feststellungen der Vizekonsul Mogensen sich eines ernsten Spionageverbrechens schuldig gemacht hätte. Es könne daher jetzt keine Rede mehr davon sein, ihn den dänischen Behörden zu überstellen. Vorerst müßte das Untersuchungsverfahren gegen Mogensen durchgeführt werden. Auf einen Einwand des Herrn Hvass, daß der Dänischen Zentralverwaltung in Aussicht gestellt worden sei, Mogensen zur Aburteilung der dänischen Justiz zu überlassen, stelle ich meinerseits fest daß eine Prüfung dieser Frage erst nach genauer Klärung des Tatbestands möglich sei.
Hiermit Inl. II zuständigkeitshalber übersandt.
(gez.) **Hencke**

(bitte Benachrichtigung des Reichsbevollmächtigten in Kopenhagen)

116. Andor Hencke: Notiz 12. Mai 1944

På mødet i AA havde Hvass stillet spørgsmålet om et besøg hos de internerede danske jøder i Theresienstadt. Det besøg var blevet stillet i udsigt i anden halvdel af maj. Hencke kunne ikke svare bekræftende herpå, kun at svaret ville foreligge i løbet af få dage (Yahil 1967, s. 263).
  Se Mildner til Tysk Røde Kors 15. og til Thadden 16. maj 1944.
  Kilde: PA/AA R 29.568. RA, pk. 204, 220 og 284. PKB, 13, nr. 745.

U.St.S. Pol. Nr. 168   Berlin, den 12. Mai 1944.

Der Leiter der Politischen Abteilung des Dänischen Außenministeriums, der mich heute in Begleitung des Dänischen Geschäftsträgers aufsuchte, kam auf die von der Dänischen Gesandtschaft seit langem beantragte Besuchsgenehmigung bei den Internierten Juden dänischer Staatsangehörigkeit in Theresienstadt und dänischen politischen Gefangenen in ostpreußischen Lagern zu sprechen. Herr Hvass bemerkte dabei zutreffend, die Besuchsgenehmigung für Theresienstadt in der zweiten Maihälfte sei in Aussicht gestellt worden.
  Ich habe Herrn Hvass erwidert, daß die Angelegenheit zurzeit noch geprüft würde. Voraussichtlich könne der Besuch um den 20. Mai herum erfolgen. Der endgültige Bescheid würde in den nächsten Tagen erteilt werden. Auf einen Besuch in den ostpreußischen Lagern bin ich nicht eingegangen.
  Hiermit Inl. II mit der Bitte um weitere Veranlassung übersandt.
                              gez. **Hencke**

(bitte Reichsbevollmächtigten unterrichten)

117. RSHA: Vermerk 12. Mai 1944

Den 27. april havde Bovensiepen fremsendt RSHA oplysninger om resultatet af en razzia på en række københavnske restauranter og en aktion mod en stribe trykkerier, hvor der blev trykt illegale blade.
  Se endvidere om de enkelte trykkerier Bovensiepens aktivitetsberetning for maj 1944 fremsendt af Best til AA 8. juni.
  Razziaen 26. april omfattede også Magnussens trykkeri i Slotsgade, København, som ikke omtales her (Birkelund 2000, s. 286). Gestapo havde gennemført en systematisk eftersøgning af den illegale presses arnesteder både december 1943 og hele foråret 1944.[80]
  Kilde: RA, Danica 1069, sp. 7, nr. 8497-99.

IV A 1 a   Berlin, d. 12. Mai 1944.

1.) Vermerk:
Der BdS in Dänemark berichtet mit FS Nr. 2050 v. 27.4.44: Am 26.4.44 um 20 Uhr wurden die nachstehend aufgeführten Lokale im Zusammenwirken mit der Schutzpolizei schlagartig überholt:

---
80 Det er ikke korrekt, når Birkelund 2000, s. 284 henlægger Gestapos razziaer mod trykkerier, restauranter og privatadresser til tiden efter 20. april 1944. Systematiske razziaer mod illegale kommunistiske og Frit Danmark-trykkerier havde stået på længe.

1) Windsor, 2) Heidelberg, 3) München, 4) Mayfair, 5) Skala-Bar

In den Lokalen wurden 108 Personen angetroffen, die zu eingehender Überprüfung in das Dagmarhaus gebracht worden sind. Die Überholung führte zur Festnahme von 6 Personen. Die restlichen Festgenommenen sind nach u. nach wieder entlassen worden.

Die Aktion verlief ohne Zwischenfälle.

In einem der letzten Flugblätter der illegalen Hetzschrift "Hjemmefronten" wurde die Wirksamkeit der gegen "Hjemmefronten" eingeleitet ersten Aktion angezweifelt. Heute früh (27.4.44) wurde eine zweite Aktion ausgelöst. Sie hatte folgendes Ergebnis: ausgehoben wurden:

1.) Die Druckerei "Extra", Kopenhagen, Toftegaards Allee 11. Hier wurde bis zum Zeitpunkt des Zugriffs das illegale Blatt "Hjemmefronten" gedruckt. Im Druck befindliches Material wurde sichergestellt. Es wurde gerade Kai Munks "Letzte Predigten" gedruckt.
2.) Die Druckerei Eigil Pald, Kopenhagen, Kronprinsessegade 10. Hier wurden bis zuletzt 10.000 Exemplare der illegalen Hetzschrift "Danskeren" gedruckt.
3.) Die Druckerei Thoergesen, Kopenhagen, Amagerbrogade 98. Hier wurden die illegalen Hetzschrift "Studenternes Efterretningstjeneste" und kommunistische Blätter gedruckt.

Ermittelt und sichergestellt wurde eine komplette Setzerei der illegalen Hetzschrift "Kirkefronten". In Geheimräumen des Hauses Knarbrosträde 24 wurden große Bestände an illegalem Material vorgefunden.

Festgenommen wurden im Zuge dieser Aktion insgesamt 26 Personen. Unter ihnen befinden sich:

1.) Der Druckereibesitzer Hak Jörgensen, Kopenhagen, Toftegaards Allee 11, Privatwohnung, Charlingsvej 3. Er ist der Verleger der "Hjemmefronten". Mit ihm wurden 5 Angehörige des Personals festgenommen, darunter ein in der Druckerei zufällig anwesender Mann, der eine Aktentasche mit fertigen Drucksätzen und Manuskripten bei sich trug.
2.) Der Druckereibesitzer Eigil Pald, Kopenhagen, Kronprinsessegade 10. P. ist der Verleger der Hetzschrift "Danskeren". Mit ihm wurde auch der Vermittler dieses illegalen Geschäfts, der Drucker Kai Hartwel, Kopenhagen, Vesterbrogade 62, festgenommen, der an der Herstellung der illegalen Hetzschrift "Hjemmefronten" führend beteiligt ist.
3.) Der Druckereibesitzer Lime, Kopenhagen, Lundingsgade 11, der sich hier unter falschem Namen aufhielt. Er vermittelte den Druck von "Hjemmefronten". Bei ihm vorgefundenes Material wird z.Zt. noch gesichtet.
4.) Der Druckereibesitzer Thoergesen, Kopenhagen, Amagerbrogade 98, der "Studenternes Efterretningstjeneste" und kommunistische Blätter gedruckt hat. Einer seiner Drucker wurde gleichfalls inhaftiert.
5.) Der Journalist Anton Marius Jörgensen, Redakteur von "Kristeligt Dagblad", Kopenhagen, Tingsskrivervej 15. Er gehört zu den führenden Journalisten der illegalen Presse. In seiner Wohnung wurden mehrere Manuskripte für illegale Blätter vorgefunden.

6.) 2 Angestellte der Klischeefabrik Heimburger, namens Willi Blaasen, Kopenhagen, Frederiksborggade 5 und der Ätzer Conny Nielsen, die Klischees für illegale Zwecke herstellten. Ferner wurde in geheimen Räumen des Hauses Knabrosträde 24 in großen Mengen illegales Hetzschriftmaterial vorgefunden. Die Sicherstellung ist eingeleitet.

Gleichzeitig wurde eine weitere Aktion gegen die illegalen 6-Mann Gruppen gestartet, bei der 3 Gruppenführer festgenommen werden konnten. Die Aktion ist noch nicht abgeschlossen.

2.) Das Original wurde an IV B 1 c zurückgegeben.
3.) Zu den Akten:
   a.) Dänemark, Lageberichte,
   b.) Dänemark, illegale Flugschriften.

                        I. A.
                      [underskrift]

118. RSHA: Vermerk 12. Mai 1944

Bovensiepen havde 4. maj til RSHA indberettet anholdelsen af to danskere, der skaffede våben fra Tyskland til en illegal gruppe i Danmark, der, i tilfælde af at tyskerne forlod Danmark, ville modsætte sig, at venstreradikale elementer kom til magten.
    Kilde: RA, Danica 1069, sp. 7, nr. 8097.

IV A 1 a   *Berlin, d. 12. Mai 1944.*

1.) Der BdS in Kopenhagen berichtet mit FS vom 4.5.44 Nr. 78149:
Durch nichtgemeldeten V-Mann war hier bekannt geworden, daß der dänische Büroangestellte Heinrich Jensen aus Gravenstein im Auftrage des dänischen Zivilingenieurs Bent Andersen, Kopenhagen, sich bemühe, Maschinenpistolen in Mengen in Deutschland zukaufen und nach Dänemark zu verbringen. Verbindung Jensen zu einem deutschen Obergefreiten in Flensburg namens "Willi", der inzwischen von dort versetzt ist, bestand. Obergefreiter hatte bereits M. Pi geliefert, mit 2 deutschfreundliche Dänen erschossen worden sind. Es gelang, Jensen und Andersen nach Flensburg zu locken und im Anschluß an einen fingierten Treff am 3.5.44 festzunehmen. Beide gaben Absicht, Waffenkauf zu tätigen, zu. Sie wollen dieses als Mitglieder einer Organisation getan haben, die sich Waffen verschaffen wollte, für den Fall, daß deutsche Truppen Dänemark verlassen und linksradikale Elemente versuchen sollten, Macht an sich zu reißen. Die Organisation ist anscheinend nach dem bekannten Dreiersystem aufgebaut. Aus den gleichlautenden Aussagen ist zu entnehmen, daß die Mitglieder einheitlich ausgerichtet sind für den Fall, daß ihre Festnahme erfolgt. Die Ermittlungen sind noch nicht abgeschlossen. Im Zusammenhang mit Festnahme der beiden Obengenannten zwei weitere Festnahmen in Flensburg, die mit den Haupttätern in Verbindung stehen. Zwei weitere Verbindungsleute in Dänemark bekannt. Mit Außendienststelle Kolding des BdS Ko-

penhagen war nach Eingang der V-Mann-Meldung Verbindung aufgenommen. Diese ist aufrechterhalten worden und Kolding ist über die in Dänemark zu tätigenden Festnahmen unterrichtet.

Weitere Deckadressen in Kopenhagen teilweise bekannt. Auch diesbezüglich weiteres mit Kolding vereinbart.

Rolle des Obergefreiten noch nicht einwandfrei geklärt. Sobald hier Klarstellung, wird Festnahme über Wehrmachtsdienststelle veranlaßt. Es wird laufend berichtet.

2.) Zu den Akten "Dänemark, Erscheinungsformen u. Organisationen".

I.A.
[underskrift]

119. Erich Albrecht an Werner Best 12. Maj 1944

Albrecht meddelte Best, at Ribbentrop for øjeblikket ikke ønskede udsendt en forordning, der regulerede den tyske domsmyndighed over civilpersoner i Danmark.

Dermed havde Ribbentrop modsat sig Bests brug af sin forordningsret på dette område. Best svarede ikke på telegrammet, men fortsatte den afstukne kurs med telegram nr. 611, 13. maj.

Albrechts telegram nr. 520, 12. maj er ikke lokaliseret, men det er gengivet i Steengrachts notat til Ribbentrop 5. juli 1944.

120. Das Deutsche Rote Kreuz an Adolf Eichmann 12. Mai 1944

Tysk Røde Kors vendte tilbage til det løfte, der var givet 4. november 1943 om, at Det Internationale Røde Kors kunne besøge Theresienstadt og nævnte også, at der var stillet Dansk Røde Kors et besøg i udsigt. Tysk Røde Kors ville gerne have oplyst en termin for besøget og i hvilken form, det skulle finde sted.

Mildner svarede Tysk Røde Kors 15. maj 1944, dog uden at henvise til dette brev (Yahil 1967, s. 263, Weitkamp 2008, s. 192, Morgenbrod/Merkenich 2008, s. 389f.).

Kilde: BArch, R 58/89.

VII/Ch-Ha./Pa. *Ettal, 12.5.1944*

Betr.: Besuch des Lagers Theresienstadt

An das Reichssicherheitshauptamt
   z.Hd. von SS-Obersturmbannführer Eichmann
   Berlin SW 11
   Prinz-Albrecht-Str. 8

Das Deutsche Rote Kreuz kommt zurück auf die verschiedenen Besprechungen, insbesondere auf die vom 4.11.43, wegen des grundsätzlich zugesagten Besuches von Vertretern des Internationalen Komitees vom Roten Kreuz in Theresienstadt.

In der Besprechung vom 4.11. war gleichzeitig mitbehandelt worden die vom Präsidenten des Dänischen Roten Kreuzes geäußerte Bitte, die von Dänemark nach überführten Juden durch Vertreter des Dänischen Kreuzes besuchen zu lassen. Der dortige Bescheid lautete damals dahingehend, daß diese von Dänemark verschickten Juden nach Theresienstadt überführt worden seien und daß auch dem Dänischen Roten Kreuz grundsätzlich die Möglichkeit eines solchen Besuches in Aussicht gestellt werden könnte.

Das Internationale Komitee vom Roten Kreuz ist – wie dort bekannt –, und ebenfalls auch das Dänische Rote Kreuz, in diesem Sinne beschieden worden, wobei für den Besuch eine Zeit nach den Wintermonaten, also etwa von Mai 1944 ab, in Aussicht genommen war.

Da die Delegation des Internationalen Komitees vom Roten Kreuz nunmehr auf diese Mitteilung zurückgekommen ist, wäre das Deutsche Rote Kreuz dankbar für einen Bescheid, ob jetzt dieser Plan, und etwa zu welchem Termin und in welcher Form, verwirklicht werden könnte. Das Deutsche Rote Kreuz nimmt dabei an, daß für das Internationale Komitee ein Herr der Delegation im Reich den Besuch unternehmen wird. Für das Deutsche Rote Kreuz hat es zunächst noch keine Kenntnis, wer von diesem dafür vorgesehen ist.

Für einen baldigen Bescheid wäre das Deutsche Rote Kreuz dankbar.
Heil Hitler!
Der Chef des Amtes Auslandsdienst
Hartmann
DRK-Generalhauptführer

121. Werner Best an das Auswärtige Amt 13. Mai 1944
Med den benådningsret, som Best havde tiltaget sig og den særlige SS- og Politiret, han havde fået nedsat, satte han sin nye kurs i sabotagebekæmpelsen. Da de første domme over modstandsfolk ved den nye SS- og Politiret var faldet, blev dommene publiceret samlet i tvangsartikler, der blev bragt i alle aviser. Blandt de domfældte var de dødsdømte, der var Bests offentlige gidsler. Deres liv ville kun blive sparet og benådet af Best personligt, hvis der ikke fandt sabotager sted.

I den følgende tid udspillede der sig et drama i de danske medier, mens sabotager og meddelelser om henrettelser fulgte hinanden. Dog blev forløbet ikke helt efter Bests hoved, hvilket fremgår af RAMs telegram nr. 998, 15. maj til von Steengracht.
Kilde: PA/AA R 100.758. RA, pk. 229. LAK, Best-sagen (afskrift).

Telegramm

Kopenhagen, den	13. Mai 1944	17.00 Uhr
Ankunft, den	13. Mai 1944	22.20 Uhr

Nr. 611 vom 13.5.[44.]

Das SS- und Polizeigericht XXX (30) in Kopenhagen hat am 12.5.1944 wegen Feindbegünstigung verurteilt:

1.) Quistgaard, Georg, Brockhoff, geb. 19.12.1915 in Kopenhagen, wohnhaft: Kopenhagen, Aabenraa 10, III., zum Tode.
2.) Luetzen-Hansen, Arne, geb. 27.7.1919 in Kopenhagen, wohnhaft: Kopenhagen, Himmerlandsvej 21, zum Tode.
3.) Larsen, Carl Jörgen, geb. 6.7.1899 in Aarhus, wohnhaft: Öster Thoreby bei Nyköbing, zum Tode.
4.) Wichfeld, geb. Massy-Beresford, Monica Emily, geb. 12.7.1894 in London, wohnhaft: Gut Engetofte auf Lolland, zum Tode.
5.) Hovmand, Hans Christian, geb. 13.12.1911 in Kopenhagen, wohnhaft: Öster Thoreby bei Nyköbing, zu 12 Jahren Zuchthaus.
6.) Munthe-Österbye, Hjarl, geb. 1.9.1918 in Kopenhagen, wohnhaft: Kopenhagen, Vermlandsgade Nr. 5, zu 10 Jahren Zuchthaus.
7.) Baastrup-Thomsen, Else Elisabeth, geb. 3.10.1919 in Hornsted, wohnhaft: Kopenhagen, Frankrigsgade 27, zu 6 Jahren Zuchthaus.
8.) Jessen-Schmidt, Jens Kristian, geb. 8.4.1884 in Kopenhagen, wohnhaft: Kopenhagen, Holbergsgade 28, zu 3 Jahren Zuchthaus.
9.) Nielsen, Poul Gerner, geb. 26.11.1894 in Saxköbing, wohnhaft: Arbeits- und Pflegeanstalt Saxköbing, zu 2 Jahren Zuchthaus.

Freigesprochen wurden von der Anklage der Feindbegünstigung:
1.) Grandt, Wilhelm, geb. 9.2.1908 in Kalundborg, wohnhaft: Nakskov, Maribovej 55.
2.) Jörgensen, Niels Frederik Alfred, geb. 3.6.1907 in Oestofte.
3.) De Wichfeld, Viggo d'Mitri, geb. 26.12.1923 in London.

Ich habe diese Urteile in der dänischen Presse bekannt gegeben mit dem Zusatz, daß die Möglichkeit der Begnadigung der zum Tode verurteilten sich nach der weiteren Entwicklung der Lage im Lande richtet.[81] Vorsorglich teile ich mit, daß ich die zum Tode verurteilte Frau begnadigen werde, weil ich die Hinrichtung einer Frau für politisch untunlich halte.[82] Die drei anderen zum Tode verurteilten werden hingerichtet werden, wenn in der nächsten Zeit neue Sabotageakte o.a. erfolgen.[83]

Dr. Best

---

81 Trykt på dansk hos Alkil, 2, 1945-46, s. 876.
82 Meddelelsen om benådningen af Monica Wichfeld blev givet 19. maj 1944. Hun fik i stedet livsvarigt tugthus. Hun døde under en transport 2. januar 1945 (Alkil, 2, 1945-46, s. 876, *Faldne i Danmarks Frihedskamp*, 1970, s. 449).
83 Georg Quistgaard, Carl Larsen og Arne Lützen Hansen blev henrettet henholdsvis 20., 22. og 24. maj 1944 som svar på danske sabotageaktioner (Bindsløv Frederiksen 1960, s. 414, *Faldne i Danmarks Frihedskamp*, 1970, s. 371f., 252f., 144f.).

122. Werner Best an das Auswärtige Amt 13. Mai 1944

Et medlem af Bests stab, Philipp Hillgärtner (oversendt fra RSHA), var blevet kaldt til tjeneste i Berlin. Da Hillgärtner var uundværlig, og der ikke kunne skaffes andre til at afløse ham, bad Best AA udvirke, at han kunne få lov til at blive.

Svarskrivelsen er ikke lokaliseret, men Hillgärtner forblev i Danmark.

Hillgärtner var kommet til Danmark 20. juli 1943 fra den tyske militæradministration i Frankrig og var givetvis kendt af Best derfra. Hillgärtner blev leder af Horserødlejren efter 29. august, og fra 12. august 1944 af Frøslevlejren, hvorfra han forsvandt i december 1944 (Henrik Skov Kristensen i *Hvem var hvem 1940-1945*, 2005, s. 152).

Kilde: PA/AA R 100.299.

Abschrift Pers. M 1443
Auswärtig Berlin vom 13.5.   Sofort.

Bezugnahme Erlaß Pers. M 3434 vom 9.10.1943.

Der meiner Behörde vom Reichssicherheitshauptamt, Amt I, Berlin, mit dem 20.7.43 überwiesene Amtsrat Philipp Hillgärtner (SS-Sturmbannführer), der seinerzeit zur Übernahme seines hiesigen Postens aus der Wehrmacht entlassen worden war, hat nach seiner ehemaligen Berliner Wohnung (Lankwitz, Frobenstr. 43) unterm 24.4.1944 eine ihm hierher nachgesandte Aufforderung des Musterungsstabes I (gestempelt: Wehrbezirkskommando Berlin VIII), Berlin-Friedenau, Rheinstr. 45-46, erhalten, sich am 11.5.44, vormittags 9.30 Uhr, bei diesem Musterungsstabe zwecks Nachmusterung zu melden.

Hillgärtner, der innerhalb der Hauptabteilung II meiner Behörde das Referat "W Überwachung dänischer Strafverfahren" leitet, ist in dieser Stellung unentbehrlich und kann mangels geeigneter anderer Kräfte und bei der Schwierigkeit einen etwaigen Ersatz für ihn rechtzeitig einzuarbeiten, hier nicht entbehrt werden und auch zu dem Musterungstermin in Berlin-Friedenau nicht erscheinen. Ich bitte daher, eine entsprechende Benachrichtigung des Musterungsstabes I sowie seine weitere Uk-Stellung zu veranlassen. Tunlichst baldiger Drahtbescheid wird erbeten.

Auf eine mit Rücksicht auf die Zugehörigkeit Hillgärtners zur SS an das Reichssicherheitshauptamt unterm 22.10.1943 gerichtete Anfrage des Leiters der Hauptabteilung meiner Behörde, ob und gegebenenfalls wie lange SS-Sturmbannführer Hillgärtner für die hiesige Dienststelle Uk gestellt worden ist, war unterm 2.11.1943 geantwortet worden, daß die Uk-Stellung abgelehnt wird und Einspruch beim zuständigen Generalkommando läuft. Weitere Mitteilung über den Verlauf der Angelegenheit ist jedoch vom Reichssicherheitshauptamt hier bisher nicht eingegangen.

Der Reichsbevollmächtigte in Dänemark

123. Rolf Kassler an das Auswärtige Amt 13. Mai 1944

Kassler orienterede AA om, at der månedligt ville blive udgivet et tidsskrift på dansk med titlen "Paa Broen". Det var besluttet af det tyske mindretals ledelse med den hensigt at opnå bedre adgang til danske kredse og forklare dem mindretallets anskuelser. Det var udkommet første gang i slutningen af april og var blevet fordelt til 50.000 danske husstande i Nordslesvig. Et eksemplar af tidsskriftet blev medsendt.

Det var med nogen forsinkelse, at AA fik denne oplysning, idet Best allerede forud i *Politische Informationen* 1. maj havde bekendtgjort udgivelsen af bladet. Der kan ikke være tvivl om, at Best også må have finansieret udgivelsen, der i øvrigt næppe udkom med mere end dette ene nummer (Hvidtfeldt 1953, s. 57, Noack 1975, s. 165, 171, Vang Hansen 1982, s. 73).

Kilde: PA/AA R 100.357. RA, pk. 237. PKB, 14, nr. 129.

Der Reichsbevollmächtigte in Dänemark *Kopenhagen, den 13. Mai 1944.*
I C/N Sch 6.

Betr.: Herausgabe einer Zeitung in dänischer Sprache durch die Deutsche Volksgruppe in Nordschleswig.
2 Durchschläge
1 Anlage

An das Auswärtige Amt,
Berlin.

Um propagandistisch besser Eingang in dänische Kreise zu finden, hat sich die Führung der Deutschen Volksgruppe in Nordschleswig dazu entschlossen, eine Zeitung in dänischer Sprache "Paa Broen" ("Auf der Brücke") herauszugeben.

Die Zeitung, von der ein Belegexemplar in der Anlage beigefügt ist, ist erstmalig Ende April d.Js. erschienen. Sie wurde rund 50.000 dänischen Haushalten in Nordschleswig zugeleitet. Die Zeitung soll dazu dienen, der dänischen Bevölkerung die Anschauungen der Deutschen Volksgruppe über das deutsch-dänische Verhältnis nahezubringen. Ihre erste Nummer enthält u.a. Aufsätze von Johannes Schmidt-Wodder. (Germanische Gemeinschaft und europäische Sammlung), von Jörgen Andresen, einem dänischen Heimatdichter, (Gedanken und Betrachtungen über Henrik Steffens), von Dr. Kardel (Der Märchendichter H.C. Andersen und seine deutschen Freunde), und von W. Jürgensen (Das Recht der kleinen Nationen).

Die Zeitung wird voraussichtlich monatlich einmal erscheinen.

I. A.
Kassler

124. Horst Wagner an Eberhard Reichel 14. Mai 1944

Wagner bad Reichel sørge for, at Inland II fremover regelmæssigt modtog *Politische Informationen*, ikke mindst når det omhandlede forhold, der vedrørte afdelingens arbejdsområde.

Trods det synes Best heller ikke efterfølgende fast at have fremsendt *Politische Informationen* til AA. I hvert fald er kun få eksemplarer lokaliseret i ministeriets arkiv.

Kilde: RA, pk. 237.

Leiter Gruppe Inl. II. zu Inl. II C 2104

Herrn LR Reichel,
Ich bitte dafür Sorge zu tragen, daß die "Politische Informationen für die deutschen Dienststellen in Dänemark" künftighin regelmäßig uns zugeleitet werden, insbesondere dann, wenn sie Angelegenheiten zum Gegenstand haben, die mit dem Arbeitsgebiet der Gruppe Inl. II zusammenhängen. (Volkstumsfragen u.a.)
Salzburg, den 14. Mai 1944.

Wagner

125. WB Dänemark: Maßnahmen gegenüber der Zivilbevölkerung 14. Mai 1944

Den 14. maj 1944 udsendte WB Dänemark en ny Kampfanweisung til afløsning af den tidligere fra 20. juli 1943. Der var 21 bilag, blandt hvilke er et om foranstaltninger over for civilbefolkningen i tilfælde af et fjendtligt angreb (bilag 16). Foranstaltningerne var blevet udformet efter drøftelser med Best. Ved et angreb skulle WB Dänemark overtage den fulde kontrol i kamp- og tilbagetrækningsområderne, mens Best bevarede magten i de øvrige områder. Endvidere var der truffet aftaler vedrørende bl.a. beslaglæggelser, kontrollen med pressen, domstolene og politiet. Ind- og udrejse ville blive forbudt, færgefarten mellem Sjælland og Sverige indstillet. Der skulle kun tages gidsler efter ordre fra WB Dänemark. Der var liste B og A-gidsler. B-listerne var hos kommandanterne, og gidslerne skulle forblive i værnemagtens varetægt. Enkelte værnemagtssteder ville få overladt A-lister, hvis gidsler skulle overlades det tyske sikkerhedspoliti. Effektueringen af anholdelserne i henhold til de to lister stod ikke i forbindelse med hinanden.

Det var sandsynligvis liste B, der kom i anvendelse efter 29. august 1943 (Rosengreen 1982, s. 100f. (her fejlagtig kildeangivelse), Vogel 2001, s. 496).

Kilde: BArch, Freiburg, RH 19 IV/123a (Anlage 16 zu WB Dän Ia Nr. 1200/44g.K vom 14. Mai 1944).

Anlage 16
zu WB Dän. Ia Nr. 1200/44 g.K. vom 14.5.44.

M a ß n a h m e n
gegenüber der Zivilbevölkerung.

A.) Mit dem Bevollmächtigten des Reiches in Dänemark sind für den Fall eines feindlichen Angriffs folgende Abmachungen getroffen:
1.) Es wird für die Ausübung der Staatsgewalt unterschieden:
   a.) *Das Kampfgebiet*, in dem Gefechtshandlungen zwischen den deutschen Truppen und den feindlichen Truppen stattfinden oder unmittelbar bevorstehen. Welches Gebiet Kampfgebiet ist, bestimmt WB Dän.
   b.) *Das rückwärtige Verwaltungsgebiet*, das sich vom Kampfgebiet bis zu der nächsten Wassergrenze erstreckt (z.B. in Jütland bei Angriff von Westen bis zum Kleinen Belt, wenn nur ein Teil Jütlands zum Kampfgebiet erklärt worden ist).
   c.) *Das übrige Staatsgebiet.*
2.) Im Kampf- und im rückwärtigen Verwaltungsgebiet übernimmt der WB Dän. mit Stichwort "Anschlagen" die vollziehende Gewalt; zu ihm tritt ein Chef der Zivilverwaltung.
3.) Im Kampfgebiet werden die Weisungen des Befehlshabers durch den Chef der Zivilverwaltung unmittelbar den dän. Behörden übermittelt, soweit nicht die Truppe aus

der Lage heraus die erforderlichen Maßnahmen unmittelbar treffen muß.
4.) Für das rückwärtige Verwaltungsgebiet wird ein Kommissar der dän. Regierung bestellt, der alle Funktionen der Regierung für dieses Gebiet ausübt. Dem dän. Kommissar werden die Weisungen des Befehlshabers durch den Chef der Zivilverwaltung übermittelt.
5.) Für das übrige Staatsgebiet bleiben die Zuständigkeiten der dän. Regierung und des Reichsbevollmächtigten unverändert.
Die bei B II erforderlichen Beschlagnahmungen werden im Einvernehmen mit dem Reichsbevollmächtigten durchgeführt.

B.) Bei Übernahme der vollziehenden Gewalt (Stichwort "Anschlagen") werden in dem davon betroffenen Gebiet (Stichwort "Diesel, Junkers oder Buna") folgende drei Anordnungen bekanntgegeben:
1.) Bekanntmachung des WB Dän. über Übernahme der vollziehenden Gewalt. Maueranschläge befinden sich bei den Standortältesten. Diese lassen sie öffentlich und weiterhin sichtbar anbringen. WPrO veranlaßt die Bekanntgabe durch Rundfunk und Presse.
2.) Verordnung des WB Dän. Nr. 1.
Bekanntgabe:
  a.) Durch Standortältesten
     I.)   an die örtliche Presse
     II.) an die Polizeimeister
     III.) an die Amtleute
     IV.) soweit möglich an die Ortsvorsteher.
  b.) WPrO sorgt für Veröffentlichung in der *gesamten* dän. Presse und veranlaßt einen entsprechenden Hinweis im Rundfunk.
  c.) Die Gerichtsherren übermitteln die Verordnung ihren Gerichten.
  d.) Die Kommandobehörden und Dienststellen, welche die Verordnung bereits im Verteiler "Sigfried" erhalten haben, verteilen sie weiter nach Verteiler "Dora".
  e.) Der Reichsbevollmächtigte wird gebeten, den Text der Verordnung in seinem Verordnungsblatt nachrichtlich zu veröffentlichen.
     Wenn Kampf. und rückwärtiges Gebiet anders bestimmt werden als im einleitenden Satz der Verordnung vorgesehen, so ist dieser einleitende Satz entsprechend zu ändern.
3.) Verordnung des Wehrmachtbefehlshabers Nr. 2.
(über die Pflichten der dän. Polizei.)
Text ist nach Verteiler "Siegfried" verteilt. Diese Verordnung ist durch den C.d.Z. dem Vertreter der dän. Regierung und durch die territorial zuständigen Kdo.-Behörden den Polizeimeistern ihres Bereichs zur weiteren Übermittlung an ihre Polizeiorgane bekannt zu geben. Die Gerichtsherrn teilen sie ihren Gerichten mit. Bekanntmachung in Presse und Rundfunk erfolgt nicht.
4.) Weitere Aufrufe oder Bekanntmachungen seitens der Wehrm.-Dienststellen sind nicht zu erlassen. Die Pflicht der Standortältesten, Maßnahmen zur Sicherstellung von Kfz. und Betriebsstoff sowie zur Sicherung der Standorte zu treffen, bleibt hier-

durch unberührt.
5.) Scheidet ein Truppenteil oder eine Dienststelle aus dem Bef.-Bereich aus, so sind sämtliche bei ihr vorhandenen Stücke der vorstehend genannten Bekanntmachung und Verordnungen dem Nachfolger zu übergeben, der, falls ein solcher nicht vorhanden ist, an WB Dän., Abt. Ic, zurückzugeben.
6.) Presse.
   a.) Mit Übernahme der vollziehenden Gewalt errichtet WPrO auf Jütland 3 Außenstellen.
      – *Außenstelle Aalborg* (Deutsches Konsulat, Grönnegaard B, Prinsensgade)
      – für die Gebiet nördlich der Linie Küste – Hadsund – Hobro – Thisted – Küste, Orte einschließlich.
      – *Außenstelle Aarhus* (M.P. Bruunsgade, Oliemölle)
      – für das Gebiet bis zur Linie Vejle – Skjern, Orte einschließlich.
      – *Außenstelle Apenrade* (Ramsherred Nr. 8)
      – für das restliche Süd-Jütland.
   b.) Bei Übergabe der Bekanntmachung des WB Dän. über die Übernahme der vollziehenden Gewalt und die Verordnung Nr. 1 an die dän. Presse haben die Standortältesten den Schriftleitern zu eröffnen:
      I.) Die Zeitungen haben als Letztes die Bekanntmachung und die Veröffentlichung Nr. 1 zu veröffentlichen. Danach haben sie Erscheinen vorläufig einzustellen.
      II.) Die Schriftleiter haben sich danach sofort bei der zuständigen Außenstelle des WPrO zu einer Pressekonferenz einzufinden.
      III.) Das Wiedererscheinen der Zeitungen ist nur gestattet, wenn dem Schriftleiter dafür bei der Pressebesprechung ein Berechtigungsschein erteilt ist. Dieser ist vor Wiedererscheinen der Zeitung dem zuständigen Standortältesten vorzulegen.
      Für die Reise zu den Außenstellen des WPrO sind den Schriftleitern durch den Standortältesten besondere Reisepapiere auszustellen. Alle Dienststellen haben dafür zu sorgen, daß die mit derartigen Ausweisen Versehenen möglichst schnell zur Außenstelle WPrO gelangen. Das Wiederscheinen der Zeitungen ist nach etwa 48 Stunden in Aussicht genommen.
   c.) WPrO veranlaßt einen inhaltlich entsprechenden Rundruf an die dän. Schriftleiter.
   d.) Sollte es nötig werden, die vollziehende Gewalt auf weitere Gebiete zu erstrecken, so sind entsprechende Maßnahmen zu treffen. Zuständig für die dän. Inseln ist die Pressestelle in Kopenhagen.
7.) Geiseln dürfen nur auf Befehl des WB Dän. und nur auf Grund der bei den Standortältesten befindlichen Listen B festgenommen werden. Befehle dazu durch Stichwort "Liste B ausführen". Die Geiseln bleiben in Wehrm. Verwaltung.
   Einzelnen Standortältesten sind Listen A übermittelt. Die darin bezeichneten unzuverlässigen Personen sind auf Stichwort "Listen A ausführen" festzunehmen und der deutschen Sicherheitspolizei zu übergeben. Die Ausführung der Liste A steht in keinem Zusammenhang mit der Ausführung der Liste B.

C.) Im Falle eines Angriffs wird die Aus- und Einreise nach und von dem Ausland verboten. Der Schiffs- und Fährverkehr zwischen Seeland und Schweden wird bereits bei Bereitschaftsstufe II eingestellt.

126. Werner Best an das Auswärtige Amt 15. Mai 1944

Via AA meddelte Best REM, at den mængde flomme fra slagtesvin, som efter aftale skulle leveres til Tyskland, totalt set ville blive mindre, da det var magrere svin, der blev slagtet, så en gennemsnitsvægt på 4 kg flomme pr. svin kunne ikke opretholdes.
Kilde: BArch, R 901 113.560.

Telegramm

DG Kopenhagen Nr. 79   15.5.44   22.00 [Uhr]
Ausw Bln.
Nr. 614 15.5.44 = offen

Für Reichsernährungsministerium.
Auf Anfrage von Ministerialrat Langenheim wird folgendes mitgeteilt: Wegen der Lieferung von Flomen bezw. des daraus gewonnenen Schweineschmalzes besteht seit 1941 die Vereinbarung, daß von 25 Prozent (Fünfundzwanzig Prozent) der an Deutschland gelieferten geschlachteten Schweine die Flomen zusätzlich in Form von Schweineschmalz ans Reich geliefert werden. Z.Zt. wird mit einem Gewicht von 4kg Flomen je Schwein gerechnet. Wegen des verminderten Schlachtgewichtes wird sich das Durchschnittsgewicht von 4 kg jedoch nicht halten lassen.
Dr. Best

127. Rudolf Mildner an das Deutsche Rote Kreuz 15. Mai 1944

Mildner meddelte, at RFSS havde givet tilladelse til, at Det Internationale Røde Kors besigtigede Theresienstadt og en jødisk arbejdslejr. Repræsentanter for Danmark og Sverige ville også deltage ved besigtigelsen af Theresienstadt. Besigtigelsen ville antagelig finde sted i begyndelsen af juni 1944 (Yahil 1967, s. 263, Weitkamp 2008, s. 192).
    Brevet er udateret, men datoen fremgår af RSHAs brev til von Thadden 13. juni 1944 (trykt nedenfor). Det er bemærkelsesværdigt, at dette brev er afsendt af Mildner, der ikke var ansat i Eichmanns afdeling, RSHA IV A 4 (Weltanschauliche Gegner), men var leder af afdeling IV A 5 (Sonderfälle).[84] En mulig forklaring kan være, at Mildner havde en særlig forbindelse til danskerne. Mildner kan være beordret til at skrive dette brev og brevet til von Thadden 16. maj, fordi Frants Hvass havde opsøgt ham i RSHA for at presse på for at få besigtigelsen af Theresienstadt i stand – en sådan henvendelse bekræftede Hvass i 1962 fandt sted, dog uden at han kunne huske datoen –, men vi ved fra Henckes notater 12. maj (trykt ovenfor), at Hvass var i Berlin den dag. Mildner forklarede 1945 og igen 1946, at han, endnu mens han var i Danmark, lovede UMs embedsmænd, at de skulle få lov til at besøge Theresienstadt, og at han selv søgte at få Heinrich Müller

---

84 Jfr. Wildt 2003, s. 701 note 313. For RSHAs forudgående afdelingsopbygning se Rürup 2005, s. 72f. (1. marts 1941) og 75f. (7. december 1943).

til at tillade besøget. Endvidere forklarede Mildner, at han omkring 13. juni 1944 blev sendt til Theresienstadt for at sikre, at alt var i orden til besigtigelsen, hvilket det var (Mildner afhørt 3. juli 1945 (IfZG-PS 1465), Yahil 1967, s. 263 og s. 450 note 66, 68 og 70).[85]

En sandsynligere forklaring er, at Müller/RSHA ville forpligte Mildner personligt i forbindelse med besigtigelsen, når han nu havde været fortaler for den, hvad han utvivlsomt i lighed med Best var. Det er svært at se en anden forklaring på, at Mildner så åbenbart handlede uden for det område, der var hans charge. Det kan kun være sket efter ordre. Mildner var til gengæld ikke med ved selve besigtigelsen, det var som forventeligt i stedet en mand fra Eichmanns afdeling, Eichmanns stedfortræder Rolf Günther, der også normalt underskrev afdelingens breve i Eichmanns fravær. Mildner skulle ikke have lejlighed til at møde Hvass i Theresienstadt. Det var ikke en fordel for RSHA, at de kendte hinanden ved selve besigtigelsen.[86]

Endelig skal den banale mulighed ikke udelukkes, at både Eichmann og Günther i en del af maj og juni 1944 var bortrejst (Ungarn) og Müller optaget på anden vis, og at Mildners medvirken alene skyldtes dette.

Der er tillige af Mildner til Tysk Røde Kors omtalt RFSS' tilladelse til en besigtigelse af en jødisk arbejdslejr. Der er ikke i det kendte aktmateriale nogen tidligere omtale af et sådant besøg, og det vides, at et sådant besøg heller aldrig fandt sted. Miroslav Kárný har imidlertid undersøgt sagen og mener at kunne bevise, at der af RSHA var planlagt et besøg i den jødiske "familielejr" i Birkenau med fanger fra Theresienstadt, men at den besigtigelse blev aflyst efter det for RSHA meget succesfulde besøg i Theresienstadt, et besøg der fuldt tilstrækkeligt imødekom afdelingens behov for propaganda, og derfor blev også "familielejren" i Birkenau afviklet endnu i juli 1944 og de indsatte ombragt (Kárný 1993, s. 294-296).

Kilde: PA/AA R 99.414. Kárný 1993, s. 284 (faksimile).

Der Chef der Sicherheitspolizei und des SD   *Berlin, den ... Mai 1944*
IV A 4 b – (2537/42-965) 5158/43

An das Deutsche Rote Kreuz
    Präsidium/Auslandsdienst
    z.Hd. von Herrn DRK-Oberstführer Niehauss
    Ettal/Obb.

Betrifft: Besichtigung des Altersghettos Theresienstadt
Bezug: Schreiben vom 14.3. und 26.4.1944[87] – VII/X-Nh/Te.

Der Reichsführer-SS hat der Besichtigung des Ghettos Theresienstadt und eines jüdischen Arbeitslagers durch Sie und einen Vertreter des Internationalen Komités des Roten Kreuzes zugestimmt.

An der Besichtigung des Ghettos Theresienstadt werden gleichzeitig Vertreter Dänemarks und Schwedens teilnehmen. Als Besichtigungstermin ist Anfang Juni 1944 vorgesehen. Den genauen Zeitpunkt gebe ich noch bekannt.

                              In Vertretung:
                              Mildner

---

85 Fra von Thaddens optegnelse til Wagner 7. juni 1944 (trykt nedenfor) ved vi, at Heinrich Müller ville have Theresienstadt set an, før besøget af de udenlandske repræsentanter fandt sted. Det styrker også Mildners forklaringer 1945 og 1946, som han ikke afgav som sigtet.

86 Weitkamp 2008, s. 192 note 172 kommer helt uden om Mildners optræden i denne sammenhæng, da han alene angiver afsenderen som CdS, hvilket er korrekt, men det fører i flere tilfælde til, at han kan springe over en identifikation af afsenderen, hvor det trods alt er af interesse. Den manglende opmærksomhed omkring Mildner kan skyldes at Weitkamp ikke benytter Yahil 1969 og ikke har kendskab til Mildners danske tilknytning.

87 Disse to skrivelser er ikke søgt lokaliseret.

128. OKW an der Reichsfinanzministerium 15. Mai 1944

OKW var blevet opmærksom på, at Waffen-SS og tysk politi i Danmark blev finansieret uafhængigt af værnemagten, og at det stred mod alle gældende regler for såvel venligtsindede som besatte områder, hvorefter Waffen-SS og tysk politi blev forsynet med betalingsmidler af værnemagten. Der forelå endvidere den risiko, at Danmarks Nationalbank ved finansieringen af Waffen-SS lod andre pengekrav fra værnemagten afkorte, hvilket kunne indebære, at krigsnødvendige opgaver blev berørt, hvilket var utilladeligt. RFSS var enig i, at Waffen-SS og værnemagten skulle finansieres sammen. RFM blev bedt om at tage afstand fra den indførte ordning i Danmark.

Hermed var den særlige ordning, som Best lod indføre i Danmark i september 1943, da han håbede at komme til at herske over tysk politi i Danmark (se Bests telegram nr. 1051, 13. september 1943), kommet under kraftig beskydning.

RFM svarede OKW 25. august 1944. Se endvidere Best til AA 18. juli 1944.
Kilde: BArch, R 2/11.598. RA, Danica 201, pk. 81, læg 1083.

Abschrift
Oberkommando der Wehrmacht   O.U., den 15. Mai 1944
f 31/870/44 g-Ag WF 3 (VIII)

S c h n e l l b r i e f !
Herrn Reichsminister der Finanzen

Betr. Geldversorgung der deutschen Wehrmacht in Dänemark,
hier: Zahlungsmittelbereitstellungen für Waffen-SS und Polizei.

Nach hier vorliegenden Berichten soll das Ausw. Amt angeordnet haben, daß den im dänischen Raum eingesetzten Teilen der Waffen-SS und Polizei entsprechend der Vereinbarung über die Versorgung der Wehrmacht mit Zahlungsmitteln vom 17./26.8.1940 dänische Zahlungsmittel *unabhängig* von den Zahlungsmittelbereitstellungen an die Wehrmacht zugewiesen werden. Diese Regelung widerspricht der in allen befreundeten und besetzten Gebieten geltenden Regelung, wonach die im Rahmen der Wehrmacht eingesetzte Waffen-SS und Polizei stets *von der Wehrmacht* mit Zahlungsmitteln versorgt wird.

Eine sparsame Bewirtschaftung der Landeszahlungsmittel in Dänemark ist nur dann gewährleistet, wenn sie durch *eine* Stelle bewirtschaftet und zugewiesen werden. Das muß notwendigerweise der Wehrmachtbefehlshaber Dänemark sein.

Eine selbständige Zahlungsmittelzuweisung an die Waffen-SS würde dem auch von dort für erforderlich gehaltenen Steuerungserlass OKW 3 f 31 Nr. 2232/44 g AWA/Ag Wf 3 (VIII) vom 21.4.1944 den Boden entziehen.

Bei der vom Ausw. Amt beabsichtigten Geldversorgung der Waffen-SS besteht außerdem die Gefahr, daß die Dänische Nationalbank bei vorheriger Befriedigung der anderen Bedarfsträger die Geldmittelanforderungen der Wehrmacht kürzt, was im Interesse der Sicherstellung kriegsnotwendiger Ausgaben nicht zugelassen werden kann.

Auch der Reichsführer-SS und Chef der Deutschen Polizei hat seiner Auffassung dahin Ausdruck gegeben, daß eine einheitliche Versorgung von Wehrmacht und Waffen-SS erwünscht sei. Es wird deshalb gebeten, von der vorbezeichneten Anordnung Abstand zu nehmen.

Das Reichswirtschaftsministerium wird insbesondere gebeten, zu der Frage der Rückerstattung der vom Wehrmachtintendanten in Dänemark dem SS-Ersatzkommando zur Verfügung gestellten Beträge von 1.045.000 d.Kr. im deutsch-dänischen Verrechnungsverkehr unter Berücksichtigung vorstehender Ausführungen Stellung zu nehmen.

I.V.

gez. **Dr. Schreiber**

129. Rüstungsstab Dänemark: Allgemeiner Überblick Monat April 1944, 15. Mai 1944
Forstmanns månedsberetning er usædvanlig omfattende; den er vedføjet en særberetning nr. 1. Det skyldes givetvis, at de foregående måneders positive meldinger om ro og normalitet var blevet afløst af en stigende sabotage i anden halvdel af april, som der på beretningstidspunktet ikke var sket et fald i. Forstmanns valgte delvis at citere Bests henvendelse til den danske offentlighed 24. april om sabotagen og kampen mod den. Selv afstod Forstmann fra at kommentere den fremtidige udvikling. Til gengæld gav han en usædvanlig omfattende og detaljeret redegørelse for bl.a. leverancerne til Tyskland, det tyske forbrug i Danmark, transportsituationen m.m.

Kilde: BArch, Freiburg, RW 27/23. RA, Danica 1000, T-77, sp. 696, KTB/Rü Stab Dänemark, 2. Vierteljahr 1944.

Abteilung Wehrwirtschaft im Rü Stab Dänemark   *Kopenhagen, den 15. Mai 1944.*
Gr. Ia Az. 66dl Nr. 1132/44g.

Bezug: OKW W Stab Inland 1/III v. 4.4.1944.
Betr.: Lagebericht.

An das Feldwirtschafts-Amt im Oberkommando der Wehrmacht
   Frankfurt an der Oder.

Abt. Wwi im Rü Stab Dänemark übersendet in der Anlage Lagebericht gemäß o.a. Bezugsverfügung.

Forstmann

Abteilung Wehrwirtschaft im Rü Stab Dänemark   *Kopenhagen, den 15. Mai 1944.*
Gr. Ia Az. 66dl Nr. 1132/44g.

A l l g e m e i n e r   Ü b e r b l i c k
einschließlich wehrpolitischer Lage:

Monat April 1944 (siehe Anlage A.)[88]
Zwischen *Dänemark* und *Rumänien* ist Ende d.v. Mts. ein Handelsabkommen für die Dauer von 6 Monaten getroffen worden, das einen Warenaustauch in Höhe von 1,6 Mill. Kr. nach jeder Richtung vorsieht. Dänemark soll hauptsächlich Maschinen liefern, woge-

[88] Trykt herefter.

gen aus Rumänien u.a. Paraffin, Leim, Eichenholz und Naftasäure eingeführt wird.

Für die Zeit vom 1. April bis 30. September 1944 ist zwischen den Ländern *Dänemark* und *Norwegen* ein Handelsabkommen unterzeichnet worden, das eine Ausfuhr dänischer Waren im Werte von etwa 16 Mill. Kr. und eine Einfuhr norwegischer Waren in etwa gleicher Höhe vorsieht. Aus Dänemark sollen Lebensmittel und verschiedene Industriewaren, z.B. Maschinen und Medizinalwaren, sowie Arbeiten aus Eisen und Stahl geliefert werden, wogegen man aus Norwegen Papier, Papiermasse und andere für die dänische Industrie wichtige Rohstoffe erhalten soll.

Zwischen den *Niederlanden* und *Dänemark* ist für die Zeit vom 1. April bis 30. September 1944 ein Warenaustausch im Werte von etwa 4,4 Mill. Kr. nach jeder Seite verabredet worden. Die dänischen Lieferungen sollen hauptsächlich Fische, getrocknete Zuckerrübenschnitzel, Medizinalwaren, Maschinen und Apparate sowie Arbeiten aus Eisen und Stahl umfassen, wogegen man aus Holland in erster Linie Radiomaterial, Blumenzwiebeln und Tonnenband einführen wird.

Zwischen *Belgien* und *Dänemark* ist für die Zeit vom 1. April bis 30. September 1944 ein Abkommen unterzeichnet worden, das einen Warenaustausch in Höhe von 7,7 Mill. Kr. vorsieht. Dänemark soll Fische und andere Lebensmittel, Zuckerrübenschnitzel, Maschinen und Apparate, Arbeiten aus Eisen und Stahl usw. liefern, Belgien dagegen Maschinen und Apparate, Fensterglas, Telefonmaterial, Kupfervitriol, fotographische Artikel und chemische Erzeugnisse. Diejenigen Kontingente, die aus der Sonderabrede vom November v.Jhrs. noch unausgenutzt sind, – Lieferung von Kartoffeln aus Dänemark gegen verschiedene belgische Waren – behalten weiter Gültigkeit.[89]

Feindeinwirkung durch Sabotage: (Siehe Anlage A.)
Ein Nachlassen der Sabotagehandlungen Ende April Anfang Mai war nicht festzustellen. Eine Entspannung der Lage ist deshalb nicht eingetreten.

Das starke Aufsteigen der Kriminalität der Jugendlichen betrachten die dänischen Behörden mit größter Besorgnis. Aus dem letzten Polizeibericht geht hervor, daß allein in Kopenhagen im Jahre 1943 nicht weniger als 840 Personen unter 18 Jahren wegen strafbarer Handlungen angeklagt wurden.[90] Die Hälfte waren Kinder unter 15 Jahren. Annähernd 10.000 Jugendliche waren wegen Vergehen gegen Polizeivorschriften angeklagt. Besonders wird die Aufmerksamkeit der Eltern auf die sexuelle Verwahrlosung der Jugendlichen gelenkt, die namentlich aus der Statistik über Geschlechtskrankheiten und außereheliche Geburten hervorgeht. In Kopenhagen wurden im vergangenen Jahr nicht weniger als 1.230 junge Mädchen unter 18 Jahren wegen Geschlechtskrankheiten behandelt, davon 130 wegen Syphilis, und 225 junge Männer unter 18 Jahren, davon 25 wegen Syphilis. 800 Mädchen unter 18 Jahren befanden sich in außerehelicher Schwangerschaft. Im übrigen wird darauf hingewiesen, daß die unheilvollen Zustände keineswegs in der Hauptstadt allein vorhanden sind, sondern daß in den Provinzstädten und auf dem Lande die Lockerung der Sitten noch weiter fortgeschritten sei als in Kopenhagen.

---

89 Om vareudvekslingen med Norge, Holland og Belgien, se Jensen 1971, s. 223f.
90 Det er dansk politis trykte årsberetning, der er brugt som grundlag for dette og det følgende.

Versorgung der Besatzungstruppe im Monat April 1944:
Die Schwierigkeiten in der Versorgung mit Papier, Verpackungsmaterial und Dachpappe bestehen nach wie vor und werden auch kaum in nächster Zeit ohne Hilfe von Nachschub beseitigt werden. Generatorholz stand, wie in den Vormonaten berichtet, nur knapp zur Verfügung. Die dänische Regierung liefert nach wie vor 60.000 hl pro Monat für den Festungsbau Jütland. Als einmaliger Nachschub aus dem Reich rollten Ende April die ersten Waggons der im März 1944 von OKH In. Fest zugesagten 30.000 hl an. Die Prüfung der Qualität des Holzes in den ersten 11 Waggons hat ergeben, daß das Holz durchaus minderwertig ist und bei einer notwendig werdenden zweiten Aufbereitung mit einem Schwund von 40-50 % gerechnet werden muß.

Menscheneinsatzlage:
Die Zahl der Arbeitslosen betrug am 24.3.1944 = 36.698 und zwar 34.682 Männer und 2.016 Frauen. Gegenüber dem Vormonat ist ein Rückgang von 10.802 zu verzeichnen. Es wird saisonmäßig durch die Wiederaufnahme der Torfproduktion und Einstellungen in die Landwirtschaft bedingt.

Für Festungsbauten auf Jütland sind eingesetzt: für OT bezw. Festungs Pi[onier]-Stab 38 deutsche und 136 dänische Firmen mit insgesamt 10.680 Arbeitern und Angestellten, für Sonderbaustab der Luftwaffe Struer 12 deutsche und 33 dänische Firmen mit 3.970 Arbeitern und Angestellten. Für das Neubauamt der Luftwaffe arbeiten z.Zt. 22.056 Arbeiter. Für Bauvorhaben des Heeres 40 dänische Firmen mit 1.100 Arbeitern. Für die Bauvorhaben der Kriegsmarine 89 dän. Firmen mit ca. 1.400 Arbeitern.

Dem Reich wurden im Monat März 1.067 Arbeitskräfte zugeführt. Die Gesamtzahl der in Norwegen eingesetzten dänischen Arbeiter beträgt 11.106.

Die vom OKW F Wi Amt gewünschte Übersicht über die im Jahre 1942 bei allen Industriezweigen beschäftigte Zahl der Arbeiter und den arbeitsmäßig erzeugten Produktionswert wird in der Anlage B[91] beigefügt. Die Zahlen für 1943 werden sich in den gleichen Grenzen nach Angabe des dän. statistischen Amts halten.

Transport- und Verkehrslage:
Die Gesamtverkehrslage in Dänemark zeigte auch im Monat April keine Entspannung. Gegenüber dem Vormonat wurden vermehrte Truppentransporte nach Jütland und dem Reich durchgeführt, die eine Steigerung um 30 % gegenüber dem Monat März aufweisen. Ebenso ist der Nachschub nach Norwegen auf dem Landwege um 30 % gestiegen.

Eisenbahn: Der Wehrmachtsbedarf wurde im Monat April zu 100 %, der zivile Bedarf zu 50 % der geforderten Wagenmenge gedeckt.

Waggongestellung:	Anforderung pro Tag	5.671
	gestellt	3.877
	ungedeckter Bedarf	1.794.

Für den Nachschub der Wehrmacht nach Norwegen und Finnland über Schweden wurden täglich 60 Waggons in Anspruch genommen.

Fährenverkehr: Der zivile Verkehr über Warnemünde/Gedser ist infolge des Ausfalls der Fähre "Schwerin", stark gedrosselt. Da auf dieser Strecke für nicht absehbare Zeit

---

91 Bilaget med uddrag fra *Statistiske Meddelelser* 4. Rk., Bd. 120, Hæfte 3, er ikke medtaget.

nur 2 Fähren verkehren, kann Zivilgut nach den nordischen Ländern nur noch beschränkt befördert werden. Das Kontingent beträgt hierfür pro Tag 26 Waggons.

Seeschiffahrt: Die dänische Schiffahrt war tonnagemäßig in folgender Rangfolge eingesetzt:
1.) Kohlenfahrt auf Dänemark
2.) Andere deutsche Küstenfahrt
3.) Transporte von Deutschland mit dänischen Schiffen nach dritten Ländern
4.) Innerdänische Fahrt
5.) Düngemittel
6.) Deutsche Küstenkohlenfahrt.

Für die OT wurden vom 1.4.-30.4.1944 = 38.000 ts Zement, davon 31.080 mit deutscher Tonnage und 6.920 ts mit dänischer Tonnage gefahren. Kies 40.152 ts, davon 27.327 mit deutscher Tonnage und 12.825 ts mit dänischer Tonnage.

Nach der in diesem Jahr vom dän. Seefahrtsministerium wieder herausgegebenen Schiffsliste Dänemarks umfaßte die dänische Handelsflotte Ende 1943 insgesamt 2.010 Schiffe von rund 947.000 BRT. Aus einer Aufstellung des "Svenska Dagbladet" geht hervor, daß Dänemark seit Kriegsbeginn 205 Schiffe von 553.875 ts dw verloren hat, wobei 1.163 Personen umkamen.

Im März gingen fünf dänische Schiffe durch Kriegseinwirkung verloren.

Ernährungslage:
a.) im eigenen Bereich: (Siehe Anlage A.)
Die Gesamtausgaben sowie die Beschaffungen des Heeres, der Marine und Luftwaffe im Monat März 1944 gehen aus folgenden Zahlen hervor:

Geldausgaben:
Heer: 51.927.000,- Kr.
Marine: 15.180.000,- –
Luftwaffe: 70.427.500,- –

Beschaffung an Lebensmittel für
Heer: 4.419.532 Kg. = 4.024.642,00 Kr.
Marine: 2.217.339 – = 2.521.228,27 –
Luftwaffe: 54.484 – = 26.596,54 –
Insgesamt: 6.691.355 Kg. = 6.572.466,81 Kr.

Die Frühjahrsaat ist beendigt. Die Wintersaaten stehen ausgezeichnet. Die Aussichten für die Heu-Ernte sind noch nicht abzusehen, werden jedoch günstig beurteilt.

Viehbestand: Nach einer Zählung vom 25. März hat Dänemark auf Grund von Mitteilungen des Landwirtschaftsrates einen Hornviehbestand von 3.03 Mill. Stück, d.i. eine Zunahme von 7 % gegenüber der Vorjahrszählung. Der Bestand ist jetzt ebenso groß wie zur gleichen Zeit 1941, liegt aber noch um 5 % unter dem der Winterzählung 1939.

Die jetzige Zunahme bezieht sich auf alle Vieharten. Der Pferdebestand ist ziemlich unverändert geblieben. Recht bedeutend hat sich die große Kükenmenge 1943 auf den Hühnerbestand ausgewirkt. Die Zahl der Hühner auf dem Lande ist um 2,5 Mill. Stück auf 8,9 Mill. Stück oder ungefähr 45 % seit März vorigen Jahres gestiegen. Die Zahl der Hähne hat sich in der gleichen Zeit um 55 % vermindert.

Die *Fischerei* erreichte nicht den Stand von April 1943 wegen der schweren Frühjahrsstürme, kann aber trotzdem noch als verhältnismäßig günstig bezeichnet werden.
b.) Leistungen für das deutsche Reich: (Siehe Anlage A.)
Nennenswerte Mengen Rohstoffe irgendwelcher Art hat Dänemark nicht nach Deutschland exportiert. Die Bedeutung Dänemarks für Deutschland liegt in erster Linie auf dem Gebiet der Ernährung. (Siehe Anlage A.)

Lage der Kohlenversorgung: (Siehe Anlage A.)
Im April 1944 wurden aus Deutschland eingeführt:
200.000 ts Kohle (davon für d. dän. Staatsbahn 30.000 ts.)
 32.000 – Koks
  9.500 – Sudetenkohle und
 20.000 – Braunkohlenbriketts
261.500 ts
Der Beginn der dänischen Torfproduktion wurde durch stürmisches und regnerisches Wetter verzögert.

Aufträge der Besatzungstruppe:
Von der Abt. Wwi wurden im Monat April 1944 Rohstoffsicherungen von Fertigungs- und Bauaufträgen sowie Wareneinkäufe der Besatzungstruppe in Dänemark, soweit hierzu Eisen Stahl, NE-Metalle sowie Kautschuk benötigt wurden, in Höhe von 2,2 Mill. RM durchgeführt.

Holzversorgung:
Für Aufträge der Besatzungstruppe in Dänemark sind im Monat April 1944 von der Abt. Wwi Bedarfsbescheinigungen über
 7.918,8 cbm Schnittholz und
13.910,8 fm   Rundholz
für die vorschußweise Freigabe aus den Beständen der dänischen Wirtschaft ausgestellt wurden.

Der Verbrauch der einzelnen Wehrmachtteile war wie folgt: Heer 2.123,3 cbm u. 1.758,8 fm, Kriegsmarine 1.770,5 cbm u. 710,0 fm, Luftwaffe 2,564,4 cbm u. 1,292 fm, Festungs-Pi Stab 31 = 1.161 cbm u. 10.150 fm, OT 215 cbm.

Außerdem wurden 85 cbm Verpackungsmaterial für den Versand von Maschinen aus Verlagerungsaufträgen freigegeben. Für den Stellungsbau fernerhin 2.760 rm Faschiner.

Das Schnittholz ist für das II. Quartal mit 35.000 cbm von dänischer Seite zur Verfügung gestellt worden; diese Menge wird voraussichtlich ausreichen. Die Holzbestände werden je nach Bedarf den Wehrmachtteilen zugeteilt und bei dem Holzhändler sichergestellt. Schwierig gestaltet sich im Augenblick die Erfüllung der Rundholzanorderungen. Diese sind auch weiterhin nur teilweise aus dem dänischen Raum zu decken. Der z.Zt. anfallende Bedarf ist fast nur durch Beschlagnahme sicherzustellen.

In einigen Ausnahmefällen (siehe oben) konnte Holz für Verpackung von Maschinenlieferungen nach Deutschland von den dän. Lieferanten nicht herbeigeschafft werden, sodaß zur Vermeidung größerer Lieferverzögerungen auch hierfür Holzwanderkarten ausgestellt werden mußten.

Die Anforderungen in Farbe konnten weiterhin ohne Schwierigkeiten erfüllt werden.

Rüstungslage:
Ausnutzung der besetzten Gebiete durch Wehrmachtaufträge.

Berichtsmonat: Januar 1944.

A.) Unmittelbare Wehrmachtaufträge über 10.000 RM Einzelauftragswert.
B.) Unmittelbare Wehrmachtaufträge unter 10.000 RM und erkennbare mittelbare Wehrmachtaufträge.
C.) Öffentliche Bedarfsträger.

	Auftragsbestand am Ende des Vormonat	Veränderung d. Auftragsbestandes im Berichtsmonat	Neuzugang im Berichtsmonat	Auslieferung im Berichtsmonat	Auftragsbestand am Ende des Berichtsmonats
	in RM	in RM	in RM	in RM	in RM
A.)	111.516.294,-	− 154.860,-	1.938.029,-	3.822.283,-	109.477.180,-
B.)	50.010.410,-	+ 576.187,-	2.433.557,-	12.624.294,-	40.395.860,-
A.) + B.)	161.526.704,-	+ 421.327,-	4.371.586,-	16.446.577,-	149.873.040,-
C.)	1.711.063,-			220.185,-	1.490.878,-
insg.	163.237.767,-	+ 421.327,-	4.371.586,-	16.666.762,-	151.363.918,-

Berichtsmonat: Februar 1944.

A.)	109.477.180,-	− 225.199,-	7.108.225,-	4.580.286,-	11.779.920,-
B.)	40.395.860,-	+ 143.488,-	7.039.632,-	2.866.319,-	44.712.661,-
A.) + B.)	149.873.040,-	− 81.711,-	14.147.857,-	7.446.319,-	156.492.581,-
C.)	1.490.878,-			147.285,-	1.349.593,-
insg.	151.363.918,-	− 81.711,-	14.147.857,-	7.593.890,-	157.836.174,-

Berichtsmonat: März 1944.

A.)	111.779.920,-	− 642.118,-	4.496.329,-	6.875.541,-	108.758.590,-
B.)	44.712.661,-	+ 117.524,-	10.359.949,-	3.499.503,-	51.690.631,-
A.) + B.)	156.492.581,-	− 524.594,-	14.856.278,-	10.375.044,-	160.449.221,-
C.)	1.343.593,-			48.643,-	1.294.950,-
insg.	157.836.174,-	− 524.594,-	14.856.278,-	10.423.687,-	161.744.171,-

Anlage A
Abteilung Wehrwirtschaft im Rü Stab Dänemark   *Kopenhagen, den 3. Mai 1944*
Gr. Ia Az. 66 dl Nr. 1124/44g   Geheim

Sonderbericht Nr. 1.
Allgemeiner Überblick
einschließlich wehrpolitischer Lage.

Die Sabotagehandlungen bewegten sich in Dänemark im Monat April in aufsteigender Kurve. Gemeldet wurden:

a.) Schwere Fälle: 18
b.) Mittlere Fälle: 29
c.) Leichte Fälle: 9
d.) Besondere Vorkommnisse: 7

Die Kopenhagener Morgenzeitungen brachten in größter Aufmachung Ausführungen, die der Bevollmächtige des Deutschen Reiches, Dr. Best, vor den Hauptschriftleitern der dänischen Presse am 24.4.44 gemacht hat.[92] Dr. Best hat u.a. erklärt: "Wenn die Elemente der Unterwelt in den letzten Tagen wieder angefangen haben, deutsche Interessen anzugreifen, dann sollen sie und die dänische Öffentlichkeit wissen, daß demgegenüber von deutscher Seite schnell und scharf reagiert wird. Geiseln als Garantie dafür, daß keine weiteren Verbrechen geschehen, werden nicht aus der Bevölkerung, sondern aus den verbrecherischen Kreisen selber genommen. Von deutscher Seite sind eine große Anzahl von Elementen der unterirdischen Kreise verhaftet worden, die ihr Urteil erwarten. Über 100 Saboteure und Gewaltverbrecher haben Todesurteile in Aussicht. Wenn ein Wehrmachtangehöriger überfallen und verwundet wird, wie es vor wenigen Tagen geschah, dann muß dem harten Gesetz des Krieges gegenüber einem gefangenen Gewaltverbrecher sein Lauf gelassen werden. Wenn in Zukunft Interessen der deutschen Kriegsführung durch Sabotage angegriffen werden, dann wird es unmöglich sein, gegenüber gefangenen Saboteuren Gnade walten zu lassen." Dr. Best sprach zum Schluß die Hoffnung aus, daß der gesunde Realismus des dänischen Volkes noch die Oberhand gewinnen und aus eigener Kraft die Verhältnisse wieder stabilisieren möchte, wies aber darauf hin, daß bis zu diesem Zeitpunkt jeder Versuch, deutsche Interessen anzugreifen, von deutscher Seite durch harte Maßnahmen niedergeschlagen werden würde.

Als Gegenmaßnahme gegen die anschwellenden Sabotageakte wurden 4 dänische Staatsangehörige, die als Saboteure verhaftet waren, hingerichtet.

Feindeinwirkung durch Luftangriffe:
Im April 1944 wurden über Dänemark 21 alliierte Maschinen abgeschossen. Wehrwirtschaftlicher Schaden entstand nicht. Dagegen entstanden in mehreren Dörfern größere Brände. (Siehe Anlage II).[93]

Kohlenlage im Wirtschaftsjahr 1943.
Die Gesamtkohlenförderung betrug 1943:
2,6 Mill. ts. Braunkohle
6 [Mill. ts.] Torf.
Einfuhr von Deutschland in Dänemark 1943:
2.029.000 ts. Kohle und
520.000 ts Koks.
Es erhielt hiervon:
Die dänische Staatsbahn: 448.000 ts. Kohle

---

92 Et uddrag trykt på dansk hos Alkil, 2, 1945-46, s. 872f. og hele artiklen i Bests telegram nr. 524, 25. april 1944.
93 Bilaget er ikke medtaget. Det indeholder udklip fra *Børsen* om nedskudte fly.

Elektrizitäts- und Gaswerke: 1.008.000 ts. Kohle
Kleinbetriebe durch Vermittlung der Handelsimporteure: 334.000 ts. Kohle.
Größere Betriebe importierten selbst: 200.000 ts. Kohle.
Für Hausbrand wurden gebraucht:
519.000 ts. Koks und
639.000 ts Braunkohlenbriketts.
Die Elektrizitätswerke erhielten zusätzlich:
70.000 ts Sudeten-Braunkohlenstaub, ebenso der Hausbrand zusätzlich 45.000 ts. Braunkohlenkoks.
Auf die Notlager der Elektrizitäts- und Gaswerke wurden 67.000 ts. und auf die Staatsbahnen 40.000 ts Kohle überführt.

Ferner hat die dänische Regierung sich damit einverstanden erklärt, zur Überbrückung von Schwierigkeiten, die in der Versorgung der Besatzungstruppe hinsichtlich Brennmaterial auftraten, für die Monate Januar bis Mai der Besatzungstruppe 80.000 ts. Torf und 20.000 ts Braunkohle dänischer Produktion zur Verfügung zu stellen. Die dänische Regierung hat jedoch ausdrücklich betont, daß sie in Ansehung der stets geringer werdenden deutschen Brennstoffzufuhren diese Lieferung als eine einmalige ansieht und hat gleichzeitig gebeten, daß Abt. Wwi im Rü Stab Dänemark zur Erteilung von Verkaufsgenehmigungen zwischen der Besatzungstruppe und den dänischen Verkäufern als Zentralstelle eingeschaltet wurde.

Ernährungslage:
Anteil der Nahrungs- und Genußmittellieferungen der besetzten Gebiete an der Versorgung des Reiches: Von Dänemark wurden im Wirtschaftsjahr 1942/1943 folgende Hauptwaren geliefert: (Mengenangabe in Tonnen)

    a.) *In das Reich und dritte Länder:*   Tonnen:

Fleisch	64.221
Butter	45.711
Eier	3.380
Käse	3.773
Obst	1.512
Fisch	89.549
Feldsämereien	6.000

Gemüsesämereien wertmäßig für 1.000.000,00 d.Kr. und
Milchkonserven [wertmäßig für] 1.300.000,00 d.Kr.
Ferner 27.000 Stück Pferde und Fohlen.

    b.) *Für die Besatzungstruppe in Dänemark:*   Tonnen:

Fleisch	4.029
Butter	1.175
Eier	197

Käse	487
Obst	417
Fische	1.951
Milch	4.457
Mehl	10.793
Brot	2.209
Zucker	1.157
Nährmittel	2.483
Gemüse	9.448
Kartoffeln	29.113
Essig	38

Nicht erfaßt sind:
1.) Käufe unter 200 d.Kr. an Lebensmittel, die nicht rationiert sind.
2.) sämtliche Käufe der Urlauber und des Wehrmachtgefolges bis 75 kg für Urlaubsreisen.
3.) sämtliche Wehrmachtkantinen-Einkäufe in nicht-rationierten Marketenderwaren. (Wertmäßig geschätzt auf 24. Mill. dKr.).

c.) *Für die Besatzungstruppen in Norwegen:*   Tonnen:

Fleisch	8.750
Butter	4.614
Eier	23
Käse	240
Obst	871
Stroh	10.951

Verkehrslage im Monat März 1944:
a.) *Allgemeine Lage:*
Die Gesamtverkehrslage in Dänemark zeigte auch im Monat März keine Entlastung. Die Forderungen an Transportraum für die Wehrmacht auf Jütland wurden durch größere Truppenverschiebungen noch erhöht. Gleichzeitig stieg der Nachschub nach Norwegen auf dem Wasser- und auf dem Landwege. Die große Steigerung an Transportraum ist durch Anforderungen für die Bauvorhaben der Luftwaffe und der OT auf Jütland und Fünen bedingt.

b.) *Eisenbahn:*
Die Anforderungen im Festungsbauprogramm auf Jütland haben im Monat März eine starke Steigerung erfahren. Der Wehrmachtsbedarf wurde im Monat März zu 100 %, der zivile Bedarf 35 % der angeführten Wagenmenge gedeckt.

Waggongestellung:	Anforderung pro Tag	6.137
	gestellt	3.759
	nicht gedeckter Bedarf	2.378

Für den Nachschub der Wehrmacht nach Norwegen und Finnland über Schweden wurde das Kontingent von täglich 40 Waggons im Monat März mit 30-35 Waggons ausgenutzt.

Am 3.4.1944 gegen 22.25 Uhr entstand nach Passieren des Zuges, der von Middelfart nach Fredericia läuft, Feuer auf der kleinen Beltbrücke. Durch Funkenflug sollen die Schwellen Feuer gefangen haben und sind dieselben auf einer Strecke von 50 m verbrannt. Vom 4.4.1944 Stunde 0/1 bis zum 6.4. Stunde ½ war der Eisenbahnverkehr unterbrochen. Zur Zeit ist der Verkehr normal.

c.) Die dänische *Schiffahrt* war tonnagemäßig in folgender Rangfolge eingesetzt:
    1.) Kohlenfahrt auf Dänemark
    2.) Andere deutsche Küstenfahrt
    3.) Transporte von Deutschland nach dritten Ländern.
    4.) Innerdänische Fahrt
    5.) Düngemittel.
Für die OT wurden vom 1.3.-31.3.1944 22.583 ts Zement und 26.791 ts Kies mit deutschen Schiffen gefahren.

d.) *Straßenverkehr:*
Über die Frachtleitstelle des RBK Flensburg wurden im Monat März folgende LKW-Transporte nach Deutschland durchgeführt:

  240   Transporte mit   2.247 ts Fischen und
  368   –   4.101 ts Fleisch.

Die Fleischtransporte sind gestiegen, die Fischtransporte werden in den ersten Tagen des Monats April mit dem zeitlich großen Fischanfall auf das 3- und 4-fache steigen.

Die LKWs waren bei der Rückfahrt restlos ausgelastet, besonders reichlich mit Wehrmachtsgut.

Die Treibstofflage ist zufriedenstellend, die Reifenlage gut.

130. Joachim von Ribbentrop an Adolf von Steengracht 15. Mai 1944

Ribbentrop reagerede på, at Best havde brugt sin forordningsret til at oprette en SS-domstol i København. Best havde her udnyttet forordningsretten på en måde, så han overskred sin kompetence, ligesom han ikke kunne danne en SS-ret. Best skulle kaldes til Berlin, mens ministeriets retsafdeling skulle se nærmere på sagen (Rosengreen 1982, s. 96).

Best svarede med telegram nr. 637, 19. maj.
Kilde: RA, pk. 229. LAK, Best-sagen (afskrift). ADAP/E, 8, nr. 26.

T e l e g r a m m

Sonderzug, den	15. Mai 1944	20.20 Uhr
Ankunft, den	15. Mai 1944	21.30 Uhr

Nr. 998 vom 15.5.[44.]

Die Frage der deutschen Strafgerichtsbarkeit gegen Zivilpersonen in Dänemark, auf die sich zuletzt das Telegramm des Reichsbevollmächtigten Dr. Best Nr. 571 vom 4. Mai[94] bezieht, ist bisher nicht richtig behandelt worden.

1.) Es ist nicht angängig, daß Dr. Best solche Verordnungen, wie die vom 24. April, auch nur vorläufig von sich aus erläßt. Er muß solche grundsätzlichen Verordnungen vielmehr vorher mir zur Genehmigung vorlegen. Das kann und muß auch dann geschehen, wenn die Sachen zeitlich dringlich sind. Ferner ist es auch nicht angängig, daß Dr. Best über den Inhalt solcher Verordnungen seinerseits in Kopenhagen mit Vertretern oberster Reichsbehörden verhandelt, wie er das nach seinem letzten Telegramm getan hat. Die Auseinandersetzung mit den anderen beteiligten inneren Behörden muß vielmehr durch das Auswärtige Amt erfolgen.

2.) Aber auch sachlich muß ich den Entwurf, den Dr. Best mit seinem Telegramm vom 4. Mai vorgelegt hat, in verschiedenen Punkten beanstanden:

   a.) Der Reichsbevollmächtigte kann nicht, wie das in der Präambel des Entwurfes geschieht, als Partner innerdeutscher Stellen und oberster Reichsbehörden wie des Chefs des OKW und des Reichsführers-SS auftreten.

   b.) Es ist mir nicht verständlich, warum Dr. Best die Straftaten von Nichtdeutschen, die nicht von den Wehrmachtsgerichten abgeurteilt werden, einem SS- und Polizeigericht übertragen möchte. Ein SS-Gericht kann doch nur für Angehörige der SS zuständig sein. Es ist eine falsche Struktur, wenn einer Institution der SS gerichtliche Funktionen über Dänen übertragen werden. Aus außenpolitischen Gründen ist dies nicht angängig, weil durch die Übertragung der Gerichtsbarkeit auf eine deutsche politische Organisation nach außen hin der Eindruck erweckt werden muß, als ob wir Dänemark als Bestandteil des Reiches betrachteten. Wenn der Reichsbevollmächtigte eine besondere Instanz für Straftaten von Nichtdeutschen für erforderlich hält – und hiermit bin ich ganz einverstanden –, kann er auf Grund der Vollmacht von sich aus ein besonderes Gericht bilden und mit der Bildung dieses Sondergerichts im einzelnen den Höheren Polizeiführer in Dänemark beauftragen, der seinerseits das interne Einverständnis seiner heimischen vorgesetzten Behörde, d.h. des RFSS einzuholen hätte. Ein solches Polizeigericht ist dann eine Institution des Reichsbevollmächtigten selbst, so daß alle die jetzt erörterten Fragen wegen des Rechts der Bestätigung der Urteile und der Begnadigung fortfallen. Engste und kameradschaftliche Zusammenarbeit mit dem Höheren SS- und Polizeiführer auf diesem ganzen Gebiet ist natürlich selbstverständlich.

3.) Ich bitte Sie, Dr. Best nach Berlin kommen zu lassen, ihm von meiner vorstehenden Auffassung Kenntnis zu geben und dafür Sorge zu tragen, daß die Rechtsabteilung nunmehr die Sache unter Zuziehung von Dr. Best in die Hand nimmt und entsprechend den vorstehenden Gesichtspunkten regelt. Dr. Best bleibt am besten solange in Berlin, bis dies geschehen ist. Die endgültige Regelung bitte ich aber, vor ihrer Inkraftsetzung mir noch zur Genehmigung vorzulegen.

Ribbentrop

---

94 Trykt ovenfor.

131. Rudolf Mildner an Eberhard von Thadden 16. Mai 1944

Mildner meddelte, at RFSS havde tilladt, at de i von Thaddens brev 6. april nævnte repræsentanter for Danmark og Sverige kunne besigtige Theresienstadt. Samtidig ville repræsentanter for Det Internationale Røde Kors og Tysk Røde Kors deltage. Det præcise tidspunkt ville blive oplyst senere.

Derpå hørtes ikke mere fra RSHA, før von Thadden 7. juni internt tog sagen op over for Horst Wagner (Yahil 1967, s. 263, Weitkamp 2008, s. 192).

Kilde: PA/AA R 99.414.

Der Chef der Sicherheitspolizei und des SD Berlin, den 16. Mai 1944
IV A 4 b – (2537/42-965) 5158/43

An das Auswärtige Amt
   z.Hd. von Herrn Legationsrat von Thadden o.V.i.A.
   in Berlin W 8,
   Wilhelm Str. 74-76

Betrifft: Besichtigung des Altersghettos Theresienstadt.
Bezug: Schreiben vom 6.4.1944[95] – Inl. II A 1236.

Der Reichsführer-SS hat die Besichtigung des Ghettos Theresienstadt durch die in dem vorstehend genannten Schreiben erwähnten Vertreter Dänemarks und Schwedens genehmigt.

In der Besichtigung werden gleichzeitig ein Vertreter des Internationalen Komités des Roten Kreuzes und der DRK-Oberstführer Niehauß teilnehmen. Als Termin für die Besichtigung ist Anfang Juni 1944 vorgesehen. Den genauen Zeitpunkt gebe ich noch bekannt.

In Vertretung:
Mildner

132. Joseph Goebbels: Tagebuch 16. Mai 1944

Sabotagen havde fået et betænkeligt omfang i Danmark, og Best havde svaret igen med henrettelser, hvilket som ventet straks havde fået sabotagen til at aftage.

Kilde: *Die Tagebücher von Joseph Goebbels*, Teil II:12, s. 300.

[…]

In Dänemark hat in den letzten Wochen eine bedenkliche Sabotage um sich gegriffen. Unser Reichsbevollmächtigter Best trifft dagegen sehr energische Maßnahmen. Zum Teil läßt er Erschießungen durchführen, und wie zu erwarten war, ist die Sabotagewelle sofort wieder abgeflaut.

[…]

---

95 Trykt ovenfor.

133. Adolf von Steengracht an Werner Best 17. Mai 1944

Best havde 12. maj fra AA fået besked om, at det forordningsudkast om en SS-ret, han havde forhandlet sig frem til med OKW og SS, skulle standses, og at Best skulle afvente videre instruks fra RAM. Dog havde Best dagen efter uanfægtet ladet pressemeddelelsen om domfældelser og muligheden af, at han benådede de dødsdømte udsende, samt ladet kopi deraf tilgå AA. Det fik von Steengracht til at indskærpe, at ordren fra AA 12. maj også omfattede Bests foreløbige forordning fra 24. april. Endelig fik Best besked på at høre op med henrettelserne, indtil sagen var afklaret i Berlin.

Et svar fra Best indløb næste dag med telegram nr. 632 (Rosengreen 1982, s. 95-97).
Kilde: PA/AA R 29.568. RA, pk. 204 og 229. LAK, Best-sagen (afskrift).

Telegramm

Berlin, den   17. Mai 1944

Nr. 546   Citissime (mit Vorrang)

Ref.: Ks. Weyrauch
Betr.: Gerichtsbarkeit in Dänemark

Bevollmächtigten des Deutschen Reiches in Dänemark,
Kopenhagen.
Für Min-Dir. Best persönlich

Mit Beziehung auf Drahtbericht Nr. 611 vom 13.5.[96]

Zur Vermeidung von Mißverständnissen wird bemerkt, daß der Drahterlaß Nr. 520 vom 12.5.[97] sich selbstverständlich auch auf die von Ihnen erlassene vorläufige Verordnung vom 24. April (vgl. Drahtbericht Nr. 510 vom 24.4.)[98] erstreckt.

Es wird gebeten, vor evtl. Vollstreckung der Todesurteile Weisung einzuholen. Eine baldige Regelung der Gesamtfrage ist in Berlin vorgesehen.

St.S.

134. Werner Best an das Auswärtige Amt 17. Mai 1944

Efter krav fra AA gentog Best delvis sine tidligere forklaringer fra 3. maj og 6. maj på Frits Clausens deroute og afgang som fører for DNSAP, men føjede yderligere belastende momenter til. Anklagen om, at Frits Clausen havde opført sig uhøvisk, blev udvidet til også at omfatte hans tid i Sennheim og efter hjemkomsten til København. I København havde Clausen endvidere genoptaget forbindelsen med kredse, der tidligere havde givet DNSAP meget store problemer. Efter Clausens afgang ville Best give ham en passende økonomisk understøttelse, ligesom Best havde ladet en artikel om Clausens fortjenester fremkomme i den nazistiske presse. Best havde ikke haft noget med Clausens afgang at gøre, men havde tværtimod forsøgt at få de talrige stridigheder om Clausens person bragt til afslutning.

Det allerede fastslåede skulle have en tand til, som om sagen ikke allerede var god nok (Lauridsen 2003b, s. 375).
Kilde: PA/AA R 29.568. RA, pk. 204 og 225. LAK, Frits Clausen-sagen XIV/351. *Føreren har ordet!* 2003, s. 799-801.

96 Trykt ovenfor.
97 Skrivelsen er ikke lokaliseret.
98 Trykt ovenfor.

Telegramm

Kopenhagen, den   17. Mai 1944   17.00 Uhr
Ankunft, den   17. Mai 1944   23.30 Uhr

Nr. 626 vom 16.5.44.

Auf das Telegramm Nr. 533[99] vom 15.5.44 berichte ich zusammenfassend unter Bezug auf meine Telegramme Nr. 251[100] vom 24.2.44, Nr. 558[101] vom 3.5.44 und Nr. 582[102] vom 6.5.44.

    Dr. Frits Clausen wurde am 1.11.1943 als Oberstabsarzt (SS-Sturmbannführer) zur Waffen-SS eingezogen und nach einer Überprüfung seiner ärztlichen Kenntnisse zum SS-Reserve-Lazarett in Minsk versetzt. Ende Januar 1944 wurde durch Urlauber in Dänemark bekannt, daß Dr. Clausen in Minsk fast ständig betrunken gewesen sei, in diesem Zustand das weibliche Personal des Lazaretts belästigt habe und deshalb vom Reichsführer-SS mit einem Alkoholverbot belegt und zu einer Entziehungskur dem SS-Lazarett Würzburg zugewiesen worden sei.[103] Durch eine vom SS-Hauptamt eingegangene Mitteilung wurden diese Gerüchte bestätigt.[104] Am 30.3.44 traf Dr. Clausen in Begleitung des Chefarztes des Würzburger SS-Lazaretts Prof. Dr. Heyde zu einem kurzen Besuch in Dänemark ein mit der Absicht, den gegen ihn erhobenen Beschuldigungen entgegenzutreten und sich zu rehabilitieren. Dr. Clausen fand jedoch selbst bei seinen ältesten und treuesten Anhängern keinen Glauben mehr, als er versuchte, die von allgemein als zuverlässig bekannten Augenzeugen geschilderten Vorgänge in Minsk als Lügen und Erfindungen hinzustellen.[105] Die Folge seines Besuches war lediglich ein neues Aufflammen des Streites um seine Person. Um eine Erörterung dieses Streites vor der Öffentlichkeit zu vermeiden, untersagte ich jede Erwähnung seiner Person und seines Besuches in der Presse. Mich hat Dr. Clausen während dieses Aufenthaltes nicht aufgesucht. Nach Ansicht seiner Freunde hat Dr. Clausen schon bei dieser Gelegenheit die Überzeugung gewonnen, daß seine Rolle als politischer Führer ausgespielt sei. Er ist sehr deprimiert wieder abgefahren. Im Reich wurde er als Lehrer für weltanschauliche Schulung dem SS-Ausbildungslager Sennheim bis zum Ablauf seiner Verpflichtungszeit in der Waffen-SS zugeteilt. Nach Berichten von dänischen Freiwilligen hat er in Sennheim mit den ihm unterstellten Männern große Trinkgelage veranstaltet.

    Am 30.4 44 wurde Dr. Clausen aus der Waffen-SS entlassen und kehrte nach Dänemark zurück. Vom 1. bis 5.5.44 befand er sich in Kopenhagen, suchte sofort Ver-

---

99 Pol. XVI 1214 g.Rs. Telegrammet er ikke lokaliseret.
100 Inl. I VS. Trykt ovenfor.
101 Pol. XVI VS. Trykt ovenfor.
102 Pol. XVI VS. Trykt ovenfor.
103 Se telegram nr. 251, 26. februar 1944.
104 En sådan meddelelse er ikke lokaliseret, men selv om den fandtes, ville det ikke være bevis for ægtheden af historierne om Frits Clausen i Minsk.
105 Best tog her munden for fuld, også med hensyn til tilliden til øjenvidnets troværdighed. DNSAP mistede ikke fuldstændig tilliden til Frits Clausen.

bindung mit den Brüdern Bryld und den berüchtigten "Tykke Thom," d.h. also gerade denjenigen Kreisen, deren verhängnisvoller Einfluß seit Jahren den besten Elementen der DNSAP Anlaß zu schwersten Besorgnissen gegeben hat, und veranstaltete in aller Öffentlichkeit Gelage in zweifelhafter Gesellschaft, bei denen er sich bis zur Sinnlosigkeit betrank. Als Dr. Clausen am 5.5.44 sowohl vor dem Parteirat der DNSAP wie vor einem größeren Kreise von Funktionären der DNSAP ohne nähere Begründung seinen Rücktritt erklärte, wurde daher dieser Entschluß von allen, auch seinen treuesten Anhängern, als die einzig mögliche Lösung empfunden.[106]

Mir hat Dr. Clausen seinen Rücktritt lediglich als vollendete Tatsache gemeldet. Ich habe ihn bei dieser Gelegenheit wissen lassen, daß wir in ihm immer den Mann achten werden, der eine national-sozialistische Bewegung in Dänemark aufgebaut hat, und daß er auch in wirtschaftlicher Hinsicht auf die Hilfe des Reiches rechnen könne. Ich habe auch in der national-sozialistischen Presse einen seine Verdienste würdigenden Aufsatz erscheinen lassen.[107]

Der Rücktritt Dr. Clausens ist, wie aus dem Vorstehenden klar ersichtlich, ohne jegliches Zutun von meiner Seite erfolgt. Ich habe im Gegenteil auf die zahlreichen an mich gerichteten Ansuchen, durch deutschen Machtspruch den Streit um die Person Dr. Clausens zu beenden und ihn zum Rücktritt zu bewegen, stets geantwortet, daß die Führerfrage der DNSAP ausschließlich eine Angelegenheit der dänischen Nationalsozialisten sei und nur von diesen selbst in dem einen oder anderen Sinne entschieden werden könne. Jede deutsche Einmischung in diese Vorgänge, die nicht zur Wahrung unmittelbarer deutscher Interessen erfolgt, vermehrt nur die Wirbel dieses Sturmes im Wasserglas und belastet unnötig die deutsche Politik gegenüber dem ganzen Land.

gez. **Dr. Best**

135. RSHA: Vermerk 17. Mai 1944

Den i anden halvdel af februar beslaglagte illegale litteratur (se Bovensiepen til RSHA 2. marts 1944) blev efter ordre afgivet til RSHA Amt VII den 16. maj 1944.

Amt VII i RSHA "Weltanschauliche Forschung und Auswertung" tog sig af konfiskerede arkivalier fra de fjender, hvis verdensanskuelse lå nazismen fjernt, samt udvalgte afsluttede sager fra det tyske sikkerhedspoliti og SD. Afdelingens samling rummede også bøger og røvede bogsamlinger. Til fjenderne hørte jøder, kommunister og frimurere. Materialet i Amt VII blev udnyttet til "Gegnerforschung" og tjente til den politimæssige forfølgelse af modstanderne og til skoling af SS- og politifolk (Rudolph 2003).

Se endvidere BdO til RSHA 22. juni 1944.

Kilde: RA, Danica 1069, sp. 7, nr. 8104.

IV A 1a – B. Nr. 906/44. *Berlin, d. 17. Mai 1944.*

1.) *Vermerk*:

Das Sortiment, des im Literaturlager der illegalen DKP vorgefundenen Schriften- und

---

106 Henvisningen til Frits Clausens venner og mest trofaste tilhængere skulle understrege det rigtige i det skete.
107 Det skete i *National-Socialisten* 9. juni 1944.

Büchermaterials wurde am 16.5.44 an das Amt VII zur weiteren Verwertung abgegeben.

Auszüge für die Pers. Akten Anders Dössing, Margrete Dössing und Hans Kastoft wurden gefertigt.[108]

2.) ~~IV A 1a Reg.~~ Austragen.
3.) IV A 1a
Zu den Sachakten "Dänemark: Erscheinungsformen und Organisation".
I. A.
[underskrift]

136. Horst Bender: Betr.: SS-Obersturmbannführer Martinsen. 17. Mai 1944

Efter et møde med RFSS om K.B. Martinsen nedfældede Bender resultatet. Bests tidligere indstilling blev fulgt, men Martinsen skulle indtil videre forblive som Schalburgkorpsets leder.
Beslutningen gik videre til København 23. maj. Se Bender til Pancke anf. dato.
Kilde: RA, pk. 442.

Be/Wi. *Feldkommandostelle, den 17.5.1944.*

Vermerk

Betr.: SS-Obersturmbannführer Martinsen.

1.) Auf erneuten Vortrag in der Angelegenheit Martinsen hat der Reichsführer-SS folgendes angeordnet:
   a.) Martinsen bleibt vorläufig als Kommandeur des Schalburg-Korps in Dänemark.
   b.) Gegen Martinsen wird ein SS- und polizeigerichtliches Untersuchungsverfahren vor dem SS- und Polizeigericht z.b.V. München durchgeführt.
   c.) Die dänischen Behörden erhalten über Einleitung und Ausgang des Verfahrens keine Mitteilung.
2.) Vorlage zur Besprechung in Dänemark mit SS-Ogruf. Best u. Pancke.

Bender
SS-Standartenführer

137. Das Auswärtige Amt: Aufzeichnung 17. Mai 1944

Det er sandsynligvis dr. Erich Albrecht, chef for AAs juridiske afdeling, der har udarbejdet den følgende redegørelse vedrørende Bests foreløbige forordning af 24. april 1944 i forlængelse af Ribbentrops ønske to dage tidligere. Det er i redegørelse for forløbet, en sagsfremstilling, ikke en stillingtagen, der bygger videre på de af Ribbentrop 15. maj fremsatte synspunkter. Albrecht kunne f.eks. have gjort opmærksom på, at Best

---

108 Personalakterne vedrørte familiemedlemmer til kendte danske kommunister.

godt kunne have oprettet en SS-ret, blot han ikke selv tiltog sig benådningsretten. Som redegørelsen forelå til statssekretæren, førte den ikke selv videre, men lagde op til, at AA afventede de i redegørelsen nævnte kommende forhandlinger mellem Best og repræsentanter for SS og OKW. Med andre ord at Best ikke blev koblet ud af forhandlingerne, som Ribbentrop havde lagt op til 15. maj.[109]

Kilde: PA/AA R 29.568. RA, pk. 204. LAK, Best-sagen (afskrift).

Ref.: Konsul Dr. Weyrauch   zu R 268 g II
                                                                        Geheim!

I.

Bis zum Erlaß der Vorläufigen Verordnung des Reichsbevollmächtigten Dr. Best betreffend Inkraftsetzung der Zuständigkeit des SS- und Polizeigerichts in Kopenhagen waren in Dänemark als Operationsgebiet im Sinne der militärischen Bestimmungen die Kriegsgerichte zuständig. Dies bedeutet, daß der Kriegsgerichtsbarkeit nicht nur die Wehrmachtangehörigen unterworfen waren, sondern auch alle Deutschen und Ausländer wegen aller Straftaten, die sie im Operationsgebiet begangen hatten (§ 3 Abs. 1 KStVO).

Verfahrensrechtlich können die Gerichtsherrn theoretisch die Verfolgung solcher Taten, an denen kein militärisches Interesse besteht, an die allgemeinen Gerichte abgeben (§ 3-Abs. 2); allgemeine Gerichte im Sinne dieser Vorschrift sind sowohl deutsche wie ausländische Gerichte. In Dänemark wurde die umfassende Zuständigkeit der Kriegsgerichte im Operationsgebiet praktisch nur gegenüber den Reichsdeutschen ausgeübt; denn eine Abgabe an andere deutsche Gerichte war nicht möglich, solange der Beschuldigte in Dänemark wohnhaft war, und eine Abgabe an die dänischen Gerichte politisch unerwünscht.

Gegenüber Personen nichtdeutscher Staatsangehörigkeit hatte dagegen der Chef OKW durch Erlaß vom 28.1.1943 (HVBL. 1943 Teil B Nr. 75) die Zuständigkeit der Kriegsgerichte im Einvernehmen mit dem Bevollmächtigten des Reiches auf die Verfolgung solcher Straftaten beschränkt, die

1.) sich unmittelbar gegen die deutsche Wehrmacht, ihre Angehörigen oder ihr Gefolge richten, oder

2.) in Gebäuden, Räumen, Anlagen oder Schiffen begangen werden, die den Zwecken der deutschen Wehrmacht dienen.

Nach dem Erlaß entscheidet der Befehlshaber der deutschen Truppen in Dänemark im Einzelfall, ob diese Straftaten kriegsgerichtlich verfolgt werden sollen; er kann das Verfahren an den Bevollmächtigten des Reiches abgeben, damit erlischt die Zuständigkeit der Wehrmachtgerichte; über die weitere Strafverfolgung befindet dann der Bevollmächtigte des Reiches.

Da eine nichtmilitärische Gerichtsbarkeit in Dänemark fehlte, hätte der Bevollmächtigte die Verfahren nur den dänischen Gerichten übergeben können, oder aber den Vorfall auf sich beruhen lassen müssen.

---

109 Optegnelsen er ikke behandlet hos hverken Rosengreen 1982 eller Herbert 1996, selv om sidstnævnte nævner dokumentet i en note (s. 621 n. 171), men til gengæld har en tilhørende hovedtekst s. 384 i så knap en form, at meningen delvis bortfalder (og så blev Frøslevlejren først åbnet knapt tre måneder senere (!)).

II.

In einem eingehenden grundsätzlichen Bericht vom Juni v.J., von dem Abschrift beigefügt ist (Anl. 1)[110], beschäftigt sich Dr. Best mit dem vorstehend geschilderten unbefriedigenden Zustande in Dänemark. In dem Bericht beantragt er, daß für alle Personenkreise, die nicht der Wehrmacht angehören, eine neue Gerichtsbarkeit geschaffen werden sollte, die der Autorität des Reichsbevollmächtigten unterstände. Als Lösung empfahl er die Errichtung eines SS- und Polizeigerichts, in Anlehnung an das in Dänemark stehende Polizei-Bataillon, zu dessen Gerichtsherrn er zu bestimmen sei. Bedenken gegen die Bezeichnung "SS- und Polizeigericht" könnten durch die Bezeichnung "Sondergericht des Reichsbevollmächtigten" ausgeräumt werden.

Während der hierauf anschließenden Verhandlungen zwischen OKW, Reichssicherheitshauptamt und AA wurde für Dänemark ein Höherer SS- und Polizeiführer ernannt. Infolge dieser Ernennung war der ursprüngliche Antrag Dr. Bests als erledigt anzusehen. Gerichtsherr des neu zu bildenden Polizeigerichts konnte nach Auffassung der Vertreter des Reichsführers SS und des OKWs nur der Höhere SS- und Polizeiführer sein.

Dr. Best hat, indem er dem neu geschaffenen Zustand Rechnung trug, beantragt, bei den weiteren Verhandlungen darauf zu dringen, daß ihm das Gnadenrecht übertragen werde. Diesen Standpunkt hat das AA den beiden anderen Ressorts gegenüber mit aller Bestimmtheit wiederholt vertreten. Es hat seine Zustimmung zu der Neuregelung davon abhängig gemacht, daß der Reichsbevollmächtigte das Gnadenrecht erhält.

Die Verhandlungen haben jedoch nicht zu Ende geführt werden können, da das Reichssicherheitshauptamt der vorstehend gekennzeichneten Forderung ablehnend gegenüberstand und das Gnadenrecht dem Höheren SS- und Polizeiführer als Gerichtsherrn übertragen wollte.

Gegen einen Ende April vom OKW vorgelegten Entwurf eines Erlasses über die Neuregelung der Gerichtsbarkeit in Dänemark, der in seinem § 2 die Regelung der Zuständigkeit im Nachprüfungs- und Gnadenverfahren – insoweit die Gerichtsbarkeit des SS- und Polizeigerichts gegeben ist – dem Reichsführer SS vorbehält, hat das AA mündlich und schriftlich begründeten Widerspruch erhoben,[111] sodaß bis dahin der Beginn einer Tätigkeit des Polizeigerichts in Dänemark nicht möglich war. Zuständig für einen solchen Erlaß ist das OKW.

Abschrift des Entwurfes und des Widerspruchs werden in der Anlage beigefügt (Anl. 2).[112]

III.

Die politischen Ereignisse in Dänemark von Ende April – Wiederbeginn von Sabotageakten und Überfällen – haben Dr. Best Veranlassung gegeben, von sich aus auf Grund der ihm vom Führer erteilten Ermächtigung eine vorläufige Verordnung betreffend Inkraftsetzung der Zuständigkeit des SS- und Polizeigerichts in Kopenhagen zu erlassen, in der er das Gnadenrecht sich vorbehält. Nach einer Mitteilung des OKW haben sich

---

110 Bilaget er ikke lokaliseret.
111 Albrecht til OKW 2. maj 1944.
112 Bilaget er ikke lokaliseret.

der Reichsführer SS und das OKW mit der neu getroffenen Regelung nicht ohne weiteres einverstanden erklärt und deshalb am 2. Mai Standartenführer Bender und Kriegsgerichtsrat Scholz zu Besprechungen mit dem Reichsbevollmächtigten nach Kopenhagen entsandt. Über das Ergebnis dieser Besprechungen hat Dr. Best drahtlich berichtet und hierzu den Entwurf einer von ihm zu erlassenden Verordnung übersandt.[113] Mit der vorgesehenen Regelung hat sich der Herr Reichsaußenminister nicht einverstanden erklärt.[114]

Wie im übrigen vom OKW soeben mitgeteilt wird, soll Ende der Woche Standartenführer Bender sich erneut zu Besprechungen mit Dr. Best nach Kopenhagen begeben, um einige "Unklarheiten" zu bereinigen.
   Hiermit Herrn Staatssekretär weisungsgemäß vorgelegt.
Berlin, den 17. Mai 1944
                    [underskrift]

138. Werner Best an das Auswärtige Amt 18. Mai 1944
Best tøvede otte dage med at svare på von Ribbentrops ordre om at lade det svenske pressebureau TT genoptage nyhedsformidlingen fra Danmark. Tiden havde han brugt til at kontakte TTs korrespondent i København, Valter Hermansson, og at få en aftale med ham om det fremtidige samarbejde, hvilket også havde udmøntet sig i et langt interview med Best. En kopi af interviewet blev fremsendt. Aftalen gik ud på, at der ikke blev bragt nyheder af politisk karakter (sabotage m.m.) i den svenske radio, kun gennem den svenske presse. På den betingelse var TT-nyhedsformidlingen samme dag blevet genoptaget.
   I øvrigt var pressens telegraf- og telefonforbindelse med Sverige afbrudt i 6 uger fra 24. april. De danske korrespondenter til svenske blade fik igen lov til at videresende censureret stof fra 6. juni, og Ritzaus Bureau fik en uge senere lov til at modtage TT-stof telefonisk fra Sverige. Til gengæld måtte der ikke bringes stof fra Ritzaus korrespondent i Stockholm, de øvrige svenske blades medarbejdere måtte heller ikke levere stof til den danske presse (Bindsløv Frederiksen 1960, s. 414).[115]
   Kilde: PA/AA R 29.568. RA, pk. 204.

                    T e l e g r a m m

Kopenhagen, den   18. Mai 1944   16.20 Uhr
Ankunft, den   18. Mai 1944   23.45 Uhr

Nr. 631 vom 18.5.[44.]

113 Bests telegram nr. 571, 4. maj 1944.
114 Se Ribbentrop til Steengracht 15. maj 1944.
115 Ifølge *Information* 20. juli 1944 forlod Hermansson på det tidspunkt Danmark efter en konflikt med Best. Best skulle i den anledning have givet udtryk for, at meddelelser fra Danmark efter hans mening ikke kunne blive fejlbehæftede nok. Jo flere fejl, des mindre troede den danske befolkning på, hvad den hørte i udenlandsk radio. Det er værd at tillægge *Informations* meddelelse betydning, da Best i "Fjendtlige stemmer" i *Politische Informationen* gjorde det til praksis at lade bringe talrige eksempler på misinformation om Danmark.

Auf das dortige Telegramm Nr. 509[116] vom 10.5.1944 berichte ich, daß ich mit Wirkung von heute dem schwedischen TT-Korrespondenten Hermansson die fernmündliche Berichterstattung nach Schweden unter der Bedingung erlaubt habe, daß Nachrichten polizeilichen Charakters (Sabotage, Attentate, Festnahmen usw.) nicht durch den schwedischen Rundfunk, sondern nur in der schwedischen Presse veröffentlicht werden dürfen. Damit soll dem dringendsten Bedürfnis der hiesigen Situation Rechnung getragen werden, daß nicht durch die schnelle Bekanntgabe der bezeichneten Vorgänge im schwedischen Rundfunk den illegalen Gruppen in Dänemark eine Unterstützung zuteil wird. Da die Einfuhr schwedischer Zeitungen nach Dänemark unterbunden ist, kann, wenn das TT-Büro die getroffene Vereinbarung hält, in Dänemark nur eine verspätete und mittelbare Berichterstattung des schwedischen Rundfunks über die fraglichen Vorgänge gehört werden. Hermansson hat heute die folgende Mitteilung über seine Besprechung mit mir an sein Büro in Schweden gegeben:

"Seit dem 23. April hat ein kompletter Nachrichtendienst von Dänemark an die schwedische Presse und den schwedischen Rundfunk gefehlt, da der nach Kopenhagen entsandte Berichterstatter von TT seit Sonnabend, dem 22. April, 13.40 Uhr von der Telefonverbindung mit seinem Heimatlande abgeschnitten war, ohne daß damals eine Motivierung gegeben wurde. Es ist jedoch bekannt, daß der Bevollmächtigte des deutschen Reiches in Dänemark Dr. Werner Best am Montag, den 24. April, mittags, eine warnende Erklärung gegen Sabotage usw. abgab und strenge Anwendung der Kriegsgesetze für Tätigkeit, die gegen die deutsche Wehrmacht gerichtet ist, ankündigte und gleichzeitig wurden Reise-, Telegrafen-, Telefon- und Postsperre eingeführt. Am Dienstag, dem 25.4.1944 teilte Dr. Best dem Korrespondenten von TT mit, daß die ergriffenen Sperrmaßnahmen sich nicht gegen ihn persönlich richteten, sondern gegen die illegalen Kreise, die bis dahin die Befriedigung gehabt hätten, im ausländischen Rundfunk sehr bald die Berichte über ihre Taten hören zu können. Kurz darauf wurden die Reise- und Postverbindungen wieder eröffnet, während die Telefon- und Telegrafenverbindungen in der Hauptsache noch immer abgebrochen sind. Es ist selbstverständlich, daß der Nachrichtendienst von TT aus Dänemark in den vergangenen drei Wochen hierunter gelitten hat, ein Zustand, der jedoch jetzt gehoben ist, indem ein unzensurierter und von der Okkupationsmacht vollständig unabhängiger Nachrichtendienst jetzt wieder der schwedischen Presse geliefert werden kann.

In einer längeren Unterredung, die der Reichsbevollmächtigte in Dänemark Dr. Werner Best nunmehr dem Vertreter von TT in Kopenhagen Valter Hermansson gewährte, erklärte Dr. Best u.a., daß in der zweiten Hälfte des April plötzlich in Dänemark, hauptsächlich aber in der Hauptstadt Kopenhagen, eine Serie von Sabotageakten und Attentaten verübt worden sei. Es könne kein Zweifel darüber bestehen, so unterstrich Dr. Best, daß diese Sabotagehandlungen auf ausländischen Befehl hingestartet seien. Es war die Pflicht der verantwortlichen deutschen Instanzen, schnell und wirksam gegen diese Erscheinungen einzugreifen. Da es in diesem Augenblick nicht geduldet werden könne, daß Handlungen begangen werden, die u.a. den Zweck hätten, die deutsche Abwehrfront am Atlantik zu schwächen. Eine der deutschen Maßnahmen sei die vorübergehende totale

---

116 Pol. VI (V.S.) Fuschl 937. Telegrammet er ikke lokaliseret.

Nachrichtensperre gewesen, die verhindern sollte, daß sehr schnell Nachrichten, die den Feinden Deutschlands dienen könnten, außerhalb der Grenzen Dänemarks gelangten.

Wenn im Zuge dieser deutschen Maßnahmen leider auch dem Vertreter der schwedischen Nachrichtenagentur TT für eine Zeit das Recht genommen werden mußte, frei und ohne Zensur mit seinen Dienststellen in Schweden in Verbindung zu treten, so dürfe daraus nicht der Schluß gezogen werden, daß man deutscherseits mit seiner Berichterstattung unzufrieden sei. Die Tatsache, daß der schwedische Journalist nunmehr wiederum frei und ohne deutsche Zensur seiner Tätigkeit nachgehen könne, sei der beste Beweis dafür, daß man deutscherseits gegen eine objektive, wahrheitsgemäße Berichterstattung aus Dänemark nichts einzuwenden habe.

Der weit überwiegende Teil der dänischen Bevölkerung – fuhr Dr. Best fort – wünscht Ruhe und Ordnung im Lande und lehnt die Gewaltakte illegaler Elemente, die feigen Meuchelmorde und die nutzlose Aufwiegelung ihrer Landsleute gegen die deutsche Besatzungsmacht ab. Die dänische Bevölkerung wünscht, daß ihr Land mit möglichst geringem Schaden über die jetzige schwere Zeit hinwegkommen möge. Ich handele deshalb nicht nur im Interesse der deutschen Kriegsführung, sondern auch im Interesse Dänemarks, betonte Dr. Best, wenn ich jeder auf Zerstörung und Mord zielenden Hetze aus dem Auslande entgegenarbeite und den Terrorismus scharf bekämpfe. Die Bevölkerung soll nach Möglichkeit von diesen Maßnahmen nicht berührt werden. Es ist aber im Laufe der Zeit gelungen, eine Anzahl von Terroristen hinter Schloß und Riegel zu bringen. Weitere werden laufend ermittelt und festgenommen. Diese schuldigen werden zur Verantwortung gezogen und ihren Handlungen entsprechend bestraft werden. Wenn seit dem ersten Todesurteil gegen einen Saboteur vor einem Jahre, das auf Ansuchen des dänischen Staatsministers im Gnadenwege abgeändert wurde, etwa die Hälfte der zum Tode verurteilten dänischen Saboteure und Spione begnadigt worden seien, so bedeute dies, daß man von deutscher Seite nicht Rache, sondern Ordnung erstrebe. Wenn jedoch die deutsche Milde als Schwäche ausgelegt werde und man sie als Anreiz zu weiteren Gewaltakten auffasse, so müsse das harte Kriegsrecht gegen die Schuldigen verwirklicht werden.

Es sei im übrigen kein Heldentum sondern würdeloser Opportunismus dieser illegalen Kreise, äußerte Dr. Best weiter, wenn man 3 Jahre sich neutral und korrekt verhalte, um dann aus einer einseitigen und voreiligen Meinung über den Kriegsausgang sich hysterisch und herostratisch um ein Alibi bei dem vermeintlichen Sieger zu bemühen. In diesem Zusammenhang wies Dr. Best auf eine Äußerung des schwedischen Ministerpräsidenten Per Albin Hansson hin, daß wirkliche Neutralität sich darin äußere, daß man sich unabhängig von der Frage mache, welcher der Partner voraussichtlich im Kampfe siegen werden. Viele klardenkende Dänen teilten diese Auffassung und auf ihr beruhte auch die Politik der früheren dänischen Regierungen, bis die Regierung des Staatministers von Scavenius durch äußere und innere Sabotage durch Bomben und durch Obstruktion aus dem Sattel gehoben wurde.

Abschließend stellte Dr. Best fest, daß das ganze dänische Volk bestimmt in nicht zu ferner Zeit mit Bedauern feststellen werde, wie schlecht die mit Bomben und Revolvern operierenden Elemente die dänischen Interessen vertreten haben."

Dr. Best

139. Werner Best an das Auswärtige Amt 18. Mai 1944

Best var 18. maj stadig ikke orienteret om, hvor skarpt von Ribbentrop 15. maj havde reageret på hans fremfærd med forordningsudkastet for en SS- og politiret. Derfor argumenterede han stadigt indtrængende over for AA for, at han måtte beholde benådningsretten uindskrænket, dvs. uden at skulle indhente forudgående tilladelse hos AA først. Han gik så vidt i sin argumentation, at han ikke kunne tage ansvaret for sabotagebekæmpelsen, hvis ikke han kunne bruge denne ret.

Hele grundlaget for den kurs, som Best fulgte, var ved at skride, men Best ville have dæmpet sin tone betydeligt, om han allerede havde kendt Ribbentrops indstilling. Imidlertid lykkedes det ham efter en telefonisk konferering med AA at få den lempelse, at han kunne udøve benådningsretten efter konduite og efter telefonisk at have forelagt tilfældet for AA. Denne indrømmelse fik Best kun, fordi det ville tage AA tid at få en løsning på domstolsspørgsmålet forhandlet igennem med OKW og SS (Rosengreen 1982, s. 97).

Kilde: PA/AA R 29.568. RA, pk. 204. LAK, Best-sagen (afskrift). EUHK, nr. 128.

Telegramm

| Kopenhagen, den | 18. Mai 1944 | 19.50 Uhr |
| Ankunft, den | 18. Mai 1944 | 21.45 Uhr |

Nr. 632 vom 18.5.[44.]   Supercitissime!

Auf das dortige Telegramm Nr. 546[117] vom 17.5.1944 bitte ich dringend, mich nicht daran zu binden, vor der Vollstreckung von Todesurteilen dortige Weisung einzuholen. Da im Sinne der Weisungen des Führers und meiner mehrfachen öffentlichen Bekanntgaben die Hinrichtungen verurteilter Saboteure usw. schnelle Gegenschläge gegen Terrorakte der Feindseite sein sollen, muß es mir als dem für die Führung des hiesigen Abwehrkampfes Verantwortlichen überlassen werden, wann und wie ich diese Waffe einsetze. Bei Verzögerung um einen Tag kann die nach der hiesigen Situation notwendige Wirkung bereits versäumt sein. Ich bitte deshalb um Einverständnis, daß ich nach eigenem Ermessen und in eigener Verantwortung nach der Regelung, die ich auf Grund der Ermächtigung des Führers getroffen habe, verfahre. Andernfalls könnte ich keine Verantwortung für eine wirksame Abwehr der gegnerischen Aktionen übernehmen.

Dr. Best

140. Der Reichsbevollmächtigte an das Reichsministerium für Ernährung und Landwirtschaft 18. Mai 1944

Værnemagtsintendanten ville have de danske leverancer til værnemagten af den bedste halmkvalitet sat op fra 50 til 80 % af det leverede af hensyn til hestenes ydeevne. Trods opfordring til at afstå derfra havde værnemagten kategorisk afvist at få leverancer som i tidligere år. Yderligere havde intendanten foreslået en indskrænkning af græsarealerne til fordel for græsarealer til malkekvæget, hvilket kunne komme både den tyske levnedsmiddelindustri og de tyske tropper i Danmark til gode. Emil Hemmersam gjorde på den rigsbefuldmægtigedes vegne klart for REM, at forrådet af halm i Danmark var af ringe omfang, men at en vis prisforhøjelse havde givet bedre leverancer af den gode halm til værnemagten. Med hensyn til intendantens forslag om at indskrænke græsarealerne ønskede Hemmersam ministeriets indstilling.

---

117 R 268 g. Trykt ovenfor.

Brevet til REM er et karakteristisk eksempel på, hvordan værnemagten stillede stadig flere og større krav om leverancer, tillige om formen hvorunder det skete. De færreste krav nåede længere end til gesandtskabet og de danske myndigheder, men i tilfælde som dette, hvor værnemagtintendanten søgte at blande sig i prioriteringen af dyrkningsarealerne, blev sagen sendt helt til Berlin. Svaret derfra er ikke lokaliseret.

Kilde: BArch, R 901 113.560 (gennemslag).

Der Reichsbevollmächtigte in Dänemark *Kopenhagen, den 18. Mai 1944*
Hauptabteilung Wirtschaft
III/2258/44
2 Durchschläge
1 Anlage (2-fach)

Betr.: Heulieferungen an die deutschen Truppen Dänemark.

An das Reichsministerium für Ernährung und Landwirtschaft,
 über das Auswärtige Amt,
 z.Hd. von Herrn Leg. Rat von Scherpenberg,
 Berlin

In der Anlage wird Abschrift eines Schreibens des Wehrmachtintendanten Dänemark vom 30. April 1944, betreffend Heulieferungen, zur gefälligen Kenntnisnahme übersandt. Von Seiten der Wehrmacht war verlangt worden, daß mindestens 80% der geforderten Heumenge als gutes Wiesen- bezw. Kleeheu geliefert werden müsse und nur 20% als sogenanntes Samengrasheu. Da die Wehrmacht in den vorhergehenden Jahren immer etwa 50% Heumengen als Samengrasheu abgenommen hat, wurde von hier aus der Vorschlag gemacht, den gleichen prozentigen Anteil in diesem Jahr zu nehmen, um möglichst viel gutes Heu dem Milchvieh zu erhalten. Die Wehrmacht hat dies grundsätzlich abgelehnt mit der Begründung, daß durch die starke Fütterung von Samengrasheu die Leistungsfähigkeit der Truppenpferde herabgesetzt würde.

Gutes Heu ist z.Zt. in Dänemark wegen des späten Austriebes nur in geringem Umfang vorhanden. Die Vorräte bei den Bauern und Landwirten sind zum größten Teil erschöpft. Eine allgemeine Preiserhöhung für Heulieferungen an die Wehrmacht wird nicht für richtig gehalten, da am gesamten Preisgefüge möglichst wenig geändert werden soll. Der Heu- und Strohexportausschuß des Landwirtschaftsministeriums hat sich jedoch bereit erklärt, für Heulieferungen an die Wehrmacht einen vorübergehenden Preiszuschlag von 3 Öre je kg zu zahlen. Durch diese Maßnahme ist bereit eine bessere Belieferung der Wehrmacht mit gutem Heu erreicht worden. Auch die weiteren Lieferungen bis zur neuen Ernte werden – wenn auch mit gewissen Schwierigkeiten – aufgebracht werden.

Zu dem letzten Absatz des Schreibens wird um Weisung gebeten, ob der Anregung des Intendanten auf Einschränkung der Grassaatenfläche Rechnung getragen werden soll. Bisher war ich von der Voraussetzung ausgegangen, daß gerade die Grassamenerzeugung nicht vernachlässigt werden dürfe. Die großen Lieferungen Dänemarks an Gras- und Futtersaaten sind stets von den zuständigen deutschen Stellen im Reich, insbesondere von der Wehrmacht, als unentbehrliche Ergänzung der eigenen Samen- und Saatenversorgungslage erklärt worden

Im Auftrag
gez. **Dr. Hemmersam**

Abschrift.
Wehrmachtintendant Dänemark　　　　　　　　　　　　　　Gef.St., den 30. April 1944
Az.: 62 g 1

Bezug: Gesch. Zeich. III/1612/44 vom 4.4.1944.
Betr.: Heulieferungen.

An Reichsbevollmächtigten in Dänemark
  – Hauptabteilung Wirtschaft –
  Kopenhagen

Zu dem dortigen Schreiben vom 4.4.1944 wird wie folgt Stellung genommen:
  Es muß zunächst betont werden, daß die dänische Landwirtschaft unter dem Schutze der großdeutschen Wehrmacht arbeitet. Für die dänische Landwirtschaft brachte die Anwesenheit deutscher Truppen im dänischen Raum eine großen Auftrieb und auch eine zugegebene finanzielle Gesundung.
  Es wird nicht verkannt, daß Dänemarks Landwirtschaft einen erheblichen Beitrag für die Ernährung des deutschen Volkes leistet. Die Belange der deutschen Truppen in Dänemark erfordern jedoch den Vorrang. Keine andere Wehrmacht der Welt hätte wohl die Rücksicht in Dänemark walten lassen, wie es die deutsche Wehrmacht an den Tag legt.
  Von den Heeresverpflegungsdienststellen kamen in den letzten Tagen Meldungen, daß ein Teil der von dem Strohausschuß des dänischen Landwirtschaftsministeriums namhaft gemachten Heulieferanten die auferlegten Lieferungen nicht erfüllen können, weil angeblich das verlangte gute Heu nicht mehr genügend vorhanden ist.
  Die deutsche Wehrmacht mußte notgedrungen von dem bisherigen Prinzip, bis zu 25 % der angekauften Heumengen in gedroschenem Zustand abzunehmen, abweichen, um die dringlichste Versorgung sicherzustellen. Diese Auszuschließender wurde dem Strohausschuß gegenüber aber ausdrücklich nur als *kurzfristige* Regelung bezeichnet.
  Die nur schleppenden Ablieferungen an gutem Heu beruhen zum größten Teil darauf, daß am innerdänischen Markt für den Eigenbedarf höhere Preise gezahlt werden als bei Lieferungen an die deutsche Wehrmacht. Unter diesen Umständen ist es verständlich, daß der dänische Erzeuger zu den höheren Preisen lieber an seine dänische Kundschaft verkauft als zu den niedrigen Preisen an die deutsche Wehrmacht.
  Am 4. März 1944 wurde dem dänischen Landwirtschaftsministerium von hier aus vorgeschlagen, vorübergehend eine Prämie für die Ablieferung von Heu zu bewilligen, falls aus besonderen Gründen keine allgemeine Preiserhöhung in Frage käme. Der Strohausschuß soll auch pro kg 2 Öre mehr bewilligt haben, jedoch nicht allgemein, sondern

von Fall zu Fall. Dieser Mehrpreis müßte nun in *erster* Linie den Lieferanten von Heu an die deutsche Wehrmacht zugute kommen. Um entsprechende weitere Veranlassung bei der dänischen Regierung wird gebeten.

Ferner bittet Wehrmachtintendant Dänemark ernstlich die Frage zu prüfen, ob es noch im 5. Kriegsjahre ratsam ist in Dänemark überhaupt große Flächen für die Grassamenerzeugung zu verwenden. Um in Dänemark mehr gutes und vollwertiges Heu zu erhalten, dürfte es zweckmäßiger sein, die Grassamenerzeugung einzuschränken. Hierdurch könnte sowohl die Ernährung des dänischen Milchviehs im Interesse der deutschen Ernährungswirtschaft als auch die Belieferung der deutschen Truppen in Dänemark mit gutem Heu gesichert werden.

gez. **Balnus**

141. Kriegstagebuch/MOK Ost 18. Mai 1944
MOK/Ost gengav den ordre fra OKW, der skulle gælde vedrørende de danske og norske fiskefartøjer i tilfælde af en invasion. Fiskefartøjerne skulle tilintetgøres, da de var af stor militær værdi. De måtte ikke falde i fjendens hænder. Wurmbach var ansvarlig for gennemførelsen af ordren og skulle meddele, hvordan han ville gribe den an.
Svaret er ikke lokaliseret.
Kilde: KTB/MOK Ost 18. maj 1944, RA, Danica 628, sp. 9, nr. 3271f.

[...]
1/Skl. II übermittelt betr. norwegische und dänische Fischereifahrzeuge im Invasionsfall folgende Regelung, der das OKW zugestimmt hat und die als Richtlinien für die Kampfführung maßgebend ist:
1.) Muß ein bestimmtes Küstengebiet oder ein Hafen im Verlauf von Kampfhandlungen aufgegeben werden, so sind alle in diesem Gebiet liegenden Fischereifahrzeuge, die für den Gegner militärisch von Wert sein können und soweit ihre Verlegung in ungefährdete Gebiete nicht mehr möglich, zu vernichten.
2.) Ein solcher Befehl darf aber erst im äußersten Notfall gegeben werden und muß zeitlich mit dem Befehl zur Sprengung der Hafenanlagen und Einrichtungen (gem. Skl. Adm. Qu II 1763/44 Gkdos. v. 21.4.) zusammen fallen. Danach richtet sich auch die Verantwortung.
Für die Beurteilung, welches Fahrzeug für den Gegner militärisch von Wert sein kann, kann als Anhalt dienen, daß Fischereifahrzeuge jeder Größe militärisch verwendbar sein können.

Admiral Skagerrak wird von dieser Regelung unterrichtet und für die Durchführung der OKW-Weisung verantwortlich gemacht. Admiral Skagerrak erhält Befehl, seine diesbezüglichen Absichten über die Art einer möglichen Durchführung zu melden. Die Schwierigkeiten in der Durchführung des Befehls liegen darin, daß der Haka bzw. Hako, der für die Sprengung der Hafenanlagen und -Einrichtung verantwortlich ist, gleichzeitig mit dem wenigen ihm zur Verfügung stehenden Personal sämtliche weit zerstreut liegenden Fischereifahrzeuge vernichten soll. Da die Sprengung erst im letzten Augenblick vorgenommen wird, Vorbereitungen bei der Haltung der Bevölkerung unmöglich sind und

voraussichtlich wenig Zeit zur Verfügung steht, können große Schwierigkeiten bei der Ausführung dieser Anordnung entstehen. Es besteht die Gefahr, daß die Vernichtungsaktion bei den gegebenen Verhältnissen nicht durchschlagend und planmäßig abläuft.
[...]

142. Werner Best an das Auswärtige Amt 19. Mai 1944

Best blev kaldt til møde i Berlin 22. maj som direkte følge af von Ribbentrops desavouering af ham i forordningsspørgsmålet. Dette møde var det Best så meget om at gøre at udskyde, at han meget belejligt benyttede Panckes orlov som undskyldning for ikke også at kunne være væk fra København i den anspændte situation.
  Den forklaring blev accepteret i AA, og Best undgik at rejse (Rosengreen 1982, s. 97).
  Kilde: PA/AA R 29.568. RA, pk. 204, 229 og 250. LAK, Best-sagen (afskrift).

Telegramm

| Kopenhagen, den | 19. Mai 1944 | 10.40 Uhr |
| Ankunft, den | 19. Mai 1944 | 12.30 Uhr |

Nr. 637 vom 19.5.44.   Supercitissime!

Für Staatssekretär persönlich.
Bitte dringend um Verschiebung der am 22. Mai vorgesehenen Besprechung um etwa eine Woche, da Obergruppenführer Pancke bis 2. oder 3. Juni in Urlaub abwesend und als Vertreter entsandter Brigadeführer Fiedler mit hiesigen Verhältnissen nicht vertraut. Habe mir deshalb selbst alle wichtigen polizeilichen Entscheidungen vorbehalten und befürchte Fehler mit schwerwiegenden politischen Folgen, wenn ich vor Rückkehr Panckes Kopenhagen verlasse. Verschiebung erscheint auch sachlich unbedenklich, da neuer Abgrenzungsstreit zwischen Reichsführer-SS und OKW entstanden. Da ich in gegenwärtiger Spannungszeit meinen Gefechtsstand nicht für eine Woche verlassen kann, bitte ich, für Besprechung 2 Tage vorzusehen, möglichst 5. und 6. Juni.

                                        Dr. Best

143. Werner Best an das Auswärtige Amt 19. Mai 1944

Best anbefalede, at det tyske mindretals befuldmægtigede i landbrugsanliggender, Peter Rasmussen, fik en dertil egnet medhjælp og pegede på Günther Lei, der havde været frivillig i den tyske hær siden 1940. Best bad derfor om, at der blev rettet henvendelse til hæren for at få ham tilbagekaldt, og at han selv blev underrettet om resultatet.
  AAs svar er ikke lokaliseret.
  Kilde: RA, pk. 245.

Der Reichsbevollmächtigte in Dänemark   *Kopenhagen, den 19. Mai 1944.*
I C/N Sch 1.

Betrifft: UK-Stellung der volksdeutschen Diplom-Landwirts z.Zt. Obergefreiten Günther Lei, geb. am 12.9.1909.

An das Auswärtige Amt,
    Berlin.

– 2 Durchschläge –
1 Anlage (dreifach).[118]

Die Führung der Deutschen Volksgruppe in Nordschleswig hat im Laufe der letzten Jahre schon wiederholt daraufhingewiesen, daß es zur Durchführung der kriegswichtigen Aufgaben der Volksgruppe auf den landwirtschaftlichen Gebiet unbedingt notwendig sei, dem landwirtschaftlichen Beauftragten der Volksgruppe Diplom-Landwirt Peter Rasmussen in Apenrade eine geeignete Hilfskraft zur Verfügung zu stellen. Es muß sich dabei um einen landwirtschaftlich geschulten Volksdeutschen Handeln, der sowohl mit den landwirtschaftlichen Verhältnissen und Organisationen im Reich wie auch in Dänemark vertraut ist.

Diese Voraussetzungen liegen allein bei dem staatlich geprüften volksdeutschen Landwirt aus Nordschleswig Günther Lei, geb. am 12.9.1909, vor. Lei ist Anfang 1940 als Kriegsfreiwilliger in die deutsche Wehrmacht eingetreten und zur Zeit Obergefreiter (Feldpost-Nr. 33287). Die Führung der Deutschen Volksgruppe in Nordschleswig hat mich mit dem abschriftlich beigefügten Antrag auf UK-Stellung des Obergefreiten Lei an sich gewandt. Aus den angeführten sachlichen Gründen bitte ich, im Interesse der Aufrechterhaltung einer leistungsfähigen volksdeutschen Landwirtschaft in Nordschleswig die UK-Stellung des Günther Lei beim Wehrbezirkskommando Ausland zu beantragen und mich über das Ergebnis zu unterrichten.

gez. **Dr. Best**

144. Walter Forstmann an das Rüstungsamt 19. Mai 1944

Under indtryk af den genopblussende sabotage anmodede Forstmann om at få Luftwaffenheder til Danmark for at beskytte særligt udsatte danske industrivirksomheder mod sabotage. Den tyske hær i Danmark kunne ikke påtage sig opgaven, og de danske vagter var ikke tilstrækkeligt pålidelige.

Ved en (ikke lokaliseret) fjernskrivermeddelelse 25. maj 1944 fik Forstmann afslag på sin anmodning. Se Forstmann til Rüstungsamt 9. juni 1944.

Alle de af Forstmann nævnte virksomheder havde været eller blev mål for en eller flere ødelæggende sabotageaktioner.

Kilde: BArch, Freiburg, RW 27/15. RA, Danica 1000, T-77, sp. 696. KTB/Rü Stab Dänemark, 2. Vierteljahr 1944, Anlage 18.

Abschrift!	Anlage 18
Chef	*19.5.1944*

118 Bilaget er et brev fra Rudolf Stehr til Best 9. maj, hvor han bad om, at Best fremmede Günther Leis sag. Bilaget er ikke medtaget.

[Betr.:] Militärischen Schutz für die Luftwaffen-Fertigung bei dänischen Betrieben.

An das Rüstungsamt des Reichsministers für Rüstung und Kriegsproduktion
 Berlin NW 7
 Unter den Linden 36

Die mit Fertigung für die Luftwaffe beauftragten deutschen Firmen – hauptsächlich Heinkel, BMW, Dornier und Arado – beschäftigen eine Reihe von dänischen Betrieben, die ds.E. für den Ernstfall besonders geschützt werden müßten.
 Die dänischen Werkswachen werden nicht ausreichend, wenn bei einer Landung in Dänemark illegalen Gruppen alles daran setzen werden, sich dieser Luftwaffenfertigungsbetriebe zu bemächtigen, um hier schwere Zerstörungen vorzunehmen. – Hierzu kommt, daß für die Bedienung der 3 Flakgeschütze, die bei der Firma A/S Nordvärk, Kopenhagen, Rovsingsgade (Reparatur von BMW-Sol-Motoren) aufgestellt sind, Dänen vorgesehen sind, für deren Zuverlässigkeit aber keine Garantie übernommen werden kann. Die Ausbildung der Dänen erfolgt z.Zt. durch deutsches Flak-Ausbildungspersonal, das aber nach Abschluß der Ausbildung zurückgezogen werden soll. – Schließlich sind die 10 Prüfstände in Avedöre, die im freien Gelände etwa 12 km von Kopenhagen-Mitte entfernt liegen und auf denen die bei der Firma A/S Nordvärk überholten Flugzeugmotoren überprüft werden, besonders gefährdet. Auch hier wird der Werkschutz durch dänische Wächter ausgeübt, deren Zuverlässigkeit im Ernstfalle in Frage zu stellen ist.
 Die Bedeutung der mit Luftwaffenfertigungsaufträgen belegten Betriebe veranlaßte Rü Stab Dänemark bereits im Januar ds.Jrs. einen Antrag auf militärische Bewachung beim Höheren Kommando Kopenhagen zu stellen. Die ablehnende Antwort ist in *Anlage 1* beigefügt.[119] – In der Folgezeit hat Rü Stab Dän. verschiedentlich versucht, durch die Wehrmachtkommandantur Kopenhagen militärischen Schutz für die Anlagen zu erhalten, doch meist vergeblich oder nur zeitlich begrenzt und in unzureichendem Masse.
 Die Sorge um diese Betriebe (*Anlage 2*)[120] veranlaßt Rü Stab Dän. zu der Bitte, daß die Luftwaffe selbst den militärischen Schutz derselben übernimmt. Es wäre zu prüfen, ob es nicht möglich ist, 2 Kompanien einer Luftwaffenfelddivision mit je 125 Mann nach Kopenhagen abzustellen, die zur Genesung hierher kommandiert würden, aber gleichzeitig den Werkschutz übernommen könnten.
                                                                Forstmann
2 Anlagen

Anlage 2
Abt. Luftwaffe   *19. Mai 1944*

---

119 Forstmanns brev til Ernst Richter 14. januar 1944 og det afvisende svar 15. januar (bilag 2) er aftrykt ovenfor.
120 Trykt efterfølgende.

Firmen, die für eine militärische Bewachung in Frage kommen:

	Aufzustellende Posten	Hierzu erforderliche Wachstärke (Uffz. u. Mannschaften):	
Globus Cykler A/S[121]	3	1	9
Nordvärk A/S Rovsingsgade	8	1	24
Besetzung d. Flaktürme	–	3	30
Prüfstände Avedöre	5	1	15
A/S Globe[122]	3	1	9
		7	87

Andere Betriebe kommen voraussichtlich hinzu.
Insgesamt erforderlich: 2 Kompanien zu je 125 Mann.

145. Werner Best an das Auswärtige Amt 20. Mai 1944

Der blev forøvet en større sabotage i København 20. maj, der fik Best til at videreføre sin plan om at lade allerede dødsdømte undgælde herfor. Han indhentede den aftalte billigelse hos AA, hvorefter offentligheden kunne få meddelelse om, hvad den seneste sabotage havde kostet (Rosengreen 1982, s. 97).
Kilde: RA, pk. 204. LAK, Best-sagen (på dansk).

Telegramm

Kopenhagen, den	20. Mai 1944	14.50 Uhr
Ankunft, den	20. Mai 1944	19.00 Uhr

Nr. 650 vom 20.5.[44.]

Unter Bezugnahme auf das dortige Telegramm Nr. 546[123] vom 17.5.1944 und auf das heutige Ferngespräch mit Herrn Staatssekretär Dr. von Steengracht berichte ich, daß im Hinblick auf einen in der letzten Nacht in Kopenhagen verübten Sabotageakt (Lagerhalle einer Schiffahrtsgesellschaft)[124] der am 11.5.1944 zum Tode verurteilte dänische Staatsangehörige Georg Brockhoff Quistgaard, geb. 19.2.1915 in Kopenhagen (vergl. mein Telegramm Nr. 611[125] vom 13.5.1944) am 21.5.1944 früh hingerichtet werden

---

121 Se Forstmann til Rüstungsamt 9. juni 1944 for sabotage mod Globus.
122 Maskinfabrikken "Globe" blev udsat for sabotage af BOPA 3. maj 1944, hvorunder modstandsmanden Jørgen Schacht blev anholdt. Han blev henrettet to dage efter, og den samlede danske presse fik besked om at bringe meddelelsen om henrettelsen på forsiden med henvisning til den begåede sabotage (*Udenrigsministeriets Pressebureaus ugentlige Meddelelser til Pressen*, Nr. 170, 6. maj 1944, *Faldne i Danmarks modstandskamp*, 1970, s. 393).
123 R 268 g. Trykt ovenfor.
124 BOPA saboterede 20. maj pakhus nr. 9 og 10, Ny Toldbodgade 6, tilhørende DFDS, hvorved begge kom i brand. Pakhus 10 indeholdt stykgods bestemt for Tyskland og Norge (RA, BdO Inf. nr. 40, 23. maj 1944, Kjeldbæk 1997, s. 474).
125 Pol. VI. Trykt ovenfor.

soll.¹²⁶ Ein Gnadengesuch für ihn ist bei mir nicht eingereicht worden. Von einer Begnadigung von Amts wegen sehe ich ab.

Dr. Best

Vermerk:
St.S., BRAM, St.S. Pol., Dg. Pol. haben Abdruck erhalten.
Telko.

146. Werner Best an das Auswärtige Amt 20. Mai 1944
Endnu samme dag, som meddelelsen om Georg Quistgaards henrettelse blev offentliggjort, lod Best også offentliggøre de næste fire dødsdomme. Offentligheden og modstandsbevægelsen skulle vide navnene på nogle af de næste, der kunne komme til at betale for sabotagehandlingerne. Best meddelte, at beslutningen om benådningen af de dømte var udsat (Rosengreen 1982, s. 98).
    Kilde: PA/AA R 100.758. RA, pk. 229. LAK, Best-sagen (afskrift).

T e l e g r a m m

Kopenhagen, den	20. Mai 1944	14.55 Uhr
Ankunft, den	20. Mai 1944	19.00 Uhr

Nr. 651 vom 20.5.44.

Das SS- und Polizeigericht Dänemark hat durch Feldurteil vom 17.5.1944 wegen Raubes von Waffen, die illegalen Kreisen zugeführt wurden, zum Tode verurteilt:
1.) Frede Toftegaard Jensen, geb. 29.7.1925 in Kristrup,
2.) Paul Christian Steensgaard, geb. 21.6.1924 in Nörre Snede.
3.) Knud Henrik Bryndum, geb. 25.12.1926 in Horsens,
4.) Svend Anker Stenberg Mörch, geb. 26.3.1921 in Boller.
Die Vollstreckung der Strafen und die Entscheidung über eine Abänderung im Gnadenwege bleibt zunächst ausgesetzt.¹²⁷

Dr. Best

Vermerk:
St.S., BRAM, Dg. Pol. haben Abdruck erhalten.

---

126 Den officielle tyske meddelelse 21. maj om Georg Quistgaards henrettelse er aftrykt på dansk hos Alkil, 2, 1945-46, s. 876. Quistgaard var tilknyttet SOE som organisator m.m. (*Faldne i Danmarks frihedskamp*, 1970, s. 371f.).
127 Jfr. pressemeddelelsen trykt på dansk hos Alkil, 2, 1945-46, s. 876. Ingen af de fire dømte blev henrettet. De blev benådet 30. maj 1944 til livsvarigt tugthus (sst. s. 882).

147. Rüstungsstab Dänemark: Überblick über die im 1. Vierteljahr 1944 aufgetretene wichtigen Probleme 20. Mai 1944

Forstmanns oversigt over udviklingen i første kvartal kunne have været meget mere optimistisk, hvis ikke den først var blevet udarbejdet langt hen i maj, hvor udviklingen på flere punkter var vendt. For det første var antallet af sabotager faldet meget i løbet af kvartalet, og for det andet viste den danske rustningsproduktion for Tyskland en stadig stigning. Kvartalets største og stadig uløste problem var det tyske krav om en stærkt forhøjet månedlig dansk leverance af generatortræ.

Kilde: BArch, Freiburg, RW 19: Wi I E1: Dänemark. RA, Danica 1000, T-77, sp. 695, KTB/Rü Stab Dänemark, 1. Vierteljahr 1944. EUHK nr. 129 (uddrag).

Der Leiter der Abteilung Wehrwirtschaft *Kopenhagen, den 20. Mai 1944.*
im Rü Stab Dänemark

Ü b e r b l i c k
über die im 1. Vierteljahr 1944 aufgetretenen wichtigen Probleme.

Die politische Lage in Dänemark während des 1. Vierteljahres 1944 erfuhr eine gewisse Entspannung gegenüber dem 4. Quartal 1943. Zum Teil ist diese Erleichterung in der politischen Situation auf das Absinken der erwähnenswerten Sabotage und Terrorfälle während der ersten 3 Monate des Jahres zurückzuführen. Wenn man als bisherige monatliche Höchstzahl derartiger Akte die 100 Fälle des November 1943 ansieht, so ergeben sich folgende Vergleichszahlen:

Januar	1944	50	Fälle
Februar	–	25	–
März	–	12	–

Das ist auf die Aktivität der deutschen Sicherheitspolizei zurückzuführen, die ständig im Berichtsquartal wuchs und zu wertvollen Erfolgen führte.

Im *Januar* wurden festgenommen

	wegen	Sabotageverdacht	105	Personen
	–	kommunistischer Betätigung	37	–
	–	illegaler Tätigkeit	119	–

Im *Februar*:

	wegen	Sabotageverdacht und Waffenbesitz	136	Personen
	–	kommunistischer Betätigung	155	–
	–	illegaler Transporte nach Schweden	38	–

Im *März*:

	wegen	Sabotageverdacht	39	Personen
	–	Spionageverdacht	42	–
	–	illegaler Tätigkeit	213	–
		(kommunistische u. nationale Widerstandsgruppen.)		

Mit welchem Material Nachschub aus England die Saboteure versorgt werden, ersieht man aus einigen im Februar erbeuteten Fallschirm-Abwürfen und Materiallagern; es wurden große Mengen Sprengstoffe usw., etwa 100 Maschinenpistolen, 9 Maschinengewehre und andere Waffen mit entsprechenden Munitionsmengen gefunden.

Über die Sabotageschäden selbst erschien ein Bericht des Reichsbevollmächtigten unter dem 1.4.44,[128] (Siehe Anlagen Sabotage = 1-6)[129] in welchem es heißt:

"Nachdem die Sabotage gegen gewerbliche Betriebe, mit der seit einem Jahr die Erfüllung deutscher Fertigungsaufträge zu beeinträchtigen versucht wurde, nunmehr zu einem gewissen Abschluß gelangt ist, kann als Bilanz festgestellt werden, daß außer einigen Lieferungsverzögerungen kein Schaden für deutsche Interessen entstanden ist. Alle Aufträge wurden erfüllt. Jeder Schaden an deutschem Eigentum ist auf Grund einer Vereinbarung, die bereits mit der Regierung des Staatsministers von Scavenius getroffen war, vom dänischen Staat – nach Möglichkeit in natura, mindestens aber in Geld – ersetzt worden. Den Schaden der Sabotage hat also in vollem Umfange das Land Dänemark getragen."

In der wehrwirtschaftlichen Ausnutzung des Landes für die Bedürfnisse der Besatzungstruppe zeigen sich einige Engpässe immer deutlicher, deren Anfänge schon im 3. und 4. Quartal 1943 zu beobachten waren, so vor allem in der Beschaffung von Generatorholz, das zum erweiterten Festungsbau-Programm Jütland und zu Neubauten von Flugplätzen benötigt wird. (Siehe Anlagen 7-15).[130]

Die von der dänischen Regierung im Dezember 1943 zugesagte Lieferung von monatlich 60.000 hl Generatortankholz, beginnend ab Januar 1944, ist erst Anfang Februar 1944 zum Anlaufen gekommen, sodaß die dänische Regierung mit ihrer Lieferung z.Zt. um einen Monat im Verzug ist. Sowohl die dänische Regierung wie auch der Beauftragte des Reichsforstministers beim Reichsbevollmächtigten haben wiederholt ihre Bedenken gegen die übergroße Ausholzung der dänischen Waldbestände zum Ausdruck gebracht, da nicht übersehen werden darf, daß sehr viel Generatorholz aus dem Schwarzhandel beschafft worden ist. Deshalb war Abteilung Wehrwirtschaft im Rü Stab Dänemark in Zusammenarbeit mit dem Reichsbevollmächtigten bemüht, Generatorholz auf dem Nachschubwege zu beschaffen. Es ist nach vielen vergeblichen Versuchen endgültig Ende März 44 gelungen die Zusage auf einmalige Lieferung von 30.000 hl Generatorholz von der Generatorkraft A.G. resp. Zentralstelle für Generatoren zu erhalten, welche Ende April Anfang Mai in Dänemark eintreffen sollen.

Da jedoch diese Menge in keiner Weise ausreicht, den allernötigsten Bedarf zu decken, wurde auf weitere Vorstellungen vom Reichsforstministerium die Lieferung von 50.000 hl Generatorholz aus Finnland erwirkt. Die Abwicklung des Transportes (Verladung, Schiffsraum usw.) hat OKH Abnahmestab VII in Verbindung mit dem Baruschkestab Helsinki und dem Wehrwirtschaftsoffizier Helsinki übernommen. Es ist damit zu rechnen, daß diese Mengen Ende Mai Anfang Juni in Dänemark eintreffen.

---

128 *Politische Informationen* 1. april 1944 trykt ovenfor.
129 Bilagene er trykt eller refereret ovenfor: Franz Ebner til Walter Forstmann 11. januar 1944 (bilag 1), Forstmann til Richter 14. januar 1944 (bilag 2), Richter til Forstmann 15. januar 1944 (bilag 3), Forstmann: Aktenvermerk 18. januar 1944 (bilag 4), von Hanneken til Forstmann 12. februar 1944 (bilag 5), Forstmann til von Hanneken 7. februar 1944 (bilag 6).
130 Bilag 7-15 var om den danske regerings bevilling af 60.000 hl. generatortræ månedligt fra januar 1944 til værnemagten og OT (heraf er aftrykt Wiedemann til Rüstungsstab Dänemark 3. februar 1944 (bilag 7), bilag 9 (2. marts 1944), Werner Bests telegram nr. 252, 24. februar 1944 (bilag 10) og Rüstungsstab Dänemark: Aktenvermerk 9. marts 1944 (bilag 11).

Ein weiterer Engpaß trat im Berichtsquartal in der Beschaffung von Schnittholz und Rundholz auf. Wie aus dem Lagebericht vom 23.2.44[131] Seite 2 hervorgeht, mußte zur Deckung des dringendsten Bedarfes auch zu Zwangsmaßnahmen gegriffen werden. Obwohl Abt. Wwi bemüht war, zu Beschlagnahmemaßnahme nur im äußersten Falle zu greifen, mußten doch im Laufe der Monate Februar und März 6 Beschlagnahmen ausgesprochen werden.

Die Lage auf dem Schnittholzgebiet ist nicht so angespannt wie die auf dem Rund- und Festholzgebiet. Auch hier bemühte sich Abt. Wwi durch Nachschub aus dem Reich oder dritten Ländern, die für die dänische Forstwirtschaft auf die Dauer nicht tragbare Ausholzung zu mildern.

In der Ausfuhr dänischer Maschinen (Kriegsgerät und kriegswichtige Ware) haben sich in dem Berichtsquartal keine Schwierigkeiten ergeben. Es trat nur im Monat März dadurch eine kurze Stockung ein, daß der dänischen Regierung durch die Abt. Wwi im Rü Stab Dänemark vorsorglich auflegt wurde, keine Maschinen mit deutschen Kugellagern im Hinblick auf die Kugellagerversorgung in Deutschland zu exportieren. Diese Klausel wurde jedoch nach 10 Tagen auf Vorstellungen des Reichswirtschaftsministeriums wieder aufgehoben.

Wie aus einem Bericht des Rüstungsstabes Dänemark an den Reichsbevollmächtigten hervorgeht, bewegt sich die rüstungswirtschaftliche Heranziehung Dänemarks in aufsteigender Linie.[132]

Eine Zusammenfassung der Auftragsverlagerungen nach Dänemark und der Auslieferung der fertiggestellten Geräte nach dem Reich gibt folgendes Bild:
Der Wert der verlagerten Aufträge betrug in der Zeit vom

1.5.40-31.12.40	RM	36.900.000,-	(Monats-	RM	4.612.000,-)
1.1.41-31.12.41	–	137.406.000,-	(durch-	–	11.451.000,-)
1.1.42-31.12.42	–	126.100.000,-	(schnitt	–	10.510.000,-)
1.1.43-31.12.43	–	188.000.000,-	(	–	15.669.000,-)

Es wurden somit insgesamt in der Zeit vom 1.5.40 bis 31.12.43 für RM 488.406.000,- deutsche Rüstungsaufträge nach Dänemark *verlagert*. Hiervon wurden im gleichen Zeitraum Aufträge im Werte von RM 325.168.000,- *ausgeliefert*; das entspricht einer Auslieferungsquote von 67 %.

In letzter Zeit mehren sich die Fälle, in denen dänische Staatsangehörige um Schutz gegen die dänische Krisen- und Wirtschaftsgesetzgebung durch Intervention beim Außenministerium seitens der Abteilung Wehrwirtschaft bitten. Die auch von Abt. Wwi durchaus gebilligte Richtlinie des Reichsbevollmächtigten für Behandlung solcher Fälle geht klar und deutlich aus einem Bericht desselben hervor, der wie folgt lautet:[133]

"Bei der Behandlung solcher Fälle ist einerseits davon auszugehen, daß im Interesse des deutschen Ansehens und zur Erhaltung der Lieferfreudigkeit im dänischen Handel und Gewerbe nicht der Eindruck erweckt werden darf, daß dem Reich das Schicksal von Leuten gleichgültig sei, die für wichtige deutsche Interessen Lieferungen und Leistun-

---

131 Trykt ovenfor.
132 Se *Politische Informationen* 1. april 1944, afsnit III.
133 Se *Politische Informationen* 1. april 1944, afsnit IV.

gen erbracht haben. Andererseits muß in Betracht gezogen werden, daß fast sämtliche gesetzgeberischen Maßnahmen Dänemarks zur Lenkung der Wirtschaft auf deutsche Anregung zurückzuführen sind, die im Interesse der Erhaltung der Export- und Lieferfähigkeit des Landes gegeben wurden. Es kann daher nicht angehen, daß durch deutsche Eingriffe gegenüber der dänischen Justiz die Forderungen desavouiert werden, die von den für die Wirtschaftslenkung verantwortlichen deutschen Stellen mit Nachdruck vertreten werden. In der Praxis wird so verfahren, daß üble Geschäftemacher – vor allem Personen, die sich an die Wehrmacht herangedrängt haben, – keinen Schutz erhalten. Es wird nur im Laufe des Verfahrens beobachtet, ob wegen der Lieferung an deutsche Stellen an sich oder wegen deutschfreundlicher Einstellung des Beschuldigten ungerechte Maßnahmen vom Gericht oder der Polizei ergriffen werden. Wenn es sich um eine von beiden Seiten gesuchte Geschäftsverbindung handelt, in der der dänische Partner gut aber nicht über Gebühr verdient und nicht "schwarz" liefert, wird das Verfahren geprüft und unbillige Härten werden durch Einflußnahme auf die Strafvollstreckung gemildert.

Auch in den Fällen echter Verfehlungen wirtschaftlich schwacher Einzelunternehmer, die von deutschen Dienststellen unter starken Druck gesetzt oder über die rechtlichen und tatsächlichen Voraussetzungen ihres Handelns nicht richtig informiert worden waren, wird in gleicher Weise in die anhängigen Strafverfahren eingegriffen.

Bei allem Verständnis für den Einzelfall muß jedoch stets im Auge behalten werden, daß die dänischen Krisen- und Wirtschaftsgesetze nicht nur im dänischen sondern auch im deutschen Interesse erlassen sind und daß eine Erschütterung der Wirtschaftsordnung und der Wirtschaftsmoral in Dänemark durch Beeinträchtigung der Gesamtleistungen des Landes wichtigste Reichsinteressen schädigen würde."

Forstmann

148. Werner Best an das Auswärtige Amt 21. Mai 1944
For anden dag i træk besvarede Best en sabotage med en henrettelse. Henrettelsen blev atter sat i forbindelse med en konkret, forudgående sabotage, denne gang i Odense.
    Telegrammet er ejendommeligt ved at opgive Arne Lützen Hansen som den, der stod til henrettelse. Han blev først henrettet 24. maj, mens Carl Jørgen Larsen blev henrettet 22. maj. Givetvis havde det været hensigten at henrette Arne Lützen Hansen før Carl Jørgen Larsen, hvorefter der blev byttet om på rækkefølgen mellem de to (Rosengreen 1982, s. 97).
    Kilde: PA/AA R 29.568. RA, pk. 204. LAK, Best-sagen (på dansk).

Telegramm

Kopenhagen, den	21. Mai 1944	16.40 Uhr
Ankunft, den	21. Mai 1944	21.40 Uhr

Nr. 652 vom 21.5.[44.]

Unter Bezugnahme auf das dortige Telegramm Nr. 546[134] vom 17.5.1944 und auf das gestrige Ferngespräch mit Herrn Staatssekretär Dr. von Steengracht berichte ich, daß im Hinblick auf einen in der letzten Nacht in Odense verübten Sabotageakt (dänische Autowerkstätte mit für deutsche Zwecke eingesetzten Lastkraftwagen)[135] der am 11. Mai 1944 zum Tode verurteilte dänische Staatsangehörige Arne Lützen-Hansen, geb. 27.7.1919 in Kopenhagen [det var Carl Jørgen Larsen, geboren 6.7.1899 in Aarhus] (vergl. mein Telegramm Nr. 611[136] vom 13.5.1944) am 22.5.1944 früh hingerichtet werden soll, nachdem ich einen Gnadenerweis abgelehnt habe.[137]

Dr. Best

149. Besprechung zwischen der Volksgruppenführung und dem Befehlshaber Dänemark 21. Mai 1944

Hos WB Dänemark i Silkeborg drøftede den tyske mindretalsledelse spørgsmål vedrørende uddannelsen af Zeitfreiwilligendienst, tjenestens stilling i tilfælde af en invasion og dens uniformering og bevæbning. Mindretallet ønskede selv at stå for uddannelsen, hvilket von Hanneken ikke kunne gå ind på. Til gengæld var han indstillet på, at mindretallet måtte stå for alle forberedelser til Zeitfreiwilligendienst i tilfælde af en invasion. Med uniformer kunne han ikke være behjælpelig for tiden, og med hensyn til våben måtte man indtil videre nøjes med at fordele lageret i Åbenrå.

Kilde: PKB, 14, nr. 382.

B e s p r e c h u n g
zwischen der Volksgruppenführung und dem Befehlshaber Dänemark.

Besprechungsort: Silkeborg – Dienstzimmer des Befehlshabers Dänemark.
Besprechungszeit: 21. Mai 1944, 12 Uhr
Anwesend: *Von der Wehrmacht:*
                    General v. Hanneken,
                    Oberst Collani,
                    Major Toepke,
                    Von der Volksgruppenführung:
                    Dr. Möller,
                    P. Larsen,
                    P. Petersen,
                    Ferner:
                    Landrat Dr. Casper.

---

134 Abdruck haben erhalten: BRAM, St.S., U.St.S. Pol., Leiter Recht, Dg.Pol. Telko, 22.5.44. Trykt ovenfor.
135 Autoparken på hjørnet af Kongensgade og Dronningensgade i Odense blev udsat for sabotage. 19 lastbiler blev delvis ødelagt. De tilhørte fynske vognmænd, men kørte for besættelsesmagten (Hansen 1945b, s. 97-99. BdO registrerede ikke sabotagen).
136 Noten mangler i originalen. Trykt ovenfor.
137 Den officielle tyske meddelelse 22. maj om Carl Jørgen Larsens henrettelse er aftrykt på dansk hos Alkil, 2, 1945-46, s. 876. Carl Jørgen Larsen ("Lasse") var tilknyttet sabotageorganisationen BOPA (*Faldne i Danmarks frihedskamp*, 1970, s. 253).

Auf Wunsch des Generals berichtet Dr. Möller über die Entwicklung des Zeitfreiwilligendienstes in der letzten Zeit und schildert die Schwierigkeiten und die Verwirrung, die durch die verschiedenartig gelagerte Durchführung des Dienstes in den verschiedenen Standorten und durch die herausgegebenen Einberufungsbefehle und Richtlinien entstanden sind und bittet, wie früher verabredet, um einen Befehl an alle Zeitfreiwilligen, daß die Ausbildung der Freiwilligen in die Hand der Volksgruppe unter Aufsicht und Anleitung der Wehrmacht gelegt wird, damit der Dienst auf die übrige Volksgruppenarbeit abgestimmt wird.

Der General hat hiergegen starke Bedenken und meint, daß die Volksgruppenführung vielleicht kaum in der Lage ist, diese Ausbildung durchzuführen, da die Autorität der Volksgruppenführung wohl nicht alle Kreise der Zeitfreiwilligen erfasse.

Dr. Möller erwidert, daß dies sehr wohl möglich sei, daß aber die Autorität der Volksgruppenführung naturgemäß nur auf Vertrauen beruhen könne, und daß es immer deutsche Menschen geben würde in der Volksgruppe, die sich nicht einfügen wollen. Es handle sich hier aber erfahrungsgemäß um Kreise, die sowieso einsatzmäßig wenig oder nichts für die Volkstumsarbeit bedeuten. Er habe für alle Volksgruppenangehörigen die politische Verantwortung und müsse deshalb nochmals bitten, daß alle Fragen in Bezug auf den Zeitfreiwilligendienst vorher mit der Volksgruppenführung abgesprochen werden. Der General erklärt, daß er auf die Stimmen, die sich gegen die Volksgruppenführung richten auch nichts geben könne und wolle und betont ausdrücklich, daß man auch von der militärischen Seite die Volksgruppenführung unbedingt stützen würde, da beide Teile, Wehrmacht und Volksgruppenführung, für dasselbe Ziel arbeiten, nämlich für die Erhaltung und Erhöhung der Kriegsbereitschaft. Der General erklärt sich zu folgender Abmachung bereit:

In Bezug auf den Zeitfreiwilligendienst übernimmt die Volksgruppe alle Vorbereitungen, versendet die von der Wehrmacht unterschriebenen Einberufungen und alle Verfügungen werden vorher mit der Volksgruppenführung abgesprochen. Die Ausbildung dagegen geschieht durch die Wehrmacht, d. h. in dem Augenblick, wo die Zeitfreiwilligen in Uniform angetreten sind bis zum Wegtreten vom Dienst gelten nur die Befehle der Wehrmacht, und die Volksgruppe ist ausgeschaltet. Im Falle der Invasion stehen die Zeitfreiwilligen nur der Wehrmacht zur Verfügung, wobei absprachegemäß ein Teil der Zeitfreiwilligen (ca. 750 Mann) in Dänemark beim Nachschubwesen zum Einzug kommen können, während die übrigen in Nordschleswig zum Objektschutz bestimmt werden.[138] Dr. Möller nimmt diesen Vorschlag an.

Der General bringt dann, die Frage des Aufrufes für den Fall einer Invasion zur Sprache. Es wird vereinbart, daß die Volksgruppenführung diesen Aufruf entwirft, dem General zu Begutachtung und Unterschrift vorlegt, und daß der Aufruf dann von der Volksgruppe in Druck gegeben wird, ihn in Verwahrung nimmt, um ihn zu gegebener

---

138 Von Hanneken har for landsretten den 28. april 1949 oplyst, at det ikke var meningen, at de 750 mand skulle anvendes nord for en linie fra Kolding vestpå. For underretten har Peter Larsen den 27. april 1948 forklaret, at efter mødet i Silkeborg den 21. maj 1944 meddelte man hver især af de 750 mand, hvor han i tilfælde af invasion skulle melde sig, nemlig i Haderslev. Den enkelte blev ikke spurgt. Møller har gjort opmærksom på, at det oprindelig var de yngre årgange, der skulle gøre tjeneste udenfor Nordslesvig, men efter oprettelsen af Selbstschutz byttede man i nogen grad om på de to grupper. [PKB-note]

Zeit zu verteilen.

Der bisher herausgegebene Einberufungsbefehl soll im Sinne der Volksgruppe revidiert werden, und ein entsprechender Vorschlag ist von der Volksgruppenführung an die Dienststelle des Befehlshabers einzureichen.

Zur Frage der Uniformierung erklärt der General, daß die Lösung dieser Frage sehr schwierig sei, daß aber alles versucht werden würde um das Fehlende, zur Hauptsache Achselklappen, zu beschaffen.

Die in Apenrade für die Zeitfreiwilligen lagernden Waffen können jetzt voraussichtlich auf die einzelnen Kreise verteilt werden, damit sie im Bedarfsfalle schnell und sicher zur Verfügung stehen.

Schluß der Besprechung 1.10 Uhr.

gez. P. Petersen

150. Horst Wagner: Notiz 21. Mai 1944

Ribbentrop tog personligt stilling til sagen med den danske vicekonsul Mogensen (se 3. april 1944). Han tilsluttede sig, at Mogensen skulle forblive i tysk fængsel. Best skulle give UM besked om hans alvorlige forbrydelse, men Mogensen skulle pga. sin diplomatstatus ikke stilles for en folkedomstol, hvilket med sikkerhed ville have givet ham dødsstraf.

Kilde: RA, pk. 204.

Leiter Gr. Inland II   Zu Inl. II 922g
                                                                                                                          Geheim!

1.) Der Herr RAM hat nach Vortrag zugestimmt, daß der dänische Vizekonsul Mogensen vorläufig in deutsche Dauerhaft genommen wird.
2.) Gesandter Best wird beauftragt, dem dänischen Außenministerium Mitteilung zu machen, daß Mogensen wegen schwerster Verfehlungen in Haft genommen werden mußte und im Falle einer Vorgerichtstellung mit Sicherheit die Todesstrafe zu erwarten hätte.

   Mit Rücksicht auf seine Tätigkeit als Konsularbeamter soll aber davon abgesehen werden, gegen ihn ein an sich notwendiges Verfahren vor dem Volksgerichtshof einzuleiten.

Mit einer Haftentlassung kann aber nicht gerechnet werden.

Salzburg, den 21.5.1944.

Wagner

1.) Herrn St.S.
2.) Abteilung Prot.
3.) U.St.S. Pol.
4.) LR v. Thadden
   – je besonders – mit der Bitte um Ktsn.
5.) VK Geiger
   m.d.B. um Entwurf einer Weisung an [Dr.?] Best und Unterrichtung an Gruf. Müller.

151. Werner Best an das Auswärtige Amt 22. Mai 1944
Best havde af von Hanneken fået underretning om, at UM havde henvendt sig direkte til von Hanneken vedr. nogle ulovlige overdragelser foretaget af medlemmer af værnemagten i Danmark. Best anmodede AA om, at tjenestevejen fremover blev fulgt, og at UM ikke gik den "omvej" i sådanne tilfælde, men henvendte sig på Det Tyske Gesandtskab i København.
  Svaret er ikke lokaliseret.
  Kilde: PA/AA R 29.568. RA, pk. 204.

T e l e g r a m m

Kopenhagen, den	22. Mai 1944	22.15 Uhr
Ankunft, den	23. Mai 1944	12.30 Uhr

Nr. 654 vom 22.5.[44.]

Der Wehrmachtbefehlshaber Dänemark hat mir mitgeteilt, daß ihm vom OKW eine vom dänischen Außenministerium zusammengestellte "Übersicht der gesetzwidrigen Übertragungen seitens Mitgliedern der deutschen Wehrmacht" zugesandt worden ist, die das Reichswirtschaftsministerium des OKW übergeben habe. Dabei habe das OKW mitgeteilt: "In einer Besprechung im Reichswirtschaftsministerium wurde ein noch viel stärkeres Band derartiger Beschwerden in Aussicht gestellt."

Ich nehme diese Mitteilung zum Anlaß um wieder einmal dringend darum zu bitten, daß ein solches Verfahren seitens der beteiligten Reichsressorts nicht fortgesetzt wird. Einzelfälle der in der erwähnten "Übersicht" enthaltenen Art im Verhältnis zwischen der dänischen Verwaltung und den deutschen Institutionen auf dänischen Boden – insbesondere der deutsche Wehrmacht – zu regeln, ist eine meiner wichtigsten Aufgaben. Nur aus der Sachkenntnis meiner laufenden Arbeit können diese Fälle richtig beurteilt und geregelt werden. Der Umweg vom dänischen Außenministerium über deutsche oberste Reichsbehörden zum Wehrmachtsbefehlshaber Dänemark unter Ausschaltung meiner Behörde ist nicht nur langwierig und unzweckmäßig, sondern muß auch zwangsläufig zu minder sachgemäßen und die hiesige Zusammenarbeit erschwerenden Auswirkungen fuhren.

Im übrigen sind zahlreiche der vom dänischen Außenministerium zusammengestellten Einzelfälle auf Grund von Einzelmitteilungen, die das dänische Außenministerium entweder gegenüber meiner Behörde oder in den Regierungsausschußverhandlungen gemacht hat, von meiner Hauptabteilung Wirtschaft aufgegriffen und mit den zuständigen Dienststellen der Wehrmacht erörtert worden. Bagatellsachen oder Fälle, in denen die fraglichen Wehrmachteinheiten oder Wehrmachtsangehörigen nicht näher bezeichnet werden konnten, sind von meiner Behörde nicht weiter verfolgt worden, weil dies zwecklos und arbeitsmäßig nicht zu verantworten war. Noch zweckloser dürfte die gesammelte Übergabe solcher Fälle nach Ablauf einer Reihe von Monaten sein.

Ich bitte zu veranlassen, daß künftig die Regelung aller Einzelfälle, die von dänischer Seite – gleich auf welchem Wege – vorgebracht werden, mir überlassen wird, und daß in den Regierungsausschußverhandlungen nur die grundsätzlichen, für die dort behandelten Wirtschaftsfragen bedeutsamen Gesichtspunkte des dänischen Vorbringens erörtert werden.

Dr. Best

152. Kriegstagebuch/WB Dänemark 22. Mai 1944

Den 12. maj 1944 havde Best med henvisning til den øgede sabotage og politiets mangel på resultater anmodet om, at en lang række virksomheder fremover blev bevogtet af dansk politi (Hæstrup, 1, 1966.71, s. 473).

Endnu mens disse forhandlinger pågik, føjede von Hanneken sine egne krav til, nemlig at kommunikationsnettet blev beskyttet ved indsættelse af politi, gendarmer eller civile.

Der forelå et svar 31. maj.

Kilde: KTB/WB Dänemark 22. maj 1944.

[...]

Von OKW ist auf unsere Stellungnahme betreffend den Schutz der Nachrichtenverbindungen in Dänemark Antwort eingegangen, die verlangt, daß auch durch Bewachung und Einsatz dänischer Zivil-, Polizei- und Gendarmeriekräfte der Schutz der Nachrichtenverbindungen verbessert wird; unter Umständen ist Heranziehung dänischer Kräfte zu erzwingen, da von hier nicht übersehen werden kann, in welchem Umfang dänische Polizei für derartige Aufgaben herangezogen werden kann, wird dem Reichsbevollmächtigten die Antwort im Wortlaut übersandt und um Stellungnahme hierzu gebeten.

[...]

153. Werner Best an das Auswärtige Amt 23. Mai 1944

Best havde indhentet endnu en billigelse af eksekveringen af dommen over en dømt modstandsmand i anledning af nogle sabotager i København, sabotager som han selv parentetisk betegnede som betydningsløse.

Det er en understregning af, at det var en politik, der blev forfulgt uanset proportionerne i modstandernes handlinger (Rosengreen 1982, s. 98).

Kilde: PA/AA R 29.568. RA, pk. 204. LAK, Best-sagen (afskrift).

Telegramm

Kopenhagen, den	23. Mai 1944	20.15 Uhr
Ankunft, den	23. Mai 1944	24.00 Uhr

Nr. 658 vom 23.5.[44.]

Unter Bezugnahme auf das dortige Telegramm Nr. 546[139] vom 17.5.44 und auf das Ferngespräch mit Herrn Staatssekretär Dr. von Steengracht am 20.5.44 berichte ich, daß im Hinblick auf einige in der letzten Nacht in Kopenhagen verübte (im einzelnen nicht sehr bedeutende) Sabotageakte[140] der am 11. Mai 1944 zum Tode verurteilte dänische Staatsangehörige Arne Lützen-Hansen, geb. 27.7.1919 in Kopenhagen (vergl. mei-

---

[139] R 268 geh. Gerichtsbarkeit in Dänemark. Trykt ovenfor.
[140] Der blev forøvet sabotage mod M.P. Pedersens Radiofabrik, Lille Strandstræde 14, hvorved der opstod betydelig skade, der berørte tyske interesser og antændte brand i en tysk barak i Kastellet i København (RA, BdO Inf. nr. 41, 1944).

ne Telegramme Nr. 611[141] vom 13.5.44, Nr. 652[142] vom 21.5., Nr. 655[143] vom 22.5.44) am 24.5.44 früh hingerichtet werden soll.[144]

Dr. Best

Vermerk:
St.S., BRAM, U.St.S. Pol., Dg.Pol. u., Abtlg. Leiter Recht haben Abdruck erhalten. Telko, den 24.5.44.

154. Werner Best an das Auswärtige Amt 23. Mai 1944
Mens Best endnu ikke vidste, hvordan det ville gå med hans første forsøg på at udnytte sin forordningsret (oprettelsen af en SS-domstol), fremturede han ved fortsat at påkalde sig denne ret og anvende den, hvilket han meddelte AA, dog var det i mindre politisk problematiske tilfælde, idet han "forbedrede og tillempede" forordninger, der tidligere var udstedt af værnemagten i Danmark. Begrundelsen var den, at værnemagtsretten i Danmark havde betvivlet hans ret til at udstede forordninger. Nu fik såvel denne ret som AA trykte eksemplarer af Bests nye forordningsblad som et vidnesbyrd derom.
Kilde: PA/AA R 46.371. RA, pk. 283. LAK, Best-sagen (oversat med bilag). PKB, 13, nr. 747.

Der Reichsbevollmächtigte in Dänemark   *Kopenhagen, den 23. Mai 1944.*
B. Nr. II 853/44

An das Auswärtige Amt,
    Berlin.

Betrifft: Das Verordnungsblatt des Reichsbevollmächtigten in Dänemark.
2 Durchschläge.
10 Anlagen.[145]

Bei der Aufhebung des militärischen Ausnahmezustandes in Dänemark am 6. Oktober 1943 habe ich eine Reihe von Anordnungen des Wehrmachtbefehlshabers Dänemark, die während des Ausnahmezustandes erlassen worden waren, durch einfache Bekanntmachung aufrechterhalten.

In der Folgezeit ist von Seiten der Wehrmachtgerichte in Dänemark bezweifelt worden, ob ich berechtigt sei, Verordnungen zu erlassen, an die die Wehrmachtgerichte gebunden seien.

Aus diesem Grunde und im Hinblick auf die Notwendigkeit von Verbesserungen und Ergänzungen der früheren Anordnungen habe ich auf Grund der mir vom Führer

---

141 bei Pol. VI. Trykt ovenfor.
142 bei Recht. Trykt ovenfor.
143 bei Recht. Telegrammet er ikke lokaliseret.
144 Den officielle tyske meddelelse 24. maj om Arne Lützen Hansens henrettelse er aftrykt på dansk hos Alkil, 2, 1945-46, s. 877. Arne Lützen Hansen var tilknyttet SOE (Bovensiepens aktivitetsberetning for juni og juli 1944, *Faldne i Danmarks frihedskamp*, 1970, s. 144ff.).
145 Bilaget er ikke medtaget. Det er heller ikke medtaget i PKB, 13, nr. 747. *Verordnungsblatt des Reichsbevollmächtigten in Dänemark* Nr. 1-5, maj 1944-marts 1945 er tilgængelig via bl.a. Det Kongelige Bibliotek.

am 20. Januar 1944 erteilten Ermächtigung heute die folgenden Verordnungen erlassen, in denen die früheren Anordnungen den gegenwärtigen Notwendigkeiten angepaßt werden:

1.) Verordnung zum Schutz der deutschen Wehrmacht vom 23. Mai 1944.[146]
2.) Verordnung über die Beschlagnahme von Grundstücken und Gebäuden für die deutsche Wehrmacht vom 23. Mai 1944.[147]
3.) Verordnung über Lieferungen und Leistungen für die deutsche Wehrmacht vom 23. Mai 1944.[148]

Um die heute erlassenen und die weiter zu erlassenden Verordnungen allen interessierten Dienststellen authentisch zur Verfügung zu stellen, habe ich das "Verordnungsblatt des Reichsbevollmächtigten in Dänemark" geschaffen, in dessen erster Folge die erwähnten Verordnungen veröffentlicht worden sind.

10 Exemplare des Verordnungsblattes sind beigefügt.

[sign. mgl.]

155. Walter Forstmann an Hans-Heinrich Wurmbach 23. Mai 1944

Admiral Wurmbach blev underrettet om en sabotage mod firmaet Wilhelm Johnsen A/S (Always Radio), der udelukkende arbejdede for Kriegsmarine. Firmaet arbejdede i en lejet bygning, hvis ene halvdel var blevet totalt ødelagt, mens den anden halvdel kunne benyttes til fortsat drift efter en reparation. Udgifterne til reparationen måtte tages fra marinebygningsafdelingen, da det var i Kriegsmarines interesse at få skaden udbedret.

Kriegsmarines svar er ikke lokaliseret, men sagen var endnu ikke afgjort i slutningen af juni, se Rüstungsstab Dänemarks situationsberetning 30. juni 1944, afsnittet Marine.

Det var BOPA, der stod bag sabotagen mod Always Radio, der androg ødelæggelser for 1.008.000 kr. (RA, BdO Inf. nr. 39, 17. maj 1944, Kjeldbæk 1997, s. 474).

Kilde: BArch, Freiburg, RW 27/15. KTB/Rü Stab Dänemark 2. Vierteljahr 1944, Anlage 19.

Abschrift!   Anlage 19
Chef Reichsmin. f. Rüst. u. Kriegsproduktion   *23. Mai 1944*
Abt. Marine

An Admiral Skagerrak – Marinebauamt –
    Kopenhagen
    Sc. Annä Plads.

Am 13. Mai ds.Jrs. wurde die Firma Wilhelm Johnsen A/S Kopenhagen, Teglholmsgade 3/5 durch Sabotage erheblich beschädigt. Die Firma arbeitet ausschließlich für die Kriegsmarine, OKM M Wa, und zwar kriegswichtige Nachrichtengeräte. Deshalb liegt ein großes Interesse der Kriegsmarine dafür vor, daß die Instandsetzung wenigstens eines Teiles der Gebäulichkeiten umgehende erfolgt.

---

146 Fyldigt resumé foretaget af de tyske myndigheder er trykt på dansk hos Alkil, 2, 1945-46, s. 877-879.
147 Trykt på dansk hos Alkil, 2, 1945-46, s. 881.
148 Trykt på dansk hos Alkil, 2, 1945-46, s. 882.

Die Firma Johnsen ist untergebracht in einem von einem von der Nordisk Kabel Gesellschaft Kopenhagen angemieteten Gebäude.

Die eine Hälfte des Gebäudes ist vollständig zerstört worden. Die Wiedererrichtung wird sich hinziehen, weil die Firma Nordisk Kabel des Gebäude nicht in dem alten Zustand wieder herstellen will, sondern ganz neue Baupläne hegt.

Die andere Hälfte des Gebäudes ist so gut wie erhalten. Die Brandmauer zwischen dem zerstörten und nicht zerstörten Teil des Gebäudes, die von der Fa. Johnsen errichtet worden war, hat wohl den Brand stark abgehalten, ist aber schließlich eingestürzt. Sie muß wieder aufgebaut werden, um einen Abschluß der einen Hälfte des Gebäudes zu haben. Auch muß eine Wand sowie das Dach eines Anbaues wiederhergestellt werden.

Rü Stab Dän. schätzt die Kosten für die Wiederaufrichtung der Brandmauer und Instandsetzung des Anbaues auf rund 9.600,- Kronen.

Die Firma Johnsen, die nur kriegsversichert war bezüglich der Inneneinrichtung des Gebäudes (Maschinen, elektr. Installation und Inventar), war aber nicht versichert bezüglich der Brandmauer und des Schuppens.

Rü Stab Dän. sieht deshalb keine andere Möglichkeit, um im Interesse der Marine die Fertigung wieder anlaufen zu lassen, als daß das Marinebauamt aus eigenen Mitteln die angeführten Schäden beseitigen läßt, und bittet im Einvernehmen mit der Fa. Johnsen das Erforderliche zu veranlassen.

Auf die Rücksprache mit Reg. Baurat Kruse vom Rü Stab Dän. wird hingewiesen.

gez. **Forstmann**

156. Horst Bender an Friedrich Fiedler 23. Mai 1944
I Günther Panckes fravær stilede Bender RFSS' beslutning i sagen K.B. Martinsen til hans stedfortræder, Friedrich Fiedler. Bests forslag fra 3. maj blev fulgt, men Martinsen skulle indtil videre forblive på posten som Schalburgkorpsets leder.
Sagen var ikke dermed stillet i bero, som det fremgår af Benders gennemslag til SS-retten i München. Best modtog ikke en tilsvarende besked. Se Best til Bender 10. august.
Kilde: RA, pk. 442.

Der SS-Richter beim Reichsführer-SS *Feldkommandostelle, den 23.5.1944.*
und Chef der Deutschen Polizei Geheime Kommandosache
Tgb. Nr. VI 289/44g Be/Wi. 3 Ausfertigungen, 3. Ausfertigung.

Betr.: SS-Obersturmbannführer Martinsen.
Bezug: Dort. Schreiben vom 2.5.44 – Tgb. Nr. 453/44/g.Kdos.

An den stellv. Höheren SS- und Polizeiführer in Dänemark
SS-Brigadeführer Fiedler
Kopenhagen

Sehr verehrter Brigadeführer!
In der Angelegenheit des SS-Obersturmbannführers Martinsen habe ich dem Reichsführer-SS Vortrag gehalten und teile Ihnen in Bestätigung unserer Unterredung vom 20.5. folgende Anordnungen des Reichsführers SS mit:
1.) Martinsen bleibt vorläufig als Kommandeur des Schalburg-Korps in Dänemark.
2.) Unabhängig davon wird gegen ihn ein SS- und polizeigerichtliches Untersuchungsverfahren vom dem SS- und Polizeigericht z.b.V. in München durchgeführt.
3.) Die dänischen Behörden erhalten über Einleitung und Ausgang des gerichtlichen Verfahrens keine Mitteilung.

SS-Obergruppenführer Best und den Chefrichter des SS- und Polizeigerichts Kopenhagen habe ich entsprechend unterrichtet.

Heil Hitler!
gez. **Bender**
SS-Standartenführer

Durchschriftlich
an das Hauptamt, SS-Gericht, München,
mit der Bitte um Kenntnisnahme u. weitere Veranlassung.

Es handelt sich darum, daß SS-Ostubaf. Martinsen einen Angehörigen das Schalburg-Korps, Baron von Eggers, persönlich niedergeschossen hat. Wegen des bisherigen Materials bitte ich, sich mit dem SS- und Polizeigericht Kopenhagen in Verbindung zu setzen. Nach Abschluß der Ermittlungen wünscht der Reichsführer-SS Bericht unter Übersendung der Akten und dortiger Stellungnahme.
gez. **Bender**
SS-Standartenführer

157. Rüstungsstab Dänemark: Verlagerung der Anfertigung von Heeresausrüstungsstücken nach Dänemark 24. Mai 1944

Rüstungsstab Dänemark udarbejdede i maj 1944 dette notat, der redegjorde for de store fordele ved at henlægge tysk produktion til danske virksomheder frem for de besatte vestområder. Den billigere kvindelige arbejdskraft og den punktlige levering var væsentlige parametre, der blev trukket frem.

Det blev vedlagt som bilag til krigsdagbogen for andet kvartal 1944, hvor der i øvrigt var opstået stigende problemer pga. sabotagen. Notatet har givetvis skullet være med til at dæmpe det negative indtryk. Trods problemerne var Danmark fortsat landet, hvortil tysk produktion optimalt kunne henlægges.

Kilde: BArch, Freiburg, RW 27/15. RA, Danica 1000, T-77, sp. 696. KTB/Rü Stab Dä, 2. Vierteljahr 1944, Anlage 20.

Rüstungsstab Dänemark
Abteilung Verwaltung

Anlage 20
24.5.44

Verlagerung der Anfertigung
von Heeresausrüstungsstücken nach Dänemark.

Die Verlagerung der Anfertigung von Heeresausrüstungsstücken nach Dänemark war anfänglich auf große Schwierigkeiten gestoßen, da die fabrikationsmäßige Fertigung solcher Ausrüstungsstücke in Dänemark bisher unbekannt war. Durch Heranziehung und Schulung von fraulichen Hilfskräften war es möglich, auf gelernte männliche Fachkräfte immer mehr zu verzichten und auch die Gestehungskosten durch das billigere Arbeiten der fraulichen Hilfskräfte den Preisen im Reich allmählich mehr abzugleichen. Die in Dänemark eingerichteten Fertigungsstätten arbeiten heute zur vollen Zufriedenheit der deutschen Verlagerungsfirmen. Auch das Oberkommando der Wehrmacht äußert sich in einem Schreiben vom 17.5.44 Az. 64 m V 5 (10a) an das Wehrmachtbeschaffungsamt (Bekleidung und Ausrüstung) in Erfurt in gleichem Sinne wie folgt:
"Um deutsche Arbeitskräfte frei machen und anderen Aufgaben zuführen zu können, sind die in Dänemark eingerichteten Fertigungsstätten in größtmöglichem Umfange in Anspruch zu nehmen. Von Verlagerung nach Dänemark ist deshalb weitgehend Gebrauch zu machen. Auf keinen Fall dürfen geringere Aufträge als bisher nach Dänemark verlagert werden. Lieferungen aus Dänemark sind bisher fristgemäß ohne nennenswerte Schwierigkeiten eingegangen. Bei Verlagerung in die besetzten Westgebiete haben sich dagegen erhebliche Schwierigkeiten und Verzögerungen in der Lieferung ergeben."

158. Rüstungsstab Dänemark: Sabotage bei Fa. Burmeister & Wain A/S 25. Mai 1944
Rüstungsstab Dänemark opgjorde skaderne efter sabotagen mod B&W på Christianshavn den foregående nat. På ny var strømforsyningen blevet afbrudt, denne gang var det gået ud over såvel generatorerne som dieselmaskinerne, hvilket fuldstændigt afskar virksomheden fra strøm. Det blev vurderet, at det ville tage mindst tre måneder at få virksomheden i gang igen. En fløj af fabrikken udbrændte fuldstændigt, hvorved tegninger, arkiv, værktøjslager og specialmaskiner gik tabt. I maskinhallen stod ca. 250 cylindre til flyvemaskinemotorer, der alle var blevet ødelagt ved slag. Sabotørerne måtte have været fuldt fortrolige med virksomhedens indretning.

Det var BOPA, der stod bag sabotagen mod B&W 24. maj 1944 i Wildersgade/Strandgade, der androg en skade på 2.845.000 kr. Aktionen byggede på et nøje kendskab til virksomheden og kontakter på stedet (Kjeldbæk 1997, s. 246, 474). BdO var af den opfattelse, at den treetagers bygning, den såkaldte gamle skole, hvor fabriksværnets kommandocentral var anbragt, kunne være reddet af brandvæsenet, men at bygningen fik lov til at nedbrænde (RA, BdO Inf. nr. 42, 30. maj 1944).

Kilde: BArch, Freiburg, RW 27/15. RA, Danica 1000, T-77, sp. 696, KTB/Rü Stab Dänemark, 2. Vierteljahr 1944, Anlage 21.

Abschrift!   Anlage 21
Rüstungsstab Dänemark   *Kopenhagen, den 25 Mai 1944.*
Abt TB

Betr. Sabotage bei Fa. Burmeister & Wain A/S, Kopenhagen am 25.5.44

Aktenvermerk

Die Besichtigung der Schadensstelle erfolgte durch Reg-Baurat Jeschke mit Rittmeister Schlüter vom Rüstungsstab Dänemark am 25. Mai 44 um 10.30 h.

Als Ergebnis der Besichtigung wird gemeldet:

1.) Es sind erneut sämtliche zur Kraftstromerzeugung dienenden sieben Dieselaggregate mit gekuppeltem Generator zerstört und zwar sowohl die Dieselmaschinen als auch die Generatoren.

Dadurch ist die gesamte Kraftstromversorgung der Maschinenfabrik Christianshavn ausgefallen. Die Mindestdauer bis zum *teilweisen* Wiederanlauf des Betriebes beträgt etwa 3 Monate.

2) Ein Flügel des Verwaltungsgebäudes (sogen. alte Schule) ist völlig abgebrannt. In diesem Flügel befanden sich Zeichenstuben und allgemeine Verwaltungsbüros. (Alle Geschäftsakten bis etwa 1941 einschließlich sind verbrannt.) Im Keller dieses Flügels befindet sich ein Werkzeuglager mit Spezialwerkzeugen sind durch die Hitze wahrscheinlich ausgeglüht bzw. sind sie durch Wasserschäden völlig unbrauchbar.

Zur Zeit der Besichtigung war der Brand noch nicht völlig gelöscht.

3) In der Maschinenhalle sind etwa 250 fast fertig bearbeitete Zylinderköpfe (Auftrag der BMW-Flugmotorenwerke, Brandenburg, Listen Nr.: A 4299) einzeln durch Hammerschläge auf die Kühlrippen ausnahmslos beschädigt und dadurch restlos unbrauchbar gemacht.

Es sind etwa 10 Bomben gelegt worden. Die erste explodierte um 1.07 h. Dir. Dithmer wurde um 1.30h telefonisch benachrichtigt. Der Werkschutzleiter Knudsen hatte noch keine Nachricht und erhielt erst durch Dir. Dithmer Kenntnis von der Sabotage.

Von Dir. Dithmer wurde angegeben, daß etwa 25 bewaffnete Saboteure mit Gesichtsmasken eingedrungen sind. Der Ort des Eindringens und nähere Vorgänge darüber sind noch unbekannt. Der Werkschutz hat sich nicht zur Wehr gesetzt, bei der Besichtigung war der Werkschutzleiter Knudsen nicht zu erreichen.

Die Täter müssen mit den Örtlichkeiten völlig vertraut gewesen sein (Lage der Dieselaggregate an 4 verschiedenen Stellen und Zerschlagen der Zylinderköpfe). Es besteht der bestimmte Eindruck, daß die Täter von Werksangehörigen geführt worden sind.

Das Eindringen der Saboteure muß d.E. vor 1.07h gelegen haben, da die Zylinderköpfe sicher vor der Explosion der ersten Bombe beschädigt worden sind.

gez. **Jeschke**
Regierungsbaurat

159. Werner Best an das Auswärtige Amt 25. Mai 1944
Best gav AA meddelelse om eksekveringen af endnu to dødsdomme. Over for den danske offentlighed blev de to henrettelser præsenteret hver for sig for at øge virkningen, og i Benny Mikkelsens tilfælde blev samtidigt meddelt, at en kvinde i samme sag, Grethe Jensen, havde fået tugthus på livstid for opbevaring af sprængstoffer (Rosengreen 1982, s. 97).

Kilde: PA/AA R 29.568. RA, pk. 204. LAK, Best-sagen (afskrift).

Telegramm

Kopenhagen, den   25. Mai 1944   19.30 Uhr
Ankunft, den   25. Mai 1944   21.30 Uhr

Nr. 668 vom 25.5.[44.]

Im Hinblick auf 2 in der letzten Nacht erfolgte Sabotageakte habe ich die Begnadigung des von SS- und Polizeigericht Dänemark zum Tode verurteilten Orla Andersen, geboren am 7.10.1915 in Hornslet abgelehnt, die Hinrichtung findet am 26.5.44 statt und wird gleichzeitig veröffentlicht.[149] Weiter wird im Hinblick auf die Ermordung des dänischen Hausmeisters der dänischen Sicherheitspolizei in Odense,[150] der wegen Gewaltverbrechens zum Tode verurteilte Benny Mikkelsen, geboren 23.8.1925 in Aarhus, am 26.5.44 hingerichtet werden, ich sehe, nachdem kein Gnadengesuch eingereicht ist, von einer Begnadigung von Amts wegen ab.[151]

Dr. Best

Vermerk:
BRAM, St.S., U.St.S. Pol., Dg.Pol., Ges. Dr. Grundherr haben Abdruck erhalten.
Telko, den 25. Mai 1944.

160. Joseph Goebbels: Tagebuch 25. Mai 1944

Sabotagen var løjet af i Danmark, men trods det ulmede der en understrøm af uro i landet, der skyldtes Bests slappe ledelse. Diplomatiet havde været en fiasko og Best en nitte. Derimod havde modterroren ført til en betragtelig sænkning i antallet af attentater.

Kilde: *Die Tagebücher von Joseph Goebbels*, Teil II:12, s. 353f.

[...]

Gernanth[152] berichtet mir von den Verhältnissen in Dänemark. Die Sabotageakte haben abgenommen; aber trotzdem ist das Land von einer geheimen Unruhe erfüllt. Die Dänen sind zu ihren Terrorversuchen überhaupt nur gekommen durch die außerordentlich schlappe Führung, die seitens des Reichsbevollmächtigten durchgeführt wird. Ein absoluter Versager ist unsere Diplomatie. Nicht nur, daß sie selbst keine gute Propaganda betreibt, sie hindert auch noch die Vertreter unseres Hauses an der Durchführung einer solchen. Best hat sich als glatte Niete erwiesen. Eine Reihe von Terrorakten, die von un-

---

149 Det blev i den officielle tyske meddelelse om henrettelsen af Orla Andersen nævnt, at den stod i forbindelse med sabotagen mod B&W i Strandgade i København og mod Accumulatorfabrikken LYAC, Parallelvej 5, i Lyngby (Alkil, 2. 1945-46, s. 880). Begge sabotager var udført af BOPA (Kjeldbæk 1997, s. 474).
150 Harald Sørensen, der var portner hos BdO i Odense, var 23. maj blevet skudt (RA, BdO Inf. nr. 42, 30. maj 1944, Hansen 1945b, s. 140, Alkil, 2, 1945-46, s. 880).
151 Orla Andersen (leder af nedkastningsgruppe i Hornslet) og Benny Mikkelsen (medlem af sabotagegruppe i Ålborg) blev henrettet 26. maj 1944 som indberettet af Best (*Faldne i Danmarks Frihedskamp*, 1970, s. 42, 291f.).
152 Richtig: Gernand. [dagbogsudgiverens note]

serer Seite durchgeführt wurden, haben großen Eindruck gemacht. Insbesondere wird jede Sprengung der Terroristen durch eine Sprengung von unserer Seite beantwortet, was die Sprengattentatsserie beachtlich zum Sinken gebracht hat.
[...]

161. Kriegstagebuch/Admiral Skagerrak 26. Mai 1944

MOK Ost havde besluttet at bygge for NVK på Hørup Klint på Als. Wurmbach udtrykte sin store betænkelighed derved, da situationen i Danmark var blevet betydeligt skærpet med hensyn til spionage og sabotage siden planlægningen af byggeriet. Der var bevis for, at den fjendtlige efterretningstjeneste interesserede sig for anlægget. Wurmbach fandt det yderst betænkeligt at lave hemmelig forsøgsvirksomhed i Danmark, da man måtte regne med at fjenden ville blive støttet af den engelskvenlige befolkning.

Wurmbach havde god grund til at være betænkelig. Den tyske forsøgsstation på Hørup Klint, der blev indrettet foråret 1944 i en nedlagt torpedostation fra første verdenskrig, blev fra første færd fulgt af den illegale danske militære efterretningstjeneste, selv om det tog lang tid at få opklaret, hvad der forgik på forsøgsstationen. Det kom først frem i 1987, da en tidligere ingeniør ved stationen fortalte, at man bl.a. havde arbejdet med at udvikle midler, der kunne forstyrre den fjendtlige radar og radarpejling (Skov Kristensen 1995d, s. 178-190).

NVK = Nachrichtenmittelversuchskommando
Kilde: KTB/ADM Dän 26. maj 1944, RA, Danica 628, sp. 3, s. 3363.

Allgemeines:

1.) Entscheidung Oberbefehlshaber MOK Ost trifft ein, daß die Bauvorhaben für NVK in Hörup Haff, bzw. Broacker, durchgeführt werden sollen.

Ich hatte z.Zt. dagegen schwerste Bedenken erhoben, weil sich die Lage im dänischen Raum bezüglich der feindlichen Spionage und Sabotage seit der Planung dieser Vorhaben erheblich verschärft hat. Es liegen verschiedene Erkundungsergebnisse inzwischen festgenommener Spione vor, die eindeutig beweisen, welches Interesse der feindliche ND an den Objekten hat. Ich halte darüber hinaus *jede* geheime Versuchstätigkeit im dänischen Raum für äußerst bedenklich, da mit weitgehendst Unterstützung des Feindes seitens der englandfreundlichen Bevölkerung gerechnet werden muß.
[...]

162. Werner Best an das Auswärtige Amt 26. Mai 1944

Den 26. maj 1944 søgte tysk politi at arrestere 26 danskere ved en samlet aktion i Jylland, heraf var 13 fremtrædende politifolk. De allerfleste blev pågrebet. Formålet med denne såkaldte "politimesteraktion" var at sætte både den danske militære efterretningstjeneste og P-ordningen for Jylland ud af spillet. Det lykkedes; den tyske politiaktion var et hårdt slag, men kun på kort sigt, selv om endnu en del anholdelser fulgte sidst i maj og begyndelsen af juni. Den tyske offentliggørelse af en liste over anholdte, fremtrædende danskere skulle mere end noget andet demonstrere tysk politis effektivitet og i lighed med offentliggørelsen af dødsdomme og henrettelser skræmme andre fra at gå samme vej.

Karl Heinz Hoffmann forklarede 16. maj 1947, at aktionen skulle være en advarsel til dansk politi mod at involvere sig i illegalt arbejde (telegram 21. juni 1944, Hæstrup, 1, 1966-71, s. 475f., Trommer 1973, s. 159f., LAK, Best-sagen).

Kilde: RA, pk. 204, 228 og 438a.

Telegramm

Kopenhagen, den	26. Mai 1944	22.25 Uhr
Ankunft, den	27. Mai 1944	11.00 Uhr

Nr. 675 vom 26.5.[44.]

Da eine heute von der deutschen Sicherheitspolizei in Jütland durchgeführte Festnahmeaktion voraussichtlich im Ausland als Sensation ausgeschlachtet werden wird, teile ich nachstehend die Pressemeldung hierüber mit, die morgen in der dänischen Presse veröffentlicht wird:[153]

"Von offizieller deutscher Seite wird mitgeteilt:
Unter dem dringenden Verdacht der Spionage und der Mitarbeit an einer illegalen militärischen Organisation sind am 26.5.44 in Jütland die folgenden Personen festgenommen worden:
Oberstleutnant Svend-Erik Johnstad-Möller in Fredericia,
Polizeimeister Dr. Jur. Aage August Agersted in Aarhus,
Redakteur Einar Björn Hanssen in Apenrade,
Polizeimeister Ejnar Höck in Aarhus,
Kaufm. Angestellter Harald Lyck in Sonderburg,
Polizeikommissar Hans Egede Rein-Jensen in Aarhus,
Kapitän der Gendarmerie Aage Malling Jacobsen in Kollund,
Redakteur Einar Kirkegaard in Aarhus,
Polizeimeister Aage Jäger in Randers,
Kapitän Svend Greve in Aarhus,
Kriminal-Oberbeamter Jörgen Nielsen in Apenrade,
Amtmann Kresten Refslund-Thomsen in Apenrade,
Polizeiassistent Ansgaard in Viborg,
Kriminalbeamter Alfred Christian Mogensen in Horsens,
Polizeioberbeamter Jörgen Jensen Sörensen in Aarhus,
Polizeikommissar Knud Wiese in Aarhus,
Färbermeister Thorkild Jacobsen in Apenrade,[154]
Polizeimeister [E.] Brix in Tondern,
Kapitän [P.M.] Digmann in Tondern,
Schriftleiter Berntsen in Tondern,
Kapitän [Svend] Seehusen in Esbjerg.
Der Oberst der Gendarmerie Svend Bartolin Paludan-Mueller in Gravenstein, der sich der Festnahme widersetzte, wurde hierbei getötet."

---

153 Trykt på dansk hos Alkil, 2, 1945-46, s. 880f.
154 Som nævnt nedenfor (23. juni 1944) anholdt tysk politi ved en fejltagelse Jacob Thomsens far, Thorkild Jacobsen, i stedet for sønnen, der undslap til Sverige.

Zu dem Fall des Gendarmerieobersten Paludan-Mueller teile ich ergänzend mit, daß dieser aus seinem Hause auf das deutsche Polizeikommando schoß und zwei Schutzpolizeibeamte tötete, worauf das Haus mit Handgranaten in Brand geworden wurde und Paludan-Müller in dem brennenden Hause umkam.[155] Über das Gesamtergebnis der polizeilichen Vernehmungen werde ich zu gegebener Zeit berichten.[156]

Dr. Best

163. Horst Wagner an Werner Best 27. Mai 1944
Best fik besked om, at Ribbentrop var enig i, at vicekonsul Mogensens handlinger var så alvorlige, at han ville blive dømt ved en tysk domstol og indtil videre holdt i tysk fængsel (jfr. Horst Wagners notat 21. maj 1944 med Ribbentrops beslutning (RA, pk. 204)).

Mogensen kom derfor ikke tilbage til Danmark. Efter fængslingen i Danzig kom han til koncentrationslejrene Flossenbürg og Dachau, hvorfra han blev befriet af amerikanerne 4. maj 1945 (Nellemann 1989, s. 71).

Kilde: PA/AA R 118.986.

Abschrift Auswärtiges Amt   *Berlin, den 27. Mai 1944*
Inl. II 922 g   Geheim

An den Bevollmächtigten des Großdeutschen Reichs
    in Dänemark in Kopenhagen.

Betr.: den dänischen Vizekonsul Mogensen, Danzig.
Beziehung auf den Drahtbericht vom 10. Mai 1944.[157]

Der Herr Reichsaußenminister hat zugestimmt, daß mit Rücksicht auf die Tätigkeit des Vizekonsuls Mogensen aus Danzig als aktiver höherer dänischer Konsularbeamter in Deutschland davon abgesehen wird, gegen ihn ein an sich notwendiges Verfahren vor dem Volksgerichtshof einzuleiten, und daß er vielmehr vorläufig in deutsche Dauerhaft genommen wird.

Der Chef der Sicherheitspolizei und des SD ist gebeten worden, entsprechende Maßnahmen zu treffen.

Auf Weisung des Herrn Reichsaußenministers bitte ich, dem Dänischen Außenministerium mitzuteilen, daß Mogensen wegen schwerster Verfehlungen in Haft genommen werden mußte und im Falle der Einleitung eines an und für sich notwendigen gerichtlichen Verfahrens mit Sicherheit die Todesstrafe zu erwarten hätte. Mit Rück-

---

155 Sven Paludan-Müller var organisationsleder for de illegale P-grupper i Jyllandsområdet og tilknyttet den militære efterretningstjeneste. Han havde forud besluttet sig for at modsætte sig anholdelse, da Gestapo kom til hans hjem, men optog kampen, hvorunder hans familie fik lov til at forlade huset. Huset blev påfølgende beskudt med granater og sat i brand og oberstens lig senere fundet i ruinen (*Faldne i Danmarks frihedskamp*, 1970, s. 344f.).
156 Se de af Best til AA fremsendte indberetninger om tysk politis virksomhed 8. og 23. juni 1944.
157 Trykt ovenfor.

sicht auf seine Tätigkeit als höherer dänischer Konsularbeamter solle aber von einem Gerichtsverfahren Abstand genommen werden; mit einer Haftentlassung könne nicht gerechnet werden.

Im Auftrag
gez. **Wagner**

164. Josef Terboven an Herbert Backe 29. Maj 1944

Da REM ikke havde villet bevilge 10.000 t sukker fra Danmark til Norge, så Terboven sig tvunget til grundlæggende at revidere sin hidtidige positive holdning til ministeriet. Dernæst hobede han et antal argumenter op, der skulle godtgøre det rimelige i hans ønske, herunder at den danske landbrugsproduktion til Tyskland var stærkt opreklameret og kun kunne finde sted, fordi bl.a. Norge ydede et væsentligt gødningstilskud. Han afsluttede med at karakterisere REMs metoder som egenartede i europæisk ernæringspolitik og gjorde opmærksom på, at han ville underrette Göring og Hitler derom. Når Hitler ikke allerede var blevet underrettet, var det fordi han havde udskudt samtalen i forventning om en positiv reaktion på hans nye henvendelse.

Terboven valgte en stærkt injurierende og fornærmende tone i sit brev, der ikke kan have haft til formål at ændre REMs afgørelse, men i stedet var egnet til yderligere konfrontation. REM kom Terbovens forehavende på tværs, det satte ham i affekt, og som en anden skoledreng, der ikke fik sin vilje, ville han altså nu gå til føreren med sit krav.

Backe svarede 15. juni 1944.

Kilde: RA, Danica 1000, T-175, sp. 125, nr. 650.933-939 (bilag nr. 938f.).

Der Reichskommissar für die besetzten norwegischen Gebiete T./Kt. RV. Nr. 6964 g.Rs.	Oslo, den 29. Mai 1944 Geheime Reichssache! 5 Ausfertigungen 3. Ausfertigung

Herrn Reichsminister Backe,
    Berlin W 8

Lieber Parteigenosse Backe!
Der Inhalt Ihres Schreibens vom 11. ds.Mts.[158] – V B 3- 415 g (326 g)/M – 103 g/44 – stellt für mich in mehrfacher Hinsicht eine solche Enttäuschung dar, daß ich mich gezwungen sehe, meine in den ganzen vergangenen Jahren gegenüber Ihrem Ministerium und seinen Forderungen und Nöten eingenommene mehr als positive Haltung einer gründlichen Revision zu unterziehen.

Ich habe in der Vergangenheit meine Aufgabe immer darin gesehen, ohne Rücksicht auf "politische Rückschläge" in dem vom mir betreuten Land in erster Linie das deutsche Interesse wahrzunehmen und die deutsche Heimat zu unterstützen. Aus diesem Grunde habe ich die norwegische Bevölkerung ernährungs- und versorgungsmäßig immer an der überhaupt möglichen knappsten Grenze gehalten, und wo Sie einmal in besonderer Not waren, habe ich sogar immer aus der eingangs genannten Grundeinstel-

---

158 Trykt ovenfor.

lung diese Grenze überschritten. In diesem Zusammenhang verweise ich auf eine von vielen Tatsachen:

Als wir im Vorjahr durch den Bombenangriff auf Rjukan in große Schwierigkeiten hinsichtlich der Erfüllung des Stickstoffprogramms kamen,[159] habe ich auf Ihre dringliche Bitten hin und trotz schwerwiegendster Proteste seitens der norwegischen Landwirtschaft das Norwegen vertraglich zugesicherte Kontingent zu Gunsten Dänemark um 2.000 N. gekürzt mit dem Erfolg, daß Dänemark gegenüber dem durch höhere Gewalt bewirkten Ausfall besser abschnitt als selbst Norwegen.

Ich habe das alles getan in der selbstverständlichen Erwartung, daß umgekehrt die Mindestforderung, die Norwegen auf den verschiedensten Gebieten stellen mußte, auch unter allen Umständen Ihrerseits erfüllt würden. Entsprechende Zusagen grundsätzlicher Art, sowohl von Ihnen selbst, als auch von Ihren verantwortlichen Mitarbeitern, liegen schockweise vor und sind insbesondere immer wieder erneuert worden, wenn wir unsere allseitig anerkannte ausgezeichnete Lieferung zur Deckung einer besonderen Not sogar einmal wieder hinausgegangen waren.

Umso enttäuschender ist für mich Ihre Haltung in der Zuckerfrage. Vor einigen Wochen habe ich dem hier anwesenden Ministerialdirigent Clausen[160] in dieser Angelegenheit ein Schreiben mitgegeben und ihm beantragt, unter allen Umständen schnellstens eine Entscheidung von Ihnen herbeizuführen, da ich in den nächsten Tagen zum Führer müsse und im Falle einer Ablehnung bei der Bedeutung dieser Angelegenheit für Norwegen eine Führer-Entscheidung herbeiführen würde. Man hat mich hingehalten und ohne eine Entscheidung gelassen, so daß ich einmal aus Loyalität Ihnen gegenüber, und zum anderen, um den Führer nicht [unnötig?] mit Problemen zu belasten, darauf verzichtet habe, den Führer in dieser Sache in Anspruch zu nehmen. 14 Tage später mußte ich überraschend erneut zum Führer und habe mitteilen lassen, daß ich bei der Bedeutung dieser Entscheidung die Angelegenheit nunmehr zum Vortrag bringen würde. Daraufhin wurde von Ihrem Ministerium mitgeteilt, daß in Ihrer Abwesenheit schon eine negative Entscheidung vorbereitet worden sei, Sie diese aber umgestoßen und Auftrag gegeben hätten, alles zu tun, um unsere Forderung zu erfüllen. Daraufhin habe ich erneut verzichtet, dem Führer Vortrag über die Zuckerbewirtschaftung durch das Reichsernährungsministerium zu halten, die man, insbesondere in der Gegenüberstellung Norwegen und Dänemark, nur als grotesk bezeichnen kann. Wenige Tage nach meiner Rückkehr vom Führer erhielt ich dann Ihren ablehnenden Bescheid. Dieser Bescheid enthält nicht nur Unrichtigkeiten, sondern er macht es sich auch, trotzdem es sich dabei für uns um ein Problem von allerernstester Bedeutung handelt, in der Ablehnung so billig und leicht, daß es entweder an der Orientierung oder am Verantwortungsbewußtsein mangelt.

1.) Allein die Tatsache, daß einem Jahresverzehr von 13 kg pro Kopf der norwegischen Bevölkerung ein solcher von 34 kg in Dänemark gegenübersteht, läßt Ihre Behauptung schon absurd erscheinen, daß bei einer dänischen Zuckerbilanz von 169.000 t

---

159 Se Terboven til Backe 3. april 1944.
160 Hans Clausen Korff, der dermed blev bragt i en prekær dobbeltrolle som både REMs repræsentant hos Terboven og som medlem af det tysk-danske regeringsudvalg.

eine einmalige Kürzung von 6.000 t + 2.000 t, die notwendig bist, um unseren Mindestverzehr überhaupt aufrecht erhalten zu können, untragbar politische Rückschläge herbeiführen würde.

2.) Ihre Behauptung, daß von 45.000 t dänischen Industriezuckers bereits 36.000 t verbraucht seien, kann nicht den Tatsachen entsprechen, da der Hauptverbrauch bei der Marmeladenindustrie liegt die erst vom Hochsommer ab produziert, ganz davon abgesehen, daß überhaupt erst die Hälfte des dänischen Zuckerjahres verstrichen ist. Hier wird offensichtlich in durchsichtiger Weise der Begriff des Disponierens mit dem des Verbraucht seins ausgetauscht.

3.) Noch kennzeichnender ist, daß Sie keinerlei Versuch machen, von dem selbst zugegebenen Restquantum von 9.000 t nur irgendwelche Menge für uns freizumachen.

4.) Ähnlich zu bewerten ist Ihre Erklärung, daß die dänischen Umsatzlager nur 200 t betrügen, entgegen unserer angeblichen Angabe von 2.000 t. Ich habe in meinem Brief lediglich vorgeschlagen, die deutschen und dänischen Umsatzlager mit je 2.000 t anzugreifen, während von der Höhe dieser Lager mit keinem Wort die Rede gewesen ist. Sie betrugen im übrigen nach eigener Äußerung der Dänen innerhalb der Handelsvertragsverhandlungen durchweg ca. 8.000 t und die in Deutschland etwa 100.000 t.

5.) Sie widersprechen zwar meiner Feststellung, daß beim Wegfall von Zuckergebäck der Brotpreis nicht mehr gehalten werden könnte, machen dabei aber nicht einmal den Versuch einer Beweisführung, ein besonderes Zeichen, wie billig Sie sich Ihre Ablehnung machen.

6.) Über den letzten Absatz Ihres Briefes kann man nur staunen. Sicherlich haben wir zu keiner Zeit – ähnlich wie Dänemark – eine Reklame mit unseren landwirtschaftlichen Leistungen an das Reich betrieben, wir haben sie vielmehr als unsere selbstverständliche Pflicht angesehen, die erfüllt wird, ohne besonders darüber zu reden. Dabei habe ich allerdings vorausgesetzt, daß der zuständige Fachminister über unsere Leistungen und ihren objektiven Wert ein klares und einwandfreies Bild besessen hätte. der letzte Absatz Ihres Schreibens gibt mir den Beweis, daß diese Voraussetzung bei mir einen falschen Optimismus entsprungen ist. Aus diesem Grunde möchte ich die Leistungen nochmals klar und einfach herausstellen:

a.) Unsere bis heute geleisteten Fischerei-Lieferungen in Höhe von 1.775.000 t entsprechend nach dem Umrechnungswert von 1:2,5 700.000 t Fleisch.

Die Fisch- und Heringsmehllieferungen in diesem Rahmen mit rund 140.000 t sind vom Reich immer wieder als besonders lebenswichtig gekennzeichnet worden, und wir haben uns daher zu Lasten der norwegischem Wirtschaft und der Bevölkerung buchstäblich bis aufs Hemd ausgezogen.

Die Lebertran-Lieferungen, von denen man das gleiche sagen kann, erreichen 1944 die enorme Menge von 26.000 t und sind durch nichts anderes zu ersetzen.

Neben diesen offiziellen Lieferungen, die allein schon in dem ausgesprochenen Fischland Norwegen Mangellage erzeugten, haben wir den Soldaten – insbesondere den Urlaubern – gestattet, auch ihrerseits noch auf dem inner-norwegischen Markt aufzukaufen, um so auch ihren Familien unmittelbar etwas zukommen zu lassen. Im Interesse des Sorgens für die Heimat und für die Wehrmacht haben wir hier keine Rücksicht auf mögliche "politische Rückschläge" genommen.

b.) Wir haben der Wehrmacht geliefert:

über	27.000 t	Fleisch
mehr als	10.000 t	Fett
	4.000 t	Käse
über	53.000 t	Gemüse
weit über	100.000 t	Fisch (incl. Urlauberausfuhr)
und schließlich insgesamt	425.000 t	Kartoffeln
und	300.000 t	Futtermittel einschließlich Zellulose.

c.) Der Gegenwert der von uns gelieferten 200.000 t Stickstoff entspricht 2,8 Millionen t Gerste. Von diesen Lieferungen entfällt allein die Hälfte auf Dänemark. Nach den Fütterungsrichtlinien des Reiches erzeugt man nun mit 3,5 kg Gerste 1 kg Schweinfleisch, das bedeutet, daß die Dänen mit den von uns gelieferten über 100.000 t Stickstoff 400.000 t Fleisch produzieren konnten. Die Dänen selbst müssen nach ihren eigenen Versuchsergebnissen und Darstellungen, die hier vorliegen, den Produktionswert des von Norwegen gelieferten Stickstoffs noch beträchtlich höher veranschlagen, als ich dies soeben getan habe. Aus einer Aufstellung und einem Kommentar, die ich beifüge, um Ihnen die Möglichkeit zu geben, die dänischen Quellen nachprüfen zu lassen, ergibt sich folgendes Bild:

Von 1939-1944 ist in Kalksalpeter umgerechnet eine Leistung von Norwegen nach Dänemark in Höhe von 798.000 t zu veranschlagen. Hiervon können 90.000 t in der Zuckerrübenproduktion und 708.000 t Ware in der Getreideerzeugung Dänemarks angesetzt worden sein. Hiermit hat die dänische Landwirtschaft 250.000 t Zucker und 1.895.000 t Getreide mehr erzeugen können, als wenn der Kalksalpeter nicht zur Verfügung gestanden hätte. So denken die Dänen selbst über die norwegischen Stickstoffleistungen.

Da Ihnen wenigstens die Lieferungszahlen von Dänemark ins Reich bekannt sein dürften, kann ich ohne weiteres feststellen, daß diese seit Jahren mit so viel Reklame herausgestellten Lieferungen ohne die entscheidenden Leistungen Norwegens überhaupt unmöglich sind. Umso grotesker muß es auf jeden nüchtern denkenden Menschen wirken, wenn man demgegenüber Dänemark eine einmalige Leistung von 6.000 t + 2.000 t Zucker nicht zumuten kann.

d.) Zusammenfassend kann ich feststellen, daß wir – selbst ohne den Stickstoff einzusetzen und absolut gesehen – weit-aus höhere Leistungen erbracht haben als Dänemark, und daß wir auch dem Reich gegenüber einen erheblich höheren Aktiv-Saldo haben.

Die vorstehenden begründeten und mit Zahlen belegten Ausführungen, denen ich noch hinzufüge, daß bereits ab Anfang Juni die Schwierigkeiten in der Zuckerversorgung beginnen und ab Mitte Juli die Rationen nicht mehr zur Verfügung stehen werden, berechtigen mich zu folgenden abschließenden Feststellungen:

Die Ablehnung unserer Forderung auf eine zusätzliche Lieferung von 10.000 t Zucker wird für Norwegen schwerwiegendste Folgen haben, während ihre Erfüllung durch die von uns vorgeschlagene gemeinsame Leistung des Reiches und Dänemark bei nur etwas guten Willen ohne weiteres möglich ist.

Wird sie trotzdem nicht erfüllt, zwingt mich das, für die Zukunft von meinen bisherigen Grundsatz abzugehen und dem Reichsernährungsministerium gegenüber in der Folge, soweit unsere Lieferungen in Frage kommen, eine Reihe von Sicherungen einzuschalten und Reserven anzulegen.

Darüber hinaus behalte ich mich vor, den Reichsmarschall und den Führer über die aus diesem Vorfall ersichtlich werdenden eigentümlichen Methoden in der europäischen Ernährungspolitik seitens des Reichsernährungsministeriums zu unterrichten.

Heil Hitler!
gez. **Terboven**

2 Anlagen.

Anlage 1
Berechnung über die Mehrproduktion mit Hilfe von norwegischem Stickstoff in Dänemark, Schweden und Finnland von 1939/40-1943/44

	Exporte	umgerechn. in Kalksalpeter	angewandt für Zuckerrübenproduktion	Getreide	Mehrproduktion Zucker	Getreide
	N	to	to	to	to	to
Dänemark						
1939/40	19.672	127.000	18.000	109.000	50.000	290.000
40/41	27.323	176.000	18.000	158.000	50.000	425.000
41/42	27.152	175.000	18.000	157.000	50.000	420.000
42/43	30.481	197.000	18.000	179.000	50.000	480.000
Zus. 39/40-42/43	105.628	675.000	72.000	603.000	200.000	1615.000
Plan 43/44	19.100	123.000	18.000	105.000	50.000	280.000
Zus. 39/40-43/44	124.728	798.000	90.000	708.000	250.000	1895.000
Schweden						
1939/40	18.300	117.000	–	117.000	–	314.000
40/41	15.252	99.000	–	99.000	–	264.000
41/42	15.253	99.000	–	99.000	–	264.000
42/43	15.743	101.000	–	101.000	–	270.000
Zus. 39/40-42/43	64.548	416.000		416.000		1112.000
Plan 43/44	9.300	60.000		60.000		156.000
Zus. 39/40-43/44	73.848	476.000		476.000		1268.000
Finnland						
1939/40	2.941	19.000	–	19.000	–	51.000
40/41	4.276	28.000	–	28.000	–	75.000
41/42	4.271	28.000	–	28.000	–	75.000
42/43	5.125	33.000	–	33.000	–	88.000
Zus. 39/40-42/43	16.613	108.000		108.000		289.000
Plan 43/44	3.080	19.840		19.840		53.000
Zus. 39/40-43/44	19.693	127.840		127.840		342.000

Anlage 2
Kommentar zur Berechnung der Mehrernten mit norwegischem Stickstoff in Dänemark, Schweden und Finnland (von 1939/40 – 1943/44).

Der exportierte Salpeter wird für Getreide, Rüben und nur im geringen Umfange für Grünland verwandt. Die Mehrerträge aller dieser Gewächse zu berechnen, ist nur schwer möglich, da die Düngerverteilung nicht bekannt ist. Für Dänemark spielt der Salpeter in Zuckerrübenanbau die größte Rolle. Dänemark hat im letzten Jahr 60.000 ha Zuckerrüben angebaut und mindestens 300 kg Salpeter pro ha verbraucht. Man kann es verantworten, wenn man den verbleibenden Salpeter in Dänemark ferner in Schweden und Finnland für den Getreideanbau ansetzt, da der Dünger entweder für das Getreide oder für Pflanzen, die einen entsprechenden Ertrag durch die Viehhaltung ergeben, verwandt wird.

Nach den dänischen Versuchen von Karsten Iversen (Düngerlehre 4. Ausgabe) kann man rechnen, daß durchschnittlich folgende Mehrträge mit 100 kg Salpeter erzielt werden können:

	schwerer Boden		Sandboden		Mittelboden	
Roggen	310	kg	280	kg	295	kg
Weisen	280	–	330	–	305	–
Gerste	240	–	250	–	245	–
Hafer	230	–	220	–	225	–
Durchschnitt für alle Getreidearten					267,5	kg
Durchschnitt für Brotgetreide					300,0	–
Zuckerrüben	1.600	kg	1.600	kg	1.600	kg

Rechnet man einen Zuckergehalt von 17 %, erzielt man 272 kg Zucker durch 100 kg Salpeter.

Der letzte dänische Versuch (Landbo – og Husmandsforeningernes Forsögsvirksomhed i Planteavl, 17. Meddelelse, Mars 1943) zeigt folgende Mehrträge:

	100	kg	Chilesalpeter	=	170	kg	Zucker
	100	–	Kalksalpeter	=	30	–	–
	100	–	Kalksalpeter				
+	200	–	Kochsalz	=	280	–	–

Der Kochsalzzuschuß kann ersetzt werden durch 300 kg Kainit anstelle von 100 kg 40%igem Kalidünger. Da neben Kalksalpeter entweder Kochsalz oder Kainit einen Ertrag von 272 kg Zucker ermöglichen. Bei Getreide ist in den Berechnungen des Mehrertrags vom Durchschnitt aller Getreidearten ausgegangen worden.

165. Kriegstagebuch/WB Dänemark 31. Mai 1944

Af von Hannekens krigsdagbog fremgår, at Best havde fået forhindret, at civile danskere blev inddraget i bevogtningen af kommunikationen i Danmark ved at love, at danske politipatruljer ville tage sig af det. Blandt Bests argumenter mod at anvende civile gengav von Hanneken et, nemlig det indtryk det ville gøre især på landbefolkningen i Jylland – et hovedproduktionsområde for Tyskland.

Von Hannekens Tagesmeldung og Bests medsendte brev er ikke lokaliseret.

Kilde: KTB/WB Dänemark 31. maj 1944.

[...]

Auf die vom OKW/WFSt eingegangene Stellungnahme zur Bewachung der lebenswichtigen Kabelverbindungen durch dänische Polizei und Gendarmerie, unter Hinzuziehung der dänischen Zivilbevölkerung wird nach Rücksprache mit dem Reichsbevollmächtigten an WFSt gemeldet, daß künftig dänische Polizeistreifen alle lebenswichtigen Kabelverbindungen sichern. Die Stellungnahme des Reichsbevollmächtigten zu der Anregung, die Bevölkerung zur aktiven Mithilfe heranzuziehen, wird gleichzeitig übersandt. Danach ist jeder Druck auf die Landbevölkerung – besonders in Jütland, dem Hauptproduktionsgebiet für das Reich – politisch und wirtschaftlich so nachteilig, daß der Reichsbevollmächtigte solchen Maßnahmen nachdrücklichst widersprechen müßte.

[...]

166. Joachim von Ribbentrop an Lutz Schwerin von Krosigk 31. Mai 1944

Rigsfinansminister Lutz Schwerin von Krosigk havde 24. januar 1944 henvendt sig til AA med anmodning om at hæve Danmarks andel af besættelsesomkostningerne, og endnu inden et svar forelå herpå ved yderligere to breve 23. februar og 20. marts at have foreslået clearingkontoen omstillet til danske kroner og anmodet om, at misforståelserne vedrørende værnemagtens finanshåndtering i Danmark blev aflivet.

I sit svar afviste von Ribbentrop en forhøjelse af Danmarks andel af besættelsesomkostningerne, og han afviste ligeledes en omstilling af clearingkontoen efter drøftelse med adskillige ressortområder. Endelig var der værnemagtens håndtering af sine udgifter i Danmark, der havde ført til kritik flere gange, og som OKW havde søgt at afhjælpe. Nu var Best sat til at overvåge, hvordan det gik dermed.

Se endvidere referatet 7. juni af rigsfinansministerens konference med en række andre ressortområder (Jensen 1971, s. 238 for problematikken).

Schwerin von Krosigk skrev til Ribbentrop om sagen igen 10. november 1944.

Kilde: RA, pk. 204.

Der Reichsminister des Auswärtigen *Fuschl, den 31. Mai 1944*

An den Herrn Reichsminister der Finanzen Graf Schwerin-Krosigk
Berlin

Lieber Graf Schwerin-Krosigk!
Die in Ihren Schreiben vom 24. Januar, 23. Februar und 20 März 1944[161] behandelten Fragen der Erhebung eines Besetzungskostenbeitrags von Dänemark, der Umstellung

---

[161] Finansministerens breve 24. januar og 25. februar 1944 er trykt ovenfor. Brevet af 20. marts er ikke lokaliseret.

des deutsch-dänischen Clearing-Kontos auf Dänen-Kronen und der Abstellung von Mißständen in der Finanzgebarung der deutschen Wehrmachtsverbände in Dänemark sind in der Zwischenzeit wiederholt eingehend in den Regierungsausschüssen[162] und im handelspolitischen Ausschuß (HPA)[163] behandelt sowie von unseren Sachbearbeitern besprochen worden. Nachdem nunmehr die Stellungnahme der Ressorts und des Reichsbevollmächtigten Dr. Best vorliegt,[164] möchte ich zu den von Ihnen angeschnittenen Fragen folgendes bemerken:

1.) Zu der Frage der Änderung der Aufbringung der Besatzungskosten Dänemarks teilen Sie in ihrem Schreiben vom 20. März 1944 mit, daß Sie z.Zt. davon absehen wollen, die Angelegenheit weiter zu verfolgen. Ich bin ebenfalls nach eingehender Prüfung zu dem Ergebnis gekommen, daß es im jetzigen Zeitpunkt nicht zweckmäßig wäre, die gegenwärtige Aufbringung der Besatzungskosten durch Vorschüsse der Dänischen Nationalbank aufzuheben und dafür endgültige, durch Steuern und Anleihen aufzubringende Beiträge des dänischen Staates zu fordern.

Das im August 1940 getroffene Abkommen zwischen der Deutschen Verrechnungskasse und der Dänischen Nationalbank über die Finanzierung der Wehrmachtsausgaben sieht zwar vor, daß bei der Erhebung der Besatzungskostenvorschüsse das Deutsche Reich Schuldner und die Dänische Nationalbank Gläubiger wird, aber dies ist ein rein formaler buchmäßiger Vorgang, der z.Zt. das Deutsche Reich sachlich überhaupt nicht belastet. Die Frage einer späteren Rückzahlung dieser Vorschüsse ist bei Abschluß des Abkommens formell offen gelassen worden. Auf dänischer Seite ist man sich aber völlig darüber klar, daß eine Rückzahlung der Vorschüsse nicht erfolgen wird, daß sie vielmehr zu einem späteren Zeitpunkte als dänischer Beitrag zum gegenwärtigen Kriege festgestellt und als Forderungen an das Reich gestrichen werden.

Eine Abänderung der deutsch-dänischen Vereinbarungen über die Finanzierung der Besatzungskosten würde auch die Schwierigkeit ergeben, daß sie nicht durch vertragliche Vereinbarung mit dem Dänischen Staat herbeigeführt werde könnte, da während des Nichtbestehens einer politischen Regierung die dänische Zentralverwaltung sich nicht zu einer so grundsätzlichen politischen Entscheidung befugt ansehen würde. Da der Reichstag seit der Verkündung des militärischen Ausnahmezustandes am 29.8.1943 seine Tätigkeit eingestellt hat und die Zentralverwaltung seitdem nur in einem beschränkten Rahmen notwendige Rechtsanordnungen erläßt, würde auch keine Möglichkeit bestehen, die zur Aufbringung der Besatzungskosten erforderlichen Steuergesetze usw. zu erlassen. Es könnte deshalb nur der Weg beschritten werden, daß der Reichsbevollmächtigte aus deutschem Recht die Erhebung der erforderlichen Abgaben

---

162 Senest på møderne i København 12.-19. april, hvor det på ny fra tysk side blev afvist at overgå fra Reichsmark til kroner (Jensen 1971, s. 236).
163 HPA mødeprotokol 17. februar 1944, trykt ovenfor.
164 Der foreligger stillingtagen fra Emil Wiehl 23. februar, 5. og 12. marts og 5. april 1944 (alle trykt ovenfor), fra Reichsbankdirektorium 5. april 1944 (trykt ovenfor) samt tre udkast til svarbreve fra henholdsvis marts (skrevet af Wiehl), april (skrevet af Karl Schnurre) og 24. maj (skrevet af Ripken med baggrund i Wiehls indstillinger). De tre udkast til svar er ikke medtaget (alle i RA, pk. 204, Wiehls stillingtagen 23. februar også i pk. 281, hvor alene Schnurres udkast ligger). Bests stillingtagen fremgår af telegram af 5. februar 1944.

anordnete. Dies würde eine Änderung der gegenwärtigen Politik gegenüber Dänemark bedeuten, die es bis jetzt vermieden hat, den völkerrechtlichen und staatsrechtlichen Status des Landes zu verändern.

Falls die erforderlichen Anordnungen durch den Reichsbevollmächtigten erlassen werden, muß auch mit einer passiven Resistenz der dänischen Verwaltung und der dänischen Steuerzahler gerechnet werden, da die dänische Bevölkerung diese Maßnahmen als einen Bruch der deutschen Zusicherungen vom April 1940 betrachten würde. Ein rigoroses Vorgehen in der Frage der Übernahme der Wehrschutzkosten im jetzigen Zeitpunkt könnte somit bedenkliche Rückwirkungen auf unsere handelspolitischen Beziehungen zu Dänemark haben, worauf besonders der Reichsminister für Ernährung und Landwirtschaft hinweist. Sowohl das Gefühl erlittenen Unrechts und fremden Zwanges als auch die Befürchtung, erzielte Gewinne durch Steuererhebungen zu Gunsten der Deutschen zu verlieren, würde vor allem den Produktionswillen und die Lieferfreudigkeit der dänischen Landwirte erheblich beeinträchtigen. Sie werden mit mir übereinstimmen, daß gerade diese Erwägung uns veranlassen muß, gegenüber Dänemark behutsam zu verfahren, um die gegenwärtig besonders wertvollen Leistungen dieses Landes durch Steuererhöhungen oder sonstige Beunruhigungen des Wirtschaftslebens nicht zu gefährden.

Ich halte es hiernach auf alle Fälle für ratsam die Forderung an Dänemark, einen Besatzungskostenbeitrag aufzubringen, bis auf weiteres zurückzustellen.

2.) Zu dem im Ihrem Schreiben vom 25. Februar 1944 behandelten Anfrage des dänischen Regierungsausschusses auf Umstellung des deutsch-dänischen Clearing-Kontos auf Dänen-Kronen nehme ich folgende Stellung ein:

Ich teile ihre Ansicht, daß die deutsche Verrechnungskasse die Zustimmung des Handelspolitischen Ausschusses hätte einholen müssen, bevor sie Anfang September 1943 dazu überging, der dänischen Nationalbank für die von ihr verauslagten Kronenbeträge nicht mehr Gutschrift in Reichsmark, sondern in Dänenkronen zu erteilen. Dieser Standpunkt ist auch in dem einmütigen Beschluß des HPA vom 17. Februar d.Js. zum Ausdruck gekommen. Ich bin ferner mit Ihnen der Ansicht, daß ein Eingehen auf den dänischen Wunsch, unsere bis jetzt in Reichsmark aufgelaufene Schuld auf Dänenkronen umzustellen, nicht in Betracht gezogen werden sollte. Es sprechen aber nach meiner Auffassung gewichtige Gründe dafür, daß die von der Deutschen Verrechnungskasse nun einmal gehandhabte Praxis, nach der der dänischen Nationalbank für die von ihr verauslagten Kronenbeträge Gutschrift in Dänenkronen erteilt wird, zunächst weiter beibehalte wird.

Wenn gemäß Ihrem Vorschlage das Reichsbankdirektorium veranlaßt werden sollte, die im September 1943 eingeleitete Praxis der Deutschen Verrechnungskasse gegenüber Dänemark sofort wieder abzubauen, so würde eine solche Desavouierung einer von einer deutschen Stelle getroffenen Auszuschließender in Dänemark unzweifelhaft Aufsehen erregen. Abgesehen davon, wäre mit einer erheblichen Verstimmung auf Seiten der dänischen Zentralverwaltung und des Präsidiums der Nationalbank zu rechnen, auf deren Entgegenkommen wir in vielen Fällen bei der Regelung des Zahlungsverkehrs mit Dänemark Wert legen müssen. Es ist oft notwendig, aus besonderen Gründen Zahlungen nach Dänemark über das Clearing zu leiten, weil infolge der dauernden Passivität unserer Zahlungsbilanz mit Dänemark uns die erforderlichen Devisen nicht zur Verfügung stehen. Solche Zahlungen können aber über das Clearing nur mit Zustimmung der dänischen Seite erfolgen, da nach den Bestimmungen des Clearing-Vertrages nur Zahlungen aus dem Warenverkehr, für Dienstleistungen und ähnliches über das Clearing abgerechnet werden sollen. Eine Ablehnung des auch von Ihnen als verständlich bezeichneten dänischen Wunsches, für ihre Kronenvorlagen bilanzmäßig eine Forderung in Kronen zu besitzen, wurde aller Voraussicht nach in der dänischen Öffentlichkeit bald bekannt werden und eine Diskussion über den inneren Wert der Bilanz der Nationalbank hervorrufen. Eine solche Diskussion wäre uns durchaus unerwünscht, da sie sicherlich dazu beitragen würde, das Vertrauen der dänischen Bevölkerung in ihre Währung zu mindern, wodurch sich – wie obenstehend bereits ausgeführt – gewisse Rückwirkungen, insbesondere auf die Lieferfreudigkeit der dänischen Landwirte ergeben könnten.

In der in Ihrem Schreiben erwähnten Stellungnahme des Reichsbevollmächtigten in Dänemark hat dieser seinerzeit deshalb gegen die Ablehnung des dänischen Wunsches keine Bedenken erhoben, weil ihm damals nicht bekannt war, daß die Deutsche Verrechnungskasse seit September v.Js. ihre Praxis bereits geändert hatte. Der Reichsbevollmächtigte vertritt nunmehr die Auffassung, die er auch bei einer Besprechung Herrn Staatssekretär Reinhard gegenüber geäußert hat, daß es ratsam wäre, bei dem seit September 1943 geübten Verfahren zu bleiben.

In diesem Zusammenhange möchte ich noch besonders auf die Stellungnahme des Reichsbankdirektoriums vom 5. d.Mts. zu Ihrem Schreiben hinweisen.

Aus den vorstehend dargelegten Gründen halte ich es daher nicht für zweckmäßig zurzeit einem Druck auf die Dänen auszuüben, um die Beibehaltung der bis zum September 1943 geübten Praxis durchzusetzen.

Ich bitte Sie deshalb, Ihren Standpunkt einer erneuten Prüfung zu unterziehen, und ich würde es begrüßen, wenn Sie Ihre Bedenken in dieser Frage zurückstellen würden.

3.) Die in Ihrem Schreiben vom 20.3.1944 gerügten Mißstände in der Finanzgebarung der deutschen Wehrmachtsverbände, der OT und anderer deutscher Dienststellen in Dänemark sind nicht nur wiederholt in den Verhandlungen der Regierungsausschüsse, sondern auch gelegentlich der Besuche des Präsidenten der dänischen Nationalbank Bramsnäs sowie des dänischen vorsitzenden Wassard in Berlin eingehend erörtert worden. Das OKW ist wiederholt um Abstellung dieser Mißstände gebeten worden. Hierauf dürfte der Erlaß des OKW vom 21. Februar d.Js. über die Steuerung der Geldausgaben und Beschaffungen der deutschen Wehrmacht in Dänemark (Steuerungserlaß)[165] zurückzuführen sein, der gerade die Bekämpfung der erwähnten Mißstände bezweckt, äußerste Sparsamkeit vorschreibt, die Zahlung von Überpreisen verbietet, die Bildung von Kassenrücklagen untersagt sowie andere Vorschriften über die Regelung der Einkäufe der Wehrmacht, der Waffen-SS, der Polizei, der OT und des RAD in Dänemark enthält.

---

165 Om OKWs skatteforordning af 21. februar 1944, se Wiehl til von Ribbentrop [5.] april 1944.

Der Reichsbevollmächtigte in Dänemark ist angewiesen, die Angelegenheit im Auge zu behalten und über die Auswirkungen dieses Steuerungserlasses zu berichten. Weitere Mitteilung behalte ich mir nach Eingang der Berichte des Reichsbevollmächtigten vor.

Abschrift dieses Schreiben erhalten der Herr Reichsmarschall des Großdeutschen Reiches – Beauftragter für den Vierjahresplan –, der Herr Reichswirtschaftsminister, der Herr Reichsminister für Ernährung und Landwirtschaft, der Herr Reichsminister für Rüstung und Kriegsproduktion, der Herr Generalfeldmarschall Keitel, der Reichskommissar für die Preisbildung und das Reichsbankdirektorium.

Heil Hitler!
stets Ihr
gez. **Ribbentrop**

167. Rüstungsstab Dänemark: Lagebericht 31. Mai 1944
Forstmanns situationsberetning for maj 1944 var ikke præget af optimisme. En række betydelige sabotager, der udskød tyske leverancer i måneder, var ikke til at komme uden om.
Kilde: BArch, Freiburg, RW 27/15 og 23. RA, Danica 1000, T-77, sp. 696, KTB/Rü Stab Dänemark, 2. Vierteljahr 1944, Anlage 23.

Anlage 23

Rüstungsstab Dänemark *Kopenhagen, den 31. Mai 1944.*
ZA/Ia Az. 66dl/Wi-Ber. Nr. 353/44 geh. Geheim!

Bezug: OKW Wi Rü Amt/ Rü IIIb Nr. 21755/43 v. 9.5.42.
Betr.: Lagebericht.

An den Reichsminister für Rüstung und Kriegsproduktion – Rüstungsamt –
  Berlin W 8
  Unter den Linden 36

Rü Stab Dänemark übersendet in der Anlage den Lagebericht für Monat Mai 1944.
Forstmann

Rüstungsstab Dänemark *Kopenhagen, den 31. Mai 1944.*
ZA/Ia Az. 66dl/Wi-Ber. Nr. 353/44 geh.

Beurteilung der gesamtrüstungswirtschaftlichen Lage
Die rüstungswirtschaftliche Lage gab im Mai 1944 zu besonderen Ausstellungen keinen Anlaß. Die Auftragsverlagerungen und Auslieferungen erfolgten planmäßig.

Vordringliches
Im Berichtsmonat wurden Eigentum, Unterkünfte usw. der Besatzungstruppen 21, ge-

gen Betriebe, die mit mittelbaren und unmittelbaren Wehrmachtaufträgen belegt sind, 12 Sabotageakte verübt. Besonders stark wurden betroffen:
- die Firma Burmeister &Wain, Maschinenfabrik, Kopenhagen, Ovengade, die durch Zerstörung der Kraftzentrale einen Ausfall in der Fertigung von ca. 3 Monaten hat,[166]
- die Firma Wilh. Johnsen A/S, Kopenhagen, die in der Fertigung von Sende- und Empfangsanlagen für OKM auf ca. 4 Monate ausfallen wird,[167]
- die Firma M.P. Petersen, Radiofabrik, Kopenhagen, die ebenfalls in der Fertigung von Sende- und Empfangsanlagen für OKM auf ca. 4 Monate ausfallen dürfte,[168]
- die unter Leitung der GL-Verbindungsstelle Dänemark stehenden, früher staatlichen Fliegerwerkstätten in Kopenhagen, die so schwer getroffen wurden, daß eine Fortführung des Betriebes nicht mehr möglich ist.[169] Die dort liegenden Aufträge wurden zu anderen Firmen verlegt.

Die im April gemeldete Sabotage bei der Firma Aage Sörensen ist umfangreicher, als zunächst angenommen, so daß mit einer etwa 3-monatigen Unterbrechung der Lieferungen zu rechnen ist.[170]

1a. Stand der Fertigung

a.) *mittelbare und unmittelbare Wehrmachtaufträge (A-Aufträge).* in RM
Gesamtverlagerung nach Dänemark vom 9.4.40-30.4.1944   537.678.515,-
Auftragsbestand am 31.3.44 an noch zu erledigenden Aufträgen   161.744.171,-
Wertveränderungen durch Auftragserhöhungen
bzw. Auftragsermäßigungen im April 1944   + 606.890,-
    162.351.061,-
Auftragszugang im April 1944   + 15.896.209,-
    178.247.270,-
Auslieferungen im April 1944   – 13.381.079,-
    164.866.191,-

---

166 BOPA havde 8. maj sprængt kompressor- og transformatorhuset hos B&W på Refshaleøen og påfølgende 24. maj sprængt de dieselmotorer og dynamoer, der leverede strøm til B&W i Strandgade. Det medførte bl.a. at reparationen af det tyske skib M/S "Telde" blev stærkt forsinket (RA, BdO Inf. nr. 37, 13. maj 1944, Kjeldbæk 1997, s. 473f., KTB/Kriegsmarinedienststelle Kopenhagen 25. maj 1944 (RA, Danica 628, sp. 6, nr. 4302)).
167 BOPA saboterede 13. maj "Always", Frederiksholms Havnevej 3-5 og 14, hvorved der opstod betragtelig skade. Fabrikken arbejdede for tyske interesser (RA, BdO Inf. nr. 39, 17. maj 1944, Kjeldbæk 1997, s. 474).
168 Det drejede sig om sabotagen mod Radiofabriken, Lille Strandstræde 14 o.g., København (RA, BdO Inf. nr. 41, 25. maj 1944, Alkil, 2, 1945-46, s. 1231).
169 BOPA havde 6. maj sprængt Flyvetroppernes tre værkstedshaller på Kløvermarksvej. Maskinerne i hallerne kom tilsyneladende ikke til skade, og arbejdet kunne genoptages efter kort tid i andre tomme haller, var BdOs vurdering. Der blev fremstillet reservedele til flyvemaskiner (RA, BdO Inf. nr. 36, 6. maj 1944, Kjeldbæk 1997, s. 473).
170 Se Rü Stab Dänemarks situationsberetning for april 1944.

b.) *Aufträge des kriegswichtigen zivilen Bedarfs (C-Aufträge)* in RM
Gesamtverlagerung nach Dänemark vom 9.4.40-30.4.1944 74.225.538,-
Auftragsbestand am 31.3.44 an noch zu erledigenden Aufträgen 27.355.495,-
Wertveränderungen durch Auftragserhöhungen
bzw. Auftragsermäßigungen im April 1944 + 54.559,-
27.410.054,-
Auftragszugang im April 1944 1.183.845,-
28.593.899,-
Auslieferungen im April 1944 – 890.138,-
27.703.761,-

Fertigungslage
Heer
Bei dem überwiegenden Teil der Wehrmachtgeräte waren die Auslieferungen befriedigend. Durch schleppenden Materialeingang litt insbesondere die Fertigung der Elektrofirma Tobias Jensen, Kopenhagen, die mit ihren Auslieferungen – es handelt sich um Kondensatoren – etwa 4-5 Monate in Rückstand kommen wird.[171]

Luftwaffe
Bestimmend für einen glatten An- und Fortlauf der Fertigung blieb auch in der Berichtszeit die Zurverfügungstellung der erforderlichen Materialien. Es war möglich, den Firmen die benötigten Werkstoffe im allgemeinen rechtzeitig zur Verfügung zu stellen. Die durch die Sabotagen erforderlichen Umverlegungen von Betriebsstätten wirkten sich verzögernd auf den Anlauf von neuen Fertigungen aus, so daß unter Umständen die im vorigen Lagebericht angeführte Programmsteigerung (Jägerprogramm) termingemäß nicht wie vorgesehen durchgeführt werden kann.

Marine
Von den durch die Firma Demag bei Völund bestellten Motoren SRB 45 ist jetzt der erste Motor fertiggestellt und hat am 25.5. seinen Probelauf auf dem Prüfstand mit Erfolg bestanden. Weitere Motoren werden in etwa einer Woche fertig. Der Fertigungsfortschritt erfolgt planmäßig.

Vom Sonderausschuß Schiffsdieselmotoren im Hauptausschuß Schiffbau liegt eine Anfrage vor, ob die Firma Burmeister & Wain A/S einen Motor eigener Bauart mit einer Leistung von etwa 250 PS bei ca. 325 Umdrehungen liefern kann. Burmeister & Wain A/S hat ein Angebot auf Dieselmotor Bauart 405/R. der dieser Leistung ungefähr entspricht, eingereicht.

Als bemerkenswerte Verlagerung hat Burmeister & Wain A/S von Deutsche Werke, Kiel einen Auftrag auf 7.500 Stück größere Stahlgußteile erhalten. Burmeister & Wain A/S, die diese Teile anfangs nur im Rohguß liefern wollte, ist aufgefordert worden, sie im fertig bearbeiteten Zustand zu liefern. Die Firma prüft, ob das möglich ist.

---

171 Se Rü Stab Dänemarks situationsberetninger for juni og juli 1944.

Von der Sperrwaffeninspektion wurde bei der Helsingör Jernskibs- og Maskinbyggeri ein Auftrag zur Lieferung von HFG 12 m lang untergebracht. Das erste Gerät ist bereits zur Auslieferung gelangt.

Energieversorgung
Auf dem Gebiete der Energieversorgung ist nichts Wesentliches zu berichten.

1c. Versorgung der Betriebe mit Roh- und Betriebsstoffen
Der deutsche Lieferungsrückstand an Eisen und Stahl betrug am 31.3.44-11.883 t, d.h. also 1.050 t weniger als am 29.2.44. Für NE-Metalle ist der Lieferungsrückstand 169 t, mithin 37 t weniger als im Vormonat.

Das im April-Bericht erwähnte Überbrückungskontingent von 775 to Bestellrecht B ist vom Planungsamt mit Verfügung Pla o 2332/20.4. vom 20.4.44 bewilligt worden. Die Nachkontingentierung von Blechbestellrechten hat sich durch erfolgte Überweisungen gebessert.

2b. Lage der Treibstoffversorgung
Schwierigkeiten in der Versorgung mit Dieselöl und Benzin sind im Mai nicht aufgetreten.

Es wurden 122 t Dieselöl und 1.400 ltr. Benzin zugewiesen, davon 20 to Dieselöl für das Hansaprogramm.

2c. Lage der Kohlenversorgung
Im Monat April 1944 wurden eingeführt:

Kohle *)	200.100 t	(März 44 …	216.400 t)
Koks	32.800 t	(März 44 …	45.100 t)
Sudentenkohle	9.500 t	(März 44 …	12.600 t)
Braunkohlenbriketts	20.000 t	(März 44 …	45.000 t)
insgesamt:	262.400 t	(März 44 …	319.100 t)

*) Von obiger Kohlenmenge entfallen auf die dänische Staatsbahn 30.800 t (im März 45.800 t).

Während die Torfproduktion im vergangenen Jahr bereits Anfang März voll anlief, konnte sie in diesem Jahr wegen der ungünstigen Witterung erst Ende April einsetzen. Die Vorjahresproduktion von über 6 Mill. t Torf wird dieses Jahr nicht erreicht und auf etwa 4 Mill t absinken.

Schwierigkeiten in der Verteilung sind infolge Waggonmangels eingetreten.

JUNI 1944

168. Politische Informationen für die deutschen Dienststellen in Dänemark 1. Juni 1944

Best valgte at omtale sabotagen meget kort, til gengæld gjorde han mere ud af at give en oversigt over de idømte hårde straffe og det tyske politis resultater med opklaringsarbejdet. Trods det fik omtalen af Islands forhold til Danmark lov til at fylde endnu mere, men dog overgået af en gengivelse af dansk erhvervsstatistik for 1943. Den rigsbefuldmægtigedes nystartede *Verordnungsblatt* blev præsenteret, og der blev gjort udførligt rede for Bests bestræbelser på at føre en offensiv avis- og radiopropaganda. Det afsluttende afsnit med "Fjendtlige stemmer" indeholder adskillige omtaler af Best, og der er igen lagt vægt på at bringe citater, hvis latterlighed umiddelbart ville være indlysende for de fleste tyske læsere.
Kilde: RA, Centralkartoteket, pk. 680.

Der Reichsbevollmächtigte in Dänemark   *Kopenhagen, den 1. Juni 1944.*
                                                Nur für den Dienstgebrauch!

P o l i t i s c h e   I n f o r m a t i o n e n
für die deutschen Dienststellen in Dänemark.

Betr.:   I. Die politische Entwicklung in Dänemark im Mai 1944.
        II. Mitteilungen aus der Außenpolitik.
       III. Mitteilungen aus der Wirtschaft.
        IV. Das "Verordnungsblatt des Reichsbevollmächtigten in Dänemark."
         V. Auflageartikel und politische Sendungen im März, April und Mai 1944.
        VI. Feindliche Stimmen über Dänemark.

I. Die politische Entwicklung in Dänemark im Mai 1944

l.) Die Lage in Dänemark war im Monat Mai weiterhin durch die allgemeine "Invasions"-Spannung bestimmt. Während die Bevölkerung halb erwartungsvoll und halb ängstlich der "Invasion" entgegenblickte, versuchten die illegalen Gruppen eine gewisse Aktivität aufrechtzuerhalten. Jedoch ist die Zahl der Sabotagefälle, die überwiegend kleinere Objekte betrafen, gegenüber der April-Welle leicht zurückgegangen. Einige "Stikker"-Morde (Spitzel-Morde) waren offenbar der Anlaß einer entsprechenden Zahl von Anschlägen gegen Personen aus dem anderen Lager.

2.) Im Monat Mai wurden 7 wegen Feindbegünstigung (Sabotage, Spionage usw.) gefällte Todesurteile des SS- und Polizeigerichts Dänemark und ein wegen Spionage gefälltes Todesurteil eines Wehrmachtgerichts vollstreckt. Eine wegen Feindbegünstigung zum Tode verurteilte Frau und 4 wegen einmaligen Waffenraubes zum Tode verurteilte Jugendliche wurden zu lebenslänglicher Zuchthausstrafe begnadigt.[1]

Bis jetzt sind seit der Besetzung Dänemarks im ganzen 19 von deutschen Gerichten gefällte Todesurteile vollstreckt worden. Nachdem in den ersten 3 Jahren und 5

---

1 Den benådede kvinde var Monica Wichfeld. Se Bests telegrammer nr. 611, 13. maj og nr. 651, 20. maj 1944.

Monaten der Besetzung keine einzige Hinrichtung stattgefunden hatte, ist das erste Todesurteil gegen einen Saboteur am 28.8.1943, am Tage vor der Verhängung des militärischen Ausnahmezustands, vollstreckt worden. Im November 1943 wurden zwei, im Dezember 1943 fünf, im Januar 1944 ein, im April 1944 zwei und im Mai 1944 acht Todesurteile vollstreckt. Begnadigt wurden bisher 17 dänische und ein schwedischer Staatsangehöriger, die von deutschen Gerichten zum Tode verurteilt waren.[2]

3.) Die deutsche Sicherheitspolizei hatte im Monat Mai ganz besondere Erfolge aufzuweisen.[3]

    a.) Festgenommen wurden:

        wegen Sabotageverdachts   147 Personen,
        wegen Spionageverdachts   34 –
        wegen illegaler Tätigkeit   303 –
        (Kommunismus und nationale Widerstandsgruppen)

    b.) Es wurden eine Reihe von geheimen Lagern erfaßt und dabei sichergestellt:

        etwa   67 Maschinenpistolen,
        –   24 Pistolen,
        –   14.000 Schuß Munition,

Mehrere Hundert kg Sprengstoff mit entsprechendem Zündmaterial usw.: alle Materialien sind englischen Ursprungs.

Außerdem wurden verheimlichte Ausrüstungsstücke der dänischen Wehrmacht erfaßt, die zusammen etwa 1.500-2.000 vollständige Ausrüstungen (ohne Waffen) darstellen.

    c.) 13 Druckereien, die illegale Schriften hergestellt hatten, wurden festgestellt und geschlossen.

    d.) Durch die im Monat Mai erfolgten Festnahmen von Saboteuren sind insgesamt 40 Sabotageakte – die meisten aus den letzten 2 Monaten – aufgeklärt worden.

    e.) Besonderes Aufsehen erregte die am 26.5.1944 erfolgte Festnahme einer Gruppe von Personen in Jütland, die im Verdacht stehen, eine geheime Organisation militärischen Charakters aufgebaut und sich nachrichtendienstlich betätigt zu haben. Zu dieser Gruppe gehören 5 Polizeimeister und weitere Polizeibeamte sowie mehrere Offiziere. Der Gendarmerieoberst Paludan-Müller in Gravenstein widersetzte sich der Festnahme, erschoß zwei deutsche Schutzpolizeibeamte und wurde in seinem durch Handgranaten in Brand gesetzten Hause getötet.[4] – Die Untersuchung dieses Komplexes dauert noch an.

4.) Die Befestigungsarbeiten in Jütland wurden im Monat Mai planmäßig fortgesetzt.

---

2 Den svenske statsborger var Karl Staf.
3 Der henvises til Bovensiepens aktivitetsberetning for maj 1944, som Best sendte til AA 8. juni.
4 Se Bests telegram nr. 675, 26. maj 1944.

II. Mitteilungen aus der Außenpolitik
Island

Der dänische König Christian X. hat in seiner Eigenschaft als König von Island am 2.5.1944 an den isländischen Ministerpräsidenten eine Botschaft gerichtet, in der er der Erwartung Ausdruck gab, daß Beschlüsse über die zukünftige Regierungsform Islands, durch welche das Band zwischen dem isländischen Volk und seinem König für immer durchschnitten werde, nicht in die Tat umgesetzt würden, solange sowohl Island wie Dänemark von fremden Mächten besetzt seien. Es möge der isländischen Regierung und dem isländischen Volk bekanntgegeben werden, daß er, solange die gegenwärtigen Verhältnisse bestünden, die Veränderung der Regierungsform, die Islands Alting und Regierung ohne Verhandlungen mit ihm beschlossen hätten, nicht anerkennen könne.

Am 11.5.1944 hat der isländische Ministerpräsident dem König Christian X. geantwortet, daß er dem Wunsche des Königs entsprechend die Botschaft des Königs dem isländischen Volke zur Kenntnis gebracht habe. Es sei seine Überzeugung, daß die vorgesehene Volksabstimmung die Wünsche des Volkes über die zukünftige Regierungsform Islands eindeutig erweisen werde. Das Alting werde danach die notwendigen Beschlüsse treffen, um diese Wünsche in die Wirklichkeit umzusetzen, sofern die verfassungsmäßig bestimmte qualifizierte Mehrheit sich in dieser Richtung entschieden habe. Es bestehe Anlaß zu betonen, daß die Anwesenheit fremder Truppen im Lande keinen Hinderungsgrund für die freie Äußerung des Volkswillens bedeute. Man sei in Island der Auffassung, daß die geltende isländische Verfassung die Grundregel anerkenne und darauf aufbaue, daß die Regierungsform eines souveränen Staates ganz allein vom Volke selbst bestimmt werden müsse. Zum Schluß seiner Antwort versicherte der isländische Ministerpräsident den König Christian, daß das isländische Volk die größte Ehrerbietung für seine Person und die wärmste Freundschaft für das dänische Volk empfinde.

Vom 20.-23.5.1944 ist in Island wie vorgesehen eine Volksabstimmung über die endgültige Aufhebung der Union mit Dänemark und die Einführung einer republikanischen Verfassung durchgeführt worden. Nach den bisher eingegangenen Nachrichten war die Wahlbeteiligung außerordentlich hoch und erreichte in drei Vierteln aller Wahlkreise 98 v.H. In vier Städten, darunter Reykjavik, wurden 28.751 Stimmen für die Trennung von Dänemark abgegeben und nur 179 Stimmen dagegen. In denselben vier Städten stimmten 27.893 Wahlberechtigte für die Einführung einer republikanischen Verfassung und nur 586 dagegen. Aus den ländlichen Bezirken wird eine noch eindeutigere Stellungnahme für die endgültige Lösung von Dänemark erwartet. Damit ist der Mißerfolg aller Versuche deutlich geworden, doch noch eine gütliche Vereinbarung zwischen Dänemark und Island über die Frage des Verhältnisses der beiden Länder zu erzielen. Solche Versuche sind in letzter Stunde u.a. unternommen worden von der isländischen Gesandtschaft in Kopenhagen, den in Kopenhagen domizilierten Isländer-Vereinigungen und einigen kleineren Gruppe in Island selbst, die sogar im Januar 1944 ein eigenes Blatt "Vardberg" (Ausblick) herausgegeben hatten mit der Absicht, die Volksmeinung in Island im Sinne einer vorläufigen Beibehaltung der Union mit Dänemark bis zu dem Zeitpunkt, da ungehindert wieder Verhandlungen zwischen den beiden Ländern durchgeführt werden könnten, zu beeinflussen. Besonders entschieden hat sich die isländische Sozialdemokratie gegen die bei der Aufhebung der Union zur

Anwendung kommenden Methoden gewandt.

Der skandinavische Gedanke hat durch den Separatismus der Isländer und durch die grobe Form, in der sie die Personalunion mit Dänemark gelöst und dem gemeinsamen König den Stuhl vor die Tür gesetzt haben, zweifellos einen schweren Schlag erlitten.[5]

III. Mitteilungen aus der Wirtschaft
1.) Dänische Wirtschaftsstatistik 1943.
Von der Behörde des Reichsbevollmächtigten sind für das "Jahrbuch für Auswärtige Politik 1944" die folgenden wirtschaftsstatistischen Zahlen für Dänemark im Jahre 1943 zusammengestellt:

Ackerland: 2.710.000 ha; Wiesen und Weiden: 461.000 ha; Waldfläche: 348.000 ha.

Anbau 1943:	Erntefläche ha	Ernteertrag dz
Weizen	49.000	1.800.000
Roggen	223.000	5.000.000
Gerste	394.000	12.700.000
Hafer	334.000	10.400.000
Kartoffeln	107.000	19.400.000
Zuckerrüben	63.000	20.300.300

Viehbestand 1043 (nur in Landgemeinden): Pferde: 599.000; Rinder: 2.988.000; Schweine: 2.011.000; Schafe: 180.000; Ziegen: 9.000.

Gewinnung von Rohwolle 1943:	5[xx] t [6]
Gewinnung von Wollgarnen einschl. Halbwolle 1942:	1.408 t
Gewinnung von Wollgeweben einschl. Halbwolle 1942:	2.717 t

Fangergebnisse der Seefischerei 1943: 160.000 to.
Beschäftigte in der Industrie 1942: 185.400 (Monatsdurchschnitt).

Koksgewinnung 1942:	435.318 t
Gaserzeugung 1942:	279.327 m^3
Zementherstellung 1943:	660.000 t

Erzeugung elektrischen Stroms 1942: 771.000.000 KWSt.
Herstellung von Baumwoll- und Zellwollgarnen 1942: 1.760 t
Herstellung von Baumwollgeweben (auch mit Zellwolle) 1942: 913 t
Staatsbahnen 1942/43 (in Millionen Kronen): Einnahmen 284,0; Ausgaben 206,2; Überschuß 77,8.

Außenhandel: Einfuhr 1943: 638.500.000 RM; Ausfuhr 1943: 676.100.000 RM; Einfuhr je Kopf der Bevölkerung 1943: 162 RM; Ausfuhr je Kopf der Bevölkerung 1943: 171 RM.

---

5 Dette var positivt, set fra et tysk synspunkt, jfr. Otto Höflers foredrag aftrykt 7. marts 1943.
6 De to sidste cifre ulæselige.

Waren 1943	Einfuhr	Ausfuhr
	RM	RM
Lebende Tiere	5.700	27.100.000
Lebensmittel, Getränke	27.400.000	389.600.000
Rohstoffe und Halbfertigwaren	346.600.000	104.500.000
Fertigwaren	264.500.000	154.600.000
insgesamt:	638.505.700	675.800.000.

Einfuhr 1943: Weizen 3 t; Roggen 26 t; Gerste 451 t; Weizenmehl 67 t; Zucker 330 t; Tabak 4.635 t; Ölkuchen 500 t; Nadelrundholz 12.000 cbm; Nadelschnittholz 602.000 cbm; Papiermasse 75.000 t; Steinkohlen 2.177.000 t; Braunkohlen 59.000 t; Steinkohlenbriketts 31.000 t; Braunkohlenbriketts 638.000 t; Koks 632.000 t; Benzin 7.000 t; Leuchtöl 8.000 t; Treib-, Heizöl 37.000 t; Schwefelsaures Ammoniak 18.000 t; Kunstseide und Kunstwolle 2.322 t; Kunstseidengarn 1.500 t; Garn aus oder mit künstlichen Textilfasern 1.100 t; Wollgarne 3 t; Baumwollgarne 61 t; Papiergarn 450 t.

Ausfuhr 1943: Gerste 26.000 t; Butter 55.400 t; Käse 2.190 t; Eier 2.450 t; Fleisch 108.000 t.

Nationalbank (in Millionen Kronen)
Goldbestand 1943: 97,2; Clearing Gesamt 1.975, davon gegenüber Deutschland 1.926; Devisenbestand 17,1; Verschiedene Debitoren 2.380; Notenumlauf 1.359; Fremde Gelder 3.008; Guthaben des Finanzministeriums 990; Scheidemünzenumlauf 60,9.

Kreditbanken 1943 (in Millionen Kronen): Kassenbestände 1.548; Wertpapiere 1.203; Inlandswechsel 218; Kassenkredite 727; Kreditoren 5.040; Spareinlagen 2.970; Postgirobestände 265.

Aktienindex 1943: 136; Obligationenindex 1943: 109. Diskontosatz 1943: 4 %; effektive Rente der Obligationen: 4,53. 100 RM = 191,68 Kronen.

Staatshaushalt 1942/43 (in Millionen Kronen): Gesamteinnahmen des Betriebshaushaltes 1.125,3; Steuern und sonstige Abgaben 1.091,1; Vermögens- und Erwerbseinnahmen 23,9; sonstige Einnahmen 10,3.

Gesamtausgaben des Betriebshaushaltes 1.081,5; Landwirtschaft und Fischerei 79,2; Innere Verwaltung 72,9; Sozial- und Arbeitsministerium 331,2; Handel, Industrie und Seefahrt 84,6; Justiz 60,1; Bildungswesen 108,3; Wehrmacht 102,8; Finanzverwaltung und Pensionswesen 201,2; Zivilliste des Königs, Apanage, Reichstag, Staatsministerium, Außenministerium u.a. 41,2.

Aufgenommene Anleihen 995,7; Zurückzahlung auf Anleihen 408,1; Schuldendienst und -Verwaltung 83,5.

Staatsschuld am 31.3.1943: 2.529,0; darunter Inlandsanleihen 1.601,0 und Auslandsanleihen 484,2.

2.) Dänemarks Haustierbestände nach den Frühjahrszählungen 1944 und 1943.
Daß die großen Ausfuhrmengen an Rind- und Schweinefleisch sowie an Pferden, die im Wirtschaftsjahr 1943/44 aus Dänemark in das Reich exportiert werden, nicht aus der

Substanz der Haustierbestände entnommen wurden sondern echte Produktionsergebnisse sind, ergibt sich aus den folgenden Vergleichsziffern der Frühjahrszählungen 1944 und 1943:

	25.3.1944	27.3.1943
	(in 1000 Stück)	
Pferdebestand:		
Hengste	4	4
Wallache	177	184
Stuten	233	231
Fohlen, 1-3 Jahre	85	84
Fohlen, unter 1 Jahr	53	42
Gesamt	552	545
Rindviehbestand:		
Stiere	59	57
Ochsen	67	61
Milchkühe	1.527	1.410
Jungvieh	643	606
Kälber	737	690
Gesamt	3.033	2.824
Schweinebestand:		
Eber	10	9
Trächtige Sauen	132	131
Andere Sauen	88	73
Saugferkel	489	435
Läufer bis 35 kg	554	426
Schlachtschweine 35-60 kg	509	400
Schlachtschweine über 60 kg	509	400
Gesamt	2.291	1.874

3.) Die Holzversorgungslage in Dänemark.
Die Holzversorgungslage ist z.Zt. sehr angespannt.[7] An Nadelschnittholz betrug der Lagerbestand zum 1.1.1944 nur zwei Drittel des Normalen. Die Nadelschnittholz-Einfuhr wird 1944 voraussichtlich nur die Hälfte bis zwei Drittel der Friedenseinfuhr betragen. Eine sehr wesentliche Senkung des Bauholzverbrauches ist in diesem Jahre deshalb unvermeidlich. Das Aufkommen aus dem eigenen Lande, das rund 270- 300.000 cbm betragen wird, ist nicht steigerungsfähig und kann die Fehlmenge nicht ausgleichen.

Der Wehrmachtbedarf ist weiter angestiegen und wird in diesem Jahre etwa 100-120.000 cbm erreichen. Diese Mengen, die zunächst aus der dänischen Wirtschaft entnommen werden müssen, werden möglichst kurzfristig durch Zufuhren aus Schweden und Finnland aus dem deutschen Kontingent in diesen Wäldern erstattet.

Der normale Nadelrundholz-Einschlag mit etwa 550.000 fm, der u.a. mit 350.000 fm zur Aufbringung der obenerwähnten Nadelschnittholzmenge dient, wird auch in

---

7 Se RWM til Generalstab des Heeres 6. april 1944 og Rüstungsstab Dänemark 15. maj 1944.

diesem Jahre wohl im allgemeinen erreicht werden können, wenn auch in manchen Teilen des Landes wegen Mangels an Arbeitskräften etwas verspätet. In den Staatsforsten kommt hierzu ein zusätzlicher Einschlag von 20-30.000 fm starken Holzes für Luftschutzbauten. Der Bedarf der Staatsbahnen an Starkholz, der dänischerseits auf 13.000 fm geschätzt wird, muß aus Deutschland beschafft werden. 10.000 fm sind vertragsmäßig zugesichert worden; die Liefermöglichkeit des Restes wird z.Zt. geprüft.

Für die Wehrmacht werden darüber hinaus rund 100.000 fm Nadelrundholz für den Stellungsbau geschlagen werden. Dieser Sondereinschlag konzentriert sich zum mindesten mit 80 % auf die Wald- und holzarmen Teile von Westjütland und wird unvermeidbar in diesen Gebieten zu schweren wirtschaftlichen und forstwirtschaftlichen Schäden führen, wenn nicht durch beschleunigte Nachschublieferungen aus außerdänischen Gebieten eine wirksame Entlastung erfolgt.

Bei der Versorgung mit Laubnutzholz werden kaum erhebliche Schwierigkeiten entstehen, wenn auch nicht der volle stark gestiegene Bedarf der dänischen Holzindustrie gedeckt werden kann.

Die größten Schwierigkeiten bereitet die Aufbringung des Brennholzes und zwar in erster Linie des Generatorholzes. Der Bedarf an Generatorholz ist während des Krieges von Jahr zu Jahr gestiegen und konnte nur durch erhebliche Sonderhiebe gedeckt werden. Während aber in Deutschland zu Beginn des Krieges verhältnismäßig hohe Vorräte und zwar z.T. darüber hinaus nicht unerhebliche Reserven vorhanden waren, standen in Dänemark im allgemeinen nur geringe Vorratsmassen zur Verfügung. Es waren deshalb, und zwar besonders in den Staatswaldungen, ausgedehnte Kahlhiebe in den Bergkiefernbeständen und in den geringeren Buchealthölzern notwendig, um den dringendsten Bedarf an Tankholz zu decken.

Für den sehr hohen Wehrmachtbedarf müssen aus dänischen Beständen allmonatlich 60.000 hl zur Verfügung gestellt werden. Eine Steigerung dieses Zuschusses wird mit Rücksicht auf die Versorgungsschwierigkeiten der Wirtschaft nicht möglich sein. Wenn der ungestörte Fortgang der Befestigungsarbeiten sichergestellt und unerwünschte Selbsthilfe durch die Bedarfsträger vermieden werden soll, sind Nachschublieferungen etwa in der gleichen Höhe wie die dänischen Zuschüsse unbedingt erforderlich.

4.) Schiffsreparaturen auf dänischen Werften im Jahre 1943.
Im Jahre 1943 wurden auf dänischen Werften insgesamt 73 Handelsschiffe repariert mit einer Gesamttonnage von 86.837 BRT. Nicht enthalten sind in diesen Zahlen sämtliche Reparaturen an Schiffen, deren Zeitdauer unter 10 Tagen lag.

IV. Das "Verordnungsblatt des Reichsbevollmächtigten in Dänemark"
Da im Monat Mai mehrere umfangreiche Verordnungen des Reichsbevollmächtigten teils neu und teils in neuer Fassung zu verkünden waren, erschien es zweckmäßig, für die Verkündung solcher Verordnungen ein "Verordnungsblatt des Reichsbevollmächtigten in Dänemark" zu schaffen, dessen erste Folge am 23.5.1944 erschienen ist.[8] Sie enthält:

---

8 Se Bests brev til AA 23. maj 1944.

1.) Die Verordnung zum Schutze der deutschen Wehrmacht vom 23.5.1944,
2.) Die Verordnung über die Beschlagnahme von Grundstücken und Gebäuden für die deutsche Wehrmacht von 23.5.1944,
3.) Die Verordnung über Lieferungen und Leistungen für die deutsche Wehrmacht vom 23.5.1944.

Das "Verordnungsblatt des Reichsbevollmächtigten in Dänemark" kann von jeder interessierten Dienststelle bei der Behörde des Reichsbevollmächtigten – Hauptabteilung II – angefordert werden.

V. Auflageartikel und politische Sendungen im März, April und Mai 1944
1.) Auflageartikel:
In Fortsetzung der Praxis, durch in der gesamten dänischen Presse veröffentlichte Auflageartikel die Bevölkerung mit der deutschen Auffassung über aktuelle Probleme bekannt zu machen, sind in den Monaten März, April und Mai 1944 die folgenden Artikel veröffentlicht worden:

7.3.1944 "Das Schicksal der Ostseeländer" (Dänische Augenzeugenberichte aus dem Baltikum).
12.3.1944 "Luftkrieg kontra Völkerrecht" (Luftkrieg gegen die Zivilbevölkerung widerspricht dem Völkerrecht).
15.3.1944 "Irland – ein aktuelles Problem".[9]
19.3.1944 "Vom police bombing zum Luftterror" (Deutschlands vorgebliche Bemühungen um eine Humanisierung des Luftkrieges).
23.3.1944 "Nach der Absage Finnlands" (Finnischer Wirklichkeitssinn und angelsächsischer Propagandadruck).
29.3.1944 "Ist Europa zum Tode verurteilt?" (Das Problem der Neutralität – aktuelle Betrachtungen).
6.4.1944 "Im Lande der hellen Nächte…." (Amerikanische Enthüllungen über unterirdische kommunistische Umtriebe in Dänemark in den Vorkriegsjahren).[10]
9.4.1944 "Offene Worte über Dänemarks Stellung".[11]
14.4.1944 "Wird Kanada Dänemarks Nachfolger im Bacon-Export?"
26.4.1944 "Befreier und Wiederaufbauer – Das Problem der Nachkriegszeit wird zur Debatte gestellt."
12.5.1944 "Nachbarn müssen Allierte sein" (Wie man in Roosevelts engstem Mitar-

---

9 Denne tvangsartikel havde ført til kraftige protester fra pressens organisationer på grund af den ledsagende manchet, hvori der stod: "De sidste dages telegrammer beskæftiger sig i særlig grad med Irlands stilling i forhold til de allierede. Den nedenstående artikel belyser Irlands kamp for bevarelsen af sin neutralitet. – Af Hermann Bielstein." Af manchetten fremgik det ikke klart, at det var en tvangsartikel, og de fleste læsere vidste næppe, at Bielstein var en af Bests nære medarbejdere. Klagen blev forelagt Best uden resultat, men senere blev der indført en standardformulering, så artiklernes karakter fremgik (Bindsløv Frederiksen 1960, s. 403).
10 I anledning af udgivelsen af den amerikanske udgave af Jan Valentins bog *Ud af Mørket*, der kom på dansk i 1945 og bl.a. handler om danske kommunisters antinazistiske arbejde. Forfatterens troværdighed blev der ikke sat spørgsmålstegn ved.
11 Se bilag 1.

beiterkreis die skandinavisch-nordeuropäischen Probleme ansieht).
21.5.1944 "Skandinavische Zukunftsperspektiven" (Die Sowjets verlangen offiziell, an der Besetzung Norwegens teilzunehmen, die Exilregierung Spielt va banque mit der Zukunft Skandinaviens).

Daß nicht mehr Artikel veröffentlicht wurden, liegt allein an dem Mangel von Mitarbeitern, die fähig sind, in einer auf die dänische Bevölkerung wirksamen Form über aktuelle Probleme zu schreiben. Übersetzte deutsche Artikel sind im allgemeinen unwirksam. Die Artikel müssen vielmehr "dänisch gedacht und geschrieben" sein und dem anspruchsvollen Niveau der dänischen Presse entsprechen.[12]

2.) Politische Sendungen:
Die politischen Sendungen im dänischen Staatsrundfunk haben sich weiterhin als wirksamstes Kampfmittel gegen die Feindpropaganda erwiesen. In den Monaten März, April und Mai 1944 wurden gesendet:[13]

1.3.1944 Vortrag: "Ein Volk und sein Schicksal" (Judenfrage) vom Dr. Lorenz Christensen.[14]

2.3.1944 Kommentar über die Unzufriedenheit der Schweden mit den dänischen Flüchtlingen, basiert auf Zitate aus der schwedischen Presse.

4.3.1944 Vortrag: "Die große Verantwortung" (Die soziale Frage) von Jens Kudsk.[15]

6.3.1944 Vortrag: "Kampf um die Marschallinseln" von Erling Bache.

7.3.1944 Vortrag: "Von einer baltischen Reise – Puschkins Turm" von cand.polit. Mollerup-Thomsen.
Kommentar: Angriff auf Christmas Möller wegen seiner Agitation für den Kommunismus (mit Plattenaufnahme).

8.3.1944 Vortrag: "Ein Volk und sein Schicksal" 2. Teil, von Dr. Lorenz Christensen.
"Ausländische Nachrichten" (Presse- und Rundfunkstimmen, hauptsächlich antibolschewistischer Art).

10.3.1944 Kommentar über die amerikanischen Besatzungstruppen auf Island.

11.3.1944 Vortrag: "Wer ist Subhas Chandra Bose?" von Erling Bache.

13.3.1944 Vortrag. "Ein König und der Bolschewismus" von Mollerup-Thomsen.
Kommentar: Angriff auf die drei englisch-dänischen Propagandisten Blythgen-Petersen, Christmas Möller und Leif Gundel (mit Plattenaufnahmen)

15.3.1944 "Ausländische Nachrichten" (Presse- und Rundfunkstimmen).

17.3.1944 Vortrag: "Ein Volk und sein Schicksal" 3. Teil von Dr. Lorenz Christensen.

---

12 Her formulerede Best i knap form sin pressepolitik. Se tillige RMVPs notat 2. juni 1944.
13 Se *Politische Informationen* 1. marts 1944 for præsentation af en del af de medvirkende.
14 Lorenz Christensen, medlem af NSDAP-N, blev betalt fra Dagmarhus for sin antisemitiske virksomhed og bidrog til radiopropagandaen med de tre her omtalte foredrag.
15 Redaktør Jens Kudsk nød støtte fra Dagmarhus gennem et par nazistiske blade, som han var redaktør af. Han bidrog med to radioforedrag.

Vortrag: "Als Arbeiter in Rußland" von Aage Nielsen.
18.3.1944 Nachrichtenprogramm mit Zitaten, hauptsächlich von englischen Presse- und Rundfunkstimmen.
20.3.1944 Kommentar über die Wiederaufnahme der diplomatischen Beziehungen zwischen der Badoglio-Regierung und Sowjetrußland.
21.3.1944 Kommentar über einen vom dänischen London-Propagandisten erfundenen deutschen Plan zur Mobilisierung Norwegens (mit Plattenaufnahme).
22.3.1944 Vortrag: "Zeitenwende – das Mirakel unserer Zeit" von Knud Nordentoft.[16]
23.3.1944 Vortrag: "Der Bischof in der Bäckerei" von Mollerup-Thomsen.
Kommentar zum Jahrestag der Wahl zum dänischen Reichstag vom 23. März 1943.
25.3.1944 Vortrag: "Dänische Sabotagewehr" von Ejnar Krenchel.
27.3.1944 Vortrag: "Demokratie und Dänentum" von Ejnar Vaaben.[17]
"Ausländische Nachrichten" (Presse- und Rundfunkstimmen).
29.3.1944 Vortrag: "Vier Jahre dänische Krankenpflegerin in Finnland" von Irma Bech und Hanna Holbek.[18]
"Ausländische Nachrichten" (Presse- und Rundfunkstimmen).
31.3.1944 Vortrag: "Dänische Neutralitätspolitik" von Aage Petersen.
2.4.1944 Vortrag: "Schlacht in Kongedybet – der Morgen des Jahrhunderts" von Thorvald Knudsen.[19]
3.4.1944 Vortrag: "Zeitenwende" 2. Teil von Knud Nordentoft.
"Ausländische Nachrichten" (Presse- und Rundfunkstimmen).
4.4.1944 Vortrag: "Die Wahrheit marschiert" von Axel Hoyer.
5.4.1944 Gespräch mit drei dänischen SS-Freiwilligen, die in der Hölle von Tscherkassy waren.
Polemik gegen Christmas Möller wegen seiner Londoner Rede vom 2.4.1944 über die Entwicklung in Dänemark seit dem 9. April 1940 (mit Plattenaufnahmen).
7.4.1944 " Ausländische Nachrichten" (Presse- und Rundfunkstimmen).
8.4.1944 Kommentar anläßlich des Jahrestages der Besetzung Dänemarks.
9.4.1944 "Ausländische Nachrichten" (Presse- und Rundfunkstimmen).
11.4.1944 Vortrag: "Von den Kämpfen im Leningrad Abschnitt" von Harald Henriksen.
12.4.1944 Kommentar über den russischen Imperialismus.
13.4.1944 Vortrag: "Reiseeindrücke eines Schalburg-Offiziers" von Oblt. T.I.P.O. Madsen.

16 Forfatter og sagfører Knud Nordentoft, medlem af DNSAP og senere tilknyttet Schalburgkorpset, holdt tre radioforedrag.
17 Ejnar Vaaben, dansk nazist, historiker af uddannelse, afdelingsleder i Schalburgkorpset og SS-frivillig, holdt tre radioforedrag.
18 Irma Bech var sygeplejerske.
19 Thorvald Knudsen, nazist og redaktør, holdt 19 radioforedrag 1943-44.

14.4.1944 Vortrag: "Offenherzige Briefe" von Axel Hoyer.
"Ausländische Nachrichten" (Presse- und Rundfunkstimmen).
17.4.1944 Vorlesung aus Walter Flex: "Der Wanderer zwischen beiden Welten" (von Dr. Victor Schmitz).
Vortrag: "Die Lütkenkonferenzen und die dänische Neutralität" von Aage Petersen.
"Ausländische Nachrichten" (Presse- und Rundfunkstimmen).
18.4.1944 Vortrag: "Ein Augenzeuge berichtet über einen Tagesangriff auf die deutsche Hauptstadt" von Hans Bergsted.[20]
Stichwortartige Wiedergabe von Äußerungen Christmas Möllers.
19.4.1944 Polemik gegen Christmas Möllers und Blythgen-Petersens Äußerungen über Dänemarks Außenpolitik nach dem Kriege und die britische Propaganda zur heutigen Lage in Europa.
20.4.1944 Vortrag: "Die Invasion" von Asbjörn Kragh (Pseudonym eines bekannten Universitätsprofessors).
"Ausländische Nachrichten" (Presse- und Rundfunkstimmen).
21.4.1944 Vortrag: "Das wird England niemals zulassen" von Axel Hoyer.
Kommentar zu Äußerungen Blythgen-Petersens über die Rede Cordell Hulls und die Stellungnahme einiger amerikanischer Zeitungen.
24.4.1944 Vortrag: "Ein Amerikaner über Japan" von Erling Bache.
"Ausländische Nachrichten" (Presse- und Rundfunkstimmen).
25.4.1944 Vortrag: "Der Kalmück und der Postbote. Auf einer litauischen Lokomotive" von Mollerup-Thomsen.
26.4.1944 Vortrag: "Zeitenwende" 3. Teil von Knud Nordentoft.
27.4.1944 Vortrag "Island, wie ich es sah" von Svend Fleuron.[21]
29.4.1944 Kommentar: "Was in diesen Tagen in Dänemark passiert ist – mit den Augen des dänischen Pressedienstes in Schweden gesehen".
1.5.1944 "Ausländische Nachrichten" (Presse- und Rundfunkstimmen).
2.5.1944 Vortrag: "Wir leugnen alles" von Axel Hoyer.
4.5.1944 Vortrag: "Zwischen 2 Kriegen" von Aage Petersen.
6.5.1944 "Ausländische Nachrichten" (Presse- und Rundfunkstimmen).
7.5.1944 Kommentar über "Deutschlands Angriffe auf Dänemark" und Anderes.
9.5.1944 Kommentar über den offenen Brief des dänischen Freiheitsrates[22] – mit Zitaten aus Christmas Möllers Rede.
10.5.1944 Vortrag: "Von Lemberg nach Bukarest" 1. Teil, von Harald Henriksen.[23]
9.5.1944 Vortrag: "Offenherzige Briefe" 3. Teil, von Axel Hoyer.
11.5.1944 Vortrag: "Der Krieg hinter dem Krieg" von Erling Bache.
Kommentar über Christmas Möllers Ausspruch, daß Dänemark Japan den Krieg erklären müsse – mit Zitaten aus der Rede von Christmas Möller.

20 Hans Bergsted er ikke nærmere identificeret, men er ikke identisk med forfatteren Harald Bergstedt, der ikke optrådte i radioen i denne periode.
21 Forfatteren Svend Fleuron holdt to radioforedrag.
22 Frihedsrådets brev af 1. maj 1944.
23 Cand.polit., skribent i *Fædrelandet* Harald Henriksen holdt seks radioforedrag.

12.5.1944 "Ausländische Nachrichten" (Presse- und Rundfunkstimmen).
13.5.1944 "Ausländische Nachrichten" (Presse- und Rundfunkstimmen).
16.5.1944 Vortrag: "Die geplante Knappheit und der geplante Wohlstand" von Wilhelm Petersen.[24]
Kommentar über die letzte Christmas Möller – Rede über das Thema: "Dänemark seit 1940".
17.5.1944 Vortrag: "Politische Morde" von Ejnar Krenchel.
Vortrag: "Unser Leben für unser Land" von Aage Nielsen.[25]
Vortrag: "Bei der Organisation Todt in Saloniki" von Ulf Kjär.[26]
"Ausländische Nachrichten" (Presse- und Rundfunkstimmen).
19.5.1944 Vortrag: "Von Lemberg nach Bukarest," 2. Teil, von Harald Henriksen.
20.5.1944 Kommentar mit Wiedergabe von Nachrichten, die von London gesendet wurden, sowie Witze aus amerikanischen Zeitungen und Lächerlichmachung von Christmas Möller und seiner Kriegserklärung an Japan.
23.5.1944 Vortrag: Es ist ganz gewiß" von Axel Hoyer.
24.5.1944 Vortrag: "Zersplittert werden wir untergehen, vereint bestehen" von Wilhelm Petersen.
25.5.1944 Vortrag: "Alliierte Politik im Anfang Mai" von Carl Hianus.[27]
"Ausländische Nachrichten" (Presse- und Rundfunkstimmen).
26.5.1944 Kommentar über Terror und Sabotage.
27.5.1944 "Ausländische Nachrichten" (Presse- und Rundfunkstimmen).
28.5.1944 Vortrag "3 Schriftsteller bereisen Dänemark" von Dr. Viktor Schmitz.[28]
29.5.1944 Kommentar über den Bolschewismus.
30.5.1944 Vortrag: "Offenherziger Brief" 4. Teil, von Axel Hoyer.
31.5.1944 Vortrag: "Der dänische Volkscharakter" von Dr. Hans Winkler.[29]

VI. Feindliche Stimmen über Dänemark
1.) Der englische Rundfunk.

Hjemmefrontens Radio (London) 1.5.1944
Der Nazikommentator im dänischen Rundfunk hat den dänischen Pressedienst und die BBC heftig angegriffen, indem er behauptete, daß die Nachrichten über das Schicksal der dänischen Patrioten, wie sie der dänische Pressedienst und die BBC übermittelten, vollkommen lügenhaft seien. Der Nazispeaker meint scheinbar, es sei unmöglich oder sehr schwer, eine entgegengesetzte Behauptung aufzustellen. Wir wissen, daß die Deutschen selbst übertriebene Meldungen veröffentlicht haben, um Verwirrung zu schaffen. Wir haben aber die lügenhaften von den wahren Berichten unterscheiden können, und

---

24 Wilhelm Petersen var pseudonym for bankbogholder Johan Gede, der holdt 4 radioforedrag 1943-44.
25 Aage Nielsen var et pseudonym for Niels Dorph.
26 Ulf Kjær holdt kun dette ene foredrag.
27 Carl Hianus var et pseudonym for C. Emmerik, der bidrog med 11 foredrag 1943-44.
28 Lektor i Breslau, Victor Schmidt, holdt 10 radioforedrag 1943-44 og var selv en tid radiocensor.
29 Den tyske litteraturhistoriker Hans Winkler holdt seks radioforedrag 1943-44.

können ohne Schwierigkeiten die Behauptungen des Nazispeakers, nur wenige Verhaftungen hätten stattgefunden, widerlegen, indem wir nur die Namen derer nennen, die am 20. April überall im Lande verhaftet wurden. (Es folgt die Verlesung von 71 Namen).

Das sind nur die Namen von 71 guten, patriotischen Dänen, die am 20. April von der Gestapo verhaftet wurden. Wir sind fest überzeugt, daß die Liste noch länger ist. Das ist, was die Deutschen mit den Worten "Nichts ist geschehen" bezeichnen.

London, 3.5.1944
Steen Gudme: Dr. Best nannte vor kurzem Kopenhagen Europas Chicago.[30] Die Wahrheit ist, daß Dr. Best viel besser Kopenhagen mit Berlin in den Monaten vor dem 30. Januar 1933 hätte vergleichen können. So war es damals, als die nazistischen Schwärmer in den Straßen Berlins herumgingen, Schlägereien provozierten, Straßenaufläufe veranstalteten, Morde durchführten und Gebäude in Brand steckten, um die Machtübernahme vorzubereiten. Ist es nicht dasselbe Bild, das wir heute in dem deutschbesetzten Kopenhagen sehen? Hier versuchen die nazistischen Henker durch Hinrichtungen den Widerstandsgeist zu lähmen. So wie damals in Berlin haben die Nazisten und ihre Schalburg-Leute in den letzten 14 Tagen den Versuch gemacht, die Bevölkerung zu provozieren, um sie, wenn sie sich erhoben hätte, niederzuschlagen. Aber die Heimatfront hat sich nicht zu einem vorzeitigen Kampf locken lassen. Er wäre zu ungleich gewesen und hätte ihre Organisation entblößen können. Es ist Dr. Best auch nicht gelungen, die Sympathie zu schwächen, die der größte Teil der Bevölkerung für die Arbeit der unterirdischen Front hat.

London 7.5.1944
Christmas Möller: Vor mir liegt der offene Brief des dänischen Freiheitsrates, der am 1. Mai an Dr. Best gerichtet wurde.[31] Ich möchte heute einige Worte darüber sagen und von den Betrachtungen, die hier bei uns darüber angestellt wurden, berichten. Einige wollen behaupten, es handele sich um eine Fälschung, und in den heutigen Zeiten, vor allem aber, wenn es sich um Deutsche handelt, kann man ja nichts für unmöglich halten. Die Gemeinheit existiert noch nicht, die nicht von den Deutschen begangen worden ist. Aber handelt es sich wirklich um eine Fälschung, so ist sie jedenfalls gut ausgeführt, doch Goebbels Propaganda war ja immer teuflisch tüchtig. Und wird festgestellt, daß der offene Brief gefälscht ist, weil die Deutschen versuchen werden, gefälschte Meldungen auszusenden, wenn die Invasion kommt, so liegt ein weiterer Grund vor, der uns einschärft, außerordentlich vorsichtig zu sein, und wir müssen, sobald der Ruf erklingt, sicher sein, daß der offene Brief eine Fälschung ist. Jedenfalls gibt er uns die genaue Stellung daheim an, wenigstens so, wie wir sie uns vorstellen. Der offene Brief sagt nur die Wahrheit. Der Überfall Deutschlands auf Dänemark am 9. April ist Schuld an allem Unglück. Die nazistischen Banden führen den einen provokatorischen Über-

---

30 Det var i Bests tale 24. april 1944 til københavnske redaktører, se Bests telegram nr. 524, 25. april 1944.
31 Brevet er trykt på dansk hos Alkil, 1, 1945-46, s. 245.

fall nach dem anderen aus. Wir kennen diese Verbrecher aus der Zeit vom 9. April, und Zehntausende dänischer Bürger erinnern sich dieser Clausen-Schlingel von den Wahlversammlungen. Sie taten alles, um diese durch Spektakel und gewalttätige Provokationen zu stören. Heute sind sie mit den Deutschen in Verbindung getreten, und das Resultat kann natürlich nur das werden, daß die Verbrechereigenschaften noch weiter entwickelt werden. Mord und Vernichtung gehören zur Tagesordnung. Mit vollkommenem Recht heißt es in dem offenen Brief des Freiheitsrates, daß alle wissen, daß die freie und stolze dänische Freiheitsbewegung weder sinnlose Vernichtungen noch Ermordung von Menschen auf Grund einer Überzeugung vornehmen. Aber Einzelpersonen sind mit dem Tode bestraft worden, mit der Strafe für Spione und Verräter in der Kriegszeit. Wurden Fabriken zerstört, geschah es, weil diese dazu beitrugen, daß die nazistische Niederlage verzögert wurde, oder weil sie für die Deutschen arbeiteten. …

Dr. Best spricht von Elementen der Unterwelt, die ausländische Befehle ausführen. Ach, wie wenig weiß er doch von dem, was sich in den letzten 3 Jahren in Dänemark ereignet hat. …

Hier soll lediglich festgestellt werden, daß weder der Freiheitsrat noch die Kommunisten, die den Freiheitsrat so brav unterstützen, den geringsten Anlaß dazu gegeben haben, daß Dr. Best mit solchen Beschuldigungen auftreten kann.

London, 8.5.1944
Der dänische Pressedienst meldet, daß die Deutschen in dänischen Wäldern massenweise Holz fällen, das für den Bau von Befestigungsanlagen verwendet wird. Außerdem wird bei den Panzermanövern großer Schaden verursacht. Außer den großen Flugplätzen in Jütland bauen die Deutschen jetzt auch noch Rollbahnen für ihre Flugzeuge auf privatem Grundbesitz.

Terkel M. Terkelsen:
Zwei Dinge sind für die heutige Lage in Dänemark charakteristisch: Die deutschen Fälschungen und die deutsche Brutalität. Diese beiden Tatsachen zeigen, daß die Deutschen die Schwäche ihrer eigenen Lage eingesehen haben. Dr. Best benutzte den Anlaß des 9. April mit seltener Taktlosigkeit zu der Behauptung, die Deutschen hätten nicht die Absicht gehabt, die Gefühle des dänischen Volkes zu kränken.[32] Das sind aber nur leere Phrasen aus einer entschwundenen Zeit. Die wirkliche deutsche Taktik Dänemark gegenüber besteht darin: Mit Schrecken und Drohungen die Bevölkerung des Landes zu zwingen, sich in Ruhe zu halten. Wenn die Deutschen jemandem einen Schrecken einjagen wollen, holen sie das kommunistische Schreckgespenst hervor. Das ist eine Technik aus dem Kinderzimmer, die die Deutschen hier anwenden. Diese Technik hat sich aber sowohl in Dänemark wie auch in anderen Ländern als wirkungslos erwiesen. Das dänische Volk ist politisch genügend reif.

London, 9.5.1944
Die heutige Situation in Dänemark ist wahrhaftig nicht humoristisch. Verhaftungen,

---

32 Der polemiseredes mod Bests anonyme artikel 9. april 1944, aftrykt i bilag 1.

Hinrichtungen, Mord, Ausplünderungen und Gewalt sind die Tatsachen, die das Herrenvolk dem Musterprotektorat bietet. Um so mehr ist es zu schätzen, daß die Dänen weder Mut noch Humor verloren haben, und daß es den Deutschen nicht gelungen ist, die Laune des Dänen zu verderben. Gerade die eigentümliche Würde des deutschen Wesens und die anmaßende Kraft, die im Widerspruch zu der Art des dänischen Volkes stehen, fordern das Lachen der Dänen heraus. Die humorverlassenste Nation der Welt steht in Dänemark einem Volk gegenüber, das die beste Laune und den besten Humor der ganzen Welt besitzt. Sie verstehen nicht, wie es möglich ist, alle Sorgen mit einem Lachen zu betrachten, und sie wissen, daß sie diesem Lachen ausgeliefert sind. Das Lachen ist dem dänischen Volke eine Lebensnotwendigkeit, eine Gewohnheit und eine Quelle, die täglich das Gemüt erfrischt und klärt, und selbst in den schwersten Stunden taucht es auf. Keiner kann den dänischen Humor unterdrücken, und darum können die Dänen nicht unterjocht werden.

Hjemmefrontens Radio, (London) 17.5.1944
Wir warnen heute vor der Gestapo! Sie wurde vor etwa 10 Jahren zusammengestellt, um antinazistische Organisationen zu erfassen. Am Anfang des Krieges wurde die Gestapo erweitert und über ganz Europa verteilt. Sie setzt sich aus 3 Abteilungen zusammen, nämlich:
    Abteilung I: Konzentrationslager. 1933/35 war Werner Best Leiter dieser Abteilung.[33]
    Abteilung II: Juden, Kommunisten und politische Flüchtlinge.
    Abteilung III: Kontraspionage und Kontrasabotage. Innerhalb der Gestapo in Dänemark, die ihr Hauptquartier in Dagmarhaus hat,[34] arbeiten Deutsche und Dänen. Alle sind bewaffnet, tragen die SS-Uniform oder sind in Zivil. Die Pistole ist durchweg Walther 6.35mm – Modell 1942. Wir nennen einige Namen: SS-Brigadeführer Pancke ist Leiter der Gestapo in Dänemark und arbeitet eng mit Dr. Best und Gilbert[35] zusammen. …

Hjemmefrontens Radio, (London) 19.5.1944
Wir warnen diesmal vor dem Sicherheitsdienst, abgekürzt SD. Die Angehörigen dieser Organisationen tragen die SS-Uniform, kennbar durch die beiden Buchstaben SD, oder sind in Zivil. Das Hauptquartier in Kopenhagen liegt in der Frederiksberggade im Gebäude des Deutschen Bücherdienstes, wo also nicht nur Bücher verkauft werden. Der SD beschäftigt sich vorwiegend mit Juden, Freimaurern und besonders reaktionären Organisationen und Vereinen. Unter dem SD sortiert auch die Abwehr, die Spionage und Kontraspionage. In größeren Städten heißt die Dienststelle Abwehrstelle (Ast), in kleineren, wie z.B. Aalborg, Abwehrnebenstelle (Anst.). In Kopenhagen ist die Abwehr im alten Gesandtschaftsgebäude auf Kastelsvej untergebracht, die Angehörigen wohnen aber im Hotel "Cosmopolite." Wir nennen: Gesandter Barandon, der die Wehrwirt-

---

33 Det var ikke tilfældet.
34 Det var ikke tilfældet. Gestapo havde siden marts 1944 til huse i Shellhuset.
35 Hubert Gilbert var leder af Skandinavisk Telegrambureau og bl.a. beskæftiget med spionage. Når Pancke gjordes til leder af Gestapo var det i en tysk optik et godt eksempel på det ringe vidensniveau.

schaftsspionage leitet,³⁶ und dessen Mitarbeiter Dr. Bluhm, leicht kennbar durch Verletzung des rechten Ohres und linken Auges, interessiert er sich für Sabotage.³⁷

London, 24.5.1944
Sie hören nun neue Instruktionen des Oberbefehlshabers der alliierten Truppen: Heute, Mittwoch, den 24. Mai, bittet der Oberbefehlshaber Sie, besonders aufmerksam die Mitteilungen und Instruktionen zu verfolgen, die Sie in Kürze hören werden. Sobald der Augenblick kommt, wo die uniformierten Einheiten des Oberbefehlshabers von Ihrer Hilfe Gebrauch machen werden, rechnet man damit, daß Sie dafür vorbereitet sind. Er erwartet von Ihnen, daß Sie dafür vorbereitet sind. Er erwartet von Ihnen, daß Sie in seinen Plänen eine entscheidende Rolle spielen werden. In der Zwischenzeit fordert er Sie dringend auf, äußerst vorsichtig und geduldig zu sein. Verkehren Sie nur mit Leuten, die Sie kennen, auf die Sie sich verlassen können! In erster Linie soll die Disziplin aufrecht erhalten werden. Sie hören nun den Sprecher:

Die Befehle und die Handlungen eines kommandierenden Offiziers hängen davon ab, wieviele Nachrichten er über den Feind besitzt. Der militärische Nachrichtendienst beruht auf Nachrichten, die stückweise in Form unzähliger Berichte von einer großen Anzahl Quellen kommen. Die Formulierung des Berichtes ist von großer Bedeutung. Die Anwendung einer bestimmten Methode sichert einen vollendeten Bericht. Fehlt z.B. die Zeitangabe, ist der Bericht wertlos. Es kann auch vorkommen, daß man andere, gerade so wichtige Auskünfte anläßt [?], z.B. die Richtung einer Truppenbewegung auf dem Wege nach der Stadt X oder aus der Stadt X. Aus diesem Grunde ist es von größter Wichtigkeit, die Hauptregeln für die Aufstellung eines Berichtes auswendig zu lernen. (Es folgen Einzelheiten mit Beispielen).

2.) Die Schwedische Presse.
Verschiedene schwedische Zeitungen vom 1.5.1944 veröffentlichen gleichlautend eine Meldung des "Dansk Pressetjänst", worin es u.a. heißt:
"Am 22. April kam der deutsche Großadmiral Karl Dönitz nach Kopenhagen, und damit keine Nachrichten über diesen Besuch ins Ausland dringen, wurde die Sperre zwischen Dänemark und Schweden eingeführt.³⁸ Ursprünglich war es die Absicht, die Telefonsperre sofort nach Abreise von Dönitz wieder aufzuheben, aber inzwischen waren andere Ereignisse eingetroffen, wonach es die Deutschen für ratsam hielten, die Sperre sogar noch auf den Personverkehr, die Post- und Telegrafenverbindungen auszudehnen. Gleichzeitig wurde dem dänischen Rundfunk verboten, gewisse offizielle deutsche Mel-

---

36 På Det Tyske Gesandtskab kunne man more sig over Paul Barandon sat i denne rolle.
37 Der var sandsynligvis tale om den tyske Abwehrofficer Bluhm, der ikke var medarbejder hos Barandon. Oberleutnant Richard Knud Edvard Bluhm optræder på det tyske gesandtskabs personaleliste 1. december 1942 som ansat i afdeling Z. Han var ved Abwehrstelle København fra foråret 1942 til efteråret 1943, hvorefter han blev forflyttet til Århus, hvor han var til maj 1945 (PKB, 7, s. 310 og her tillæg 5. Han afgav forklaring 14. januar 1947 (LAK, Best-sagen)).
38 Storadmiral Dönitz kom ikke til København, og der blev ikke lukket for forbindelsen til Sverige på grund af noget tysk besøg i Danmark. Muligvis skyldtes den fejlagtige oplysning, at admiral Oskar Kummetz fra MOK Ost i Kiel var på besøg i København og traf sammen med ledende tyske myndigheder (Bests kalenderoptegnelser).

dungen über die Geschehnisse in Dänemark zu verbreiten, obwohl diese in allen Kopenhagener Zeitungen erschienen – dies aus dem Grunde, damit dem Auslande jegliche Unterrichtung fehlte.

Das Attentat gegen den Chauffeur Dr. Bests, Tage Lerche, welcher übrigens im Begriff stand, sich mit Schalburgs Witwe zu verheiraten,[39] hat wahrscheinlich den ersten Anstoß für die strengeren Verhaltungsmaßregeln der Deutschen gegeben. Hierzu trug weiterhin die Sabotage bei, welche in der Nacht zum Sonntag ausgeführt worden ist.
…
In dänischen Kreisen glaubt man, daß noch ernste Dinge bevorstehen. Bestimmte Anzeichen deuten darauf hin, daß die Deutschen im Begriffe sind, die ganze dänische Verwaltung zu übernehmen. In Anbetracht der zu erwartenden Invasion soll man auch die Einführung des militärischen Ausnahmezustandes erwogen haben. Gerüchtweise verlautet, daß die Deutschen eine größere Einflußnahme auf die dänische Polizei gefordert haben, unter anderem in Bezug auf die Einsetzung von Oberkonstabeln und die Auswahl der Straßenpatrouillen. Es verlautet weiterhin, daß die Zusammenarbeit zwischen der dänischen Polizei und den Deutschen abgebrochen wurde, da die Gestapo nicht länger der dänischen Polizei Bericht erstatte, welche dänischen Staatsbürger von ihr verhaftet wurden.

Nach einer Mitteilung der Zeitung "De frie Danske" versuchten nach einer Meuterei 20 deutsche Offiziere und Gemeine aus der Garnison Helsingör nach Schweden zu fliehen, wurden aber auf dem Wege über den Sund abgefangen.

Nach Mitteilung des "Dansk Pressetjänst" an "Dagens Nyheter" vom 3.5.1944 hat der "Dänische Freiheitsrat" anläßlich der Ereignisse in Dänemark einen offenen Brief an den Reichsbevollmächtigten Dr. Best gerichtet, welcher durch die illegale Zeitung "Dansk Tidende" als Laufzettel über ganz Dänemark verbreitet wurde.[40] Der Text des Briefes lautet " Herr Dr. Best: In Ihren Worten vom 25. April an die dänische Bevölkerung haben Sie einen scharfen deutschen Druck auf unser Land proklamiert. Nach nazistischer Gewohnheit motivieren Sie diesen Schritt nicht offen und ehrlich damit, daß Deutschland sich in seinen Interessen durch die dänische Widerstandsbewegung bedroht fühlt. Sie bringen im Gegenteil Ihre Äußerungen in Verbindung mit heuchlerischen Erklärungen und unwahren Behauptungen vor. Sie behaupten sogar, daß die deutschen Behörden "mit Bedauern von Gewalttaten, Zerstörungen und Blutorgien unter den Dänen Kenntnis genommen haben."

Aber Sie wissen ebenso gut wie wir, daß Deutschlands unprovozierter Überfall auf unser Land am 9. April 1940 diejenige Gewalttat war, welche dem heutigen gesetzlosen Zustand in Dänemark den Weg bahnte. Sie wissen, daß es nazistische Banden sind, welche in blindem Rachdurst Sporthallen, Studentenhäuser, Filmateliers, Kinos und Restaurants zerstören und Bomben auf überfüllte Straßenbahnen werfen. Sie wissen, daß die Morde an Kaj Munk, Dr. Vigholt, Lektor Ibsen, Redakteur Sigurd Thomsen, Dr. Stefan Jörgensen und noch andere von der Gestapo und ihren bezahlten Handlan-

---

39 Helle von Schalburg stod ikke foran et ægteskab med Tage Lerche.
40 Det åbne brev er som nævnt ovenfor trykt på dansk hos Alkil, 1, 1945-46, s. 245.

gern verübt worden sind.⁴¹ Diese Männer wurden ausschließlich deshalb ermordet, weil sie dänisch fühlten und sprachen.

Ihre Absicht war, durch Ihre Worte das dänische Volk zu zersplittern, um dadurch unseren Widerstand zu schwächen, aber das wird Ihnen nicht glücken. Seit Jahrhunderten haben wir Dänen unseren Sinn für Menschenrecht und Wahrheit in Freiheit befestigen können. Unsere Absichten sind denen des Nationalsozialismus diametral entgegengesetzt. Sie können brennen, zerstören und morden lassen, Sie können gefangennehmen und hinrichten, Sie können locken oder drohen. Aber Sie können niemals unseren Willen und unsere Entschlossenheit brechen, diejenige Macht zu bekämpfen, welche die Welt in den Krieg gestürzt und Dänemark seiner Freiheit beraubt hat. Unterschrift: Dansk Frihedsraad."

Die großen Stockholmer Zeitungen vom 22.5.1944 veröffentlichen in großer Aufmachung den Bericht eines Mitarbeiters von "Dansk Pressetjänst," welcher sich angeblich auf Einladung des "Dänischen Freiheitsrates" einige Zeit illegal in Dänemark aufgehalten hat. Der Berichterstatter schreibt, wenn Dr. Best neulich erklärt habe, daß Kopenhagen zum Chicago des Nordens" geworden sei, so habe er damit nicht unrecht. Äußerlich zwar mache die Stadt noch einen friedlichen Eindruck, aber jeder, der sich lange dort aufhalte, lerne das Unsicherheitsgefühl kennen, unter dem die Dänen leben müssen. Am hellichten Tage würden von der Gestapo Razzien in Restaurants vorgenommen und jung und alt in Lastautos zum Dagmarhaus gebracht, wo man sie unter vorgehaltenem Bajonett zur Untersuchung bringe. Tag und Nacht gehe die Menschenjagd vor sich. Tausende von Dänen lebten "unterirdisch." Es gebe auch eine andere große Kategorie, die "Halblegalen", d.h. Personen, welche zwar ihrer täglichen Arbeit nachgehen, aber nicht in ihrem eigenen Hause wohnen, weil sie sich fürchten, Opfer eines Clearing-Mordes zu werden. Über diese Art von Morde erfahre man nur dann etwas, wenn einer der von der Gestapo gedungenen Mörder der dänischen Polizei in die Hände falle, oder wenn z.B. Dr. Best nach dem Mord an Redakteur Sigurd Thomsen spontan äußere: "Das geht aber nicht, das ist ja ein ganz unkontrollierter Mord!"⁴²

Die Kopenhagener vermißten im allgemeinen das Kino nicht. Man sei gewöhnt, früh zu Bett zu gehen, und das sei auch das Sicherste. In den Cafés laufe man Gefahr, mit betrunkenen Deutschen zusammenzustoßen, und auf den Straßen, besonders in der Nähe der von den Deutschen besetzten Gebäude, riskiere man, von den nervösen Wachtposten angeschossen zu werden. Nach Einbruch der Dunkelheit kämen auch die Schalburg-Leute zum Vorschein. Es gäbe nur 500 uniformierte, aber einige Tausend zivile ausgebildete Schalburgianer, und diese letzteren seien die Männer der Antisabotage.⁴³

---

41 Se tillæg 3.

42 Udtalelsen er givetvis en tilskrivelse, men at mordet var "ukontrolleret", dvs. ikke sanktioneret af Best, er sandsynligt. Sigurd Thomsen var redaktør ved *Socialdemokraten*, og Best ønskede ikke gengældelsesmord på socialdemokrater (Høeg 1945, s. 88, Monrad Pedersen 2000, s. 101). Thomsen blev skudt 23. marts 1944 og døde dagen efter. *Information* 28. marts 1944 mente, at det muligvis var gengæld for likvideringen af Peter Due Petersen 21. marts. Om morderne se tillæg 3.

43 Den stadige i den illegale presse fejlagtige udpegning af Schalburgkorpset og her ikke mindst de tusinder (!) af civile tilknyttede som antisabotagens mænd, indikerer, at modstandsbevægelsen reelt ikke vidste, hvem der stod for udførelsen af modterroren.

Der Korrespondent will gerade zu der Zeit in Kopenhagen gewesen sein, als vor mehreren großen Geschäften Bomben explodierten und die Schaufenster zertrümmerten. Das Ziel der Schalburgleute sei es gewesen, durch diese sinnlosen Handlungen die Sabotage an sich im Volke unbeliebt zu machen. Die unterirdische Presse aber habe dafür gesorgt, daß das Volk die wahren Zusammenhänge erfuhr. Der Korrespondent schließt seinen Bericht mit der Bemerkung, daß der von Dr. Best geprägte Ausdruck "Chicago des Nordens" sehr wohl auf die heutigen Kopenhagener Zustände passe, welche jedoch nicht von den patriotischen Freiheitskämpfern sondern von den Gestapoleuten Dr. Bests und ihren Genossen selbst hervorgerufen worden seien.

"Folkets Dagbladet" vom 23.5.1944 berichtet auf Grund von Aussagen einer Dänin, die kürzlich aus Dänemark nach Schweden gelangte, daß die Bevölkerung der Umgebung des dänischen Flüchtlingslagers bei Ronneby von den dänischen Flüchtlingen terrorisiert werde. Die Bevölkerung könne es nicht verstehen, wie die schwedischen Behörden das Verhältnis der dänischen Flüchtlinge zulassen könnten. Tatsächlich werde Schweden als Stützpunkt für Konspirationen gegen das dänische Volk und die dänische Heimat verwendet. Die meisten Saboteure in Dänemark seien Jugendliche im Alter von 17 bis 20 Jahren, die aus England ihre Befehle und Untersetzung erhielten. Wenn Schweden auch weiterhin seine Neutralität aufrechterhalten wolle, so müsse es dem Treiben der dänischen jüdischen Flüchtlinge Einhalt gebieten.

"Dagens Nyheter" vom 24.5.1944 bringt einen zweiten Artikel aus der Feder des angeblich von einem illegalen Besuch in Dänemark zurückgekehrten Mitarbeiters von Dansk Pressetjänst. Darin heißt es, daß die dänischen Freiheitskämpfer jetzt ihrerseits, ebenso wie die Deutschen in Dänemark, ihre Vorbereitungen für die Invasion träfen, über die er aber natürlich keine näheren Angaben machen dürfe. Man könne sagen, daß das Land heute eine dreifache Administration habe, erstens die des deutschen Militärs, zweitens die legalen dänischen Behörden und drittens " die unterirdische Front." Diese letztere sei zwar unsichtbar, aber trotzdem umfassend und effektiv aufgebaut. Die dänische Flanke der "Festung Europa" sei jetzt mit 160.000 deutschen Soldaten besetzt. Es sei schwer, etwas über die Stärke der Verteidigung oder die Moral der Soldaten auszusagen. Der Berichterstatter will aber in Kopenhagen "mit Befriedigung" das zerrissene Aussehen der Soldaten, ihren melancholischen Gesichtsausdruck und eine allgemeine Stumpfheit bemerkt haben. In Jütland seien die Befestigungswerke, die man schon im vergangenen Jahre für ungeheuer ansah, noch in weitem Masse verstärkt worden. Dadurch sei in Westjütland ein wahres "Klondike" der Kriegsgewinnler entstanden. Die Deutschen versorgten die für sie tätigen Unternehmer, Ingenieure, Arbeiter und Bauern freigiebigste mit Papiergeld; dadurch seien wiederum alle Preise für Mangelwaren fantastisch angestiegen.

169. Eberhard von Thadden an Werner Best 1. Juni 1944

Best modtog et telegram fra von Thadden med gengivelse af et brev fra Kaltenbrunner til AA 27. maj. Kaltenbrunner skrev, at Best løbende havde givet UM oplysninger om de til Tyskland deporterede med en kort begrundelse derfor, samt oplyst, at de ikke ville komme tilbage, før der var ro og orden i Danmark. Derfor fandt Kaltenbrunner Det Danske Gesandtskabs mange henvendelser overflødige. Såsnart der var blevet bygget en lejr ved den tysk-danske grænse, ville overførslerne til Tyskland ophøre, og samtlige danske fanger i Tyskland ville senere blive overført til lejren.

Von Thadden bad om at få oplyst, om det, som Det Danske Gesandtskab erklærede, var korrekt, at der ikke var oplyst, hvad de overførte danskere havde gjort.

Af følgeskrivelsen fremgår, at Best endvidere skulle drøfte spørgsmålet med von Grundherr i København.
Kilde: PA/AA R 99.502 (koncept).

Inl. II B   Berlin, den 1. Juni 1944.

Telegramm

1.) Diplogerma Kopenhagen Nr. 622
Referent: VK Geiger
Betreff: Nach Deutschland überstellte Dänen.

Chef Sicherheitspolizei mitteilt folgendes:
"Der Reichsbevollmächtigte für Dänemark hat dem Dänischen Außenministerium laufend eine namentliche Liste der ins Reich überstellten dänischen Staatsangehörigen übermittelt und bei dieser Gelegenheit eine kurze Begründung für die Überstellung gegeben. Er hat ferner zum Ausdruck gebracht, daß eine Rückführung dieser Häftlinge erst dann in Frage komme, wenn die Ruhe und Ordnung in Dänemark in vollem Umfange wieder hergestellt seien.

Es besteht daher kein Anlaß, mit der Dänischen Gesandtschaft in dieser Angelegenheit weiter Verhandlungen zu führen oder ihr umfassendere Erklärungen zu geben.

Zur dortigen Unterrichtung teile ich mit daß in letzter Zeit keine Überstellungen ins Reich mehr erfolgt sind, da von dänischer Seite ein neues Haftlager an der deutsch-dänischen Grenze gebaut wird. – Es ist beabsichtigt, sämtliche Dänischen Häftlinge dort unterzubringen; auch die zur Zeit im Reich befindlichen Häftlinge sollen später in dieses Lager überstellt werden."
Schluß des Schreibens Chefs Sicherheitspolizei.
Ich nehme hierbei Bezug auf den vor einigen Wochen übersandten Erlaß.[44] Wie sich aus diesem ergibt, hatte Dänische Gesandtschaft mitgeteilt, daß Angabe Chefs Sicherheitspolizei, die dänischen Behörden seien über die den Angehörigen der fraglichen Dänengruppen zur Last gelegten Straftaten unterrichtet, nicht zutreffe. Wäre unter Hinweis auf Satz 1. vorstehender Mitteilung Chefs Sicherheitspolizei für die seinerzeit im Erlaß erbetene Stellungnahme dankbar.

Bitte hiervon[45] auch mit Herrn Gesandten von Grundherr, der demnächst dort wieder eintrifft, zu besprechen.

Thadden

2.) Bei R VIII – Herrn GK Speiser   Inl. II B 1867

---
44 Indberetningen er ikke lokaliseret.
45 Ulæselig håndskrevet rettelse.

im Anschluß an die dorthin zur Übernahme übermittelten Vorgänge vorgelegt.

Das nebenstehende Telegramm ist auf besonderen Wunsch von Herrn Gesandtschaftsrat Geffcken unmittelbar von hier aus nach Kopenhagen gesandt worden, damit die Angelegenheit dort mit Herrn Gesandten von Grundherr, der sich demnächst von Oslo wieder nach Kopenhagen begibt, besprochen werden kann.[46] Herr Ges. Rat Geffcken hat auch Abschrift des Schreibens des Chefs der Sicherheitspolizei und des SD vom 27. Mail 1944 erhalten.

Berlin, den 1. Juni 1944

Geiger

170. Einsatzstab Rosenberg an H.W. Ebeling 1. Juni 1944

Ebeling havde orienteret om sine forberedelser af svenske bogopkøb, og Einsatzstab Rosenberg svarede med at præcisere, hvilken slags litteratur staben var særligt interesseret i. Det drejede sig om fagbøger om politik og økonomiske forhold i de krigsførende lande, f.eks. en ny Stalin- eller Rooseveltbiografi eller en afhandling om religionen i Sovjetunionen. Bøger på svensk havde ikke større interesse, i stedet bøger på tysk, fransk eller engelsk.

Med denne udmelding havde en hel del af Ebelings forberedende arbejde været forgæves, da han alt overvejende havde fremsendt lister over bøger på svensk. Dertil kom, at man i Einsatzstab Rosenbergs forskellige afdelinger ikke synes at have fået koordineret, hvilke bøger det var, Ebeling skulle anskaffe. Der var kommet ret skiftende meldinger siden årets begyndelse (se Ebeling 22. februar 1944 og Einsatzstab Rosenberg til Ebeling 1. marts 1944) i forhold til det, han 1. juni fik udstukket som sin opgave.

Den 6. juni 1944 fik Ebeling efter flere måneders venten formelt sine fremtidige arbejdsopgaver afstukket. Se anf. dato.

Kilde: BArch, NS 30/32. RA, Danica 1000, T-450, sp. 87, nr. 719.

Einsatzstab Reichsleiter Rosenberg *Ratibor, den 1. Juni 1944*
Die Stabsführung – IV/4 Ru/Kr. 1552

Oberst-Einsatzführer Ebeling
 Feldpost-Nr. 25 362/AG

Betr.: Literatur aus Schweden.
Bezug: Ihre Schreiben vom 26.4. und 2. u. 15.5.44.[47]

Von Ihren organisatorischen Vorbereitungen für den Bücherankauf in Schweden haben wir Kenntnis genommen und sehen nun dem Eintreffen der ersten Sendung mit Interesse entgegen. Ich danke Ihnen auch für die Übersendung der Listen schwedischer Bücher. Dazu ist grundsätzlich Folgendes zu sagen:
1.) Bücher in schwedischer Sprache haben für uns nur bedingten Wert, da wir kaum Übersetzer dafür finden werden. Ich bitte Sie also, soweit wie irgend möglich nach Büchern in deutscher, französischer und englischer Sprache zu fahnden!

---

46 Grundherr var hos Best 1. og 7. juni 1944 (Bests kalenderoptegnelser anf. datoer).
47 Ebelings breve de nævnte datoer er ikke medtaget, men findes på sp. 87, som nr. 725f., 723 og 733.

2.) Die Entscheidung, welche Bücher geeignet sind oder nicht, bitte ich Sie an Ort und Stelle selbst zu treffen. Es ist fast unmöglich, aus der Überschrift die Bedeutung das Buches zu erkennen. Das zeigen geradie die von Ihnen mitgesandten Bücherlisten. Denn was soll man sich z.B. unter Natalia Pflaumers "Meine bunte Familie" vorstellen?[48] Auch die Emigrantenliteratur, die sich in immer denselben Hetztiraden ergeht, ist für uns nur in Ausnahmefällen von Bedeutung. Wichtig sind dagegen sämtliche einigermaßen sachlichen Abhandlungen über politische und wirtschaftliche Zustände in den kriegsführenden Ländern, also z.B. eine neue Stalin- oder Rooseveltbiographie oder eine Abhandlung über die Religion in der Sowjetunion u.Ä. Zu diesen für uns interessanten Büchern könnten "Winston Churchill" von Knud Hagberg[49] und "Die Menschenrassen und Volksstämme der Erde" von Bertil Lundmann[50] gehören.

Heil Hitler
Rudolph
Haupteinsatzführer

171. Reichsministerium für Volksaufklärung und Propaganda, Abteilung Rundfunk: Aktenvermerk 2. Juni 1944

Heinrich Gernand havde under et Berlinophold opsøgt Abteilung Rundfunk i RMVP og fortalt, at Best vendte sig imod tyske radioudsendelser på dansk rettet til den danske befolkning. Gernand skildrede de propagandistisk set utrolige tilstande i Danmark, hvor bl.a. de værste hetzskrifter rettet mod Tyskland kunne købes på både tysk og dansk i boghandlerne. Gernand bad om, at RMVP rettede henvendelse til AA for at få Best til at tillade de tyskproducerede radioudsendelser i Danmark.

RMVP skrev til Gerhard Rühle, lederen af AAs Rundfunkpolitische Abteilung, endnu samme dag.

Bests præsentation af den tyske propagandapolitik i Danmark i bl.a. *Politische Informationen* 1. juni 1944 gør det klart, at han vidste, at han skulle forsvare sig mod kritik også fra Berlin.

Kilde: RA, Danica 465: Moskva, Osobyj Archiv, 1363/1/163/143 (gennemslag).

[Reichsministerium für Volksaufklärung und Propaganda]   *Berlin, den 2. Juni 1944.*
Abteilung Rundfunk
RR Weinbrenner
Rfk/A 3201/9.4.44/761-4,5[51]

A k t e n v e r m e r k
Betrifft: Voix du Reich nach Dänemark.

Herr Gernand teilte bei seinem letzten Berliner Aufenthalt mit, daß der Bevollmächtigte des Deutschen Reichs, Herr Dr. Best, sich gegen eine von Deutschland zusammenge-

---

48 Natalia Pflaumer: *Meine bunte Familie* blev oversat til svensk *Min brokiga familj*, 1944.
49 Knut Hagberg: *Winston Churchill*, Stockholm 1944.
50 Bertil Lundman: *Die Menschenrassen und Volksstämme der Erde* var udkommet på svensk som *Jordens människoraser och folkstammar: deres etnografiska och geografiska sammanhang*, Uppsala 1943.
51 Journaliseringsnummeret er overstreget.

stellte Sendung in dänischer Sprache, die sich an das dänische Volk richtet, wendet. Gernand schilderte dabei, daß propagandistisch gesehen in Dänemark geradezu unglaubliche Zustände herrschen. So läßt z.B. die deutsche Führung zu, daß noch heute die übelsten gegen Deutschland gerichteten Hetzbroschüren und Bücher sowohl in deutscher als auch dänischer Sprache in den Buchhandlungen ohne weiteres zu kaufen sind. G. bat, daß wir unsererseits das AA bitten, auf B. wegen Freigabe der Voix du Reich nach Dänemark einzuwirken.

172. Reichsministerium für Volksaufklärung und Propaganda an das Auswärtige Amt 2. Juni 1944

RMVP konstaterede, at det stod yderst dårligt til med den tyske propaganda i Danmark, hvor enhver i boghandlerne frit kunne købe hetzskrifter på både tysk og dansk rettet mod Tyskland. Det ville være yderst velkomment, hvis der dagligt over Kalundborgsenderen kunne bringes tyske radioprogrammer på dansk til den danske befolkning, så den kunne blive politisk vejledt. Best skulle være imod sådanne, men AA blev bedt om at intervenere hos ham.

AA svarede RMVP 29. juli 1944 efter at være blevet rykket to gange.

Kilde: RA, Danica 465: Moskva, Osobyj Archiv, 1363/1/163/143 (gennemslag).

[Reichsministerium für Volksaufklärung und Propaganda]   *2. Juni 1944.*
Rfk/A 3000/6.1.43/708-1,2   abges. 5.6.

Herrn Gesandten Rühle,
    Auswärtiges Amt,
    Rundfunkpolitische Abteilung,
    Berlin.

Betrifft: Stimme des Reiches nach Dänemark.

Bekanntlich hält sich die deutsche Propaganda in Dänemark außerordentlich zurück, während andererseits gegen Deutschland gerichtete Hetzbroschüren und Bücher in deutscher und dänischer Sprache in Buchhandlungen für jedermann käuflich sind. Von allen Sachkennern würde es außerordentlich begrüßt werden, wenn wir nach dem Muster der Voix du Reich über Kalundborg täglich eine von uns zusammengestellte Sendung in dänischer Sprache geben würden, die das dänische Volk in ausreichender Weise politisch unterrichtet. Dem Vernehmen nach soll sich der Bevollmächtigte des Deutschen Reichs, Herr Dr. Best, gegen eine derartige Sendung ausgesprochen haben. Da auch sicher von Ihnen die Zweckmäßigkeit der Einrichtung einer derartigen Sendung vertreten wird, bitte ich, bei dem Bevollmächtigten des Deutschen Reichs, Herrn Dr. Best, in unserem Sinne zu intervenieren.

                          Im Auftrage:
                         [uden underskrift]

2.) Wv. 15.6.

173. Der Reichswirtschaftsminister an das Auswärtige Amt 3. Juni 1944

Best havde til AA efterlyst import af de nødvendige mængder salt fra Tyskland, så den danske fiskeeksport kunne blive nedsaltet før transporten. RWM svarede, at der var leveret stigende mængder salt til Danmark, men at det var selve transporten, der var problemet. Der ville blive gjort mest muligt for at opfylde behovet.

Kilde: BArch, R 901 113.561.

Der Reichswirtschaftsminister   *Berlin C 2, den 3. Juni 1944*
– III Ld I-1/9062/44 –

An das Auswärtige Amt
   z.Hd. von Herrn Legationsrat Baron von Behr
   Berlin W 8
   Manerstr. 16/18

Auf den Schnellbrief vom 9. Mai 1944[52] – Ha Pol VI 1311/44 – v. Behr 275
Betr.: Salzausfuhr nach Dänemark.

Eingehende Besprechungen mit dem Deutschen Salzverband und dem Reichsverkehrsministerium haben ergeben, daß diese Stellen über die Dringlichkeit des dänischen Salzbedarfs genau unterrichtet sind und sich ständig bemühen, Dänemark nach besten Kräften mit Salz zu versorgen. Die Schwierigkeiten liegen fast ausschließlich in den Transportverhältnissen, bei Siedesalz außerdem an der durch Kürzung der Kohlenzuteilung begründeten Erzeugungsbeschränkung. Daß Dänemark dank dieser Bemühungen trotz wesentlich erhöhter Verkehrsschwierigkeiten in den letzten Monaten nicht nur im Umfange des Vorjahres, sondern in verstärktem Maße mit Salz hat beliefert werden können, ist nur zu Lasten der deutschen Ausfuhr nach gewissen anderen Ländern möglich gewesen. Nach Mitteilung des Salzverbandes sind (gegenüber Januar/Mai 1943 mit 52.102 t) im Januar/Mai 1944 58.681 t Stein- und Siedesalz nach Dänemark geliefert worden, davon

	Steinsalz	Siedesalz
Januar	4.593 t	2.690 t
Februar	6.865 t	1.810 t
März	11.456 t	2.923 t
April	10.958 t	3.194 t
Mai	ca. 10.692 t*)	etwa 3.500 t

*) unvollständige Ziffer, wahrscheinlich höher.

Die Siedesalzlieferungen haben danach den angeforderten Monatsbedarf von 3.000 t in der letzten Zeit nicht unerheblich überschritten.

Der Salzverband wird jede sich bietende Möglichkeit zur Salzlieferung nach Dänemark ausnutzen. Das wird überwiegend auf dem Wasserwege, daneben aber in beschränkterem Umfange auch auf dem Bahnwege geschehen.

Im übrigen wird, soweit das nicht schon der Fall ist, gefordert werden müssen, daß

---

52 Se Bests telegram nr. 586, 8. maj 1944.

Dänemark das gelieferte Siedesalz ausschließlich für die Zwecke einsetzt, die die Verwendung von Steinsalz nicht gestattet.

Im Auftrag
Ludwig

174. Werner Best an das Auswärtige Amt 6. Juni 1944

Som svar på AAs forespørgsel forklarede Best, at der var en fangelejr under opførelse i Danmark, hvor danskere, der var anholdt af det tyske sikkerhedspoliti, skulle anbringes, samt de danske fanger, der sad i tysk koncentrationslejr. Best bad om, at Det Danske Gesandtskab i Berlin ikke fik meddelelse om tilbageførslen af fangerne fra Tyskland, før Best gav grønt lys dertil.

UMs direktør, Nils Svenningsen, havde første gang 25. januar 1944 foreslået Best opførelsen af en fangelejr i Danmark for at undgå, at flere danske blev deporteret til Tyskland. Forslaget blev accepteret i begyndelsen af marts og efter at placeringen i Sønderjylland var bestemt af tysk politi, gik byggeriet i al hast i gang. Da Best på opfordring informerede AA om lejrens formål, var byggeriet endnu ikke afsluttet (Hæstrup, 1, 1966-71, s. 353-359).

Wagner spurgte 27. juni Best om, hvornår lejren var færdig.

Kilde: PA/AA R 29.568. RA, pk. 204. LAK, Best-sagen (afskrift).

Telegramm

Kopenhagen, den   6. Juni 1944   11.55 Uhr
Ankunft, den   6. Juni 1944   17.45 Uhr

Nr. 707 vom 6.6.[44.]

Auf das dortige Telegramm Nr. 622[53] vom 1.6.44. berichte ich folgendes:

1.) Es ist richtig, daß zur Zeit bei Fröslev an der dänisch-deutschen Grenze ein großes Haftlager gebaut wird, in dem alle von der deutschen Sicherheitspolizei festgenommenen Dänen untergebracht werden sollen. In diese Lager sollen auch diejenigen dänischen Häftlinge, die früher in Konzentrationslager im Reich verbracht worden sind, zurückgeführt werden.

2.) Unter diesen Umständen teile ich die Auffassung des Chefs der Sicherheitspolizei, daß die Erörterungen mit der dänischen Gesandtschaft in Berlin, aus welchen Gründen die einzelnen ins Reich verbrachten dänischen Häftlinge festgenommen wurden, sich erübrigen. Die dänische Zentralverwaltung war bei Übergabe der Listen der ins Reich verbrachten dänischen Häftlinge jeweils summarisch dahin unterrichtet worden, daß die eine Gruppe wegen kommunistischer Betätigung, die andere Gruppe wegen illegaler Propaganda usw. sich in Haft befinden. Detaillierte Auskünfte hatte die Sicherheitspolizei abgelehnt.

3.) Ich bitte, die dänische Gesandtschaft in Berlin nicht früher über die Absicht zu unterrichten, die dänischen Häftlinge aus dem Reich in das Lager bei Fröslev zu überführen, als bis ich mitgeteilt habe, daß die Überführung vorbereitet und in Kürze stattfinden kann.

Dr. Best

---

53 Inl. II B 1867. Trykt ovenfor.

175. Einsatzstab Rosenberg an H.W. Ebeling 6. Juni 1944

Chefen for Einsatzstab Rosenberg, Gerhard Utikal, beordrede Einsatzführer H.W. Ebeling på en særlig mission til Danmark og Norge for rigsleder Rosenberg. Han var autoriseret dertil i forståelse med de tyske myndigheder i Danmark og Norge og i henhold til et førerdekret. Under hans ophold skulle alle tyske officerer støtte hans aktiviteter.

Hvad den særlige mission mere konkret bestod i, er uvist, men med henvisning til de tre dekreter i skrivelsen kan det kun have drejet sig om konfiskationen af jødisk ejendom eller erhvervelse af samme og andre oplysninger om jøder, samt i øvrigt oplysninger om østområderne, som lod sig skaffe i Norden.

Dekreterne gav i teorien Ebeling betydelige beføjelser, som måske blev anset for nødvendige efter de tidligere resultatløse møder med Best (og Terboven). Det er bemærkelsesværdigt, at der henvises til OKWs dekret af 30. september 1942, da det specifikt drejede sig om Einsatzstabs Rosenbergs opgaver i de besatte østområder, hvilke Danmark og Norge så afgjort ikke faldt ind under.

Ebeling var i Berlin i de første dage af juni, men var tilbage i København senest 29. juni under generalstrejken og berettede nævnte dag om situationen i hovedstaden, men han fortæller ikke et ord om sin mission, ligesom han ikke opsøgte Werner Best (beretningen er trykt nedenfor anf. dato). Best traf han først igen 6. september og 25. oktober 1944 på Dagmarhus, så Einsatzstab Rosenberg havde ikke opgivet sit skandinaviske arbejde, som der var lagt op til 25. marts (Bests kalenderoptegnelser anf. datoer). Rimeligvis har det alene drejet sig om erhvervelsen af bøger og udveksling af propagandamateriale. Det tyder den sparsomt bevarede korrespondance på, hvoraf et enkelt fra Einsatzstab Rosenberg til Ebeling 31. juli er trykt nedenfor.

Dokumentet af 6. juni blev fremlagt under Nürnbergprocessen 18. december 1945 og omtalt IMT, 4, s. 97, uden at der blev gravet videre i sagen, men det er siden blevet taget til indtægt for, at Einsatzstab Rosenberg i sommeren 1944 "sent SS Colonel H.W. Ebeling to carry out the seizure of Jewish books in Denmark and in Norway" (Friedman 1957-58, s. 11) og at samme "remained busy gathering and forwarding material to Germany. In June, ERR Chief of Staff Gerhard Utikal sent Special Units into Hungary, Denmark and Norway." (Collins and Rothfeder 1983, s. 31). Ingen af udsagnene har for Danmarks vedkommende noget på sig, for så vidt det antydes, at der var tale om beslaglæggelser.

Kilde: IfZG, PS nr. 159. *Nazi Conspiracy and Aggression*, 3, 1946, s. 199f. (på engelsk) *Nazi Germany's War Against the Jews*, 1947, s. III, s. 135f. (på engelsk).

Berlin, den 6. Juni 1944

Marschbefehl

Oberst-Einsatzführer H.-W. Ebeling reist nach Dänemark und Norwegen, um in Übereinstimmung mit dem Bevollmächtigten des Reiches in Dänemark und dem Reichskommissar in Norwegen in Verbindung mit dcm Führererlass vom 1.3.1942[54] (zugestellt dem Obersten Reichsbehörden durch Schreiben des Herrn Reichsministers und Chefs der Reichskanzlei DK 9495 S) und dem OKW-Befehl Nr. II/11564/42 Gen St d H/Gen Qu As., Abt. K Verw. (Verw.) vom 30.9.42,[55] besondere Aufträge des Reichsleiters Rosenberg durchzuführen.

Für die Dauer seines notwendigen Aufenthalts sind sämtliche Dienststellen des Staates und der Wehrmacht auf Grund das Führererlasses vom 1.3.1942, des OKM-Befehls vom 30.9.1942 und des Einsatzbefehls des Chefs der Sicherheitspolizei und des SD vom 1.7.1942 angewiesen, die Tätigkeit des Genannten zu unterstützen.

Utikal
Chef des Einsatzstabes

---

54 Trykt Moll 1997, 2. 237, Piper 2005, s. 500f.
55 Trykt IMT, 26, s. 532f. Jfr. Piper 2005, s. 502.

176. Kriegstagebuch/Admiral Skagerrak 6. Juni 1944

Admiral Wurmbach noterede, at han klokken halv fire om natten var blevet ringet op og havde fået at vide, at en fjendtlig invasion var begyndt ved Cherbourg. Nu var det om at afvente, om det var hovedangrebet, eller om det skulle falde et andet sted. Fjenden havde valgt et dårligt vejr til at gennemføre angrebet i. Von Hanneken havde indført højeste alarmberedskab kl. 10.

Kilde: KTB/ADM Dän 6. juni 1944, RA, Danica 628, sp. 3, s. 3377f.

[…]
Feindliche Landung im Kanal:
03.30 h
MOK Ost teilt mir fernmündlich mit, daß ab 01.00 h starke Verbände von Lastenseglern und Fallschirmtruppen im Raum ostwärts Cherbourg auf der Halbinsel Cotentin und im Raum von Trouville landen. Bei Caen werden Strohpuppen abgeworfen, offenbar zur Täuschung und Ablenkung eigener Gegenmaßnahmen. Schwere Bombenangriffe auf Cherbourg.

07.10 h
MOK ergänzt fernmündlich erste Feindmeldung dahingehend, daß auch starke Gruppen von Landungsfahrzeugen im Raum zwischen Cherbourg und Seine-Mindung gemeldet sind.

07.52 h
eingeht auf FVLM der FT, daß 06.31 h sechs feindliche Schlachtschiffe und 20 Zerstörer vor Le Havre stehen.

Es bleibt abzuwarten, ob es sich in diesem Raum um den feindlichen Hauptstoß handelt und ob an anderen Stellen weitere Anlandungen erfolgen werden. Ich unterrichte über alle Vorgänge en Wehrmachtbefehlshaber Dänemark und den General der Luftwaffe in Dänemark. Beide Stellen hatten noch keine Nachrichten über den Feind. Ferner unterrichte ich die Seekommandanten Nord- und Südjütland und die 8. Sicherungsdivision, sehe aber vorläufig von weiteren Maßnahmen ab.

Auffallend ist, daß der Gegner eine schlechte Westwetterlage zur Durchführung seiner Unternehmung gewählt hat. Ich weise die Seekommandanten Nord- und Südjütland auf diese Tatsache besonders hin.

10.00 h
Wehrmachtbefehlshaber Dänemark befiehlt für ganz Dänemark Bereitschaftsstufe I.
[…]

177. Gottlob Berger an Heinrich Himmler 6. Juni 1944

Berger meddelte RFSS sine indtryk af en tjenesterejse til Danmark og Norge. For Danmarks vedkommende var hovedemnet Schalburgkorpsets forhold. Berger formidlede et billede af en ustabil K.B. Martinsen. Ikke desto mindre skulle Schalburgkorpset genoptage sin *politiske* virksomhed med fuld kraft. Germanische Leitstelle havde fået ny leder, dr. Kröger. I telegramstil fik Himmler også at vide, at alle modterrorforanstaltninger i Danmark blev grundigt forberedt, og at fortrolige informationer herom ad en særlig fastlagt vej gik til Bovensiepen. Under turen i Norge havde Berger fået det indtryk, at rigskommissær Terboven var ude efter Best, hvorfor Berger havde advaret Best under fire øjne.

Der bestod et stadigt modsætningsforhold mellem Terboven og Best, ligesom Terboven betragtede Danmark i et særdeles ugunstigt lys, hvilket kom frem i hans samtidige forsøg på at få tilført sukker fra Danmark (se Terbovens til Herbert Backe 29. maj 1944). Terboven søgte efter bedste evne at genere Bests besættelsespolitik.

Kilde: BArch, NS 19/2135. RA, Danica 1069, sp. 6, nr. 7254-57, RA, pk. 442. LAK, Frits Clausensagen XV/127.

Der Reichsführer-SS   *Berlin-Grunewald, den 6.6.1944*
Chef des SS-Hauptamtes   Douglasstraße 7-11
CdSSHA/Be/We. – VS-Tgb. Nr. 480/44g.Kdos.   2 Ausfertigungen
Adjtr.-Tgb. Nr. 381/44g.Kdos.   1. Ausfertigung
Geheime Kommandosache

Betrifft: Reise nach Dänemark und Norwegen
Anlage: – 2 –[56]

An Reichsführer-SS und Reichsminister des Innern
Berlin SW 11
Prinz-Albrecht-Str. 8

Reichsführer!
Über meine Dienstreise nach Dänemark und Norwegen bitte ich, im Telegrammstil berichten zu dürfen.

I. Dänemark
Die Verhältnisse in Dänemark haben sich, insbesondere im Schalburg-Korps, zugespitzt. SS-Obersturmbannführer Martinsen hielt sich für den großen völkischen Führer, der allein noch in der Lage ist, die Sache zu meistern. Es wurde erheblich gegen gespielt. Es läßt sich heute jedoch nicht mehr genau feststellen, wer eigentlich an den reichlich verwirrten Verhältnissen im Schalburg-Korps die Schuld trägt. SS-Obersturmbannführer Martinsen lebt sich immer mehr von der Schutzstaffel fort. Nach seinem letzten Bericht zu urteilten, war er auf dem besten Wege, chauvinistischer Däne zu werden.

Es wurde folgendes festgelegt:
a.). Die zurzeit kasernierten Einheiten des Schalburg-Korps bleiben vorerst – bis zur Klärung der politischen Lage – in den Kasernen.
Später ist die Verringerung dieses Bataillons auf etwa 400 Mann, die Abgabe von

---

56 Et bilag trykt efterfølgende.

350 Mann zum Panzer-Grenadier-Regiment "Danmark" vorgesehen.
b.) Das Schalburg-Korps nimmt seine politische Tätigkeit mit allen Kräften wieder auf.
c.) SS-Sturmbannführer Boysen wird durch SS-Oberführer Dr. Kröger ersetzt.[57]
d.) Gründliche Vorbereitung aller Gegenterrormaßnahmen. Vertrauliche Mitteilung über alle Vorgänge auf besonders festgelegtem Weg den BDS.
e.) Vertrauensvolle Zusammenarbeit mit allen Dienststellen. SS-Obersturmbannführer Martinsen meldet sich alle vier Wochen einmal zum Vortrag.

II. Norwegen
a.) Mein Besuch traf mit dem kläglichen Scheitern der Verkündung der Einberufung von zwei Jahrgängen zum nationalen Arbeitsdienst zusammen.

Ein Jahrgang soll in Norwegen rund 20.000 umfassen. 12.000 Mann sind davon jedoch bereits in der Kriegsindustrie eingesetzt, so daß sie für den nationalen Arbeitsdienst nicht in Frage kommen. Von rund 25.000 Meldepflichtigen haben sich etwa 400 gestellt. Die übrigen gingen in die Wälder oder zu Bekannten und halten sich versteckt.

Quisling beabsichtigt, durch Jagd-Kommandos der SS und Hird die Männer einzufangen. Wir sind uns darüber einig, daß die SS sich hieran nicht beteiligt.
b.) Quisling war sehr nervös.
c.) Die Feierstunde nahm einen sehr schönen Verlauf. Ich sprach etwa 30 Minuten über den Kampf der Männer germanischen Blutes gegen den Bolschewismus – über die Zusammenfassung in einem neuen Europa.
d.) Reichskommissar Terboven ist mit dem bis jetzt in bezug auf die norwegischen Studenten Geleisteten nicht nur zufrieden, sondern sehr dankbar, bittet nur, die Studenten vorerst nicht nach Norwegen zurückzubringen. Schwierigkeiten von seiner Seite in dieser Angelegenheit sind vorerst nicht zu erwarten.
e.) Durch das reichlich unvorsichtige und etwas leichtsinnige Reden des SS-Obersturmbannführers Neumann war das persönliche Verhältnis zu Reichskommissar Terboven getrübt. Die Angelegenheit ist bereinigt.
f.) Reichskommissar Terboven beabsichtigt, gegen SS-Obergruppenführer Dr. Best anzugehen. Ich glaube, es ist Vorsicht am Platze. Dr. Best wurde von mir unter vier Augen gewarnt.

G. Berger
SS-Obergruppenführer

Betrifft: Reise nach Dänemark und Norwegen
– Reiseplan –

Donnerstag, 1.6.1944:   Abflug Berlin 16 Uhr
                        Ankunft Kopenhagen 18 Uhr

---

57 Dr. Kröger tiltrådte 1. august 1944.

Unterbringung bei SS-Obergruppenführer Dr. Best
2 ½ stündige Besprechung mit SS-Sturmbannführer Martinsen
Abends Einladung des Höheren SS- und Polizeiführers SS-Obergruppenführer Pancke – dazu sämtliche Führer der SS und Polizei[58]

Freitag, den 2.6.1944: 11 Uhr Einweihung des Ehrenmals in Höveltegaard
Ansprache des SS-Sturmbannführers Martinsen
Verleihung von 9 germanischen Leistungsrunen an Dänen
Gemeinsames Mittagessen[59]
Besichtigung von 2 Museen[60]
Abends Einladung bei SS-Obergruppenführer Dr. Best im engsten Kreis – nur deutsche SS-Führer[61]
24 Uhr Abflug nach Norwegen

Sonnabend, 3.6.1944: 4 Uhr 05 Eintreffen in Oslo
Besuch bei Quisling
Feierstunde[62]
Einladung des Reichskommissars mit sämtlichen Divisions-Kommandeuren und territorialen Befehlshabern in Norwegen

Sonntag, den 4.6.1944: Besprechung mit SS-Obergruppenführer Rediess[63] und SS-Sturmbannführer Leib[64] anschließend mit Reichskommissar über norwegische Studenten

Montag, 5.6.1944: 2 Uhr Abflug
9 Uhr Eintreffen in Berlin

---

58 Best var også af Pancke inviteret til sammenkomsten, der fandt sted på Hotel "d'Angleterre". Berger overnattede hos familien Best i villa Rydhave.
59 Best ledsagede Berger til Høveltegård, hvor mindesmærket i form af en gravhøj for de faldne danske i tysk krigstjeneste blev indviet. Påfølgende var der spisning i Høveltegårds feltkøkken. Datoen for højtideligheden var ikke tilfældig: Det var toårsdagen for C.F. von Schalburgs død. Dagen blev markeret adskillige steder af DNSAP, men markeringen på Høveltegård fandt ikke vej til *National-Socialistens* spalter. Dertil var forholdet til Best for anstrengt. Til gengæld blev begivenheden omtalt i *Skagerrak* juni 1944, s. 4f. og udførligt med gengivelse af taler og fotos i *Daggry* 15. juni 1944.
60 Det var museet på Frederiksborg Slot og Kronborg.
61 Den snævreste kreds af SS-førere udgjorde iflg. Bests kalenderoptegnelser Günther Pancke, SS-Brigadeführer Fiedler, SS-Standartenführer Erich Spaarmann, SS-Sturmbannführer Klingenberg og 12 andre ikke navngivne SS-førere. De var alle samlet i Bests villa Rydhave. Ved midnat tog Berger til Kastrup lufthavn for at flyve til Oslo.
62 Berger holdt talen ved en festaften for Germansk-SS i Norge, som *National-Socialisten* gengav 16. juni 1944.
63 HSSPF Wilhelm Rediess.
64 Karl Leib, leder af Waffen-SS' rekrutteringskontor; desuden Bergers svigersøn.

178. Eberhard von Thadden an Horst Wagner 7. Juni 1944

Von Thadden forklarede Wagner, hvordan det stadig trak ud med at få den lovede besigtigelse af Theresienstadt bragt i stand, og at det hos danskerne havde udviklet sig til en prestigesag. AAs politiske afdelings opfattelse var, at besigtigelsen ubetinget skulle finde sted, også selv i tilfælde af en invasion. Ved AAs direktionsdrøftelse var der blevet bedt om, at Wagner kontaktede Kaltenbrunner direkte for at få en dato for besigtigelsen fastlagt.

Det var et tydeligvis stærkt utålmodigt AA, der nu ville gå til RSHAs øverste leder for at få en ende på alle de henholdende svar fra afdelingslederne (Yahil s. 263 med note 69, Weitkamp 2008, s. 193).

Eichmanns afdeling i RSHA kontaktede 13. juni 1944 von Thadden i sagen.

Kilde: PA/AA R 99.414.

Aufzeichnung

Seit Durchführung der Judenaktion in Dänemark im Herbst v.J. bemüht sich die Dänische Gesandtschaft um die Erlangung der Genehmigung für einen Besuch des Ghettos Theresienstadt.

Nach Besprechung der Angelegenheit mit dem RSHA wurde den Dänen die Möglichkeit eines Besuchs für Anfang des Jahres 1944 in Aussicht gestellt. Anfang 1944 mußten sie jedoch auf das Frühjahr vertröstet werden, da das RSHA einen Besuch aus optischen Gründen erst nach "Verschönerung der Landschaft durch Grünwerden der Bäume" für tragbar hielt.

Im April wurde mitgeteilt, daß eine Vorlage an den Reichsführer-SS in der Angelegenheit veranlaßt war, und Anfang Mai der Besuch in Aussicht genommen werden könne. Anfang Mai kam der Bescheid, der RF-SS habe den Besuch genehmigt, doch könne er erst in der zweiten Hälfte Mai durchgeführt werden. Es erfolgte dann erneut eine Verlegung des Termins auf Anfang Juni, da der Besuch gemeinsam mit Vertretern des Internationalen Roten Kreuzes zur Durchführung gelangen sollte, um mehrfache Besuche des Lagers zu vermeiden.

Anfang Juni wurde mir mitgeteilt, der Vertreter des Deutschen Roten Kreuzes habe um Festlegung des Besuchstermines erst nach dem 20.6.1944 gebeten, da er vorher den Vertretern des Internationalen Roten Kreuzes nicht zur Verfügung stehe.[65]

Gleichzeitig teilte mir der Sachbearbeiter im Amt IV mit, ein endgültiger Termin könne jedoch im Augenblick noch nicht bestimmt werden, da Gruppenführer Müller sich zunächst das Lager noch ansehen wolle, und im übrigen könne ein Besuch im Invasionsfalle überhaupt nicht durchgeführt werden.

Auf Wunsch der Politischen Abteilung habe ich Stubaf Günther wissen lassen, daß das AA an der Durchführung des Besuches auch im Invasionsfalle interessiert sei und daß eine möglichst unverzügliche und recht baldige Festlegung des Termins nun wirklich erforderlich sei.

In der Direktionsbesprechung schnitt U.St.S. Henckes dieses Thema an und bat Herrn St.S., da sich Gr. Inland II beim RSHA anscheinend nicht durchsetzen könne,

---

65 Det var Niehaus, der 26. maj skrev til Eichmann for at få besøget udsat til efter 20. juni 1944 (BArch, R 58/89). Der ligger flere skrivelser fra Tysk Røde Kors, hvor besøget dels ønskes fastsat, dels påfølgende udsat. Reelt var det i sidste ende Tysk Røde Kors, der trak besigtigelsen ud med den begrundelse, at Niehaus havde andet at se til.

obwohl er von den ernsten Bemühungen der Gruppe überzeugt sei, seinerseits die Angelegenheit mit Ogruf. Kaltenbrunner aufzunehmen und auf unverzügliche Festsetzung des Termins zu bestehen.

Hiermit Herrn Gruppenleiter Inland II zur Unterrichtung und mit der Bitte vorgelegt, die Angelegenheit von dort aus aufzunehmen.

Die Pol. Abt. hält eine Erfüllung des dänischen Wunsches für unbedingt notwendig: durch die unzähligen Interventionen und die sich immer erneut hinhaltenden Antworten des AA sei die Angelegenheit für die Dänen praktisch bereits zu einer Prestigefrage geworden.

Berlin, den 7. Juni 1944.

v. Thadden

179. Niederschrift über die Besprechung finanzpolitische Fragen betreffend Dänemark mit dem Reichsminister der Finanzen am 7. Juni 1944

På en konference på Dagmarhus med deltagelse af rigsfinansminister Lutz Schwerin von Krosigk, repræsentanter for den tyske rigsbank, REM og Best med medarbejderne Barandon og Ebner blev der drøftet de tyske besættelsesomkostninger i Danmark, først og fremmest værnemagtens forbrug. Det forbrug havde et omfang, som truede den finansielle stabilitet i Danmark, da de hidtidige forsøg på at føre kontrol med priserne og de involverede firmaer havde været forgæves. Man var enige om at ville forsøge at få kontrol med besættelsesomkostningerne, og det blev overladt RFM at rette henvendelse til OKW for enten at få omkostningerne fastfrosset for en bestemt tid eller at opfordre OKW til at lade omkostningernes omfang minutiøst efterprøve.

Den rigsbefuldmægtigedes finansrådgiver Heinrich Esche indledte mødet på Dagmarhus med at give en oversigt over tre forskellige måder, hvorpå Danmark kunne anskues. Ud fra et militært, et erhvervsmæssigt og et finansielt synspunkt. Tyngdepunktet blev lagt på de erhvervsmæssige og især finansielle forhold. Det mest brændende finanspolitiske problem var ikke alene det omfattende værnemagtsbyggeri, men også de forhøjede lønninger, der blev betalt derfor, og som var en meget tung belastning for dansk økonomi. Den store pengerigelighed truede med inflation og mistillid til den danske krone.

Mødet fulgte op på den kritik, der forud var rejst af Walter, Ebner og skribenten til Preispolitischer Lagebericht, såvel som Axel Odel fra dansk side. Når konferencen ikke inddrog den kritiserede part, værnemagten, kan det skyldes de afstukne tjenestekanaler: Der kunne ikke dikteres WB Dänemark noget af andre end hans overordnede, men dog tyder rigsfinansministerens rejseprogram på, at han alligevel fik afleveret sit budskab også til værnemagten. Mødet på Dagmarhus denne onsdag kl. 17 til 18.50 var nemlig kun et mindre punkt på ministerens Danmarksbesøg, der strakte sig fra 5. til 8. juni og hovedsageligt bestod i turistudflugter og repræsentative sammenkomster, sidst dog hos WB Dänemark i Silkeborg, hvor drøftelsernes indhold ikke er kendt (rigsministerens rejseprogram og andre akter vedr. besøget i BArch, R2/4. Heft 1. RA, Danica 201, pk. 81, læg 1078. Bests kalenderoptegnelser 7. juni 1944, KTB/WB Dänemark 8. juni 1944: "Besuch des Reichsminister Graf Schwerin von Krosigk. Besprechungen bzw. Vorträge durch Chef, Kdr. Fest. Pi. Stab 31, Quartiermeister und Intendant").

RFM arbejdede påfølgende videre med at stramme priskontrollen for værnemagtsarbejder i Danmark, men stødte på en passiv, men effektiv, modstand fra både danske som tyske virksomheder, fra værnemagten og OT. Rechnungshof des Deutschen Reichs rapporterede over hele 11 sider 31. juli 1944 til Christian Breyhan i RFM bl.a., at en stikprøve viste, at der i talrige tilfælde blev betalt høje overpriser (RA, Danica 465, Moskva: Osobyj Archiv, 1458/21/113/66).

Se Bests fremsendelse af Sattlers beretning til AA 15. juni 1944 og der Beauftragte für den Vierjahresplan til RFM u.a. 6. september 1944.

Kilde: FM 24a-13.

Einleitende Darlegungen
des Regierungsrats Dr. Esche
bei der Erörterung der finanzpolitischen Grundprobleme Dänemarks
in Gegenwart des Reichsministers der Finanzen am 7.6.1944.

Für Dänemark als Betrachtungsobjekt bestehen heute 3 unterschiedliche und sich teilweise stark überschneidende Perspektiven: Ich meine damit die militärische, die wirtschaftliche und "last not least" die finanzielle Betrachtungsweise.

Militärisch gilt es, dieses Land gegen eine eventuelle Invasion zu wappnen. Hier heißt die Parole: Erhöhung der Schlagkraft der Wehrmacht, beschleunigte Anlage kostspieliger Befestigungen – vor allem in Jütland – und Bekämpfung jener deutschfeindlichen Kräfte, die im Falle einer Invasion eine Gefahr für die Wehrmacht bedeuten könnten.

Wirtschaftlich ist unser Interesse darauf gerichtet, die Lieferungen und Leistungen dieses Landes zugunsten des Reiches zu erhalten und womöglich zu steigern. Die dänische Landwirtschaft und Fischerei sowie die dänische Industrie haben seit dem Einmarsch der deutschen Truppen Außerordentliches geleistet und man kann tatsächlich von einem hohen Lied der Produktionskraft dieses Ländchens sprechen.

Der bei weitem größte Teil dieser Produktionskraft kommt dem Reiche zugute. Um einige besonders imponierende Zahlen zu nennen: Dänemark allein befriedigt den Fleischbedarf des Großdeutschen Reiches für die Dauer von 6-7 Wochen und dessen Butterbedarf für 4-5 Wochen. 2/3 der Frischfischversorgung des Reiches wird von Dänemark bestritten.[66]

Nicht genug damit handelt es sich bei diesen Zahlen nur um die offiziellen Zahlen der Ausfuhrstatistik. Tatsächlich sind aber die Lieferungen und Leistungen Dänemarks zu deutschen Gunsten (in weitestem Sinne) wesentlich höher. Wenn der Soldat auf Urlaubsreise oder auf militärischer Dienstreise schwer bepackt – soviel er tragen kann – Produkte des Landes nach Deutschland schleppt, so erscheint diese "Ausfuhr" in keiner Statistik. Der gesamte Umfang dieses nicht genau meßbaren aber zweifelsohne riesigen Warenentzugs hängt in erster Linie von der Zahl der Wehrmachtsangehörigen und der Häufigkeit ihrer Reisen nach dem Reich ab. Die Verstärkung der Wehrmacht im Herbst vorigen Jahres hat dementsprechend eine beträchtliche Erhöhung mit sich gebracht. Hinzu kommt die in ihrem Gesamtumfang kaum feststellbare Verschickung von Sachen mit Feldpostpäckchen durch Wehrmachtsangehörige, Reichsdeutsche, Volksdeutsche und die Familien der dänischen Freiwilligen.

Daneben besteht noch die irreguläre Verbringung von Waren über die Grenze. Vor allem die verbotene Mitnahme von Waren durch Wehrmachtsangehörige für Fremde oder für geschäftliche Zwecke oder die Vortäuschung der Zugehörigkeit zur Wehrmacht beim Grenzübertritt durch Zivilreisende nehmen hier einen breiten Raum ein.

Schließlich wird unter den heutigen Umständen für deutsche Zwecke innerhalb dieses Landes mancher Verbrauch finanziert, der sonst nicht vorhanden gewesen wäre und der praktisch einer Ausfuhr gleich kommt. Kurz: seit der Besetzung dieses Landes sind

---

66 De oplyste leveringsmængder er at genfinde i Franz Ebners situationsberetning 22. marts 1944, trykt ovenfor, samt *Politische Informationen* 1. april 1944.

in erstaunlichem Umfang und in stetig steigendem Masse Waren und Leistungen zu deutschen Gunsten entzogen worden.

Dazu gehört auch die Bereitstellung von Arbeitskräften für deutsche Belange drüben auf deutschem Boden und hier in Dänemark für Befestigungszwecke, die einen solchen Umfang angenommen hat, daß eine Beeinträchtigung der landwirtschaftlichen Arbeit und der für Dänemark lebenswichtigen Torf- und Braunkohlenproduktion zu befürchten ist.

Rein wirtschaftlich gesehen ist die Drosselung der unkontrollierten Warenverbringung nach Deutschland erwünscht, denn sie geht zu Lasten der sorgfältig gelenkten Ausfuhr und Leistung zugunsten der deutschen Volksgemeinschaft. Je mehr die Soldaten an Speck, Schmalz oder sonstigem ihren Angehörigen, d.h. einigen wenigen Bevorzugten, mitbringen, desto weniger kann Dänemark von diesen Waren an die deutsche Volksgemeinschaft liefern. Hierbei ist noch der Nachteil in Betracht zu ziehen, daß die kleinen Kanäle zu den vereinzelt Bevorzugten im Reich mehr oder weniger von Quellen des Schwarzhandels gespeist werden im Gegensatz zu der vereinbarten Ausfuhr an das Reich.

Von militärischer Seite wird es zweifelsohne als untragbar bezeichnet werden, daß unter den heutigen Verhältnissen die Kronenbeträge der Soldaten gekürzt oder das Recht auf Mitnahme von Waren bei der Einreise beschnitten wird. Die Wehrmacht wird ein solches Vorgehen als nachteilig für die Kampfmoral und obendrein als ungerecht bezeichnen. Es zeigt sich also hier die schon einleitend angedeutete Divergenz der Blickrichtungen, der gegenüber die Entscheidung zu treffen ist, welcher Betrachtungsweise jeweils der Vorzug zu geben ist. Das Gewicht aller rein militärischen Überlegungen unter den augenblicklichen Umständen kann nicht in Abrede gestellt werden. Andererseits gewinnt das Ernährungsproblem für die belagerte Festung Europa eine immer stärkere Bedeutung, so daß demgegenüber wahrscheinlich sehr bald militärische Belange, die nicht dringendst sind, werden zurücktreten müssen. Die in Aussicht stehende Aufhebung des Göring-Erlasses ("Laßt Waren herein nach Deutschland") muß in ihrer praktischen Auswirkung abgewartet werden.

Eine der Grundvoraussetzungen für das Intaktbleiben der dänischen Wirtschaft, die heute zum überwiegenden Teil für deutsche Belange arbeitet, ist ihre Belieferung mit den benötigten Mindestmengen an Bedarfsgütern. Allmählich setzt sich die Einsicht durch, daß die Zuweisungen an dieses Land mit einem Vielfachen dem Reiche wieder zugute kommen. Jede Kürzung der für die dänische Wirtschaft benötigten Mindestbelieferung zu einem unverhältnismäßig großen Schaden für das Reich. Sie bringt gleichzeitig eine Vergrößerung der hiesigen Warenverknappung und damit der inflationistischen Gefahren mit sich. Ebenso schädlich wie eine unzureichende Belieferung ist eine Belieferung mit nachfolgender Inanspruchnahme der für den Inlandsmarkt bestimmten und erforderlichen Kontingente durch deutsche Stellen, sei es durch Anforderung, sei es durch Beschlagnahme oder, was noch schlimmer ist, durch Schwarzkauf zu überhöhten Preisen. Die Verwirklichung dieser angedeuteten Gefahren, also die Inflation, würde aber – darüber sind sich die Sachverständigen einig – das Ende der Produktionskraft dieses Lande für die Restdauer des Krieges bedeuten.

Damit komme ich zur *finanziellen Betrachtungsweise*: Das finanzpolitische Grundproblem in Dänemark wird durch den Kontrast der zunehmenden Warenverknappung und dem progressiven Ansteigen der Geldreichlichkeit gekennzeichnet. Gelingt es nicht, die aus dieser wachsenden Spannung hervorgehenden inflationistischen Gefahren zu bannen oder zumindest einzudämmen, so werden sich in Dänemark schnell jede Erscheinungen zeigen, die von manchem anderen besetzten Lande her bekannt sind. Eine solche Entwicklung würde darin gipfeln, daß der schwarze Markt herrscht und die Lieferungen und Leistungen zu deutschem Nutzen auf ein Minimum absinken.

Der Nachweis aller Einzelursachen der zunehmenden Warenverknappung würde hier zu weit führen. Die Grundursachen sind der bereits besprechende ständig vergrößerte Entzug von Waren und Leistungen zu deutschen Gunsten einerseits und die Rückläufigkeit der aus dem Ausland angelieferten Güter.

Die Geldreichlichkeit wird verursacht durch die Bereitstellung der Besatzungsmittel und durch die Bevorschussung des für das Reich negative Clearingsaldos durch Danmarks Nationalbank. Die als Schuld der Reichskreditkasse in der Bilanz der Nationalbank ausgewiesenen Besatzungskosten belaufen sich zurzeit auf mehr als 3,2 Milliarden Kronen. Das Clearingguthaben der Nationalbank gegenüber der deutschen Verrechnungskasse – mit anderen Worten: die deutsche kommerzielle Schuld – beträgt heute mehr als 2,3 Milliarden Kronen. Dadurch sind insgesamt Gelder in Höhe von mehr als 5 ½ Milliarden Kronen in Dänemark zusätzlich in Verkehr gebracht worden. Die Erhöhung des Notenumlaufs von ursprünglich rd. 600 Millionen Kronen Anfang 1940 auf heute etwa 1,5 Milliarden Kronen hält sich demgegenüber verhältnismäßig in bescheidenen Grenzen.

Dem enormen Druck dieser Geldmassen gegenüber setzen die Dänen ein feingegliedertes und vielseitiges System zur Bekämpfung der inflationistischen Gefahren ein: Preiskontrolle, Preisstützung mit Staatsmitteln, Lohndrosselung, Verhinderung des Kettenhandels bei den Grundstücken und Maßnahmen zur Sterilisierung der überschüssigen Gelder. Die Methoden im Einzelnen sind zum Teil andere als bei uns im Reiche; sie waren jedoch an dem bisherigen Erfolg gemessen durchaus zweckmäßig.

Durch die ausgesprochen auf Geldsterilisierung gerichteten Maßnahmen sind heute insgesamt mehr als 3,7 Milliarden Kronen erfaßt. Davon entfällt der bei weitem größte Teil auf die Bindung von Bank- und Sparkassengeldern und auf die Bindung durch Staatsobligationen. Die viel effektivere Sterilisierung durch Steuern tritt demgegenüber in Dänemark stark zurück. Von dem für das vergangene Jahr auf gut 8 Milliarden zu schätzenden Volkseinkommen Dänemarks wurden insgesamt nur 25 % in Gestalt von Steuern und Abgaben durch die öffentliche Hand in Anspruch genommen. Auf diesem Gebiet wird die dänische Verwaltung keine entscheidend neuen Wege beschreiten. Eine derartige Anspannung der Steuerschraube, wie sie in Deutschland heute hingenommen wird, würde in Dänemark auf die entschiedene und geschlossene Ablehnung der Bevölkerung, der Wirtschaft und der Verwaltung stoßen. Die dänische Zentralverwaltung würde unter Berufung auf die Schranken, die ihren Rechtsetzungsbefugnissen gesetzt sind, ihre Mitwirkung versagen. Eine stärkere Besteuerung gegen den geeinten Willen der Dänen muß heute wohl als undurchführbar oder zumindest als in ihren politischen und wirtschaftlichen Folgen kaum übersehbar bezeichnet werden.

Die Dänen werden also ihre bisherigen Methoden zur Geldsterilisierung beibehalten.

Daneben werden sie in zunehmendem Masse die Bindung der überschüssigen Gelder durch Anleihen, die der jeweiligen Geldmarktlage angepaßt werden, anstreben. Innerhalb dieses Rahmens werden die Dänen ihr Bestes tun, einem Abgleiten der Währung entgegenzuwirken. Sie haben bisher bewiesen, daß sie das nötige Geschick zur Meisterung der vorliegenden Probleme besitzen und werden auch in Zukunft die gleiche Umsicht walten lassen, solange sie sich für die Entwicklung auf diesem Gebiet verantwortlich fühlen. Es gilt vor allem, das Vertrauen der Bevölkerung zur Währung, das bis heute noch vorhanden ist, zu erhalten. Der Erfolg wird sehr davon abhängen, in welchem Umfange die dänischen Bemühungen deutscherseits unterstützt werden.

Damit komme ich auf die im Augenblick brennendsten finanzpolitischen Probleme zu sprechen, wie sie uns Deutsche in Dänemark gestellt sind:

Der Umfang der militärischen Bauvorhaben und der sonstigen für die Schlagkraft der Wehrmacht entscheidenden Ausgaben sind nur nach militärischen Grundsätzen zu beurteilen. An der Hauptursache der schweren Belastung der dänischen Wirtschaft durch die dadurch bedingten Kosten kann deshalb kaum etwas geändert werden. Es ist aber umso notwendiger, alle jene Mißstände auszuschalten, die überflüssigerweise weitere Belastungen des dänischen Wirtschaftskörpers mit sich bringen.

Die einzuschlagende Marschrichtung wird mit aller Deutlichkeit von dem Steuerungserlass des OKW gezeigt, indem dieser größte Sparsamkeit, das Verbot von Überpreisen, die Untersagung jeglicher Beschaffung und Leistungsanforderung für Einheiten außerhalb Dänemarks anordnet.

Begrüßenswert im Interesse der Entlastung der Geldreichlichkeit in Dänemark wäre ein möglichst umfangreicher Nachschub der vor allem für die Befestigungsarbeiten erforderlichen Materialen.

Alle deutschen Stellen müssen ihre Geldverpflichtungen soviel wie irgendmöglich bargeldlos erfüllen. Dies ziel[t] nicht allein auf eine Verringerung des Notenumlaufs, sondern zugleich darauf, den dänischen Behörden die Kontrollmittel an die Hand zu geben, Gesetzesverstöße zu ahnden, die Lieferanten und sonstige Vertragskontrahenten sich zu Schulden kommen lassen. Stärkste Mißbilligung verdienen solche Barzahlungen, die es dem Vertragspartner eigens ermöglich sollen, sich seinen steuerlichen Pflichten oder der dänischen Preisüberprüfung zu entziehen. Nicht anders sind die Barzahlungen zu beurteilen, die zur Umgebung der mit deutschen Zustimmung verfaßten Bewirtschaftungsvorschriften betreffend Warenkäufe durch die Wehrmacht vorgenommen werden.

Die Zahlung von übermäßigen Preisen anläßlich der Durchführung militärischer Bauvorhaben und von überhöhten Löhnen bei diesen Arbeiten verursachen besondere Besorgnisse. Es kann nicht bestritten werden, daß das Geld in Jütland, vor allem in der Nähe der neuen Verteidigungsanlagen lockerer als sonst wo sitzt und dadurch leicht eine für das Preis- und Lohngefüge des ganzen Landes gefährliche Infektionswirkung auslösen kann. Selbstverständlich hat die Eile in der die Bauprogramme verwirklicht werden müssen, unvermeidlich manche der bezeichneten Erscheinungen nach sich gezogen. Von deutscher Seite muß aber alles getan werden, eine Fortsetzung dieser schädlichen Entwicklung zu verhindern. Dazu gehört vor allem eine tatkräftige Unterstützung der dänischen Verwaltung, welche dieser eine wirksame und vor allem baldige Überprüfung der Unternehmergewinne bei denjenigen dänischen Firmen ermöglicht, die sich durch Vorschützung einer Geheimhaltungspflicht oder auf andere Weise der Kontrolle zu entziehen suchen. Ferner müssen Wege gefunden werden, die Überprüfung der Gewinne bei den in Dänemark eingesetzten deutschen Firmen effektiv zu gestalten und den Transfer der Gewinne dieser Firmen nach Deutschland sicherzustellen.

Gegen Auswüchse auf dem Gebiet der Löhne sind zwingende Richtlinien über die Gestaltung der Arbeitsbedingungen für die bei deutschen Dienststellen Beschäftigten in Bearbeitung. Damit wird ein beträchtlicher Teil der hier aufgetretenen Mängel wohl in Bälde behoben sein. Zur Kontrolle der Löhne, die den dänischen Behörden vorbehalten ist, muß darauf bestanden werden, daß die mit deutschen Aufträgen befaßten Firmen die Lohnlisten nach vorgeschriebenem Muster vorschriftsgemäß allmonatlich der zuständigen dänischen Prüfungsstelle zuleiten.

Der Beauftragte des Reichskommissars für die Preisbildung hat kürzlich die bei dem Bau des Atlantikwalls in Dänemark in Erscheinung getretenen preispolitischen Probleme untersucht und in einem Bericht dargelegt.[67] Er führt dabei aus, daß es dringend erwünscht sei, die Konkurrenz der deutschen Dienststellen auszuschalten, die bei kurzfristig angesetzten Bauaufträgen zu Überpreisen führen muß. Die zentrale Lenkung des Firmeneinsatzes, des Einsatzes der Arbeitskräfte, der Zuteilung von Baustoffen, die straffe Lenkung des Transportwesens (besonders bezüglich der Lastkraftwagen), der Festlegung von Bauprogrammen usw. – wie sie für den Bereich des Oberbefehlshabers West durch eine Generalingenieur verwirklichst ist – würde vorbeugend manche Abhilfe schaffen. In diesem Zusammenhang wird in dem bezeichneten Bericht auf die schweren Schäden hingewiesen, die durch die ständig zunehmende Bautätigkeit einzelner Truppeneinheiten unter Heranziehung von neuerstandenen kleinen und meist unzuverlässigen Baufirmen hervortreten. Gerade diese Firmen, die dänischerseits schwer zu erfassen und kaum zu kontrollieren sind, setzen sich bedenkenlos über Preis- und Lohnbestimmungen hinweg und gefährden damit den ganzen Baumarkt.

Abschließend sei noch festgestellt, daß die öffentlichen Haushalte des Staates und der Kommunen, so wie die Verhältnisse bis jetzt liegen, in Dänemark keine Probleme aufwerfen. Der dänische Staat haftet zwar der Nationalbank gegenüber für die Forderungen, die diese auf Grund der Bevorschussung der Besatzungsmittel und des Clearingsaldos besitzt, diese Haftung findet aber im Staatshaushalt keinen Niederschlag.

Dieser oder jener dänischer Politiker mag gelegentlich gesprächsweise gesagt haben und auch in Auslassungen der Presse mag hin und wieder zum Ausdruck gebracht worden sein, daß man nicht mit einem restlosen Eingang der Auslandsguthaben rechnen könne; offiziell vermeidet man aber dänischerseits sorgfältig eine Festlegung in dieser Richtung. Die deutsche Auslandsverschuldung gegenüber Danmarks Nationalbank beträgt heute mehr als 5,5 Milliarden Kronen. Es ist erwähnenswert, daß in dieser Zahl nicht enthalten ist der Wert der Bestände des dänischen Heeres und der dänischen Flotte, die am 29. August vorigen Jahres von der Wehrmacht beschlagnahmt, d.h. als Beutegut in Anspruch genommen ist. Der Wert dieser Bestände wird dänischerseits auf nicht weniger als 850 Millionen Kronen veranschlagt.

67 Se Preispolitischer Lagebericht... 9. maj 1944.

Abschrift.

Niederschrift
über die Besprechung finanzpolitischer Fragen betreffend Dänemark
mit dem Reichsminister der Finanzen am 7. Juni 1944.

Anwesend:

Der Reichsminister der Finanzen Graf Schwerin von Krosigk
Oberregierungsrat Donandt (Adjutant des Ministers),
Oberregierungsrat Korff,
Ministerialdirektor Dr. Walter (Vorsitzender des Deutschen Regierungsausschusses),
Reichsbevollmächtigter SS-Obergruppenführer Dr. Best,
Gesandter Dr. Barandon,
Ministerialdirigent Dr. Ebner,
Reichsbankdirektor Sattler,
Direktor einer Reichsbanknebenstelle Krause,
Regierungsrat Dr. Esche.

Regierungsrat Dr. Esche gab einleitend eine Darstellung der finanzpolitischen Grundprobleme Dänemarks. Der Inhalt seines Vortrages ist der beigefügten Anlage zu entnehmen.[68]

In der anschließenden Aussprache erklärte *der Minister*, er stimme diesen Ausführungen zu. Der Fragenkomplex betreffend stärkere Geldsterilisierung – insbesondere durch Heranziehung des dänischen Staates zu den Besatzungskosten – könne als augenblicklich nicht aktuell unerörtert bleiben. Man dürfe wohl davon ausgehen, daß die dänische Verwaltung in der Bekämpfung der Inflation bis jetzt das unter den obwaltenden Umständen Mögliche getan hat. Wichtig sei aber, daß deutscherseits diese Bemühungen nicht unnötig beeinträchtigt oder zunichte gemacht werden. Es müsse erreicht werden, daß Besatzungsmittel nur in dem militärisch unbedingt erforderlichen Umfang in Anspruch genommen werden. Die Grenzziehung sei zwar schwierig; ihm – dem Minister – erscheine aber insofern eine stärkere Kontrolle erwünscht, wobei er sich im Klaren sei, daß eine solche Kontrolle nur von Berlin aus stattfinden könne.

Der *Reichsbevollmächtigte* wies darauf hin, es sei wichtig, daß die für die Wehrmacht in wirtschaftlicher und finanzieller Hinsicht herausgegebenen Befehle (z.B. der Steuerungserlass des OKW) von allen Stellen auch durchgeführt werden; es müsse die in der Wehrmacht viel verbreitete Auffassung ausgemerzt werden, diese Befehle seien nicht ernst gemeint. Im übrigen sei der Frage des ausreichenden Nachschubs entscheidende Bedeutung beizumessen. Der unzureichende Nachschub habe viel Schwierigkeiten und Mißstände verursacht.

Ministerialdirektor Dr. Walter wandte sich gegen die Behauptung, bei der Wehrmacht in Dänemark sei alles wirtschaftlich und finanziell in bester Ordnung. Ihm würden in seiner Eigenschaft als Vorsitzenden des Deutschen Regierungsausschusses laufend vom dänischen Außenministerium Unterlagen über Verstöße gegen Wirtschaftsbestimmun-

---

68 Bilaget er trykt foran.

gen, über Schwarzhandel und Warenschmuggel durch Wehrmachtangehörige vorgelegt. Die stereotype Verteidigung der Wehrmacht, man möge Beweise beibringen und insbesondere die Delinquenten oder die Feldpostnummer namhaft machen, könne er nicht gelten lassen, weil eben eine solche Benennung meist nicht möglich sei. Es sei im übrigen ja jedem mit den hiesigen Verhältnissen Vertrauten bekannt, daß die bezeichneten Mißstände nicht aus der Luft gegriffen sind.

Er hege Zweifel, ob die schon lange in Bearbeitung befindlichen "Richtlinien über die Gestaltung der Arbeitsbedingungen der bei deutschen Dienststellen Beschäftigten mit Wohnsitz in Dänemark" gegenüber den Mißständen auf dem Gebiet der Löhne Abhilfe schaffen werden.[69] Es fehle eine ausreichende Überwachung der Arbeitskräfte und eine zentrale, die Konkurrenz der deutschen Dienststellen beseitigende Lenkung des Arbeitseinsatzes. Eine Kontrolle der Löhne auf ihre Angemessenheit durch die zuständigen dänischen Behörden sei unbedingt erforderlich. Die deutschen und die gemischten (deutsch/dänischen) Firmen entzögen sich aber der Kontrolle, indem sie sich weigern, die Lohnlisten bei der zuständigen dänischen Stelle einzureichen.

Auch die Überprüfung der Unternehmergewinne sei völlig unzureichend. Die hierfür zuständigen dänischen Prüfungsbehörden seien äußerst großzügig, und die Gewinnspanne, die von ihnen unbeanstandet bleibe, sei mehr als ausreichend. Das genüge aber den deutschen und gemischten (deutsch/dänischen) Firmen nicht und deshalb entzögen sich diese der Überprüfung unter Vorschützung einer Geheimhaltungspflicht.

Der Sondertransfer, der in Dänemark den Wehrmachtangehörigen in Höhe einer Dekade gestattet werde, stelle etwas Einmaliges dar. Nicht genug damit aber würden den Militärurlaubern entgegen einem OKW-Erlaß, der nur die Auszahlung in Kronen für je 2 Tage der Hin- und Rückreise zuläßt, die vollen Urlaubsgelder einschließlich der transferierbaren Dekade vor der Urlaubsreise hier in Kronen ausgezahlt. Darüber hinaus würden sich auch Wehrmachtsangehörige durch Herüberschmuggeln von Mangelwaren aus Deutschland nach Dänemark, insbesondere von Rauchwaren, zusätzlich namhafte Mittel zum Ankauf von Waren in Dänemark beschaffen.

Bei den Dienststellen der Wehrmacht fehle vielfach jedes Verständnis und Verantwortungsgefühl hinsichtlich der Geldbewirtschaftung. Vor allem seien durch Beschlagnahme von Tankschiffen und neuerdings von anderen Schiffen, die dann nicht oder erst viel später in Gebrauch genommen wurden, beträchtliche Ausgaben entstanden, die hätten vermieden werden können, ganz zu schweigen von den durch unnötige bezw. verfrühte Beschlagnahme entstehenden wirtschaftlichen Schäden.

Der Minister äußerte Zweifel, ob die Kontrolle der Auszahlungen infolge von Militäraufträgen, also vor allem die Überprüfung der Löhne und Unternehmergewinne, effektiv gestaltet werden könne. Die wirkliche oder vorgetäuschte Geheimhaltungspflicht werde hier wohl oft hinderlich sein. Ihm erscheine deshalb eine Drosselung der der Wehrmacht in Dänemark zur Verfügung stehenden Besatzungsmittel erwünscht. Wenn die Intendanten und Zahlmeister nicht mehr aus dem Vollen schöpfen könnten, so würden sie auf größere Sparsamkeit bedacht sein, d.h. es würde demzufolge den

---

69 Se om disse retningslinjer Preispolitischer Lagebericht 9. maj 1944 og *Politische Informationen* 1. januar 1945, afsnit III.4.

Unternehmern und den für militärische Zwecke eingesetzten Arbeitskräften von der auftraggebenden Stelle mehr auf die Finger gesehen werden. Die Drosselung der Besatzungsmittel könne auf zweierlei Weise herbeigeführt werden:

a.) durch Festsetzung einer gleichbleibenden Summe, mit der die Wehrmacht in einem bestimmten Zeitraum auskommen muß (wobei die Höhe der Summe von Zeit zu Zeit bezüglich ihrer Angemessenheit einer Nachprüfung unterzogen werden könnte.);

b.) durch eine ins Einzelne gehende Nachprüfung der Besatzungsmittelanforderung für einen bestimmten Zeitraum durch das OKW.

Der Reichsbevollmächtigte äußerte sich dahin, daß man die beiden aufgezeigten Möglichkeiten auch kombinieren könne dergestalt, daß an Besatzungskosten für einen bestimmten Zeitraum ein gleichbleibendes Fixum zur Verfügung gestellt wird und daß jede Mehranforderung der eingehenden Begründung dem gegenüber dem OKW bedarf.

Reichsbankdirektor Sattler machte darauf aufmerksam, daß ein Fixum die Gefahr mit sich bringe – daß ein reichlich hoher Betrag als notwendig bezeichnet und restlos – auch wenn man mit weniger auskommen könne – aufgebraucht wird.

Der Minister meinte dazu, dem könne dadurch begegnet werden, daß das Fixum knapp bemessen werden.

Als Ergebnis der Besprechung wurde Folgendes Festgestellt:

Die dem Deutschen Regierungsausschuß bekannt gewordenen zahlreichen Verstöße von Dienststellen der Wehrmacht und von Wehrmachtangehörigen gegen Bewirtschaftungsvorschriften und gegen Befehle des OKW und des Wehrmachtbefehlshabers Dänemark, die wirtschaftlicher und finanzieller Art sind, werden nicht als Einzelfälle, sondern als Gesamterscheinung durch das Ministerium für Ernährung und Landwirtschaft und wahrscheinlich auch durch das Reichswirtschaftsministerium dem OKW zwecks Abhilfe mitgeteilt werden. Das in Bearbeitung befindliche dänische Memorandum betreffend die wirtschaftlichen Verhältnisse Dänemarks während des Krieges, das durch das dänische Außenministerium dem Auswärtigen Amt demnächst vorgelegt werden soll und alsdann an die interessierten Ressorts gelangen wird, wird hierzu besonderen Anlaß bieten.[70]

Das Reichsfinanzministerium wird sich an das OKW wenden um zu erreichen,

a.) daß entweder die Besatzungsmittel für einen bestimmten Zeitraum auf einen möglichst knapp bemessenen gleichbleibenden Betrag festgesetzt werden mit der Maßgabe, daß Mehranforderungen beim OKW besonders anzumelden und eingehend zu begründen sind

b.) oder daß die Besatzungsmittel in ihrer ganzen Höhe beim OKW anzufordern sind und von diesem auf ihre Angemessenheit im Einzelnen überprüft werden.

---

70 Se Ripken til Steengracht 14. juni 1944.

180. Werner Best an das Auswärtige Amt 8. Juni 1944

Hermed fremsendte Best den første af de kendte månedlige aktivitetsberetninger fra det tyske sikkerhedspoliti i Danmark. Som det fremgår af beretningen, var sådanne udarbejdet også for foregående måneder. Det fremgår også af andet tilgængeligt og her trykt materiale.

Best fremsendte denne og de følgende tilsvarende beretninger ukommenteret, men f.eks. *Politische Informationen* 1. juni 1944 gav en rosende fremstilling af det tyske sikkerhedspolitis resultater for maj måned, hvortil henvises. Rosen forstummede siden.

Kilde: PA/AA R 100.758. RA, pk. 223 og 438a. LAK, Best-sagen (afskrift).

Der Reichsbevollmächtigte in Dänemark   *Kopenhagen, den 8.6.1944*
Tgb. Nr.: II/1121/44.

An das Auswärtige Amt in Berlin.

Betr.: Die deutsche Sicherheitspolizei in Dänemark.
2 Durchschläge
1 Anlage (3fach).

In der Anlage übersende ich vom hiesigen Befehlshaber der Sicherheitspolizei und des SD erstatteten sicherheitspolizeilichen Tätigkeitsbericht für den Monat Mai 1944.
                                            gez. **W. Best**

Betr.: Sicherheitspolizeilichen Tätigkeitsbericht für den Monat Mai 1944.[71]

1.) Sabotage
In der Berichtzeit wurden insgesamt 72 Sabotageakte durchgeführt. Davon betrafen:

Antideutsche Fabriksabotage	19	Fälle
Gegen deutschen Wehrmachtbesitz	7	–
Gegen dänische deutschfreundliche Geschäfte und Personen	5	–
Gegen Wehrmachtsangehörige	–	
Gegen Eisenbahn, Verkehrsmittel usw.	2	–
Rein kriminelle Gewaltverbrechen	–	
Sonstige Sabotageakte	5	–
Überfälle gegen Sabotagewächter in Fabriken	5	–
Sabotageakte gegen deutschfeindliche Objekte	29	–

Im Zuge der Bekämpfung der organisierten Sabotage wurden im Monat Mai insgesamt 142 Personen wegen Sabotage, Sabotageverdachts oder unerlaubten Waffenbesitzes festgenommen. Als besondere Aktionen sind hervorzuheben:

a.) Am 7.5.44 wurden in der Gegend von Aalborg von englischen Fliegern Lastenfallschirme abgesetzt. Die sofort eingeleitete Suchaktionen war von Erfolg. Es wurden 26 Fallschirme mit Lasten geborgen. In diesen waren 60 Maschinenpistolen mit

---
71 Første side af denne indberetning med brevhoved og fordeling til adressater mangler.

13.000 Schuß Munition, mehrere hundert Kg Sprengstoff und Sabotagematerial vorhanden. Bisher wurden 6 mit Bergung der abgeworfenen Lasten tätig gewesene Dänen festgenommen.[72]

b.) Bei einer Fahndungsaktion konnten am 9.5.44 3 Personen festgenommen werden, die einer Sabotagegruppe angehörten. Unter den Festgenommenen befand sich der im September 1943 aus dem dänischen Gefängnis in Aalborg befreite Tage Voersaa Nielsen, geb. 3.5.1902 in Faaborg. In seinem Besitz fand man die Vorlage zu dem in der illegalen Presse erschienenen Lichtbild des Zuträgers Anker Petersen[73] sowie 6 Füllhalterpistolen.[74]

c.) Am 17.5.1944 wurde der Hausinspektor Emanuel Vieg Hansen, geb. 20.7.1896 in Sortsö, wohnhaft Kopenhagen, Middelfartsgade 6, festgenommen. Bei der Durchsuchung der Wohnung und Kellerräume wurden gefunden:

2 Empfangs- und Sendeanlagen,
1 Karton mit 6 Paketen Sprengstoff Ärolit,
4 Sprengbrandsätze,
22 Sprengkapseln,
1 Gewehr, Kal. 11 mm,
1 Pistole, Kal. 9 mm,
mehrere hundert Schuß Pistolen- und Gewehrmunition,
1 Koffer mit Karten- und Schriftmaterial,
1 Koffer mit vollständiger Uniform der SS-Standarte "Wiking,"
2 Koffer mit Bekleidungsstücken, die anscheinend geflüchteten Personen gehören,
1 Aktentasche mit Haarfärbemittel und
3 Augenmasken.

Bisher wurden weitere 12 Personen, vorwiegend Studenten, die in der Wohnung des Hansen angelaufen waren, festgenommen. Zwei dieser Männer wurden bereits gesucht und waren illegal aus Schweden zurückgekehrt. Einige Tage nach diesen Festnahmen konnten weitere 5 Koffer mit Waffen, Munition und Sprengstoff, die aus einem Keller des Hansen geschafft und in die Wohnung eines dänischen Polizeibeamten gebracht worden waren, sichergestellt werden. Die Transporteure wurden ebenfalls festgenommen.[75]

---

72 En våbenmodtagelse ved Nibe var blevet røbet i forvejen af en stikker, så tysk sikkerhedspoliti holdt sig parat bistået af BdO med en officer og 25 mand. Arrestationen skete ved borttransporten af det nedkastede materiale. Blandt de arresterede var Aage Andersen, Kaj Dorph Uhrenholt Christensen, Egon Glerup, Hans Børge Nielsen, Ole Georg Olsen og Viggo Anders Jakobsen, mens 10 andre måtte flygte til Sverige. Fire af de arresterede døde i tysk koncentrationslejr og én kort efter hjemkomsten fra samme (BArch, R 70 Dänemark 6, KTB/BdO 8. maj 1944, Hæstrup, 1, 1959, s. 286, *Faldne i Danmarks frihedskamp*, 1970, s. 128f. (Glerup), s. 318 (Nielsen), 43f. (Andersen), 342f. (Olsen), 193 (Jakobsen), 85 (Christensen)).

73 Anker Petersen, kaldet "den lille Banan," var blandt de tyskerhåndlangere, hvis portrætter var gengivet i *De frie Danske* nr. 7, april 1944. Tysk politi satte en større eftersøgning i gang for at spore, hvordan fotografierne var kommet den illegale presse i hænde. Se PKB, 7a, s. 398.

74 Det var tre medlemmer af BOPA, Gylling Mortensen, Otto Haslund og Tage Voersaa Nielsen, der blev arresteret på "Akselborg Bodega" i København. Nielsen døde 28. december i Neuengamme, mens de to andre senere blev løsladt. Fyldepennepistoler var enkeltskudspistoler (Kjeldbæk 1997, s. 367f., *Faldne i Danmarks frihedskamp*, 1970, s. 331f.).

75 Der var tale om en efterretningsafdeling under Studenternes Efterretningstjeneste med Emanuel Vieg-

d.) Am 19.5.1944 konnte eine Sabotagegruppe von 5 Mann festgenommen werden, die ihre Beteilung an 7 Sabotageakten, bei denen mit Waffengewalt vorgegangen wurde und große Schäden, besonders in Maschinenfabriken, angerichtet wurden, zugegeben haben. Im Zuge der weiteren Ermittlungen gegen diese Saboteure wurde am 23.5.44 ein größeres Sprengstoff-, Waffen- und Munitionslager auf dem Boden des Hauses Voldgaarden 2 in Kopenhagen gefunden. Als Eigentümer konnte der Student Carsten Leif Bruhn Petersen, geb. 7.6.1918 in Slagelse festgestellt werden, der noch am gleichen Tage am Rathausplatz in Kopenhagen mit seinem Vater bei einem Treff festgenommen werden konnte. Hierbei wurde Petersen, der sich zur Wehr setzte, durch einen Schuß schwer verletzt. Er ist am 26.5.44 seinen Verletzungen erlegen. Petersen war im Besitz von 3 geladenen Pistolen. Er war Verteiler von Sprengstoff und Waffen an verschiedene Sabotagegruppen.[76]

e.) Am 25.5.44 wurde der dänische Staatsangehörige Karl Helmuth Preben Berg-Sörensen, geb. 15.12.1917 in Hilleröd, und seine Ehefrau Else Julie Kirstine, geb. Gylholm, geb. 3.3.1913 in Kopenhagen, sowie der dänische Staatsangehörige Holger Möller-Nielsen, geb. 17.8.10 in Kopenhagen, festgenommen. Berg-Sörensen und Möller-Nielsen sind geständig, an 7 Sabotagehandlungen beteiligt gewesen zu sein. Bei der Sabotage gegen den Transformator, Freihafen-Kopenhagen, am 2.5.44 trug Berg-Sörensen eine deutsche Wehrmachtsuniform. Zur Ausführung dieser Sabotage wurde ein Kraftwagen benutzt, der von der dänischen Polizei verfolgt wurde. Dabei erschossen die Saboteure einen dänischen Polizeibeamten. Im Zuge der Ermittlungen konnte ein großes Lager mit Sabotagematerial, Waffen und Munition sichergestellt werden. Die Ermittlungen sind noch nicht zum Abschluß gekommen.[77]

Insgesamt wurden in der Berichtszeit 40 Sabotageakte aufgeklärt.

2.) Kommunismus

Die systematische Zerschlagung der dänischen kommunistischen Partei wurde in der Berichtszeit weiter fortgeführt. Es wurden insgesamt 51 Personen wegen kommunistischer und trotzkistischer Betätigung festgenommen. Besonders hervorzuheben ist, daß es gelang, die in Dänemark bestehende kleine trotzkistische Gruppe, die sich durch besondere Aktivität auszeichnete, zu zerschlagen.

Der Leiter dieser Gruppe war ein bekannter trotzkistischer Spitzenfunktionär aus

---

Hansen som leder. De fleste af de anholdte blev løsladt inden for 14 dage, mens Vieg-Hansen senere blev ført til tysk koncentrationslejr (Birkelund 2000, s. 245).

76 Carsten Leif Bruhn Petersen var aktiv i Studenternes Efterretningstjeneste, deltog i organiseringen af nedskudte allierede flyveres flugt til Sverige og var med i en sabotagegruppe tilsluttet Holger Danske (*Faldne i Danmarks frihedskamp*, 1970, s. 356).

77 Ved aktionen mod Frihavnens Elektricitetsværks bygning på Dampfærgevej sprængte BOPA en dieselmotor, en omformer og et tavleanlæg. BdO anslog de omfattende skader til ca. 1 million kr. Der blev anvendt en stjålet bil under aktionen, Berg Sørensen optrådte i uniform, og det var rimeligvis ham, der under flugt med maskinpistol beskød og sårede den danske overbetjent Jacobsen, der imidlertid overlevede. Ifølge en senere forklaring skulle Berg Sørensen have røbet sig overfor en fabrikskammerat, hvilket førte til arrestationen. Berg Sørensen var en af "de 11 fra Shellhuset," der blev myrdet af tysk politi i Lauring Mose på landevejen mellem Roskilde og Ringsted 9. august 1944. Hans hustru blev senere overført til Frøslevlejren (RA, BdO Inf. nr. 35, 6. maj 1944, *Daglige Beretninger*, 1946, s. 115, KB, Bergstrøms dagbog 2. maj 1944, Kjeldbæk 1997, s. 370, 373, 473, *Faldne i Danmarks frihedskamp*, 1970, s. 424f.).

Hamburg.[78] Durch die Festnahme dieser Gruppe wurde auch die Herausgabe der von dieser hergestellten Zeitung "Klassekampen" unterbunden.[79] Weiterhin wurden 2 Herstellerzentralen für illegales kommunistisches Propagandamaterial im Distriktsmaßstab ausgehoben. Es wurden insgesamt sichergestellt:
3 Vervielfältigungsapparate,
4 Schreibmaschinen,
über 100.000 Blatt Papier,
annähernd 200 Wachsmatrizen und
einige tausend bereits fertiggestellte Hetzschriften.
Von den Außendienststellen wurden insgesamt 30 Funktionäre einschließlich einer Gruppe von Frit-Danmark-Angehörigen festgenommen.

3.) Nationaler Widerstand
In der Berichtszeit konnte endlich nach längeren Ermittlungen ein entscheidender Schlag gegen die illegale Presse durchgeführt werden.[80] Im Zuge der Zerschlagung der illegalen Presse wurden insgesamt 131 Personen festgenommen.[81]
a.) Es gelang zunächst die Organisation "Hjemmefronten" einzubrechen und im Zuge dieser Aufrollung die von dieser Organisation herausgegebene Zeitung sowie die Herausgabe anderer illegaler Hetzblätter zu unterbinden. Der weitaus größte Teil der Angehörigen dieser Organisation einschließlich des Chefredakteurs, der technischen Leiter und der Großverteilerstellen konnten festgenommen werden.[82] Die Hauptverteilerkartei für Kopenhagen und Dänemark wurde sichergestellt. Festgenommen wurden insgesamt 75 Personen. Die Hetzschriften wurden in den Druckereien:

---

78 Det var Børge Trolle. I alt blev 8 gruppemedlemmer anholdt takket være stikkeren Svend Bjørnestad (Trolle 1985, s. 238).

79 Det illegale *Klassekampen* var udkommet siden oktober 1942 som en fortsættelse af *Arbejderpolitik* og *Frihed*, og blev udgivet af Revolutionære Socialister. Det udkom sidste gang maj 1944 (*Besættelsestiden illegale blade og bøger*, 1954, s. 113, Trolle 1985, s. 234ff.).

80 Denne vurdering lod tysk politi gå videre til det danske politi, hvorfra den kom det illegale blad *Studenternes Efterretningstjeneste* for øre, hvorefter bladet i sit nummer 27. marts 1944 bragte nyheden om, at det selv var blevet knust som organisation (Birkelund 2000, s. 251f.).

81 Tysk politi foretog store arrestationsbølger mod modstandsbevægelsen i april og maj, men det førte ikke til det afgørende slag mod den illegale presse, som det her var opfattelsen. Der blev foretaget ransagninger hos boghandlere, i kiosker, i trykkerier og hos bogbindere (kan punktvis følges i *Information*, KB, Bergstrøms dagbog og *Daglige Beretninger*, 1946), men kun et af de illegale blade, *Hjemmefronten*, blev så hårdt ramt, at det en tid var lammet, men det kom i gang igen, og alle de øvrige blade fortsatte (Birkelund 2000, s. 284). Sideløbende lod tysk politi som en koordineret aktion foretage schalburgtage mod trykkerier og boghandlere (23. april mod S.L. Møllers Bogtrykkeri, Rosenørns Alle 29, Kbh., 7. maj mod Hertz Bogtrykkeri, Snorresgade 22, Kbh. og samme dag mod Plums Boghandel, Østergade 20, Kbh. (RA, BdO Inf. nr. 34, 2. maj og 35, 6. maj 1944, Lauritzen 1947, s. 1387f., Bøgh 2004, s. 87, 98, tillæg 3 her), mens modstandsbevægelsen gik efter trykkerier, der var kendt for at arbejde for besættelsesmagten (27. april mod Rudy Tryk, Klosterstræde 23, Kbh. (trykte bl.a. for Ejnar Krenchel og Schalburgkorpset), 28. april mod Universaltrykkeriet, Rigensgade 21, Kbh. (RA, BdO Inf. nr. 34, 2. maj og 35, 6. maj 1944, *Information* 28. og 29. april 1944, KB, Bergstrøms dagbog 27. april og 29. 1944, *Daglige Beretninger*, 1946, s. 109, 111).

82 Det lykkedes tysk politi at ramme *Hjemmefrontens* ledelse via angiveri. Den bogtrykker, Robert Magnussen i Korsgade i København, der en tid havde trykt bladet, gav oplysninger videre, hvorved tysk politi kunne trænge ind i organisationen (Birkelund 2000, s. 285. Se også RSHAs notat 27. april 1944 (trykt ovenfor)).

1.) "Extra" Hakon Jörgensen, Kopenhagen, Toftegaards Allé 11,[83]
2.) "Epa" Eigil Pald, Kopenhagen, Kronprinsessegade 10,[84]
3.) Geschäftsdruckerei Aagesen, Kopenhagen, Amagerbrogade 98,[85]
4.) Gebr. Rasmussen, Kopenhagen, Studiesträde 35,
5.) Druckerei "Dyva", Kopenhagen, Vesterbrogade 62,[86]
6.) Druckerei Siems, Kopenhagen, Jernbanegade 6,[87]
7.) Charles Leisner, Kopenhagen, Gammel Kongevej 15,[88]
8.) Maschinensetzerei A. Frederiksen u. Sohn, Kopenhagen, Studiesträde 14,
9.) Buchdruckerei Christian Andersen, Kopenhagen, Gothersgade 101,
hergestellt.[89]

Die zur Herstellung der illegalen Schriften verwendeten Maschinen und sonstigen Geräte wurden entfernt und sichergestellt.

Bei Durchführung der Aktion wurde ein dänischer Polizeibeamter Holger Söderberg, wohnhaft Kopenhagen, Hovgaardsvej 6, festgestellt, der im Besitz eines Waffen- und Sprengstofflagers war. Da er sich der Festnahme mit Waffengewalt zu widersetzen versuchte, wurde er in seiner Wohnung erschossen.[90]

b.) Die illegale Zeitschrift "Fri Presse", die vermutlich das offizielle Organ des dänischen Freiheitsrates ist, konnte im Zuge der Ermittlungen ebenfalls ausgehoben werden.[91] Insgesamt wurden 20 Personen festgenommen. Der Druck der Zeitschrift erfolgte bei der Druckerei Lützhoff, Kopenhagen, Nordkrog 18. Die Druckerei wurde geschlossen, die Maschinen wurden abmontiert. Eine gerade im Druck befindliche neue Auflage konnte erfaßt werden.

Es wurden insgesamt 30 Zentner Broschüren, Klischees und fertige Exemplare sowie Sabotagematerial sichergestellt.

---

83 Trykkeriets ejer blev anholdt 27. april, og dagen derpå blev der sat tysk vagt ved trykkeriet (RSHAs notat 12. maj 1944 (trykt ovenfor), *Information* 29. april 1944, *Daglige Beretninger*, 1946, s. 112 (uoverensstemmelse om gadenummeret)).

84 Trykkeriet blev besat af tysk politi 27. april 1944 (RSHAs notat 12. maj 1944 (trykt ovenfor), *Daglige Beretninger*, 1946, s. 110).

85 Ifølge Bovensiepens indberetning 27. april 1944 til RSHA hed ejeren af trykkeriet Thoergesen (RSHAs notat 12. maj 1944 (trykt ovenfor)). Der er ikke lokaliseret et trykkeri Amagerbrogade 98 med en indehaver af et af disse navne. Derimod var der et trykkeri i nr. 96 med navnet Forretnings-Trykkeriet Jacon med andre indehavere. Muligvis er der tale om en fejl fra BdS' side.

86 Trykkeriet blev besat af tysk politi 28. april 1944 (*Daglige Beretninger*, 1946, s. 110).

87 Trykkeriet blev lukket omkring 6. maj. Det havde trykt *Studenternes Efterretningstjeneste* (RSHAs notat 11. maj 1944 (trykt ovenfor), KB, Bergstrøms dagbog 7. maj 1944).

88 Jfr. RSHAs notat 11. maj 1944 (trykt ovenfor), der angiver, at *Land og Folk* blev trykt der.

89 Trykkeriet blev lukket 9. maj og Andersen arresteret. Det havde bl.a. trykt *Kriminalpolitibladet*, tryksager for værnemagten og illegale publikationer, viste det sig. Journalist Bergstrøm fik dagen efter af Andersens kone at vide, at tysk politi i den sidste tid havde taget 15 mindre trykkerier, hvilket næppe er overdrevet. Måske dog Andersens faktor overdrev, da han samme dag oplyste, at det drejede sig om 38 trykkerier og 7 bogbinderier (KB, Bergstrøms dagbog 10. og 11. maj, 6. juni, 10. juli 1944).

90 Holger Söderberg blev dræbt 21. maj af Gestapofolk, der ventede på ham i hans lejlighed (*Faldne i Danmarks frihedskamp*, 1970, s. 420f., Birkelund 2000, s. 287).

91 *Fri Presse* var ikke organ for Danmarks Frihedsråd. Bladets trykkeri blev 7. maj 1944 stormet af Gestapo, oplaget af det nye nr. beslaglagt og flere gruppemedlemmer arresteret, hvoraf Preben Larsen døde i Neuengamme 22. november 1944 (*Besættelsestidens illegale blade og bøger*, 1954, s. 83, 130, *Faldne i Danmark frihedskamp*, 1970, s. 258f.).

c.) Im weiteren Verfolg der Aufrollung der Organisation "Studenternes Efterretningstjeneste" konnten insgesamt 35 Personen festgenommen werden. Die Mehrzahl der Festgenommenen war bei der Herstellung und Verteilung des Blattes "Studenternes Efterretningstjeneste" sowie der illegalen Broschüren, die von der Organisation herausgegeben wurden, eingesetzt.[92] Der Hauptfunktionär wurde bei einem Fluchtversuch angeschossen und verstarb.[93] Insgesamt wurden sichergestellt:

6 Abziehapparate,
1 Schreibmaschine,
50 Zentner illegale Schriften,
40 Kg Sprengstoff,
10 Pistolen,
1 nicht vollgebrauchsfähiges MG amerikanischen Systems,
3 deutsche Uniforme,
1 Wehrmachtsuniform,
3 dänische Polizeiuniformen.

Geschlossen wurden ferner die Druckereien
1.) Druckerei Justesen, Kopenhagen, Lädersträde 11A,
2.) Druckerei Axel Christensen, Kopenhagen, Linnésgade 20,
in denen das Blatt im Maschinendruck hergestellt wurde.

Durch die Zerschlagung der vorgenannten Organisation wurden nachstehenden Hetzschriften in folgender Auflagenhöhe ausgeschaltet:[94]
1.) "Hjemmefronten", Auflage 50.000 Exemplare,
2.) "Studenternes Efterretningstjeneste", Auflage 30.000 Exemplare,
3.) "Kirkefronten", Auflage 10.000 Exemplare,
4.) "Danskeren", Auflage 5.000 Exemplare,
5.) Monatsschrift "Kontakt med Verden", Auflage unbekannt,
6.) "Land og Folk," Auflage unbekannt,
7.) "Folk og frihed", Auflage unbekannt,
8.) "Fri Presse", Auflage 50.000 Exemplare.[95]

d.) Darüber hinaus gelang es in dem Buchverleger Allan C. Christensen die Zentralstelle für die illegale Buchherstellung zu erfassen.[96] Insgesamt wurden rd. 25.000 Exemplare von 22 verschiedenen Büchern und Broschüren hetzerischen Inhalts sichergestellt.

Die Druckerei Westy Ejlund, Kopenhagen, Mikkel Bryggersgade 2,[97] wurde geschlossen und die Maschinen sichergestellt, da in dieser Druckerei 3 der obenge-

---

92 Det stemte, jfr. Birkelund 2000, s. 287.

93 Erik Bunch-Christensen blev hårdt såret af Gestapo 6. marts 1944 og døde senere af sine sår (*Faldne i Danmarks Frihedskamp*, 1970, s. 71f., Birkelund 2000, s. 251).

94 Om de enkelte blade henvises til *Besættelsestidens illegale blade og bøger*, 1954, passim.

95 Et oplag på 52.000 eksemplarer af bladet blev beslaglagt i maj 1944 (*Besættelsestidens illegale blade og bøger*, 1954, s. 83).

96 Allan C. Christensen drev det illegale forlag "Samtiden" (Birkelund 2000, s. 230).

97 Trykkeriet Aktiv på nævnte adresse var blevet lukket af tysk politi 8. maj, ejeren arresteret og tyske vagter bevogtede virksomheden (KB, Bergstrøms dagbog 9. maj 1944).

nannten Bücher in einer Auflagenhöhe von je 10.000 Exemplare hergestellt wurden. Als Verteiler der illegalen Bücher wurden etwa 220 Buchhändler festgestellt, die die Bücher vertrieben hatten. Das Verfahren in dieser Richtung ist noch nicht abgeschlossen.

Die Buchbinderei Müller, Kopenhagen, Kompagnisträde 8, wurde geschlossen, weil hier ein großer Teil der Bücher gefunden wurde.

Die Organisation "Hjemmefront" hatte darüber hinaus in einer Abteilung militärische 6-Mann-gruppen aufgezogen, die zu Sabotagezwecken und zu militärischen Einsatz im Falle der Invasion ausgebildet waren. Da nicht die Möglichkeit bestand, alle erfaßten Mitglieder dieser Organisation festzunehmen, wurden lediglich die Gruppenführer und Abteilungsleiter in Haft genommen.[98] Es wurden im Rahmen dieser Aktion sodann ungefähr 33 Personen festgenommen, und es gelang, ein Lager mit rd. 450 dänischen Wehrmachtsuniformen, 6 Säcken mit Uniformmützen und 280 gebrauchten Koppeln zu erfassen.

Weiterhin konnten auf einem Gutshof in Ryegaarden

1.500 komplette Uniforme einschl. Mäntel,

1.500 Tornister mit Feldflaschen u. Kochgeschirren,

1.500 Stahlhelme und

430 lange Schnürstiefel

sowie andere Ausrüstungsgegenstände der ehemaligen dänischen Armee erfaßt werden.

Im Zuge der Aufrollung der 6-Mann-Organisation "Hjemmevärn" in Horsens wurden ebenfalls 21 Gruppenführer bzw. Angehörige mit besonders wichtigen Funktionen festgenommen.[99]

Nachdem durch diese kleinen Teilaktionen der erste Einbruch in die militärischen Widerstandsorganisation gelungen war und hierdurch der Beweis erbracht war, daß das nachrichtendienstlich erkundete Systems des Aufbaues der Militär-Organisation zutreffend ist, konnten die führende Leute der militärischen Widerstandsorganisation zunächst auf der Halbinsel Jütland festgenommen werden. Die Militär-Organisation hatte folgende Entwicklung genommen:

Vor zwei Jahren wurden von den maßgebenden dänischen Stellen zur Unterstützung der Polizei im Falle eines Abmarsches der deutschen Truppen militärische Organisationen aufgezogen, die bei der Aufrechterhaltung von Ruhe und Ordnung eingesetzt werden sollten. Diese Organisation hatte zunächst keine Zielrichtung gegen Deutschland. Später geriet sie jedoch, nachdem von englischer Seite das Aufziehen der Partisanengruppen angeordnet worden war und nachdem durch den 29. August 1943 eine Zuspitzung der politischen Verhältnisse eingetreten war, ebenfalls in die Partisanen- und

---

[98] Beskyttelseskorpset var en organisation oprettet under Hjemmefronten i efteråret 1943 med det angivne formål. Dets ledende medlem Erik Westh blev arresteret 24 april 1944 (og døde i Bergen Belsen 6. marts 1945). Efterfølgende benyttede en del af medlemmerne muligheden for at tilslutte sig Holger Danske (Birkelund 2000, s. 263-266, 276-281, *Faldne i Danmarks frihedskamp*, 1970, s. 448).

[99] Horsens Hjemmeværn blev ramt af Gestapos arrestationer 16. maj (21 anholdte) og 19. maj (15 anholdte) (og senere 22. juni), men det er ikke afdækket, hvem der stod bag (Rimestad, 2, 1998, s. 51-56. Navnene på de arresterede er i *Information* i dagene derefter).

Nachrichtenarbeit hinein. Nachdem die Engländer zunächst im Juli 1943 mit der dänischen Armee zwecks Einsatz der dänischen Armee gegen Deutschland verhandelt hatten und diese Verhandlungen später von Seiten der Engländer abgebrochen worden waren, da innerhalb des dänischen Offizierskorps es zu Indiskretionen gekommen war, war die dänische Armee und die oben angeführte Organisation zunächst in ihrem Großteil aus der direkten Zusammenarbeit mit den Engländern ausgenommen worden. Dies änderte sich jedoch sehr rasch, nachdem gegen Weihnachten von englischer Seite das Aufziehen der Partisanengruppen in Form von 6-Mann-Gruppen angeordnet worden war und die bisher unter direkter englischer Leitung stehenden Sabotagegruppen sich auf diese Organisationsform umstellten. Die Masse und insbesondere die führenden Leute der oben aufgeführten Organisation schwenkten immer mehr in eine direkte Zusammenarbeit mit den englischen Gruppen um. Sie haben sich nun schnell auf Partisanenarbeit umgestellt. Darüber hinaus wurde von ihnen systematisch Nachrichtendienst getrieben. Der Leiter dieses Nachrichtendienstes ist der dänische Staatsangehörige Truelsen in Kopenhagen.[100] Dieser berichtet nicht nur an den Chef des dänischen Nachrichtendienstes, Oberstleutnant Nordenthoft in Stockholm, sondern hatte auch Kontakt mit dem englischen Chefagenten "R 34",[101] dem er sein erfaßtes Nachrichtenmaterial ebenfalls zur Verfügung stellte. Um ein Aufrollen dieser Organisation möglichst von oben zu ermöglichen, war nachrichtendienstlich zunächst versucht worden, die Spitzenköpfe der Organisation zu erfassen. Nachdem bekannt geworden war, daß ein dänischer Polizeibeamter besonders aktiv für Truelsen arbeitete, wurde seine Festnahme durchgeführt.[102] Die rasch durchgeführten Vernehmungen bestätigten restlos die bereits hier nachrichtendienstlich und durch die Aussagen der englischen Chefagenten vorliegenden Anhaltspunkte über die Tätigkeit der Organisation.[103] Auf Grund des vorliegenden Materials wurde dann die Festnahme der führenden Köpfe durchgeführt. Es wurden bisher festgenommen:[104]

5 Polizeimeister,
2 Polizeikommissare,
1 Amtmann,
6 Polizeibeamte,
3 ehem. Kapitäne (Hauptleute)
1 Kapitän d. Gend.

---

100 Svend Truelsen var leder af det danske militære efterretningsarbejde til maj 1944, hvorpå han kom til Sverige og senere England. Som det fremgår af Bovensiepens indberetning, var tysk politi i maj på det rene med Truelsens centrale betydning i dansk efterretningsvæsen, og modsat Bjerg (2, 1985, s. 28f.) var det sandsynligt, at oplysningerne herom stammede fra SIS-agenten Aage Andreasen (Bjerg, 2, 1985 passim og samme i *Gads leksikon Hvem var hvem 1940-1945*, 2005, s. 367f.).
101 "R 34" var den engelske kodebetegnelse for SIS-agenten Aage Andreasen, der var blevet anholdt 18. januar (jfr. Bests telegram nr. 83, 19. januar 1944) og som givetvis var kilde til en del af de her givne oplysninger (Gestapos afhøringsrapport over ham er bevaret (Bjerg, 2, 1985, s. 28)).
102 Den 4. maj arresterede tysk politi overbetjent J. Hald i Sønderborg (Bjerg, 2, 1985, s. 23, KB, Bergstrøms dagbog 8. maj 1944).
103 Andreasen begyndte altså ikke først at tale hen på sommeren 1944 som formodet af H.C. Bjerg (Bjerg, 2, 1985, s. 28).
104 Gestapos såkaldte politimesteraktion fandt sted 26. maj 1944 og meddelelsen om aktionen med de anholdtes navne blev offentliggjort samme dag (Best til AA, telegram nr. 675, 26. maj 1944, Trommer 1973, s. 158, Bjerg, 2, 1985, s. 24).

1 Oberstleutnant,
1 ehem. Offiziant,
2 Redakteure,
1 Schriftleiter,
2 kaufm. Angestellte,
1 Färbermeister.

Durch die Festnahme des englischen Chefagenten und weiterer englischer Agenten war es gelungen, den direkten englischen Nachrichtendienst weitestgehend auszuschalten.[105] Nachdem dann weiterhin der englisch-polnische Nachrichtendienst restlos aufgerollt werden konnte,[106] dürfte mit der Aufrollung des rein dänischen Nachrichtendienstes die letzte große Nachrichten- und Sabotageorganisation Dänemarks zerschlagen sein.[107] Darüber hinaus dürften die getroffenen Vorbereitungen für die Partisanenarbeit von der obengenannten Organisation im wesentlichen ausgeschaltet sein.

Bei der Aufrollung des englischen Nachrichtendienstes gelang es noch, einen früheren dänischen Heeresoffizianten, der im Auftrag des um die Jahreswende nach Schweden geflüchteten Leiters des "Studenten-Nachrichtendienstes" Spionage trieb, festzunehmen.[108] Nach anfänglicher Tätigkeit für den dänischen Nachrichtendienst hatte er angeblich wegen Geldschwierigkeiten später für den polnischen Nachrichtendienst gearbeitet. Der polnische Agent, mit dem er in Verbindung stand, befindet sich zur Zeit in Schweden.[109] Zwei Mitarbeiter des Offizianten wurden namentlich ermittelt, sie befinden sich zur Zeit auf einer Ausspähungsreise innerhalb Jütlands. Die Fahndung nach ihnen ist eingeleitet. Drei weitere Personen konnten wegen Mittäterschaft inhaftiert werden.[110]

Bei der Bekämpfung des amerikanischen Nachrichtendienstes gelang die Ermittlung eines von Schweden aus angesetzten Agenten, eines dänischen Lithographen. Er bezeichnet sich selbst als amerikanischer Hauptagent für Dänemark und hatte angeblich den Auftrag, hier eine umfassende Nachrichtenorganisation aufzuziehen. Die Festnahme eines weiteren Agenten, eines Kuriers und zweier Helfer in dieser Angelegenheit ist zu erwarten.[111]

Die Ermittlung gegen den hier einsitzenden englischen Agenten "R 109"[112] haben

---

105 Der hentydes til arrestationen af Aage Andreasen og nogle af hans underagenter. Se Bests telegram nr. 83, 19. januar 1944.

106 Den polsk-danske efterretningstjeneste blev hårdt ramt, men blev først endeligt svækket i efteråret 1944, selv om den fortsatte sin eksistens med danske medlemmer (Nellemann 1989, s. 28, 58f., Bjerg, 2, 1985, s. 25).

107 Denne vurdering kan først og fremmest have været bestemt for modtageren i Berlin.

108 Det var Chr. Fries, der blev arresteret 20. maj 1944 i sin illegale lejlighed Grundtvigsvej 15 sammen med Aksel Lykkegaard. Fries døde i Husumlejren 18. november 1944, mens Lykkegaard blev løsladt 21. december (Nellemann 1989, s. 72, Birkelund 2000, s. 242f., 245, *Faldne i Danmarks frihedskamp*, 1970, s. 120, Agertoft 2004, s. 23, 28).

109 Den polske agent var Lucjan Maslocka (Nellemann 1989, s. 28, Birkelund 2000, s. 242f.).

110 De arresterede er ikke identificeret, men må befinde sig på listen hos Nellemann 1989, s. 72.

111 Personkredsen er ikke identificeret. Gestapochef Karl Heinz Hoffmann vurderede 1959, at det amerikanske efterretningsvæsen ikke fik nogen betydning i Danmark (Hoffmann/Mayr-Arnold 1959, s. 120). Det dokumenteres heller ikke hos Hansen 2008, del 1.

112 "R 109" var Vagn Hessel Andersen, anholdt 21. januar 1944 (Hjorth Rasmussen 1998, s. 134).

Belastungsmaterial gegen 3 weitere dänische Staatsangehörige ergeben. Die Beschuldigten wurden festgenommen und sind geständig. Weiter wurde im Zuge der Aufrollung der englischen Nachrichtenorganisation in Dänemark ein dänischer Fabrikant,[113] 1 Prokurist,[114] 2 Studenten,[115] 1 früherer Fluglehrer[116] und 1 Flugzeugmechaniker wegen nachrichtendienstlicher Betätigung bezw. Beihilfe festgenommen. 1 weiterer Flugzeugmechaniker wurde wegen Sp-Verdachts festgenommen.[117] Des weiteren wurde der im letzten Tätigkeitsbericht erwähnte im Sp-Komplex "R 34" belastete Staatenlose, der bei der deutschen Wehrmacht als Dolmetscher tätig war, auf hiesige Veranlassung festgenommen und nach hier überstellt. Die Ermittlungen gegen ihn schweben.[118]

Von den Grenzdienststellen wurden in der Berichtszeit insgesamt 31 Personen festgenommen, und zwar

13 wegen illegalen Grenzübertritts bezw. Versuchs,

5 wegen Sabotage,

2 wegen illegaler Postbeförderung,

11 wegen sonstiger Betätigung innerhalb illegaler Organisationen.

Sichergestellt wurden 6 Motorboote, darunter 1 sehr schnelles, mit Fliegermotor ausgerüstetes, sowie 1 Ruderboot.[119]

Insbesondere konnte der Leiter der dänischen Fluchtorganisation in Helsingborg, Kjär, festgenommen werden, als er nach Dänemark einreiste, um seine durch die Sicherheitspolizei zerschlagene Zubringerorganisation in Dänemark wieder aufzuziehen.[120] Durch Kjär gelang es, wichtige Angaben über die Organisation des Personen- und Postschmuggels zwischen Dänemark und Schweden zu erlangen, insbesondere die An- und Ablaufstellen in Schweden festzustellen. Die Ermittlungen dauern noch an.

gez. **Bovensiepen**

---

113 Direktør Carl Gøtterup, anholdt 3. maj 1944 (Hjorth Rasmussen 1998, s. 133).

114 Arne Zachariassen, anholdt 9. maj 1944 (Hjorth Rasmussen 1998, s. 133).

115 Arkitektstuderende Claus Allan Christensen og stud.tech. Kaj Jacobsen, begge anholdt 9. maj 1944. Jacobsen døde 23. februar 1945 i Hannover-Stöcken (*Faldne i Danmarks frihedskamp*, 1970, s. 190f., Hjorth Rasmussen 1998, s. 133).

116 Henry Him-Jensen, anholdt 3. maj 1944, død på udekommando til Husumlejren 19. december (*Faldne i Danmarks frihedskamp*, 1970, s. 172f., Hjorth Rasmussen 1998, s. 133).

117 De to flymekanikere var Villy Arnold Bergmann og Egon Højriis-Frandsen (Hjorth Rasmussen 1998, s. 133).

118 Pierre Berling, anholdt i Oslo 4. maj 1944 (Hjorth Rasmussen 1998, s. 132).

119 29. april blev skibsmægler Jensen, Helsingør, anholdt og hans båd R.F. 509 "Alice" beslaglagt, mens bådføreren Knud Hansen blev eftersøgt. Båden var indrettet til flygtningetransport (BArch, R 70 Dänemark 6, KTB/BdO 3. maj 1944).

120 Erling Kier blev fanget af en tysk patruljebåd ud for Ellekilde Hage natten mellem 15. og 16. maj ved et samvirke mellem Kriegsmarine og det tyske grænsepoliti i Helsingør, da han var i gang med det i beretningen angivne arbejde. Kier blev senere overført til Tyskland (BArch, R 70 Dänemark 6, KTB/BdO 17. maj 1944, Dethlefsen 1993, s. 93 (hvor arrestationen henføres til 12. maj)).

181. Andor Hencke: Notiz 8. Juni 1944

Den danske gesandt Mohr havde været i AA for at presse på for et dansk besøg i Theresienstadt og havde også anmodet om tilladelse til, at Frants Hvass måtte besøge lejren med de internerede danske kommunister. Endvidere var der anmodet om besøg hos den danske vicekonsul Bertelsen, der sad fængslet i Hamburg. Hencke bad Inland II om, at 21. juni måtte blive fastsat som dato for besøget i Theresienstadt, at RSHA tog stilling til besøget hos de danske kommunister og på ny blev anmodet om at tage stilling til, om der kunne komme et besøg i stand hos Bertelsen.

Mohr havde på dette tidspunkt fået besked om, at RFSS havde givet danske repræsentanter tilladelse til at besøge Theresienstadt i juni (se Mildner til von Thadden 16. maj 1944).

For det videreforløb se Eichmanns afdeling i RSHA til von Thadden 13. juni 1944.

Kilde: RA, pk. 204.

U.St.S. Pol Nr. 191 *Berlin, den 8. Juni 1944*

Der Dänische Gesandte suchte mich gestern auf und kam erneut auf folgende Punkte zu sprechen:
1.) Besuch der dänischen Juden in Theresienstadt durch Legationsrat Hvass mit Sekretär und einem Vertreter des dänischen Roten Kreuzes.

   In diesem Zusammenhang äußerte Herr Mohr die Bitte, daß Herr Hvass auch die Erlaubnis erhält, die in den Kommunistenlagern internierten Dänen zu besuchen.
2.) Besuch des dänischen Vizekonsuls Berthelsen in Hamburg.

Zu 1.) teilte ich Herrn Mohr mit, daß aus technischen Gründen der ursprünglich für Anfang Juni in Aussicht genommene Besuchstermin in Theresienstadt auf die Zeit nach dem 20. Juni verlegt werden müsse. Der Gesandte bemerkte hierzu, daß ihm vom Roten Kreuz bereits der 21. 6. als vorgesehener Zeitpunkt genannt worden sei.

Was den Dänischen Wunsch anlangt, auch die Dänen in den Kommunistenlagern zu besuchen, so hielte ich eine Erfüllung für sehr schwierig, ich wollte mich aber erkundigen.

Zu 2.) teilte ich dem Gesandten mit, daß der Stand der Voruntersuchung gegen Berthelsen zurzeit noch nicht gestatte, die Besuchsgenehmigung zu erteilen. Das Auswärtige Amt behielte die Angelegenheit im Auge und würde darauf zurückkommen.

Hiermit Inl II mit der Bitte übersandt:
a.) den 21. Juni endgültig als Besuchstermin für Theresienstadt festzulegen,
b.) wegen des dänischen Wunsches betr. Besuches des Kommunistenlagers eine Stellungnahme des Sicherheitshauptamts herbeizuführen,
c.) erneut eine Genehmigung zum Besuch des Vizekonsuls Berthelsen zu beantragen.

gez. **Hencke**

182. Walter Forstmann an Rüstungsamt 9. Juni 1944

Forstmann meddelte, at "Globus Cykler" havde været ude for en ødelæggende sabotage, idet han henviste til sin tidligere anmodning om at få Luftwaffenheder til bevogtning af virksomheden, en anmodning som han nu gentog.

Anmodningen blev imødekommet, og i midten af august 1944 fik tre danske virksomheder denne tyske beskyttelse (se Rü Stab Dänemarks månedsberetning 31. august 1944).

Forstmanns anmodning havde som bilag Poul Sommers beretning om angrebet på "Globus Cykler".

Aktionen mod "Globus" blev udført af BOPA som et dagangreb, hvori medvirkede ca. 50 mand. Ødelæggelserne udløste en erstatning på 3.071.000 Kr. (RA, BdO Inf. nr. 46, 8. juni 1944 (udførlig beskrivelse af aktionen), RSHAs notat 12. juni 1944 (trykt nedenfor), Brandt/Christiansen 1945, s. 128-135, Kjeldbæk 1997, s. 258-261).

Kilde: BArch, Freiburg, RW 27/15. RA, Danica 1000, T-77, sp. 696. KTB/Rü Stab Dänemark, 2. Vierteljahr 1944, Anlage 25.

Abschrift!   Anlage 25
Chef   9. Juni 1944

Lw. S. 180/44 II. Ang.
Rü Stab Dän., Az.: S., Nr. 180/44 vom 19.5.44[121] und FS vom 25.5.44[122]

Militärischen Schutz für die Luftwaffen-Fertigung bei dänischen Betrieben

An das Rüstungsamt
    Des Reichsministers für Rüstung und Kriegsproduktion,
    Berlin NW 7
    Unter den Linden 36

Die mit Luftwaffenfertigung ausschließlich beschäftigte Firma *Globus Cykler A/S* ist am 6. d.M. durch Sabotage gänzlich zerstört worden.

Die Firma arbeitete in einer Schicht mit ca. 240 Mann an Leitwerkteilen für FW 190 zur vollsten Zufriedenheit der deutschen Auftraggeber.

Über die Wiederverwendbarkeit der unter den Trümmern stehenden Maschinen läßt sich im Augenblick noch nichts sagen, da erst festgestellt werden muß, welche Beschädigungen eingetreten bezw. inwieweit die Maschinen ausgeglüht sind. Werkzeuge und Vorrichtungen sind fast restlos vernichtet. Dagegen ist das Halbzeuglager und ein großer Teil des Materiallagers erhalten geblieben. Nicht betroffen wurden ferner das Transformatorengebäude und die Kompressoranlage. Inwieweit die Hellinge zerstört sind, läßt sich erst nach den Aufräumungsarbeiten feststellen, da sich dieser Teil der Fabrik vollständig unter Trümmern befindet.

In dem o.a. Antrag des Rü Stab Dän. vom 19.5.44 betr. militärischen Schutz für die Luftwaffenfertigung bei dänischen Betrieben durch zwei Genesenden-Kompanien einer Luftwaffen-Felddivision, ist die Firma Globus Cykler A/S als besonders schutzbedürftig aufgeführt worden. Es wird nochmals gebeten, den Antrag mit allen Mitteln zu unterstützen.

In der Anlage wird ein Bericht des "Wachkorps der Luftwaffe in Dänemark" über den Sabotageangriff auf die Firma Globus Cykler A/S mit der Bitte um Kenntnisnahme übersandt. Das Wachkorps besteht aus angeworbenen Dänen.

                                                                                        gez. **Forstmann**

---

121 Trykt ovenfor.
122 Fjernskrivermeddelelsen er ikke lokaliseret.

1 Anlage
Wachkorps der Luftwaffe in Dänemark   *Kopenhagen, den 7.6.1944*
Geheim!

An Kdo Fl. H. Ber. Seeland,
    Kastrup

Betr.: Sabotageangriff auf die Fabrik "Globus", Glostrup, am 6.6.44

Die Wache
Das Wachkorps hatte zur Sicherung der Fabrik "Globus" eine Wache in Stärke 5-11 Mann gestellt. Auf Posten waren ständig 5 Mann. Der Rest hielt sich im Wachlokal auf.
    Die Bewaffnung betrug 1 MP, 4 Kar. und 7 Pistolen Kal. 9 mm.

Der Sabotageangriff
Nach Aussagen der Wachmänner haben die Ereignisse sich folgendermaßen zugezogen:
    Bis 19.00 Uhr war alles vollkommen ruhig.
    Punkt 19.00 Uhr wurde von allen Seiten MP-Feuer gegen sämtliche Posten geöffnet und zwar wurde jeder Posten von mehreren MP-Schützen beschossen. 3 Posten waren gleich durch schwere Verwundungen unkampffähig. Die 2 anderen Posten haben mit ihren Pistolen bis zur letzten Patrone geschossen. Die Angreifer waren aber hinter Gebüschen versteckt und die Feuerwirkung konnte deswegen nicht festgestellt werden.
    Gleichzeitig wurde das Wachlokal und die Wohnung vom Direktor, die im 1. Stock liegt, von mehreren MP-Schützen unter Feuer genommen. Die Wachleute im Wachlokal warfen sich auf den Boden und schossen durch Türe und Fenster hinaus. Sie wurden mehrmals aufgefordert sich zu ergeben. Das Wachlokal wurde außerdem mit Handgranaten beworfen, wobei es den Saboteuren aber nicht gelungen ist, die Handgranaten durch die Fenster ins Wachlokal hineinzuwerfen. Ein Wachmann war aus der Tür herausgekommen, wurde aber draußen gleich von ungefähr 10 MP-bewaffneten Saboteure umgestellt und entwaffnet.
    Am Boden liegend haben die Wachmänner durch Telefon alarmiert, waren auch mit der Vermittlung in Glostrup in Verbindung, wurden aber nicht weiterverbunden.
    Nach ungefähr 15 Minuten Feuerkampf waren sämtliche Wachmänner entwaffnet.[123]
    3 LKW fuhren dann auf das Fabrik-Gelände und schwere Bombenkisten wurden ausgeladen. Nachdem die Bomben angebracht waren, wurden die Wachmänner, die ihre Verwundeten mit sich nahmen, vom Fabrik-Gelände auf die Straße hinausgeschickt. Ein Saboteur schoß mit seiner MP ein paar Mal hinter ihnen her, wobei noch ein Wachmann verwundet wurde.
    Um ungefähr 19.20 Uhr gingen die ersten 2 Bomben hoch und 5 Minuten später eine dritte.

---

123 Vagterne blev tvunget til at overgive sig. Der var forud for aktionen givet tilladelse til likvidering af alle vagterne, men BOPA afstod fra det (Esben Kjeldbæk i *Hvem var hvem 1940-1945*, 2005, s. 187).

Sobald die Bomben angebracht waren, fuhren auf Befehl von einem der leitenden Saboteure diejenige, die noch am meisten Munition übrig hatten, mit 2 LKW in Richtung fort. Der Befehl lautete, wenn Wehrmacht oder Polizei in Anrollen wären, sollten sie die Straße freikämpfen.

Bei dem Angriff auf die Fabrik selbst waren soweit eine Feststellung möglich ist 30-40 Mann beteiligt.[124] Davon waren mindestens 20-25 Mann mit MP bewaffnet. Die übrigen mit Pistolen und Handgranaten. Die Waffen und Handgranaten waren scheinbar dänisches Fabrikat.

Außerdem wurden die umgebenden Gärten, die Straße usw. durch Saboteure besetzt, die mehr oder weniger stark bewaffnet waren. Es ist anzunehmen, daß hier noch weitere 30-40 Mann eingesetzt waren.[125]

Es wurden nach Angabe der Wachmänner folgende Wagen benutzt:
2 s LKW
1 l LKW (von der Transport-Firma "Adam")
1 CB Mannschaftswagen
1 dunkler s PKW
1 heller l PKW
Davon einer mit einem weißen Kreuz als Arztwagen bezeichnet.

Schwer verwundet wurden:
Wachmann C 74,   Kai Tüsselholt,
                 3 Lungendurchschüsse in der linken Seite, mehrere Arm- und Beinschüsse,
Wachmann C 91,   Vilhelm Frederiksen,
                 Durchschuß in der Brust, Arm- und Beinschüsse,
Wachmann C 92,   Erik Vagn Jensen,
                 mehrere Lungenschüsse an beiden Seiten, Magendurchschuß, mehrere Beinschüsse,
Wachmann C 125, Georg Petersen,
                 Arm- u. Kopfschüsse, Bein- und Körperverletzungen durch Handgranaten.

Leicht verwundet durch Fleischwunden wurden:
Wachmann C 37,   Jens Petersen,
Wachmann C 106, Olaf Elmer.

Die Waffen der Wache nahmen die Saboteure bis auf 2 Pistolen mit. Von den 4 Kar. wurden 3 Kar. von der dän. Polizei in einem abgestellten Wagen vorgefunden.

Die Verwundeten wurden in einem dänischen Krankenhaus gebracht, die Angehörigen benachrichtigt. Die 2 Wachmänner C 37 und C 106 konnten nach ärztlicher Behandlung im Krankenhaus nach Hause gefahren werden.

---

124 Angrebsstyrken bestod af ca. 20 mand.
125 Dækningsstyrken bestod af ca. 30 mand.

Nach der Bombenexplosion kamen Feuerwehr und Polizei zur Stelle. Die Feuerwehr weigerte sich a.G. der Explosionsgefahr den entstandenen Brand zu löschen. Somit wurden die übrig gebliebenen Wachmänner eingesetzt. Dadurch konnte ein Lager mit Fertigteile und ein Materiallager noch gerettet werden.

Abfahrt der Saboteure
Mehrere anwesende haben beobachtet, wie die Saboteure einen verwundeten Kameraden zum Wagen weggetragen haben. Ein LKW fuhr bei der Rückfahrt gegen einen Baum. Die Saboteure hielten daraufhin einen Omnibus auf und fuhren mit diesem weiter.

Bei der Fabrik "Carltorp," die ungefähr ein km entfernt direkt am Roskildevej liegt, hatte die Wache, die auch zum Wachkorps gehört, Alarm geschlagen und wollte versuchen, den Saboteuren den Rückweg zu sperren. Als sie die Omnibus anhalten wollten, wurden sie durch den Fenstern mit MPs angeschossen. Die 7 Mann von der Wache, die draußen auf der Straße waren, warfen sich hin und beantworteten mit ihren Pistolen und Karabinern das Feuer.

Ein Reifen wurde kaputt geschossen und mehrere Treffer in den Wagen wurden beobachtet. Wie es sich nachher herausstellte, wurde der Wagen kurz nachher von den Saboteuren zurückgelassen und ein weiterer Wagen angehalten. Dieser wurde später auch gefunden. Ein toter Saboteur lag im Wagen.[126]

Von der Wache bei "Carltorp" wurde ein Wachmann durch eine Fleischwunde leicht verwundet.

Nachforschung der Saboteure
Für die Nachforschung der Saboteure sind folgende Angaben von Bedeutung:

Signalement des Leiters der Saboteure: Gross und kräftig, mir rot-gelocktem Haar, 25-30 Jahre alt, im grauen Staubmantel.[127]

Sonst waren die meisten Saboteure um die 20 Jahre alt, trugen kurze Hosen (weiß/grau oder braun) und bunte Hemden – als Wochenendanzug zu bezeichnen. Fast alle trugen ein weißes Tuch um den Hals gebunden, sodaß nach vorne ein Dreieck mit der Spitze nach unten sichtbar war. Diese Tücher machten den Anschein einer Uniformierung.

1 LKW mit 10-15 Mann fuhr nach der Sabotagehandlung durch Roskildevej, Rödovrevej bis zur Ecke Elvergaardsvej. Dort wurde der Wagen hinterlassen und die Saboteure liefen durch Elvergaardsvej über den Damm am Damhussee. In Hyltebjerg Allé wurden noch einige Schüsse abgegeben, wonach die Saboteure Richtung Lönstrupvej verschwanden.

Die 10-15 Mann trugen alle ihre Waffen, MPs und Handgranaten sichtbar, entweder in der Hand oder im Gürtel.

Weiterhin wurden durch den Wachleuten folgenden Angaben gemacht:

---

126 Det var læge Erik Hagens (*Faldne i Danmarks frihedskamp*, 1970, s. 138f., Kjeldbæk 1997, s. 260).
127 Aktionen blev ledet af Jørgen Jespersen (KK), der i 1944 var 18 år. Han synes ikke at passe til det opgivne signalement.

Richard Volvohn Nielsen, wohnhaft: Koppelvej 5, Glostrup, hat vor ungefähr 3 Wochen im Familienkreise geäußert, daß 50 Mann schon bereit waren, "Globus" in die Luft zu sprengen. Waffen und Sprengmittel waren schon vorhanden. Es fehlte nur die Beschaffung von Wagen usw. Der Betreffende hat mehrmals versucht, bei "Globus" als Arbeiter angestellt zu werden. Er arbeitete mit einem früheren Angestellten bei "Globus" namens Otto Hein, Banegaardsvej 4, Glostrup, zusammen. Diese Mitteilungen sind von einem Arne Fr. Möller, Östervej 13A, Glostrup, gegeben.

gez. **Sommer**
Hauptmann u. Chef des Wachkorps

183. Werner Best an das Auswärtige Amt 9. Juni 1944

Best anbefalede den islandske statsborger Gunnar Gudmundson som en mand, der havde muligheder for fra Sverige at skaffe efterretninger om England. Han skulle tidligere med stor succes have arbejdet for Abwehr i USA, hvad Best dog ville have efterprøvet hos OKW.

Andor Hencke svarede kort Best 14. juni, at Gudmundson i løbet af kort tid ville blive indrulleret i Waffen-SS, og at der derfor kunne ses bort fra hans anvendelse til andre opgaver.

Kilde: PA/AA R 29.568. RA, pk. 204, 233 og 251.

Telegramm

Kopenhagen, den	9. Juni 1944	20.25 Uhr
Ankunft, den	9. Juni 1944	22.30 Uhr

Nr. 720 vom 9.5.44.[128]   Cito! Streng geheim!

Unter Bezugnahme auf meine Besprechung mit Unterstaatssekretär Hencke am 31. März 1944 berichte ich, daß ich in dem isländischen Staatsangehörigen Gunnar Gudmundson, geboren am 5. August 1917, wohnhaft in Kopenhagen, einen Mann gefunden habe, der aller Voraussicht nach im Stande sein wird, aus Schweden einige Nachrichten über England zu beschaffen. Gudmundson ist Briefmarkenhändler. Er hat früher für die Abwehr in den USA vor deren Eintritt in den Krieg mit großem Erfolg gearbeitet, was ich, wenn die Möglichkeit hierzu noch besteht, durch Rückfrage beim OKW zu überprüfen bitte. Er versichert, über seine Geschäftsverbindungen in Schweden Nachrichten über England und über Island beschaffen zu können. Gudmundson hat bereits das erforderliche Visum bei der hiesigen schwedischen Gesandtschaft beantragt. Er möchte, um nicht aufzufallen, keinen größeren Geldbetrag mit über die Grenze nehmen, sondern diesen – es handelt sich um etwa 800 schwedische Kronen für je eine Woche Aufenthalt – an einer vorher verabredeten Stelle und zu einem vorher vereinbarten Zeitpunkt überreicht bekommen. Ich bitte um Mitteilung, ob an solchen Informationen noch Interesse besteht und ob der erforderliche Geldbetrag ihm durch einen Beauftragten der deutschen Gesandtschaft in Stockholm übermittelt werden kann. Ich würde dann

---

128 Uagtet datoen er dokumentet fra 9. juni.

rechtzeitig vor der Abreise Gudmundsons durch Drahtbericht mitteilen, wo und wann die Übergabe des Geldes erfolgen soll. Die Sache eilt, da Gudmundson sich als Freiwilliger zur Waffen-SS gemeldet hat und in etwa 3 Wochen mit seiner Einberufung rechnet.
Dr. Best

184. OKM an Leiter der Kriegsmarinedienststelle in Kopenhagen 10. Juni 1944
Seekriegsleitung lod uden om den almindelige forretningsgang tilgå kaptajn Jürst i København et referat af mødet med Best og Duckwitz 4.-5. april 1944, idet det skulle være til hans personlige brug. Referatet blev fremsendt i anledning af, at der 9. maj var rejst nye krav om beslaglæggelse af en række danske skibe, hvorfor det kunne være en fordel at kende mødets indhold, da forhandlingerne med Duckwitz ikke ville blive helt lette.

Seekriegsleitung var klar over, at kravet om nye beslaglæggelser ville møde modstand, da Duckwitz på mødet 5. april havde taget skarpt afstand fra beslaglæggelse af seks kystmotorskibe, og de blev igen krævet 9. maj.

Samme dag noterede Jürst i Kriegsmarinedienststelle Kopenhagens krigsdagbog de løbende sager med overtagelser og beslaglæggelser:
"10 Leichter für Oberwerftstab,
1 Lagerleichter für Frederikshavn,
2 kleine Kohlendampfer für Seekommandant Nord-bezw. Südjütland.
2 kleine Personenverkehrsdampfer mit Kohlefeuerung für Eckernförde.
Dänische Schiffe "Dronning Alexandrine", "Aalborghus", "Hans Broge" und "Melchior".
(RA, Danica 628, sp. 6, nr. 4308). Jürst foretog en række beslaglæggelser i løbet af juni i henhold hertil, så forhandlingerne med Duckwitz blev gennemført, men problemløst var det ikke, og resultatet begrænset (se Seekriegsleitungs kommandoafdeling (Skl Qu I) til skibsfartsafdelingen (Skl Qu VI) 21. juli 1944).
Kilde: BArch, Freiburg, RM 7/1813. RA, Danica 628, sp. 7, nr. 5846.

Oberkommando der Kriegsmarine	*Berlin, den 10. Juni 1944*
B. Nr. 1/Skl. I 17808 /44 g.Kdos.	Geheim! Kommandosache!
	Durch Kurier

Herrn Freg. Kapt. Jürst
    Leiter der Kriegsmarinedienststelle in
    Kopenhagen   Prf. Nr. 1

Sehr geehrter Herr Kapitän!
Wunschgemäß übersende ich Ihnen in der Anlage eine Abschrift der Niederschrift, die ich szt. für die 1/Skl. und Skl. Adm. Qu VI über unsere Besprechungen bei Herrn Dr. Best gefertigt habe.[129] Ich darf jedoch darauf aufmerksam machen, daß der Inhalt der Niederschrift nur zu Ihrer rein persönlichen Unterrichtung bestimmt ist, und daß Sie daher davon nach außen hin keinen Gebrauch machen dürfen. Ressortmäßig geht der Verkehr vom OKM zur dortigen Dienststelle in Fragen der vorliegenden Art nämlich nicht zwischen der 1/Skl. und der KMD, sondern nur durch Skl. Adm. Qu VI. Inzwi-

---
129 Af 9. april 1944, trykt ovenfor.

schen sind ja, wie ich z.B. aus B. Nr. Skl. Adm. Qu VI H 3549 vom 9.5.44[130] ersehen habe, weitere Fahrzeuge angefordert worden. Ich kann mir denken, daß Ihre diesbzgl. Verhandlungen mit Herrn Duckwitz nicht ganz einfach sind und daß es daher für Sie von Vorteil ist, wenn Sie wissen, was z.Zt. mit Herrn Dr. Best maßgeblich abgesprochen worden ist.

Mit den besten Grüßen und
Heil Hitler!
Ihr ergebener
1/Skl. i.A.
Ii

185. Kriegstagebuch/MOK Ost 10. Juni 1944

Wurmbach gav MOK Ost meddelelse om, at der i Svendborg havde fundet fire skibssabotager sted, der havde ramt Kriegsmarines tonnage. En undersøgelse var i gang (Jensen 1976, s. 26 med brug af dansk politirapport).

MOK Ost lod straks besked gå videre til Seekriegsleitung, der reagerede kraftigt endnu samme dag.

BdO rapporterede følgende om sabotagens omfang: "Am 10.6.44 zwischen 11.10 og 12.50 Uhr wurde auf der Seil-Schiffswerft in Svendborg an 4 Schiffen der deutschen Kriegsmarine Sabotage verübt. Das Torpedotransportschiff "August Zachau" – 300 BRT groß – ist gesunken. Das etwa 200 BRT große Sperrenschulschiff "Schopenstehl" ist mit dem Hinterschiff unter Wasser gedrückt worden. Leicht beschädigt wurden das Vorpostschiff "VS 153" und der Sperrbrecher 190 (Neubau – 100 BRT)." (RA, BdO Inf. nr. 48, 13. juni 1944).

MBSK = Marinebefehlshaber Skagerrak.

Kilde: KTB/MOK Ost 10. juni 1944, RA, Danica 628, sp. 9, nr. 7466.

[...]

15.21 [Uhr]   MBSK Mitte übermittelt fernmündlich Meldung der Hafenwache Svendborg:
              Schiffssprengungen (Sabotage):
11.30 Uhr   Boot "Schoppenstehl" (2. Sperrschulflottille) Detonation im Kesselraum, Schiff achtern auf Grund.
12.00 Uhr   Torpedoträger 51, Explosion im Achterschiff, Heck auf Grund.
12.33 Uhr   Sperrbrecherneubau 190, die vor 14 Tagen eingebaute Maschine durch Sprengung zerstört. Schiff macht kein Wasser.
12.45 Uhr   Fischdampfer "Zwickau" (VS 153) Explosion im Achterschiff, Wassereinbruch, wird versucht zu halten. Untersuchung läuft.

[...]

---

130 Trykt ovenfor.

186. Kriegstagebuch/Seekriegsleitung 10. Juni 1944
Seekriegsleitung fik meddelelse om de samme dag skete sabotager mod Kriegsmarines skibe i Svendborg havn. Det fik Seekriegsleitung til at kræve de stærkeste forholdsregler mod netop de gentagne sabotager i Svendborg.

Der blev påfølgende indført spærretid i Svendborg fra 11. juni, der blev ophævet 26. juni (*Udenrigsministeriets Pressebureaus ugentlige Meddelelser til Pressen*, Nr. 176, 17. juni og 178, 1. juli 1944).

RFSS reagerede også kraftigt 15. juni med en direkte ordre stilet både til Werner Best og Günther Pancke.

Kilde: KTB/Skl 10. juni 1944, s. 260f.

[...]

In Svendborg wurden erneut Sabotageakte im Hafen gemeldet. Ein Boot der 2. Sperrschulflottille und Torpedoträger 51 sind infolge Detonation im Inneren auf Grund gesackt. Auf Sperrbrecherneubau 190 ist die Maschine durch Sprengung zerstört. Auf Fisch-D. "Zwickau" ist durch Explosion Wassereinbruch hervorgerufen.

Schärfstes Durchgreifen gegen die sich gerade in Svendborg wiederholenden Sabotageanfälle ist notwendig.

[...]

187. Kriegstagebuch/Admiral Skagerrak 10. Juni 1944
Admiral Wurmbach blev af Best med engelsk radio som kilde oplyst om, at fiskerne ved alle tyskbesatte kyststrækninger var blevet advaret om at sejle ud i tiden 8. til 15. juni (Hjorth Rasmussen 1980, s. 41).

Wurmbach fulgte i den følgende tid engelsk radios påbud til danske fiskere, se KTB/WB Dän 11., 19. og 23. juni.

Wurmbach undlod at notere skibssabotagerne i Svendborg i krigsdagbogen, men besked derom var afgivet til de foresatte.

Kilde: KTB/ADM Dän 10. juni 1944, RA, Danica 628, sp. 3, s. 3385.

[...]

Allgemeines:
I. Durch Reichsbevollmächtigten wird bekannt, daß englischer Rundfunk Fischer aller besetzten Küstengebiete davor gewarnt hat, in der Zeit vom 8.-15.6. auszulaufen.

Ich gebe an die Seekommandanten Nord- und Südjütland den Befehl, die Auswirkungen dieser englischen Warnung zu melden.

[...]

188. Kriegstagebuch/Admiral Skagerrak 11. Juni 1944
Admiral Wurmbach fik bekræftet, at fiskekutterne var blevet advaret mod at sejle ud, at advarslen blev fulgt, og at 20 % afbrød deres igangværende fiskeri.

Kilde: KTB/ADM Dän 11. juni 1944, RA, Danica 628, sp. 3, s. 3388.

[...]

II. Auf meine Anfrage gehen folgende Meldungen ein:
a.) Von Seekmdt. Südjütland: Nachricht, daß Fischkutter bis 15.6. nicht auslaufen wird

bestätigt; ausgelaufene Kutter wurden durch englische Flugzeuge zum Umkehren gezwungen. Letzteres auf Grund Angaben von befreundeter Seite. Vom 9.-11.6. sind 186 Fischkutter wieder nach Esbjerg eingelaufen, davon drei Kutter ohne Fang. Verhör der Besatzung angeordnet. Z.Zt. noch 116 Fischkutter auf See.

b.) In Ergänzung hierzu meldet Seekmdt. Südjütland weiter, daß Mitteilungen über dän. Fischkutter aus Fischexportkreisen stammen.

c.) Von Abwehrkommando 140 geht Meldung ein: Zuverlässiger V.-Mann berichtet, daß 70-80 von Hundert der Fischereiflotte von Thyborön, Hirtshals und Skagen in die Häfen zurückgekehrt sind. Die über 20 v.H. brechen Fangreise ab, neue Boote laufen nicht aus.

Die Meldungen werden MOK Ost weitergeleitet.

[…]

189. Kriegstagebuch/Seekriegsleitung 11. Juni 1944

Meddelelsen om at fiskekutterne blev tvunget i havn, blev registreret i Seekriegsleitung, idet det blev fremstillet alene som om, det var engelske fly, der forårsagede det. Engelsk radio blev ikke nævnt.

Kilde: KTB/Skl 11. juni 1944, s. 291.

[…]

IV. Skagerrak, Ostsee-Eingänge, Ostsee.

Feindlage:

Nach Meldung Seekdt. Jütland wurden ausgelaufene dänische Fahrzeuge durch engl. Flugzeuge zum Wiedereinlaufen nach Esbjerg gezwungen.

Von 9. bis 11.6. sind 186 Fischkutter in Esbjerg eingelaufen, 116 stehen noch in See. Auch 70-80 % der Fischereiflottillen aus Thyborön, Hirtshals und Skagen sind zurückgekehrt.

[…]

190. Kriegstagebuch/MOK Ost 11. Juni 1944

Dagen efter skibssabotagerne i Svendborg forelå der nærmere detaljer om forløbet og skadernes omfang, som MOK Ost ud på aftenen lod gå videre til Seekriegsleitung.

Kilde: KTB/MOK Ost 11. juni 1944, RA, Danica 628, sp. 9, nr. 7460.

[…]

22.31

1/Skl. wird unterrichtet, daß Sabotage an den Fahrzeugen in Svendborg während der Werftzeit zwischen 11.00 bis 12.45 Uhr stattfand (siehe KTB. vom 10.6. 15.21 Uhr). Es besteht der Eindruck, daß die Sprengkörper während der Arbeitszeit angebracht wurden, da alles Innendetonationen.

Kurz vor erster Detonation gaben 2 fremde junge Männer, die über den Zaun ins Hintergelände drangen, dem Pförtner mit vorgehaltener Pistole Auftrag, Arbeiter auf deutschen Schiffen zu warnen und flohen dann in Richtung Stadt. Untersuchungen durch Abwehr- und Sicherheitsdienst laufen.

Die beschädigten Fahrzeuge "Schoppenstehl" und "Zwickau" (Fischdampfer) gehören zur 1. Sicherungsflottille Kiel bzw. zur 2. Sperrschulflottille. Auf das Torpedotransportschiff (300 t) und auf Sperrbrecher 190 (1.000 t) wurde bereits früher schon einmal Sabotage verübt. "Schoppenstehl" und T-Transportschiff Achterschiff unter Wasser, bei den beiden anderen Fahrzeugen kein Wassereinbruch, jedoch beim Sperrbrecher Maschine beschädigt.
[...]

191. RSHA: Vermerk 12. Juni 1944
Den 7. juni havde Bovensiepen meddelt RSHA anholdelsen af 16 kommunister i Århus og gav en detaljeret beskrivelse af sabotagen mod "Globus" 6. juni.
Nærmere om oprulningen af den kommunistiske modstandsbevægelse i Århus i Bovensiepens aktivitetsberetning for juni og juli 1944 (Best til AA 1. august 1944).
Kilde: RA, Danica 1069, sp. 7, nr. 8114.

IV A 1 a   Berlin, d. 12. Juni 1944.

1.) Vermerk:
Der BdS in Dänemark berichtet mit FS Nr. 3061 vom 7.6.44:

Kommunismus:
In Aarhus wurden 16 dänische St. Ang. festgenommen, die als Funktionäre in der illegalen komm. Partei und der Organisation "Frit Danmark" tätig waren. Unter den Festgenommenen befindet sich der komm. Distriktsleiter für Mittel-Jütland.

Schwere Sabotagefälle:
Am 6.6.44 gegen 19.20 Uhr drangen von allen Seiten kommend etwa 30 mit MP und Pistolen bewaffnete Saboteure in die Fabrik Globus Cykler AG in Glostrup, Roskildevej, ein. Die Straße wurde nach beiden Richtungen abgesperrt. Die von hinten durch das Gartengelände eindringenden Saboteure eröffneten sofort ein heftiges MP-Feuer auf die Sabotagewache. Als diese in Deckung X gezwungen war, wurden noch 3 Handgranaten geworfen. Nachdem so die Wache überrumpelt war, sind in den Fabriksräumen 3 Sprengbomben angelegt und zur Explosion gebracht worden. Die beiden Fabriksgebäude sind hiervon zusammengestürzt. Im Gebäude des Materiallagers brach ein Feuer aus und vernichtete es noch vollständig. Die Höhe des Sachschadens läßt sich noch nicht übersehen. Das Werk arbeitet für die deutsche Luftwaffe und stellte Flugzeugteile her. Die Belegschaft war zuletzt 300 Mann stark. Die Wache wurde gestellt vom Wachkorps der Luftwaffe. Bei dem Feuerüberfall wurden 4 Sabotagewächter durch Brustschüsse schwer verletzt, wovon 2 nach der Einlieferung in ein Krankenhaus starben. Außerdem soll noch eine Frau schwer verletzt worden sein. Die Saboteure zwangen vor ihrer Rück-

fahrt den planm. Autobus der DSB Kopenhagen-Glostrup zu halten und ließen die Fahrgäste aussteigen. Mit diesem Autobus fuhr ein Teil der Saboteure vom Tatort weg. Als sie vor dem Gebäude der Maschinenfabrik Carlstorp, Roskildevej, anhielten, um anscheinend auch dort einzudringen, wurde die Sabotagewache aufmerksam. Es kam zu einem kurzen Feuerwechsel, wonach die Saboteure weitefuhren. Anscheinend waren unter den Saboteuren Verluste eingetreten, denn der Fahrer fuhr unsicher. Um 22.00 Uhr wurde von der dänischen Polizei mitgeteilt, daß der in Frage kommende Autobus in Herlev, Klokkerhöjen 23, aufgefunden worden sei. Im Wagen lag ein erschossener Mann. Der Wagen zeigt Spuren von 11 Einschlägen. Nach den Blutlachen zu urteilen, müssen im Wagen noch weitere Personen verletzt worden sein. Die Personalien der Leiche stehen noch nicht fest.

2.) Das Original wurde an IV B 1 c über IV A 2 zurückgesandt.

3.) IV A 1a zu den Akten:
   a.) Dänemark, Terror,
   b.) Dänemark, Erscheinungsformen und Organisationen.
   I. A.
   [underskrift]

192. OKM an das Auswärtige Amt u.a. 12. Juni 1944
OKM havde 7. juni orienteret AA om gennemførelsen af operation Nord og havde modtaget et svar (ikke lokaliseret), hvor AA udtrykte bekymring over operationens gennemførelse af hensyn til det danske fiskeri. Aktionen kunne kun gennemføres, hvis de tyske fiskefartøjer kunne forsynes med brændstof og udrustning i Esbjerg. OKM ville nu vide, om de betænkeligheder blev opretholdt, hvis 1) fartøjernes fangst udelukkende blev leveret til værnemagtens forbrug i Esbjerg eller, at der i nødsfald slet ikke blev drevet fiskeri, 2) at det blev sikret, at de danske og tyske fiskere ikke kom i kontakt og 3), at der højst kom en til tre tyske fartøjer til Esbjerg. Afslutningsvis mente OKM, at den øjeblikkelige situation ikke var egnet til at sætte fiskeriinteresser over militære krav.
  Bests endelige stillingtagen er kendt gennem KTB/MOK Ost 14. juni, hvor også det nærmere formål med operation Nord er oplyst.
  GGF = gegebenenfalls.
  Kilde: RA, pk. 204.

T e l e g r a m m

OKM, den	12. Juni 1944	12.05 Uhr
Ankunft, den	12. Juni 1944	16.25 Uhr
Nr. ohne		Geheime Reichssache!
		Nur als Verschlußsache zu behandeln.

SSD Nachr. AA für Gesandten Martius gleichlt.
SSD ADM Skagerrak, Kopenhagen für Reichsbevollmächtigten Dr. Best

SSD Nachr. R E M für Reg. Rat Scheunert
SSD Nachr. Mok Ost Führerstab – GKdos –

Betr.: Unternehmen Nord vorg. Telegramm v. 7.6. an AA.[131]

Unternehmen Nord bei gegenwärtiger Lage milit. von besonderer Wichtigkeit. Wirksamkeit nur dann gegeben, wenn Fahrzeuge Brennstoff und Ausrüstung in Esbjerg ergänzen können. Umgehende Mitteilung erbeten, ob mit Vorg geäußerte Bedenken aufrecht erhalten werden, wenn
a.) Fangerträge ausschließlich an deutschen Wehrmachtsstellen in Esbjerg zum Verbrauch durch Wehrmacht abgeliefert werden oder notfalls auf Anlandung von Fängen bezw. Ausübung Fischerei überhaupt verzichtet wird.
b.) durch abgesonderte und militärisch bewachte Liegeplätze und andere Maßnahmen sichergestellt wird, daß Zwischenfälle zwischen deutschen und dänischen Fischern vermieden worden werden.
c.) Jeweils höchstens bis zu 3 Fahrzeuge im Hafen liegen.
GGF sonstige Vorschläge zur Behebung der von dort vorausgesehenen Schwierigkeiten erbeten. Da dänische Fischerei wegen Befolgens englischer Warnung[132] z.Zt. sowieso weitgehend stillegt, erscheint Zurückstellung wichtiger militärischer Belange hinter Fischereiinteressen im gegenwärtigen Augenblick weder tragbar noch erforderlich.
OKM/ 1. Skl. II 1784/44 GKdos. (Koralle).

193. RSHA: Bericht an die Parteikanzlei vom 13. Juni 1944

RSHAs indsamling af stemningsberetninger fra det besatte Europa efter den allierede landgang i Normandiet omfattede også Danmark, hvilket ikke tidligere havde været tilfældet. Det kunne fortælles, at invasionen havde vakt forhåbninger og glæde i Danmark, især hos ungdommen. Der var dog også ængstelse for, at der også skulle komme invasion i Danmark, og at modstandsbevægelsens aktioner skulle føre til tysk undtagelsestilstand. Der havde været stor tilstrømning til butikkerne for at sikre sig nødvendige fødevarer.
Kilde: *Meldungen aus dem Reich*, 17, 1984, s, 6589, 6591.

B e r i c h t
an die Parteikanzlei vom 13. Juni 1944

Stimmungsmäßige Auswirkungen des Invasionsbeginns in der Bevölkerung der besetzten Gebiete und des Protektorats (außer Frankreich) nach dem Stand vom 10.6.1944)
Die aus Belgien, Norwegen, Dänemark, Italien, Lettland, Estland und aus dem Protektorat eingegangenen Meldungen ergeben übereinstimmend, daß auch in diesen Gebieten die Hoffnung auf ein baldiges Kriegsende durch die Nachricht vom Invasionsbeginn erheblichen Auftrieb erhalten hat. Ausschlaggebend für alle Betrachtungen ist

---

131 Telegrammet er ikke lokaliseret.
132 Over BBC og gennem den illegale presse blev danske fiskere på Vestkysten advaret om at sejle ud og, hvis de var på havet, straks at søge havn (se f.eks. *Information* 9. juni 1944 og KTB/Adm Dän 10. juni 1944).

die Hoffnung, daß das eigene Land und seine Bevölkerung möglichst von jeglichem Opfer verschont bleiben möge. Man zeigt sich daher auch allenthalben wenig geneigt, sich Aktiv an irgendwelchen Unternehmungen gegen die deutsche Besatzungsmacht zu beteiligen und wiegt sich in der Hoffnung, recht bald durch die Anglo-Amerikaner "befreit" zu werden. Übereinstimmend ist auch die Meinung anzutreffen, daß es sich bei den Landungen in Nordfrankreich nur um einen Teil der vorgesehenen Aktionen handele und mit weiteren Unternehmungen von seiten der Alliierten gegen das Festland zu rechnen sei.

In den besetzten Gebieten des Ostens ist trotz der sensationellen Bedeutung, die der Nachricht vom Invasionsbeginn beigemessen wird, die Furcht vor dem Bolschewismus weiterhin vorherrschend.
[...]

3. Dänemark:
Auch in Dänemark wurde sowohl von deutschfreundlicher als auch von gegnerischer Seite der Beginn der Invasion in der Hoffnung begrüßt, daß damit der Krieg einen baldigen Abschluß finden werde. Besonders in jugendlichen Kreisen kam es nach Bekanntgabe der Nachricht zu kleinen Freudenkundgebungen. So ist z. B. ein Teil der Schüler an der Handelshochschule in Kopenhagen den Vorlesungen ferngeblieben.

Verschiedentlich ist eine gewisse Nervosität insofern festzustellen, als man befürchtet, daß die jetzt begonnene Invasion nur der Auftakt zu weiteren Landungen an der europäischen Küste, so auch in Dänemark sei. Gleichzeitig wird der Beginn einer sowjetrussischen Großoffensive angenommen. Zu dieser Ansicht haben die zurückhaltenden Meldungen des englischen Rundfunks wesentlich beigetragen. Auch hegt man verschiedentlich die Befürchtung, daß die Terroristengruppen Unruhen anzetteln würden und darauf von deutscher Seite der Ausnahmezustand proklamiert würde.

Der Zustrom zu den Lebensmittelgeschäften war ganz besonders stark. Es waren vor allem Konserven und sonstige unverderbliche Nahrungsmittel gefragt. Ein gleicher Andrang herrschte bei den Schuh- und Rundfunkgeschäften. Teilweise brachten die Käufer ihren gesamten Markenbestand auf. Als weitere Auswirkung war an der "Schwarzen Börse" ein Absinken der Preise zu verzeichnen, offensichtlich aus der Befürchtung, daß man mit den gehäuften Vorräten "hängenbleiben" würde.
[...]

194. Dienststelle Eichmann an Eberhard von Thadden 13. Juni 1944

AA fik fra RSHA meddelelse om, at besigtigelsen af Theresienstadt ville finde sted 23. juni og blev bedt om at give beskeden videre til det danske og svenske gesandtskab.

Tysk Røde Kors fik samme dag en tilsvarende besked. Von Thadden lod beskeden gå videre til Wagner 14. juni.

Underskriften er ulæselig, men det er hverken Eichmanns eller Mildners hånd. Yahil mener, at det er Müller, der har skrevet under, da Mildner var i Theresienstadt den dag (!). Det turde imidlertid være en tvivlsom begrundelse, da Mildner under alle omstændigheder ikke burde være underskriver, fordi han ikke repræsenterede afdelingen. Weitkamp gør derimod uden tøven Eichmann til afsender, hvilket ikke kan

begrundes ud fra hverken underskriften eller brevets indhold. Det er afsendt af Eichmanns afdeling og på hans vegne, men underskriver var han ikke, hverken 15. og 16. maj eller 13. juni. Selv om brevskriveren bruger "jeg"-form ved henvisning til brevet 15. maj, var der ikke alene tale om forskellige underskrivere, men, for majbrevenes vedkommende, også om en underskriver uden for Eichmanns afdeling. Det synes at gøre det til mere end et banalt procedurespørgsmål. Brevene før maj 1944 og igen fra sidst i juni blev i reglen underskrevet af stedfortræderen Günther, når Eichmann ikke selv var til stede (Yahil 1967, s. 263 m. note 70, Weitkamp 2008, s. 193, note 177).
Kilde: PA/AA R 99.414.

Der Chef der Sicherheitspolizei und des SD   Berlin, den 13. Juni 1944
IV A 4 b – 5158/43

An das Auswärtige Amt
    z.Hd. v. Herrn Legationsrat v. Thadden
    in Berlin W 8,
    Wilhelmstr. 74-76.

Betrifft: Besichtigung des Altersghettos Theresienstadt.
Bezug: Dort. Schreiben vom 6.4.1944[133] Inl. II u. hiesiges Schreiben vom 15.5.1944[134]
         – IV A 4 b (2537/42-965) 5158/43 sowie wiederholte fernmündliche Rückfragen.

Wie ich bereits in meinem Schreiben vom 15.5.1944 mitgeteilt habe, beabsichtigen an der Besichtigung des Ghettos Theresienstadt auch Vertreter des Internationalen Roten Kreuzes und des Deutschen Roten Kreuzes teilzunehmen. Der DRK-Oberstführer Niehaus hat inzwischen telegraphisch gebeten, infolge dienstlicher Abwesenheit den Termin für die Besichtigung nicht vor dem 20.6.1944 anzusetzen.[135]
Da geplant ist, die Besichtigung des Altersghettos Theresienstadt gleichzeitig mit den Kommissionen aus Dänemark und Schweden vorzunehmen, kann der ursprünglich für Anfang Juni 1944 vorgesehene Besichtigungstermin nicht eingehalten werden.
Ich bitte der Dänischen und Schwedischen Gesandtschaft mitzuteilen, daß unter Vorbehalt als Termin für die Besichtigung der 23. Juni 1944, 12 Uhr, festgesetzt wird.
                    In Vertretung:
                    [underskrift]

195. Eberhard von Thadden an Horst Wagner 14. Juni 1944

Von Thadden meddelte Wagner, at RSHA havde oplyst, at besigtigelsen af Theresienstadt skulle finde sted 23. juni, hvilket overflødiggjorde en henvendelse til Kaltenbrunner. Thadden ville have besked på, om det var ham eller en anden, der skulle ledsage danskerne og svenskeren til Theresienstadt.
    Von Thadden var 1. juni udset til at deltage i besigtigelsen, men svaret på, om han personligt skulle ledsage

---

133 Trykt ovenfor.
134 Trykt ovenfor.
135 Niehaus havde 26. maj skrevet til Eichmann for at få besøget udsat, jfr. ovenfor von Thadden 7. juni.

de nordiske repræsentanter, er ikke lokaliseret (Yahil 1967, s. 263 (hvor der skrives, at von Thadden i et internt notat anførte, at han selv ville ledsage gæsterne (notatet er ikke lokaliseret)), Weitkamp 2008, s. 193).

Den 17. juni underrettede Wagner Best.

Kilde: PA/AA R 99.414.

LR 1. Kl. v. Thadden   zu Inl. II A 1692

Die Dienststellen des RSHA haben nunmehr mitgeteilt, daß die Besichtigung des Lagers Theresienstadt durch die Dänen und Schweden für Freitag, den 23. Juni d.J., endgültig vorgesehen sei. Hierdurch erübrigt sich die von mir angeregte Besprechung der Frage mit SS-Ogruf. Kaltenbrunner.

Ich bitte um Weisung, ob ich, gegebenenfalls wer sonst, die Dänen und Schweden nach Theresienstadt begleiten soll.

Hiermit über Gruppenleiter Inland II mit der Bitte um Weisung vorgelegt.

Berlin, den 14. Juni 1944.

v. Thadden

196. OKM an Admiral Dänemark 14. Juni 1944

OKM ønskede, at Dansk Røde Kors stillede et lazaretskib til rådighed, hvilket AA havde tilsluttet sig på den betingelse, at det sejlede under tysk flag. Besætningen kunne godt være dansk, men cheflægen skulle være tysk. Admiral Wurmbach blev bedt om at orientere Best, og såfremt Best billigede det, at kontakte de danske myndigheder. OKM ville stille både råd og udrustning til rådighed for Dansk Røde Kors.

Se Wurmbach til OKM 28. juli og Seekriegsleitung 31. juli 1944.

Kilde: BArch, Freiburg, RM 7/1813. RA, Danica 628, sp. 7, nr. 5847f.

Oberkommando der Kriegsmarine   *Berlin, den 14. Juni 1944.*
Neu! B-Nr. 1. Skl. I i 21410/44 geh.   Geheim
Zu I. u. II. gef. Ap/14.6.44   Vfg.

I.) Schreibe an: Admiral Dänemark

Betr.: Bereitstellung eines Lazarettschiffes durch das dänische Rote Kreuz.

Im Nordraum liegt weiterer Bedarf nach Lazarettschiffstonnage vor. Bezüglich der Gestellung von 2 dafür geeigneten Fahrzeugen ist durch Skl. Adm. Qu VI bereits das Nötige veranlaßt worden. Darüber hinaus wurde mit dem Auswärtigen Amt die Möglichkeit erörtert, das dänische Rote Kreuz zur Gestellung eines weiteren Lazarettschiffes in Größe von etwa 2.000 Brt. als Beitrag für den Kampf gegen den Bolschewismus zu veranlassen. Das Auswärtige Amt ist mit einem diesbezüglichen Schritt einverstanden, macht aber zur Bedingung, daß das Fahrzeug nicht unter dänischer, sondern unter deutscher Flagge fährt. Die Schiffsbesatzung könnte dänisch sein, ebenso das Sanitätspersonal mit Ausnahme des Chefarztes, der von der deutschen Kriegsmarine zu gestellten wäre. Es wird gebeten, dem Herrn Reichsbevollmächtigten Dr. Best obige Anregung zu unterbreiten und ihn im Falle seiner Zustimmung darum zu bitten, mit den in Frage kommenden dänischen Stellen in Verbindung zu treten. Das Oberkommando der Kriegsmarine wäre bereit, bei Ausrüstung des Fahrzeuges das dänische Rote Kreuz mit Rat und Tat zu unterstützen, insbesondere auch Teile der medizinischen Ausrüstung usw. sowie erforderlichenfalls die Krankenbetten zur Verfügung zu stellen.

Die Flaggenfrage bleibt bei den ersten Besprechungen zweckmäßigerweise unerwähnt, da die Führung lediglich der deutschen Flagge das Interesse der Dänen an der Durchführung des Planes von vornherein vermindern könnte.

II.) Setze auf Abschr. von I.):
Abschriftlich: An das Auswärtige Amt
z.Hd. d. Herrn Vortragend. Leg. Rat Dr. Conrad Roediger
Berlin.
Skl. Adm. Qu I
Skl. Adm. Qu VI
mit der Bitte um vorläufige Kenntnisnahme.

III.) I i
Chef Skl.
i.A. 1. Skl.
i.V. I a

197. Kriegstagebuch/MOK Ost 14. Juni 1944

Wurmbach meddelte, at trods store politiske betænkeligheder havde Best billiget gennemførelsen af operation "Nord".[136] Wurmbach tilføjede, at på grund af den engelske radioadvarsel var der kun få danske fiskere ude, og indsættelsen af tyske kuttere ville derfor være særlig risikabel.

Admiral Kummetz tilføjede til krigsdagbogen, at det drejede sig om en efterretningsoperation, hvor tyske kuttere skulle indtage fremskudte overvågningspositioner på fiskerbankerne i midten af Nordsøen.

Best var via AA blevet spurgt om sin indstilling til gennemførelsen af operation Nord og havde sin vane tro udtrykt betænkeligheder af hensyn til den tyske interesse i et stort dansk fiskeri. Hvis det blev bekendt i England, at tyske fiskere blandede sig med de danske og drev efterretningsvirksomhed, kunne det føre til angreb på danske kuttere.

Kilde: KTB/MOK Ost 14. juni 1944, RA, Danica 628, sp. 9, nr. 7461.

[...]
Admiral Skagerrak meldet, daß der Reichsbevollmächtigte Dänemark unter Aufrechterhaltung seiner schweren politischen Bedenken anheim gestellt hat, das Unternehmen "Nord" (siehe KTB. vom 16.2.44. 17.33 Uhr)[137] von Esbjerg aus einzusetzen. Admiral Skagerrak fügt hinzu, daß z.Zt. auf Grund der engl. Rundfunkwarnung nur wenige dänische Fischer sich auf See befinden und der Einsatz der deutschen Kutter daher besonders gefährdet sei.

Es handelt sich um eine Ast.-Unternehmung, bei dem Fischerboote weit vorgeschobene Beobachtungspositionen auf den Fischgründen der mittleren Nordsee einnehmen sollen.
[...]

136 Se OKM til AA u.a. 12. juni.
137 Der er ikke en side i KTB/MOK Ost for den pågældende dag i affotograferingen.

198. Werner Best an Friedrich Klumm 14. Juni 1944

Muligvis fik Best ikke et direkte svar på sit brev til Himmler 9. maj 1944 vedrørende familien Kryssings situation, men da Best havde udvirket, at Kryssing forblev i Waffen-SS og ikke som ønsket trådte tilbage, sendte Best straks Kryssings brev stilet til Himmler til SS-Hauptamt.

Havde Best forventet et hurtigt resultat af sine henvendelser, tog han fejl. Se hans brev til Himmler 17. juli 1944.

Kilde: RA, pk. 442.

Abschrift/W.
+ BDO KPH Nr. 126 14/6 09.15 –

An den SS-Obersturmbannführer Klumm
    SS-Hauptamt
    Berlin

Lieber Kamerad Klumm!
Unter Bezugnahme auf unser heutiges Ferngespräch übermittele ich Ihnen den folgenden Wortlaut des Schreibens des SS-Brigadeführers Kryssing vom 13.6.1944, daß ich heute auf dem Postwege an Sie abgesandt habe.

Heil Hitler!
Ihr **Best**

"An den Reichsführer-SS

In Fortsetzung meines Schreibens vom 11. d.Mts. teile ich mit, daß SS-Obergruppenführer Dr. Best mich davon überzeugt hat, daß mein Verbleiben in der Waffen-SS für Dänemark doch von Nutzen sein kann. Deswegen wünsche ich dann nicht meine Entlassung. Ich will in keiner Weise Deutschland schaden, und auch deswegen bleibe ich.

In der vergangenen Zeit – 3 Jahre – bin ich mehr und mehr mit der Waffen-SS außer Fühlung geraten, so daß ich zurzeit der Waffen-SS ganz fremd gegenüber stehe und deswegen kein Kommando führen kann. Ich wünsche in der Zukunft gar kein Kommando zu haben, sondern wünsche nur wie ein Symbol auf gute Zusammenarbeit zwischen Deutschen und Dänen zu stehen. Wo ich, wie ich dann leben soll, ist mir übrigens ganz gleich. Ich wünsche niemals in Dänemark durch die Besatzungstruppen eine Rolle zu spielen.

Abschließend trage ich noch einmal die Bitte vor, daß der SS-Obersturmführer Lorenz Lorenzen mein Adjutant, für Dänemark erhalten bleiben und ab sofort als SS-Hauptsturmführer in Kopenhagen außerhalb des Schalburg-Korps verwendet werden möchte.

Heil Hitler!
Gez.: Kryssing
SS-Brigadeführer und Generalmajor der Waffen-SS"

Der Reichsbevollmächtigte in Dänemark
gez. **Dr. Best**

199. Georg Ripken an Adolf von Steengracht 14. Juni 1944

Alex Walter havde meddelt, at Mathias Wassard fra UM kom til Berlin for at føre de drøftelser om danske erhvervsforhold, som AA havde ønsket og som var blevet udskudt i maj. De danske ønsker var sammenfattet i et memorandum og drejede sig især om tyske leverancer til Danmark, endvidere en række finansielle spørgsmål. Wassard skulle mødes med RFM og sandsynligvis også RWM. Ripken spurgte von Steengracht, om han ville modtage Wassard og eventuelt holde en mindre frokost, hvor der fra tysk side skulle deltage Walter, Ludwig, von Thadden, Ripken, Behr og Ebner (sidstnævnte kom fra København).

Af en påtegning fremgår det, at von Steengracht sagde nej til frokosten, men gik ind på mødet. Der er ikke bevaret oplysninger om drøftelserne af det danske memorandum af 14. juni 1944 i AA, det gik videre til Behr og er i hans arkiv, og om drøftelserne med de andre tyske ministerier er informationerne sporadiske.[138] Dog er det givet, at Walter var fortaler for at imødekomme de danske ønsker, og at han fandt støtte hos netop nogle af de øvrige potentielle mødedeltagere, nemlig Ludwig og Ebner.

Det danske memorandum var udarbejdet på tysk foranledning til brug for de tysk-danske forhandlinger, som var ønsket i forlængelse af Hitlers ordre om, at Danmark skulle tilføres de nødvendige varer. Det er bemærkelsesværdigt ved at være blevet til ved et samarbejde mellem UM og tyske forhandlere.[139] Memorandummet indledte med at fastslå, at sabotagerne i Danmark var betydningsløse og roen og leveringsvilligheden udbredt. De opsigtsvækkende sabotager i Svendborg og København i juni var ikke sket på udarbejdelsestidspunktet, ligesom generalstrejken i København også først ventedes forude. Trods det kan begivenhederne i København sidste del af juni have påvirket forhandlingerne, men behøver det ikke. Holdningen i de berørte ministerier var ikke den samme som i førerhovedkvarteret.

Se om behandlingen af memorandummet Niederschrift ... 7. juni 1944 og Bests telegram nr. 795, 2. juli 1944 med videre henvisninger.[140]

Kilde: RA, pk. 270.

e.o. Ha Pol VI 1730/44

Aufzeichnung
betr. Besuch des Vorsitzendes des Dänischen Regierungsausschusses
Min. Dir. Wassard in Berlin

Wie der Vorsitzende des Deutschen Regierungsausschusses für Dänemark, Min. Dir. Walter, mitteilt, trifft Min. Dir. Wassard am Montag, den 19. Juni, zu einem kurzen Besuch in Berlin ein, um die bereits im Mai geplanten, auf unseren Wunsch verschobenen Besprechungen mit der Reichsregierung über verschiedene Dänemark betreffende Wirtschaftsfragen zu führen. Die in einem Memorandum zusammengefaßten dänischen Wünsche betreffen insbesondere die Belieferung Dänemarks mit den von ihm benötigten Waren aus dem Reich, ferner eine Reihe finanzieller Fragen (Zahlungen in Devisen, die von deutschen Dienststellen in Dänemark gezahlten überhöhten Löhne, Überpreise usw.). Auf die im April ergangene Weisung des Führers,[141] die Belieferung Dänemarks mit den zur Erhaltung seiner Produktionskraft notwendigen Waren sicherzustellen, ist

---

138 Se Rechnungshof des Deutschen Reichs til RFM 31. juli 1944 (RA, Danica 465, Osobyj Archiv, Moskva: 1458/21/113/66), *Politische Informationen* 1. august 1944, afsnit III.1, RWM til von Behr og Walter 21. august, Schwerin von Krosigk til Ribbentrop 10. november 1944.

139 Memorandummet forelå i 4. udkast 17. maj 1944 og blev redigeret 6. juni 1944 af Walter, Ebner, Krüger og Korff på den ene side og Wassard, Peschardt, Seidenfaden og Jacobsen på den anden (RA, Danica 50, pk. 91, læg 1270).

140 Memorandummet er i PA/AA R 105.221, BArch, 7/3407 og RA, pk. 282 og Gunnar Seidenfadens arkiv. Det er udgivet i Lauridsen 2010a.

141 Se Bormann til Lammers 9. april 1944.

bereits eine verstärkte Belieferung Dänemarks im zweiten Quartal 1944, insbesondere mit Roheisen durchgeführt worden. Weitere Erhebungen der Wirtschaftsressorts sind noch im Gange.

Min. Dir. Wassard möchte vor Aufnahme der Verhandlungen mit den Wirtschaftsressorts dem Herrn Staatssekretärs des Auswärtigen Amtes einen Besuch abstatten und wäre dankbar, wenn Herr Staatssekretär ihn im Lauf des Montagnachmittag empfangen wollte. Voraussichtlich wird er von dem Gesandten Mohr begleitet sein. Der Herr Reichsminister der Finanzen, der bei seinem kürzlichen Besuch in Kopenhagen mit Herrn Wassard zusammengetroffen ist,[142] wird ihn am Dienstag am 11 Uhr empfangen. Ferner ist ein Empfang durch den Herrn Reichswirtschaftsminister in Aussicht genommen.

Ich darf zur Erwägung stellen, ob Herr Staatssekretär bereit wäre, für Min. Dir. Wassard ein Frühstück im kleinen Kreise zu veranstalten, zu dem gegebenenfalls der Gesandte Mohr, der dänische Landwirtschafts-Attaché Jacobsen und der Handels-Attaché Kruse sowie Ministerialdirektor Walter einzuladen wären. Für eine Einladung käme ferner in Betracht Ministerialrat Ludwig vom Reichswirtschaftsministerium als Mitglied des Regierungsausschusses, der zusammen mit Wassard aus Kopenhagen hier eintreffende Ministerialdirigent Ebner von der Behörde des Reichsbevollmächtigten und vom Auswärtigen Amt Gesandter von Grundherr, VLR Ripken und Leg. Rat Baron Behr.

Hiermit Herrn Staatssekretär mit der Bitte um Weisung vorgelegt.
Berlin, den 14. Juni 1944.

Ripken

[Påskrift:]
G VLR Ripken
Hr. G. St.S. wird G. Wassard am Montag am 17.30 Uhr empfangen, möchte jedoch von einem Frühstück absehen.

200. Werner Best an das Auswärtige Amt 15. Juni 1944

Best videresendte en detaljeret beretning, som rigsbankdirektør Rudolf Sattler havde udarbejdet om den valutamæssige situation i Danmark. Sattler vurderede, at Tyskland ikke udnyttede Danmark så stærkt som de øvrige besatte lande, og at de danske myndigheders bestræbelser på at binde de ledige penge og kontrollere prisniveauet var anerkendelsesværdige, men i sidste ende havde de ikke kontrol over situationen. Det betænkelige var værnemagtens pludselige og voldsomme udvidelse af byggeaktiviteten, der satte pengecirkulationen kraftigt i vejret, og samtidigt hindrede en effektiv dansk priskontrol og udelukkede inspektion af byggepladserne af militære grunde.

Sattlers analyse og konklusion lå direkte i forlængelse af indholdet af Preispolitischer Lagebericht 9. maj 1944, og det er nærliggende, at han har været bekendt med indholdet af denne. I hvert fald var han ude i helt samme ærinde, og muligvis var han aktiv part i den kreds af tyske tjenestesteder, der ville dæmme op for værnemagtens forbrug i Danmark.

Sattlers analyse og konklusion fandt påfølgende tilslutning i AA, se von Behr til Wiehl og Ripken 26. juni 1944. Se efterfølgende der Beauftragte für den Vierjahresplan til RFM u.a. 6. september 1944.

Kilde: PA/AA R 105.213. RA, pk. 282.

---

142 Se Niederschrift ... 7. juni 1944.

Der Reichsbevollmächtigte in Dänemark *Kopenhagen, den 15. Juni 1944*
III/10198/44 *Geheim!*

Betr.: Währungslage in Dänemark am 30. April 1944
1 Anlage (5fach)

An das Auswärtige Amt
    Berlin

In der Anlage lege ich einen von den Reichsbankdirektor Sattler erstatteten Bericht über die Währungslage in Dänemark am 30. April 1944 in fünffacher Ausfertigung vor.
W. Best

Sattler Reichsbankdirektor *Kopenhagen, den 10. Juni 1944*
III/10198/44

Die Währungslage
in Dänemark am 30. April 1944

Inhalt
A.) Die Geldvermehrung in Dänemark
    1.) Höhe der Geldvermehrung,
       a.) Umfang der Kreditausweitung der Nationalbank
    2.) Auswirkungen der Geldvermehrung
       a.) Zunahme des Notenumlaufs
       b.) Zustrom des Kaufkraftüberschusses zu den Geldinstituten
       c.) Anlagepolitik der Geldinstitute
       d.) Preise und Löhne
B.) Art und Erfolg der staatlichen dänischen Maßnahmen zur Kaufkraftbindung.
    a.) Konjunktursteuer und gebundenes Sparen
    b.) Erweiterung der gesetzlichen Kassenhaltung bei Banken und Sparkassen
    c.) 6-Monatsgelder der Geldinstitute bei der Nationalbank
    d.) Begünstigung der Geldanlage durch Ausgabe von Staatspapieren
C.) Die währungsmäßigen Auswirkungen der Maßnahmen zur Geldbindung.
    a.) Gegenwärtige Währungslage
    b.) Schlußfolgerungen

Sattler Reichsbankdirektor *Kopenhagen, den 10. Juni 1944*

Betr.: Währungslage in Dänemark am 30. April 1944
Vorg.: Mein Bericht v. 31.10.43[143] – III 6533/43 – über die Währungslage am 30.9.43

---

143 Trykt ovenfor.

A.) Die Geldvermehrung in Dänemark

Am Stichtage (30.9.43) des obengenannten letzten Währungsberichts, dessen Zahlenangaben nachstehend zum Vergleich in Klammern beigefügt werden, konnte für die Beurteilung der durch die Besetzung Dänemark geschaffenen Währungslage davon ausgegangen werden, daß die seit dem Besetzungstage vorgenommene Geldvermehrung aus den beiden Positionen der Nationalbank-Bilanz "Verschiedene Debitoren" und "Clearingkonti mit dem Ausland", die zusammen die gesamte Kreditausweitung der Nationalbank ausweisen, abgelesen werden kann.

Bei Beobachtung des Niederschlags, den die seit dem 31.3.40 zusätzlich in den Verkehr gebrachte Kaufkraft bei den Geldinstituten und im Nationalbankstatus ergeben hat, tritt neuerdings aber immer deutlicher neben der von der Nationalbank vorgenommenen Kreditausweitung eine zusätzliche Kaufkraftbildung in Erscheinung, deren Ursache in dem Verhalten des Teils der dänischen Bevölkerung gesucht werden muß, der nicht durch Wehrmacht und Clearing begünstigt ist und der jetzt dazu übergeht, bisher ruhende Kaufkraft (Ersparnisse und andere Geldguthaben) in Bewegung zu setzen und zum Kauf von nicht bewirtschafteten Waren zu verwenden. Diese Schlußfolgerung wird – wie später gezeigt werden soll – u.a. auch durch die Ergebnisse der neuesten Indexzahlen für die Einzelhandelsumsätze gestützt.

1.) Höhe der Geldvermehrung
a.) Umfang der Kreditausweitung der Nationalbank.

Vom Besetzungstage bis zum 30.4.44 (30.9.43) sind von der Nationalbank 5.258 Mill. Kr. (Anl. 1, Abschnitt A.)[144] im deutschen Interesse in den Verkehr geleitet worden (3.755), das sind

40 % = 1.503 Mill. Kr. mehr als am 30.9.43,
93 % (90%) der Bilanzsummen der Nationalbank
und eine von der Nationalbank im deutschen Interesse vorgenommene Kreditausweitung von
                d.Kr.   1.384 = RM   722 a.d. Kopf der Bevölkerung v. 3,8 Mill.
gegen Norwegen n.Kr.   3.284 = RM 1.872 a.d. Kopf der Bevölkerung v. 2,9 Mill.
      Belgien   b.Frs. 13.663 = RM 1.1093 a.d. Kopf der Bevölkerung v. 8,3 Mill.
      Holland   h.Fl.   1.051 = RM 1.395 a.d. Kopf der Bevölkerung v. 9,0 Mill.

Die jahresdurchschnittliche Höhe dieser Belastung hat betragen
in Dänemark   1.295 Mill. d.Kr. = 22 % des auf 6,0 Mrd. d.Kr.,
– Norwegen   2.345   –   n.Kr. = 67 % –   – 3,5 Mrd. n.Kr.,
– Belgien   28.508   –   b.Frs. = 52 % –   – 55,0 – b.Frs.,
– Holland   2.378   –   h.Fl. =   –   –   –   –   –,
geschätzten jährlichen Volkseinkommens.

Aus diesen Vergleichen ergibt sich zwar eine verhältnismäßig geringe Belastung Dä-

---

144 Beretningens tre bilag er trykt efterfølgende.

nemark, doch fordert bei Beurteilung der dänischen Währungslage die obengenannte sprunghafte Steigerung der gesamten Kreditausweitung von 40 % allein seit 30.9.43, die durch die seit 1942 anhaltende Zunahme des Monatsdurchschnitts von 68 über 150 auf 237 Mill. Kr. (Anl. 1, Abschn. A, letzte Spalte) ergänzt wird, besondere Beachtung. Die Erhöhung ist fast ganz durch den vermehrten Bedarf der deutschen Wehrmacht (Anl. 1, Spalte "Konto Verschiedene Debitoren) veranlaßt worden.

2.) Auswirkungen der Geldvermehrung
Wie bereits im vorigen Bericht angedeutet, werden immer weitere Bevölkerungskreise von der Kaufkraftsteigerung erreicht. Die Zunahme der Geldfülle hat wiederum gesteigerte Rückzahlung von Bankkrediten aller Art (vgl. Anl. 2, Spalten g, 6 u. 8) seitens des Handels und Unternehmertums und eine vermehrte Zurückführung bzw. Konversion von langfristigen Schulden seitens der Landwirtschaft bewirkt. Zum Juni-Termin d.Js. sind z.B. 295 Mill. Kr. Kreditvereinigungsobligationen zur Konversion gekündigt worden.

Infolge des hohen Lohnanteils bei den Westwallbauten tritt je länger desto mehr die Bedarfsbefriedigung seitens der Arbeitenden und – davon psychologisch beeinflußt – auch der Sparer in den Vordergrund und wirkt vermehrend auf den Notenumlauf sowie verzögernd auf den Geldzufluß zu den Banken und Sparkassen.

a.) Zunahme des Notenumlaufs
Bis zum 30.4.44 hat der Notenumlauf seit 31.3.40 eine Steigerung aufzuweisen

	von	239 %
gegen Norwegen	–	475 %
Belgien	–	309 %
Niederlande	–	366 %

Er stieg im Monatsdurchschnitt	im	Jahre	1940	um	14,7	Mill.	Kr.,
–	–	–	1941	–	8,4	–	–
–	–	–	1942	–	11,7	–	–
v. 1.1.-30.11.	des	Jahres	1943	–	27,5	–	–
v. 1.1.43.-30.4.	–	–	1944	–	29,5	–	–
v. 1.12.43.-30.4.	–	–	1944	–	34,0	–	–
und im Mai	–	–	1944	–	41,0	–	–

Die Erhöhung steht in engstem Zusammenhang mit den Ausgaben der Wehrmacht und hat teils unbedenkliche und teils Gefahren bergende Ursachen.

An sich unbedenklich ist die Erhöhung des Notenumlaufs, soweit sie
  durch die   in Kriegszeiten unvermeidliche Bargeldhortung und Verlangsamung
               der Umlaufsgeschwindigkeit der Noten,
  durch den   hohen Lohnanteil bei den steigenden Westwallbaukosten,
  durch die   infolge der Invasionsgefahr vermehrte Truppenstärke (höherer
               Wehrsoldbedarf).
  durch die   aus beiden Ursachen sich natürlicherweise ergebende Erhöhung der
               Barumsätze im Kleinhandel und der Ausgaben für Freizeitgestaltung
               bedingt ist.

Diesen Ursachen wird von dänischer Seite bei Beurteilung der Umlaufssteigerung nicht genügend Beachtung geschenkt. Daher kommen z.B. auch die Überlegungen der sonst beachtenswerten dänischen Vierteljahrsschrift "Ökonomi og Politik" (Nr. 1 vom Januar/März 1944) zu unzutreffenden Ergebnissen. Sie lassen für den normalen Notenbedarf – an sich richtig – in der Hauptsache die Kleinhandelsumsätze maßgehend sein und sehen unter Berücksichtigung der von Kriegsbeginn bis Ende 1943 festgestellten Erhöhung dieser Umsätze um 50 % eine Notenumlaufsvermehrung

von	436	Mill.	Kr.	=	Stand v. Ende März 1939
um	218	–	–	=	50 %
auf	654	–	–		als normal an, sodaß der Umlauf vom 31. März 1944
von	1.414	–	–		
als um	760	–	–		zu hoch bezeichnet wird.

Dieser Berechnungsart für den Überhang kann außer den obengenannten unbedenklichen Ursachen auch die Tatsache entgegengehalten werden, daß der Anteil der Notenumlaufsvermehrung an der gesamten Kreditausweitung seit 31.3.40 eine bemerkenswerte Stabilität bewahrt hat, sogar in den letzten 7 Monaten der ungewöhnlich starken Umlaufssteigerung, wo er sich gleichbleibend auf ca. 16 % hielt (Anl. 1, Abschn. B Ziff. 1).

Dagegen macht die Notenumlaufserhöhung, die durch
Hortung von Kronennoten aus Steuerhinterziehungsgründen,
Forderung von Überpreisen und
Zahlung von verbotswidrighohen Löhnen
verursacht wird, Maßnahmen notwendig, von denen in anderem Zusammenhang am Schluß die Rede sein soll.

b.) Zustrom des Kaufkraftüberschusses zu den Geldinstituten
Der Geldstrom zu den Banken und Sparkassen hat mit der seit 30.9.43 besonders starken Kreditausweitung Schritt gehalten und betrug am 30.4.44 unverändert 68 % der seit 31.3.40 geschaffenen zusätzlichen Kaufkraft (Anl. 1, Abschn. B, Ziff. 2-4). Dieser hohe Anteil ist von großer währungspolitischer Bedeutung, da er die Fortführung der dänischen Geldbindungsmaßnahmen durch Erhöhung der Liquiditätsreserven (sog. gesetzliche Kassenhaltung) der Geldinstitute bei der Nationalbank seit 30.9.43 von 930 auf 1.359 Mill. Kr., also um 46 % in nur 7 Monaten, ermöglicht hat (Anl. 3, Spalte 3). Zu diesem Ergebnis hat wesentlich die Zunahme der Geschäftseinlagen im gleichen Zeitraum von 1.449 auf 2.116 Mill. Kr. (Anl. 2, Spalte 9, Buchst. a-c), also um 46 %, beigetragen, aber auch die Erhöhung der Spargelder von 909 auf 1.254 Mill. Kr. (Anl. 2, Spalte 9, Buchst. d u.h.), d.h. um 38 %, unterstützt infolge der für diese Einlagen geltenden Kündigungsfristen und Abhebungsbeschränkungen die Geldbindung in hohem Masse und ist ein Zeichen für das Vertrauen weiter Bevölkerungskreise zur Stabilität der Krone.

Allerdings hat das Verhältnis der kurzfälligen (Geschäfts-) Einlagen zu den Spar-(Termin-) Geldern, welches am 31.3.40 noch 1:3 betrug, vom 30.9.43 bis zum 30.4.44 eine weitere geringe Verminderung von 1:1,6 auf 1:1,4 erfahren (3.187: 4.454, vgl. Anl. 2, Spalte 7, a-c bzw. d u.h.). Diese Verminderung hat andererseits zwangsläufig eine Erhöhung der gesetzlichen Kassenhaltung der Sparkassen bei der Nationalbank herbeigeführt (vgl. Fußnote zu Anl. 3).

c.) Anlagepolitik der Geldinstitute

Im Zusammenhang mit der Neigung eines großen Teils der Bankkundschaft, ihre Mittel für das nach ihrer Meinung nahe bevorstehende Kriegsende möglichst flüssig zu halten, haben die Banken die kurzfristig verfügbaren Geschäftseinlagen, am 30.4.44 = 1.910 Mill. Kr., in Kassenmitteln (1.931 Mill. Kr.) bereithalten müssen. (Anl. 2, Spalte 7, a u. b gegen e). Hiervon stehen 70 % (wie am 30.9.) als gesetzlich gebundenes, mit ¼ % verzinsliches Kontoguthaben bei der Nationalbank, während der Rest – abgesehen von den so klein wie möglich bemessenen Barkassenbeständen – freiwillig als 6-Monatsgelder bei der Nationalbank gehalten wird. Für diese Terminguthaben ist der Zinssatz ab 1.12.43 von ¾ auf ½ % herabgesetzt worden. Diese Maßnahme müßte an sich den Banken aus Rentabilitätsgründen die währungspolitisch bedeutungsvolle Bereitwilligkeit, weiterhin kurzfristige Gelder aus dem Umlauf an sich zu ziehen, genommen haben, da sie in der Regel auf Tagesgeld ¼ % und auf Kontokorrentguthaben ½ % Zinsen zahlen müssen. Gleichwohl hat auch in den letzten Monaten der Zufluß auf allen Arten von Einlagekonten – wenn auch etwas verringert – angehalten, weil die Banken zur Aufrechterhaltung der obengenannten Zinssätze nach dem 1.12.43 ihre Anlage in Obligationen über die Erfordernisse der Deckung nur der langfristigen Einlagen hinaus verstärkt haben. (Anl. 2, Spalte 7 d u. f.). Hierbei hat allerdings auch die nur beschränkte Unterbringungsmöglichkeit für die von den Großbanken seit November 1943 konsortialiter übernommenen 4 Staatsanleihen zu je 60 Mill. Kr. mitgewirkt. Diese Mitarbeit der Banken an der Geldbindung auf längere Fristen ist als besonders wertvoll anzusehen, weil in Dänemark für Staatsanleihen aus später zu erörternden Gründen keine Marktpflege üblich ist und somit Kursverluste nicht ausgeschlossen sind.

d.) Preise und Löhne

Die dänische Preispolitik war erfolgreich, die Preisindexzahlen sind seit der Kronenaufwertung – Januar 1942 – bei nahe unverändert geblieben. Ein geringer Ausschlag bei den Lebenshaltungskosten und die Tatsache, daß die Löhne und Gehälter z.T. stark gegen die Preiserhöhungen seit Kriegsbeginn zurückgeblieben sind, hat Lohn- und Gehaltszulagen kleinen Umfangs notwendig gemacht. Doch ist Vorsorge getroffen worden, daß sich diese Zulagen nicht auf die Preise auswirken.

Die Preisbildung und -überwachung durch die dänischen amtlichen Stellen ist jedoch in der Hauptsache auf den privaten Sektor beschränkt. Die Einflußnahme auf die viel bedeutenderen Umsätze im Zahlungsverkehr der Wehrmacht ist ihnen weitgehend unmöglich. Die Prüfung der bei der Wehrmacht oft überhöhten Baupreise und Löhne ist zwar durch eine vom dänischen Handelsministerium im Einvernehmen mit der Wehrmacht erlassene Verordnung geregelt worden, die die Beteiligung dänischer Bau- und Preissachverständiger vorsieht. Jedoch scheitert nicht selten die Durchführung daran, daß es den Wehrmachtdienststellen aus Geheimhaltungsgründen nicht möglich ist, den dänischen Sachverständigen die Kalkulationsunterlagen durch die Unternehmer vorlegen zu lassen oder ihnen Zutritt zu den Baustellen zu gewähren.

Nach der amtlichen dänischen Umsatzstatistik lag in Jütland, dem Länderteil Dänemarks, wo die Geldvermehrung infolge der Westwallbauten natürlich am stärksten ist, die Steigung der Umsätze schon am Jahresschluß 1943 weit über dem dänischen

Durchschnitt von 50 % gegenüber der Vorkriegszeit. Seitdem hat dort die Flucht in die Sachwerte noch bedeutend größeren Umfang angenommen.

Obwohl der Herr Wehrmachtbefehlshaber bereits persönlich die größtmögliche Erleichterung der Baupreisprüfung durch die dänischen Sachverständigen zugesagt hat und die Lösung des Preis- und Lohnproblems bei der Wehrmacht durch die ergangenen Befehle und kurzfristigen Bautermine außerordentlich erschwert wird, sollte doch im Rahmen der hiernach offenbleibenden Möglichkeiten weiterhin alles Vertretbare getan werden, um eine Zunahme der Überhöhung bei Preisen und Löhnen unmöglich zu machen aus der Erkenntnis, daß ein Zusammenbruch des Vertrauens der Arbeiter und Lieferanten zur Stabilität des Krone einen Rückgang der Leistungen zur Folge haben und dem dringenden deutschen Interesse zuwiderlaufen würde.

B.) Art und Erfolg der staatlichen dänischen Maßnahmen zur Kaufkraftbindung
a.) Konjunktursteuer und gebundenes Sparen
Diese beiden Geldbindungsversuche haben einen nur geringen Erfolg gehabt, Gegenüber dem geschätzten Ertrag von 110 Mill. Kr. waren am 30.4.44 auf dem betreffenden Konto des Finanzministeriums bei der Nationalbank eingegangen

        34 Mill. Kr. aus Konjunktursteuer
        24   –   – gebundene Sparbeträge
zus. 58 Mill. Kr.

b.) Erweiterung der gesetzlichen Kassenhaltung bei Banken und Sparkassen
Die hierüber getroffenen Vorschriften sollen einen gewissen Teil der bei den Geldinstituten angehäuften Kaufkraft dem Wirtschaftsleben entziehen und damit die Banken und mittelbar auch die Einleger an Fehlinvestitionen sowie preiserhöhenden Spekulationen hindern.

Die Summe errechnet sich für jede Bank nach bestimmten Hundertsätzen ihrer Verpflichtungen und kann in den eigenen Kassen oder bei der Nationalbank gehalten werden. Die Bindung verändert sich nach dem Stand der Verpflichtungen. Bei Abhebungen der Kunden entfällt die Bindungspflicht der Banken entsprechend (rund gerechnet mit 50 % der von den Kunden abgehobenen Beträge).

Die Verfügungsfreiheit der Bankkunden ist nicht angetastet worden, um aus währungspolitischen Gründen den Zustrom der überschüssigen Kaufkraft zu den Geldinstituten nicht zu unterbrechen. Durch psychologisch richtige Abstimmung der zinspolitischen Mittel ist unter Schonung der staatlichen Gelder hinsichtlich des Zinsaufwandes erreicht worden, daß sich – wie im Abschnitt A, 2b gezeigt wurde – die Einlagen aller Art bedeutend erhöht haben.

Bemerkwert ist, daß die Kassenhaltungsvorschriften die Banken veranlaßt haben, ihren Kunden mit außerordentlich gutem Erfolg die Umlegung von 3-Monats- in 6-Monatseinlagen zu empfehlen, weil letztere von den Kassenhaltungsvorschriften nicht erfaßt werden. Auch hierin ist eine sehr erfreuliche Folge der Gesetze zu erblicken, die zeigt, daß die Gesetze gewissermaßen auch der Neigung zur Flucht in die Sachwerte entgegenwirken. Übrigens würde die Nationalbank keinen Augenblick zögern, Verfügungsbeschränkungen durchzusetzen, falls Sachwertpsychose aus stärkeren Abhebungen erkennbar würde. In dieser Beziehung liegt der Vorteil der klugen Fassung der Kassenhaltungsbestimmungen darin, daß die überschüssigen Gelder zunächst zu den Geldinstituten gelenkt werden.

Am 30.4.44 waren auf Grund der Kassenhaltungsbestimmungen 1.359 (930) Mill. Kr. gebunden, das sind 46 % mehr als am 30.9.43 (Anl. 3, Spalte 3). Verzinsung zu ¼ %.

c.) 6-Monatsgelder der Geldinstitute bei der Nationalbank

Hierfür kommen zur freiwilligen Anlage die von den Kassenhaltungsbestimmungen nicht erfaßten Mittel der Geldinstitute in Frage, Die Verzinsung beträgt ½ %.

Der Bestand ist seit 30.9.43 von 651 auf 588 Mill. Kr. zurückgegangen, vermutlich durch Zeichnung der seitdem übernommenen Staatsanleihen.

d.) Begünstigung der Geldanlage durch Ausgabe von Staatspapiere

Durch die Geldbindungsgesetze vom 3.7.42 und 8.7.43 sind die nachstehend genannten Steuern ausgeschrieben sowie kurz- und mittelfristigen Staatspapiere zum Kauf angeboten worden:

		Nennwert in Mill. Kr. am 31.4.44	
1.)	3 % (10-jährige) Staatsobligationen v. 1943	200	(49,5)
2.)	(5½-jährige) Sparobligationen von 1942 (nur für Private)	28	(22,2)
3.)	2½ % (5-jährige) Staatsobligationen v. 1943 – nicht für Banken u. Sparkassen –	52	(21,1)
4.)	1¾ % (2-jährige) Staatsschuldscheine v. 1942 – nicht für Banken u. Sparkassen –	293	(190,5)
5.)	Konjunktursteuer	34	-
6.)	Gebundene Sparbeträge	24	-
		631	(283,3)
7.)	½ % (6-monatige) Schatzkammerscheine v. 1942	496	(339,6)
	Der Kurswert der Nennbeträge von	1.127	(622,9)

stand am 30.4.44 mit *1.118 Mill. Kr.* auf einem Konto des Finanzministeriums bei der Nationalbank (Anl. 3, Spalte 2). In Ergänzung dieser Geldbindungsmaßnahme hat der Staat zur langfristigen Kapitalanlage untergebracht

im Jahre 1942:
  4 %   30-jährige Staatsanleihe   60 Mill. Kr.
  2½ %   5   –   –   60   –   –
                                    120 Mill. Kr.

im Jahre 1943:
  4 %   20-jährige Staatsobligationen 60   –   –
  4 %   20   –   –   60   –   –

im Jahre 1944:
  4 %   30-jährige Staatsobligationen 60   –   –
  3½ % 20   –   –   60   –   –
                                      360 Mill. Kr.

C.) *Die wohnungsmäßigen Auswirkungen der Maßnahmen zur Geldbindung*
a.) Gegenwärtige Währungslage
Die Anordnung der Ergebnisse aller Geldbindungsmaßnahmen nach der Zeitdauer der
Bindung ergibt das folgende Bild:

	in Mill. Kr.	
	30.4.44	(30.9.43)
1.) *Kurzfristig* gebunden sind		
die Kassenhaltungsbeträge (Anl. 3, Sp. 3)	1.359	(930)
die 6-Monatsgelder (Anl. 3, Sp. 4)	588	(651)
die ½ % (6-mon.) Schatzkammerscheine (Abschn. B, d, 7)	496	(339,6)
– Zunahme 522 = 27 % –	2.443	(1.920,6)
2.) *Mittelfristig* gebunden sind		
die Geldbindungspapiere gem. Abschn. B. d,1-6	631	(283,3)
die 2½ % 5-jähr. Staatsanleihe v. 1942 (Abschn. B. Schlußabs.)	60	(60,0)
– Zunahme 348 = 101 % –	691	(343,3)
3.) *Langfristig* gebunden sind		
die 4 % 30-jähr. Staatsanleihe v. 1942 (Abschn. B. letz. Abs.)	60	(60)
die 4 % bzw. 3½ % Staatsanleihe v. 1943 u. 1944 (Abschn. B. letz. Abs.)	240	(–)
– Zunahme 240 = 400 % –	300	(60)
Gesamtbindung:	3.434	(2.323,9)
Gesamte Kreditausweitung:		
(Anl. 1, A)	5.258	(3.755)
Die Gesamtbindung beträgt:	65 %	(62 %)

Der Anteil jeder der 3 Gruppen an der gesamten Kreditausweitung errechnet sich auf
46 %   (51 %)   für die kurzfristige   Bindung
13 %   (9 %)   – – mittelfristige   –
6 %   (2 %)   – – langfristige   –

Beachtenswert ist die außerordentlich geringe langfristige Bindung von nur 6 % der seit dem 31.3.40 geschaffenen zusätzlichen Kaufkraft. Bei der Unterbringung der 4 letzten Anleihen von zusammen 240 Mill. Kr., durch die der langfristige Bindungsanteil um nur 4 % stieg, hat sich wieder gezeigt, daß in Dänemark der Anlage in Staatsobligationen die hypothekarisch gesicherten und daher beliebteren Kassaobligationen der Kreditvereinigungen, von denen ca. 6 Mrd. Kr. umlaufen, hinderlich sind.

Zu erwägen bliebe, ob durch Kurspflege oder Offenmarktpolitik die Neigung von Banken und Publikum, langfristige Staatsanleihen gegenüber den Kredit-und Hypothekvereinigungs-Obligationen zu bevorzugen, gestärkt werden soll. Weder Staat noch Nationalbank werden sich aber infolge der in Dänemark vorliegenden besonderen Verhältnisse zu Hilfsmaßnahmen der genannten Art entschließen können, da dem Stützungsfonds große Beträge von Staatsobligationen zufließen und damit auch die Kassaobligationen ungewollt – weil die Bautätigkeit in ungesunder Weise anregend – eine Kursstützung auf annähernd pari erhalten würden. Um gleichwohl die langfristige Bindung zu fördern, sind auf dänischer Seite z.Zt. Pläne für umfassende Bereitschaftsarbeiten in Vorbereitung. Gedacht wird nach einem von Nationalbankdirektor Bramsnäs am 5. d.Mts. in der Provinzbankenvereinigung gehaltenen Vortrag an die Schaffung von Kapitalanlagen für produktive Zwecke, zu deren Finanzierung der Staat – vermutlich durch Kaufkraftbindung mit Hilfe von Anleihen-beitragen soll.

Bei Beurteilung der viel zu hoben nur kurzfristigen Bindung von 2.443 Mill. Kr. = 46 (51 %) der gesamten Geldvermehrung muß beachtet werden, daß dieser Betrag in Bewegung kommen würde, wenn die Verfügungen der Einleger über ihre Guthaben einmal größer sein sollten als die Eingänge. Die auf diese Weise wiederauflebende Kaufkraft würde den Drang nach Anlage in Waren, der bereits jetzt bei der z.Zt. freien Kaufkraftmenge von mindestens gleicher Höhe immer stärker hervortritt, so steigern, daß eine Vertrauenskrise nicht ausgeschlossen wäre und mit Zwangseingriffen vorgegangen werden müßte, was den Arbeits- und Lieferwillen zum Nachteil der Vorhaben der Wehrmacht herabsetzen würde. Die auf der ersten Seite des Berichts erwähnte neben der Kreditausweitung der Nationalbank wirksame zusätzliche Kaufkraftbildung, deren Höhe am 30.4.44 mindestens 653 Mill. Kr. (gegen 194 Mill. Am 30.9.43) betragen hat (Anl. 1, Ziffer 6), kann bereits als Zeichen einer verstärkten Flucht in die Sachwerte gedeutet werden.

b.) Schlußfolgerungen

Die währungsmassige Belastung Dänemark ist – gemessen an derjenigen anderer Gebiete – noch erträglich. Eine akute Gefahr für die Währung besteht nicht. Maßnahmen zur Kaufkraftbindung sind zwar in guter Anpassung an die hierzulande gegebenen Geld- und kapitalmarktpolitischen Möglichkeiten getroffen worden, doch ist ihre Fortführung mit dem Ziele der erhöhten Unterbringung von mittel- und langfristigen Anleihen notwendig. Dies ist jedoch Aufgabe der Dänen selbst.

Dagegen kann zur Vermeidung von wohnungsmäßigen Störungen auf den Gebieten des Notenumlaufs, der Preis- und Lohnüberwachung sowie der Warenbewirtschaftung deutsche Hilfe nicht entbehrt werden. Anfänge hierzu sind zwar gemacht worden, z.B.
- Beschränkung der Inanspruchnahme des schwarzen Marktes auf wehrwirtschaftlich unvermeidliche Fälle,
- Verringerung des Barverbrauchs der Wehrmachtdienststellen durch Quotenfestsetzung,
- Ermöglichung der Preis- und Lohnprüfung durch dänische Sachverständige in allen vertretbaren Fällen.

Jedoch ist es in Hinblick auf die starke Anspannung, der die Währung durch die hohe Geldvermehrung zu Gunsten der Wehrmacht auch in Zukunft ausgesetzt sein wird, notwendig, daß die weiteren Abhilfemaßnahmen, die von deutschen und dänischen Stellen getroffen worden sind oder z.Zt. in Vorbereitung sind, soweit irgend möglich, durchgeführt werden.

Anlage 1

A.) Zunahme der Kreditausweitung durch Danmarks Nationalbank vom 31.3.40-30.4.44

(in Mill. Kr.)	Konto Verschiedene Debitoren		Clearingkonto		Gesamte Kreditausweitung	
	Zunahme	Monatsdurchsch.	Zunahme	Monatsdurchsch.	Zunahme	Monatsdurchsch.
1940 (31.3.-31.12.)	410	45	395	44	805	89
1941	443	37	447	37	890	74
1942	483*)	40	333*)	28	816*)	68
1943	997	83	800	67	1.797	150
1944 (1.1.-30.4.)	653	163	297	74	950	237
	2.986		2.272		5.258	

*) einschl. des vom Dänischen Staat getragenen Kursverlustes von 61 Mill. Kr. bei den "Verschiedenen Debitoren" und 64 Mill. Kr. beim Clearingkonto infolge der Kronenaufwertung v. 23.1.42.

B.) Verteilung der nach dem 31.3.1940 geschaffenen zusätzlichen Kaufkraft
(Stand v. 30.9.43 und 30.4.44 nach den wichtigsten Positionen)

		am 30.9.43	%	am 30.4.44	%
1.)	Notenumlauf	584*)	15,5	847*)	16,1
2.)	Postgirokonten	172	4,6	216	4,1
3.)	Einlagen bei Banken Anl. 2 A, 9	1.647	43,9	2.358	44,8
4.)	[Einlagen bei] Sparkassen Anl. 2 h, 9	713	19,0	1.012	19,2
5.)	Guthaben d. Finanzmin. b. Danmarks Nationalbk.				
	a.) gem. Geldbindungsges.	619	16,4	1.118	21,2
	b.) auf lauf. Konto	214	5,7	360	6,8
6.)	Sonstiges	- 194	- 5,1	- 653	- 12,2
		3.755	100	5.258	100

*) Im Monatsdurchschnitt: 1940 = 14,7; 1941 = 8,4; 1942 = 11,7; 1943 (1.1.-30.11.) = 27,5; 1.1.43-30.4.44 = 29,5; 1.12.43-30.4.44 = 34; Mai 1944 = 41.

Anlage 2
Die wichtigsten Zahlen aus den Bilanzen der dänischen Banken u. Sparbanken.

	1940		1941		1942		1943/44		
	1	2	3	4	5	6	7	8	9
	31.12	+/– im Monats- durch- schnitt ab 31.3.40	31.12	+/– im Monats- durch- schnitt	31.12	+/– im Monats- durch- schnitt	31.12	+/– im Monats- durch- schnitt	Zunah- me vom 31.3.40 bis 30.4.44
	Mill. Kr.		Mill. Kr.		Mill. Kr.		Mill. Kr.		Mill. Kr.
Aktienbanken									
a.) Foliogelder (tägl. verfügbare Einlagen)	244	+8,3	302	+4,9	366	+5,3	625	+16,2	456
b.) Kontokorrent (netto)	498	+23,5	708	+17,5	869	+13,4	1.285	+26	998
c.) Einlagen a. Bankbuch	634	+2,0	781	+12,2	898	+9,8	1.277	+23,7	662
d.) Einlagen 1 Monat u. länger	1.023	–0,9	1.077	+4,4	1.154	+6,4	1.274	+7,5	242
A	2.399	+32,9	2.868	+39,0	3.287	+34,9	4.461	+73,4	2.358
e.) Kassenbestand u. Guthaben v.u. bei inl. Banken u. Sparkassen	345	+35,1	779	+36,2	841	+5,2	1.931	+68,1	1.903
f.) Inl. Oblig. U. Aktien	635	+22,8	861	+18,8	1.069	+17,3	1.471	+25,1	1.041
g.) Gewährte Kredite (Udlaan) – Pfänder, Wechsel, Darlehen u. Kassenkredite	1.854	–16,6	1.651	–16,9	1.763	+9,3	1.605	–9,8	–399
B	2.834	+41,3	3.291	+38,1	3.673	+31,8	5.007	+83,4	2.545
h.) *Sparkassen* Einlagen	2.116	–5,7	2.333	+18,1	2.588	+21,3	3.180	+37,0	1.012

Anlage 3
Auswirkungen der dänischen Maßnahmen zur Bindung des Geldüberschusses seit 8. Juli 1942

(in Mill. Kr.)	Geldneuschöpfung durch Kreditausweitung der Nationalbank (Versch. Debitoren u. Clearing)	Bindung durch:			Gesamt-bindung ca.
		Konto des Fin. Min. bei Nationalbank Ges. v. 3.7.42 und v. 8.7.43	Kassenhaltung d. Banken u. Sparkassen Ges. v. 3.7.42 und v. 8.7.43	6-Monatsgelder d. Banken u. Sparkass. b. Nationalbank zu ¾ % p.a. ab 1.12.43 ½ %	
	1	2	3	4	5
31.3.40 bis 30.6.42	2.093*⁾				
1942 ab 1.7	419	358	670	199	1.227
1943 1.1.-31.12	1.798	372	414 **⁾	277	1.063
1944 1.1.-30.4.	948	388	275 ***⁾	112	775
1.7.42-30.4.44	3.165	1.118	1.359	588	3.065
Gesamte Geldneuschöpfung v. 31.3.40-30.4.44	5.258				

*⁾ einschl. Kursregulierungskonto des Staates.
**⁾ davon 80 Mill. Kr. bei Sparkassen
***⁾ davon 142 Mill. Kr. bei Sparkassen (amtl. Schätzung)

201. Heinrich Himmler an Werner Best und Günther Pancke 15. Juni 1944

Sabotagen den 10. juni mod "Marinewerft Svendborg" ramte fire af Krigsmarines skibe. Det var den hidtil mest betydende skibssabotage i Danmark, hvilket fik førerhovedkvarteret til at reagere. Himmler sendte et enslydende telegram til Best og Pancke, hvor der blev krævet skarpe modforholdsregler. I erindringerne formulerede Best de "'unverzügliche und brutalste' Gegenmaßnahmen." (Best 1988, s. 157). Advarslens alvor blev understreget af, at Hitlers navn blev inddraget. Når Himmler sendte sin advarsel direkte ikke kun til Pancke, men også til Best, kan det kun betyde, at ordren ikke blev sendt af Himmler alene i hans egenskab af RFSS, men også var udtryk for førerhovedkvarterets vilje. Der er ikke tvivl om, at både Pancke og Best tog telegrammet meget alvorligt, og at det påvirkede deres, og ikke mindst Bests, dispositioner i den sidste uge af juni. Hvis ikke Best selv foretog sig noget drastisk, kunne han få direkte ordre om at lade udføre endnu værre repressalier for sabotage (KTB/WB Dänemark 11. juni 1944, Bovensiepens forklaring 20. august 1945 (LAK, Best-sagen), Hæstrup, 1, 1966-71, s. 501, Jensen 1976, s. 26, Rosengreen 1982, s. 102f.).[145]

Himmlers ordre må ses på baggrund af den stærkt stigende nervøsitet i førerhovedkvarteret efter den allierede invasion i Normandiet. Der blev i dagene omkring 15. juni udsendt en stribe ordrer, der skærpede repressalierne mod sabotage og anden modstand i de besatte områder.

Himmlers telegram er ikke bevaret, men det citeres delvis ordret i Bests telegram nr. S 4 af 2. juli 1944, hvortil henvises.

145 Alex Walter forklarede 11. juni 1948, at Best på et tidspunkt havde vist ham et telegram fra Himmler, hvori Hitler krævede de "brutalste Gegenmaßnahmen" i anledning af en sabotage. Walter mente, at det vistnok var i forbindelse med en skibssabotage i Nakskov, hvorom Walter vidste, at det kun drejede sig om en bagatel, hvilket han foreslog Best at meddele AA (LAK, Best-sagen). Da Himmler ikke sendte flere af den slags telegrammer, og der bliver nævnt skibssabotage, er det givetvis Himmler-telegrammet af 15. juni 1944, der er tale om. Når Walter – fejlagtigt – bagatelliserede sabotagen i forbindelse dermed, må det ses i sammenhæng med, at Walters vidneudsagn i Bests sag var konsekvent fjendtligt over for den anklagede. Der var næppe bare tale om en dårlig hukommelse fra Walters side.

202. Hans Clausen Korff: Kriegssachschaden dänischer Arbeiter im Reich 15. Juni 1944

Korff havde af Esche i København fået oplyst, at Best ville vende sig mod den aftale, der var lavet om krigsskadeerstatning til danske arbejdere i Tyskland. For at han skulle kunne godkende den, skulle der i hvert fald være tale om gensidighed, så rigstyskere i Danmark på lignende måde blev beskyttet. På samme måde ønskede Best en aftale om forsikring af firmaer, hvor hver part tog sin risiko.

Se endvidere Korffs notat 16. juni 1944.
Kilde: RA, Danica 50, pk. 91, læg 1259 (gennemslag).

Abteilung Finanzen   Oslo, 15. Juni 1944
II Wi

1.) Aktenvermerk

Betr. Kriegssachschäden dänischer Arbeiter im Reich,
hier: Rücksprache mit RegRat Esche in Kopenhagen am 6. ds.Mts.

RegRat Esche teilte mit, daß der Reichsbevollmächtigte sich entschieden gegen die in Wustrow getroffene Vereinbarung bei der er nicht beteiligt worden sei, wenden werde.[146] Es habe keinerlei Anlaß bestanden, den Dänen soweit entgegenzukommen. Eine Anerkennung der Gegenseitigkeit hätte jedenfalls nur dann erfolgen dürfen, wenn die Dänen den Schutz der Reichsdeutschen in Dänemark übernommen hätten.

Unzulänglich sei ebenfalls die für Verlagerungsaufträge vorgesehene Regelung. Der Reichsbevollmächtigte sei der Auffassung, daß in diesen Fällen jeder sein eigenes Risiko tragen müsse. Bei Schäden müßte das Reich die Materialverluste und die Dänen die Entwertung der Verarbeitung tragen.

Bevor weitere Schritte unternommen werden, ist der Eingang der Abschrift des Abkommens abzuwarten.

                                                    Korff
2.) Wv. 25. ds.Mts.

203. Der Reichsminister des Innern an die Volksdeutsche Mittelstelle 15. Juni 1944

VOMI blev af RMI orienteret om, hvordan førerordren om, at værnemagts- og SS-frivillige fra de tyske mindretal i udlandet automatisk fik tysk borgerskab, skulle håndteres for Danmarks og Rumæniens vedkommende. I Danmarks tilfælde skulle tysk statsborgerskab til de mindretalsfrivillige ikke bevilges, hvis den rigsbefuldmægtigede og mindretalsføreren forud modsatte sig det (Hvidtfeldt 1953, s. 141).

Se Best til AA 21. august 1944.
Kilde: PKB, 14, nr. 348.

Abschrift
Der Reichsminister des Innern   Berlin, den 15. Juni 1944
I Sta R 5375/44 5000 BA 2

---

146 Se om aftalen ovenfor under 10. februar 1944.

An die Volksdeutsche Mittelstelle
z.Hd. von SS-Obersturmbannführer Brückner o.V.i.A.
in Templin (UM).

An die Einwandererzentralstelle in Litzmannstadt Feldpost-Nr. 56 957.

In Nr. 24 des MBliV sind die Anordnungen des Reichsführers über den Erwerb der deutschen Staatsangehörigkeit durch deutschstämmige Angehörige der Wehrmacht, der Waffen-SS, der Polizei, des Reichsarbeitsdienstes und der Organisation Todt sowie die weiteren Durchführungsbestimmungen zum Führererlass vom 19.5.1943[147] erschienen.

Der Reichsführer legt grundsätzlich Wert darauf, daß bei allen unter den Führererlass fallenden Personen ohne Rücksicht darauf, welche Staatsangehörigkeit sie bisher besessen haben, der Erwerb der deutschen Staatsangehörigkeit festgestellt wird. Dadurch soll aber nach Möglichkeit der Besitz der bisherigen Staatsangehörigkeit nicht beeinträchtigt werden; soweit zur Erreichung dieses Zieles eine Änderung des ausländischen Rechts oder der ausländischen Verwaltungspraxis erforderlich ist, wird im Verhandlungswege versucht werden, diese Änderungen durchzusetzen.

Eine besondere Lage besteht gegenüber Dänemark und Rumänien. Die Volksgruppenführung befürchtet in beiden Ländern, daß die Regierung den Erwerb der deutschen Staatsangehörigkeit durch die deutschstämmigen Wehrmacht- usw. Angehörigen zum Anlaß nehmen wird, den Verlust der bisherigen Staatsangehörigkeit festzustellen; dadurch würde aber der Bestand der Deutschen Volksgruppe in diesen Ländern schwer gefährdet. Da die Geltendmachung des Besitzes der deutschen Staatsangehörigkeit gem. Abs. 2 der Anordnung des Reichsführers vom 23.5.1944[148] jeweils von der vorherigen Feststellung durch die Einwandererzentralstelle abhängig ist, können diese Bedenken durch eine den verschiedenen Bedürfnissen und der politischen Konstellation angepaßte, mit den Verhältnissen auch veränderliche Praxis der Einwandererzentralstelle ausgeräumt werden. Bei dänischen Staatsangehörigen soll demgemäß von einer Feststellung des Erwerbs der deutschen Staatsangehörigkeit in den Fällen abgesehen werden, in denen der Bevollmächtigte des Reichs in Dänemark oder der Volksgruppenführer dies beantragen. Bei rumänischen Staatsangehörigen soll die Feststellung vorerst nur in den schutzwürdigen Fällen erfolgen, z.B. bei Verfolgung eines Volksdeutschen durch rumänische Behörden wegen Übertritts in die deutsche Wehrmacht. Im übrigen soll das Feststellungsverfahren bis zu einer Veränderung der derzeitigen politischen Konstellation in der Schwebe gehalten werden, soweit nicht nachträglich ein Bedürfnis zu einer alsbaldigen Feststellung hervortritt.

Abschrift übersende ich mit der Bitte um Kenntnisnahme.
In Vertretung des Staatssekretärs
gez. **Ehrensberger**

---

147 Trykt ovenfor.
148 Trykt PKB, 14, nr. 347.

204. Herbert Backe an Josef Terboven 15. Juni 1944

Backe svarede på Terbovens krav om levering af 10.000 t sukker fra Danmark til Norge ved punkt for punkt at gendrive Terbovens oplysninger og argumenter. Backe udtrykte at ville holde den saglige form, på trods af at Terboven både havde argumenteret usagligt og krænket ham. Han sluttede af med at gøre rede for sin ernæringspolitik, som Terboven havde tilladt sig at karakterisere som ejendommelig. Han oplyste, at han havde sendt Göring og Bormann kopi af deres brevveksling. Dermed havde han taget Terbovens udfordring op.

Backes brev blev ikke det sidste ord i denne sag. Terboven fik påfølgende gennemtrumfet, at kravet om sukker blev taget op i det tysk-danske regeringsudvalg i efteråret 1944. Walter var tvunget til at fremsætte kravet 9. august og adskillige gange siden og måtte true med at standse de norske gødningsleverancer til Danmark, såfremt det ikke blev imødekommet. Backe og REM havde således fået en ordre fra højere sted – det kan kun have været fra Hitler via Bormann[149] – og Walter måtte også på Backes forlangende videregive Terbovens forslag om at nedsætte de danske sukkerrationer. Terbovens krav om sukker var ikke længere på 10.000 t, men 47.500 t inden 1. april 1945. Det lykkedes dog ved gentagne forhalinger de danske forhandlere at undgå at opfylde kravet. De argumenterede med, at det efter dansk politis fjernelse ikke længere var muligt at gennemføre en yderligere sukkerrationering samt ved at gøre det klart, at gødningsleverancerne fra Norge til Danmark var af lige så stor betydning for Tyskland som for Danmark (om sukkerforhandlingerne efteråret 1944-januar 1945 se Bohn 2000, s. 291, note 565, RA, UM 1909-45, H64-199, *Information* 20. og 24. januar 1945 ("Tyskerne tager vort Syltesukker"), Jensen 1971, s. 223, 243 og især Nissen 2005, s. 231-232 med note 116 og 117).

Der blev påfølgende i SS udarbejdet et notat om brevvekslingen april-juni 1944 (udat. maj 1944 (nr. 650.919f.)), som ikke drog nogen konklusion. Det er også alene SS, vi skylder brevvekslingens eksistens. Sukkersagen er et vidnesbyrd om, at Terboven konsekvent ønskede at stikke Bests besættelsespolitik en kæp i hjulet. Ved at øge kravet til 47.500 t og true med stop for gødningseksporten, såfremt det ikke blev imødekommet, satte han tilmed sagen yderligere på spidsen. REM var taberen i konfrontationen, Backe måtte vende 180 grader og gøre Terbovens stærkt forøgede krav til sine egne. Men et reelt nederlag blev det alligevel ikke til, da krigens udvikling havde givet de danske forhandleres indsigelser øget vægt. Det var næppe Backe og Walter uvelkomment.[150]

Kilde: RA, Danica 1000, T-175, sp. 125, nr. 650.940-944.

Der Reichsminister für Ernährung und Landwirtschaft *Berlin W 8, den 15. Juni 1944*
V B 3-523 g.Rs. N [326 g]/…?] – 145/44 g
6 Ausfertigungen
5. Ausfertigung
Geheime Reichssache!

An den Herrn Reichskommissar für die besetzten norwegischen Gebiete
  Oslo

Lieber Parteigenosse Terboven!

Meine Antwort auf Ihr Schreiben vom 3.4. d.J. (Anforderung von dänischem Zucker für Norwegen) enthält ausschließlich die rein sachliche Darstellung der Tatsachen und Überlegungen, die leider zur Ablehnung Ihrer Forderung führen mußten. Es muß daher

---

149 Hitler var blevet opmærksom på argumentet med det tilbagevendende hensyn, der skulle tages til Danmark på grund af landbrugseksporten til Tyskland, når der blev stillet andre krav til landet. Terboven kan have været med til at åbne hans øjne derfor. Se Hitlers udtalelse derom i Brenner til Steengracht 13. oktober 1944 i anledning af de deporterede danske politimænd.
150 Den senere så hårde kritik af Backes politik i de besatte lande (se Lehmann 1993, Weiss 2002, s. 27), må nuanceres under inddragelse af den politik, REM førte i Danmark (se også Korff til Breyhan 7. februar 1945).

befremden, daß Sie in Ihrem Schreiben vom 29. Mai d.J. eine Form für Ihre Antwort gewählt haben, die in einer Reihe von Redewendungen unsachlich ist, ja sogar bis zur Kränkung geht. Das wiegt um so schwerer, als ich mich Ihnen gegenüber in der Vergangenheit im dienstlichen Verkehr weder mündlich noch schriftlich ähnlich verhalten habe. Sollten Sie in Zukunft erneut ein solches Vorgehen für angezeigt halten, so würden Sie damit eine sachliche Weiterführung dienstlicher Angelegenheiten unmöglich machen. Wenn ich im vorliegenden Fall antworte, so geschieht dies angesichts des Ernstes unserer Lage und im Hinblick auf die Schwierigkeit der Aufgaben, die Sie und ich zu erfüllen haben. Dabei folge ich Ihnen nicht auf Ihrem subjektiven Wege, sondern sage Ihnen auf dem Boden strengster Sachlichkeit das Folgende:

Sie sprechen davon, daß Sie, wenn ich einmal in besonderer Not gewesen sei, sogar immer die Grenze des dem norwegischen Volk Zumutbaren überschritten hätten, um mir zu helfen. Als Beispiel hierfür führen Sie die Zusatzlieferung von 2000 t N an Dänemark zu Lasten des norwegischen Konsums an. Daß ich in den Fällen norwegischer Not aus der gleichen Grundeinstellung, die Sie für mich in Anspruch nehmen, in stärkeres Masse, als Sie es beispielhaft beweisen, geholfen habe, ergibt sich u.a. daraus, daß ich in dem ungünstigen Brotgetreidejahr 1942/42 Ihre das Reich schwer belastenden Getreideforderungen erfüllt und Ihnen auf dem Fettgebiet bei einer Besprechung in Ihrem Berliner Hotel unter Zurückdrängung der von meinem verantwortlichen Mitarbeiter vorgebrachten Einwendungen noch größere Konzessionen gemacht habe. Welchem Nutzen es für Sie gehabt hat, daß ich Ihnen im Hinblick auf das günstigere Getreidewirtschaftsjahr 1943/44 große Getreidevorschüsse für das Kalenderjahr 1944 gegeben habe, wird Ihnen und den norwegischen Regierungskreisen sicherlich noch in guter Erinnerung sein. Und jetzt erkläre ich mich auf Grund dessen, was Ihre und meine Mitarbeiter auf ihren Stufen mündlich und schriftlich behandelt haben, bereit, Ihnen für das Kalenderjahr 1945 vorerst 50.000 t Roggen vorschußweise zu geben, obwohl die Brotgetreideernte 1944 nicht so günstig ausfallen wird wie die von 1943. Die näheren Modalitäten hierfür werden Ihnen besonders schriftlich mitgeteilt werden. Auch auf dem Fettgebiet bin ich zur Gewährung von Vorschüssen für das 6. Wirtschaftsjahr bereit. Einzelne Beiladungen von Fett in Durchführung dieses Vorhabens sind bereits erfolgt. Das wird auch weiterhin geschehen. Ich bringe dies alles in diesem Zusammenhang nur vor, um Ihnen zu zeigen, daß es zwischen uns beiden keinen Zweck hat, Auseinandersetzungen darüber zu führen, wer dem anderen im Fällen der Not mehr geholfen hat.

In einzelnen zu 1-6 Ihres Schreibens:

Zu 1.): Der dänische Zuckerverbrauch in der Vorkriegszeit betrug 52 kg je Kopf und Jahr und ist auf 32 kg im Krieg abgesunken (einschließlich Industriezucker usw.). Der Mundzuckerverbrauch beträgt heut 22 kg je Kopf und Jahr. Das Verhältnis von 169.000 t dänische Zuckerbilanz zu Ihrer Zuckerforderung von 8.000 t werten Sie nicht richtig. Einmal ist den 169.000 t die Ausfuhr mit 33.000 t enthalten; zum anderen sind ¾ der für den Inlandskonsum bestimmten Mundzuckermengen in der Hand der Konsumenten, der Rest (25 v.H.) bereits in den Händen der Verteiler. Eine Rationskürzung mit Wirkung noch für das laufende Zuckerwirtschaftsjahr ist also praktisch gar nicht mehr möglich.

Zu 2.): Ein Zweifel an meiner Angabe, daß bis Mitte Mai d.J. bereits 36.000 t Industriezucker verbraucht, d.h. den verarbeitenden Betrieben zur Verarbeitung freigegeben seien, ist nicht gerechtfertigt; insbesondere ist Ihr Hinweis darauf, daß die dänische Marmeladenindustrie erst vom Hochsommer ab produziere, irrig. Die Marmeladenindustrie Dänemark hat ihren Arbeitsbeginn jeweils ab Oktober nach Anfall der Apfelpülpe.

Zu 3.): Ein Versuch, von den in Rede stehenden 9.000 t Zucker etwa 1.000 t zu Ihren Gunsten einzusparen, würde Norwegen nicht fühlbare Hilfe bringen, aber unerwünschte politische Rückwirkungen in Dänemark haben, ganz abgesehen davon, daß jetzt eine solche Maßnahme zu spät käme.

Zu 4.): Wenn Sie beantragen, daß von dem dänischen Umsatzlager (Übergangsbestand) 2.000 t für Norwegen entnommen werden, so dürfte daraus auf Ihre Ansicht geschlossen werden, daß ein Umsatzlager von mindestens 2.000 t vorhanden sei. Dies deshalb, weil von einem geringeren Lager doch nicht 2.000 t weggenommen werden können. Ihr Hinweis auf frühere Erklärungen, wonach Sie durchweg ein Umsatzlager von etwa 8.000 t Zucker hätten, sind nur für die Vergangenheit richtig, für die Gegenwart verbleibt es bei meiner Angabe, daß die Übergangsreserve nur (knapp) 200 t beträgt.

Zu 5.): Ich nehme an, daß in Norwegen genau wie im Reich Zuckergebäck (Feinbackwaren, Kuchen und dergl.) nur auf Brotkarten abgegeben wird. Würde Zuckergebäck nicht mehr hergestellt werden, so würde der Verbraucher statt dessen Brot oder Weizengebäck, das ohne Zuckerzusatz hergestellt wird (z.B. Weißbrot oder Brötchen), beziehen. Die entsprechende Umstellung in den Backbetrieben würde zwar eine Senkung der Einnahmen, aber auch der Unkosten bedeuten. Die Betriebe, die nur Brot oder Brötchen herstellen, können im Reich ihre Unkosten aus den Spannen decken. In Norwegen dürften nach den Feststellungen, die ein Vertreter des Reichskommissars für die Preisbildung vor einigen Jahren bei Ihnen getroffen hat, die Verhältnisse ähnlich liegen. Die Notwendigkeit einer Erhöhung des Brotpreises bei Fortfall des Zuckergebäcks vermag ich daher nicht einzusehen.

Zu 6.): Die Leistungen Norwegens gegenüber dem Reich werden hier fortlaufend registriert und sind bekannt. Der Schlußabsatz in meinem Schreibens vom 11.5. d.J. sollte lediglich zum Ausdruck bringen, daß bei Lieferung und Gegenlieferung verschiedenartiger Waren nicht Tonne = Tonne zu setzen sei.

Ihre Fischlieferungen an das Reich und die Wehrmacht sind für mich wertvoll und dankenswert. Die Fischlieferungen beruhen letzten Endes aber doch in erster Linie auf den Treibstofflieferungen des Reichs für den norwegischen Fischfang im einem Masse (etwa 150.000 t), daß die Hauptbedarfsträger im Reich [ulæseligt ord], ihren eigenen Treibstoffbedarf bedenklich einzuschränken. Im übrigen sind Sie bisher aber nicht auf *die* Leistungshöhe gekommen, die der Reichsmarschall seinerseits von Ihnen erwartete (500.000 t), wozu Sie ihn aus eigenen Antrieb ermuntert haben.

Wenn auch Fisch im Verhältnis von 2,5:1 dem Fleisch gleich zu achten ist, so ist Fisch doch nicht Fleisch, und ich habe mir bisher nicht erlauben können, der Bevölkerung oder Wehrmacht zu erklären, daß die Fleischration zwar nicht herabgesetzt, aber doch zu einem Teil durch Fisch ersetzt würde.

Daß Sie mit Ihren Stickstofflieferungen die dänische Zuckererzeugung und Veredelungswirtschaft stark befruchtet haben, ist unstreitig. Das nimmt aber nichts von dem Wert dessen, was Dänemark für das Reich seit seiner Besetzung geleistet hat. Es geht dabei nicht nur um die Lieferung von Fleisch an das Reich (seit der Besetzung 668.000

t), sondern auch um 248.000 t Butter und 466.000 t Fische (alle Zahlen verstehen sich seit der Besetzung Dänemarks).

Da Dänemark nach wie vor nicht in der Lage ist, Ihnen den gewünschten Zucker zu liefern, sind seinerzeit zwischen Herrn Dr. Blankenagel und Ministerialdirektor Dr. Moritz mündlich und schriftlich behandelten Anregungen des ersteren aufgenommen worden, Ihnen Zucker aus Ungarn und (oder) Rumänien zu besorgen.[151] Ich bin dabei damit einverstanden, daß norwegischer Lebertran als Gegenleistung für eine etwaige ungarische Zuckerlieferung an Norwegen gegeben wird. Da Ungarn selbst Zuckerlieferungen vom Reich wünscht, fürchte ich, daß ungarische Zuckerlieferungen nach Norwegen nicht möglich sein werden, es sei denn, daß das Angebot von Lebertran Ungarn trotzdem zur Abgabe von Zucker veranlaßt. Eine Überprüfung der ungarischen Zuckerversorgungslage ist im Gange; nach ihrem Abschluß bleibt weitere Mitteilung vorbehalten. Bezüglich Rumäniens haben Sie bereits einen Vorbescheid erhalten. Ich nehme hierauf Bezug.

Abschließend dies: Meine "eigentümlichen Methoden in der europäischen Ernährungspolitik" bestehen in 4 Grundsätzen:

1.) Ich bemühe mich, mit den Leitern der Abteilungen Ernährung und Landwirtschaft bei den deutschen Chefs in den besetzten Gebieten, durch Beseitigung von Hemmnissen, die der Steigerung der landwirtschaftlichen Erzeugung entgegenstehen, und durch positive Förderung der Produktion das bei der gegebenen Kriegslage nur irgend Mögliche zu schaffen, um in dem von uns beherrschten europäischen Raum die heute erreichbaren Höchstmengen an Nahrungsgütern zu gewinnen.

2.) Ich erwarte und fordere gemäß der Grundeinstellung des Führers und aufgrund der konkreten Lieferungsauflagen des Reichsmarschalls diejenigen Mengen an landwirtschaftlichen Erzeugnissen und Lebensmitteln, deren Abgabe an das Reich den besetzten Gebieten in Ansehung ihrer eigenen Lage und mit Rücksicht auf die Höchstleistungspflicht des deutschen Volkes zugemutet werden kann.

3.) Ich gebe Zuschüsse zu landwirtschaftlichen Erzeugnissen und Lebensmitteln an besetzte Gebiete in dem Masse, in dem bei den besetzten Gebieten unabweisbare Bedürfnisse vorliegen und das Reich dies ohne gefährliche Schädigung seines Primärinteresse tun kann.

4.) Dagegen tue ich *eins* nicht: Ich führe die Verhandlungen mit den deutschen Chefs in den besetzten Gebieten nicht so, als gelte es, Handelsverträge zwischen selbständigen Staaten zu schließen.

Demzufolge wäre es nicht angängig, daß Sie, um Leistungen des Reichs entgegen meinen Grundsätzen zu erzwingen, bei Erfüllung Ihrer Lieferpflicht gegenüber dem Reich "eine Reihe von Sicherungen einschalten und Reserven anlegen würden".

Der Herr Reichsmarschall und Herr Reichsleiter Bormann haben von mir Abschrift unseres Schriftwechsels erhalten.

Heil Hitler!
[uden underskrift]

---

151 Karl Blankenagel var leder af Abteilung Ernährung und Landwirtschaft i Hauptabteilung Volkswirtschaft i Oslo; Alfons Moritz Ministerialdirektor i REM.

205. Ernst Kaltenbrunner: Weisungen über die Bekämpfung von Terroristen sowie über Sühnemaßnahmen 16. Juni 1944

Ernst Kaltenbrunner udsendte 16. juni 1944 et cirkulære til de besatte områder om bekæmpelsen af terrorister og om soneforanstaltninger. Cirkulæret er ikke lokaliseret, men det er refereret i en notits af Horst Wagner 11. august 1944, hvortil henvises. Det kan tages for givet, at cirkulæret har dannet grundlaget for tysk politis fremfærd i København under generalstrejken.

206. Rolf Kassler an das Auswärtige Amt 16. Juni 1944

Ved et møde 21. maj mellem WB Dänemark og mindretalsleder Jens Møller blev man enige om et opråb, der skulle underskrives af begge og uddeles til mindretallet i tilfælde af en fjendtlig invasion. De personer, der skulle indkaldes som nødindsatsforpligtede, skulle uddannes af værnemagten.
   Kilde: PA/AA R 100.944.

Der Reichsbevollmächtigte in Dänemark   *Kopenhagen, den 16. Juni 1944.*
I C/N Sch 14.   *Geheim!*

Im Anschluß an den Bericht vom 1.3.1944 – I C / N Sch 14 –[152]
Betr.: Militärischen Noteinsatz von Angehörigen der Deutschen Volksgruppe in Nordschleswig.
2 Durchschläge.
2 Anlagen.

An das Auswärtige Amt, Berlin.

Wegen der weiteren militärischen Ausbildung der volksdeutschen Noteinsatzpflichtigen (insgesamt rund 1.400 Mann) fand am 21.5. d.Js. eine Besprechung zwischen dem Wehrmachtbefehlshaber Dänemark und dem Volksgruppenführer Dr. Möller statt, bei der der Beauftragte des Reichsbevollmächtigten beim Wehrmachtbefehlshaber anwesend war. Es wurde folgende Vereinbarung getroffen:
   Der für den Fall eines feindlichen Invasionsversuches in Dänemark vorgesehene Aufruf an die Volksdeutschen in Nordschleswig wird vom Volksgruppenführer Dr. Möller entworfen und vom Wehrmachtbefehlshaber unterschrieben. Die Verteilung erfolgt durch die Volksgruppenführung.
   Die Einberufungsbefehle zur Ausbildung der Noteinsatzpflichtigen erläßt die Wehrmacht auf Grund der personellen und Zeitvorschläge der Volksgruppenführung. Die Einberufungsbefehle werden durch die Volksgruppe verteilt.
   Die Ausbildung der Noteinsatzpflichtigen erfolgt durch Wehrmachtangehörige. Während der Ausbildungsstunden bezw. Ausbildungstage sind die Volksdeutschen Soldaten im Sinne der disziplinarischen und versorgungsrechtlichen Bestimmungen.
   Der inzwischen verfaßte Entwurf eines Aufrufes an die Volksdeutschen in Nordschleswig ist in der Anlage nebst Abschrift einer Niederschrift der Volksgruppenführung über den Verlauf der Besprechung vom 21.5. d.Js. zwischen General v. Hanneken und

---

152 Kassler til AA 1. marts 1944, trykt ovenfor.

Dr. Möller beigefügt.[153]

Im Auftrage
Kassler

207. Rolf Kassler an das Auswärtige Amt 16. Juni 1944
Kassler fremsendte en oversigt, som Rudolf Stehr havde skrevet om det tyske mindretals arbejde for den storgermanske ide i Danmark. Det drejede sig for det første om mindretallets krigsindsats for Tyskland, for det andet om de iværksatte forsvarsforanstaltninger lokalt, herunder sabotageafværgelsen og endelig leverancerne til og arbejdet for Tyskland og tysk rustningsproduktion. Der blev leveret dels landbrugsprodukter, dels håndværks- og industriprodukter. Stehr konkluderede, at mindretallet gjorde, hvad det kunne for at nyttigøre sig for Tyskland, idet det samtidigt virkede for den storgermanske tanke i forhold til den danske befolkning. Mindretallets bestræbelser blev støttet af den rigsbefuldmægtigede (Hvidtfeldt 1953, s. 120-136, Noack 1975, kap. III).

Kilde: PA/AA R 100.357. PKB, 14, nr. 330 (her kun bilaget).

Reichsbevollmächtigte in Dänemark   *Kopenhagen, den 16. Juni 1944*
I C/N Sch/15

Betrifft: Deutsche Volksgruppe Nordschleswig
2 Durchschläge
1 Anlage

Auswärtige Amt in Berlin

Über den Einsatz der deutschen Volksgruppe in Nordschleswig nach dem Stande vom 1. Juni 1944 ist von der Volksgruppenführung die in der Anlage beigefügte Aufstellung gemacht worden, die einen guten Überblick gibt.

Im Auftrage
Kassler

Kontor der deutschen Volksgruppe beim Staatsministerium   *3. Juni 1944*
P.I. 1/43 – St/L.

Betrifft: Einsatz der deutschen Volksgruppe Nordschleswig

Die Arbeit der deutschen Volksgruppe in Nordschleswig ist – abgesehen von den Maßnahmen, die unmittelbar der Festigung und Stärkung ihres Bestandes dienen – vom Kriegseinsatz geprägt und von dem Bestreben, die Volksgruppe der Reichspolitik in Dänemark, d.h. der Idee der germanischen Gemeinschaft nutzbar zu machen. Dabei können u.a. folgende Punkte herausgestellt werden:

---

153 Bilaget er trykt i PKB, 14, nr. 382.

I. Waffeneinsatz und Arbeitseinsatz außerhalb des Bereiches der Volksgruppe nach dem Stande vom 30. April 1944.

1.) *Freiwillige*:
    a.) bei der Waffen-SS: 1.335
    b.) bei der Wehrmacht: 445
    c.) bei der Flak: 21
    d. beim Grenzzollschutz: 75
    e.) beim Luftgaukommando als Fahrer: 108
    f.) beim Landwirtschaftlichen Osteinsatz der SS: 8
    g.) beim RAD: 3
                                                                1.995

2.) *Arbeitseinsatz*:
    a.) im Süden als Facharbeiter usw.:   2.187
    b.) im Norden auf Fliegerhorsten: 1.751
                                                                3.938
                                Insgesamt   5.933

An Verlusten hat die deutsche Volksgruppe Nordschleswig bis zum 30.4.1944 gehabt:
1.) *Gefallene*:
    a.) Waffen-SS: 223
    b.) Wehrmacht: 53
    c.) Arbeitseinsatz: 4
                                                                280

2.) *Vermißte*:
    a.) Waffen-SS: 18
    b.) Wehrmacht: 4
                                                                22
                               Gesamtverluste: 302

Erläuterungen:
Die ersten Freiwilligen aus der deutschen Volksgruppe Nordschleswig meldeten sich bereits im Frühsommer 1939 zum Waffen-SS. Nach der Besetzung Dänemarks fanden dann 1940 und 1941 allgemeine Musterungen durch die Waffen-SS statt, die aber nur zur Einberufung eines verhältnismäßig kleinen Teiles der Gemeldeten führten. Diese haben sich dann damals in weitgehendem Masse für andere kriegswichtige Einsätze gemeldet, z.B. auf Flugplätzen in Dänemark und im Reich, oder in Rüstungsbetrieben des Reichsgebiets. Als dann am 10. Februar 1942 der Aufruf des Volksgruppenführers an die Jahrgänge 1902-1925 erfolgte,[154] war daher ein Teil der Männer in diesen Jahrgängen in Nordschleswig bereits nicht mehr greifbar. Es ist versucht worden, auch diese an

---

154 Se PKB, 14, nr. 297.

ihren Arbeitsplätzen mustern zu lassen. Die Volksgruppe hatte von sich aus aber nicht die Möglichkeit, über die Abkömmlichkeit dieser im Arbeitseinsatz stehenden Männer zu entscheiden.

Nach einer Untersuchung des Amtes für Statistik und Bevölkerungspolitik hat die Volksgruppe in den aufgerufenen Jahrgängen 6.103 Männer. Von diesen haben sich beim SS-Ersatzkommando Dänemark 3.480 und für andere Wehrmachtsteile 1.288, insgesamt 4.768 = 78 % freiwillig gemeldet. Dabei ist zu beachten, daß die Jahrgänge 1909-1923 (später auch die Jahrgänge 1924 und 1925) ohne Vorbehalt zur Meldung aufgerufen waren, während die Jahrgänge 1902-1908 nach dem Aufruf des Volksgruppenführers sich im Rahmen des Möglichen melden sollten.

Die Gemeldeten, die nicht einberufen worden sind, setzen sich zusammen:

a.) aus den untauglich Gemusterten,

b.) aus den von der Volksgruppenführung zur Aufrechterhaltung der Arbeit in Nordschleswig, u.a. auf dem bäuerlichen Sektor Uk-gestellten. Es handelt sich dabei um 435 Volksgenossen, die besonders zur Aufrechterhaltung der Produktion im bäuerlichen Sektor benötigt werden, und

c.) aus den im Arbeitseinsatz außerhalb Nordschleswigs befindlichen, die bisher, obwohl sie von der Volksgruppenführung als abkömmlich erklärt worden waren, nicht freigegeben worden sind.

Da die Volkstumsgrenzen in Nordschleswig fließend sind, hat die Volksgruppen-Führung es bisher unterlassen, Schritte gegen diejenigen, die sich nicht gemeldet haben, zu unternehmen, sondern versucht, durch ihre Auffangorganisationen weiter mit diesen Kreisen in Berührung zu bleiben, um sie immer stärker in der deutschen Gemeinschaft zu verankern und dann gegebenenfalls später noch zu einer Meldung zu veranlassen.

Im übrigen ist für die Fortsetzung der Werbung wichtig, daß die Deutschen aus Nordschleswig das Gefühl haben, in jeder Beziehung den reichsdeutschen Kameraden gleichgestellt zu sein. In dieser Verbindung geht der Wunsch der Volksgruppenführung dahin, daß ein Urlaub der Freiwilligen nach Nordschleswig nicht als Auslandsurlaub, sondern als Heimaturlaub bezeichnet wird, sodaß der Grenzdurchlaßschein in Fortfall kommen kann. Es wird vorgeschlagen, den Grenzübertritt freizugeben bei Vorlage des Urlaubsscheines und des Soldbuches, aus dem sich die Heimatberechtigung in Nordschleswig ergibt. Es sind Fälle bekannt geworden, wo die bisherige Regelung, z.B. bei der Luftwaffe, dazu geführt hat, daß die betreffenden Einheiten den Freiwilligen formell an einen Standort der Luftwaffe nach Dänemark vorübergehend versetzten, um ihn dann von dort auf Urlaub fahren zu lassen. Solche Vorgänge werden von den Freiwilligen als unwürdig und kränkend empfunden. In Bezug auf die Regelung der Staatsangehörigkeitsfrage drängen unsere Freiwilligen darauf, daß ihnen unter allen Umständen die dänische Staatsangehörigkeit erhalten bleibt, damit sie in Bezug auf Aufenthaltserlaubnis, Arbeitsgenehmigung usw. nicht als Ausländer in ihrer Heimat behandelt werden können. Die Volksdeutsche Mittelstelle in Berlin und der Reichsbevollmächtigte in Dänemark haben sich im Sinne der Wünsche der Volksgruppenführung in diese Frage eingeschaltet.[155]

---

155 Se Erlaß des Führers 19. maj 1943, trykt ovenfor.

II. Steigerung der Wehrbereitschaft in Nordschleswig.
Unabhängig von dem unmittelbaren Kriegseinsatz dienen eine ganze Reihe von Maßnahmen der Steigerung der Wehrbereitschaft in der Heimat selbst.

Als die Saboteure erstmalig versuchten, ihre Tätigkeit auch nach Nordschleswig zu verlagern, wurde aus der SK (Sturmkolonne) ein deutscher Selbstschutz entwickelt, der zur Zeit in einer Stärke von 180 Mann bewaffnet und uniformiert ist, mit der Aufgabe, dem Schutz der deutschen Arbeit und der Betriebe in der Heimat zu dienen.[156] Dabei werden auch dänische Betriebe in die Schutzvorkehrungen einbezogen.

In Zusammenarbeit der Volksgruppenführung mit dem Befehlshaber der deutschen Truppen in Dänemark erhalten außerdem rund 1.350 Deutsche, die sich aus allen Altersstufen zusammensetzen, und zu denen auch die Mitglieder des Selbstschutzes gehören, laufend in ihrer freien Zeit an Sonntagen und in Abendstunden eine militärische Grundausbildung. Im Falle militärischer Operationen in Dänemark (Invasion) stehen sie als Angehörige der Wehrmacht für den Objekteschutz, den Nachschub usw. zur Verfügung.[157]

An einem von der SK in der Zeit vom 20.-30. April 1944 durchgeführten Wehrsportschießen beteiligten sich 1.638 Volksgenossen.

Die Pflege des Wehrwillens und der körperlichen Ertüchtigung wird wie im Reich auch in Nordschleswig von der Jugendorganisation planmäßig wahrgenommen.

III. Die bäuerliche Produktion.
Während die Arbeit der Volksgruppe auf dem Agrarsektor bis zum 9. April 1940 ihr Schwergewicht in der Besitzerhaltung und Besitzfestigung hatte, um weitere Bodenverluste zu verhindern, steht jetzt die Produktionssteigerung auf der wirtschaftseigenen Futtergrundlage, bezw. die Anpassung an die europäische Wirtschaftsstruktur eindeutig im Vordergrund. Die Volksgruppe hat sich besonders für die Erweiterung der wirtschaftseigenen Futterbasis als Voraussetzung für die Aufrechterhaltung der Butterproduktion und der Schweinemast eingesetzt. Dabei isoliert sie sich nicht auf ihr eigenes Bauerntum, sondern versucht planmäßig, den fachlichen Kontakt zum dänischen Bauerntum aufrechtzuerhalten, um ihrer Planung auf diese Weise die größtmögliche Breitenwirkung zu geben. Erfolge sind hier besonders erkennbar geworden auf dem Gebiet der Gründung von Kartoffeldämpfgenossenschaften. Die Hauptschwierigkeit liegt zur Zeit in der Beschaffung der zusätzlichen Arbeitskräfte, die bei einer Erweiterung der Hackfrucht-Anbaufläche notwendig sind. Dem weitmöglichsten Ausgleich der Arbeitsspitze während der Ernte dient der freiwillige Einsatz von Lehrern und Schülern.

IV. Die gewerbliche Produktion.
Seit dem Frühjahr 1940 ist es möglich geworden, die gewerbliche Wirtschaft der Volksgruppe immer stärker dem Kriegseinsatz nutzbar zu machen, und zwar
1.) durch die Einschaltung volksdeutscher Firmen bei den Bauvorhaben der Wehrmacht in Dänemark und

---

156 Se om Selbstschutz Bests telegram nr. 215, 17. februar 1944.
157 Se Besprechung zwischen der Volksgruppenführung und dem Befehlshaber Dänemark 21. maj 1944.

2.) durch die Übernahme unmittelbarer und mittelbarer Aufträge für die Rüstungswirtschaft des Reiches.

Je nach Bedarf sind bis zu 400 Klein- und Mittelbetriebe laufend in die Auftragsverlagerung eingeschaltet. Es handelt sich hierbei in erster Linie um Zimmerer, Tischler, metallbearbeitende Betriebe, Sattler, Schneiderwerkstätten, Schuhfabriken, sowie um eine neu ins Leben gerufene Schiffswerft in Sonderburg, die laufend Reparaturen für die Kriegsmarine durchführt.[158] Da diese Betriebe auf Grund ihrer verhältnismäßig geringen Einzelkapazität erst durch die organisatorische Zusammenfassung zur Übernahme größerer Aufträge in die Lage versetzt wurden, handelt es sich um eine Produktion, welche die Volksgruppe durch ihre Wirtschaftsorganisationen zusätzlich erschlossen hat. Außerdem können gewisse Aufträge auf Grund ihres besonderen Charakters aus abwehrmäßigen Gründen nur in die Volksgruppe hinein nach Dänemark verlagert werden.[159]

Der Umfang der Fertigung ergibt sich am klarsten aus den Umsatzzahlen der Liefergemeinschaft der Deutschen Berufsgruppen in Nordschleswig A/S.[160] Der Umsatz beläuft sich im Jahre 1943 auf 11 Millionen Kronen. Dabei ist zu berücksichtigen, daß es sich hierbei nur um Arbeitslöhne handelt, während das verarbeitete Material selbst nicht in Ansatz gebracht worden ist. Wird das Material mitangesetzt, erhöht sich der Umsatz im Jahre 1943 auf etwa 100 Millionen Kronen. Der insgesamt erfaßte Umsatz seit 1940 – wiederum auf der Lohngrundlage errechnet – beläuft sich auf über 32 Millionen Kronen. Der nicht erfaßte Umsatz, im wesentlichen Arbeiten für die Wehrmacht im Lande, kann auf etwa 80-100 Millionen Kronen veranschlagt werden.

V. Nutzbarmachung für die Politik des Reiches.

Vom Standpunkt der Reichspolitik aus ist die Volksgruppe als positiver Ansatzpunkt für die Gestaltung des deutsch-dänischen Verhältnisses zu werten. Ihre Bedeutung kann demgemäß nicht an ihrer Größe schlechthin gemessen werden, sondern ist an dem Standort – an der Nahtstelle zweier germanischer Völker – begründet. Die Erfahrungen, Kenntnisse und Einsichten, die sich aus dem Zusammenleben der Deutschen mit den Dänen ergeben, sind für die Belange des Reiches einzusetzen. Damit greift die Arbeit der Volksgruppe aus dem engeren Bereich der Volkstumsprobleme unmittelbar in die Gesamtgestaltung des deutsch-dänischen Verhältnisses hinüber. Eine besondere Förderung dieses Arbeitsbereiches bildet die vor einem Jahr auf Vorschlag des Volksgruppenführers von dem Reichsbevollmächtigten durchgesetzte Errichtung eines Kontors der Deutschen Volksgruppe beim Staatsministerium in Kopenhagen. Damit erhielt die Volksgruppe eine in der dänischen Administration verankerte Vertretung, die unter ständiger Fühlungnahme mit dem Reichsbevollmächtigten unmittelbar mit den dänischen Ministerien verhandelt. Die Volksgruppe knüpft dabei an die Tradition der Deutschen Kanzlei im dänischen Gesamtstaat an, eine Epoche der nordischen Geschichte, die als

---

158 Se om skibsværftet Best til AA 13. december 1944.
159 Det er ubekendt, hvilke typer kontrakter, der af efterretningsmæssige årsager kun kunne gives til medlemmer af det tyske mindretal.
160 Se om Liefergemeinschaft og Deutsche Berufsgruppen in Nordschleswig Hvidtfeldt 1953, s. 103-113 og aktmaterialet i RA, Danica 465, Moskva, Osobyj Archiv, 1458/21/54 og 57.

Beispiel der Zusammenfassung verwandten germanischen Volkstums in einer größeren Einheit heute stärkste Beachtung verdient.

Im übrigen ist darauf hinzuweisen, daß die Volksgruppe in ihrer Schulungs- und Propagandatätigkeit seit Jahren bereits planmäßig eine gesamtgermanische und europäische Linie eingeschlagen hat, mit der sie zum Sprecher der Reichspolitik in Dänemark wird. Über den Bereich der Volksgruppe hinaus versucht sie, Kontakt mit der übrigen Bevölkerung aufrechtzuerhalten und die dänischen Kräfte mitabzusteifen, die sich zu dem Schicksalskampf des Führers um die germanische Erneuerung und europäische Freiheit aktiv bekennen. Sie wird in diesen Bestrebungen von dem Reichsbevollmächtigten in Dänemark nach jeder Richtung hin unterstützt.

Besondere Bedeutung kommt in dieser Verbindung auch dem von dem Reichsbevollmächtigten geförderten Plan zu, das Organ der deutschen Volksgruppe, die Nordschleswigsche Zeitung, über den engeren Bereich Nordschleswigs hinaus zu einem bodenständigen deutschen Sprachrohr für ganz Dänemark fortzuentwickeln. Die Zeitung, die noch 1937 einen Auflagestand von 4.200 hatte, ist inzwischen durch systematische Werbung auf 13.500 heraufgebracht worden und wird darüber hinaus in einer Sonderauflage dem Oberbefehlshaber der deutschen Truppen in Dänemark für die Truppenbetreuung zur Verfügung gestellt.[161] Diese Entwicklung kann als Symptom herausgestellt werden für die Bestrebungen, die Volksgruppe in der Gesamtlinie der Politik des Reiches zu verankern und dieser nutzbar zu machen.

Heil Hitler!
[R. Stehr]

208. Werner Best an das Auswärtige Amt 16. Juni 1944

Best afgav en kort indberetning om situationen i Danmark efter den allierede invasion i Normandiet. Best drog her nytte af det tyske sikkerhedspolitis angivelige succes med sabotagebekæmpelsen, ikke mindst med hensyn til jernbanesabotagen forud for invasionen, hvilket havde medført, at der kun var kommet få og usammenhængende sabotager som led i invasionen. Best nævnte også, foruden modterrorpolitikken, sin politik med at besvare sabotage med henrettelse af sabotører. Det var hurtige og hårde modaktioner som befalet. Han udnævnte ingen af dem til en succes, men det var et indirekte svar på Himmlers brev fra dagen før. Lyspunkterne var mange: store mængder af landbrugsprodukter blev leveret til Tyskland og fæstningsbyggeriet i Jylland fortsatte planmæssigt (Hæstrup, 1, 1966-71, s. 501f., Rosengreen 1982, s. 103).

Best synes ikke at have udarbejdet en "Kurzbericht" igen før med telegram nr. 1417, 31. december 1944, men 27. juli 1944 udarbejdede han en indberetning til AA, der til dels svarede dertil.

Kilde: PA/AA R 29.568. RA, pk. 204. LAK, Best-sagen (på dansk). EUHK, nr. 130 (uddrag).

Telegramm

| Kopenhagen, den | 16. Juni 1944 | 18.10 Uhr |
| Ankunft, den | 16. Juni 1944 | 19.05 Uhr |

---

161 Se om *Nordschleswigsche Zeitung Politische Informationen* 1. maj 1944, afsnit V.

Nr. 745 vom 16.6.[44.]   Citissime!

Politischer Kurzbericht
über die Lage in Dänemark.

1.) In den ersten 10 Tagen seit Beginn der Invasion war die äußere Lage im Lande absolut ruhig. Die Bevölkerung verfolgt mit Spannung die Ereignisse und sieht nicht mehr mit Hoffnung, sondern fast ausschließlich mit Angst einer Invasion in Dänemark mit ihren Folgen für das Land entgegen.

2.) Die feindlichen Fallschirmagenten und die von ihnen gebildeten illegalen Sechsergruppen haben offenbar Auftrag zu vermehrter Sabotagetätigkeit, die jedoch durch erfolgreiche Aktionen der deutschen Sicherheitspolizei sehr erschwert wurde. Insbesondere ist die für Bahn- und Kabelsabotage in Jütland bereitgestellte illegale Organisation weitgehend aufgerollt worden.[162] Offenbar aus diesem Grund hat das vor wenigen Tagen ausgelöste Stichwort, das nach früherer Aussage eines verhafteten Saboteurs die Sabotagegruppen zu allgemeiner Bahnsabotage anweisen sollte, nur zu drei unzusammenhängenden Bahnsabotagen geführt.[163] Weiter gelang es der Sicherheitspolizei, den Führer des militärpolitischen Apparates der illegalen kommunistischen Partei, einen Distriktsleiter und 17 weitere Funktionäre sowie einen Hauptagenten des britischen Nachrichtendienstes und 10 weitere Mitarbeiter des feindlichen Nachrichtendienstes festzunehmen.[164]

3.) Vorkommende Sabotageakte werden jeweils durch Hinrichtung von Saboteuren und durch schnelle und harte Gegenaktionen im Sinne der bekannten Befehle beantwortet.[165] Wo es zweckmäßig erscheint, wird örtlich der zivile Ausnahmezustand (mit Verkehrsbeschränkungen) verhängt und werden Festnahmerazzien gegen deutschfeindliche Kreise durchgeführt.[166]

4.) Die landwirtschaftlichen Lieferungen in das Reich fließen in erfreulich hohen Quantitäten weiter. Durch die diesjährige Frühjahrs-Viehzählung wurde eine leichte Vermehrung des Viehbestandes gegenüber dem letzten Jahr festgestellt, woraus sich ergibt, daß die verdoppelte Fleischlieferung in das Reich (150.000 to gegen 74.000 to im letzten Wirtschaftsjahr) aus echter Produktion und nicht aus Raubbau stammt.

5.) Die vom Führer befohlenen Materiallieferungen zur Aufrechterhaltung der Produktionsfähigkeit der dänischen Landwirtschaft sind zwischen den beiderseitigen Regierungsausschüssen festgelegt worden.[167] Von rechtzeitiger und vollständiger Lieferung wird das diesjährige Ernteergebnis und von ihm die Viehhaltung des nächsten Erzeugungsjahres abhängen.

---

162 Se Bests brev 8. juni med det tyske sikkerhedspolitis indberetning for maj 1944.
163 Som nævnt i det tyske sikkerhedspolitis beretning for maj 1944 havde en eller flere af de arresterede fortalt om det kodeord, der i tilfælde af en allieret invasion skulle udløse jernbanesabotage.
164 Se det tyske sikkerhedspolitis beretning for maj 1944.
165 Best valgte ikke at nævne den "bekendte" ordre om modterror ved navn.
166 Det tyske politis razziaer rettede sig bl.a. mod trykkerier, læger, Konservativ Ungdom, Dansk Samling m.fl.
167 Se Bormanns og Lammers' breve 9. april 1944.

6.) Im laufenden Vierteljahr zahlt die dänische Nationalbank 530 Mill. Kronen für Wehrmachtszwecke. Bei gleichbleibenden Ausgaben wird die dänische Nationalbank in diesem Jahr mehr als 2 Milliarden Kronen (das Doppelte des gegenwärtigen Staatshaushaltes) für Wehrmachtszwecke zahlen und damit seit Beginn der Besetzung 7 ½ Milliarden Kronen für Wehrmachtszwecke und für den Export ins Reich gezahlt haben.

7.) Die Befestigungsarbeiten in Jütland werden planmäßig fortgesetzt. Die der Arbeitsleistung schädliche Arbeiterabwerbung zwischen den deutschen Dienststellen durch Steigerung der Löhne, die zugleich eine Gefährdung des Lohn- und Preisgefüges und damit der Produktion bedeutet, soll durch eine von mir entworfene Tarifordnung behoben werden, zu der das Einverständnis des OKW noch aussteht.[168]

Dr. Best

209. Hans Clausen Korff: Kriegssachschadenschütz bei Verlagerungsaufträgen in Dänemark 16. Juni 1944

Korff noterede efter en samtale med Esche i København 6. juni, at Best stadig var af den opfattelse, at Danmark og Tyskland hver for sig skulle bære deres andel ved opståede krigsskader, bl.a. at tyske firmaer bar risikoen for materialer, der var leveret til danske firmaer.

Korff tog sagen frem igen 18. juli.

Kilde: RA, Danica 50, pk. 91, læg 1259.

Abteilung Finanzen   *Oslo, 16. Juni 1944*
II Wi

1.) Aktenvermerk

Betr. Kriegsschädenschutz bei Verlagerungsaufträgen in Dänemark

Die Frage wurde am 6. ds.Mts. mit RR Esche in Kopenhagen nochmals erörtert. Neues liegt nicht vor. Grundsätzlich vertritt der Reichsbevollmächtigte die Auffassung, daß jeder Teil seinen Schaden trägt, d.h. also, die deutsche[n] Auftraggeber tragen das Risiko für das gelieferte Material.

2.) Wv. 5.7.1944
    Wv. 18.7.

Korff

---

[168] Bests forslag til en løntarifordning stødte på dansk modstand og blev frafaldet i september (Brandenborg Jensen 2005, s. 326-328).

210. Horst Wagner an Werner Best 17. Juni 1944

Wagner meddelte Best, at besigtigelsen af Theresienstadt skulle finde sted 23. juni, og at en repræsentant for Dansk Røde Kors og afdelingsleder Hvass skulle deltage. Enkelthederne ville blive aftalt med Det Danske Gesandtskab.

Wagners knappe meddelelse tog ikke hensyn til Bests indstilling i telegram nr. 425, 4. april vedrørende hvilken person, der skulle repræsentere Dansk Røde Kors. Det afgjorde AA på trods af Bests indstilling. Helmer Rosting kom ikke med, da det blev vurderet, at han var for betydningsfuld.

Om besøget, se Tysk Røde Kors' beretning 27. juni 1944 og Bests telegram nr. 917, 2. august 1944.
Kilde: PA/AA R 99.414. RA, pk. 220.

Telegramm

Berlin, den   17. Juni 1944

Diplogerma Kopenhagen
Nr. 682
Referent: LR 1. Kl. v. Thadden

Betreff: ...

Besichtigung Ghettos Theresienstadt, an der Vertreter dänischen Roten Kreuzes und Herr Hvass teilnehmen sollten, für 23. Juni um 12.00 Uhr festgesetzt. Hiesige Dänische Gesandtschaft verständigt. Nähere Einzelheiten werden mit Dänischer Gesandtschaft festgelegt.

Wagner

211. Harro Brenner an Werner Best 17. Juni 1944

Islands løsrivelse fra Danmark, der blev vedtaget 17. juni, gik hverken upåagtet hen i København eller Berlin. Best må forud have meddelt AA, at Christian 10. i den anledning ville sende et telegram til Island, og at Best fandt det formålstjenligt. AA reagerede ved straks at kræve telegrammet tilbageholdt og at få en forklaring af Best på, hvorfor afsendelsen skulle være hensigtsmæssig.

Best svarede med telegram nr. 743 samme dag.
Kilde: RA, pk. 204.

Telegramm

Sonderzug, den	17. Juni 1944	00.25 Uhr
Ankunft, den	17. Juni 1944	02.45 Uhr

Nr. 1291 vom 16.6.[44.]   Supercitissime!
RAM 642/44 R

Diplogerma Kopenhagen
    Für Reichsbevollmächtigten persönlich.

Der Herr RAM bittet Sie, das Telegramm des Königs Christian anläßlich der Trennung Islands von Dänemark unbedingt zurückzuhalten.

Der Herr RAM bittet Sie um Drahtbericht, warum Sie die Absendung des Telegramms für zweckmäßig halten.

Brenner

Vermerk:
Telegramm unter Nr. 678 an Diplogerma Kopenhagen weitergeleitet.
Tel. Ktr., 17.6.44.

212. Werner Best an das Auswärtige Amt 17. Juni 1944

Best måtte svare på AAs henvendelse tidligere den 17. juni, at Christian 10.s telegram var afsendt uden Bests og UMs vidende. Rimeligvis havde han været klar derover og ikke regnet med, at det ville give problemer i Berlin.

Christian 10. sendte et lykønskningstelegram til Island med en kraftig beklagelse af, at adskillelsen var sket under de rådende forhold, men at han ønskede det bedste for Islands fremtid. Best forklarede indholdet over for AA på den måde, at det gav udtryk for, at kongen ikke var tilfreds med grundlæggelsen af en islandsk republik, hvorfor Best havde fundet det uproblematisk.

Svaret tilfredsstillede ikke AA, som det fremgår af telegram nr. 1311 den følgende dag.

Kilde: PA/AA R 29.568. RA, pk. 204.

Telegramm

| Kopenhagen, den | 17. Juni 1944 | 15.20 Uhr |
| Ankunft, den | 17. Juni 1944 | 17.30 Uhr |

Nr. 743 vom 17.6.44.   Citissime!

Auf das Telegramm Nr. 678[169] vom 17.6.44 wird berichtet, daß ich dem dänischen Außenministerium eröffnet habe, daß das Telegramm des Königs Christian an die isländische Regierung zunächst nicht abgesandt werden dürfte. Inzwischen habe ich jedoch erfahren, daß die militärische Auslandstelegrammprüfungsstelle das ihr unmittelbar vom dänischen Telegraphenamt vorgelegte Telegramm freigegeben hat, ohne bei mir rückzufragen. Das Telegramm ist daraufhin ohne Kenntnis des dänischen Außenministeriums und ohne meine Kenntnis befördert worden. Den Inhalt das Telegramms halte ich insofern unbedenklich, als er abschließend das Nicht-Einverständnis des Königs mit der heute erfolgenden Gründung der isländischen Republik zum Ausdruck bringt.

Dr. Best

---

169 Pol. VI (V.S.) Fuschl 1291 (Tel. Königs Christian). Trykt ovenfor.

213. Harro Brenner an Werner Best 18. Juni 1944

Best blev tilrettevist for sin håndtering af Islandstelegrammet. RAM mente ikke, at Christian 10.s telegram var uden problemer, og så ville han have, at Best sikrede, at telegrammer ikke fremover blev sendt uden Bests tilladelse eller at RAM havde frigivet dem.
Kilde: PA/AA R 29.568. RA, pk. 204.

Telegramm

| Fuschl, den | 18. Juni 1944 | 17.41 Uhr |
| Ankunft, den | 18. Juni 1944 | 18.30 Uhr |

Nr. 1311 vom 18.6.[44.]
RAM 649/44 R

Diplogerma Kopenhagen
Für Reichsbevollmächtigten persönlich.

Auf Nr. 743[170] vom 17. Juni.

Weisungsgemäß teile ich Ihnen mit, daß der Herr Reichsaußenminister im Gegensatz zu Ihrer Ansicht, den Inhalt des Telegramms des Königs Christian an die isländische Regierung für bedenklich hält, da der König die Trennung Islands von Dänemark zur Kenntnis nimmt und sich damit auf dem Boden der Tatsachen stellt.

Der Herr Reichsaußenminister bittet Sie sicherzustellen, daß zukünftig derartige Telegramme von dem militärischen Stellen in Dänemark nicht ohne Ihr Einverständnis oder das des Herrn Reichsaußenministers zur Absendung freigegeben werden.

Brenner

Vermerk:
Unter Nr. 685 an Kopenhagen weitergeleitet.
Telko, den 18.6.44.

214. Ernst Richter: OKW-Befehl auf Grund feindl. Großlandung im Westen 18. Juni 1944

OKW udstedte 14. juni en befaling om, hvordan forsvaret skulle finde sted ved en fjendtlig invasion på grundlag af erfaringer fra invasionen i Normandiet. Københavns kommandant, Generalleutnant Richter, udstedte fire dage efter tilføjelser gældende for sit kommandoområde. Blandt de af ham nævnte foranstaltninger var værn mod større sabotageaktioner rettet mod værnemagtsmål.
Kilde: RA, pk. 450.

Geheime Kommandosache
Höheres Kommando Kopenhagen   *St.Qu., 18.6.1944*
Ia Nr. 383/44 g.Kdos.   21 Ausfertigungen

---

170 Pol. VI (V.S.). Trykt ovenfor.

20. Ausfertigung

Betr.: OKW-Befehl auf Grund-feindl. Großlandungen im Westen.
Bezug: –

I.) OKW / WFSt / Op. (H) hat mit Nr. 00696/44 g.Kdos. v. 14.6.44 befohlen:

"1.) Bei der feindlichen Großlandung in der Normandie hat sich gezeigt, daß offen aufgestellte Küstenbatterien, die weder die notwendige Reichweite noch die Durchschlagskraft gegen feindl. Schlachtschiffe und schwere Kreuzer besitzen, von den Schiffsgeschützen niedergekämpft werden, ohne daß sie sich überhaupt zur Wehr setzen können.
Der Führer hat befohlen, daß dementsprechend unter Aufhebung aller anders lautenden Befehle die Aufstellung der Küstenbatterien sofort nachzuprüfen und, wo irgend möglich, durch schußsicheren Ausbau und durch Zurückziehen der Batterien in verdeckte Stellungen zu verbessern ist. Der Verlust an Schwenkungsbereich oder an Schußweite und die schwierigere Feuerleitung verdeckter Stellung fallen gegenüber dem Vorteil, daß die Batterien dann wenigstens noch die Anlandung selbst bekämpfen können, nicht ins Gewicht.
2.) Gegner landet an den Stellen, wo die schwächsten Befestigungen und die am leichtesten auszuschaltenden Küstenbatterien sind; deshalb müssen gerade dorthin starke Reserven.
3.) Marschbewegungen größerer Verbände müssen dort, wo das Gelände es zuläßt, aufgegliedert in kleineren gemischten Kampfgruppen abseits von den Hauptstraßen auf mehreren Nebe[n]straßen und Wegen in breiter Front durchgeführt werden. Die Hauptverkehrsstraßen sind in Großkämpfen und bei günstiger Witterung von der feindlichen Luftwaffe bei Tag und Nacht überwacht und lassen einen Kolonnenverkehr nicht mehr zu, sondern können nur noch von Einzelfahrzeugen benutzt werden, Verzögerungen von Aufmarschbewegungen müssen in Kauf genommen werden. Sie sind eher tragbar als eine durch die feindliche Luftwaffe zerschlagene oder angeschlage[ne] Einheit. Wird aber eine Kolonne, eine rastende Einheit oder eine Ortschaft durch Tiefflieger angegriffen, schießt jeder Soldat mit seiner Inf. Waffe.
4.) Die Möglichkeit des Feindes, sehr starke Verbände mit Lastenseglern oder als Fallschirmtruppen überraschend hinter unserer Front abzusetzen, macht es notwendig, auf Alarm *jeden* deutschen Soldaten sofort einsatzbereit zu machen. Es gibt hier nicht mehr die Trennung zwischen Front, die kämpft, und rückwärtigen Teilen, die nicht kämpfen brauchen, sondern nur *eine sofort abwehrbereite* Truppe. Das muß in Alarmübungen geübt werden, dabei vor allem das *schnelle Durchdringen des Alarms bis zum letzten Mann.*
Da aber mit einem rechtzeitigen Erkennen des feindl. Angriffs keineswegs zu rechnen ist, muß jeder Truppe, vor allem die des Kämpfens ungewohnten Einheiten im Hintergelände in einer so hohen Gefechtsbereitschaft gehalten werden als es auf längere Zeit ohne Überlastung möglich ist. Dies ist umso nötiger, als Bandenkrieg, Terrorakte und Sabotage immer mehr um sich greifen und sehr oft durch die Harm-

losigkeit der Truppe große und billige Erfolge haben.

5.) Richtige und rasche Meldungen über die Lage in der Kampfzone, besonders in den ersten Phasen der Landung von See und aus der Luft geben der höheren Führung die Unterlagen zu weiteren Maßnahmen.

Durch Zerschlagen der Führungsmittel aus der Luft und durch Sabotagetätigkeit, besonders gegen Drahtverbindungen, sind das Funkgerät und der Ordonnanzoffizier auf Krad oder Fahrrad schnellste und sicherste Nachrichtenmittel.

Meldungen sind kurz und klar abzufassen und von einem verantwortlichen Offizier zu unterschreiben.

gez. **Keitel**"

II.) Zusätze des Höh. Kdo. Kph.:

Zu Ziffer 3.): Die Truppe ist dazu zu erziehen, bei feindl. Fliegertätigkeit die Hauptstraßen zu vermeiden und bei Marschbewegungen in kleineren Einheiten aufgegliedert mit Fliegermarschtiefe Nebenstraßen zu benutzen, welche bei den guten Straßenverhältnissen in Dänemark überall und für alle Fahrzeuge benutzbar sind. Bei Tieffliegerangriffen schießt jeder Soldat mit seiner Inf. Waffe (M.G. u. Gewehr).

Zu Ziffer 4.): Die Herstellung der sofortigen Abwehrbereitschaft der Truppe bei "Alarm" bezieht sich nicht nur auf die Verteidigung der Unterkunft, sondern auch auf den schnellen Einsatz gegen Fallschirmspringer oder luftgelandeten Gegner in *gefährdender Nähe* der Unterkunft. Sie kann auch nötig sein zur Abwehr größerer Sabotageakte gegen Wehrmachteinrichtungen im Standort. Bei diesem "Alarm" greift jeder Soldat zur Waffe und sammelt sich auf den hierfür bestimmten Alarm-Platz, muß daher *in Minuten* einsatzbereit sein. Mit der Durchführung der Maßnahmen für Bereitschaftsstufe I und II hat dieser Alarm nichts zu tun. Er ist daher gelegentlich auch zu üben.

Zu Ziffer 5.): Die Regimenter und Bataillone müssen sich zur Übermittlung wichtiger Meldungen bei Ausfall der Draht- und Funkverbindungen nach Möglichkeit in den Besitz einiger dän. Kräder setzen. Ihre Beschlagnahme hat ebenfalls bei B II zu erfolgen.

Generalleutnant
Richter

215. OKW: Invasion Norwegen-Dänemark 18. Juni 1944

Fra RSHA fik OKW meldinger om, at en invasion af Norge og Danmark var forestående. Den tyske militærattaché i Stockholm kunne ikke bekræfte oplysningerne (KTB/OKW 4:1, s. 923, Thomsen 1971, s. 265 note 37).

De stærkt foruroligende oplysninger kom fra RSHA VIs agent i Stockholm, August Finke, som Kaltenbrunner, afhørt 28. juni 1946, betegnede som Walter Schellenbergs bedste agent i Sverige. Finke skulle have skaffet godt materiale lige til krigens slutning (Kahn 1978, s. 517, Wildt 2003, s. 400f. med note 345, Roth 2009, s. 242-45).

Kilde: RA, Danica 1069, sp. 2, nr. 02.005f.

Fremde Heere Ost (IV)   18.6.44.

Vortragsnotiz
Betr.: Invasion Norwegen-Dänemark.

Nach Meldungen des Reichssicherheits-Hauptamtes sollen folgende Anhaltspunkte für bevorstehende Operationen gegen Dänemark und Südnorwegen vorliegen:

1.) Meldung Mil. Amt (SS) 10.6.44 aus Stockholm:
    Landung bei Esbjerg innerhalb nächster 10 Tage.
2.) Gleiche Quelle v. 13.6.44.:
    Angehöriger der USA-Gesandtschaft bezeichnete Invasion als in den nächsten Tagen bevorstehend, sobald Operationen in Frankreich gesichert.
3.) Norwegische Gesandtschaft Stockholm:
    Invasion in Norwegen am 15[?]. erwartet.
4.) Wehrmachtsbefehlshaber Dänemark:
    In nächster Zeit Unternehmen gegen Dänemark erwartet.
5.) Zuverlässige Quelle Stockholm (unüberprüft):
    400 norweg. Saboteure überschritten am 18[?].6. schwedisch-norw. Grenze.
6.) V-Mann-Meldung 13.6.44:
    Schottische Häfen stark mit Truppen und Landungsfahrzeugen für Invasionszwecke belegt. Schwedische Bereitschaftsmaßnahmen stünden damit in Zusammenhang.
7.) K.G.[?] Portugal berichtet V-Mann-Meldung aus diplom. Quelle 10.6.:
    Kombinierter Angriff gleichzeitig von Nordschottland und Rußland auf die Norwegenküste beabsichtigt. Amerikanische Flieger seien bereits für die kommenden Operationen gegen Norwegen nach den in Betracht kommenden Basen in Nordrußland abgegangen.

Laut Mil. Att. Stockholm vom 14.6.44 liegen nach Rückfrage bei Marine-Att., Luft-Att. und DNB-Vertreter keine unmittelbaren Anzeichen vor, die die Meldungen über Invasion bestätigen. Die schwed. Bereitschaftsverstärkungen weisen nur allgemein auf die Möglichkeit einer Invasion in Skandinavien hin. Auch beim finn. Mil. Att. liegen keine konkreten Nachrichten über bevorstehende Invasionen im Nordraum vor.

In Gesprächen mit Angehörigen des schwed. OKW und Generalstabes wird für den Fall einer Invasion ein anglo-amerikanischer Durchbruch durch das Skagerrak und Operationen gegen Nordostdänemark angenommen.

Am *16.6.* meldet *Mil. Att. Stockholm* erneut über weitere Nachforschungen bezüglich Meldungen des SS-Hauptamtsvertreters, daß keine konkreten Unterlagen erbracht werden könnten und die Gesandtschaft noch keine diesbezügl. Unterlagen habe.

216. Friedrich Wilhelm Osiander: Reisebericht 19. Juni 1944

Chefen for Ahnentafelamt i Rasse- und Siedlungshauptamt, SS-Sturmbannführer F.W. Osiander, foretog i juni 1944 en tjenesterejse til Danmark. På hvilket initiativ rejsen foregik, er uvist. Han indberettede om resultatet af besøget, som var indledt hos Pancke og siden havde ført ham til K.B. Martinsen, overlæge Charles Hindborg og Lorenz Christensen. Det stod sløjt til med det genealogiske arbejde i Danmark, og Osiander foreslog, at der blev oprettet et genealogisk kontor under Pancke, hvilket kunne føre til afslutning af skænderierne mellem DNSAP, Schalburgkorpset og Waffen-SS om anerkendelsen af afstamningsbeviser.

Muligvis var dette sidste årsagen til tjenesterejsen.

Det foreslåede kontor blev næppe oprettet, men Osiander bevarede kontakten til Lorenz Christensen til ind i foråret 1945 (Osiander, født 1903, faldt i kamp). Christensen besvarede forespørgsler og indkøbte bøger til kontoret (*De SS en Nederland*, 1, 1976, s. 549-551, 645-48, Klee 2005, s. 445).

Kilde: RA, pk. 442 (heri brevveksling) og 443.

Reisebericht
über die Dienstreise vom 4. bis 15. Juni 1944 nach Kopenhagen.

Nach eingehender Rücksprache mit dem Höheren SS- und Polizeiführer in Dänemark, SS-Obergruppenführer Pancke, über das genealogische Schaffen in Dänemark, die Einrichtung eines Abstammungsbüros des Schalburg Korps, die karteimäßige Erfassung der Juden und Judenmischlinge und über die Beschaffung der grundlegenden Werke der dänischen Genealogie und Heraldik, habe ich die Fühlung mit dem Korpschef des Schalburg Korps, SS-Obersturmbannführer Dr. Martinsen, dem volksdeutschen dänischen Genealogen Dr. Lorenz Christensen sowie mit dem früheren Leiter des Sippenkontors der Dän. NSDAP, Dr. Hindborg, aufgenommen.

Bei der Besichtigung des Abstammungsbüros des Schalburg-Korps habe ich festgestellt, daß dieses noch im Entstehen begriffen ist, die Abstammungsbescheide selbst aber ordnungsgemäß auf Grund von Urkunden erstellt und die ausgegebenen Bescheinigungen in einer Zweitschrift karteimäßig erfaßt wurden, so daß jederzeit ausgegebene Abstammungsbescheinigungen überprüft oder vervollständigt werden können. Der Korpschef des Schalburg-Korps beabsichtigt, dieses Abstammungsbüro weiter auszubauen und eine Pflegestelle analog einer deutschen Sippenpflegestelle bei einer Standarte zu errichten. SS-Obergruppenführer Pancke steht aber dem Ausbau des Schalburg Korps in dieser Beziehung noch etwas skeptisch gegenüber. Er hat mir auf meinen Vortrag hin mitgeteilt, daß er diese Angelegenheit überwachen wolle und, falls diese Einrichtung notwendig wird, er dann auf Vorschlag des Schalburg Korpschefs einen geeigneten Mann bestimmen und zur Einarbeitung zum RuS.-Hauptamt-SS – Heiratsamt – kommandieren will.

Mit Herrn Dr. Lorenz Christiansen habe ich die ganze Frage über die Erfassung der Juden und Judenmischlinge durchgesprochen. Er selbst hat sich in den beiden letzten Jahren vorwiegend mit diesen Fragen beschäftigt.[171] Ich habe weiterhin mit ihm die Beschaffung der grundlegenden Werke der dänischen Genealogie besprochen, er hat die während meiner Anwesenheit zu beschaffenden Werke beschafft und ist auch weiter

---

171 Lorenz Christensen havde længe været ansat ved Det Tyske Gesandtskab, deltog i censureringen af udgivelser, udfærdigede arierattester og udgav *Det tredje Ting*, 1943, hovedværket i antisemitisk litteratur på dansk (Lauridsen 2002a, s. 484, Bak 2004, s. 210-215 og her registret).

bereit, die noch fehlenden Werke im Laufe der nächsten Zeit zu besorgen. Mit ihm besuchte ich auch die Königlich-Dänische Bibliothek, das Reichsarchiv und das Landesarchiv in Kopenhagen.

Dr. Christensen ist der Mann, der von dänischer Seite überall als Fachmann anerkennt wird und zu allen Archivalien Zutritt hat. Sowohl vom Höheren SS- und Polizeiführer als auch vom Reichsbeauftragten für Dänemark, SS-Obergruppenführer Dr. Best, ist er als Vertrauensmann eingesetzt. Er ist außerordentlich zuverlässig, und auch ich werde ihn für Fragen, die für das Ahnentafelamt und Heiratsamt betreffend Dänemark auftreten, in Zukunft in Anspruch nehmen. Für diese Arbeiten hat er mir seine bereitwillige Mitarbeit zugesagt.

Sehr interessant war auch die Aussprache mit dem Leiter des früheren Sippenkontors der DNSAP, Dr. Hindborg.[172] Er ist von Beruf Arzt und Erbbiologe, hat aber besonders starkes Interesse für Familienkunde und übt diese, wo er kann, weitgehendst aus. Er bedauert außerordentlich, daß das Sippenkontor zur Zeit wegen des kläglichen Zusammenbruchs der NSDAP stillgelegt werden mußte, hofft aber doch, daß er dieses über kurz oder lang wieder aufrichten kann.

Auf Grund der gesammelten Kenntnis der derzeitigen genealogischen Verhältnisse in Dänemark möchte ich in einer eingehenden Rücksprache mit dem Leiter das Reichssippenamtes, SS-Standartenführer Kurt Mayer besprechen, ob es nicht empfehlenswert ist, ein unabhängiges Sippenkontor unter Aufsicht des Höheren SS- und Polizeiführers in Kopenhagen zu gründen, um dadurch die gegenseitigen Reibereien und Nichtanerkennungen der Abstammungsnachweise zwischen der DNSAP, dem Schalburg Korps und der Waffen-SS zu überbrücken und eine einheitliche Richtung in die dortigen genealogischen Verhältnisse zu bringen.

Rothenburg, 19. Juni 1944

Osiander
SS-Sturmbannführer

217. Kriegstagebuch/Admiral Skagerrak 19. Juni 1944

I engelsk radio var bl.a. danske fiskere blevet advaret om, at udsejlingsforbuddet var blevet forlænget til 22. juni. Admiral Wurmbach lod undersøge, om de danske fiskere fulgte radioadvarslen, hvilket stort set var tilfældet. I Esbjerg var der melding om, at fiskerne blev advaret mod at tage ud, og at fiskeeksportørerne blev opfordret til ikke at købe fisk af dem, der alligevel sejlede ud. Det skulle have ført til, at en stor mængde fisk blev fordærvet på hjemvendte kutterne. Best var blevet orienteret med henblik på at undgå, at fiskene skulle gå til grunde.

Det er uvist, om Best søgte at gribe ind for at redde de angiveligt usælgelige fisk i Esbjerg. I Esbjerg havde seks kuttere, der havde været ude på fiskeri i "spærreperioden", fået problemer med at komme af med deres last, da de mødte modvilje ved hjemkomsten med lasten. Det er muligvis dette forhold, krigsdagbogens oplysninger har baggrund i (Hjorth Rasmussen 1980, s. 41f.).

Kilde: KTB/ADM Dän 19. juni 1944, RA, Danica 628, sp. 3, s. 3412f.

---

172 Charles Hindborg, overlæge i Usserød, havde fra februar 1941 ledet DNSAPs slægtskontor, der stod for udstedelsen af slægtsbeviser. Han var netop blevet udstødt af DNSAP, da han talte med Osiander, og var med i de bestræbelser, der førte til dannelsen af Dansk National Samling i august (Lauridsen 2002a, s. 502).

[...]
Allgemeines:
I.) Auf Grund der englischen Rundfunkverbreitung einer Verlängerung des Auslaufverbotes für norwegische, dänische, holländische, belgische und französische Fischer bis zum 22.6. ergeht Fernschreiben Gkdos 70211 AI[A?] an die Seekommandanten Nord- und Südjütland.

Melden, ob sich englische Rundfunkwarnung an dänische Fischer bis zum 22.6. in Häfen zu bleiben, ausgewirkt hat.

Darauf geht von Seekommandant Nordjütland mit Fernschreiben Gkdos 1011 folgende Meldung ein:

a.) Thyborön: Rundfunkmitteilung wird als "Order" angesehen. Fischkutter laufe[n] nur vereinzelt aus.

b.) Hirtshals: Wie Thyborön.

c.) Skagen: Keine besonderen Beobachtung[en.] Geringeres Auslaufen schon länger feststellbar. Wird begründet mit Brennstoffmangel und Wetterlage.

d.) Frederikshavn: Ebenfalls nur geringe[s] Auslaufen, z.B. am 13.6. nur 3. v.H. der Fischflotte.

e.) Aalborg: Warnung wird hier nicht befolgt. Im allgemeinen kann gesagt werden, daß Fischer auf englische Warnung hören.

Seekommandant Südjütland meldet mit Fernschreiben G 2634 vom Abwehr-Offizier:

In einem hiesigen Brief an alle Esbjerg-fischexporteure, unterzeichnet "Die Unterwelt", heißt es: Unter Hinweis auf das dänische Nationalgefühl werden die Exporteure dringend gewarnt, Fische von solchen Fischern zu kaufen, die nach der Warnung Englands noch draußen geblieben sind. Es wird betont, daß die angeblichen Alliierten vier Jahre lang die Fischer haben arbeiten lassen, trotzdem der Fang dem Feinde zugute gekommen ist. Der Erfolg dieses Schreibens ist, daß kein Exporteur kaufen will und etwa 200.000 Pfund Fische in einigen Kuttern wahrscheinlich verderben.

Der Reichsbevollmächtigte wird sofort benachrichtigt und gebeten, daß Nötige zur Verhütung des Fischverderbes zu veranlassen.

Ergänzend meldet Seekommandant Südjütland mit Fernschreiben Gkdos 1203:

Fischer verhalten sich ausnahmslos gemäß englischer Rundfunkwarnung. Ausgelaufen nur auswärtige Fischer, um Heimathafen aufzusuchen.[173]

[...]

218. Günther Altenburg an Werner Best 20. Juni 1944

Der var indgået en indberetning til AA fra Det Tyske Gesandtskab i Bukarest om, at den rumænske gesandt Crutzescu i København fortalte, at prins Valdemar ledede den stigende tyskfjendtlige stemning i Danmark. Gesandten stod i vedvarende kontakt med prinsen og havde desuden forbindelse med engelske og russiske agenter. RAM ville have en tilbagemelding derom.

Best svarede med telegram nr. 761 to dage senere.
Kilde: PA/AA R 29.568. RA, pk. 204.

---

173 Jfr. kystpolitiet i Esbjerg 21. juni 1944 (Hjorth Rasmussen 1980, s. 41).

Telegramm

Sonderzug, den   20. Juni 1944   16.25 Uhr
Ankunft, den   20. Juni 1944   17.40 Uhr

Nr. 1323 vom 20.6.44.
RAM 656/44 R   Geheime Reichssache!

Diplogerma Kopenhagen
   Für Reichsbevollmächtigten persönlich.

Nach einem Bericht der Gesandtschaft Bukarest hat der rumänische Gesandte Crutzescu in Kopenhagen dem rumänischen Außenministerium berichtet, die deutsch-feindliche Stimmung in Dänemark unter Führung des Prinzen Waldemar, mit dem er ständigen Kontakt habe, nehme täglich zu. Außerdem stehe er mit angelsächsischen und sowjetischen Agenten in Verbindung.
   Der Herr Reichsaußenminister bittet um Äußerung zu dieser Meldung.
                                          Altenburg
Vermerk:
Unter Nr. 691 an Dipl. Kopenhagen weitergeleitet.
Telko, 20.6.44.

219. Hermann von Hanneken an Werner Best 21. Juni 1944

Von Hanneken havde rettet en henvendelse til Best om at få flere danske arbejdere tilført OT med henblik på det tyske fæstningsbyggeri.
   Bests svar er ikke lokaliseret, men der blev ikke indført særlige foranstaltninger for at skaffe OT arbejdere. De blev i stedet lokket med højere lønninger.
   Kilde: KTB/WB Dänemark 21. juni 1944.

[...]

Die Versorgung mit Arbeitern für die OT ist der Inhalt eines vom Herrn Wehrm. Befehlshaber an den Reichsbevollmächtigten gerichteten Schreibens. Darin wird unter Berücksichtigung der Erfahrungen im Westen und in Durchführung des dazu ergangenen Führerbefehls klargelegt, daß mit verstärkter Kraft Festungsbauten durchgeführt werden soll. Der Herr Wehrmachtsbefehlshaber drückt den Wunsch aus, daß von den Stellen des Reichsbevollmächtigten bei Arbeiter-Werbungen auf Grund der besonders in Dänemark schlechten Festungs-Baulage dänische Arbeiter in vermehrtem Masse der OT zugeführt werden.
[...]

220. Andor Hencke: Notiz 21. Juni 1944

Den danske gesandt Mohr havde igen været i AA for at anmode om, at Frants Hvass fik lov til at besøge vicekonsul Bertelsen i Hamborg og lejren med de internerede danske kommunister. Med hensyn til det sidste skulle Best over for UM havde ytret sig positivt, da det kunne være med til at modvirke den udbredte rædselspropaganda. Hencke indstillede, at besøget hos Bertelsen blev bevilget og ville også være taknemmelig for, om der kunne fastsættes et tidspunkt for et besøg hos kommunisterne.

Der er ikke lokaliseret noget svar, men Bertelsen fik ikke besøg, de danske kommunister heller ikke.
Best måtte imidlertid udtale sig i sagen, se Best til AA 24. juni 1944.
Kilde: RA, pk. 204 og 222.

U.St.S. Pol. Nr. 208 *Berlin, den 21. Juni 1944*

Der *Dänische* Gesandte suchte mich am 20. Juni auf und trug folgende Bitten vor:

1.) Das *Dänische* Außenministerium würde es mit besonderem Dank begrüßen, wenn dem Leiter seiner Politischen Abteilung, Herrn Hvass, im Anschluß an seinen Besuch in Theresienstadt eine Sprecherlaubnis mit dem Deutschland in Hamburg inhaftierten dänischen Vizekonsul Berthelsen erteilt würde.

 Gesandter Mohr bemerkte in diesem Zusammenhang, daß es Frau Berthelsen vor einigen Tagen gestattet worden sei, mit ihrem Gatten in Hamburg zu sprechen. Unter diesen Umständen hoffe er, daß die gleiche Vergünstigung auch einem Vertreter des Dänischen Außenministeriums gewährt würde. Letzteres habe begreiflicher Weise ein besonderes Interesse an Berthelsen als einem seiner höheren Beamten.

2.) Ferner erneuerte Gesandter Mohr seine Bitte, Herrn Hvass zu erlauben, die sogenannten Kommunistenlager, in denen dänische Staatsangehörige interniert seien, zu besuchen. In der Dänischen Öffentlichkeit bestünde – gleichgültig ob zu Recht oder Unrecht – der Eindruck, daß die Internierung der Dänen in den Lagern zum Teil aufgrund bösartiger Denunziationen vorgenommen sei. Außerdem würden über die Lager und die Behandlung der Internierten von interessierter Seite Greuelnachrichten verbreitet, die eine gewisse Beunruhigung hervorriefen. Herr Mohr würde es unter diesen Umständen als eine politisch und propagandistisch besonders vorteilhafte Maßnahme ansehen, wenn Herrn Hvass durch Besuchserlaubnis Gelegenheit gegeben würde, diesen Gerüchten entgegenzutreten zu können.

Ich habe dem Dänischen Gesandten erwidert:

zu 1.), daß ich seinen Wunsch an die zuständigen Stellen weiterleiten würde.

zu 2.) habe ich ihm gesagt, daß ich persönlich keine Möglichkeit sehe, daß seinem Wunsch entsprochen werden könne. Ich würde ihn zwar weiterleiten, glaube aber nicht an einen Erfolg.

Herr Mohr bemerkte hierauf, daß der Reichsbevollmächtigte in Kopenhagen sich gegenüber dem Dänischen Außenministerium sehr positiv bezüglich eines solchen Besuches ausgesprochen und dabei auch seinerseits die Ansicht vertreten habe, daß ein solcher Besuch das beste Mittel sei, der Greuelpropaganda entgegenzutreten.

Hiermit Inl II zuständigkeitshalber mit der Bitte um weitere Veranlassung übersandt. Auf meine heutige Besprechung mit Herrn Leg. Rat von Thadden darf ich Bezug nehmen. Ich würde es sehr begrüßen, wenn eine Besuchserlaubnis im Falle Berthelsen erteilt würde. Ferner wäre ich dankbar, wenn unverbindlich schon jetzt ein Zeitpunkt mitgeteilt werden könnte, zu dem auch ein Besuch der sogenannten Kommunistenlager möglich sein wird. Dabei spielt es meines Erachtens keine Rolle, wo sich diese Lager dann befinden.

gez. **Hencke**

221. Werner Best an das Auswärtige Amt 22. Juni 1944

Best besvarede AAs forespørgsel om den unge prins Valdemars politiske rolle med en kategorisk afvisning, men ville dog forsøge en afklaring med hensyn til gesandt Crutzescus mulige forbindelse til fremmede agenter.

Kilde: PA/AA R 29.568. RA, pk. 204.

Telegramm

Kopenhagen, den	22. Juni 1944	
Ankunft, den	23. Juni 1944	11.10 Uhr

Nr. 761 vom 22.6.[44.]

Auf dortige Telegramme 688[174] und 691[175] vom 19. und 20. Juni berichtete ich, daß der Prinz Waldemar von Dänemark (Bruder des Vaters des jetzigen Königs von Dänemark) bereits im Jahre 1939 gestorben ist. Sein Enkel Graf Waldemar von Rosenborg (geboren 1915) ist ein jugendlicher Lebemann, der nicht die geringste politische Rolle spielt.

Crutzescus Beziehungen zu ihm dürften mehr auf gemeinsamen privaten Neigungen als auf politischem Interesse ...[176] Verbindungen Crutzescus mit angelsächsischen und sowjetischen Agenten sind mir nicht bekannt.

Aufklärung wird versucht.

Dr. Best

222. Fürsorgeoffizier der Waffen-SS an Werner Best 22. Juni 1944

Forsorgsofficeren for Waffen-SS i Danmark fremsendte et regnskab til Best, hvoraf det fremgik, at der ikke var sat tilstrækkeligt med midler af til den stillede opgave, hvorfor han anmodede om at få det månedlige bidrag forhøjet med 400.000 kr. og desuden modtage et engangsbeløb på 500.000 kr.

Familieunderholdsbidraget til de danske SS-frivillige var indtil 1. april 1944 blevet administreret af Det Tyske Gesandtskab, men blev derefter beordret overgivet til Waffen-SS' forsorgsofficer (Kassler til AA 14. april 1944 og Lautz til AA 3. maj 1944 (RA, pk. 285)).

Se Best til AA 1. december 1944 vedrørende spørgsmålet om forhøjelsen.

Kilde: PA/AA R 100.989.

---

174 Pol. IV 1695 gRs. Telegrammet er ikke lokaliseret.
175 Fuschl 1323: Pol. VI gRs. Trykt ovenfor.
176 fehlt Klartext.

Der Fürsorgeoffizier der Waffen-SS in Dänemark   *Kopenhagen V., den 22. Juni 1944*
Abt: Verw. Az. V 1/0e/Sp   Frydendalsvej 27
                                                    Central 12 269/89

Betr.: Betriebsmittelerhöhung und -Zuweisung
Bezg.: Rücksprache mit Herrn Generalkonsul Dr. Krüger
Anlg.: – 4 –[177]
Sachbearbeiter: –

An den Reichsbevollmächtigten in Dänemark
   Kopenhagen / Dagmarhaus

Der Fürsorgeoffizier der Waffen-SS Dänemark erhält vom SS-Wirtschafts-Verwaltungshauptamt in Berlin über die Reichshauptkasse monatlich RM 525.000,- als Betriebsmittel zur Durchführung seiner Aufgaben. Die Überweisung erfolgt im Clearing an die Dänische Nationalbank, die den Gegenwert in Landeswährung = d.Kr.: 1.005.747,13 zur Verfügung stellt.

Wie aus dem als Anlage 1 beigefügten monatlichen Ausgabenachweis (Juli 1943 – Mai 1944) hervorgeht, reicht dieser Betrag zur Deckung der notwendigen Ausgaben nicht mehr aus. Bisher konnten Zahlungsschwierigkeiten dadurch überwunden werden, daß vom Reichsbevollmächtigten seit Januar 1944 zu Beginn jds. Monats ein Vorschuß von d.Kr.: 200.000,- abgeholt und am Schluß des Monats nach Eingang der Betriebsmittel bei der Dänischen Nationalbank für den nächsten Monat zurückgezahlt wurde. Durch Zunahme der Zahl der Freiwilligen und durch das starke Anwachsen der Zahl der Kriegsbesoldungsempfänger ist dieser Vorschuß jetzt aufgebraucht. Auch die von dort für den Angehörigenunterhalt der bei der Wehrmacht befindlichen Freiwilligen für Juni und Juli 1944 gezahlten Kr.: 100.000,- sind restlos verausgabt.

Es wird gebeten, dem Fürsorgeoffizier der Waffen-SS Dänemark *einmalig* den Betrag von   d.Kr.: 500.000,-
und ab 1. Juli 1944 *monatlich zusätzlich* zu den Betriebsmitteln von der Dänischen Nationalbank den Betrag von   d.Kr.: 400.000,-
zur Verfügung zu stellen. Die Zusammensetzung der Beträge ist nachstehend unter Abs. I und II näher erläutert.

I.) Einmaliger Betrag:
   1.) *Angehörigenunterhalt*:
       Durch die Übernahme der bei der Wehrmacht befindlichen dänischen Freiwilligen ab 1.4.1944 sind für 574 Ledige für die Monate April, Mai und Juni 1944 monatlich im Durchschnitt Kr.: 50,- Ledigenbeihilfe = Kr.: 150,- für 3 Monate = insgesamt   Kr. 86.000,-
       nachzuzahlen.

---

[177] Bilagene er ikke lokaliseret.

Ferner betragen die Mehrausgaben für die bisher von dort
gezahlten A.U.-Fälle ca. Kr. 5.600,-
2.) *Kriegsbesoldung*:
Für die in letzter Zeit angefallenen 120 Neuzugänge müssen an Kriegsbesoldungsnachzahlungen ca. Kr. 65.000,-
ausgegeben werden. Dieser starke Zugang erklärt sich dadurch, daß viele Freiwillige ihre 2jährige Dienstzeit vollendet haben und erst jetzt hier während ihres Urlaubs Antrag stellen konnten, da entweder die Truppenunterlagen von der Front verloren gingen oder die Rechnungsführer in Unkenntnis der Bestimmungen die Anträge auf Kriegsbesoldung nicht entgegen nahmen.

Aufgrund der Entscheidung des SS-Wirtschafts-Verwaltungshauptamtes vom 5.5.44 (As.: A II/1a/162/5.44/We/Sch.) können an SS-Freiwilligen-Besoldungsempfänger in Anlehnung an die Bestimmungen des OKW im HVBL. 1944, Teil C Blatt 11 einmalige Unterstützungen bei besonderen Notlagen gewährt werden. Dafür werden als Nachzahlung rund Kr. 10.000,-
benötigt.
3.) *Versorgung*:
Von den am 31.5.1944 vorhandenen 842 Verlusten wurde die Elterngabe in Höhe von je RM 300.- = Kr. 574,71 für 567 gezahlt. Demnach sind noch in 275 Fällen je Kr. 574,71 zu zahlen = rund Kr. 158.000,-
4.) *Ersparnisse*:
Nach den Bestimmungen des OKW (HVBL 1943, Teil B, Nr. 179) konnten Freiwillige ihre gesamten Ersparnisse in unbegrenzter Höhe im Truppenüberweisungsverfahren nach ihrer Heimat überweisen. Diese Bestimmung galt auch für die SS-Freiwilligen, deren Einheiten mit Intendanturen der Wehrmacht (hauptsächlich die Feldeinheiten) abrechneten. Die Auszahlung in Landeswährung erfolgte in Dänemark durch die Zahlmeisterei der Dienststelle Feldpostnummer 30 253.

Die SS-Freiwilligen der übrigen SS-Einheiten (Ersatzeinheiten, KL, SS-Hauptämter usw.) konnten nach den Bestimmungen des SS-Wirtschafts-Verwaltungshauptamtes (SS-W.V.A. vom 15.11.42, Nr. 9, Ziff. 81) monatlich nur 1 Wehrsolddrittel über die hiesige Verwaltung nach ihrer Heimat überweisen.

In Ziff. 122 HVBL 1944, Teil B, Blatt 8 vom 11.4.44 wird unter Aufhebung der bisherigen unbegrenzten Überweisungen bestimmt, daß ab 1.3.1944 monatlich RM 20,- Ersparnisse im Einzelclearing über das Kriegsbezügekonto des Einzahlers durch die Dänische Nationalbank unmittelbar in die Heimat überwiesen werden können. Die Zahlmeisterei der Dienststelle Feldpostnummer 30 253 hat daraufhin am 20.4.1944 im Auftrage des Wehrmachtintendanten in Dänemark und am 11.5.1944 über den Reichsbevollmächtigten – Handelsattaché – Ersparniseinzahlungsnachweisungen in Höhe von rund RM.: 35.000,- =   Kr. 70.000,-
für 475 SS-Freiwillige übersandt. Diese Einzahlungen halten sich zum größeren Teil an die für die Ersatzeinheiten der Waffen-SS geltenden Einzahlungsbeschränkungen; der andere Teil dagegen weist Einzahlungen von RM. 100,- bis 300,- auf. Die meisten dieser Einzahlungen liegen vor dem 1.3.1944, zumindest jedoch vor dem 11.4.1944 (Tag der Bekanntgabe der neuen Bestimmungen im HVBL), so daß für diese Einzahler, die bisher ohne Beschränkung jeden Betrag überweisen konnten, eine Rücksendung ihrer Ersparnisse ein unbillige Härte bedeuten würde. Auch würde eine Rücksendung an die Einheit und die Wiederauszahlung infolge inzwischen erfolgter Versetzungen, Verlegungen oder Auflösungen von Einheiten, Einlieferungen in Lazarette oder Verluste für die hiesige Verwaltung und die Verwaltung, bei der die Einzahlung z. Teil im November und Dezember 1943 erfolgte, nahezu unmöglich sein, abgesehen davon, daß die Nachweisungen, aufgrund deren die Auszahlungen nur vorgenommen werden können, beim Rücksenden verloren gehen können und die SS-Freiwilligen dadurch erheblich geschädigt würden. Fast täglich fragen die Empfänger, vor allem jetzt die Urlauber selbst, telefonisch, mündlich und schriftlich nach dem Verbleib ihrer eingezahlten Ersparnisse hier an. Es wird deshalb gebeten, auch diesen Betrag zur Verfügung zu stellen, der evtl. von den Betriebsmitteln des Wehrmachtintendanten in Dänemark, der bisher diese Auszahlungen finanziert hat, abgezweigt werden könnte.

Im Zusammenhang damit gingen gestern nochmals von der Zahlmeisterei Fp. Nr. 30 253 Ersparniseinzahlungsnachweisungen in Höhe von rund RM 50.500,- =   Kr. 100.000,-

für 732 Einzahler hier ein, die zum größten Teil, die Überweisungsbeschränkungen eingehalten haben. Es wird gebeten, auch diesen Betrag zur Verfügung zu stellen.
Insgesamt würden als einmalige Zahlung benötigt:

1.) Angehörigenunterhalt: Kr. 91.600,-
2.) Kriegsbesoldung: Kr. 75.000,-
3.) Versorgung: Kr. 158.000,-
4.) Ersparnisse: Kr. 170.000,-

Sa.: Kr. 494.600,-
aufgerundet: Kr. 500,000,-

5.) *Endgültige Zuweisung des vom Reichsbevollmächtigten gezahlten Überbrückungsvorschusses* von Kr. 200.000,-
Um den von dort gezahlten Vorschuß von Kr. 200.000,- als Betriebsmittelzuweisung endgültig verbuchen und bei Hinterlegung (fremde Gelder) ausbuchen zu können, wird gebeten, diesen Betrag endgültig zuzuweisen und auf eine Rückzahlung zu verzichten.

II.) Erhöhung der laufenden monatlichen Betriebsmittel:
Die nachstehenden Einzelzahlen sind Schätzungen, bei denen der bisherige Monatsdurchschnitt, die Angaben des SS-Ersatzkommandos Dänemark über die Anzahl der Einberufenen, Entlassenen, Neueinberufenen und monatlichen Urlauber (Anlage 2) und die voraussichtlichen Mehrausgaben durch Übernahme sämtlicher Freiwilliger zugrunde gelegt wurden. Wenn keine wesentlichen Änderungen durch Neuzugänge oder Übertragung weiterer, mit größeren Zahlungen verbundenen Aufgaben eintreten, kann die nachstehende Gesamtsumme als für die nächsten Monate ausreichend angesehen werden.

1.) *Angehörigenunterhalt*:
   a.) Mehrausgaben an die übernommen Freiwilligen der Wehrmacht, für die Angehörigenunterhalt nach den für die SS-Freiwilligen geltenden Sätzen gezahlt werden (laufend) ca. Kr. 6.000,-
   b.) Einmalige Beihilfen Kr. 4.000,-
   c.) Ledigenbeihilfen: für 574 Ledige mit durchschnittlich Kr. 50,- = Kr. 28.700,-

2.) *Kriegsbesoldung*:
   a.) Neuzugänge: 50 mit ca. Kr. 200,- = Kr. 10.000,-
   b.) Beihilfen Kr. 5.000,-
   c.) Versehrtenzuwendungen in 30 Fällen je Kr. 50,- (RM 25,- für Versehrtenstufe II und III) = Kr. 1.500,-

3.) *Versorgung*:
   Am 31.5.1944 lagen 842 Verluste vor. Im Jan. 44 entstanden 12, im Februar 13, im März 144, im April 70 und im Mai 47 Verluste.
   a.) Laufende Versorgungszahlungen:
   z.Zt. werden in 53 Fälle durchschnittlich Kr. 105,- Versorgungsbezüge gezahlt. Es kann mit einem monatlichen Zugang von ca. 20 Fällen gerechnet werden =   Kr. 2.100,-
   b.) Elterngabe:
   Je 300,- RM = 600,- Kr. Bei 30 Verlusten =   Kr. 18.000,-
   c.) Nachlaßgelder:
   Bisher wurden von den Einheiten oder von aufgelösten Bankkonten der Gefallenen im Einzelfall ca. Kr. 600,- überwiesen. Durch die Herabsetzung der Wehrsoldersparnisüberweisungen auf RM 20,- monatlich wird dieser Betrag ganz erheblich steigen. Zunächst werden je Kr. 1.000,- bei 30 Verlusten = angenommen.   Kr. 30.000,-

4.) *Verwaltung*:
   a.) Umtausch der Gebührnisse an Urlauber:
   Nachdem die Grenzübergangsstellen der Wehrmacht auf Anweisung des OKW (vergl. Anl. 3 u 4) den SS-Freiwilligen die für die Urlaubsdauer zustehenden Gebührnisse nicht mehr in Dänenkronen eintauschen, müssen auch dafür Mittel vorgesehen werden. Bei einer durchschnittlichen Urlaubsdauer von 21 Tage + 4 Reisetagen stehen nach den Bestimmungen des OKW zu:
   durchschnittl. Wehrsold (je nach Dienstgrad)
   4,- Kr. tägl. = Kr. 100,-
   Verpflegungsgeld (2,10 RM Satz für Urlauber im Reich)
   4,- Kr. tägl. = Kr. 100,-
   Ersparnisse (einmalig) RM 30,- = rd.   Kr. 60,-   Kr. 260,-
   Nach Mitteilung des SS-Ersatzkommandos Dänemark waren in den letzten Monaten durchschnittlich 460 SS-Freiwillige monatlich auf Urlaub =   Kr. 119.600,-
   b.) Ersparnisüberweisung:
   Jeder SS-Freiwillige kann monatlich RM 20,- = Kr. 38,31 als Wehrsoldersparnisse in seine Heimat überweisen. Ergibt bei 3.673 Freiwilligen =   Kr. 140.712.63

c.) Umtausch und Überweisungen bei Entlassungen:
Durch die Ersparnis-Überweisungsbeschränkungen für die SS-Freiwilligen bei Ersatzeinheiten (vergl. Ausführungen bei Punkt I, 4) mußten bisher für Entlassene durchschnittlich Kr. 950,- umgetauscht bezw. überwiesen werden. Nachdem die Überweisungen ab 1.3.1944 für sämtliche Freiwillige auf monatlich RM 20,- festgesetzt wurden, muß dieser Betrag weiterhin pro Entlassenen angenommen werden.
Bei etwa 20 Entlassungen im Monat müssen deshalb vorgesehen werden. Diese Ersparnisse müssen den entlassenen Freiwilligen unbedingt sofort in Landeswährung zur Verfügung gestellt werden, da diese das Geld zur Beschaffung von Zivilkleidungsstücken und Gründung einer neuen Existenz dringend benötigen. Kr. 19.000,-

d.) Beihilfen für beim Einsatz verlorengegangene Eigentumsstücke:
In letzter Zeit mehren sich die Fälle, in denen den Freiwilligen von ihrer Einheit nach den Bestimmungen des OKW Ersatz in Reichsmark für beim Einsatz verlorene Eigentumsstücke wie Uhren, Ringe, eigene Unterwäsche usw. gewährt wird. Sie beantragen dann die Auszahlung als Gegenwert in d.Kr. und würden es als eine große Härte ansehen, wenn dieser Antrag abgelehnt würde.
Im Durchschnitt handelt es sich je Fall um Kr. 500,-, ergibt bei 10 Fällen = Kr. 5.000,-

e.) Kapitulantenhandgelder:
Nach Ablauf ihrer 2jährigen Verpflichtungsdienstzeit verpflichteten sich in letzter Zeit mehrere Freiwillige auf eine Gesamtdienstzeit von 12 Jahren und erhalten dafür von den Verwaltungen ihrer Einheit RM 300,- Kapitulantenhandgeld. Sie beantragten in allen Fällen die Überweisung nach ihrer Heimat. Diesen Anträgen muß stattgegeben werden, um nicht andere Freiwillige mit einer Ablehnung von einer Verpflichtung abzubringen. Es kann monatlich mit rund 5 Verpflichtungen gerechnet werden, für die rund =
benötigt würden Kr. 3.000,-

f.) Zusätzliche Überweisungen von Wehrsoldersparnissen in besonders gelagerten Fällen:

Häufig beantragen SS-Freiwillige eine zusätzliche Überweisung ihrer Ersparnisse, um sie zur Abdeckung von Möbelschulden, Beseitigung einer wirtschaftlichen Notlage Beschaffung von Bekleidungsstücken für Frau und Kinder oder sonstigen Beschaffungen zu verwenden. Für derartige berechtigte Anträge, die hier genauestens überprüft werden, werden für durchschnittlich 10 Fälle monatlich je Kr. 600,- = benötigt. Kr. 6.000,-

Insgesamt würden als Erhöhung der laufenden monatlichen Betriebsmittel benötigt:

1.) Angehörigenunterhalt — Kr. 38.700,-
2.) Kriegsbesoldung — Kr. 16.500,-
3.) Versorgung — Kr. 50.100,-
4.) Verwaltung — Kr. 293.312,63
— Kr. 398.612,63

Es werden somit monatlich zu den bisherigen von der Dänischen Nationalbank ausgezahlten Betriebsmitteln noch zusätzlich rund Kr. 400.000,- benötigt.

Bei Überprüfung der Frage, auf welche Weise und auf welchem Wege die Beträge zur Verfügung gestellt werden können, wäre eine endgültige Entscheidung notwendig, damit das SS-Wirtschafts-Verwaltungshauptamt – als betriebsmittelzuweisende Stelle – über die Verwaltung des Chefs des Amtes Ausland in HFVA-SS in Prag und der Chef des Amtes IVa im HFVA-SS in Berlin wegen Zuweisung des entsprechenden Reichsmark-Gegenwertes als Betriebsmittelzuweisung für die hiesige Verwaltung verständigt werden kann. Gleichzeitig müßte geklärt werden, an welche Stelle im Reich (Abrechnungsstelle des Reichsbevollmächtigten) der Reichsmark Gegenwert vom SS-Wirtschafts-Verwaltungshauptamt zu überweisen ist.

Um baldige Entscheidung, vor allem um recht baldige Zuweisung des einmaligen Betrages von Kr. 500.000,- darf gebeten werden.

[underskrift]
SS-Obersturmführer (F)
und Leiter der Verwaltung

223. Otto Bovensiepen an RSHA 22. Juni 1944
Efter ordre fremsendte BdS en liste over den beslaglagte illegale kommunistiske litteratur.
 Se Bovensiepen til RSHA 2. marts 1944 og RSHAs notat 17. maj 1944.
 Kilde: RA, Danica 1069, sp. 7, nr. 8108-12.

Der Befehlshaber der Sicherheitspolizei   Berlin, den 22. Juni 1944.
und des SD in Dänemark
IV 1 a – B. Nr. 668/44.

An das Reichssicherheitshauptamt
 – IV A 1 a –
 Berlin SW 11.

Betrifft: Literaturlager des ZK der illegalen DKP.
Bezug: Erlaß vom 7.6.44 – IV A 1a – B. Nr. 906/44 –[178]
Anlagen: 1 Verzeichnis.

Anliegend überreiche ich ein Verzeichnis der bei Aushebung des Literaturlagers der illegalen DKP erfaßten Bücher und Schriften.
 Dem Amt VII des RSHA werden gemäß obigen Erlasses die im anliegenden Verzeichnis zusammengestellten Schriften und Bücher übersandt.
Im Auftrage:
[underskrift]

Schriften- und Bücherverzeichnis
des Literaturlagers der illegalen DKP

I. Ill. komm. Broschüren
 1.) Bag Fjendens Linier Ill. [af G. Poljakov, udg. af DKP 1943, 72 s. (nr. 316)[179]]
 2.) Det kommunistiske Manifest Ill. "Land og Folks" Forlag 1943 [af Karl Marx og Friedrich Engels (nr. 224)]
 3.) Folkestrejken i Odense. Ill. "Land og Folks" Forlag 43 [udg. som nr. 1 i serien Dansk Daad (nr. 53)]
 4.) Frihedskampen i Aalborg Ill. "Land og Folks" Forlag 43 [udg. som nr. 2 i serien Dansk Daad (nr. 53)]
 5.) En Värnemager sättes ud af Spillet Ill. "Land og Folks" Forlag 1943 [udg. som nr. 3 i serien Dansk Daad med undertitlen: Sabotage mod Petersen & Wraaes Maskinfabrik 27. Juli 1943 (nr. 53)]
 6.) Nazismens Klassekarakter Ill. "Land og Folks" Forlag 43 [af Isi Grünbaum, 75 s. (nr. 287)]

---

178 Skrivelsen er ikke lokaliseret.
179 Her og for de flg. 13 titler henviser nummeret til bogens nummer i *Besættelsestidens illegale blade og bøger*, 1954.

7.) Norske Digte Ill. [u.å., 27 s. (nr. 297)]
8.) Sowjetunionen, Hitlers store Fejlregning Ill. "Folks og Land" Vorlag [1943, 40 s. (nr. 356)]
9.) Stalin om Lenin Ill. "Land og Folks" Forlag 1943 [42 s. (nr. 359)]
10.) 1943 i Tekst og Tegninger Ill. "Land og Folks" Forlag 43 [jan. 1944, 27. s (nr. 294)]
11.) 29. August 1943 Ill. Udgivet af Frit Danmark 1943 [128 s. (nr. 291)]
12.) Aage Ill. "Land og Folks" Forlag 1943 [udg. som nr. 5 i serien Dansk Daad (nr. 53)]
13.) Mörklagt Land Ill. "Land og Folks" Forlag 1943 [udg. som nr. 4 i serien Dansk Daad (nr. 53)]

II. In dänischer Sprache
1.) Bo Bedre [– bo billigere af Edvard Heiberg, 1937]
2.) Borgerkrigens Historie i USSR [red. af M. Gorki et al., 1941]
3.) Borgerkrigens Historie i USSR
4.) Danmark – Russland [i Litteraturen, af Otto Gelsted, 1937]
5.) Den röde Här idag [Beretninger af K. Vorosjilof m.fl., 1939]
6.) Den tredje Femaarsplan [af W. Molotof, 1939]
7.) Der kaldes til Samling [af Aksel Larsen, 1938]
8.) Det kommunistiske Manifest
9.) Det kommunistiske Manifest
10.) Det russiske Aeventyr [af Halldór Laxness, 1939]
11.) Det nye Septemberforlig [Loven om Mægling i Arbejdsstridigheder, 1934]
12.) Dyrtid over Danmark [1937]
13.) Engels/Lenin; Karl Marx
14.) Er Trotzki Arbejderklassens Fjende [ikke identificeret]
15.) Erindringer om Lenin [af N.K. Krupskaja, 1935]
16.) Forbrydelse og Straf i Arbejderstaten [af Robert Mikkelsen, 1935]
17.) "Forvorpen" Ungdom [af Hans Kirk, 1941]
18.) George Dimitroff [ikke identificeret]
19.) Europas Historie [Omrids af Europas Historie fra Lensvældets Fald til Femaarsplanens Tid, 1932 af Maurice Dobb]
20.) Familien Frank [af Martin Andersen Nexø, 1939 (adskillige tidligere udg.)]
21.) Fru Carrars Gevärer [af Bertolt Brecht, 1938]
22.) Frem Aarborg 1933-1934
23.) Hvad lärer vi i Skolen [? af Hans Scherfig, 1933]
24.) Händerne väk [af Martin Andersen Nexø, 1934]
25.) Kampen om Trotzki [af Marie Nielsen, 1937]
26.) Kapitalismens Veje [og Sovjetunionen af V. Molotof, 1939]
27.) Kommunens Penge [af Johannes Hansen, 1940]
28.) Kommunistisk Aarbog 1941
29.) Krig og Revolution [af V.I. Lenin, 1941]
30.) Kritik af Gotha Programmet [af Karl Marx, 1940]

31.) Kommunistisk Internationales Program [vedtaget 1928, udg. både 1929 og 1933]
32.) Kun Folkets Vel er Landets Vel [af Johannes Hansen, Inger Gamborg og Aksel Larsen, 1941]
33.) Landbrug i Sowjetunionen [af A. Kjærulf Nielsen, 1940]
34.) Lenin [ikke identificeret]
35.) Lenin: Udvalgte Värker Bind 7 [1941]
36.) Lenin: Udvalgte Värker Bind 9 [1941]
37.) Lenin: Staten og Revolutionen [1941]
38.) Lenin: Udvalgte Värker
39.) Lenin: Staten og Revolutionen [se nr. 37]
40.) Lenin: Imperialismen og den imperialistiske Krig [1934]
41.) Lenin: Staten og Revolutionen [se nr. 37]
42.) Leninismens Problemer [Josef Stalin, 1935 og 1939]
43.) Leninismens Problemer Bind 1
44.) Leninismens Problemer Bind 3
45.) [Leninismens Problemer Bind] 4
46.) Lenin om Krigen [Et Udvalg, 1939]
47.) Marx: Udvalgte Skrifter Bind 1 [1937]
48.) Marx: Udvalgte Skrifter Bind 2 [1938]
49.) Marx: Lön, Pris og Profit [1933]
50.) Marxismen og det nationale Spörgsmaal [af Josef Stalin, 1939]
51.) Mennesket lever ikke af Bröd alene [af Ilja Ehrenburg, 1938]
52.) Ökonomie og Klassekamp i Danmark under Krigen og Besättelsen [af Isi Grünbaum, 1941]
53.) Paa Vej mod Velstand [Breve fra Sovjet-Ukraine af F.L. Boross, 1934]
54.) Pariserkommunen [det kan både være en bog af Richard Jensen, 1938 og af Georgi Dimitroff 1941 – sandsynligvis sidstnævnte]
55.) Processen mod det sovjetfjendtlige trotskistiske Centrum [1937]
56.) Religion og Kirke i USSR [Religion og Kirke i Sovjetunionen af M.S. Scheinmann, 1935]
57.) R. Nielsen: Digteren og Mennesket [ikke identificeret]
58.) Socialismens Udvikling fra Utopi til Videnskab [af Friedrich Engels, 1933]
59.) Socialismens Udvikling fra Utopi til Videnskab [af Friedrich Engels, 1933]
60.) Stalin kort Biografi [Josef Stalin: Kort Biografi, 1940]
61.) Socialismens Land og det internationale Proletariats Kamp [af Georgi Dimitroff, 1939]
62.) Stene for Bröd [af Thomas Døssing, 1941]
63.) Situationen og Arbejderbevägelsen [af Aksel Larsen, 1940]
64.) Stalin Leninismens Problemer [se nr. 42]
65.) Sowjetunionens kommunistiske Partis Historie [1939]
66.) Sowjetunionens Udenrigspolitik [af W. Molotof, 1939]
67.) Sowjets Arbejdere og Bönder Bygger Kommunismens Samfund [ikke identificeret]
68.) Sowjetunionen 1937 [: 20 Aars Resultater, 1937]

69.) Sowjetunionens kommunistiske Partis Historie [se nr. 65]
70.) Sowjetunionens Forfatning [af J.V. Stalin et al., 1937]
71.) Sowjetunionens Forfatning [af J.V. Stalin et al., 1937]
72.) Trepil mod Hagekors [af Sergei Tschachotin, 1933]
73.) Ved et historisk Vendepunkt [1939]
74.) Verdenssituationen og kommunistisk Internationale [1939, Partiberetning til SUKPs 18. partikongres af D. Mauilski]
75.) Schkid, Gateguttenes republikk [af G. Bjelykh, 1933]
76.) 16 moderne russiske Noveller [1942]

III. In deutscher Sprache
1.) Das Kapital Band 2
2.) [Das Kapital] Band 3
3.) Der Bürgerkrieg in Frankreich
4.) Die Fliege Sissesum
5.) Die Klassekämpfe in Frankreich
6.) Erzählungen
7.) Fabeln
8.) Gavroche
9.) Geschichte der kommunistischen Partei der Sowjetunion
10.) Heinrich beginnt den Kampf
11.) Probleme des Leninismus Band 1
12.) [Probleme des Leninismus] Band 2
13.) Unser Transpolarflug
14.) Stimmen aus aller Welt zum 20. Jahrestag der Sowjetunion
15.) VII Kongress der kommunistischen Internationale
16.) 20 Jahre Kapitalismus und Sozialismus
17.) Staat und Revolution

IV. In englischer Sprache
1.) On the history of the bolshevik organisations in Transcaucasia

V.
25 Bücher in russischer Sprache

VI.
33 Bücher in jiddischer Sprache

224. Andor Hencke an Werner Best 22. Juni 1944

Best blev spurgt, om det havde sin rigtighed, at han til UM havde udtrykt, at et dansk besøg ikke kun i Theresienstadt, men også hos de internerede danske i de såkaldte kommunistlejre var ønskværdigt.

Best svarede pr. fjernskriver to dage senere.

Kilde: PA/AA R 99.502.

Telegramm

Berlin, den   22. Juni 1944

Diplogerma Consugerma Kopenhagen Nr. 696
  Für Reichsbevollmächtigten.

Hiesiger Dänischer Gesandter hat bei mir am 20.6. erneut die Bitte vorgebracht, dem Leiter Politischer Abteilung Dänischen Außenministeriums gelegentlich seiner Reise nach Theresienstadt Erlaubnis zu erteilen, auch in sogenannten Kommunistenlagern internierte Dänen zu besuchen. Herr Mohr hat dabei hervorgehoben, daß Herrn Hvass durch einen solchen Besuch Möglichkeit gegeben würde, in Dänemark verbreiteten Greuelnachrichten über Behandlung der dänischen Internierten entgegenzutreten. Als ich Herrn Mohr erwiderte, daß kaum Aussicht bestünde, daß seinem Wunsch stattgegeben werden könnte, bemerkte er, daß diese Angelegenheit seitens Dänischen Außenministerium[s] auch mit Ihnen besprochen worden sei. Sie hätten dabei die Erteilung Besuchsgenehmigung für wünschenswert bezeichnet und sich überhaupt zu dem dänische[n] Wunsch sehr positiv verhalten.

  Erbitte drahtliche Stellungnahme.

Hencke

225. Werner Best an das Auswärtige Amt 23. Juni 1944

Den delvise oprulning af den sønderjyske sabotage- og militærorganisation (Region 3) i maj-juni 1944 gav anledning til, at Gestapochef Otto Bovensiepen udarbejdede en særrapport om succesen, hvor det blev slået fast, at modstandsarbejdet i landsdelen var udraderet. Best viderebragte nyheden om denne oprulning til AA (Trommer 1973, s. 159f.).

Kilde: PA/AA R 101.040. RA, pk. 223 og 438a.

Der Reichsbevollmächtigte in Dänemark   *Kopenhagen, den 23. Juni 1944.*
Tgb. Nr. II/1272/44.

Im Anschluß an den Bericht vom 8.6.1944 – II/1121/44 –
2 Durchschläge
Betr.: Die deutsche Sicherheitspolizei in Dänemark.

Im Anschluß an meinen Bericht vom 8.6.1944 (II/1121/44)[180] teile ich mit, daß mir der hiesige Befehlshaber der Sicherheitspolizei und des SD nunmehr den folgenden interessanten Bericht über die Aufrollung einer Militär- und Sabotage-Organisation im südlichen Jütland erstattet hat:

"Im Zuge der am 26.5.1944 durchgeführten Sonderaktion in Jütland wurde auch eine größere Militär und Sabotageorganisation in Südjütland aufgerollt.

Die eingehenden Ermittlungen haben ergeben, daß der Hauptmann des früheren dänischen Generalstabes T. Ahnfeld-Mollerup,[181] ein Hauptmann Kristen Kjeldsen, der den Decknamen "Ingenieur Christiansen" führte und beim Luftwarndienst in Assens tätig war,[182] sowie der in Jütland in "Dansk Samling" eine bedeutende Rolle spielende Jacob Jacobsen aus Apenrade die Organisationsleiter und Führer dieser Militär- und Sabotageorganisation waren.[183] Kjeldsen, auf dessen Initiative die Organisation immer weiter ausgebaut worden ist, konnte festgenommen werden. Die Organisation umfaßte das Gebiet von Südjütland, und zwar von der Reichsgrenze bis kurz vor Kolding. Für den Amtsbezirk Apenrade war der frühere Angehörige der Leibgarde Mörup,[184] für Hadersleben der Kornett Schlosser[185] und für das Grenzgebiet der Kornett Vindel aus Gravenstein eingesetzt worden.[186] Mörup, Schlosser und Vindel, die festgenommen werden konnten, hatten innerhalb ihres Bezirkes mehrere Distrikte mit 6-Mann-Gruppen eingeteilt, und zwar in Orten, wo besonders wichtige militärische und strategische Punkte waren. In der Beschaffung von Waffen und Sprengstoff hatte der Kontorangestellte Svend Aage Lyck aus Apenrade eine besondere Funktion.[187] Lyck, der z.Zt. flüchtig ist, hat veranlaßt, daß in der Zeit von März bis Ende Mai 1944 etwa 10 bis 12 Kisten im Gewichte von 100 bis 150 Pfd. mit Sprengstoff und Waffen nach Apenrade gesandt wurden. Die Herkunft der Waffen und Sprengstoffe steht noch nicht genau

---

180 Trykt ovenfor.

181 Tøger Ahnfeldt-Mollerup forestod som medlem af "Den lille generalstab" organiseringen af militære modstandsstyrker i Danmark m.m. Selv om hans identitet og virke var afsløret i juni 1944, blev han først anholdt 27. februar 1945 i forbindelse med oprulning af den københavnske modstandsledelse. Han omkom ved bombardementet af Shellhuset 21. marts 1945 (*Faldne i Danmarks frihedskamp*, 1970, s. 20f.).

182 Kaptajn Kristian Kjeldsen blev anholdt i Assens i begyndelsen af juni og kom via Frøslevlejren til Neuengamme i september. Han kom levende hjem i 1945 (Trommer 1973, s. 160, Barfod 1969, s. 365).

183 Jacob Jacobsen var ledende i opbygningen af sabotage- og ventegrupper i Sønderjylland (Region 3) og arbejdede sideløbende for den militære efterretningstjeneste. Tysk politi ville også pga. sidstnævnte have fat i ham, men anholdt en fejltagelse hans far i stedet, og Jacobsen undslap til Sverige (Trommer 1973, s. 159, Niels Wium Olesen i *Hvem var hvem 1940-1945*, 2005, s. 178).

184 Hans Mørup medvirkede ved opbygningen af sabotage- og ventegrupper i Sønderjylland og indtrådte i regionsledelsen. Efter sin arrestation i juni 1944 kom han via Staldgården i Kolding, Horserødlejren og Frøslevlejren i september til Neuengamme. Blev evakueret fra udekommandoen Svesing ved Husum april 1945 (Henrik Skov Kristensen i *Hvem var hvem 1940-1945*, 2005, s. 266f.).

185 Hermann Schlosser blev arresteret 26. maj 1944, sad i Horserød og Frøslevlejren, før han i september kom til Neuengamme, hvorfra han kom levende hjem i 1945 (Lundbak 2001, s. 448, Barfod 1969, s. 367).

186 Knud Vindel ledede militærgruppen i Åbenrå, der også fungerede som transportgruppe for våben nedkastet fra luften. Han blev anholdt 6. juni 1944 og kom via Staldgården i Kolding til Horserød, Frøslevlejren for at blive deporteret til Neuengamme i september. Døde på en udekommando til Porta Westfalica 6. december 1944 (*Faldne i Danmarks frihedskamp*, 1970, s. 444f.).

187 Svend Aage Lyck flygtede til København, kom til Sverige og blev senere hentet til England (Trommer 1973, s. 452).

fest, vermutlich sind sie aus Viborg, Horsens und Skive gekommen. Aufgabe und Ziel dieser Organisation war, im Falle einer Invasion durch Sabotagehandlungen, insbesondere an Eisenbahnstrecken, Fernsprech- und Kabelleitungen, die Truppenverschiebungen und den Nachschub der deutschen Wehrmacht zu verhindern bezw. zu stören. Die wichtigsten Punkte für die Sabotagehandlungen waren von dem Hauptmann Kjeldsen ausgearbeitet und festgelegt worden. Hierbei waren insbesondere von ihm die Hauptbahnlinien in Aussicht genommen. Die Auslösung der Sabotagehandlungen im Falle einer Invasion sollte auf das im englischen Nachrichtendienst in dänischer Sprache um 18.15 Uhr durchgegebene Kennwort: "Grüße von Johanna oder Johannes!" erfolgen. Diese Mitteilung bezw. dieses Kennwort war aber nur den Führern der Organisation bekannt. Sie selbst lösten die Sabotagehandlungen durch das telefonisch durchgegebene Stichwort "Peter hat sich den Fuß verstaucht" aus. Des weiteren wurde festgestellt, daß im Verkehr untereinander das Kennwort "Düppelmühle" verwandt wurde. Außerdem konnte ermittelt werden, daß die Militär- und Sabotageorganisation Verbindungen mit den Kommunisten in Jütland aufgenommen und sie mit zu Sabotagehandlungen herangezogen hat. Als Verbindungsmann der DKP konnte der seit August 1943 sich illegal in Jütland aufhaltende Kaj Ibsen, der den Decknamen "Konrad" führte und am 29.8.1943 aus dem Lager Horseröd geflohen ist, festgenommen werden.[188] Im Zusammenhang mit der Auflösung der Organisation konnte gleichzeitig die in der Nacht vom 30.4.1944 zum 1.5.1944 begangene Sabotagehandlung in Christiansfeld, wobei die Fernsprechzentrale des Postamtes und das Fernsprechkabel südlich und nördlich von Christiansfeld zerstört und somit ein Teil der Wehrmachtsfernsprechverbindungen mit dem Reich unterbrochen wurde, aufgedeckt werden.[189] Als Leiter bei dieser Sabotagehandlung wurde der Student und Sohn des Apothekers Lind in Christiansfeld ermittelt und festgenommen.[190] Lind, der geständig ist, gehörte ebenfalls der Militär- und Sabotageorganisation an und war dem Distriktsleiter Schlosser aus Hadersleben unterstellt. Er hatte in Christiansfeld auch eine 6-Mann-Gruppe gebildet und den Auftrag, im Falle einer Invasion die Fernsprechzentrale und das Kabel bei Christiansfeld zu zerstören. Die Sabotagehandlung hat er aber schon in der Nacht vom 30.4. zum 1.5.1944 ohne Weisung von Schlosser vorgenommen, weil er in dem Glauben war, in dieser Nacht würde die Invasion in Jütland kommen.

Innerhalb dieser Militär- und Sabotageorganisation wurden bisher 36 Personen festgenommen, die alle überführt und zum größten Teil geständig sind. Fast alle Festgenommenen waren im Besitze von Sprengstoff und Waffen englischer Herkunft. Der vorgefundene Sprengstoff war von den einzelnen Organisationsmitgliedern zum größ-

---

188 Kaj Ibsen havde i første omgang undgået arrestation, men blev af Ib Nørlund sendt ned langs østkysten for at undersøge situationen og blev anholdt ved en tilfældighed i Sønderborg 11. juni (Trommer 1973, s. 160).
189 Der blev omkring 1. maj gennemført en hel række systematisk planlagte sabotager mod kommunikationsnettet: Det gjaldt bl.a. højspændingsledningen mellem Fredericia og Kolding, to transformatoranlæg i Ribe, ledningsnettet ved Højen, Vejle, to transformatortårne i Hviddinge og en i Øster Vedsted, en stærkstrømsledning i Tønder samt kablerne under broen ved Frichs-fabrikkerne i Århus (KTB/WB Dänemark 2. og 3. maj 1944, RA, BdO Inf. nr. 35, 6. maj 1944, tilfælde 14-24, Alkil, 2, 1945-46, s. 1231).
190 Vincent Lind kom efter sin arrestation over Horserød og Frøslevlejren til Neuengamme i september. Han kom levende hjem i 1945 (Barfod 1969, s. 365).

ten Teil zu fertigen Sprengladungen hergerichtet worden.
    Folgende Sprengstoffe, Waffen usw. wurden sichergestellt:

    55 Gewehre und Karabiner,
    30 Maschinenpistolen,
    163 Magazine für MP.,
 20.010 Schuß Pistolen- und Gewehrmunition,
    197 Pfd. Sprengstoff,
    302 m Zündkabel,
    11 Rollen Zündkabel,
    450 Armbinden,
    225 Bleistiftzünder,
    100 Verbandpäckchen,
    226 Eisenbahnsprengkapseln,
    22 Eierhandgranaten,
    10 Zündstifte,
    2 Armeepistolen,
    2 Pistolenmunitionstaschen,
    1 Paar Steigeisen für Telefonmasten,
    8 Seitengewehre,
    1 Gummiknüppel,
    1 Schlagring,
        diverse Brennzünder."

[sign. W. Best]

226. Rüstungsstab Dänemark: Aktenvermerk 23. Juni 1944

Dagen efter sabotagen mod Riffelsyndikatet gjorde Rüstungsstab Dänemarks ingeniører skadernes omfang op, så vidt det lod sig gøre. Der var dels sket meget alvorlige bygningsskader, dels var ca. 30 % af maskinerne ødelagt. De øvrige kunne anvendes igen, men hvornår virksomheden kunne komme i gang igen, turde ingeniørerne ikke udtale sig om. Bygninger og afdelinger blev gennemgået én for én. Det blev konkluderet, at en så grundig ødelæggelse måtte være foretaget af trænede sabotører i samarbejde med vagter og arbejdere ved virksomheden.

Det sidste havde ingeniørerne fra Rüstungsstab Dänemark delvis ret i. Det var en betydelig styrke af BOPA-sabotører med dækningsgrupper, der forestod aktionen, som var planlagt på grundlag af oplysninger fra tre af vagterne samt udsmuglede tegninger. Sabotørerne kørte før sprængningen bort på to lastbiler med en betydelig mængde våben og ammunition. Det var den største sabotageaktion under den danske besættelse, både målt i antal deltagende sabotører og dækningsfolk, mængden af anvendt sprængstof og i omfanget af skader, der beløb sig til 9.219.000 kr. (Brandt/Christiansen 1945, s. 80-85, Kjeldbæk 1997, s. 252-257, 474).[191]

191 BdOs rapport om sabotagen mod Riffelsyndikatet er usædvanlig derved, at den medtager de foranstaltninger, som tysk politi traf umiddelbart efter omslaget: "Am 22.6.44 gegen 18.00 Uhr wurde der Betrieb der Firma Dansk Industrie-Syndikat Compagnie Madsen A/S., Kopenhagen, Freihafen, durch etwa 30 bis 40 bewaffnete Saboteure überfallen. Die Saboteure drangen mit mehreren Lastkraftwagen in den Hof der Firma ein und entwaffneten sämtliche Sabotagewächter. Der Überfall war nur dadurch möglich, daß 3 Sabotagewächter, die am Eingangstor postiert waren, mit den Saboteuren gemeinsame Sache machten und das Tor öffneten. Nachdem in den verschiedenen Gebäuden der Firma Sprengbomben gelegt worden

Kilde: BArch, Freiburg, RW 27/15. RA, Danica 1000, T-77, sp. 696, KTB/Rü Stab Dänemark, 2. Vierteljahr 1944, Anlage 27.

Abschrift!   Anlage 27.
Rüstungsstab Dänemark   *Kopenhagen, den 23. 6. 1944*
Abt. Heer

Aktenvermerk
über die Besichtigung der durch Sabotage zerstörten Werkstätten
von Dansk Industri Syndikat, Kopenhagen-Frihavnen.

Die Besichtigung ergab, daß durch die Sabotage 30 % der Maschinen unbrauchbar wurden. Schätzungsweise können 70 % wieder in Gang gesetzt und betriebsfähig werden. Über den Termin der Wiederaufnahme der Arbeit kann bis jetzt noch nichts gesagt werden.

Die Firma Elac, Kiel, ist von der Sabotage nur wenig getroffen. Sie wird in der Lage sein, die bei DIS noch vorhandenen Einzelteile zu fertigen Gruppen zu montieren und diese Arbeit bis zum Monatg, den 26.6. mit ca. 120 Mann aufzunehmen.

I.)   Südlich der Zugangstrasse.
     1.) *Versuchsraum*: total beschädigt.
     2.) *Fräserei*: Die Gebäudewände und das Dach sind zerstört. Die Fräs-, Bohr- und sonstigen Maschinen sind teilweise erhalten und können wieder in Betrieb gesetzt werden.
     3.) *Werkzeuglager*: Gebäude schwer beschädigt. Werkzeuge und Vorrichtungen jedoch größtenteils erhalten.
     4.) *Härterei*: Diese ist total zerstört und dadurch, daß das Brennöl Feuer gefangen hat, ausgebrannt.
     5.) *Heeresabnahme*: Das Gebäude ist schwer mitgenommen. Die Büros sind nicht mehr zu benutzen.
     6.) *Laboratorium*: schwer beschädigt.
     7.) *deutsches Lager*: ist erhalten. In diesem befanden sich Teile für Elac. Auch der darin aufgestellte Transformator ist nicht beschädigt.
     8.) *Schießgraben*: leicht beschädigt.
     9.) *Munitionslager*: Das Munitionslager wurde mit Stemmeisen aufgebrochen. Ob Munition herausgestohlen wurde, konnte bisher nicht ermittelt werden.
   10.) *Schmiede*: ist erhalten.

waren, entwendeten die Saboteure etwa 70 Maschinenpistolen und 2 Schnellfeuerkanonen sowie 50 Kisten Munition und fuhren mit den LKWs davon. Durch die Explosion der Bomben wurde der Betrieb fast restlos zerstört. Die Firma arbeitet für die deutsche Wehrmacht.
    Im Zuge der sofort eingeleiteten Untersuchung wurden zunächst 48 Personen, darunter 11 Sabotagewächter, in Haft genommen. Weitere 4 Sabotagewächter, die den Betrieb bereits verlassen hatten, wurden im Laufe des Abends verhaftet. Die 3 an dem Überfall beteiligten Sabotagewächter sind flüchtig. Die Untersuchung ist noch im Gange." (RA, BdO Inf. nr. 52, 24. juni 1944).

11.) *Speisesaal und Kantine*: nicht beschädigt
12.) *Garage*: –
13.) *Wache*: –
14.) *Lagerraum*: –
15.) *Schießstand*: –
16.) *Verwaltungsgebäude*: –
17.) *Mech. Werkstätte*: nicht beschädigt
(Luftvärn Nr. 1)

II.) Nördlich der Zugangstrasse.
1.) *Verwaltungsgebäude*: nur teilweise beschädigt.
2.) *Maschinenwerkstätte*: diese besteht aus 2 Stockwerken und 1 Dachgeschoß. Der unter Stock enthält Ziehbänke für Gewehrläufe, Fräs- und Drehbänke, Schleifmaschinen (Flächen- und Rundschleifmaschinen), ferner eine Gruppe Schlosser und Mechaniker.

In dem unteren Stock legten Saboteure die Sprengpatronen, und zwar direkt an die Pfeiler, um durch deren Zerstörung das gesamte Gebäude zum Einsturz zu bringen. Dieser Versuch ist nicht gelungen. Wohl sind die Zerstörungen sehr stark, auch infolge des ausgebrochenen Feuers.

In der 1. Etage befanden sich Fräs-, Dreh- und Revolverbänke, ferner die Werkzeugmacherei, Packerei, die Abnahmeräume für Luft und Marine. In diesem Stockwerk sind die Zerstörungen verhältnismäßig gering; besonders im nördlichen Teil dieser Abteilung sind die Maschinen noch gut erhalten.

Im Dachgeschoß befindet sich die Phosphatieranlage (Bonderanlage), Sandstrahlgebläse und Malerei. Zerstörung sind auch hier nur geringfügig.
3.) *Lagerraum für Marine*: Sockellafetten und andere Lafetten, Granatwerfer erheblich beschädigt.
4.) *Lagerraum* (leer)
5.) *Lafettenwerkstätte für 2 cm dän. Madsen MG*. Das Gebäude ist beschädigt. Maschinen sind jedoch alle brauchbar.

Die Besichtigung ergab, daß die Sabotage von geübten Saboteuren im Einvernehmen mit Wächtern und Arbeitern vorgenommen sein muß, da es sonst nicht möglich gewesen wäre, das Werk derart gründlich zu zerstören.

227. Werner Best an das Auswärtige Amt 23. Juni 1944

OKM ville beslaglægge motorskibet "Dronning Alexandrine" tilhørende rederiet DFDS. Rederiet havde endvidere fået oplyst, at dets allerede beslaglagte skib "C.F. Tietgen" ville blive tilbagegivet i juli. Best spurgte via AA, om OKM ikke kunne beholde "C.F. Tietgen" i stedet for at beslaglægge "Dronning Alexandrine", idet rederiet gik ud fra, at det skulle tjene samme formål.

AA skrev til OKM derom 27. juni (skrivelsen er ikke lokaliseret), og OKM svarede AA 5. juli.
Kilde: BArch, Freiburg, RM 7/1813. RA, Danica 628, sp. 7, nr. 5857f.

Der Reichsbevollmächtigte in Dänemark   *Kopenhagen, den 23. Juni 1944*
S/SCH 3/1

Betr.: Beschlagnahme aufgelegter dänischer Tonnage.

Im Anschluß an die Schriftberichte vom 6.5.1944[192] – SCH 3/1 – und vom 19.6.1944[193] – SCH 3/1 –
1 Durchschlag
1 Anlage – 2-fach

An das Auswärtige Amt
   Berlin

In der Anlage[194] gebe ich Kenntnis von einer Note des dänischen Außenministeriums, die sich mit der im Schriftbericht vom 19. Juni 1944 – SCH 3/1 – berichteten Beschlagnahme des dänischen Motorschiffes "Dronning Alexandrine" befaßt.

Gleichzeitig gibt das dänische Außenministerium davon Kenntnis, daß die Kriegsmarinedienststelle Kopenhagen der Rederei Det Forenede Dampskibsselskab mitgeteilt hat, daß sie den Chartervertrag des ihr gehörenden Dampfers "Dronning Maud", der als Sicherungsschiff der Kriegsmarine fuhr, nicht zu erneuern wünscht, sondern dieses Schiff am 20. des nächsten Monats aus dem Chartervertrag entläßt.

Die Rederei Det Forenede Dampskibsselskab übermittelt nun über das dänische Außenministerium den auch vom dänischen Handelsministerium unterstützten Vorschlag eine Regelung dahingehend zu treffen, daß das von mir beschlagnahmte Motorschiff "C.F. Tietgen" derselben Rederei (Schriftbericht vom 6. Mai 1944 – SCH 3/1 –) wieder an die Rederei zurückzugeben wird und dafür die "Dronning Maud" zu beschlagnahmen. Die Rederei geht davon aus, daß der Zweck, für den das Motorschiff "C.F. Tietgen" beschlagnahmt wurde, auch durch den nunmehr freiwerdenen Dampfer "Dronning Maud" erfüllt werden kann und weist insbesondere darauf hin, daß die Beschlagnahme des Motorschiff "C.F. Tietgen" einen besonders harten Schlag für die Rederei bedeutet hat, da das Schiff auf Grund seiner modernen Passagiereinrichtungen sowohl für das dänische Verkehrswesen im allgemeinen, als auch für die Rederei im besonderen sehr wertvoll ist und bei der Wiederaufnahme des innerdänischen Passagierverkehrs nicht entbehrt werden kann.

Das Außenministerium bittet diesen Vorschlag der Rederei wohlwollend zu prüfen.

                               gez. **Dr. Best**

192 Trykt ovenfor.
193 Indberetningen er ikke lokaliseret.
194 Bilaget er ikke medtaget. Skrivelsen er fra Nils Svenningsen til Best 20. juni 1944, hvor han bl.a. skriver "Das Ministerium gestattet sich erneut der Auffassung Ausdruck zu geben, daß eine solche Beschlagnahme völkerrechtliche Begründung entbehrt".

228. Kriegstagebuch/Admiral Skagerrak 23. Juni 1944

Admiral Wurmbach noterede sig, at det engelske forbud mod at tage ud at fiske var forlænget til 29. juni, og at fiskerne sandsynligvis ville overholde det.[195] I anledning af nogle vurderinger af Best havde Wurmbach sendt en fjernskrivermeddelelse derom til MOK Ost: Den seneste tids sabotager rettede sig trods sprængstofmangel udelukkende mod erhvervsvirksomheder og ikke mod de tyske tropper og deres anlæg, hvoraf kunne sluttes, at en invasion ikke var forestående.

Kilde: KTB/ADM Dän 23. juni 1944, RA, Danica 628, sp. 3, s. 3427f.

Allgemeines:
[…]
IV. Von Seekommandant Südjütland geht Fs. G 2727 mit folgendem Inhalt ein:
   Nach V-Mann-Meldung sind durch Radio London dänische Fischer aufgefordert worden, bis zum 29.6. nicht auszulaufen. Fischer wollen dieser Aufforderung wahrscheinlich Folge leisten.
   Um die Auswirkungen dieser erneuten Verlängerung des englischen Auslaufverbotes festzustellen, ergeht an die Seekommandanten Nord- und Südjütland entsprechendes Fernschreiben (G 80 230).
V. Die in letzter Zeit vorwiegend gegen wehrwirtschaftliche Betriebe veranschlagten Sabotageakte geben Anlaß zu folgendem Fs an MOK Ost:
Betr.: Sabotage und Invasion
1.) In letzter Zeit Hervortreten von Sabotageanschlägen gegen wehrwirtschaftliche Betriebe festzustellen, die von durch Feindseite geleiteter Aktivistengruppe durchgeführt werden.
2.) Aus Tatsache, daß trotz auf Saboteurseite bestehenden Sprengstoffmangels Sabotageanschläge nur gegen wehrwirtschaftliche Betriebe und nicht gegen Truppe oder deren Anlage gerichtet, kann nach Ansicht Reichsbevollmächtigten gefolgert werden, daß in Kürze mit Invasion im dänischen Raum nicht zu rechnen (Gkdos 3385).

[…]

229. W. Bisse an Paul von Behr 23. Juni 1944

Bisse udarbejdede et notat til von Behr om forholdet mellem Best og OKM, hvorefter beslaglæggelser af danske skibe kun fandt sted, når det var tvingende krigsmæssigt nødvendigt og efter henvendelse til Best. De hidtidige beslaglæggelser havde fundet sted i fuld forståelse med Best.

Det er spørgsmålet, om OKM og Best kunne skrive under på denne fremstilling. Uoverensstemmelserne fortsatte, se Bests telegram nr. 795, 2. juli.

Kilde: PA/AA R 105.212. RA, pk. 281.

Ref.: VLR Bisse   e.o. Ha Pol 3251/44 g
                        Geheim

Betr. Beschlagnahme dänischer Schiffe in Dänemark durch OKM.

---

195 Se forud KTB/ADM Dän 10., 11 og 19. juni.

Um die mit der Beschlagnahme der dänischen Schiffe zusammenhängenden Unebenheiten aus dem Wege zu räumen, haben in Kopenhagen Anfang März Besprechungen mit dem Reichsbevollmächtigten in Dänemark – Herrn Gesandten Dr. Best – mit dem Chef der Schiffahrtsabteilung im OKM – Kapt. z.S. Engelhardt – und mit dem Vertreter der Seekriegsleitung – Herrn Min. Dirig. Dr. Eckhardt – stattgefunden.[196]

Die bisherigen Beschlagnahmen sind nunmehr im vollen Einverständnis mit dem Reichsbevollmächtigten in Dänemark erfolgt und es ist vereinbart, daß von weiteren Beschlagnahmen abgesehen wird, wenn nicht dringende Kriegsnotwendigkeit vorliegt, die die Inkaufnahme der politischen und stimmungsmäßigen Auswirkungen rechtfertigt. Eine Beschlagnahme durch die Seekriegsleitung ohne vorherige Fühlungnahme und Zustimmung des Reichsbevollmächtigten in Dänemark wird für die Zukunft nicht mehr erfolgen. Die Seekriegsleitung ist erneut gebeten worden, die beschlagnahmten Schiffe, die nicht mehr gebraucht werden, unverzüglich zurückzugeben.

Hiermit LR von Behr vorgelegt.
Berlin, den 23. Juni 1944

W. Bisse

230. Werner Best an das Auswärtige Amt 23. Juni 1944

Best havde på opfordring orienteret WB Dänemark og hans stab om stemningen i Danmark efter den allierede invasion i Frankrig. Der blev givet en lidet optimistisk fremstilling af stemningen i Danmark, der som helhed ikke var egnet til propagandabrug. Flertallet af danskere håbede på et tysk nederlag og havde en kort overgang troet, at det ville indtræffe hurtigt. Kun den lille tyskvenlige befolkningsdel så som tyskerne positivt på invasionsslaget og indsatsen af raketvåbnet, mens flertallet af danskerne anså raketanvendelsen for et bluffnummer. Nu var de tyskvenlige danskere blevet ængstelige. Det var fortsat landbefolkningen, der tog situationen roligst og mest koncentrerede sig om dagligdagen, som den stigende produktion beviste.

Da telegrammet er afsendt fra København dagen efter den store sabotage mod Riffelsyndikatet, er det en markering af, at det ikke havde påvirket den indstilling, som Best ville give til kende over for AA.

AA eller WB Dänemark valgte at lade indholdet gå videre, så det også kom til Seekriegsleitungs kendskab 28. juni.

Kilde: BArch, Freiburg, RM 7/1812.

Abschrift	Geheim
Deutsche Gesandtschaft	*Kopenhagen, den 23. Juni 44*
Nr. 765 vom 23.6.	

Dem Wehrmachtsbefehlshaber Dänemark habe ich auf seine Bitte zur Unterrichtung seines Stabes und seiner Kommandeure einen Bericht über die Stimmung in Dänemark seit der Invasion zur Verfügung gestellt, den ich nachstehend zur Kenntnis übermittle:

"Lieber Herr von Hanneken!

Gemäß unserer fernmündlichen Vereinbarung übermittle ich Ihnen den folgenden konzentrierten Bericht über die Stimmung in Dänemark seit Beginn der Invasion:

---

196 Mødet fandt sted 4. april 1944.

1.) *Beginn der Invasion von deutsch-feindlicher Mehrheit der Bevölkerung mit Jubel begrüßt. Baldiger Sieg de[r] Alliierten erhofft.* Äußerungen wie: in 14 Tagen wird Paris gefallen sein. Berufung auf die These der englischen Propaganda, daß die Invasion das letzte Kapitel diese Krieges sei.

2.) Nach einigen Tagen nüchterner Betrachtung und Erkenntnis, daß mit langen und schweren Kämpfen zu rechnen sei. Zunächst noch Erwartung weiterer Invasionen, vor allem auch in Dänemark, die jedoch – auch mit dem Hinweis auf die Wiederaufnahme der "Normalen" Sabotage – allmählich zurücktrat.

3.) Einsatz der Raketenwaffe überraschte die englandfreundliche Mehrheit der Bevölkerung, da nach dem vorangegangenen Propagandakrieg niemand mehr an sie glaubte. Nunmehr wird versucht, die Waffe als wenig wirksam und ihren Einsatz als durch die Notlage erforderlich gewordenen Bluff zu kennzeichnen.

4.) Seit der Einschließung von Cherbourg neuer Optimismus der deutschfeindlichen Kreise mit der Begründung, daß die deutsche Wehrmacht nicht mehr zu entscheidenden Angriffsunternehmungen in der Lage sei. Insgesamt ist der Glaube an die Niederlage Deutschlands unerschüttert, wenn man auch nicht mehr mit Wochen, sondern mit einer Reihe von Monaten rechnet.

5.) Auch das russische Vordringen in Finnland wird dahin gedeutet, daß die deutschen Kräfte nicht mehr ausreichen, um den Finnen zum Halten der schmalen Karelischen Front zu helfen. Russisches Vordringen in den Ostseeraum weckt jedoch gemischte Gefühle und die *Befürchtung, die Russen könnten ihre strategischen und politischen Ziele schneller erreichen als die Angelsachsen und damit die ersten Sieger dieses Krieges werden.*

6.) In dem kleinen deutschfreundlichen Bevölkerungsteil gleiche Begeisterung über Beginn der Invasionsschlacht und über Einsatz der Raketenwaffe wie unter den Deutschen. Deutsche Argumente betreffen Notwendigkeit der Bindung und allmählichen Vernichtung möglichst starker feindlicher Kräfte im ersten Invasionsbereich werden verstanden. Dannoch schwankende Ängstlichkeit, sobald ungünstige Nachrichten eintreffen.

7.) Illegale Widerstandsbewegung scheint nicht mit Invasion in Dänemark und mit schneller Befreiung des Landes zu rechnen. Deshalb verstärkte Aufnahme der "normalen" Sabotagetätigkeit, um Kriegsbeitrag zu leisten und Dänemark Anerkennung als "kämpfende Nation" im Fein[d]lager zu fördern.

8.) Ruhigste Beurteilung der Lage wie immer in der Landbevölkerung, die sich um Werkzeuge, Düngemittel, Hackfruchtarbeiter usw. sorgt und damit Willen zur Fortsetzung intensiver Produktion beweist.

[uden underskrift]

JUNI 1944

231. Werner Best an das Auswärtige Amt 24. Juni 1944
Best var 11. februar 1944 blevet stillet et spørgsmål af Horst Wagner vedrørende den tyske håndtering af radiocensuren på baggrund af en artikel i et schweizisk blad. Best svarede med betydelig forsinkelse, at der var tale om en misforståelse fra dansk side. Fejlen lå hos direktør F.E. Jensen og ikke hos radiokommissær Ernst Lohmann.
  Baggrunden var en forespørgsel fra Partei-Kanzlei der NSDAP 1. februar 1944. AA sendte et svar videre til partikancelliet 13. august 1944.
  Kilde: RA, pk. 218.

Der Reichsbevollmächtigte in Dänemark   Kopenhagen, den [...] Juni 1944
Nr. K/3-S/6

An das Auswärtige Amt, Berlin.

Betr: Politisch-Konfessionelle Fragen im dänischen Staatsrundfunk
2 D'drucke

Die Darstellung des "Schweizer Evangelischen Pressedienstes" Nr. 47/43 beruht auf einer tendenziösen Propagandameldung des Londoner Rundfunks vom November vorigen Jahres.

In Wirklichkeit hat sich der geschilderte Vorgang so abgespielt, daß der dänische Leiter des hiesigen Staatsrundfunks Direktor Jensen auf Grund eines Mißverständnisses den Bischof von Kopenhagen Fuglsang-Damgaard am 15.10.1943 aufforderte, in Zukunft Manuskripte der jeweiligen Rundfunkpredigten zur Genehmigung einzureichen.

Als der Rundfunkkommissar meiner Behörde am folgenden Tage von diesem Vorgehen Jensens erfuhr, veranlaßte er den Direktor, den Bischof Fuglsang-Damgaard in seiner Gegenwart telefonisch darüber aufzuklären, daß Jensens Forderung keineswegs auf einem Verlangen des Rundfunkkommissars sondern auf einem Irrtum des Direktors selbst beruhe.

Der Bischof nahm diese Erklärung entgegen und hat seit dieser Zeit selbst dafür selbst gesorgt, daß die Rundfunkpredigten keine politischen Spitzen enthalten.
                                Best

232. Horst Wagner an Werner Best 24. Juni 1944
Best blev spurgt, hvornår Frøslevlejren ville være færdig.
  Best svarede med telegram nr. 790, 29. juni 1944.
  Kilde: PA/AA R 99.502.

                    T e l e g r a m m

Berlin, den   24. Juni 1944

Diplogerma Kopenhagen. Nr. 713 v. 24.6.
Referent: Ksl. Geiger

Betreff: Dänische KL-Häftlinge in Deutschland
Auf Drahtbericht 707 vom 6. Juni.[197]

Erbitte Drahtbericht, zu welchem Zeitpunkt mit Fertigstellung des neuen Haftlagers an dänisch-deutscher Grenze voraussichtlich gerechnet werden kann.

Wagner

233. Werner Best an das Auswärtige Amt 24. Juni 1944

AA fik meddelelse om, at Best på opfordring af Pancke og med tilslutning af von Hanneken havde udstedt en forordning om, at angreb på tyske interesser på Sjælland ville blive behandlet ved en standret. Begrundelsen var de seneste sabotagehandlinger i København (jfr. KTB/WB Dänemark 24. juni 1944, Rosengreen 1982, s. 104, Kjeldbæk 1997, s. 252-257, 474).
Kilde: PA/AA R 29.568. RA, pk. 204. LAK, Best-sagen (afskrift).

T e l e g r a m m

Kopenhagen, den	24. Juni 1944	16.00 Uhr
Ankunft, den	24. Juni 1944	23.00 Uhr

Nr. 766 vom 24.6.[44.]

Nach den letzten Sabotageakten in Kopenhagen hat der Höhere SS- und Polizeiführer bei mir beantragt, daß durch Verordnung das standgerichtliche Verfahren für Straftaten, die auf der Insel Seeland gegen deutsche Interessen begangen werden, eingeführt werden möge. Der Wehrmachtsbefehlshaber Dänemark hat dieser Regelung zugestimmt. Ich habe darauf hin heute die folgende Verordnung erlassen:[198]
"Verordnung. Über die Einführung des standgerichtlichen Verfahrens für das Gebiet der Insel Seeland vom 23. Juni 1944. Die Aburteilung von Straftaten, die im Bereich der Insel Seeland gegen deutsche Interessen begangen werden,[199] durch die Feldkriegsgerichte der deutschen Wehrmacht und das SS- und Polizeigericht Dänemark auf Anordnung des Gerichtsherrn im standgerichtlichen Verfahren erfolgen, in dem das Gericht, soweit die schnelle Durchführung des Verfahrens es erfordert, von den allgemeinen Verfahrensvorschriften abweichen kann."

Dr. Best

197 Trykt ovenfor.
198 Trykt på dansk hos Alkil, 2, 1945-46, s. 885.
199 fehlt anscheinend Wort.

234. Ernst Richter: Aufhebung der Bereitschaftsstufe I 24. Juni 1944

Straks ved meddelelsen om den allierede invasion i Normandiet 6. juni havde værnemagten i Danmark indført forhøjet alarmberedskab (Bereitschaftsstufe I), det blev lettet igen allerede 8. juni og helt ophævet 23. juni (KTB/WB Dänemark 6., 8. og 23. juni 1944, Andersen 2007, s. 223).

For Københavns vedkommende valgte kommandant Richter at gøre opmærksom på, at faren for et allieret angreb ikke var overstået, men han henviste tillige til den tiltagende sabotage, især i Storkøbenhavn, hvor angreb fra modstandsbevægelsen ikke kunne udelukkes, og at tropperne derfor skulle sørge for at være forberedt med våben og skarp ammunition.

Kilde: BArch, Freiburg, RW 38/181. KTB/HKK, Anlage 196. RA, Danica 1069, sp. 10, nr. 11.910.

Höheres Kommando Kopenhagen   St.Qu., den 24.6.1944
Ia 2435/44 geh.   Anlage 196

Bezug: F.S. 1a vom 23.6.44.
Betr. Aufhebung der Bereitschaftsstufe I.

1.) Mit Wirkung vom 23.6.44 20.00 Uhr ist die Bereitschaftsstufe I für Dänemark aufgehoben worden. Die mit IIa 371/44 G.Kdos vom 15.44 befohlene Urlaubssperre bleibt jedoch bestehen. Die Möglichkeit eines Angriffs auf Dänemark ist damit nicht aus der Welt geschafft. Die Aufhebung der Bereitschaftsstufe I ist erfolgt, um der Trupp[e] wieder mehr Bewegungsfreiheit für die Ausbildung zu geben und die Maßnahmen der Bereitschaftsstufe I durch ihren Dauerzustand nicht abzustumpfen.
2.) Trotz Aufhebung der B.I darf die Truppe sich nicht in Sicherheit wiegen. Die Zunahme der Sabotageakte in Dänemark in letzter Zeit, besonders in Gross-Kopenhagen, wo am hellen Tage motorisierte Sabotagegruppen in Stärke von 60 Mann und mehr erhebliche Schäden an kriegswirtschaftlich wichtigen Objekten verbunden mit Waffendiebstählen durchgeführt haben, weist auf eine erhöhte Aktivität der dänischen Widerstandsbewegung hin. Daß bisher Wehrmachtanlagen und Truppenunterkünfte selbst noch nicht angegriffen worden sind, schließt diese Möglichkeit für die Zukunft nicht aus. Es ist bestimmt mit solchen Angriffen zu rechnen, sobald die Saboteure oder die Widerstandsbewegung die Zeit für gekommen halten, ihre Maske fallen zu lassen. Auf diese Gedankengänge muß die Truppe sich einstellen und von sich aus für jederzeitige Abwehrbereitschaft sorgen.
3.) Ich befehle daher, daß die mit Ia 117/44 geh. v. 9.1.44 angeordnete personelle Einsatzbereitschaft von Truppe und Führungsstäben bestehen bleibt. Die Durchführung dieses Befehls ist von allen Kommandeuren zu überprüfen. Insbesondere müssen die Jagd-Kommandos für sofortigen Einsatz bereitstehen.

Darüber hinaus befehle ich, daß außer dem Jagd-Kommando des Batl. im Rahmen der 50 % bei jeder Kompanie 2 Stoßtrupps, in Stärke von je 1 Gruppe mit 1 l.M.G., 2 M.P., Rest Gewehre mit Handgranaten und scharfer Munition zur Bekämpfung von Saboteuren und Abwehr von Überfällen bereitgehalten werden. Diese Stoßtrupps sind auf einer Stube zusammenzulegen und tun ihren Dienst in der Kaserne.

Verteiler:
D 1101, 1102, 1103, 1104

DI – XIII, XVII, XVIII, M 1206, M 1216
Wach-Batl., Aufstellungstab Major Albsmaier Hövelte,
Ia, KTB, Kdt.St.Qu.
Nachr.:
W.O. Kdtr. Gr.-Kph.

Richter
Generalleutnant

235. Werner Best an das Auswärtige Amt 24. Juni 1944

Best besvarede AAs forespørgsel, om han var positiv over for et dansk besøg i tyske koncentrationslejre og andre lejre, hvor der var danske, med et ja for at imødegå udbredelse af rædselsberetninger i Danmark, men tilføjede, at han på grund af den urolige situation ikke havde noget imod, at besøget blev udsat til roligere tider.

I mellemtiden havde Kaltenbrunner reageret. Se Geiger til Best 27. juni 1944.
Kilde: PA/AA R 99.502.

Abschrift von Pol VI 806

F e r n s c h e i b e n

Kopenhagen   24.6.
An Berlin

Auf das Telegramm 696 vom 22.6.44[200] erwidere ich, daß ich in den Besprechungen über dänische Besuche bei den in Konzentrationslagern und anderen Lagern im Reich verwahrten dänischen Staatsangehörigen stets den Standpunkt vertreten habe, daß Besuche dänischer Vertreter erwünscht seien, um der Verbreitung Greuelnachrichten in Dänemark entgegenzutreten. In der gegenwärtigen gespannten Lage halte ich solche Besuche allerdings nicht für vordringlich und habe gegen Verschiebung auf eine ruhigere Zeit keine Einwendung.

Dr. Best

236. Paul von Behr an Emil Wiehl und Georg Ripken 26. Juni 1944

Von Behr opsummerede Rudolf Sattlers beretning om den danske økonomiske situation, som Best havde fremsendt 15. juni og sluttede med konklusioner: der måtte frem for alt kræves sparsommelighed med hensyn til besættelsesomkostningerne.

Hvor stor end tilslutningen måtte være dertil i AA, havde udviklingen på krigsskuepladserne sat økonomiske hensyn i anden række for så vidt angik befæstningsforanstaltninger.

Von Behr videresendte samme dag Sattlers beretning til REM, RWM, RFM og Reichsbankdirektorium.
Kilde: PA/AA R 105.213. RA, pk. 282.

---

200 Trykt ovenfor.

Leg. Rat Baron v. Behr   zu Ha Pol 3246/44 gII

Herrn Min. Dir. Wiehl
Herrn VLR Ripken
  Pol. VI

Die wichtigsten Feststellungen des die Zeit vom 30.9.1943 bis 30.4.1944 umfassenden Berichtes sind folgende:
1.) Die Geldvermehrung in Dänemark als Folge der Kreditausweitung der Nationalbank für die Ausgaben unserer Wehrmacht in Dänemark und die Finanzierung der dänischen Ausfuhr nach Deutschland, hat – auf den Kopf der Bevölkerung gerechnet – in Dänemark noch nicht den Grad erreicht, wie in Norwegen, Belgien oder Holland (s. S. 2). Ebenso ist die Belastung Dänemarks gemessen an seinem Volkseinkommen noch verhältnismäßig nicht sehr hoch (22 %).
2.) Besorgniserregend ist dagegen die besonders Inangriffnahme der Befestigungsbauten seit August 1943 eingetretene sprunghafte Steigerung der Kreditausweitung und damit des Geldumfanges; die monatliche Steigerung betrug im Durchschnitt 1940 89, 1941 74, 1942 68 und 150 Mil. d.Kr., in den Monaten Januar bis April 1944 dagegen 237 Mil. d.Kr.!
3.) Die Bemühungen der dänischen Zentralverwaltung diese stark angewachsene überschüssige Kaufkraft zu binden, werden von dem Berichterstatter durchaus anerkannt; bedenklich aber erscheint, daß nur ein verhältnismäßig kleiner Betrag langfristig gebunden ist (durch Anleihen nur 6 %, kurzfristig dagegen 46 %). Von Seiten dieser kurzfristig gebundenen Gelder drohen der dänischen Regierung gewisse Gefahren.
4.) Die größten Gefahren für die Stabilität der dänischen Währung können sich aber aus einer weiteren sprunghaften Steigerung der Ausgaben der deutschen Wehrmacht in Dänemark ergeben. Daher die Forderung – vor allem Sparsamkeit bei den Besatzungskosten.
Berlin, den 26. Juni 1944
von Behr

237. Emil Geiger an Werner Best 26. Juni 1944
Best blev underrettet om, hvem der fra dansk side var blevet foreslået til deltagelse i besøget i Theresienstadt. Vedrørende besøg hos de danske kommunister i tyske koncentrationslejre forelå ingen endelig beslutning.
    Geiger gav Best oplysninger vedrørende besøget i Theresienstadt på et tidspunkt, hvor det havde fundet sted (23. juni). Se endvidere Bests telegram nr. 917, 2. august 1944.
    Kilde: PA/AA R 99.502.

Durchdr. a. K./R.l.b./Sr.
Inl. II B 2122 IV   *Berlin, den 26. Juni 1944.*

1.) An den Herrn Reichsbevollmächtigten in Dänemark,
    Kopenhagen

Mit Beziehung auf den Drahtbericht vom 27. März 1944.[201]
Betrifft: Besuch der in KL in Deutschland untergebrachten dänischen Staatsangehörigen (Kommunisten u.a.)

Vom Chef der Sicherheitspolizei und des SD kürzlich folgende Antwort eingegangen:
" In der Angelegenheit kann noch keine abschließende Mitteilung gegeben werden, da die angeforderte Stellungnahme des Befehlshabers der Sicherheitspolizei und des SD in Kopenhagen noch aussteht. – Nach Eingang derselben gebe ich weitere Nachricht."
In der Zwischenzeit hat sich der Chef der Sicherheitspolizei und des SD auf Grund einer Rückfrage des BdS in Kopenhagen erkundigt, wer von dänischer Seite an dem Lagerbesuch teilnehmen soll. Es ist ihm darauf erwidert worden, daß folgende Teilnehmer vorgeschlagen [/vorgesehen?] seien:
1.) Ministerialdirektor Hvass,
2.) stellv. Staatl. Medizinaldirektor Henningsen,
3.) vielleicht auch ein Legationssekretär der Dänischen Gesandtschaft Berlin.
Weiterer Erlaß bleibt vorbehalten.

Im Auftrag
gez. **Geiger**

2.) Wv: i. Ref.

238. Werner Best an das Auswärtige Amt 26. Juni 1944

I et meget kortfattet telegram meddelte Best, at der var indført undtagelsestilstand i København. Som to dage tidligere ved indførelsen af standretter var begrundelsen de seneste dages sabotagehandlinger.

Hvorvidt Best sideløbende har informeret om sabotagerne, henrettelsernes og modterrorens virkning, befolkningens stemning m.v. er ubekendt, da telegrammaterialet er spinkelt bevaret. Isoleret betragtet var AA meget dårligt orienteret om situationen i Danmark, også på baggrund af den "kortberetning", Best havde afgivet 16. juni. Den forudså på ingen måde en udvikling, som den Best nu kun rapporterede om bestræbelserne på at imødegå (KTB/WB Dänemark 26. juni 1944, Hæstrup, 1, 1966-71, s. 503f., Rosengreen 1982, s. 104).

Kilde: PA/AA R 29.568. RA, pk. 204. ADAP/E, 8, nr. 78.

T e l e g r a m m

Kopenhagen, den	26. Juni 1944	15.20 Uhr
Ankunft, den	26. Juni 1944	19.30 Uhr

Nr. 773 vom 26.6.[44.]

Mehrere Sabotageakte, die in den letzten Nächten in Kopenhagen begangen worden sind,[202] haben die Verhängung des zivilen Ausnahmezustandes über Groß-Kopenhagen

---

201 Trykt ovenfor.
202 BOPA saboterede 24. juni Maskinfabrikken FKL, Tagensvej 97 (totalskade), og samme dag B&W, Strandgade (en drejebænk svært beskadiget), og den følgende dag Nordværk, Ryesgade 19-21 (fuldstændig

erforderlich gemacht. Die getroffenen Anordnungen werden am 26.6.1944 in der folgenden Form veröffentlicht:[203]

"Sperrzeit in Groß-Kopenhagen. Ansammlungsverbot und Versammlungsverbot. Von offizieller deutscher Seite wird bekanntgegeben:

Im Interesse der öffentlichen Ordnung und Sicherheit sind mit Wirkung von Montag, dem 26.6.1944, für das Stadtgebiet von Groß-Kopenhagen die folgenden Anordnungen getroffen worden:[204]

1.) Der Verkehr und der Aufenthalt auf öffentlichen Straßen und Plätzen ist von 20 Uhr bis 5 Uhr verboten. Ausnahmen bedürfen einer besonderen Genehmigung, die bei den dänischen Polizeibehörden zu beantragen ist.
2.) Auf öffentlichen Straßen und Plätzen sind Ansammlungen von mehr als 5 Personen verboten.
3.) Versammlungen jeder Art unter freiem Himmel und in geschlossenen Räumen sind verboten. Ausnahmen bedürfen einer besonderen Genehmigung, die bei den dänischen Polizeibehörden zu beantragen ist.
4.) Den Aufforderungen deutscher Patrouillen ist unverzüglich Folge zu leisten. Nähere Bestimmungen hinsichtlich der Ausnahmen und Strafbestimmungen für Zuwiderhandlungen gegen die vorstehenden Anordnungen werden noch bekanntgegeben."

Dr. Best

239. Ernst Richter an Hermann von Hanneken 26. Juni 1944

Richter havde været på besigtigelse på Nordværk for at konstatere, om der kunne foretages særlige sikringsforanstaltninger for at undgå sabotage. Nordværk blev karakteriseret som vigtig for den tyske våbenproduktion. Besigtigelsen mundede ud i, at Richter anmodede om materialer til spanske ryttere til opstilling over en 600 meter lang strækning, da de var helt nødvendige for at forhindre sabotage. Der var i forvejen anbragt tyske soldater ved fabrikken som støtte for sabotagevagterne.
Kilde: BArch, Freiburg, RW 38/181. KTB/HKK, Anlage 197. RA, Danica 1069, sp. 10, nr. 11.908f.

Höheres Kommando Kopenhagen   *St.Qu. den 26.6.1944*
Ia/Qu Nr. 2440/44 geh.   Anlage 197
                                                                 Geheim!

Bezug: ohne.
Betr.: Örtl. Schutz des "Nordwerk" / Kopenhagen.

An Wehrmachtbefehlshaber Dänemark Abt. 1a
     Silkeborg

ødelagt) og Maskinfabrikken Ambi, Ryesgade, der alle arbejdede for tyskerne. Det var at føje spot til skade, når BdO kunne rapportere, at der efter sabotagen mod Nordværk var beslaglagt 15 af sabotørernes cykler (RA, BdO Inf. nr. 53, 28. juni 1944, Kjeldbæk 1997, s. 475).
203 Trykt på dansk i Alkil, 2, 1945-46, s. 885f.
204 KTB/WB Dänemark 26. juni angav i dagsmeldingen uden kommentarer, at der var indført spærretid i København fra kl. 20-0.5.

Am 23.6. nachm. habe ich mit dem Ia, dem W. Osts. Kdt. Kph. und Rittm. Schlüter vom Rüst. Stab eine Ortsbesichtigung bei dem *wehrwirtschaftlich* so wichtigen *Betrieb "Nordwerk"* vorgenommen, um festzustellen, ob dortselbst von seiten der Wehrmacht besondere Sicherungsmaßnahmen gegen Sabotage vorzunehmen sind. Der "Nordwerk"-Betrieb, in welchem *nur für die Wehrmacht* gearbeitet wird – und zwar die Motoren abgeschossener, angeschossener oder abgestürzter Jagdflugzeuge in Stand gesetzt werden – arbeitet in dem großen Werk "General Motors" – einer in amerikanischem Besitz befindlichen dänischen Firma – und ist von diesem in der Hälfte des Gebäudekomplexes nur durch eine Holzwand geschieden. Auf dem Hof an der Südseite des Werkes (nach der Aldersrogade hin) besteht nur eine Trennung durch einen gewöhnlichen stärkeren Maschendrahtzaun und gegen die Straße nur durch ein gewöhnliches Geländer aus Eisen. *Rund um das Werk* "Nordwerk/General Motors" laufen öffentliche Straßen, von denen die Rovsingsgade etwa von der Spitze des Nordwerk (im Westen) bis zur Vermundsgade *notdürftig* gesperrt ist. Dagegen besteht *keinerlei Schutz* gegen das ausgedehnte, völlig unübersichtliche *Laubenkolonie- und Schrebergärtengelände*, das sich gleich jenseits der Rovsingsgade (nördlich) *in einem Abstand von etwa 4 m entlang dem Nordwerk* in der ganzen Länge der Rovsingsgade hinzieht. *Hier*, sowie in der *Vermundsgade* und *im Hof* des Nordwerk muß der Schutz gegen Überraschungen oder Sabotage unbedingt durch *Aufstellung von spanischen Reitern* sichergestellt werden. Die Werte, die in dem Nordwerk in Gestalt von Spezialmaschinen für Motorenbau und Motorenprüfung, sowie in dem Materiallager, ferner in den zur Reparatur eingelieferten Motoren selbst enthalten sind (durchschnittlich 50-80 Motoren), sind unersetzlich und machen *diesen Schutz* erforderlich.

Das Höh. Kdo. bittet daher um *baldige* Sicherstellung und Lieferung von Rundholz und Stacheldrahtmaterial für spanische Reiter für insgesamt 600 m Front, die zu schützen sind.

Das Höh. Kdo. Kph. hat in das Werk *2 Stoßtrupps* gelegt – als Rückhalt für das Wächterpersonal und zum Streifengang um das Werk bei Tage und Nacht.

Richter
Generalleutnant

Verteiler:
W.B. Dän.
Ia
Qu
KTB
WOK Kph.

240. Ernst Richter: Sicherungsdienst 26. Juni 1944

Den 25. juni om formiddagen var Best til møde med Københavns kommandant, Generalleutnant Richter, i Kastellet. Der blev givetvis drøftet, hvilke tyske forholdsregler der skulle tages i anvendelse i den anspændte situation. Resultatet forelå dagen efter. Tyske soldater skulle bevogte udvalgte steder og foretage patruljetjeneste for at sikre, at spærretiden blev overholdt. Påtrufne sabotører skulle nedkæmpes på stedet.

Tysk politi synes ikke fra første færd at være involveret i de trufne foranstaltninger, og Richter sendte heller ikke kopi af ordren til hverken Pancke, Bovensiepen eller von Heimburg. Det var ikke kommandovejen, mens Best blev informeret som direkte involveret i drøftelserne og politisk ansvarlig. Til gengæld havde Best møder med Bovensiepen og von Heimburg 26. juni (Bests kalenderoptegnelser 25. og 26. juni 1944).

WOK = Wachoffizier Kopenhagen

Kilde: BArch, Freiburg, RW 38/181. KTB/HKK, Anlage 198. RA, Danica 1069, sp. 10, nr. 11.906f.

Höheres Kommando Kopenhagen. Anlage 198
Nr. 2450/44 geh. St.Qu., den 26.6.1944

Betr.: Sicherungsdienst.

Auf Grund der Entwicklung der Lage in Gross-Kopenhagen werden mit sofortiger Wirkung folgende Sicherungsmaßnahmen befohlen:

1.) *Streifendienst*:
   a.) *bei Tage*: Vormittags und Nachmittags je 2 Streifen (D III u. D X) auf dän. LKW in Stärke von je 1 Gruppe mit l.M.G. zur Überwachung der Anordnungen, daß Ansammlungen auf Straßen und Plätzen nicht stattfinden dürfen,
   b.) *bei Nacht*: D Batl. III u. X je 6 Streifen auf Rad von je 1 Feldw., 2 Uffz., 12 Mann und 1 Feldgendarm mit je 3 M.Pi., im übrigen Gewehr 98/K, pro Mann 2 Handgranaten und 45 Schuß Munition, pro M.Pi. 3 Magazine.
   Auftrag der Nachtstreifen: Überwachung der befohlenen Sperrmaßnahmen, sowohl bezgl. Personen – als auch Kfz. Verkehr, ferner zusätzliche Sicherung der wehrwirtschaftlich wichtigen Betriebe durch Überwachung der anliegenden Straßenzüge entsprechend dem von der WOK ausgegebenen Streifenplan. Bei Antreffen von Saboteuren Niederkämpfen derselben durch Einsatz aller Waffen.
   Dienstanweisung für diese Tag- und Nachstreben gibt der WOK dann entsprechend den von mir gegeben mdl. Weisungen an die Batle. (Abschrift an Höh. Kdo. Kph.) aus.
2.) *Jagdkommandos*: Die vom Höh. Kdo. Kph. befohlenen Jagdkommandos der Batle. D III u. X sind bei Zusammenstößen mit stärkeren Sabotagegruppen die erste, sofort verfügbare Eingreifreserve zur Unterstützung der Streifen. Ihr Einsatz erfolgt bei Anforderung der Streifen auf Befehl der Batle. D III bezw. X. Die Batle melden den notwendig gewordenen Einsatz der Jagdkommando der W.O.K. unter Angabe von Zeit und Ort. Die Jagd-Kdos sind nach Erfüllung ihres Auftrages in die Kaserne zurückzuziehen.
   Die mit Verfügung Ia 2435/44 geh. v. 24.6.44 Ziffer 3 befohlenen 2 Stoßtrupps je Komp. sind nur für den Einsatz in der Kaserne bezw. in unmittelbarer Nähe derselben vorgesehen und daher zur Unterstützung der Streifen *nicht* heranzuziehen.

3.) *Reserven des Höh. Kdos. Kph.:*
    a.) Das Jagd-Kdo. des Wach-Batls. steht zu meiner ausschließlichen Verfügung. Nach Zuweisung der 8, vom Herrn Reichsbevollmächtigten beschlagnahmten dän. Lkw. (Otto) sind 2 Lkw. für die Vorlastung der Jags-Kdos. Abzustellen.
    b.) Wach-Batl. hält darüber hinaus eine Eingreifreserve etwa in Stärke von 120 Mann mit entspr. Waffen zur Verfügung des Höh. Kdos. Kph. Sie ist auf die restlichen Lkw. zu verlasten. Bei Zuweisung weiterer 3 Lkw. durch W.B. Dän. sind ein Zug s.M.G. und 3 Pakbedienungen beweglich zu machen. Die 3 zugewiesenen Pak 4,5 sind an die Lkw. anzuhängen.

Der Dienst für diese unter b.) befohlene Eingreifreserve des Höh. Kdos. Kph. darf nur in der Kaserne oder ihrer unmittelbaren Nähe und in der Form stattfinden, daß eine schnelle Einsatzbereitschaft gewährleistet ist.

Richter
Generalleutnant

Verteiler:
WOK Gr.-Kph
D III
D X
Wach-Batl.
Ia
KTB
Qu
Nachr.:
W.B. Dän.
Reichbevollmächtigter Dän.

241. Paul Barandon an das Auswärtige Amt 27. Juni 1944

Barandon indberettede telefonisk, hvad der foregik i København og lovede, at Best ville indsende en beretning derom. Der var bl.a. indført udgangsforbud, og befolkningen havde demonstreret derimod, hvilket havde ført til sammenstød med en del døde og 50 sårede til følge. Yderligere var gennemført to store spektakulære modsabotager (Rosengreen 1982, s. 104).

Indberetninger med så voldsomt et indhold var alt andet end vanlige fra København. Yderligere var det usædvanligt, at Best ikke selv orienterede AA om så betydende indgreb, ikke mindst da det med de trufne forholdsregler lige så meget var et spørgsmål om at gøre indtryk i Berlin som i København. At Best overlod det til Barandon at informere AA, var i sig selv et udtryk for krisen i København.[205]

Kilde: PA/AA R 29.568. RA, pk. 204.

---

[205] Når Ernst Richter ved en afhøring 1. marts 1948 mente, at Best og Pancke havde indført spærretiden sammen, er det næppe korrekt, og når han yderligere mente at huske, at Pancke kort derefter og endnu under spærretiden indrømmede muligvis at være gået noget uklogt frem ved indførelsen af spærretiden (LAK, Best-sagen), må det henføres til en misforståelse fra Richters side; spærretiden var Bests ansvar, men at Pancke meget vel kan have beklaget, at han havde været indforstået dermed, er ikke det samme. Karl Heinz Hoffmann hævdede ved en afhøring 16. maj 1947, at han og Bovensiepen havde været i en skarp strid med Best om indførelsen af spærretiden, idet de mente, at det var umuligt at gennemføre udgangsforbud i en millionby fra kl. 20 en sommeraften, når man ikke havde tilstrækkeligt politipersonale til at forhindre de uroligheder, som uden tvivl ville opstå, bl.a. netop på grund af befolkningens kendskab til det manglende

JUNI 1944   415

Geheime Reichssache   Pol. VI 1770 gRs.

Gesandter Barandon, Kopenhagen, mitteilt heute vormittag unter Bezugnahme auf sein gestriges Telefongespräch mit Herrn U.St.S. Pol. folgendes:

Nach der dänischen Sabotage auf die Maschinenfabrik Madsen, die deutsche Waffen herstellte, hat der Reichsbevollmächtigte für Kopenhagen die Sperrstunde auf 20 Uhr abends festgesetzt und ferner das Standrecht für die Insel Seeland eingeführt. (Vergl. Drahtberichte, Nr. 766 + Nr. 773 vom 24.6. und 26.6.)[206]

Ein großer Teil des Tivoli-Vergnügungsparks (Konzertsaal und die Hauptgebäude) seien durch Gegensabotage vernichtet, desgleichen die Königliche Porzellanfabrik.[207]

Gestern, am 26.6. abends, haben in den Straßen von Kopenhagen Demonstrationen gegen die Verhängung der Sperrstunde stattgefunden. Es kam zu Menschenansammlungen und Barrikaden. In einem Feuergefecht, wobei auf deutscher Seite Polizei und 2 Kompanien der Wehrmacht eingesetzt waren, gab es auf dänischer Seite 5 Tote und 50 Verletzte. Die Wehrmacht hatte keine Verluste, die Polizei 1 Toten und 1 Leichtverletzten.[208]

Gesandter Barandon berichtete außerdem noch von einem Eisenbahnattentat auf einen Militärtransport.[209]

---

politipersonale (LAK, Best-sagen). Det forekommer mest af alt som én af mange tilrettelagte efterrationaliseringer fra Hoffmanns side. Bovensiepens efterkrigsforklaring 20. august 1945 er yderligere med til at sløre beslutningsprocessen: Forespurgt om, hvem der havde ansvaret for indførelsen af udgangsforbuddet i forbindelse med generalstrejken, svarede han: "Sagen var den, at Best var bange for, at der efter flere store Sabotagehandlinger skulde komme Ordre fra Berlin til at skyde 10 eller 50 Mennesker, og for at komme en saadan Ordre i Forkøbet foreslog han sigtede og Pancke at indføre dette Udgangsforbud og meddele Berlin, at den og den Sabotagehandling havde fundet Sted, men at der straks var truffet disse Forholdsregler." (LAK, Best-sagen). Forklaringen forekommer ikke dækkende, for så vidt som hverken indførelsen af udgangsforbuddet eller den påfølgende håndhævelse af det skyldtes tysk politi. Derimod er der ikke tvivl om, at Best var bange for, at der skulle blive krævet kraftigere soneforanstaltninger fra Berlin. Han ville afværge noget sådant med prøvede midler: udgangsforbud, modterror og henrettelser. Endelig har G.F. Duckwitz en helt anden forklaring på spærretidens indførelse: "Die Ereignisse kamen den Herren Hanneken und Pancke zu Hilfe. Auf ihre Initiative, auf ihren Rat hin ließ sich Dr. Best überreden, als Gegenmaßnahme für vermehrte Sabotage eine Sperrstunde zu verhängen, deren Anfang auf 20 Uhr festgelegt wurde." (ABA, Duckwitz 1945-46b, s. 3). Det er svært at se Best i rollen som den, der lod sig overtale her. Snarere har han foretrukket spærretiden frem for voldsommere tyske foranstaltninger lidet anende, hvilken udvikling han med spærretiden satte i gang.

206 Begge trykt ovenfor.
207 Petergruppen stod for schalburgtagerne, der også blev rapporteret af BdO som ikke vedkommende tyske interesser (RA, BdO Inf. nr. 53, 28. juni 1944, Bøgh 2004, s. 111f., tillæg 3 her). Bovensiepen forklarede 20. august 1945: ' "Tivoli" skulde virke som en særlig svær Gengældelse paa et Tidspunkt, hvor saavel Best som Pancke var meget ophidsede, navnlig paa Grund af et Telegram fra Himmler, hvori denne forventede strængeste Gengældelse i Anledning af Sabotage mod Skibsværftet i Svendborg. Sigtede husker nu, at han ogsaa specielt har drøftet "Tivoli" med Best saavel som Pancke.' (LAK, Best-sagen). Om det af Himmler omtalte telegram, se 15. juni ovenfor.
208 Meddelelsen om de døde og mange sårede kom først med i KTB/WB Dänemark 29. juni, hvor det blev angivet, at sammenstødene i København fandt sted i anledning af indførelsen af spærretiden.
209 KTB/WB Dänemarks dagsmelding 27. juni 1943 angav to jernbanesprængninger, hvoraf den ene var mod et troppetransporttog, hvis soldater straks blev indsat som eftersøgningskommando. En sabotør blev dræbt og flere sårede. Af BdOs mere indgående rapport fremgår, at der var kastet en håndgranat efter et troppetransporttog, da det forlod Hillerød, og at samme tog 1 km før Holte station blev udsat for et stort antal skinnesprængninger, hvorved en pakvogn blev afsporet. Tyske soldater forfulgte to mænd, der flygtede fra

Der Reichsbevollmächtigte wird über diese Vorgänge noch drahtlich Bericht erstatten.
Berlin. den 27. Juni 1944.

Grundherr

Verteiler:
St.S.
U.St.S. Pol.
Dg. Pol.
Pol I M
P VI

242. Deutsches Rotes Kreuz: Besichtigung der Judensiedlung Theresienstadt 23. Juni 1944, 27. Juni 1944

F. von Heydekampf fra Tysk Røde Kors beskrev i kort form forløbet af besøget i Theresienstadt og den påfølgende middag i Czernin Paladset. Det samlede indtryk hos alle deltagerne var meget godt. Der var for danskerne kun ét problem. De mente, at der var sendt ca. 400 danske jøder til Theresienstadt, men kunne kun fastslå, at der var 298 jøder med dansk statsborgerskab i lejren. Differencen kunne delvis forklares med, at der var ført statsløse jøder til lejren, men RSHA lovede at se nærmere på danskernes liste (Kárný 1993, s. 286f., Weitkamp 2008, s. 194).

Røde Kors-besigtigelsen af Theresienstadt har siden været stærkt omdiskuteret både i den danske og internationale litteratur. Spørgsmålet har været, om de danske og tyske udsendinge (foruden M. Rossel fra Det Internationale Røde Kors) lod sig snyde, eller om de valgte at spille RSHAs spil, fordi det gjaldt om at frelse bl.a. de danske jøder og ikke om at fremføre kritik. Fra tjekkisk side er kritikken særligt blevet rettet mod Rossel for at beskrive forholdene i lejren i alt for positive farver, det var i for høj grad at gå RSHAs ærinde og havde angiveligt (Kárný 1983 og 1996) bl.a. som en følgevirkning, at "familielejren" i Birkenau straks blev lukket og fangerne ombragt. Dertil kommer, at Theresienstadt for de fleste jøder, der kom dertil, ikke var slutopholdsstedet. De allerfleste blev deporteret videre og ombragt trods alle forsikringer til Røde Kors. Her var alle de til Danmark knyttede jøder en undtagelse. I tilbageblik kan Rossels udveksling af høflighedsfraser med von Thadden tillige virke stødende på grund af hele sagens alvor (se bl.a. Friediger 1946, s. 108-112, PKB, 11, bilag s. 59f. (Hvass 1949), Reitlinger 1953 (1956), s. 192f., Adler 1958, s. 312-316 (delvis aftryk af rapporten (ret så positiv) fra repræsentanten for det internationale Røde Kors, Rossel), Adler 1960, s. 173-179, 718, 752, Hæstrup, 1, 1966 71, s. 412f., Yahil 196/, s. 261ff., 264-268, Sode-Madsen 1992a, s. 26ff., samme 1992b, s. 104-106, samme 1993b, s. 282-284, samme 1993c, s. 201-209, samme 1995 (heri aftryk af Juel Henningsens rapport), Kirchhoff 1997, s. 347f., Favez 1999, s. 43f., 73f., Beretningen om Dansk Røde Kors' besøg trykt hos Sode-Madsen 1995, s. 51-72, Kárný 1993, Kárný 1996, s. 276-320 (kommenteret gengivelse af hele Maurice Rossels beretning, noter af Blodig 1996), Kárný 1998, von Thaddens takkebrev til Rossel 26. juni 1944 (trykt hos Kárný 1996, s. 284 note 15), Rossels takkebrev til von Thadden 1. juli 1944 (trykt nedenfor), Cesarini 2004, s. 165 (stærkt kritisk), Sode-Madsen 2005, s. 159-163, Weitkamp 2008, s. 194f., Morgenbrod/Merkenich 2008, s. 390).

Rolf Günther fulgte op på besøget til von Thadden endnu 27. juni 1944, mens Best først skrev til AA om besøget med telegram nr. 917, 2. august 1944.

Kilde: BArch, R 58/89.

stedet, den ene blev dræbt (manufakturhandler Diderichsen), den anden såret (direktør Jensen), begge fra Holte. Yderligere blev seks unge mænd på stedet anholdt som delagtige i sabotagen (RA, BdO Inf. nr. 53, 28. juni 1944).

Besichtigung
der Judensiedlung Theresienstadt
23. Juni 1944

Anwesend:

1.) Ministerialdirektor Hvass (Vertretender Staatssekretär im Auswärtigen Amt)
2.) Medizinalrat Henningsen (Gesundheitsamt Kopenhagen, Mitglied des Dänischen Roten Kreuzes.
3.) Dr. Rossel (Berliner Delegation, CICR)
4.) Legationsrat v. Thadden (Auswärtiges Amt)
5.) FF. von Heydekampf (Deutsches Rotes Kreuz)
6.) SS-Standartenführer Günther (Reichssicherheitshauptamt, Berlin)
  Ein Vertreter der schwedischen Regierung resp. des Schwedischen Roten Kreuzes war nicht anwesend.

Abfahrt Prag 10 Uhr in Kraftfahrzeugen Ankunft Theresienstadt etwa 12 Uhr. Vortrag des Judenältestens Epstein, sodann eingehende Besichtigung aller Einrichtungen, worüber Einzelheiten dort bekannt sein dürften.

Herr von Thadden stellte an Hand von früheren Besichtigungen fest,[210] daß in der Zwischenzeit große Fortschritte gemacht worden sind (Schwimmbad mit Warmwasserduschen, Kindergärten und Kinderspielplätze).

Die 3 Vertreter des Auslandes konnten sich frei, allerdings in Gegenwart der deutschen Herren, mit den Juden unterhalten. Insbesondere haben die dänischen Herren dänischen Juden Grüße ihrer Angehörigen übermittelt und umgekehrt Grüße und sonstige Mitteilungen entgegengenommen.

Auf sämtliche Herren war der Gesamteindruck der Siedlung sehr gut, besonders waren sie über das gute Aussehen der Siedlungsbewohner und die überall herrschende Sauberkeit angenehm berührt.

Für die dänischen Vertreter ergab sich insofern eine Schwierigkeit, als in Theresienstadt 298 Juden dänischer Staatsangehörigkeit festgestellt wurden, während nach der Liste der dänischen Herren seinerzeit etwa 400 dänische Juden nach Deutschland gebracht worden sind. Zum Teil dürfte es sich bei der Differenz um Juden handeln, welche in Theresienstadt als staatenlos geführt worden. Das RS[H]A hat versprochen, an Hand der dänischen Liste die Differenz zu klären.[211]

Anschließend an die Besichtigung Schlußbesprechung. Der Delegierte des CICR legte dem Judenältesten die Fotokopie einer Empfangsbestätigung mit der Frage vor, ob die Unterschrift identisch sei, was bestätigt wurde. Um den Nachweis ganz einwandfrei zu führen, hat der Judenälteste unter die fotokopierte Unterschrift nochmals seine Originalunterschrift gesetzt.

Für das Deutsche Rote Kreuz von Interesse:

---

210 Von Thadden havde været på besigtigelse i Theresienstadt 30. juni 1943 sammen med Walther Hartmann fra Tysk Røde Kors (Kárný 1993, s. 281).
211 Se Günther til von Thadden 27. juni 1944.

1.) Empfangsbestätigungen werden von dem jüdischen Ältestenrat unterschreiben. Quittung über die in Vorbereitung stehende Spende von 4 Waggons Liebesgaben wird ebenfalls als ganzes vom Ältestenrat gegeben.
2.) Briefverkehr ist den Juden sowohl nach dem Protektorat als nach Deutschland und auch in das Ausland gestattet; eingehende Briefe werden ebenfalls an die Juden ausgehändigt. Es erübrigt sich somit eine Leitung der Post über Genf.
3.) Im großen Umfang treffen Sardinenpäckchen aus Portugal an Einzeladressen ein.[212] Diese Sendungen sind besonders beliebt.

20.30 Uhr Empfang mit anschließendem Essen bei Staatsminister Dr. Frank auf der Burg.[213]

Am Sonnabend d. 24.6. Besichtigung der Sehenswürdigkeiten von Prag unter sachkundiger Führung.

Meine Abfahrt bereits Freitag Nacht, daß Anwesenheit in Berlin am Sonnabend erforderlich.

Berlin, den 27. Juni 1944.

H[eydekampf]

243. Rolf Günther an Eberhard von Thadden 27. Juni 1944

Eichmanns afdeling i RSHA lod straks den liste, som Hvass havde medbragt til Theresienstadt undersøge for at fastslå, hvorfor danskerne mente, at der var flere danske jøder i Theresienstadt end opgivet af RSHA. Günther fastslog, at der var enkelte fejl på listen, samme person optrådte to gange, at nogle af jøderne var døde, at andre var emigranter, nogle fra Böhmen og Mähren og aldrig havde været i Danmark, at 10 på listen opførte personer ikke var ført til Theresienstadt, men måtte være flygtet til Sverige, og sluttelig var der 13 jøder, hvorom der forelå utilstrækkelige oplysninger (Weitkamp 2008, s. 195).

Von Thadden videregav straks Günthers svar til Hvass, der på sin side gav oplysninger, som von Thadden sendte til Eichmann 29. juni. Det kunne pludseligt gå hurtigt i RSHA, når det positive indtryk skulle fastholdes.

Kilde: PA/AA R 99.414.

Der Chef der Sicherheitspolizei und des SD   *Berlin, den 27. Juni 1944*
IV A 4 b – 5446/42 g (1670)

An das Auswärtige Amt
   z.Hd. von Herrn Legationsrat von Thadden o.V.i.A.
   Berlin.

Betrifft: Wohnsitzverlegung von Juden aus Dänemark nach Theresienstadt
Bezug: Laufend.

---

212 Forsendelsen af disse pakker var begyndt i april 1943 (BArch, R 58/89, fol. 39ff.).
213 Bordplanen (!) for denne middag er trykt hos Kárný 1996, s. 282f. (note 12).

Anlagen: 2 Listen.[214]

Als Anlage wird die von Ministerialdirektor Hvass übergebene Liste (in doppelter Ausfertigung) übersandt.
Im einzelnen wurde nach Überprüfung festgestellt:
1.) Bei den Juden Cholewa, Benjamin, und Cholewa, Bent, handelt es sich sicher um dieselbe Person: bei der Judenfamilie Ruben ist die Jüdin Frau Ruben zweifellos überzählig, sodaß sich die Gesamtzahl der auf dieser Liste namhaft gemachten Juden von 481 auf 479 verringert.
2.) 295 Juden von ihnen besitzen die dänische Staatsangehörigkeit (von ihnen sind inzwischen 15 verstorben – Todestag und Ursache sind angegeben).
3.) Bei 135 Juden handelt es sich um Emigranten, die aus dem Reich nach Dänemark emigrierten. Ein Teil von ihnen war in der dänischen Landwirtschaft tätig, um sich eine Bescheinigung über eine praktische Tätigkeit für das in Aussicht genommene spätere Zielland zu beschaffen. (8 von ihnen sind verstorben – Todestag und Ursache sind angegeben).
4.) 26 auf dieser Liste namhaft gemachte Juden stammen aus dem Reich bzw. Böhmen und Mähren und kamen *nicht* durch Transporte aus Dänemark nach Theresienstadt. Die betreffenden Juden haben sich nie in Dänemark aufgehalten (3 verstorben).
5.) 10 auf der Liste angegebene Juden befinden sich nicht in Theresienstadt. Es kann angenommen werden, daß sie bei der seinerzeitigen Aktion in Dänemark untergetaucht bzw. nach Schweden geflüchtet sind.
6.) Bei 13 Juden war eine Feststellung mangels unzulänglicher Personalien nicht durchführbar.

Im Auftrage:
Günther

244. Der Reichsbevollmächtigte: Vertrauliche Tagesinformation 27. Juni 1944

Gennem en længere periode, muligvis fra foråret 1943 at dømme efter nummeret 415, lod Best udsende daglige pressereferater, hvoraf kun ganske enkelte er lokaliseret. De er sandsynligvis blevet udsendt til visse tyske tjenestesteder ud over Det Tyske Gesandtskab i lighed med *Politiske Informationer* og har dannet en del af grundlaget for den månedlige udarbejdelse af afsnittet "Fjendtlige stemmer" i samme. Indholdet er referater fra svensk og illegal presse. Som generalstrejken i København var under udvikling, blev et nummer af *Vertrauliche Tagesinformation* viet til en omtale af Schalburgkorpset, som igen senere skulle være et af emnerne i Bests propagandaarbejde. Dette propagandaarbejde var en succes for så vidt, som det lykkedes at holde skjult, hvem der egentligt forestod den tyske modterror.

Om *Vertrauliche Tagesinformation*, se 11. april 1944.
Kilde: RA, Centralkartoteket, pk. 681.

Der Reichsbevollmächtigte in Dänemark
Pressereferat   Nr. 415

214 Listerne ligger ikke ved brevet.

Vertrauliche Tagesinformation
27. Juni 1944.

Unter der Überschrift "Die Dänen bereiten sich auf einen offenen Partisanenkrieg vor," beschäftigt sich "Nya Dagligt Allehanda" vom 22. Juni in einem längern Artikel mit dem Schalburg-Korps. Der Artikel lautet: "Verschiedene Zeichen deuten darauf hin, daß man sich in Dänemark auf einen offenen Partisanenkrieg vorbereitet. Nach Mitteilung von Dansk Pressetjänst betrachtet man den Angriff der Partisanen gegen die Freimaurerloge auf dem Blegdamsvej, die Hochburg des Schalburg-Korps, als Einleitung zu einem solchen Kriege, durch des Schalburg-Korps, als Einleitung zu einem solchen Kriege, durch welchen die Patrioten in erster Linie mit dem Schalburg-Korps Schluß machen wollen, dessen zerstörende Kräfte ausschließlich gegen die dänische nationale Front gerichtet waren. Die sinnlosen Attentate des Schalburg-Korps' hatten zum Ziel, eine Mißstimmung gegen die Sabotage überhaupt zu schaffen, indem das Volk annehmen sollte, daß die Taten des Schalburg-Korps durch dänische Patrioten verübt worden seien. Allmählich ist es aber den Deutschen und ihren dänischen Handlangern aufgegangen daß sie auf diese Weise nicht weiterkommen. Das dänische Volk hat schnell gelernt, zwischen Sabotage und "Schalburgtage" zu unterscheiden mit dem Erfolg, daß die Dänen die Opfer des Schalburg-Terrors beklagten, wogegen sie keine Einwendungen fanden, wenn dänische "Kriegsziele" von den Patrioten liquidiert wurden.

Die Deutschen wollten aber um jeden Preis der Sabotage ein Ende bereiten, und da die Terrorakte der Schalburgleute gegen die Industrie zu keinem Resultat führten, griff man zu Mitteln, welche die dänische Bevölkerung erschrecken sollte. Als bezeichnendes Beispiel hierfür nennen wir die folgenden durch das Schalburg-Korps kürzlich zerstörten Gebäude: Das Ärzte Hotel Domus Medica in Kopenhagen, die große nationale K.B.-Halle, das Haus des Golfclubs im Dyrehaven und den schönen Langelinie-Pavillon.

Die Mai-Nummer von "De frie Danske" enthüllte Dr. Best als Mann hinter dem Schalburg-Terror, da die unterirdische Bewegung in den Besitz eines Dokuments gekommen ist, woraus ersichtlich ist, daß der berühmte dänische Nazist Wilfred Petersen mit Dr. Best Einverständnis unter dem Losungswort "Terror muß durch Terror bekämpft werden", eine Terroraktion eingeleitet hatte. Die Zusammenarbeit sollte jedoch so geschehen, daß die deutschen Behörden nicht kompromittiert würden und weiterhin sollte die Arbeit der Organisation völlig in Dunkel gehüllt bleiben, da man glaubte, die Schläge würden kräftiger wirken, wenn die Saboteure nicht wüßten, woher sie kamen. Wilfred Petersen, der später von den Deutschen verhaftet wurde, merkte jedoch, – nach seiner eigenen Erklärung – daß Dr. Best mehr und mehr eine Zusammenarbeit mit Leuten wünschte, welche schon früher im deutschen Dienst standen und Inhaber von Waffen, Passierzetteln usw. waren. Diese Aussage stimmt mit der Tatsache überein, daß nach und nach immer mehr von Wilfred Petersen Leuten in das Schalburg-Korps eintraten."[215]

---

[215] Karakteren af Wilfred Petersens forbindelse til tyske myndigheder er aldrig blevet tilstrækkeligt afdækket (se tillige *Politische Informationen* 1. december 1943, afsnit VI). Det er mere tænkeligt, at Wilfred Petersen tilbød tyske myndigheder sine tjenester, end at Best tilbød ham de i *De Frie Danske* nævnte opgaver. Best ville næppe på noget tidspunkt have begivet sig ud i modterror med en person som Wilfred Petersen som eksekutor og slet ikke i august-september 1943, hvor han i forvejen var direkte imod det af Søren Kam

Allmählich glitt die ganze Terrorarbeit in die Hände des berüchtigten Korps über. Gleichzeitig arbeitete eine ganze Anzahl von asozialen Elementen aus dem dänischen Volke als Angeber bei der Gestapo, wo sie viele Patrioten anzeigten und zu ihrem Tode beitrugen. Diese Verhältnisse sind inzwischen so unerträglich geworden, daß die Patrioten das nicht länger mit ansehen wollen, und als die Schalburg-Leute den Dichterpastor Kai Munk ermordeten, erfolgte umgehend ein "Clearingmord" an einem Angeber, dem Fischhändler J. Chr. Petersen in Slagelse. Der Tod des Fischhändlers führte am nächsten Tage zu dem Mord an dem Arzt W. Vigholt in Slagelse durch Schalburgleute. Hiermit war die lange Liste der "Clearingmorde" eröffnet, und seitdem haben die bezahlten Agenten der Deutschen 11 dänische Patrioten ermordet – allein 6 davon in den letzten 2 Monaten. Die Vergeltungsaktion des Schalburg-Korps für Sabotage richtete sich gegen Institutionen, welche von den Deutschen und den dänischen Nazisten auf die eine oder andere Weise als Symbole für die dänische nationale Widerstandsbewegung angesehen wurden, und sie hat dem Lande schon einige Millionen Kronen gekostet. Die Zahl der nur seit Januar verübten "Schalburgtage" beläuft sich auf 30. Das Attentat gegen die Studenterforening war die Einleitung zu dieser Terrorwelle, welche seitdem Filmgesellschaften, Buchdruckereien, Verlage, Ruderklubs, einige Zeitungsgebäude in Aalborg und Odense und verschiedene Kinos ergriffen hat. Weiter ist "Schalburgtage" gegen einige Fabriken verübt worden, so z.B. das Attentat gegen die Glasfabrik in Korsör zusammen mit den Fensterzertrümmerungen sämtlicher großer Warenhäuser in Kopenhagen. – Diese Liste zeigt, mit welcher Rücksichtslosigkeit die Schalburgleute ans Werk gehen und daß die Entwicklung in Dänemark künftig zu einem offenen Krieg zwischen Patrioten und Schalburgleuten führen wird.

"Aftonbladet" vom 29. Juni schreibt in einem längeren Artikel unter dem Titel "Das Schalburg-Korps Dänemarks Gangster":

"Nirgends im unterdrückten Europa arbeiten die Deutschen mit einer Institution wie dem Schalburg-Korps zusammen, dessen Einsatz im Dienste der Deutschen durch eine ununterbrochene Serie von Morden, Überfallen und Attentaten gekennzeichnet ist, und welches einzig und allein darauf ausgeht, die dänische Bevölkerung zu terrorisieren, damit sie ihren Widerstand gegen die Okkupationsmacht aufgibt. Außer direkten Terrorhandlungen besteht die Tätigkeit des Schalburg-Korps darin, Landsleute zu verraten, an der Jagd der Gestapo auf dänische Patrioten teilzunehmen und dänische Bürger zu verhaften. Daß überhaupt eine solche Organisation wie das Schalburg-Korps existiert, erfüllt natürlich die dänische Bevölkerung mit Scham und größerer Verbitterung und Trauer als die strengsten Verhaltensmaßregeln der Okkupationsmacht, und man versteht die Zusammenhänge erst richtig, wenn man die nähere Zusammensetzung des Korps betrachtet.

Wie von unterrichteter Seite in Stockholm erklärt wird, besteht das Schalburg-Korps aus dem Abschaum des Volkes. Es rekrutiert sich hauptsächlich aus Personen, die mit dem Gesetz in Konflikt gekommen oder aus Irrenanstalten oder Besserungsanstalten

---

m.fl. foretagne mord på journalisten Carl Clemmensen 31. august (jfr. SS-krigsretten i Berlins dom 13. september 1943 over Kam og Helweg-Larsen (gengivet i Helweg-Larsen 2008, s. 180-184, her s. 183). Når Wilfred Petersens tilhængere fandt vej til Schalburgkorpset, skulle det ifølge efterkrigsforklaringerne være for at skaffe oplysninger om korpset (forklaringer 25. maj 1946, 4. og 23. marts 1948 (LAK, Best-sagen), *Højesteretstidende* 1949, s. 1293-1326).

entwichen sind. Das ist keine leere Behauptung der Dänen, sondern stützt sich auf nüchterne Tatsachen, von denen nur einige hier angeführt werden sollen. Von 30 Kandidaten, welche zu einem gewissen Zeitpunkt sich um Aufnahme in das Korps bewarben und angenommen wurden, waren 28 vorbestraft, und aus den dänischen Irrenanstalten kam vor einiger Zeit eine Anfrage an das Sozialministerium, ob eine Versorgungspflicht für solche Patienten fortbestehe, welche sich im Schalburg-Korps angemeldet hätten.
...

Besonders bezeichnend ist jedoch die Reaktion der dänischen Nazisten selbst. Auf einer kürzlichen Sitzung der national-sozialistischen Parteileitung verfaßte man einen ernsten Protest gegen den durch das Schalburg-Korps ausgeübten Terror, verlangte von Dr. Best ein Eingreifen und schloß gleichzeitig alle Schalburgleute aus der Partei aus. Daß diese Ansicht der Nazisten über ihre Gesinnungsgenossen überhaupt an die Öffentlichkeit gekommen ist beruht darauf, daß die Clausen-Partei in heftigem Streit mit den Schalburgleuten liegt, welche den extremen Flügel der Partei ausmachen.[216]

Das Schalburg-Korps trat am 29. August des vergangenen Jahres zum ersten Mal an die Öffentlichkeit, als es zusammen mit der Gestapo viele bedeutende Persönlichkeiten der Politik, Literatur und Presse verhaftete. Während der Razzia gegen die dänischen Juden im Oktober traten die Schalburgleute mit einem Zynismus und einer Brutalität hervor, welche zum Teil noch die der deutschen Gestapo-Soldaten übertraf.

Heute untersteht das Schalburg-Korps direkt der SS. Sein Ursprung ist jedoch älteren Datums, es feierte nämlich am 2. Februar d.J. sein einjähriges Bestehen. Es wurde zu Beginn des Jahres 1943 auf Höveltegaard in Nordseeland errichtet und seine Ziele waren anfangs von einer gewissen Mystik umgeben. Man wußte, daß sein Chef, der frühere Leiter des Freikorps Dänemark, Leutnant K.B. Martinsen war und kurz danach wurde bekannt, daß die Neuorganisation eine Art Fortsetzung dieses Freikorps sollte, welches ja an der Ostfront ein trauriges Schicksal erlitten hatte. Im übrigen fand es bei den dänischen Nazisten nur wenig Anhänger. Diese konnten wohl zum Kampf gegen den Bolschewismus aufrufen, zeigten aber eine auffallende Zurückhaltung wenn es galt, sich unter der deutschen Flagge einzureihen. Als das Schalburg-Korps sich nach dem 29. August der Öffentlichkeit vorstellte, geschah dies unter dem Hinweis, daß man eine neue dänische Armee schaffen wolle, da die reguläre Armee ja von den Deutschen aufgelöst worden war. Man beabsichtigte, so hieß es, Soldaten auszubilden für die Aufgaben, welche nach Abzug der deutschen Truppen aus Dänemark entstehen würden. Das Schalburg-Korps hat nie einen großen Zulauf gehabt. Die Zahl seiner Mitglieder stieg nicht höher als 2.000 und liegt wahrscheinlich zwischen 1.000 und 1.500 Mann.

Das rechtswidrige Treiben des Korps steht jedoch in umgekehrtem Verhältnis zu seiner geringen Mitgliederzahl, und dies beruht natürlich darauf, daß das Schalburg-Korps ein unbegrenztes deutsches Wohlwollen geniest und nach Ausschluß aus der Nazi-Partei direkt Dr. Best unterstellt ist. Das Korps wurde mit seinem Einverständnis und seiner Hilfe nach einem Plan des berüchtigten dänischen Nazisten Wilfred Petersen geschaffen, hierzu kommt, daß das Schalburg-Korps nicht unter das dänische Recht fällt, sondern auf Grund seines Verhältnisses zur SS den gleichen Schutz wie die deutschen Soldaten

---

216 Se note 230.

genießt und nur nach nur nach deutschem Recht bestraft werden kann. Die dänische Polizei darf höchstens mit deutschem Einverständnis gegen sie einschreiten und das geschieht in einem von hundert Fällen.

Anfangs bestand die Hauptaufgabe des Korps darin, der Gestapo im Kampfe gegen die dänischen Saboteure beizustehen. Ende September wurde unter Führung eines Hauptmann Sommer eine spezielle Schalburg-Abteilung gegründet, welche die Sabotagewache bei einer Reihe von Firmen übernahm, welche für deutsche Rechnung arbeiteten.[217] Die Deutschen haben es nicht für ratsam gehalten, die Schalburgleute mit direkter Polizeivollmacht auszurüsten, Voraussetzung hierfür wäre, eine völlige Auflösung der dänischen Polizei und hiervor sind die Deutschen bisher zurückgeschreckt, obwohl es nicht an Forderungen und Drohungen gefehlt hat, die Schalburgleute ganz und gar mit den Aufgaben der Polizei zu betrauen. Die Polizei hat sich auf das bestimmteste geweigert, mit dem Schalburg-Korps zusammenzuarbeiten und erklärt, lieber alle Folgen auf sich zu nehmen, die sich aus einer Auflösung und Entwaffnung ergeben würden. Die Deutschen wissen offenbar, daß eine Einsetzung des Schalburg-Korps als Polizei in Dänemark nur ein vollständiges Chaos und wahrscheinlich offenen Widerstand hervorrufen würde.

Umso mehr stützen die Deutschen das Schalburg-Korps in anderer Hinsicht. Der Terror steht gerade heute in voller Blüte. Schon seit längerer Zeit ist die Bezeichnung Schalburgtage üblich für all die Terror- und Gewalttaten, womit das Korps den Kampf der Patrioten gegen die für Deutschland arbeitende Kriegsindustrie beantwortet. Der Schalburg-Terror richtet sich jedoch nicht nur gegen Gebäude und Institutionen, deren Vernichtung die dänische Bevölkerung treffen soll, sondern hat sich auch gegen bedeutende dänische Persönlichkeiten gewandt, die in der nationalen Arbeit sich einen Namen gemacht haben. Der Mord an Kai Munk war das erste Beispiel dieser unheimlichen Unternehmungen. Ihm folgte auch eine Reihe von Morden und Attentaten an bekannten Personen, deren Tod von einer besonderen Mordabteilung im dänischen Schalburg-Korps ausführlich geplant war. Diese Morde werden Clearing-Morde genannt, da sie in der Regel dann geschehen, wenn die Patrioten einen der gefährlichen Angeber erledigt haben, welche die ganze nationale Widerstandsarbeit ruinieren können. …

Diese Rachegefühle, welche in das Reich der Psychiatrie gehören, kommen auch auf andere Weise in dem Auftreten des Schalburg-Korps zum Ausdruck. Es gehört zu seinen weiteren Aufgaben, die Bevölkerung zu provozieren, sie ihre Machtlosigkeit spüren zu lassen und sie in ihren nationalen Gefühlen zu verletzen. Deshalb halten die Schalburgleute nächtliche Schießübungen auf den Straßen ab und marschieren in den Uniformen der Armee und mit Dannebrog und Hakenkreuzflagge durch die Stadt. Die Beschlagnahmung der Freimaurerloge als Hauptquartier für das Schalburg-Korps ist ebenfalls als Herausforderung gemeint und das gleiche gilt für die Errichtung eines Ausbildungslagers für Schalburgleute in der größten Garnison des Landes, Ringsted. Diese Züge liegen zweifellos tief im Charakter der Schalburgleute und sind einfach ein Ausdruck für ihren kriminell betonten Wunsch, Rache an der Gemeinschaft zu nehmen.

Dr. Best bezeichnete kürzlich die Verhältnisse in Dänemark als "gangsterartig" und

---

217 Dette er ikke korrekt. Poul Sommer var kort i ledelsen af Schalburgkorpset efteråret 1943, men viste sig uegnet. Sommerkorpset blev først oprettet som vagtkorps i begyndelsen af 1944 og stod ikke i forbindelse med Schalburgkorpset.

meinte damit die Sabotage, welche immer größere Ausmaße annimmt. Wie immer wendet sich aber diese deutsche Charakteristik der durch die Deutschen hervorgerufenen Verhältnisse gegen die Deutschen selbst. Es ist der durch das Schalburg-Korps ausgeübte Terror, welcher heute Gesetz und Recht verletzt. Es sind die Schalburgleute, die in Dänemark als Gangster auftreten."

245. Emil Geiger an Werner Best 27. Juni 1944
Geiger orienterede Best om status vedrørende de danskere, der var ført til Tyskland (de danske jøder undtaget). Ud over adskillige fremsendte bilag var der kun den ene reelle meddelelse at give videre, nemlig at urner med afdøde danske fanger skulle forblive i Tyskland til krigens afslutning.
    Kilde: PA/AA R 99.502 (koncept).

Inl. II B 2156 II   *Berlin, den 27. Juni 1944.*

An den Bevollmächtigten des Deutschen Reiches in Dänemark
   in Kopenhagen

Betr.: Nach Deutschland überstellte Dänen (Kommunisten u.a.)

In der Anlage übersende ich mit der Bitte um Kenntnisnahme Abschrift eines Schreibens des Chefs der Sicherheitspolizei und des SD vom 16. Mai 1944.[218] Ich nehme hierbei Bezug auf die Unterredung, die Sie mit Herrn Unterstaatssekretär Hencke am 31. März d.J. hatten (Ziffer VI der Aufzeichnung vom 1. April 1944).[219] Wie sich aus einer Unterredung mit einem Angehörigen der hiesigen Dänischen Gesandtschaft ergab, hat sich das Dänische Außenministerium in Einzelfällen auch bereits unmittelbar dorthin gewandt.

Auf Larsen bezieht sich der Bericht vom 17. März 1944[220] – II 239/44 –. Eine weitere Mitteilung über Larsen ist vom Chef der Sicherheitspolizei und des SD bisher nicht ergangen.

Ferner füge ich zur Kenntnisnahme Abschriften der Schreiben des Chefs der Sicherheitspolizei und des SD vom 17. und 20. April, 15. Mai und 19. Juni 1944, betreffend Nytorp, Nielsen, Bentzen, Andersen und Callesen, bei.[221] Zu der Frage der Übersendung der Urnen verstorbener Häftlinge nach Dänemark hat der Chef der Sicherheitspolizei und des SD in einer Unterredung noch ausgeführt, daß für die Dauer des Krieges eine Herausgabe der Urnen grundsätzlich nicht erfolgen könne. Die Urnen seien kenntlich gemacht und sollen zunächst in den Lagern verbleiben. Später werde eine erneute Prüfung dieser Frage stattfinden. Die Dänische Gesandtschaft wurde entsprechend verständigt. Die drei Sterbeurkunden sind ihr übermittelt worden.
                                                    Im Auftrag
                                                        XXX

---

218 Skrivelsen er ikke lokaliseret.
219 Trykt ovenfor.
220 Trykt ovenfor.
221 Disse skrivelser er ikke lokaliseret.

246. Paul Barandon an das Auswärtige Amt 28. Juni 1944

Barandon meddelte telefonisk AA, at der var forholdsmæssigt roligt i København, samt at straffeforanstaltningerne snart kunne forventes lettet.

Hvad Barandon mente med "forholdsmæssigt" får stå hen. I hvert fald var det kun i forhold til de foregående dages stærke uro. Dagen før var tre danskere blevet dræbt og 13 såret.

Kilde: PA/AA R 29.568. RA, pk. 204.

Gesandter v. Grundherr
Pol VI

Gesandter Barandon, Kopenhagen, teilt soeben mit, daß in Kopenhagen die Lage verhältnismäßig ruhig sei. Eine Lockerung der Strafmaßnahmen sei daher in nächster Zeit geplant.

Berlin, den 28. Juni 1944.

Grundherr

247. Alex Walter an das Reichsernährungsministerium 28. Juni 1944

Via Best og AA skrev Alex Walter til REM i anledning af, at leverancerne af tøndebånd fra Holland svigtede, hvilket truede eksporten af den forøgede produktion af smør til Tyskland. Han bad om oplysning om de forventede leverancer af tøndebånd fra Holland eller om, hvad der ellers kunne gøres. Endvidere ønskede han en afgørelse af, om det danske ønske om forarbejdelse af yderligere 1.000 kubikmeter bøgetræ kunne imødekommes.

Walter orienterede Best og AA om resultatet af henvendelsen 21. juli 1944.

Kilde: BArch, R 901 113.560.

DG Kopenhagen Nr. 130 28.6. 20.30
An Ausw Bln. G Schreiber Nr. 787 vom 28.6.

Für Reichsernährungsministerium

Für Dänemark wurde zu Beginn dieses Jahres eine Lieferung von monatlich 25.000 Bund Faßreifen aus Holland für die Dauer dieses Jahres fes[t]gesetzt. Bis Ende Mai sind Lieferungen planmäßig durchgeführt worden. Junilieferung wird sich einschließlich der noch unterwegs befindlichen zwei Wagen auf nur 13 bis 14.000 Bund belaufen. Für die zweite Hälfte des Jahres ist vom Reichskommissar Niederlande Unmöglichkeit der Weiterlieferung in bisheriger Höhe geltend gemacht worden wegen geringen Ernteertrages. Dänischer Junibedarf beträgt 40.000 Bund wegen erhöhter Butter Produktion und Mangel an Vorräten. Infolgedessen besteht Gefahr, daß Butterlieferungen alsbald ins Stocken geraten. Dänen haben vorläufig dadurch geholfen, daß sie 1.000 CBM Buchenholz zur Herstellung von Holzreifen an Fabriken gegeben haben. Ich habe dagegen Verwahrung eingelegt mit Rücksicht auf den Rückstand der dänischen Buchenholzlieferungen an Deutschland. Dänen wollen jedoch ausreichendes Lager an Reifen haben und wünschen deshalb Verarbeitung weitere 1.000 CBM Buchenholz. Bitte um sofortige Feststellung, wieviel Bund Faßreifen aus Holland künftig monatlich an Dänemark geliefert werden können. Wenn drüben nicht Stahldraht geliefert werden, könnte dünnes Bandblech verwendet werden unter der Voraussetzung, daß technische Möglichkeit zum Verschluß der Bandleche am Faß gegeben ist. Bitte diese Frage prüfen und Höhe der Lieferungsmöglichkeit feststellen. Außerdem bitte ich um Entscheidung, ob dänischem Wunsche auf Verarbeitung weiterer 1.000 CBM Buchenholz entsprochen werden kann. Ministerialdirektor Moritz bitte ich durch Fernschreiben zu verständigen. Ich werde abschließende Behandlung dieser Fragen nach Rückkehr in Angriff nehmen.

Walter – Dr. Best

248. Werner Best: Kalenderaufzeichnung 28. Juni 1944

Bests optegnelse af sine møder 28. juni 1944. Det fremgår, at han bl.a. havde et møde med G.F. Duckwitz, som sidstnævnte i en efterkrigsberetning har redegjort for:

"Ich bat am 28. mittags unter Hinzuziehung anderer Mitglieder der Behörde[222] um eine Unterredung bei Dr. Best, in der ich auf die Folgen dieser kurzsichtigen Maßnahmen einer frühen Sperrstunde hinwies. Das Beispiel der Werften gab mir den erwünschten sachlichen Grund, diese Dinge zur Sprache zu bringen. Gegen den Rat des ebenfalls an der Besprechung teilnehmenden Vertreters der Polizei, der vorschlug, man solle durch ein starkes Polizeiaufgebot die Arbeiter einfach daran verhindern, ihre Arbeitsplätze zu verlassen, entschied sich Dr. Best, wenn auch widerwillig dafür, mit Wirkung vom 29. Juni die Sperrstunde auf 23 Uhr festzulegen. Seinem Argument, daß dies ein Rückzieher und somit einen Prestigeverlust bedeute, stellte ich entgegen, daß es noch immer klüger und besser sei, einen einmal begangenen Fehler wieder gut zu machen als starrköpfig an ihm festzuhalten.

Am Schluß der Besprechung, nachdem das Ergebnis bereits feststand, erbat ich nochmals das Wort, wies auf die latente Unruhe in der Bevölkerung hin, die bei der geringsten Gelegenheit in offene Widersetzlichkeit übergehen könne und bat dringend darum, unter allen Umständen dafür zu sorgen, daß deutscherseits keine unnötigen Provokationen die hoffentlich bald wieder hergestellte Arbeitsruhe gefährden. Der anwesende Vertreter der Polizei wies diese Unterstellung, die er mit Recht auf sich bezog, mit Entrüstung zurück und erklärte, Provokationen sein bisher immer nur auf der andern Seite vorgekommen! Dr. Best schlichtete den erregten Wortwechsel mit der Bitte, ich möge mich mit den Arbeitervertretern in Verbindung setzen, um beruhigend auf ein einzuwirken und vor Ausschreitungen zu warnen, während er andererseits sich mit Pancke unterhalten wolle, um die Polizei von unnötige hartem Vorgehen zurückzuhalten." (ABA, Duckwitz 1945-46b, s. 3f.).

Spærretiden blev forkortet 29. juni, og det er meget muligt, at Duckwitz spillede den rolle, som han her selv fremstiller, men der er intet samtidigt belæg derfor. Ønsket om spærretidens forkortelse kunne lige så vel være kommet fra Rüstungsstab Dänemark med en lignende begrundelse som Duckwitz', men i det mindste havde Walter Forstmann ikke møde med Best denne dag, selv om kommunikationen kan være sket telefonisk. Der er heller ikke i Bests kalenderoptegnelser for 28. juni antydning af, at der var en repræsentant for tysk politi til møde med ham.[223] På den anden side er der ingen anden forklaring på, hvorfor spærretiden

---

222 I en senere udateret erindring præciserer Duckwitz det til, at det var fra Rüstungsstab Dänemark, men iøvrigt fastholder han det her skildrede forløb (Duckwitzs erindringer u.å. kap. VII, s. 2 (PA/AA, Nachlass Georg F. Duckwitz, bd. 29)).

223 Hos Brøndsted/Gedde, 2, 1946, s. 769f. tillægges Alex Walter en særlig rolle for spærretidens forkortelse. Han skulle netop være ankommet til København og så med bekymring på det store antal arbejdstimer, der gik tabt, og havde været særlig energisk for at få Best til at gå med til en forkortelse af spærretiden. Walter traf Best 28. juni, som det fremgår ovenfor, men uanset hvor bekymret Walter måtte have været for den danske produktion, er der ikke fundet andre kilder, der kan bekræfte denne fremstilling. Heller ikke Walters forklaring i Best-sagen i LAK. Duckwitz afviser i sine udaterede erindringer, at Walter optrådte i den nævnte rolle, endsige var i København (!), men at hverken han eller Walter skulle have haft noget imod den

blev lempet samtidig med, at den hårde linje over for sabotørerne blev videreført med eksekvering af otte dødsdomme. Muligvis forestillede Best sig, at de to forhold på dette tidspunkt lod sig skille ad. Duckwitz' efterkrigsforklaring er blevet fulgt af bl.a. Frisch, 3, 1948, s. 148 (med andre angivelser af mødedeltagere), Børge Outze i Munck/Outze 1948, s. 718 og overtaget af Hæstrup, 1, 1959, s. 299.
    Kilde: Bests kalenderoptegnelser 28. juni 1944.

Vormittags in Dagmar-Haus.
Morgenbespr. ganz Vert. 1.
Bespr. mit: Ges. Dr. Barandon. Presseref. Schröder. ORR. Dr. Heise. Landesrat Martinsen. Ges. Rat Dr. Kassler. Schiffartsachv. Duckwitz.

Mittags: zu Hause.
Frau Kryssing und SS-Ostuf. Lorenzen bei uns.

Nachmittags im Dagmar-Haus.
Bespr. mit: SS-Brif. Gen. Major d. P. von Heimburg. Leg. Sek. Hoffmann-Günther (Berlin). Dr. Dieckmann (Reichswirtschaftskammer, Berlin). Min. Dir. Dr. Walter (Berlin), Min. Dirig. Dr. Ebner.
Abends: zu Hause. SS-Ostubaf. ORR Dr. Fest und Frau bei uns (Abschied vor Übersiedlung in das Reich).

249. Paul von Behr an das Reichswirtschaftsministerium 28. Juni 1944
Planen om at udvide antallet af tyske bybørn, der kom på landophold i Danmark fra 1.000 til 5.000, var blevet forsinket ifølge en indberetning fra Best (ikke lokaliseret), da der var opstået problemer med at skaffe dem opholdssteder. Derfor skulle overførslen af det hidtidige beløb på 100.000 RM om måneden fortsætte til årets udgang.
    For videreførslen og afviklingen af de tyske børns ophold i Danmark, se *Politische Informationen* 1. december 1944, afsnit VI.
    Kilde: BArch, R 901 113.555. RA, pk. 271.

Durchdr. als Konz. Kg. R.1b.
Ref: LR Baron v. Behr   *den 28. Juni 1944*
Ha Pol VI 1354/44

Unter Bezugnahme auf das dortige Schreiben – III Ld. I – 1/8067 – und die fernmündliche Rücksprache von Amtsrat Pauch mit Generalkonsul Krüger teile ich mit, daß laut Bericht des Bevollmächtigten des Großdeutschen Reiches in Dänemark die geplante Erweiterung der Kinderlandverschickung nach Dänemark von 1.000 auf 5.000 Kinder auf Unterbringungsschwierigkeiten stößt und daher erst allmählich anlaufen kann. Zur Vermeidung von Verzögerungen bei den Überweisungen für die laufende Kinderlandverschickung nach Dänemark wird das Reichswirtschaftsministerium gebeten, die De-

offentliggjorte version (Duckwitz' erindringer u.å. kap. VII, s. 17 (PA/AA, Nachlass Georg F. Duckwitz, bd. 29)). Se endvidere Bests kalenderoptegnelse 1. juli 1944.

visengenehmigung für monatliche Überweisungen von RM 100.000,- für die Zeit bis Ende dieses Jahres zu erteilen. Für eine Mitteilung des Veranlaßten wäre ich dankbar.

Weitere Mitteilung bleibt vorbehalten, sobald die Frage der erweiterten Kinderlandverschickung nach Dänemark entschieden ist.

Im Auftrag
gez. **v. Behr**

250. H.W. Ebeling: Bericht zur Lage in Dänemark 29. Juni 1944

H.W. Ebeling opholdt sig i Danmark på fortsat mission for Einsatzstab Rosenberg og berettede om situationen i København. Sabotagen var taget mere end betænkeligt til, der var indført spærretid, og om natten var der en række skyderier. Spærretiden var blevet forkortet med tre timer, hvilket sikkert blev opfattet som en lettelse, selv om der ikke var grund til at lette denne forholdsregel efter tre dage. Der havde været et angreb på Schalburgkorpsets hovedsæde, hvilket havde ført til dræbte og sårede på begge sider. Der blev forøvet modsabotager bl.a. på "Tivoli", som rygtet sagde, at Schalburgkorpset stod bag, men man hørte også, at det var kommunistisk-syndikalistiske grupper. En udvidelse af spærretiden havde ikke dæmmet op for de natlige skyderier. Schalburgkorpset syntes endnu ikke at have en position, så det berettigede til at give det en førerstilling. DNSAP var splittet i to grupper, hvor den ene hældte mod Schalburgkorpset. Til glæde for alle tyskfjendtlige udfoldede splittelsen sig i trykte skrifter, og også om Schalburgkorpsets leder, K.B. Martinsen kom der ubehageligheder frem. Det stod herefter fast, at Danmark ikke var et absolut neutralt land, og at situationen ville påvirke Ebelings muligheder for at udføre sit arbejde.

Med den forholdsvis udførlige omtale af specielt Schalburgkorpset og DNSAP kan Ebelings opgave bl.a. have været at pleje kontakt til og påvirke dem, selv om der kun foreligger få håndgribelige beviser derfor i Ebelings forudgående og følgende korrespondance (se Ebeling til Einsatzstab Rosenberg 23. februar og Einsatzstab Rosenberg til Ebeling 31. juli 1944). Imidlertid havde adskillige personer med tilknytning til Schalburgkorpset, (Aage H. Andersen, Thorvald Knudsen, Ejnar Vaaben) tillige kontakt til Amt Rosenberg (se Ebeling til Einsatzstab Rosenberg 23. februar, Einsatzstab Rosenberg til Ebeling 20. marts 1944 og Best til Himmler 26. april 1944).[224]

Beretningen tyder på, at Ebeling havde været i København i mindst 10 dage. Han havde været der længe nok til at kritisere bl.a. den tyske lettelse af spærretiden.

Kilde: BArch, NS 8/262. RA, Danica 201, pk. 81, læg 1074.

Abschrift *Kopenhagen, den 29. Juni 1944*
E/De – Geheim

B e r i c h t
zur Lage in Dänemark

Es war anzunehmen, daß mit Beginn der Invasion auch neue Sabotagefälle eintreten würden. Sie haben nunmehr jedoch eine Form angenommen, die mehr als bedenklich ist und zu Maßnahmen geführt, die uns wiederum ab 20 Uhr ans Hause binden. Ab heute wird die Verhängte Sperrzeit nun um drei Stunden verkürzt, obwohl es auch in der vergangenen Nacht wieder zu einer Reihe von Schießereien gekommen ist. Sicherlich wird diese Verkürzung als Erleichterung aufgefaßt, trotzdem es wohl kein Beweis klaren Wollens ist, angeordnete Maßnahmen nach drei Tagen grundlos zu erleichtern.

---

224 For Thorvald Knudsens vedkommende bestod tilknytningen til Schalburgkorpset alene i, at han skrev i *På godt Dansk*.

Vor einer Woche etwa wurde das Haus des Schalburg-Korps – die ehemalige Loge – angegriffen. Es näherten sich dem Hause drei Kohlenlastautos mit Anhängern, aus denen plötzlich zahlreiche Männer sprangen, die mit Waffen auf den Eingang drangen. Die beiden dänischen Posten hatten Geistesgegenwart genug, sofort zu schießen und damit nicht nur den ersten Angriff abzuschlagen, sondern auch das Haus zu alarmieren. Gleichzeitig wurde von hinten ebenfalls ein Sturmversuch gemacht, bei dem sogar eine Fahne eine Rolle gespielt haben soll. Auch hier gelang es der Wache, rechtzeitig zu schießen und die Angreifer zunächst einmal abzuschlagen. Es entwickelte sich ein regelrechtes Feuergefecht, bei dem es auf beiden Seiten Tote und Verwundete gab. Erst nach einer halben Stunde wurde von deutscher Seite eingegriffen. Dabei flüchtete der größte Teil der Angreifer. Ein Teil der verwundeten Angreifer wurde mit Waffe in der Hand festgenommen und dem Standgericht zugeführt.[225]

Einige Tage später wurde die Fabrik von Chrysler, die Maschinengewehre für deutsche Jäger herstellt, in ähnlicher Weise angegriffen. Die Wache bestand hier aus dänischen Hilfspolizisten, die von den Angreifern überwältigt wurden. Die Angreifer waren ebenfalls mit hochgeschlossenen Autos herangeschafft worden. Sie traten in gestohlenen Hilfspolizei-Uniformen auf, überwältigten die Wache und luden die fertigen Waffen der Fabrik auf die Wagen. Man spricht von drei leichten automatischen Kanonen, 70 Maschinenpistolen, ca. 200 Gewehren. Dann wurden in die Räume Bomben gelegt, kurz danach gingen die Gebäude in die Luft. Es war schon einmal auf diese Fabrik ein Angriffsversuch gemacht worden, sodaß man annehmen mußte, daß hierin ein besonderes Objekt seitens der Saboteure gesehen wurde.[226]

Am darauf folgenden Tage wurde ein ähnlicher Sabotagefall in gleicher Aufmachung auf eine Abteilung bei Burmeister & Wain ausgeführt.[227]

In den auf diese Sabotage folgenden Nächten wurden jeweils bekannte Kopenhagener Gebäude zerstört und beschädigt, so die Porzellan-Manufaktur am Ströget und eine ganze Reihe von Gebäuden des Vergnügungsparks Tivoli.[228] Das Gerücht behauptet, diese "Gegensabotagen" würden vom Schalburg-Korps ausgeführt. Das Schalburg-Korps selbst gab ein scharfes Dementi heraus.[229] Deutsche Bekannte, die solche Erzählungen weitergaben, konnten zur Rede gestellt nur sagen, sie hätten es auch gehört. Man hört auch, daß man hinter diesen sog. Gegensabotagen kommunistisch-syndikalistische

---

225 Det var Holger Danske, der 19. juni angreb Frimurerlogen, som hævnakt for bølgen af schalburgtager i København. Et medlem blev dræbt og to sårede, men ingen blev taget til fange (RA, BdO Inf. nr. 51, 23. juni 1944, Birkelund 2008, s. 223).

226 Se Rüstungsstab Dänemark: Aktenvermerk 23. juni 1944 og noten til Bests telegram nr. 766, 24. juni 1944.

227 BOPA foretog 24. juni en sabotageaktion med B&W i Strandgade; målet var to afleveringsklare drejebænke (RA, BdO Inf. nr. 53, 28. juni 1944, Kjeldbæk 1997, s. 475).

228 Se tillæg 3.

229 Schalburgkorpset søgte to gange at dementere, at det stod bag modterroren. Første gang 27. juni og anden gang 4. august 1944. Begge dementier blev udsendt gennem RB og blev bragt som tvangsartikler, førstnævnte i alle blade, sidstnævnte i alle de københavnske morgenblade (*Udenrigsministeriets Pressebureaus ugentlige Meddelelser til Pressen* nr. 178, 1. juli og nr. 182, 5. august 1944. Sidstnævnte er aftrykt hos Alkil, 1, 1945-46, s. 727f.) Dementierne har været uden virkning i offentligheden og hos adskillige senere historikere til i dag. Heller ikke retsopgørets domme, der viste hvem modterrorens gerningsmænd, var, har haft nogen virkning. Se som eksempel Schjødt-Eriksen 1976, s. 95 og senest Lund og Nielsen 2008.

Gruppen vermutete. Die Folge dieser und ähnlicher Fälle war ein Verbot des Verkehrs mit Lastwagen nach 17 Uhr Abends und seit Montag, den 26.6.1944, ein allgemeine[s] Ausgehverbot zwischen 20 Uhr und 5 Uhr. Trotzdem ist es in den letzten Nächten zu einer ganzen Reihe von kleinen Feuergefechten gekommen, bei denen es 5 Tote und zahlreiche Verletzte gab.

Welche Auswirkungen diese Entwicklung haben kann, ist noch nicht zu sagen. Ob es möglich ist, diesem Treiben von dänischer Seite Widerpart entgegenzusetzen ist ebenfalls ungewiß. Das Schalburg-Korps jedenfalls scheint noch keine Position, die zur Führung berechtigt, gewonnen zu haben. Nach dem Abgang von Frits Clausen verblieb die NSDAP [!] unter einem Führerrat, spaltete sich erneut in zwei Gruppen, von denen die eine mit dem Schalburg-Korps, die andere ohne das Schalburg-Korps weiterarbeiten wollten. Zum Gaudium aller Deutschfeinde, Emigranten und benachbarter neutraler Länder verschmähten es diese beiden Gruppen nicht, ihre Auseinandersetzung in gedruckten Schriften an die Öffentlichkeit zu bringen.[230] Die Verhandlungen mit dem Ziel der Vereinigung mit dem Schalburg-Korps laufen außerdem weiter und werden mit entsprechenden Gerüchten untermalt. Daß diese Gerüchte auch über den Führer des Schalburg-Korps Martinsen, unangenehmes berichten, ist verständlich. Ob Tatsachen hinter den Behauptungen der Genußsucht und des Alkoholismus stehen, ist mir nicht bekannt geworden.[231]

Im Augenblick ist die Entwicklung keineswegs zu überschauen. Daß die Auffassung des Gesandten Schleier in Berlin,[232] Dänemark sei ein absolut neutrales Land, den Tatsachen nicht entspricht, steht fest, denn die geschilderten Ereignisse sind nur Einzelheiten und würden sich durch eine Fülle von Beispielen vermehren lassen, zu denen sich seit der Einführung der Sperrzeit Arbeitsverkürzungen und Streikversuche gesellen.

Mit deutscher Unterstützung wurde vor kurzer Zeit ein Antisabotage-Film gedreht. Es ist interessant, daß dieser Film von der dänischen Polizei verboten werden konnte.[233]

Daß eine ganze Reihe von Möglichkeiten unserer Arbeit mit diesen Ereignisse zusammenhängt, ist verständlich. Ich hoffe, darüber bald persönlich berichten zu können und werde versuchen, bei dieser Gelegenheit auch, soweit es meine Kenntnisse gestatten, über norwegische und schwedische Eindrücke berichten zu können.

gez. **Ebeling**

---

230 Splittelsen i DNSAP var blevet kendt gennem dels en tryksag udgivet af DNSAP Storkøbenhavn Syssel i slutningen af maj 1944, dels gennem *Informations* gengivelse af bl.a. dele af samme 31. maj-1. juni og 14. juni 1944 (Lauridsen 2003b, s. 358 note 67, 376-383).
231 Rygterne om K.B. Martinsen blev udbredt i den illegale presse og i svensk presse (jfr. *Vertrauliche Tagesinformation* 27. juni 1944, trykt ovenfor).
232 Gesandt ved AA, Rudolf Schleier, der 1940-43 var ambassadør i Paris.
233 Det var Ejnar Krenchel, der stod for antisabotagefilmen "Kaos", der blev forbudt af den danske filmcensur, en beslutning som man fra tysk side ikke omgjorde (Lundtofte 2006a, s. 136).

251. Höheres Kommando Kopenhagen: Befehl 29. Juni 1944

Von Hanneken indførte skærpet tysk kontrol med værnemagtstransporter pga. den stigende sabotage.
Kilde: BArch, Freiburg, RW 38/181. KTB/HKK, Anlage 202. RA, Danica 1069, sp. 10, nr. 11.905.

Höheres Kommando Kopenhagen St. Qu., den 29.6.1944
Nr. 2473/44 geh. Geheim!

Im Hinblick auf die in letzter Zeit in vermehrten Maß einsetzende Sabotage gegen militärische Transporte hat Wehrm. Befh. Dän. mit Ia Nr. 3952/44 geh. befohlen:
"An den Grenzstellen sind einlaufende Transporte zu belehren und zu entsprechender Wachgestellung zu veranlassen.
Auslaufende Transporte sind am Einladebahnhof auf die Wachgestellungen hinzuweisen.
Da Sprengung auf Gleisanlagen in vielen Fällen durch Fernzündung erfolgt, müssen die eingeteilten Wachen stark gehalten sein und so verteilt werden, daß sie bei vorkommenden Sabotagen sofort umliegende Geländeteile absperren und durchsuchen können."

Für das Höhere Kommando Kopenhagen
Der erste Generalstabsoffizier
I.V.
Servé

Verteiler:
A II
im Hause:
Kdt.St.Qu.
Ia KTB

252. Werner Best an das Auswärtige Amt 29. Juni 1944

Best svarede på forespørgsel fra AA, at Frøslevlejren kunne stå færdig senest 1. august.
Telegrammet i sig selv er mindre interessant, men det bemærkelsesværdige er, at Best kunne få tid til at sende denne type underordnede beskeder i en krisesituation, men at indberette om krisen selv lod han sin stedfortræder Barandon gøre telefonisk og i begrænset omfang.
Kilde: PA/AA R 99.502.

Telegramm

Kopenhagen, den 29. Juni 1944
Ankunft, den 29. Juni 1944 16.15 Uhr

Nr. 790 vom 29.6.[44.]

Auf Telegramm vom 24. Nr. 713[234]
Lager bereits jetzt für Notaufnahme von 500 (fünfhundert) Häftlingen bereit. Gesamtfertigstellung mit allem Zubehör bei weiterer normaler Bauentwicklung mit Aufnahmekapazität für 1.500 (eintausendfünfhundert) Häftlingen spätestens am 1. August 1944.[235]

Best

253. Kriegstagebuch/WB Dänemark 29. Juni 1944

Von Hanneken lod endnu 29. juni dagsmeldingen være af rent konstaterende karakter. Spærretiden i København havde ført til sammenstød med et antal døde og sårede og var fra 29. juni fastsat til kl. 23.

Spærretidens indskrænkning, årsag dertil og beslutningen herom havde ikke været von Hannekens anliggende. Det var den rigsbefuldmægtigedes område.

Kilde: KTB/WB Dänemark 29. juni 1944.

Tagesmeldung: Nachmittags Sprengung auf Bahnstrecke Randers-Aalborg. Strecke 4-5 Stunden gesperrt. Ein Transport aufgehalten.[236]

In Kopenhagen bei Durchführung der Sperrstunde in Arbeiter- und Hafenvierteln verschiedene Zusammenstöße.

a.) Dän. Verluste: 6 Tote, 19 Schwerverletzte, 21 Leichtverletzte.
b.) Eigene Verluste: (Polizei): 1 Toter, 1, Leichtverwundeter.
Beginn der Sperrstunde ab 29.6.44 auf 23.00 Uhr festgesetzt.

254. Eberhard von Thadden an Adolf Eichmann 29. Juni 1944

Von Thadden kunne meddele, at den danske afdelingschef Frants Hvass var positivt overrasket over det prompte svar vedrørende den fremsendte liste over danske jøder i Theresienstadt, men bad nu om at få navnene på de 295 danske statsborgere i lejren. Det kunne der ikke være tale om, det kunne de danske myndigheder let selv finde ud af. For de to sidste grupper på listen, hvorom der ikke forelå nærmere oplysninger, ville man ikke gøre yderligere, da det var tvivlsomt, om de overhovedet var transporteret til Tyskland. Hvass ville stadig gerne have undersøgt sagerne vedrørende de mischlinge, der uberettiget var deporteret. Han fik at vide, at i 3-4 tilfælde var undersøgelserne stadig i gang, for de øvrige skulle man ikke regne med et positivt udfald. Hvass foreslog derfor selv, at han for de enkelte tilfælde opsøgte Bovensiepen i København (Weitkamp 2008, s. 195, note 190).

Kilde: PA/AA R 99.414.

Inland II A 222g *den 29. Juni 1944.*

An das Reichs-Sicherheitshauptamt
   z.H. von SS-Obersturmbannführer Eichmann

---

234 Inl. II B 2122 II. Trykt ovenfor.
235 Hos Herbert 1996, s. 384 er Frøslevlejren i brug i april 1944 (!).
236 Der var foretaget en sabotage på jernbanestrækningen mellem Skørping og Mosskov, hvorved en halv meter skinne var bortsprængt (RA, BdO Inf. nr. 54, 3. juli 1944).

Berlin
Kurfürstenstr. 116.

Die mit Schreiben v. 27. d.Mts.²³⁷ – Akt. Z. IV A 4 b – 5446/42 g (1670) eingesandte überprüfte Liste von angeblich dänischen Juden in Theresienstadt ist Herrn Ministerialdirektor Hvass ausgehändigt worden.

Er war von dieser prompten Erledigung sichtlich angenehm überrascht und bat lediglich noch um Auskunft, welches dann nun eigentlich die 295 dänischen Staatsangehörigen seien. Es wurde ihm erwidert, daß es den dänischen Behörden noch leicht fallen müßte, dies selbst festzustellen.

Wegen der unter Nr. 5 und 6 aufgeführten Gruppen von Juden, über die Näheres nicht hat ermittelt werden können, wurde Herrn Hvass anheimgestellt, soweit er weitere Ermittlungen wünsche, genaueste Personalunterlagen, angeblichen Verhaftungsort, -zeit usw. noch nachzureichen. Dann ließen sich vielleicht auch die restlichen Fälle noch aufklären, sofern tatsächlich ein Abtransport in das Reich erfolgt wäre, was sehr zweifelhaft erscheine.

Zu der Liste der sogenannten Härtefälle und der restlichen angeblich zu unrecht abtransportierten Juden und Mischlinge wurde Herrn Hvass noch mitgeteilt, daß bei 3 oder 4 Fällen die Ermittlungen noch nicht abgeschlossen seien, aber ganz positiv stünden, ohne daß bereits etwas Abschließendes gesagt werden könne.

In den übrigen Fällen sei jedoch mit einer positiven Regelung nicht zu rechnen. Herr Hvass schlug daraufhin vor, daß er die einzelnen Fälle mit dem Stellvertreter des BdS in Kopenhagen abschließend durchsprechen werde.

Im Auftrag:
Thadden

255. Hermann von Hanneken an OKW 30. Juni 1944

Ved middagstid 30. juni fremsendte von Hanneken den første knappe oplysning om udbruddet af generalstrejken i København. Han forstærkede virkningen af meddelelsen ved at tilføje, at man frygtede for udbrud af en generalstrejke i hele landet.

På hvilke oplysninger denne frygt grundedes er ubekendt, men den var i hvert fald ikke afstemt med Best.

Kilde: BArch, Freiburg, RW 4/754. RA, Danica 1069, sp. 1, nr. 376.

30.6.1944, 12.40 Uhr

Meldung W. Bef. Dänemark, Abw. Offz.:
Heute 10.00 Uhr in Kopenhagen Generalstreik ausgebrochen. Verkehrsmittel völlig stillgelegt. Man befürchtet, daß Generalstreik auf ganz Dänemark übergreift.

---

237 Günther til von Thadden 27. juni 1944, trykt ovenfor.

256. Hermann von Hanneken an OKW 30. Juni 1944

Von Hanneken gav OKW den anden knappe meddelelse om, at der var udbrudt generalstrejke i København, fordi Best havde indført spærretid og ladet dødsdømte henrette.

I den form nåede beskeden også frem til førerhovedkvarteret den følgende dag (Rosengreen 1982, s. 107).

Kilde: BArch, Freiburg, RW 4/754. RA, Danica 1069, sp. 1, nr. 374f.

(Durchgang ghosf 006455)

Fernschreiben

KR–HXSI/FF 001633/35 30.6. 14.00
OKW/WFSt OP (H) Nord

Geheime Kommandosache-KR

Ab 30.6.1944 Generalstreik in Kopenhagen einschl. Eisenbahn auf Grund der durch Reichbevollmächtigten verhängten Sperrstunde und durch ihm vollzogenen 8 Todesurteile wegen Sabotagefälle letzter Woche.
Es werden nach Kopenhagen zusammengezogen:
a.) Von Jütland Regimentsverband Pier (3 Bataillone mit 9 Gen. Radfahr. Komp.). Pz. Aufkl. Abt. der 233. Res. Pz. Div. mit einsatzfähigen Teilen.
b.) Von Seeland 8 einzelne Kompanien der Gen. Batl.
Ultimatum durch Reichsbevollmächtigten an dänische Regierung. Falls Generalstreik bis 1.7.1944, 12.00 Uhr nicht aufgehoben übergibt Reichsbevollmächtigter vollziende Gewalt an Höheres Kommando, Kopenhagen, Generalleutnant Richter.
Wehrm. Befh. Dän. I A Nr. 1564/44 g.K.

257. Hermann von Hanneken an OKW 30. Juni 1944

Von Hanneken gav OKW meddelelse om de forholdsregler, der var aftalt med bl.a. Best og Pancke i anledning af strejkebevægelsen i København. Hvis ikke strejken var ophørt 1. juli kl. 12, skulle HKK i København overtage kontrollen og afspærre byen.

Med den givne aftale kom ledelsen af alle de tyske enheder, også tysk politis, og aktion "Monsun" til at ligge hos Ernst Richter, der var direkte underlagt WB Dänemark. Pancke nævnte i en efterkrigsforklaring 21. september 1945, at han havde anmodet von Hanneken om at overtage ledelsen af "Monsun", da det var en politimæssig opgave, men havde fået afslag. Hvordan Best stillede sig til den anmodning, fortæller han afhørt 31. august 1945: "Han bad selv General von Hanneken om at paatage sig dette, idet han vidste, at Pancke selv spekulerede paa at gribe Kommandoen i den opstaaede Situation. Afhørte holdt imidlertid for, at Værnemagten vilde være [en] mildere Udvej og fik det altsaa ogsaa gennemført. Han ved, at Pancke fra Berlin senere har faaet Tilrettevisning, fordi han ikke overtog Kommandoen, men lod sig Chancen glide af Hænde og overlod det til Værnemagten at gennemføre de stillede Opgaver." (LAK, Best-sagen). Når Pancke måtte affinde sig med, at ledelsen af strejkebekæmpelsen kom til at ligge hos hæren, skyldtes det givetvis også, at den på dette tidspunkt skulle stille hovedparten af de styrker, der skulle indsættes (se Jordan 1. juli 1944), ligesom Pancke endnu ikke havde forberedt en organisation, der kunne stå for opgaven (LAK, Best-sagen (afskrift), KTB/WB Dänemark 30. juni 1944, Rosengreen 1982, s. 107, Drostrup 1997, s. 204f.).

Kilde: RA, Danica 1069, sp. 1, nr. 371f.

Vermerk: Geheim

F e r n s c h r e i b e n

KR–HXSI /FF 01643 30.6. 21.05
= (Dg. Hosf 021346) =

An OKW/WFST/ OP (H) NORD =   Geheim

Bezug: W Bef Dän I A Nr. 1564/44 GKDOS. 30.6.44.
Zusätzliche Tagesmeldung vom 30/6 44.

Ergänzend zu o.a. Bezug wird gemeldet:
Dänische Zentralverwaltung und Gewerkschaften bemühen sich um schnelle Beilegung der Streikbewegung in Kopenhagen (dänischer Freiheitsrat angeblich auch gegen kommunistischen Streik).
  Deutsche Gegenmaßnahmen auf Grund Vereinbarung zwischen Wehrm. Bef., Reichsbevollmächtigter und Höh. SS und Polizeiführer unter Heranziehung des ADM Skagerrak und des Gen. d. Lw. in Dän:.
  Ab sofort verstärkter Streifendienst unter gleichzeitiger Besetzung wichtigster Standpunkt. Besetzung der nicht bestreikten Versorgungsbetriebe unter Androhung der Lieferungssperre dieser Betriebe. Heranziehung von Verstärkungen gemäß o.a. Bezug.
  Deutsche Sicherheitspolizei verhaftet Streikhetzer und Posten.
  Absichten, falls Streik bis 1.7. 12.00 Uhr, nicht beendet Übertragung vollziehender Gewalt auf Kdeur Höh. Kdo. Kopenhagen. Dieser wird nach Absprache mit Reichsbev. u. Höh. SS- und Pol. Führer jeden Verkehr, einschl. Lebensmittelzufuhr, von und nach Kopenhagen sperren, Innenstadt stärker besetzten und jede Regung von Unruhen auf das schärfste unterdrücken. Hierzu sind dem Höh. Kdo. Kopenhagen verfügbare Teile von Marine und Luftwaffe in Kopenhagen unterstellt und 8 Komp. Der D-Batl. Bereits nach Kopenhagen verlegt. Zuführung weiter Teile gemäß o.a. Bezug, Ziff. A. mit Eintreffen dieser Verbände ist im Laufe des 1.7. zu rechnen.
  Wehrm. Befh. Dän. Regm. 1 A Nr. 3993/44

258. OKW: Vortragsnotiz 30. Juni 1944

På baggrund af von Hannekens meddelelser blev der endnu samme dag i OKW lavet et sammendrag om situationen i København, hvorefter indførelsen af spærretid og henrettelserne var skyld i generalstrejken. I forlængelse heraf blev de tyske modforholdsregler nævnt.
  Denne notits dannede grundlag for endnu en notits 1. juli, der gik videre til Keitel (Rosengreen 1982, s. 107). Notitsen gik i uændret form til OKM 1. juli kl. 11.15 (BArch, Freiburg, RM 7/1812).
  Kilde: BArch, Freiburg, RW 4/754. RA, Danica 1069, sp. 1, nr. 373.

WFSt/OP (H) Nord   *F.H.Qu., den 30. Juni 1944.*
Nr. 007090/44 g.Kdos.   9 Ausfertigungen
                                                                           5. Ausfertigung

Vortragsnotiz

Ab heute (30.6.44) Generalstreik in Kopenhagen, einschließlich Eisenbahn, aufgrund der durch Reichbevollmächtigten verhängten Sperrstunde und durch die vollzogenen 8 Todesurteile wegen Sabotagefälle letzter Woche.

Es werden nach Kopenhagen zusammengezogen:
a.) von Jütland:
Regts. Verband Pier (3. Btl. mit 9 Genesenen- und Radf. Komp.),
Pz. Aufkl. Abt. der 233. Res. Pz. Div. (mit einsatzfähigen Teilen).
b.) von Seeland:
8 einzelne Kompanien der Genesenen-Bataillone.
Eintreffen 1. Teile in Kopenhagen am 1.7. früh.

Ultimatum des Reichsbevollmächtigten an dänische Regierung:
"Falls Generalstreik bis 1.7. 12.00 Uhr nicht aufgehoben, übergibt Reichsbevollmächtiger die vollziehende Gewalt an das Höhere Kommando Kopenhagen, Generalleutnant Richter."

259. Paul Barandon an das Auswärtige Amt 30. Juni 1944

Barandon indberettede to gange i løbet af formiddagen telefonisk om den udbrudte generalstrejke i København og om, at der havde været tysk chefmøde i København om de foranstaltninger, der skulle tages.[238] Foranstaltningerne kunne Barandon ikke fortælle om, da han ikke havde været med til mødet. Indførelsen af spærretid havde ifølge Barandon ført til en skærpelse af situationen.[239]

Kilde: PA/AA R 29.568. RA. pk. 204.

Pol VI

Gesandter Barandon – Kopenhagen – teilte heute vormittag in 2 Telephongesprächen folgendes mit:

In Kopenhagen habe heute Generalstreik eingesetzt: Eisenbahn und Telephon funktioniere nicht mehr, die dänische Fähre habe ihren Betrieb eingestellt, die Straßenbahnen führen nicht mehr, die Läden wären geschlossen. In den Fabriken Kopenhagens werde nicht mehr gearbeitet. Wie die Lage auf dem flachen Lande ist, war nicht festzustellen, da das Telephon nicht funktioniert. General v. Hanneken befindet sich zur Zeit in Kopenhagen. In einer Besprechung zwischen dem Reichsbevollmächtigten, SS-Obergruppenführer Pancke, General v. Hanneken und dem Befehlshaber für die Insel Seeland Generalleutnant Richter sei Einigkeit über die zu treffenden Maßnahmen erzielt worden. Ein Fernschreiben hierüber folge.[240] Gesandter Barandon bedauerte, daß

---

238 Se KTB/WB Dänemark, KTB/BdO og Richter 30. juni 1944.
239 Thomsen 1971, s. 203 med note 43 angiver, at Grundherr lavede en notits denne dag om, at førerhovedkvarteret befalede at sætte den hårde linje ønsket af WB Dänemark og HSSPF igennem mod strejken i København. Hans kilde er IfZG, IMT-NG-5842, som udgiveren har konsulteret. Det drejer sig om de ovenfor trykte telefonreferater og ikke andet. Den angivelige førerordre er fri fantasi.
240 En sådan er ikke overleveret, og det er tvivlsomt, om den er blevet afsendt.

er zu dieser Besprechung von Dr. Best nicht zugezogen worden sei.

In der letzten Zeit habe sich durch Einführung der Sperrzeit für Kopenhagen zunächst von 20h-5h, später von 23h-5h die Lage verschärft, es sei immer wieder zu nächtlichen Schießereien gekommen. Sehr schlecht habe gerade im jetzigen Augenblick die Sprachregelung in der deutschen Presse gewirkt, daß Deutschland zunächst durch erhöhte Produktion einen Ausgleich gegenüber der Materialüberlegenheit der Gegner schaffen und sich solange defensiv verhalten müsse. (Vgl. den Artikel "Unsere Stunde wird wieder kommen" im V.B. v. 29.6.)[241]

Berlin, den 30. Juni 1944.

Grundherr

260. Werner Best: Kalenderaufzeichnung 30. Juni 1944

Best noterede sig møderne og deres deltagere om formiddagen 30. juni 1944. Efter tegnsætningen at dømme deltog von Hanneken, Richter, Klönnkorn, major Müller, Pancke og von Heimburg i det møde, hvor beslutningen om at iværksætte storaktionen mod København blev taget.

To andre mødedeltagere lod gøre optegnelser om mødets deltagere, von Heimburg og Richter. De afviger fra Best mht. hvem, der deltog, indbyrdes er de heller ikke enige, ligesom de ikke er enige om selve mødetidspunktet. Det er ret besynderligt, men skyldtes givetvis, at krigsdagbøgerne blev ført af tredjemand, eller at der blev afholdt flere møder.[242]

Morgenmødet med Svenningsen refererede denne 13. juli 1944 på følgende måde: "Da jeg fredag Morgen den 30. juni lidt før Kl. 9 ankom til Christiansborg, fik jeg af et Bud fra Dagmarhus overrakt et Brev fra Dr. Best, der bad mig om straks at komme til en Konference. Da jeg nogle Minutter senere gav Møde hos Dr. Best, stillede han mig straks det Spørgsmaal: Hvad skal dette betyde? Jeg kunne kun svare, at Generalstrejken var kommet Udenrigsministeriet ganske uventet, og at jeg nu straks ville søge Kontakt med de ledende Arbejderførere og andre indflydelsesrige Mænd for med dem at overveje, hvilke Foranstaltninger der kunne træffes fra dansk Side til Bilæggelse af Strejken. Dr. Best forberedte mig paa, at dersom Strejken ikke omgaaende blev slaaet ned, ville man fra tysk Side tage skarpe Forholdsregler. Forberedelser hertil var allerede i Gang, og han ville paa det indstændigste tilraade, at man fra dansk Side sørgede for at afværge den Katastrofe, som truede med at indtræde." (PKB, 7, s. 1852).

Om aftenen havde Svenningsen dagens andet møde med Best, som Svenningsen 13. juli lavede følgende referat af; et møde, der ligeledes er nævnt i Bests kalender: "Fredag Aften den 30. juni Kl. 19 henvendte jeg mig til Dr. Best paa Dagmarhus for at forelægge ham Opraabet. Jeg begyndte med at udtale, at ingen ansvarlige Myndigheder eller Organisationer billigede Strejken. Tværtimod. Strejken var sandsynligvis iværksat af kommunistiske Provokatører, der havde agiteret rundt omkring paa Arbejdspladserne. (Ved en senere Lejlighed viste Dr. Best mig et af Danmarks kommunistiske Parti udsendt Opraab, der bekræftede, at man fra kommunistisk Side havde arbejdet for Strejken.) Alle var enige om, at Strejken maatte hæves, og fra alle ansvarlige Sider var man villig til at øve Indflydelse i denne Retning, men jeg kunne ikke lægge Skjul paa, at Ansvaret for, at Strejken overhovedet var kommet til Udbrud, hvilede hos de tyske Myndigheder, der

---

241 V.B. er *Völkischer Beobachter*.
242 I en langt senere beretning fortæller Walter Kienitz, at han var med til et hemmeligt møde (?) med de respektive værnschefer, Københavns kommandant, Best, Bovensiepen og Pancke, som fandt sted på "Lille Amalienborg", og hvor han blev "vidne til et indædt opgør mellem de militære og politiske spidser, hvor von Hanneken kategorisk nægtede at lade københavnske arbejderkvarterer beskyde af artilleriet for at tvinge et strejkeophør igennem." (Kienitz/Drostrup 2001, s. 53). Udsagnet kan ikke tillægges større vægt, men må ses som en af Kienitzs mange efterrationaliseringer med det formål at stille von Hanneken i det bedst tænkelige lys, og så er det af mindre betydning, at Bests kalender ikke angiver et møde med nævnte personkreds på Lille Amalienborg på noget tidspunkt under strejken.

havde indført Spærretid allerede Kl. 20. Det var denne Foranstaltning, der havde udløst en stærk Forbitrelse indenfor Befolkningen, en Forbitrelse, som i særlig Grad rettede sig mod Schalburg-Korpset paa Grund af dettes forskellige Udskejelser. Man var fra dansk Side rede til at udsende et Opraab, men af Hensyn til Ønsket om, at dette maatte faa størst mulig Virkning, ville det være af stor Betydning, dersom der fra tysk Side kunne gøres en Gestus, f.Eks. derved at Schalburg-Korpset blev fjernet fra Hovedstaden.

Efter at have paahørt disse Udtalelser bemærkede Dr. Best uden at gaa ind paa de af mig anførte Synspunkter, at han selv tillige med de øvrige tyske "Spitzen" i Dagens Løb havde overvejet Situationen, og at det var blevet besluttet, at der nu skulle skabes Ro og Orden i Hovedstaden ved tyske Midler. Disse Midler var allerede i Færd med at blive bragt i Anvendelse ("die Mittel laufen schon an"). Dr. Best fortsatte med, under Anvendelse af meget stærke Udtryk, der vidnede om en uligevægtig Sindstilstand, at fremføre den stærkeste Kritik af hele Befolkningen og navnlig af de danske Myndigheder, blandt hvilke ogsaa ved denne Lejlighed Politiet i særlig Grad kom i Skudlinien. Alle og enhver var medskyldige i den Situation, der var opstaaet, alle, lige fra Kongen og nedefter over Politikerne og Embedsmændene, og derfor ville ogsaa alle komme til at undgælde. Den tyske Ære var trukket i Snavset, og dette maatte der bødes for. Der var i Befolkningen som Helhed og hos de danske Myndigheder en Leflen for den illegale Bevægelse. Hvad der var kommet fra dansk Side, havde kun været Talemaader og Tvetungethed. Det var nu endelig forbi med den tyske Tillid. Det københavnske Pak maatte smage Pisken. Den tyske Mildhed var blevet opfattet som Svaghed. Fra tysk Side ville man nu vise, at det ikke var nogen Kunst at ordne en By paa en Million Mennesker. Befolkningen maatte have en Skræk i Livet, og man forlangte nu fra tysk Side betingelsesløs Kapitulation. Det kunne ikke blive ved paa den hidtidige Maade med Forhandlinger og Drøftelser og Møder. Nu hed det "Fügsamkeit oder Sanktionen". Danmark ville faa sin Straf for dette. Dr. Best bad mig bemærke, at han for første Gang anvendte Ordet Straf, og han tilføjede, at vi kunne være overbevist om, at han ville sørge for, at Straffen blev iværksat. (Saaledes som Ordene faldt, er jeg ikke i Tvivl om, at han her tænkte paa den Behandling, der ville blive Danmark til Del efter en tysk Sejr, altsaa paa Landets politiske Status i Fremtiden, saaledes som han ud fra et tysk Synspunkt forestiller sig denne). Med Hensyn til de øjeblikkelige Foranstaltninger udtalte han endvidere, at man ville udregne Værdien af de Tyskland interesserende Fabrikker etc., der var blevet ødelagt ved Sabotage, og at der ville ske Afkortning i Hovedstadens Forsyninger med tyske Raavarer saasom Kul etc. til en tilsvarende Værdi. Han gjorde en Bemærkning om, at vi kunne være glade for, at Berlin ikke havde udstedt Instruktioner i den foreliggende Situation, da der ellers utvivlsomt maatte regnes med, at der straks skete en Ændring i Landets nuværende Status.

Foranlediget ved, at Dr. Best selv bragte Berlin paa Tale, fandt jeg det rimeligt at henvise til de Drøftelser, Afdelingschef Wassard fornylig havde haft med en Række fremstaaende Mænd indenfor den tyske Regering samt højstaaende tyske Embedsmænd. Under disse Drøftelser havde Tonen været en helt anden, idet man dér fra tysk Side havde haft den fuldeste Forstaaelse for de danske Betragtninger om den almindelige Ro og Orden og havde fremhævet, at det netop gjaldt om ikke at foretage noget, som kunne svække den danske Administrations Autoritet.[243] Dette Anbringende fra min Side fejede Dr. Best ganske til Side med en lidt foragtelig Bemærkning om, at disse Erhvervsfolk ikke var med dér, hvor de vigtigste Beslutninger blev truffet, og hvor den store Krigsmaskine blev styret.

Uanset at Dr. Bests stemningsbetonede Udbrud ikke just var den bedste Baggrund for en fortsat frugtbar Drøftelse, bad jeg ham dog læse det af mig medbragte Koncept til det paatænkte Opraab. Han læste det igennem, men lod iøvrigt ikke til at interessere sig videre for det. Han gjorde blot en Bemærkning om, at den ovenfor omtalte (understregede) Passus i hvert Fald ikke kunne passere, da den gav et forvrænget Billede af Situationen.[244] Det var dog ganske misvisende at lægge Skylden for den opstaaede Situation paa de tyske Myndigheder. Han forstod ikke, at ikke Opraabet var fremkommet allerede fredag ved Middagstid. Det Faktum, at det havde taget en hel Dag at naa frem til dette Opraab, viste, at det her i Landet herskende System var uanvendeligt i en Krigssituation.

243 Her henvises givetvis til de forhandlinger, som var ført i Berlin i anledning af det danske memorandum af 14. juni 1944 (jfr. Ripken til Steengracht 14. juni 1944).
244 Den passus, der ikke kunne passere lød: "i Anledning af den Situation, som er opstaaet som Følge af, at Besættelsesmagten beklageligvis har ment at maatte iværksætte forskellige Foranstaltninger." (PKB, 7, s. 1853).

Vi kom paany ind paa Kl. 20-Spærretiden, som efter min Mening var Grunden til hele Miseren. Ganske vist var Spærretiden blevet ændret til Kl. 23 om Torsdagen, altsaa inden Strejken udbrød, men de tre Dage, den havde været i Kraft, havde været nok til, at det var begyndt at rulle, og naar Bevægelsen først var kommet i Gang, var det naturligvis ikke let at stoppe den. Paa Foranledning af en Udtalelse fra Dr. Best mindede jeg ham om, at vi fra dansk Side Søndag den 25., da vi om Aftenen havde faaet Meddelelse om Kl. 20-Spærretiden havde advaret stærkt imod denne Foranstaltning. Jeg havde under den første Samtale med Dr. Stalmann givet Udtryk for denne Advarsel og desuden foreslaaet, at hele Sagen blev udsat 24 Timer, saaledes at vi i Ro og Mag om Mandagen den 26. juni kunne have forhandlet nærmere om Sagen. Dette var blevet afvist. Senere paa Aftenen Søndag den 25. juni havde jeg rettet en fornyet Henvendelse til Dr. Stalmann og henledt hans Opmærksomhed paa, at en Spærretid allerede Kl. 20 sandsynligvis ville fremkalde Bevægelse i Arbejderkredse. Jeg havde tilføjet, at en Strejke kunne man naturligvis bryde ved brutale Midler, men at der var noget, der hed "legal Sabotage", nemlig dette, at Arbejderne vel møder, men arbejder langsomt. Jeg havde derfor paany advaret Dr. Stalmann. Efter at denne Søndag Aften havde været i Forbindelse med Dr. Best, havde han senere paa Aftenen telefonisk meddelt mig, at der intet var at gøre. Spærretiden ville blive fastsat til Kl. 20, men der kunne jo altid senere blive Tale om at lempe den. Fra dansk Side havde vi derfor den bedste Samvittighed overfor denne Foranstaltning, der var Grunden til Strejkens Udbrud, og for hvilken de tyske Myndigheder havde Ansvaret.

Jeg bad indtrængende Dr. Best om, at han ville give os Respit et Par Dage, saaledes at vi fra dansk Side kunne faa Lejlighed til at gøre en Indsats for ved egne Midler at faa Strejken hævet. Dr. Best afslog dette, idet han udtalte, at der den paafølgende Dag, altsaa Lørdag den 1. juli, skulle være Ro og Orden. Og at dette blev Tilfældet, ville man fra tysk Side sørge for. Vi ville i Løbet af de næste tre Dage faa at se, hvilke Midler Tyskerne nu agtede at benytte. Idet jeg gik ud af Døren, spurgte jeg Dr. Best, om han havde sagt sit sidste Ord til min Anmodning om Respit. Han besvarede uden nogensomhelst Vaklen dette Spørgsmaal bekræftende." (PKB, 7, s. 1853-55).

C.F. Duckwitz havde ifølge sin efterkrigsberetning et møde med Best samme dag, hvor han ligeledes skildrer en meget determineret rigsbefuldmægtiget, der ikke var til at forhandle med:

"Durch Hedtoft-Hansen beschaffte ich mich die näheren Einzelheiten der Ereignisse des vorherigen Tages und ging mit diesem Material bewaffnet zu Dr. Best, um den Beweis zu führen, daß die letzte Entwicklung nichts weiter als die Folge der von mir vorhergesagten Provokationen sei. Dr. Best verlangte sofortigen und ausführlichen Bericht seitens der deutschen Polizei. Dieser Bericht kam verdächtig schnell. Es enthielt einen angeblich lückenlosen Beweis für die Behauptung der Polizei, daß der Straßenpöbel unentwegt provoziert habe, und alle Schießereien und ihre Opfer auf diese dänische Provokationen zurückzuführen seien. Jede gegenteilige Behauptung sei unwahr und die Polizei werde nunmehr mit allen Mitteln durchgreifen, um Ruhe und Ordnung wieder herzustellen.

Dieser Bericht, sowie gewisse – wahre oder unwahre – Berichte aus Berlin, nach denen man an oberster Stelle ein energisches Durchgreifen für wünschenswert und erforderlich hielt, veranlaßten einen völligen Stimmungsumschwung von Dr. Best. Während er noch vor 24 Stunden vernünftigen Ratschlagen zugänglich war, erklärte er nunmehr, daß diese Angelegenheit "durchgepaukt" werden müsse und er, sofern die Arbeit am nächsten Tage nicht wieder aufgenommen werde, gemeinsam mit General von Hanneken und Pancke diejenigen Maßnahmen durchführen gedenke, die durch das Stichwort "Monsun" ausgelöst werden sollten. "Monsun" bedeutete: vollständige Cernierung einer Stadt, kein Verkehr in die Stadt oder aus der Stadt heraus, keine Lebensmittelzufuhren, militärische Besetzung von Gas-, Wasser- und Elektrizitätswerken und Abstellung dieser Zufuhren. Diese Maßnahmen sollten bis zum 1. Juli 12 Uhr mittags durchgeführt werden." (Duckwitz 1945-46b, s. 5f. og med ubetydelige afvigelser Duckwitzs erindringer u.å. kap. VII, s. 4f. (PA/AA, Nachlass Georg F. Duckwitz, bd. 29)).

Bemærkelsesværdigt er det, at Best ikke har noteret sig dette møde. Duckwitz var ifølge Bests kalender til møde hos Best den foregående dag, men da var Bests stemningsomsving endnu ikke indtruffet, og mødet om "Monsun"s iværksættelse fandt først sted 30. juli om formiddagen, så det refererede møde med Duckwitz kan først have fundet sted 30. juli, såfremt han husker rigtigt. Imidlertid erindrer Duckwitz endvidere at have været hos Best 30. juli om aftenen, da han fra Hans Hedtoft havde fået at vide, at Best havde afvist at lade det opråb udsende, som Svenningsen havde forelagt tidligere på dagen. Her havde han forgæves søgt at overtale Best til alligevel at lade opråbet udsende (Duckwitzs erindringer u.å. kap. VII, s. 6 (PA/AA, Nachlass Georg F. Duckwitz, bd. 29)). Heller ikke dette møde kan indpasses med Bests kalenderoptegnelser.

Bests stemningsomsving kan ikke skyldes, at han havde fået en ordre fra AA, da det alene var Barandon, der stod for kommunikationen i disse kritiske dage. Han kan dog have fået den viderebragt fra Pancke og/ eller Bovensiepen, hvilket ikke er usandsynligt. For Best var skrækken for en ordre fra Berlin tilstrækkeligt til at bringe han i affekt.

Kilde: Bests kalenderoptegnelser 30. juni 1944 (der er fejl og udeladelser i transskriptionen i den trykte udg., ligesom der er byttet om på nogle sider mellem s. 851-53!).

Vormittags im Dagmar-Haus
Bespr. mit:
SS-Ogruf. Pancke. Direktor Svenningsen. SS-Staf. Bovensiepen. Gen. d.I. von Hanneken, Gen. Lt. Richter, Oberstlt. Klönnkorn, Major Dr. Müller, SS-Ogruf. Pancke, gen.-Major d.P. von Heimburg.

Mittags: Frühstück bei Gen. d.I. von Hanneken (Österbrogade 25) mit Vizeadm. Wurmbach, Gen. Lt. [ulæseligt].

Nachmittags im Dagmarhaus.
Bespr. mit: Major Dr. Müller, Major Dr. Dyrssen, Hptm. Klompen. Presseref. Schröder. SS-Staf. Bovensiepen. Direktor Svenningsen.
Abends: Major Dr. Müller bei mir. (Frau Hilde Best vormittags nach Grabow abgereist).

261. Kriegstagebuch/BdO 30. Juni 1944

På den første generalstrejkedag blev der kort redegjort for resultatet af de tyske lederes drøftelse af situationen, hvor fire modforholdsregler blev besluttet, samt tidspunkterne for deres iværksættelse. Mødet fandt sted kl. 10, og til stede var Pancke, von Heimburg, von Hanneken, Richter, Schwabe og Best.

Fra 28. juni havde BdOs krigsdagbog noteret, at faren for en kommunistisk generalstrejke truede og de første forberedelser mod den var truffet. BdO havde 29. juni både stillet en eksekutionskommando fra 2. politivagtbataljon til rådighed for henrettelse af "otte sabotører" (det var rettelig modtagefolk fra Hvidstengruppen) og havde bisat en af sine egne faldne.

Kilde: BArch, R 70 Dänemark 6. KTB/BdO 30. juni 1944.

Ausbruch des Generalstreiks. Einstellung des Verkehrs.

10.00 Uhr
Besprechung des Höheren-SS und Polizeiführers und BdO mit General von Hanneken, Generalleutn. Richter, General der Luftwaffe Schwabe und dem Reichsbevollmächtigten Dr. Best über deutsche Gegenmaßnahmen.[245]
1.) Verstärkter Streifendienst
2.) Besetzung von sämtlichen Versorgungsbetrieben

---

245 Best noterede også mødet i sin kalender, men uden at angive dets resultat. Til gengæld opgav han andre mødedeltagere! General Schwabe forekommer f.eks. ikke på noget tidspunkt som gæst hos Best. Se ovenfor.

3.) Heranziehung von Verstärkungen durch den Wehrmachtbefehlshaber Dänemark
4.) Standgerichtsverfahren

14.30
Pöbel baut Barrikaden und brennt das Kaufhaus "Buldog" nach Plünderung nieder.[246]
Dänische Polizei verhält sich passiv

18.00
Besetzung der Versorgungsbetriebe (Gas, Wasser, Elektrizität)

20.00
Absperrung von Gas, Wasser und Licht.

23.35
Noch immer große Menschenansammlungen. Brennende Barrikaden und Schießereien.

BdO Stabsbefehl nr. 14[247]

262. Kriegstagebuch/WB Dänemark 30. Juni 1944
Von Hanneken lod en gengivelse af resultatet af den tyske ledelses drøftelse i København indføre i sin krigsdagbog, og endvidere lod han angive, hvilke forstærkninger han tilkaldte til København. De første skulle være fremme den følgende morgen.
  Ifølge von Hanneken traf han selv, Best og Pancke beslutningen om "Monsun" under inddragelse af cheferne for Kriegsmarine og Luftwaffe.
  Kilde: KTB/WB Dänemark 30. juni 1944.

Die Streiklage in Kopenhagen hat sich im Laufe des 30.6.44 zu einem zwar nicht erklärten jedoch praktisch durchgeführten Generalstreik entwickelt. Der Herr Wehrm. Bef. befindet sich zusammen mit dem Ic Vormittag in Kopenhagen zu Besprechungen über die Lage und zu ergreifenden Maßnahmen. Mit Einverständnis des Herrn Wehrm. Bef. wird durch den Reichsbevollmächtigten an die dän. Regierung ein Ultimatum folgenden Inhalts gestellt:
  "Falls Generalstreik bis 1.7.44 12.00 Uhr nicht aufgehoben, übergibt Reichsbevollmächtigter vollziehende Gewalt an Höh. Kdo. Kopenhagen, Generallt. Richter."
  Der Rgts. Verband Pier erhält Befehl zur beschleunigten Verlegung nach Kopenhagen mit allen Teilen. Res. Pz. Aufkl. Abt. 3 stellt eine gemischte Kompanie (Pz. Spähwagen und Kräder) in Stärke von etwa 300 Mann zusammen, die im Landmarch Kopenhagen zu erreichen hat. Außerdem hat das Höh. Kdo. Kopenhagen auf Seeland 8

---

246 Stormagasinet Buldog, Nørrebrogade 16, var ejet af en nazistisk direktør og blev derfor mål for plyndring og nedbrænding.
247 Befalingen er ikke lokaliseret.

Kpn., aus Genesenden-Bataillonen nach Kopenhagen befohlen. Nach Nyborg wird ein Offizier des Bef. Stabes zwecks Aufsicht bei der Verladung auf die Fähren gesandt. Mit Eintreffen der ersten Teile (1 Bt. und Einsatzkp. Pz. Aufkl. Abt. 3) in Kopenhagen in den Morgenstunden des 1.7. zu rechnen.

Auf Grund der Vereinbarung zwischen W.B. Dän., Reichsbevollmächtigten und Höh. SS- und Pol. Führer unter Hineinbeziehung des Admiral Skagerrak und des Gen. d. Luftw. in Dän. wird ab sofort verstärkter Streifendienst unter gleichzeitiger Besetzung wichtiger Stadtpunkte, Besetzung der nicht bestreikten Versorgungsbetriebe, unter Androhung der Lieferungssperre dieser Betriebe durchgeführt.

Außerdem verhaftet deutsche Sicherheitspolizei Streikhetzer und -Posten. Falls der Streik bis 1.7.44 12.00 Uhr nicht beendet sein sollte, ist beabsichtigt:

Nach Übernahme der vollziehenden Gewalt durch Kdr. Höh. Kdo. Kopenhagen wird jeder Verkehr (einschließlich Lebensmittelzufuhr) von und nach Kopenhagen gesperrt, die Innenstadt stärker besetzt und jede Regung von Unruhen auf das schärfste unterdruckt. Dazu sind außer den zuzuführen Teilen die in Kopenhagen verfügbaren Teile von Marine und Luftwaffe dem Höh. Kdo Kopenhagen unterstellt.

Gegen 2400 Uhr wird der Ia fernmündlich von General Richter um Vorbereitung der Zuführung der 4. Einsatzkp. der Res. Pz. Abt. 3 (mit Pz. I) gebeten. T.K. Aarhus und 233. Res. Pz. Div. erhalten fernmündliche Vorbefehle. T.K. Aarhus hat voraussichtliche Abfahrtszeit zu melden.

[...]

263. Kriegstagebuch/Admiral Skagerrak 30. Juni 1944

Admiral Wurmbach orienterede om den generalstrejke, der var brudt ud i København samme dag. Den blev givet efter en drøftelse med von Hanneken samme dag i København. Baggrunden var de sidste dages forholdsregler med indførelse af spærretid, forsamlingsforbud, hensynsløs brug af våben og henrettelsen af otte sabotører. Den danske centralforvaltning og fagforeningerne søgte at få strejken afsluttet hurtigst muligt. Det danske frihedsråd var angiveligt også imod den kommunistiske strejke. Det var mellem de tyske myndigheder aftalt, at hvis strejken ikke var ophørt 1. juli kl. 12, ville København blive afspærret, forstærkninger var tilkaldt, patruljeringen øget og forsyningsvirksomhederne ville blive lukket.

Kilde: KTB/ADM Dän 30. juni 1944, RA, Danica 628, sp. 3, s. 3445-47.

Allgemeines:

I.) Abwehrstelle Dänemark teilt mit Fs. 560/44 III mit:

Betr.: Generalstreik in Kopenhagen.

Ab heute 10.00 Uhr sind sämtliche Betriebe einschl. Eisen- und Straßenbahn in Gross-Kopenhagen stillgelegt. Nach eingegangenen unüberprüften V-Mann-Meldungen soll dieser Generalstreik durch die Kommunisten gegen den Willen der Gewerkschaften veranlaßt worden sein. Es ist nicht ausgeschlossen, daß sich der Generalstreik auf ganz Dänemark ausbreiten wird.

II.) Ich gebe mit Fs. Gkdos 3495 folgenden Lagebericht an MOK Ost, OKM/Skl., nachr. Seekdt. Dänische Inseln, 8. Sich. Div.:

Auf Grund heutiger Besprechung mit Wehrm. Befh. Dänemark in Kopenhagen ist im Einvernehmen mit den beteiligten Stellen folgende Lageunterrichtung für Gross-Kopenhagen vereinbart:

In Kopenhagen seit heute Vormittag Arbeitsniederlegung, die offenbar durch kommunistische Hetze wegen der in den letzten Tagen verhängten Polizeimaßnahmen (Sperrstunde, Ansammlungs- und Versammlungsverbot) sowie rücksichtsloser Waffengebrauch und Hinrichtung von 8 Saboteuren betrieben. Dänische Zentralverwaltung und Gewerkschaften bemühen sich um schnelle Beilegung. (Dänischer Freiheitsrat angeblich auch gegen kommunistischen Streik). Deutsche Gegenmaßnahmen auf Grund Vereinbarung zwischen Wehrm. Befh. Dänemark unter Heranziehung Admiral Skagerrak und des Generals der Luftwaffe in Dänemark, Reichsbevollmächtigtem, Höh. SS- und Polizeiführer: Ab sofort verstärkter Streifendienst, unter gleichzeitiger Besetzung wichtigster Stadtpunkte. Besetz der nicht bestreikten Versorgungsbetriebe unter Androhung Lieferung[s]sperre dieser Betriebe, Heranziehung von Verstärkungen durch Wehrm.-Befh. Deutsche Sicherheitspolizei verhaftet Streikhetzer und -posten. Absichten fall[s] Streik nicht bis 1.7.12.00 h beendet: Übertragung vollziehender Gewalt auf Kommandeur Höh. Kommandos Kopenhagen. [?]ser wird nach Absprache mit Reichsbevollmächtigtem und Höh. SS- und Polizeiführer jeden Verkehr, einschließlich Lebensmittelzufuhr von und nach Kopenhagen sperren, Innenstadt stärker besetzen und jede Regung von Unruhen auf das schärfste unterdrücken. Hierzu sind dem Höh. Kommando Kopenhagen verfügbare Teile von Marine und Luftwaffe in Kopenhagen unterstellt. Außerdem führt Höh. Kommando Kopenhagen 8 Kompanien der D-Batl. im Bereich Seeland nach Kopenhagen. Ihm werden weiter von Befehlshaber zugeführt und unterstellt: Radfahr-Regt. Pier (zusammengestellt aus D-Batl. z.Zt. bei 160. Res. Div. und Res. Pz. AA 3 (233. Res. Pz. Div.)). Mit Eintreffen dieser Verbände ist im Laufe des 1.7. zu rechnen.

[…]

264. Ernst Richter: Befehl für Sicherung der Ruhe und Ordnung in Kopenhagen 30. Juni 1944

På grundlag af en allerede udarbejdet plan udstedte Richter den befaling, der i detaljer fastlagde, hvordan situationen skulle gribes an, når han 1. juli kl. 12 overtog den fulde kontrol over byen. På ni udvalgte steder skulle der oprettes tyske støttepunkter som udgangspunkt for patruljer og til forhindring af demonstrationer. Endvidere skulle man bringe sig i besiddelse af de offentlige værker. Det blev slået fast, at det fortsat var det danske politis opgave at opretholde ro og orden, ligesom det blev indskærpet, at der ikke skulle indberettes overdrevne rygter, men kun kendsgerninger, man selv kunne stå inde for. Erfaringerne med barrikadedannelse i visse gader gav anledning til forsigtighed; patruljerne skulle bevæge sig langs mure og søge dækning i opgange.

Denne plan har siden fået betegnelsen "Monsun" (Se f. eks. ABA, Duckwitz 1945-46b, s. 6, Frisch, 3, 1948, s. 155, Hæstrup, 1, 1959, s. 311, Rosengreen 1982, s. 127), et kodeord, der dog første gang blev brug af von Hanneken 3. juli og siden igen af Collani 15. juli og altså flere dage efter generalstrejkens udbrud (se nedenfor 15. juli).

Der er i det samtidige interne tyske materiale ikke på noget sted tale om "*Bombardement af visse Kvarte-*

rer", som skrevet af Frisch 1948 sst. (udhævelse i originalen). Hans eneste kilde til dette er G.F. Duckwitz,[248] og det broderede Børge Outze samme år videre på ved at skrive, at "Monsun" indebar "fladebrande" i udvalgte kvarterer (Munck/Outze 1948, s. 718). I sin efterkrigsberetning kom Duckwitz ind på den anspændte situation 1. juli 1944 og beskrev den meget dramatisk, bl.a.: "Die Luftwaffe war angewiesen worden, einige Bomber bereit zu halten." (Duckwitz 1945-46b, s. 8). Der er ikke i det samtidige materiale fundet belæg for dette udsagn. Det tyske luftvåbens rolle under generalstrejken var at stille styrker til bevogtningstjeneste, og i "Monsun" indgik fly ikke.

Hæstrup, 1, 1966-71, s. 582 note 46 nævner som kilde til truslen om luftbombardement "Bl.a. gennem Duckwitz" (hvad "blandt andet" er oplyses desværre ikke[249]) og et samtidigt anonymt tysk brev sendt til kontorchef Eskelund, hvori omtales bombardement af de urolige kvarterer efter afbrydelse af vandforsyningen. Det ville pågældende fortælle, før han forlod landet. Henvendelsen kan ikke tages alvorligt, men er om noget alene et tysk forsøg på indirekte at lægge pres på de danske forhandlere. På samme måde må Bests mundtlige trusler, herunder angivelige bombetrusler, under forhandlingerne opfattes (se gengivelsen af Dedichens brev 12. juli 1944 hos Hæstrup, 1, 1959, s. 311, der dog ikke er et direkte mødereferat, men givetvis også har skullet gøre indtryk på Turnbull). Var man fra tysk side villige til at gå så vidt som til et bombardement, havde de foregående forhandlinger allerede været overflødige, for det ville have sat et meget stort punktum for den politik, der havde været ført siden 9. april 1940. Det var der i øvrigt ingen samtidige indikatorer for, at man ønskede fra tysk side, hos Best slet ikke, og det var langtfra så voldsomme sanktioner mod København og Danmark, Hitler befalede få dage senere. Bombardementstruslen hørte i situationen hjemme blandt midlerne i den psykologiske krigsførelse, men der har fra dansk side været en dramatisk interesse i at holde liv i den, også blandt samtidige historikere som Hartvig Frisch, hvilket ikke er uforståeligt, men tillige hos senere historikere som Jørgen Hæstrup ("I betragtning af, at der overalt i byen hele fredagen foregik den voldsomste skydning med alle slags våben lige til store kanoner, er det måske forståeligt, at man i disse møder anså Bests trusler for ikke alene mulige, men også sandsynlige.").

Tysk politik under generalstrejken i København kan ikke adskilles fra den i øvrigt førte tyske politik i Danmark. Københavnerne leverede ikke den betydningsfulde landbrugsproduktion til Tyskland, så var København prisen værd? Tyskerne havde mere at vinde ved "en elastisk politik" (for at genbruge Ribbentrops udtryk om jødespørgsmålet oktober 1943) end ved at tage en voldelig konfrontation, som til enhver tid kunne vindes. Det var jo ikke et spørgsmål om det militære styrkeforhold, men om hvor lidt der skulle til fra tysk side for at få det maksimale ud af besættelsen. Richters plan for København er indrettet herpå, en magtdemonstration, hvor trumfen var isoleringen af byen og afbrydelsen af de offentlige værker. Det var forholdsregler, der rettede sig "fredeligt" mod undertvingelsen af hele bybefolkningen, ikke mod store ødelæggelser, og var langt fra den terroristiske fremfærd, der blev benyttet i andre besatte lande. Så vidt vides, er det første gang, denne fremgangsmåde med "at skrue på hanerne" blev taget i anvendelse fra tysk side i et besat land,[250] vel at mærke med henblik på at få skruet op igen og vende tilbage til en slags "normalitet" hurtigst muligt.

Bovensiepen tiltog sig under en efterkrigsafhøring æren af at have fået ideen dertil, inspireret af foranstaltninger truffet af militæret i forbindelse med en eller anden generalstrejke, mens Pancke henførte denne form for strejkebekæmpelse til von Hanneken, der på sin side tillagde Pancke forslaget! (LAK, Best-sagen, afhøringer af Bovensiepen 1. og 20. august 1945, Pancke 21. september 1945 og von Hanneken 1. marts 1948). Problemet opstod først blandt de tyske aktører, da der skulle tages stilling til, hvor længe der skulle lukkes for hanerne. Best fremstillede det således 31. august 1945: "Afhørte ønsker her at forklare, at han saa som sin Opgave at faa denne Folkestrejke endt saa hurtigt som muligt og paa den billigste maade for begge Parter. Han kom herved i Modsætningsforhold til det tyske Politi, der netop i de Forholdsregler (Lukning af Vand, Lys og Gas), der var blevet truffet i Anledning af Folkestrejken, saa en kærkommen anledning til ved Magt at tildele den københavnske Befolkning og derigennem Modstandsbevægelsen et afgørende knusende

---

248 Jfr. Kristensen 1946, s. 26: "København skulle være skudt i Grus under Folkestrejken." med Duckwitz som kilde.
249 At Duckwitz er kilden til truslen om et luftbombardement plus beskydning med skibs- og feltartilleri fremgår af Schjødt-Eriksen 1976, s. 99.
250 Umbreit 1999, s. 143.

Slag. Det var Politiet, in casu Bovensiepens, Forslag om at holde Straffeforanstaltningerne gaaende saa langt som muligt, 8-14 Dage, at man vilde have bragt Befolkningen fuldstændig til Underkastelse." Der er ikke grund til at betvivle denne fremstilling, som Bovensiepen havde bekræftet ved en forudgående afhøring 20. august 1945: "Da Strejken kom, saa sigtede det gerne, idet han nu mente at faa Lejlighed til at bryde Modstandsbevægelsen; han vilde nemlig besvare strejken med at lukke de forskellige Værker og livsvigtige Virksomheder samtidig med, at Byen blev afspærret. Han var ganske klar over, at en uforberedt Generalstrejke med Lukning af Værkerne kun vilde kunne holde ganske kort Tid i en Storby midt i en Sommerens Hede, og han mente, at Københavneren snart vilde gøre Modstandsbevægelsen ansvarlig for Strejken. Han var sikker paa, at Frihedsraadet og Politikerne maatte bøje sig, og deres Ansvar bevidst, komme til de tyske Myndigheder for at faa Sagen ordnet, og han tilføjer, at saaledes skete det jo ogsaa. Best og Pancke var først ængstelige, da Strejken kom, men sigtede erklærede overfor dem, at nu vilde han altsaa lukke Værkerne og tage Ansvaret for, at der ikke skete noget med Værkerne og de andre livsvigtige Virksomheder. Det var dog hans Mening, at Spærretiden skulde være effektiv, d.v.s. at Udgangsforbudet skulde gennemføres med alle Midler, og derfor blev der ogsaa skudt i de Gader, hvor Forbudet ikke blev respekteret." Da Best imidlertid for tidligt annullerede de tyske forholdsregler efter Bovensiepens mening, lykkedes det hverken at knække byen eller modstandsbevægelsen, og det førte til, at forholdet til Best blev varigt dårligere som følge af uenigheden om folkestrejken, hvor Best gennemtrumfede sin vilje (forklaringer af Bovensiepen 1. og 20. august 1945, 10. december 1946). Det er dog ikke det samme som fuldstændig at godtage Bests efterkrigsforklaring, da han på grundlag af det samtidige materiale ikke kan opfattes som helt så afklaret med hensyn til de midler, der skulle anvendes under folkestrejken, som han siden gav udtryk for. Men at han var under pres fra Berlin, er ubetvivleligt.

På trods af talrige problemer med "Monsun" (Se TN-beretning 21. november 1944) blev planen siden overtaget helt af Pancke, hvis det ikke fra starten var hans, og stadig benyttet som grundlag for bekæmpelsen af indre uro i Danmark i foråret 1945 (se 13. og 15. februar 1945).

Kilde: BArch, Freiburg, RW 38/181. KTB/HKK, Anlage 203. RA, Danica 1069, sp. 10, nr. 11901-904.

Höheres Kommando Kopenhagen Anlage 203.
Ia Nr. 2500/44 geh. St.Qu., 30.6.1944
  Geheim!

Betr.: Befehl für die Sicherung der Ruhe und Ordnung in Kopenhagen
1 Anlage[251]

1.) *Bis zum 1.7.44, 12.00 Uhr* liegt die vollziehende Gewalt und die Durchführung der entsprechenden Maßnahmen in der Hand des *Reichsbevollmächtigten* bzw. des Höh. SS u. Pol. Führers.

2.) *Die Wehrmacht unterstützt die Polizei* bei der Aufrechterhaltung der Ruhe und Ordnung und beim Sperren und Sichern von Versorgungsbetrieben durch Einsatz verstärkter Streifen, Bildung von Stützpunkten und Gestellung von Wachen zu den städtischen Versorgungsbetrieben nach den heute mündl. gegebenen Weisungen des WO Kommandanten, Oberstlt. Mauff.

3.) *Die Stützpunkte* sind z.Zt. mit Truppen in Stärke von einem Zug besetzt, und zwar
   a.) Stützpunkt Kongens Nytorv von 1 Zug D VIII mit 3 l.M.G. u. 1 Pak, abzulösen am 1.7.,12.00 Uhr durch 2 Züge D XIII mit 6 l.M.G. und 1 Pak,
   b.) Stützpunkt Gr. Trianglen von 1 Zug Wach-Btl. mit 3 l.M.G. und 1 Pak abzulö-

[251] Trykt nedenfor.

sen am 1.7.,12.00 Uhr durch 2 Züge D XI mit 6 l.M.G. und 1 Pak,
c.) Stützpunkt Nörrebro Runddel von 1 Zug D X mit 3. l.M.G. u. 1 Pak abzulösen am 1.7.,12.00 Uhr durch 2 Züge D IV mit 6 l.M.G. und 1 Pak,
d.) Stützpunkt Straßenkreuz Pile-Allee – Roskildevej von 1 Zug D III mit 3 l.M.G. und 1 Pak abzulösen am 1.7.,12.00 Uhr durch 2 Züge D XII mit 6 l.M.G. und 1 Pak,
e.) Stützpunkt Enghaveplads bleibt von Polizei besetzt
f.) – Rathausplatz – – –
g.) – Langebro – – Marine –
h.) – Knippelsbro – – – –
i.) Stützpunkt Straßengabel Amagerbrogade/Amager Boulevard bleibt von Marine besetzt.
Einweiser für die Ablösungen zu a.)-d.) stellen die bisherigen Truppenteile.
4.) *Aufgabe der Stützpunkte ist:*
a.) an diesen wichtigen Verkehrspunkten Rückhalte zu bilden für die deutschen Wehrmacht- und Polizeistreifen,
b.) gegen Demonstrationen oder Zusammenrottungen der dän. Bevölkerung an den Verkehrspunkten und deren Nähe einzuschreiten. Hierzu ist bei Tage nach dreimaliger Warnung, bei Nacht sofort zu schießen, um die Zusammenrottungen auseinander zu treiben,
c.) in der Nähe der Stützpunkte festgestellte Barrikaden mit Pak unter Ausnutzung der Schußweiten zusammenzuschießen und die Hauptstraßen für den Verkehr wieder freizumachen.
5.) *Städtische Versorgungsbetriebe* sind durch Wachen in dem in der Anlage näher bezeichneten Umfang besetzt und bis 1.7., 12.00 Uhr von den in der Anlage befohlenen Truppen abzulösen. Aufgabe dieser Wachen ist:
a.) Sicherung der genannten Versorgungsbetriebe gegen Sabotage,
b.) Verhinderung von Angriffen seitens der Bevölkerung, um etwa diese seit 30.6. abends für die Versorgung Kopenhagens stillgelegten Werke wieder in Besitz zu bekommen.
Einweiser für die Ablösungen stellen die bisherigen Truppenteile, welche die erfolgte Ablösung über ihre Btle. an die WOK melden.
6.) *Allgemeines:*
a.) Aufrechterhaltung der Ruhe und Ordnung in Kopenhagen ist in erster Linie Aufgabe der dän. Polizei. Deshalb ist sie in ihrer Tätigkeit nicht zu behindern oder durch Einsatz eigener Waffen zu gefährden.
b.) Zusammenrottungen über 5 Personen sind verboten, ab 23.00 Uhr (Sperrzeit) ist jeglicher Verkehr und Aufenthalt auf öffentlichen Straßen und Plätzen für Zivilpersonen ohne Personal-Ausweis mit Lichtbild – ausgestellt von der deutschen oder dänischen Polizei – verboten. Einzelpersonen und Fahrzeuge sind dann aufzuhalten und auf Ausweise und Waffen zu kontrollieren, Fahrzeuge auch auf Inhalt (Sprengstoff, Waffen, Saboteure). Die Kontrolle hat unter Sicherung mit schußbereiter Waffe zu erfolgen.
Verdächtige Personen sind festzunehmen, dem nächsten Stützpunkt zuzufüh-

ren und am Vormittag des folgenden Tages dem SD Schellhaus Kampmannsgade zu übergeben.

c.) Die Truppe muß sich gegen Widerstand unter rücksichtslosem Einsatz aller Waffen durchsetzen.

d.) Die Wehrmacht- und Polizeistreifen sind angewiesen, auf ihren Wegen Verbindung mit den Stützpunkten aufzunehmen und Beobachtungen auszutauschen. (Keine Übertreibungen, nur selbst festgestellte Tatsachen weitermelden).

Stützpunkten und Wachen an den Objekten haben besondere Vorkommnisse von öffentlichen Fernsprechstellen (Telefonhäuschen) über Central 18000 (Überfall-Kdo.) an die W.O.K. zu melden. (Vorsicht! Feind hört mit!)

7.) *Erfahrungen:*
Der kommunistische Mob und die illegalen Organisationen sind, soweit bisher festgestellt, nur mit Pistolen und M.Pi. bewaffnet. Sie bauen in Hauptverkehrsstraßen aus Fahrzeugen, Möbelwagen, Fahrradständern usw. Barrikaden, die bisher nicht besetzt waren, aber bei Annäherung eigener Streifen von Dächern und aus Wohnungen beschossen worden sind. Mehrfach sind auf den Straßen größere Feuer angezündet worden, um diese zu beleuchten.

Offenem Kampf aus der Straße weicht der Mob im allgemeinen aus. Er führt den Kampf aus der Deckung und dem Hinterhalt, d.h. meist aus Häusern. Deshalb muß die eigene Truppe in Reihe entlang der Häuserfront sprungweise von Hauseingang zu Hauseingang unter ständiger Beobachtung und Sicherung nach vorn und gegen die gegenüberliegende Fensterfront vorgehen.

Richter
Generalleutnant

Verteiler:

WOK	1x
D III	5x
3./D VIII	2x
D X	5x
Wach-Btl.	4x
Kdo. Flughafenber. Seeland	1x
5. M.L.A.	1x
D IV, XI, XII, XIII je	2x
Ia, Ic, Qu, IVa, IVb, KTB	6x

nachrichtl. an:

Rgt. Pier	4x
Pz. A.A. 3	1x
Höh. SS- u. Pol. Fhr.	1x
Verb. Stab W.B.D. (Kaj Müller)	1x
Reserve	5x
	45x

Anlage zu H.K.K Ia Nr. 2500/44 geh. v. 30.6.44

				z.Zt. besetzt durch:		abzulösen durch:
		Gas				
violett	1	Valby Gasvärk Vigerslev Allé		D III	2 Züge	D XII
–	2	Gasvärket	Finsensvej	–	½ Zug	D IV
–	3	–	Glostrup	–	2 Gruppen	–
–	4	–	Dragör	Luftwaffe	1 Gr.	–
–	5	Östre Gasvärk Zionsvej		D X	1 Zug	D IV
–	6	Gasvärket Strandvejen		Wach-Btl.	1 Zug	–
		Wasserwerke				
blau	1	Ermelund		D VIII	1 Gruppe	D XI
–	2	Pumpestationen Gl. Kongevej		D III	1 –	–
–	3	Vandforsyningen Borups Allé		D X	1 –	–
–	4	Vandvärket Islevbro Rödovrevej		D X	1 –	–
–	5	Vandvärk Studiesträde		D III	1 –	–
		Elektrizitätswerke				
rot	1	NESA Buddingvej		D X	1 verst. Gruppe	D XI
–	2	NESA Lyngbyvej		D X	1 –	D XI
–	3	H.C. Örstedvärket (Sydhavn)		D III	2 Züge	D XIII
–	4	Vester Elektrizitätsvärk Bernstorffsgade		D III	1 Gruppe	D XI
–	5	Gothersgade Elektrizitätsvärk Adelgade		D VIII	2 Züge	Marine
–	6	Östre Elektrizitätsvärk Östre Allé		D X	2 Züge	Luftw.
–	7	Elektrizitätsvärk Finsensvej		D III	½ Zug	D IV
		Stützpunkte		Heer H	Marine M	Polizei P
grün	1	Pile Allé – Roskildevej				
–	2	Nörrebrogade – Jagtvej				
–	3	Kongens Nytorv				
–	4	Trianglen				
–	5	Langebro				
–	6	Knippelsbro				
–	7	Amagerbrogade Damm				
–	8	Rathausplatz				
–	9	Enghave Platz				

265. Erich Albrecht an Joachim von Ribbentrop 30. Juni 1944
Lederen af AAs juridiske afdeling havde på opfordring udarbejdet et notat om Bests forordning af 24. april 1944 og fremsendte et udkast til ændring af den.
  Se Ribbentrop til Best 3. juli og Brenner til Best 4. juli 1944.
  Kilde: PA/AA R 29.568. RA, pk. 204.

I.) Nach § 3 Abs. 1 der Kriegsstrafverfahrsanordnung vom 17. August 1938 – RGBl, 1939 I s. 1437 – sind Ausländer und Deutsche wegen aller von ihnen im Operationsgebiet begangenen Straftaten dem Kriegsstrafverfahren der Wehrmacht unterworfen. Die Gerichtsherren sollen jedoch nach Absatz 2 der genannten Vorschrift solche Straftaten nur dann verfolgen, wenn ein Bedürfnis der Kriegsführung dies gebietet. Nachdem im vorigen Jahr wegen der bekannten politischen Ereignisse in Dänemark die Militärgerichtsbarkeit auf Ausländer erstreckt wurde, ist sie in Überstimmung mit einem Erlaß des Chefs OKW von 28. Januar 1943 auf Straftaten beschränkt worden, die
1.) sich unmittelbar gegen die deutsche Wehrmacht, ihre Angehörigen oder ihr Gefolge richten, oder
2.) im Gebäuden, Räumen, Anlagen oder Schiffen begangen werden, die den Zwecken der deutschen Wehrmacht dienen.

Die auf diese Fälle beschränkte Gerichtsbarkeit reicht jedoch nicht aus, um die Ordnung in Dänemark und eine wirksame Bekämpfung von Sabotagehandlungen zu gewährleisten. Der Reichsbevollmächtigte hat daher durch die im Anlage 1 wiedergegebene Verordnung vom 24. April[252] das SS- und Polizeigericht 30 im Kopenhagen für die Aburteilung solcher Straftaten bestellt, die die deutschen Interessen berühren, ohne zur Zuständigkeit der Wehrmachtgerichte zu gehören. Der Herr Reichsaußenminister hat sich mit dieser Behandlung der Angelegenheit nicht einverstanden erklärt und durch Drahterlass vom 15. Mai – Nr. 998 – Richtlinien für die Regelung der Gerichtsbarkeit gegeben.

II.) Mit Genehmigung des Herrn RAM habe ich die Angelegenheit gelegentlich meines Aufenthalts in Kopenhagen mit dem Reichsbevollmächtigte und sonst beteiligten Stellen besprochen. Dabei ergab sich, das inzwischen bei der Wehrmacht der Wunsch hervorgetreten ist, die Zuständigkeit der Wehrmachtsgerichte anders als bisher und genauer zu regeln. Der Rechtsberater des Militärbefehlshabers in Dänemark hat den als Anlage 2 beigeführten Entwurf einer Verordnung des Reichsbevollmächtigten ausgearbeitet, die an die Stelle der früheren Verordnung treten soll.[253]

Wegen die im § 1 und § 2 Abs. 1 dieses Entwurfs enthaltene Abgrenzung der Zuständigkeiten dürften im Sinne der Weisungen des Herrn Reichsaußenministers keine Bedenken zu erheben sein. Dagegen wäre § 2 Abs. 2 durch eine Bestimmung zu ersetzten, nach der für die Aburteilung von Zivilpersonen, die nicht zum Gefolge der deutschen Wehrmacht gehören, ein von Reichsbevollmächtigtem zu bestimmendes Gericht, das zweckmäßig die Bezeichnung "Feldsondergericht" zu führen hätte, zuständig ist. Absatz 3 müßte entsprechend geändert werden. In der Einleitung der Verordnung hät-

252 Forordningen er bl.a. trykt i *Politische Informationen* 1. maj 1944 og er ikke gentaget her.
253 Bilaget er ikke lokaliseret.

ten die Worte "im Einvernehmen mit dem Chef des OKW und dem Reichsführer SS" wegzufallen haben.

Ein Entwurf für einen Drahterlass nach Kopenhagen, der die erforderliche Weisung enthält, ist beigefügt.[254]

Hiermit dem Herrn Reichsaußenminister mit der Bitte um Genehmigung des Drahterlasses vorgelegt.

Salzburg, den 30. Juni 1944.

gez. **Dr. Albrecht**

266. Harro Brenner an Werner Best 30. Juni 1944

Bests manglende lyst og vilje til at rapportere om krisesituationen i København førte til, at Ribbentrop kunne læse i en tysk nyhedsmeddelelse fra Stockholm om svensk presses dækning af tilstandene i København, herunder den opsigtsvækkende nyhed, at Best truede med at træde tilbage, hvis ikke Schalburgkorpset forsvandt fra Danmark. Og københavnerne rettede sig ikke efter udgangsforbuddet. Det ville Ribbentrop gerne have Bests snarlige stillingtagen til, ligesom han også interesserede sig for Schalburgkorpsets igangværende aktivitet.

I betragtning af situationen i København tog Ribbentrop stadig situationen let. Barandons telefoniske indberetninger havde ikke været tilstrækkelige til at alarmere ministeriet, og det er et spørgsmål, om de nåede frem til RAM.

Best svarede med telegram nr. S 2, 2. juli 1944.

Kilde: PA/AA R 100.986.

Telegramm

Fuschl, den	30. Juni 1944	19.35 Uhr
Ankunft, den	30. Juni 1944	21.10 Uhr

Nr. 1402 vom 30.6.   Citissime!
– RAM 688/44 R –

Diplogerma Kopenhagen
   Für Reichsbevollmächtigten.

Dem Herrn Reichsaußenminister hat folgende DNB-Meldung aus Stockholm vom 29. Juni vorgelegen:

"Dr. Best droht mit Rücktritt!

"Svenska Morgenbladet" behauptet in einer Meldung aus Malmö, daß alle Fabriken in Kopenhagen um 1 Uhr am Mittwoch die Arbeit einstellten. Die Kopenhagener Bevölkerung richte sich nicht nach dem Ausgehverbot, und die Deutschen hätten die größten Schwierigkeiten, mit der Einwohnerschaft zurecht zu kommen. Dr. Best soll Berlin mitgeteilt haben, daß entweder das Schalburg-Korps aus Dänemark verschwinden müsse oder er zurücktreten werde." –

---

254 Udkastet er ikke med bestemthed lokaliseret. Muligvis er det identisk med det udaterede udkast af Albrecht fra juli 1944, som er aftrykt nedenfor under 3. juli.

Schluß der DNB-Meldung.

Der Herr Reichsaußenminister bittet um baldige Stellungnahme. Den Herrn Reichsaußenminister interessiert vor allem auch die jetzige Tätigkeit des Schalburg-Korps.

Brenner

Vermerk:
Unter Nr. 736 an Diplogerma Kopenhagen weitergeleitet.
Tel. Ktr. 30.6.44.

267. Rüstungsstab Dänemark: Beschäftigung der dänischen Konfektionsindustrie mit Heeresaufträgen 30. Juni 1944

Under generalstrejken i København gik det bl.a. ud over tre konfektionsfirmaer, der arbejdede for værnemagten. Forstmann fastslog, at de alle tre lå i samme arbejderkvarter, hvor den kommunistiske pøbel en tid herskede. Konfektionsindustrien i andre dele af byen blev ikke berørt.

Der er flere øjenvidneberetninger om, at de fra fabrikkerne stjålne tyske uniformer blev hængt op i lygtepæle og brændt (KB, Bergstrøms dagbog 1. juli 1944 (trykt udg. s. 927)). "Den kommunistiske pøbel" kom til at indgå i det tyske forklaringskatalog om generalstrejken, og Forstmann eller hans stab var blandt de første til at formulere det, tillige med Nils Svenningsen.

Se også Rü Stab Dänemark: Sabotage ... 19. juli 1944.

Kilde: BArch, Freiburg, RW 27/15. KTB/Rü Stab Dänemark 2. Vierteljahr 1944, Anlage 28.

Rüstungsstab Dänemark
Abteilung Verwaltung

Anlage 28.
30.6.44.

Beschäftigung der dänischen Konfektionsindustrie mit Heeresaufträgen.

Bei den Streikunruhen am Nachmittag des 30.6.44 in Kopenhagen hat kommunistisches Pöbel 3 Betriebsräume von mit Heeresaufträgen beschäftigten Konfektionsfirmen gestürmt, die in Fertigung befindlichen Uniformen teilweise gestohlen, teilweise auf öffentlicher Straße verbrannt. Zu beachten ist, daß in allen 3 Fällen die Fertigungsstätten in dem gleichen Arbeiterviertel gelegen hatten, in dem sich der kommunistische Pöbel einige Stunden austobte. Die zahlreichen Fertigungsstätten anderer dänischer Konfektionsfirmen, welche in anderen Stadtteilen gelegen sind, blieben hingegen von den erwähnten Vorgängen völlig unberührt.

268. Rüstungsstab Dänemark: Lagebericht 30. Juni 1944

Forstmann meddelte, at der havde været adskillige større sabotager i København fulgt op af uroligheder og generalstrejke i månedens slutning. Det påvirkede øjeblikkeligt produktionen, men ikke de samlede rustningsmæssige vilkår. Ligeledes foregik det almindelige erhvervsmæssige samarbejde uden stridigheder med de danske virksomheder. Der havde ikke været brug for den tysk-danske forligsret en eneste gang, hvilket var et vidnesbyrd om et tilfredsstillende samarbejde.

Trods det var det den situationsberetning, som Forstmann på noget tidspunkt udarbejdede, der var mest præget af sabotager.

Kilde: BArch, Freiburg, RW 27/15. RA, Danica 1000, T-77, sp. 696, KTB/Rü Stab Dänemark, 2. Vierteljahr 1944, Anlage 29.

Anlage 29

Rüstungsstab Dänemark *Kopenhagen, den 30. Juni 1944.*
ZA/Ia Az. 66dl/Wi. Ber. Nr. 440/44 geh. Geheim!

Bezug: OKW Wi Rü Amt /Rü IIIb Nr. 21755/43 v. 9.5.42
Betr.: Lagebericht.

An den Reichsminister für Rüstung und Kriegsproduktion – Rüstungsamt –
Berlin W 8
Unter den Linden 36

Rü Stab Dänemark übersendet in der Anlage den Lagebericht für Monat Juni 1944.
Forstmann

Rüstungsstab Dänemark *Kopenhagen, den 30. Juni 1944.*
ZA/Ia Az. 66dl/Wi. Ber. Nr. 440/44 geh.

Beurteilung der gesamtrüstungswirtschaftlichen Lage
Ereignisse, die die *allgemein*-rüstungswirtschaftliche Lage veränderten, sind im Berichtsmonat nicht eingetreten. Dagegen ist die Fertigung von einigen schweren Sabotagefällen beeinflußt, über die nachstehend berichtet wird.

Vordringliches
Die Sabotageakte im Monat Juni gegen dänische Firmen betrafen hauptsächlich die Luftwaffenfertigung. Es wurden gegen Betriebe, die mit mittelbaren und unmittelbaren Wehrmachtaufträgen belegt sind, 19 Sabotageakte verübt.
  Völlig zerstört wurden die Firmen Globus Cykler (Belegschaft ca. 230),[255] Neutrofon (Belegschaft 160)[256] und Nordisk Radio A/S (Belegschaft 250) (Danavor).[257] Die Fa. Dansk Industri Syndikat (DIS) (Belegschaft 1500) erlitt einen teilweisen Fertigungsausfall bis zu 3 Monaten[258] und Fa. Jeko A/S, Abt. Ryesgade (Belegschaft 300) einen teilweisen Ausfall von 1 Monat.[259] Die Sabotagen bei den Firmen Bohnstedt-Petersen (Belegschaft 60)[260] und Fabriken FKL A/S (Belegschaft 120) treffen die Fertigung nicht

---

255 BOPA saboterede Globus på Roskilde Landevej 6. juni 1944 (se Forstmann til Rüstungsamt 9. juni 1944 og Bests telegram nr. 773, 26. juni 1944).
256 Radiofabrikken Neutrofon A/S, Møntmestervej 15-17, blev først forgæves forsøgt saboteret af Holger Danske 1. juni, men påfølgende saboteret af BOPA 16. juni og brændte fuldstændig ned (RA, BdO Inf. nr. 50, 20. juni 1944, Birkelund 2008, s. 681, Kjeldbæk 1997, s. 474).
257 Nordisk Radio A/S, Finsensvej 39, blev saboteret 23. juni, hvorved der opstod en voldsom brand og blev forårsaget betydelig skade (RA, BdO Inf. nr. 52, 24. juni 1944, Alkil, 2, 1945-46, s. 1232).
258 Se Rü Stab Dänemarks notat 23. juni 1944.
259 Nordværk (A/S Jeko) blev saboteret af BOPA 25. juni (se Bests telegram nr. 773, 26. juni 1944).
260 Bohnstedt-Petersens Maskinfabrik, Sønderkrogsgade, blev saboteret 21. juni af Holger Danske med

so schwer.²⁶¹ Sie wird voraussichtlich durch Umlagerung in andere Betriebe in ca. 14 Tagen wieder anlaufen.

Infolge der Sabotageakte wurde vom Herrn Reichsbevollmächtigten in Dänemark am 26.6.44 eine Sperrzeit für Gross-Kopenhagen von 20.00 bis 5.00 Uhr eingeführt, die ab 29.6.44 auf die Zeit von 23.00 bis 5.00 Uhr gemildert wurde.

1a. Stand der Fertigung

		in RM
a.)	*mittelbare und unmittelbare Wehrmachtaufträge (A-Aufträge)*	
	Gesamtverlagerung nach Dänemark vom 9.4.40-31.5.1944	542.863.000,-
	Auftragsbestand am 30.4.44 an noch zu erledigenden Aufträgen	164.866.191,-
	Wertveränderungen durch Auftragserhöhungen bzw. Auftragsermäßigungen im Mai 1944	– 5.622.759,-
		159.243.432,-
	Auftragszugang im Mai 1944	+ 10.807.245,-
		170.050.677,-
	Auslieferungen im Mai 1944	– 7.239.402,-
	Auftragsbestand am 31. Mai 1944 an noch zu erledigenden Aufträgen	162.811.275,-

		in RM
b.)	*Aufträge des kriegswichtigen zivilen Bedarfs (C-Aufträge).*	
	Gesamtverlagerung nach Dänemark vom 9.4.40-31.5.44	74.594.733,-
	Auftragsbestand am 30.4.44 an noch zu erledigenden Aufträgen	27.703.761,-
	Wertveränderungen durch Auftragserhöhungen bzw. Auftragsermäßigungen im Mai 1944	– 113.396,-
		27.590.365,-
	Auftragszugang im Mai 1944	+ 482.592,-
		28.072.957,-
	Auslieferungen im Mai 1944	– 812.357,-
	Auftragsbestand am 31.5.44 an noch zu erledigenden Aufträgen	27.260.600,-

Bei der bisherigen Gesamtverlagerung über Rü Stab Dän. von rd. 10.100 mittelbaren und unmittelbaren Wehrmachtaufträgen im Werte von 542.863.000,- RM und 1.160 Einzelaufträgen des kriegswichtigen zivilen Bedarfs im Werte von 74.594.733,- RM ist *kein* Streitfall aufgetreten, der vor dem deutsch- dänischen Schiedsgericht, das für Streitigkeiten eingerichtet ist, die sich aus Verlagerungsaufträgen ergeben können, verhandelt werden mußte.²⁶² Dies ist ein Zeichen dafür, daß *wirtschaftlich* in Dänemark zufriedenstellend zusammengearbeitet wird.

---

store ødelæggelser til følge (RA, BdO Inf. 51, 23. juni 1944, *Daglige Beretninger*, 1946, s. 152, Birkelund 2008, s. 681).

261 Maskinfabrikken FKL, Tagensvej 97, blev saboteret af BOPA 24. juni (se Bests telegram nr. 773, 26. juni 1944).

262 Rü Stab Dänemark havde oprettet denne forligsret 1. maj 1941 (se Forstmann til Waeger 31. august 1944).

Fertigungslage:
Heer:
Die durch Sabotage am 18. Januar ds.Js. zerstörte Betriebsstätte der Fa. Aage Petersen, Kopenhagen, Finsensvej 47, ist in das Waffen- und Munitionsarsenal verlegt worden und arbeitet in alter Kapazität. Der zerstörte Betrieb ist wieder aufgebaut und wird z.Zt. installiert.[263]

Die am 22. April ds.Js. an den Gebäuden der Firma A/S Carltorp, Kopenhagen, Roskildevej, durch Sabotage entstandenen Schäden sind zum großen Teil wieder behoben:[264] Die Firma hat durch Neubau ihren Betrieb erweitert und wird in Kürze mit erhöhter Kapazität arbeiten können. Rü Stab Dänemark hat sich weitgehend dafür eingesetzt, daß die erforderlichen Baumaterialien rechtzeitig geliefert wurden.

Bei der Fa. Sörensen konnten die Schäden durch Sabotagen am 22. April und 4. Mai noch nicht ganz behoben werden, da umfangreiche Bauarbeiten auszuführen sind, deren bevorzugte behördliche Genehmigung durch den Rü Stab Dän. erwirkt wurde. Mit der vollen Wiederaufnahme der Produktion ist erst Anfang September zu rechnen.[265]

Bei der Fa. Eha, Kopenhagen, Frederiksholm, konnte die Fertigung von Motorbootsanhängern noch nicht in dem gewünschten Umfange aufgenommen werden, da das erforderliche Material durch die Fa. Sachsenberg, Berlin, nicht zugestellt werden konnte.

Bei der Fa. Tobias Jensen waren die Materialschwierigkeiten, insbesondere in der Beschaffung der erforderlichen Bleche noch nicht zu beheben. OKH WuG 7/VII wurde gebeten, sich einzuschalten.[266]

Im Waffenarsenal sind die Bau- und Einrichtungsarbeiten an der für die Fertigung von Panzerteilen durch Daimler-Benz bestimmten zweistöckigen Halle (250 qm Lagerfläche) gut fortgeschritten. Die Inbetriebnahme erfolgt Anfang Juli.

Besonders wichtige Auslieferungen fanden in Anodenbatterien für rd. RM 460.000,- und in Bremsgestängen für rd. RM 360.000,- statt.

Marine:
Die durch Sabotage am 13.5.44 zerstörten Fabrikräume der Fa. Wilh. Johnsen, Kopenhagen, werden auf Veranlassung des Rü Stab Dän. durch das Marinebauamt wieder aufgebaut.[267] Da das Marinebauamt ohne besondere Genehmigung nur bis zum Betrage von D.Kr. 10.000,- verbauen kann, der Aufbau aber etwa D.Kr. 30.000,- kosten wird, hat Rü Stab Dän. bei OKM N Wa die Genehmigung des Wiederaufbaues in vorgenannter Höhe wegen der Dringlichkeit der Fertigung beantragt; Entscheidung steht

---

263 Se Bests telegram nr. 83, 19. januar 1944 og Rü Stab Dänemarks situationsberetning 31. august 1944.
264 Se Rü Stab Dänemarks situationsberetning 30. april 1944.
265 Det var BOPA, der havde saboteret Aage J. Sørensens Maskinfabrik, Stubmøllevej 35, begge gange. Første gang skete der betydelig bygningsskade, anden gang blev fabrikken totalt ødelagt. Den arbejdede for 90 procents vedkommende for værnemagten (RA, BdO Inf. nr. 35, 6. maj og nr. 36, 12. maj 1944, Kjeldbæk 1997, s. 473).
266 Se Rü Stab Dänemarks situationsberetninger for maj og juli 1944.
267 Sabotagen mod Always, Frederiksholms Havnevej, blev foretaget af BOPA (Rü Stab Dänemarks situationsberetning 31. maj 1944, Kjeldbæk 1997, s. 474).

noch aus.²⁶⁸ Das an Johnsen angrenzende Fabrikgrundstück wurde beschlagnahmt und geräumt, um den Betrieb besser sichern zu können.

Das OKM hat befohlen, daß möglichst sofort mit der Produktion einer möglichst großen Anzahl HFG, 12 m lang, begonnen wird, selbst wenn sie auf Kosten der 24 m langen Geräte gehen würde. Da die Helsingör Skibsvärft nicht mehr in der Lage ist, den Wünschen zu entsprechen, hat sich Rü Stab Dän. mit weiteren Firmen in Verbindung gesetzt.

Die im April durch Schadenfeuer zerstörte Kesselschmiede und Gießerei der Helsingör Skibsvärft sind wieder aufgebaut, nachdem das erforderliche Eisen seitens Rü Stab Dän. vorgeschossen wurde.²⁶⁹ In diesen Werkstätten wird bereits wieder gearbeitet.

Luftwaffe:
Die Luftwaffenfertigung wurde durch die Zerstörung der Fa. Globus Cykler am 6.6.44 besonders hart betroffen.²⁷⁰ Dort wurden Flugzeugteile für die Fa. Arado hergestellt. Die Fertigung wird bis zum Wiederaufbau der alten Betriebsstätte in die Räume der Orlogswerft verlegt.

Die Sabotage bei der Fa. Bohnstedt-Petersen am 21.6.44 hatte einen geringeren Umfang, so daß der angerichtete Schaden in 14 Tagen beseitigt ist. Dieser Betrieb arbeitet für die Fa. Arado.

Die Aufträge der Fa. Dornier, die in den im Mai 1944 durch Sabotage zerstörten Flyvemaskinvärkstederne, Klövermarksvej, bearbeitet worden waren,²⁷¹ übernahm in voller Höhe die Fa. Jeko, Abt. Finsensvej. Dieser Firma sind Maschinen, die bei der Zerstörung der Flyvemaskinvärkstederne erhalten geblieben waren, leihweise zur Verfügung gestellt worden. So ist es gelungen, den Ausfall durch die Sabotage zu mildern. Z.Zt. ist bereits 1/3 des früheren Ausstoßes erreicht und im September d.Js. wird wieder die volle Höhe der Lieferung vorgenommen werden können.

Die im Lagebericht vom 30. März erwähnte Fertigung von Flugzeugsperrholzplatten ist Mitte Juni angelaufen.

Zentralabteilung:
Die Fertigstellung von Werkzeugmaschinen ist durch den spärlichen Eingang von Kugellagern und Blechen behindert. Die auf den schleppenden Materialeingang zurückzuführende Stockung in der Fertigung von Elektromotoren wurde aufgeholt. Im Mai konnten für RM 200.000,- Motoren ausgeliefert werden.

Sonstige Fertigungen und Auslieferungen verliefen normal. Sabotagen traten bei Firmen mit Aufträgen über Abt. Z nicht ein.

Energieversorgung:
Auf dem Gebiete der Energieversorgung sind Schwierigkeiten nicht eingetreten.

---

268 Se Forstmann til Wurmbach 23. maj 1944.
269 Se Rü Stab Dänemarks situationsberetning 30. april 1944.
270 Se ovenfor.
271 Se Rü Stab Dänemarks situationsberetning 31. maj 1944.

1c. Versorgung der Betriebe mit Roh- und Betriebsstoffen
Der deutsche Lieferungsrückstand an Eisen und Stahl betrug am 30.4.44 – 12.876 t, d.h. also 993 t mehr als im Vormonat. Für NE-Metalle ist der Lieferungsrückstand 199 t, mithin 30 t mehr als im Vormonat.

2b. Lage der Treibstoffversorgung
Im Monat Juni wurden 64.455 t Dieselöl, 12 t Dieselöl für das Hansaprogramm und 191 ltr. Benzin zugewiesen

2c. Lage der Kohlenversorgung
Im Monat Mai 1944 wurden eingeführt:

Kohle*)	197.414 t	(April 200.100 t)
Koks	31.188 t	(April 32.800 t)
Sudetenkohle	22.779 t	(April 9.500 t)
Braunkohlenbriketts	40.000 t	(April 20.000 t)
insgesamt:	291.381 t	(April 262.400 t)

*) Von obiger Kohlenmenge entfällt auf die dänische Staatsbahn 37.905 t (im April 30.800 t).

Die dänische Braunkohlenproduktion im Mai 1944 liegt bedeutend unter der des Mai 1943. Durch die immer geringer werdenden Transportmöglichkeiten zeigt die Braunkohlenförderung der letzten 5 Monate fallende Tendenz.

Das anhaltende ungünstige Wetter beeinflußt Menge und Qualität der Torfproduktion.

269. Rüstungsstab Dänemark: Darstellung der rüstungswirtschaftlichen Entwicklung 30. Juni 1944

Det var en meget kort oversigt over rustningsproduktionen i Danmark for første halvår 1944, som Forstmann udarbejdede. For sabotagens vedkommende henviste han til månedsberetningerne, mens han for værdien af rustningsproduktionen kunne opvise en stigning på 37,5 % i forhold til samme periode 1943.
Kilde: BArch, Freiburg, RW 27/15. RA, Danica 1000, T-77, sp. 696, KTB/Rü Stab Dänemark, 2. Vierteljahr 1944, Anlage 30.

Chef Rü Stab Dänemark   Anlage 30

Darstellung
der rüstungswirtschaftlichen Entwicklung.

Der Auftragseingang im 1. Halbjahr 1944 betrug im Monatsdurchschnitt D.Kr. 11.427.171,- Das entspricht in etwa dem Durchschnitt des Jahres 1943 mit D.Kr. 11.582.429,- (ohne Hansa-Programm).

Ein Vergleich der Auslieferungen im 1. Halbjahr 1944 mit denen des 1. Halbjahres 1943 zeigt, daß 1944 für RM 62.156.659,-, 1943 für RM 45.215.310,- ausgeliefert wurden. Im 1. Halbjahr 1944 wurde demnach eine um 37,5 % gesteigerte Auslieferung der nach Dänemark verlagerten Rüstungsaufträge erreicht. Diese Steigerung ist in erster Linie auf eine noch intensivere Auftragsverfolgung seitens Rü Stab Dän. – insbesondere bezüglich der Material- und Teilezulieferungen – zurückzuführen.

Über die Sabotagefälle während der Berichtszeit ist in den monatlichen Lageberichten des Rü Stab Dän. (Anlage 10, 23 und 29)[272] eingehend berichtet worden. Rü Stab Dän. hat für 4 sabotierte Betriebe neue Fertigungsstätten ausfindig gemacht und sie einrichten lassen.

Forstmann

270. Kriegstagebuch/Höheres Kommando Kopenhagen 30. Juni 1944

Der havde kl. 11.30 været møde hos Best om situationen i København, hvor mødedeltagerne var von Hanneken, Richter, Kloevekorn, Mauff, Pancke og von Heimburg. Det blev besluttet tvangsmæssigt at bryde generalstrejken. HKK overtog fra kl. 12 den 1. juli den udøvende magt i København. Der blev tilført troppeforstærkninger, patruljeringen blev udvidet, og der blev indsat troppeenheder ved trafikknudepunkter. De kommunale værker skulle besættes og forsyningerne til byen afbrydes.

Richter lod notere, at mødet hos Best på Dagmarhus fandt sted 11.30, mens von Heimburgs krigsdagbog angiver kl. 10. Hvem deltagerne var, kan de heller ikke blive enige om. Til gengæld er der enighed om, hvilke forholdsregler der skulle sættes i værk. Der har muligvis været afholdt to forskellige møder, så Richter først efterfølgende blev orienteret.

Det kom til sammenstød med befolkningen om aftenen, modstanden blev efter ordre nedkæmpet med våbenmagt. Det førte til betydelige tab blandt civilbefolkningen, ca. 20 døde og ca. 250 sårede. Barrikader blev ryddet med panserværnskanoner og granater. Der blev demonstreret magtanvendelse inden for afstukne rammer, men antallet af dræbte og sårede var efter de danske besættelsesforhold betydelige.

Kilde: RW 38/181. KTB/HKK 30. juni 1944. RA, Danica 1069, sp. 10, nr. 11.878f.

30.6.1944

11.30 Uhr Besprechung beim Reichsbevollmächtigten über die derzeitige Lage in Kopenhagen, an welcher der Wehrmachtbefehlshaber General v. Hanneken, Generalleutnant Richter Höh. Kdo. Kph., Obstlt. Kloevekorn Ia Höh. Kdo., Obstlt. Mauff Wehrmachtsortskommandant Kopenhagen, Obergruppenführer Pancke Höh. SS u. Polizei Führer, General von Heimburg BdO teilnahmen.

Da trotz der Verlegung der Sperrstunde von 20.00 auf 23.00 Uhr auf Druck der Kommunisten die Arbeit in den meisten Betrieben Kopenhagens eingestellt worden ist, wird beschlossen, zur Brechung des Streiks Zwangsmaßnahmen durchzuführen. Wehrm. Befh. Dän. befiehlt auf Antrag des Reichsbevollmächtigten, daß ab 1.7.44 12.00 Uhr die vollziehende Gewalt in Kopenhagen auf Generalleutnant Richter übergeht, falls bis zu diesem Termin die reguläre Arbeit nicht wieder aufgenommen ist.

Zur Durchführung der dann zu veranlassenden Maßnahmen werden je 2 Komp. der Batle. D IV, XI, XII, XIII in E.-Transporten bezw. Landmarsch aus den bisherigen Standorten nach Kopenhagen herangeführt. Eintreffen dieser 8 Komp. bis 30.6. Mitternacht.

Außerdem erfolgt seitens des Wehrm. Befh. Zuführung des Regts. Pier (Radfahrverband bestehend aus 9 Radfahrkomp. der D-Batle.) im E.-Transport von Oksböl (Jüt-

272 Trykt ovenfor.

land) nach Kopenhagen und der Pz. A.A. 3 aus dem Raum um Aarhus im Landmarsch nach Kopenhagen.

Innerhalb des Stadtgebietes von Kopenhagen werden die Wachen verstärkt und Wehrmachtstreifen zur Kontrolle des Personen- und Fahrzeugverkehrs und zur Verhinderung von Ansammlungen eingesetzt. An 9 wichtigen Verkehrsknotenpunkten des Stadtzentrums werden von den Truppen des Heeres, der Marine und der Polizei Stützpunkte eingerichtet. Auf Befehl des Wehrm. Befh. Dän. sind ab 30.6. 20.00 Uhr alle Versorgungsbetriebe der Stadt Kopenhagen (Gas-, Elektrizitäts- und Wasserwerke) durch Wehrmacht zu besetzen und für die Versorgung der Stadt stillzulegen. Die Besetzung der Stützpunkte ist bis 17.00 Uhr, die Besetzung der Versorgungsbetriebe und deren Sperrung für die Stadt bis 22.00 Uhr durchgeführt.

Befehle für die Sicherung der Ruhe und Ordnung in Kopenhagen Ia 2500/44 geh. (Anlage 203)[273]

Am Abend des 30.6. kommt es bei der Besetzung der Versorgungsbetriebe und bei Beseitigung von Barrikaden durch die Streifen der Wehrmacht in der Nörrebrogade und Istedgade und verschiedenen anderen Stellen der Stadt zu Zusammenstößen mit anscheinend kommunistischer Bevölkerung, bei denen auf die Truppe geschossen wird. Befehlsgemäß wurde der Widerstand der Bevölkerung durch die Truppe mit Waffengewalt gebrochen, wobei es nach den Meldungen der Truppe zu erheblichen Verlusten der Zivilbevölkerung (ca. 20 Tote und ca. 250 Verletzte) gekommen ist. Die Verluste der Truppe beschränken sich auf einige Verwundete. Zur Beseitigung der Barrikaden wurden Pak-Geschütze und Sprenggranaten eingesetzt.

Nach den ersten blutigen Zusammenstößen in den frühen Abendstunden bleibt die Stadt in der Nacht zum 1.7. verhältnismäßig ruhig.

---

273 Trykt ovenfor.